Peter Eisenberg Grundriß der deutschen Grammatik

Peter Eisenberg

Grundriß
der deutschen Grammatik

J.B. Metzlersche Verlagsbuchhandlung
Stuttgart

CIP-Kurztitelaufnahme der Deutschen Bibliothek

Eisenberg, Peter:
Grundriss der deutschen Grammatik /
Peter Eisenberg. – Stuttgart : Metzler, 1986.
  ISBN 3-476-00582-8

ISBN 3 476 00582 8

© 1986 J.B. Metzlersche Verlagsbuchhandlung
und Carl Ernst Poeschel Verlag GmbH in Stuttgart
Satz: Typobauer Filmsatz GmbH, Scharnhausen
Druck: Philipp Reclam jun., Ditzingen
Einbandgestaltung: HF Ottmann
Printed in Germany

NB
2-9-88

Für
Sonja und Johanna

Inhaltsverzeichnis

5. Substantiv, Artikel, Pronomen

6. Adverb und Adverbial

7. Attribute

8. Subjekte und Objekte

9. Koordination

10. Adverbial- und Ergänzungssätze

11. Infinitivkonstruktionen

Vorwort

Das vorliegende Buch stellt sich zwei Aufgaben. Erstens will es den Kernbereich der deutschen Grammatik in seinen Hauptlinien und unter Berücksichtigung neuerer Forschungsergebnisse darstellen. Zweitens soll der Leser in die Lage versetzt werden, grammatische Analysen nicht nur nachzuvollziehen, sondern auch selbst durchzuführen und zu bewerten.

Auf der inhaltlichen Seite bestand die Hauptschwierigkeit in folgendem. Ein großer Teil der Arbeiten zur deutschen Grammatik verwendet die mehr oder weniger restringierten Beschreibungssprachen der verschiedenen sprachwissenschaftlichen Schulen. Ein Zugang zu ihren Ergebnissen ist nur möglich, wenn man sich auf die Denkweise und die Formalismen der jeweiligen Schule einläßt. Das ist nicht immer einfach und hat die Verbreitung grammatischen Wissens behindert. Besonders im Studium, aber auch beim traditionell an grammatischen Fragen interessierten Publikum wird Manches kaum zur Kenntnis genommen. Zwar wäre eine vollständige Umsetzung solcher Ergebnisse in eine verständliche, formal nicht restringierte Sprache die Quadratur des Zirkels. Der ›Grundriß‹ versucht aber, die terminologischen und theoretischen Barrieren zwischen der unmittelbar zugänglichen deskriptiven und der schwerer zugänglichen konstruktivistischen Grammatik so weit abzutragen, daß man an möglichst viele Aussagen über die Sprache selbst herankommt.

Daß dies Buch innerhalb einer vertretbaren Zeitspanne abgeschlossen werden konnte, ist der Unterstützung zu verdanken, die mir von verschiedener Seite zuteil wurde. Eine Reihe von Kollegen war bereit, einzelne Kapitel zu lesen und zu kommentieren. Für Hinweise zur Sache danke ich Veronika Ehrich (Nijmegen), Günther Grewendorf (Frankfurt), Hartmut Haberland (Roskilde), Otto Ludwig (Hannover), Frans Plank (Konstanz), Heinz Vater (Köln), Edith Weuster (Köln) und Bernd Wiese (Berlin). Alexander Gusovius und Matthias Bornschein halfen beim Bibliographieren, Korrekturlesen und Erstellen der Register. Agneta Langrehr hat mit viel freundlicher Geduld ein technisch perfektes Typoskript hergestellt. Auch an der notwendigen Rückenstärkung und Ermutigung durch Kollegen, Freunde und nicht zuletzt durch meine Familie hat es nicht gefehlt. Allen danke ich herzlich.

Anstelle von vorbeugenden Hinweisen auf Lücken und Unzulänglichkeiten im Text zum Schluß eine wahre Geschichte. Etwa fünfzehn Jahre nach Eröffnung der Golden Gate Bridge stellte ein Mitarbeiter der Autobahngesellschaft von Nordkalifornien am ostwärtigen Ende der Brücke Rostspuren fest. Ein Maler wurde mit dem Neuanstrich beauftragt. Er fing am verrosteten Ende an und arbeitete sich zum westlichen Ufer vor. Nach Abschluß der Arbeiten waren fünfzehn Jahre vergangen, man stellte am ostwärtigen Ende Rostspuren fest.

Hannover/Berlin, 4. Januar 1985   Peter Eisenberg

Hinweise für den Benutzer

Der ›Grundriß‹ soll zum Selbststudium wie als Grundlage von Lehrveranstaltungen zur deutschen Grammatik verwendbar sein. Die interne Organisation des Buches trägt beiden Verwendungsweisen Rechnung.

Der eigentlichen Grammatik gehen zwei Einleitungskapitel voraus. Sie bringen eine allgemeine Orientierung über die Aufgaben von Grammatiken und über Möglichkeiten, diese Aufgaben anzupacken (Kap. 1). Im zweiten Kapitel werden sprach- und grammatiktheoretische Grundbegriffe eingeführt und soweit expliziert, wie es zum Verständnis des Folgenden notwendig erschien. Die verwendete Begrifflichkeit stützt sich zum Teil auf Ergebnisse eines Projekts zur Sprach- und Grammatiktheorie, das viele Jahre lang am Fachbereich Germanistik der FU Berlin unter der Leitung von Hans-Heinrich Lieb durchgeführt wurde. Man wird bei der Bearbeitung einzelner Teile der Grammatik immer wieder auf das zweite Kapitel zurückgreifen müssen. Es ist aber nicht notwendig, die theoretischen Teile als Ganze zu studieren, bevor man sich den inhaltlichen Teilen zuwendet. Zumindest die Kapitel 3 bis 6 sollten auch direkt zugänglich sein. Hat man erst einmal zwei oder drei Kapitel der Grammatik gelesen, bereitet auch Kapitel 2 keine Schwierigkeiten mehr.

Die Grammatik behält den diskursiven Stil der Vorlesung bei, der sie entstammt. Die Darstellung in den einzelnen Abschnitten folgt vielfach einem dreischrittigen Schema: (1) Präsentation der Fakten und ihrer Formanalyse, (2) Form und Funktion und (3) Punkte besonderen Interesses, etwa theoretischer oder historiographischer Art. Ergänzt wird die Darstellung durch Aufgaben. Es handelt sich bei den meisten der über 200 Aufgabenstellungen (zusammengefaßt in 126 Gruppen) nicht einfach um reproduktive Übungen, sondern auch um Anregungen zum Weitergrübeln, um Hinweise auf speziellere Fragestellungen, ungelöste Probleme, Verbindungen zu anderen Teilen der Grammatik usw. Dem Leser wird geraten, den Textverweisen auf die Aufgaben unmittelbar zu folgen und die Aufgaben wenigstens kurz anzusehen. Nicht nur, weil dies eine effektive Form der Aneignung grammatischer Kenntnisse ist, sondern auch, weil der weitere Text die Kenntnis der Aufgaben und ihrer Lösungen in manchen Fällen voraussetzt. Die zu den Aufgaben angebotenen Lösungshinweise sind so ausführlich, daß zumindest ein Lösungsweg erkennbar wird.

Im Text finden sich zahlreiche Literaturverweise. Sie beziehen sich einmal – als eine Art Kanon – auf etwa zwei Dutzend neuerer und älterer Standardwerke. Es sind dies die Schultern der Riesen, von denen aus wir versuchen, das Land zu überblicken. Zum anderen wird auf neuere Spezialliteratur verwiesen. Das dient der Kennzeichnung gegenwärtig vertretener Positionen, der Einordnung des in dieser Grammatik vertretenen Standpunkts und natürlich als Anregung zur Weiterarbeit. Verweise auf schwer zugängliche und besonders schwer rezipierbare Literatur wurden so weit wie möglich vermieden. Die im Text aufgeführten Kurztitel nennen das Erscheinungsjahr der jeweils zitierten Auflage oder Ausgabe. Wo das von Bedeutung ist, wird im Literaturverzeichnis das Jahr der Erstausgabe vermerkt.

Sachregister und Wortregister enthalten nicht Verweise auf jede Nennung des

Stichwortes oder Wortes im Text. Es wurde versucht, im Interesse einer effektiven
Handhabung hier Gewichtungen vorzunehmen und insbesondere das Sachregister
benutzerfreundlich zu organisieren. Verweise auf Textstellen, an denen ein Begriff
eingeführt wird, sind im Sachregister durch Kursivdruck gekennzeichnet.

Abkürzungen und Symbole

Syntaktische Relationen

adjattr	Adjektivattribut
adv	adverbiale Bestimmung
akkobj	Akkusativobjekt
appos	Apposition
attr	Attribut
datobj	Dativobjekt
dirobj	direktes Objekt
erg	Ergänzung
genattr	Genitivattribut
indobj	indirektes Objekt
kgeb	konjunktional gebunden
ngeb	nominal gebunden
obj	Objekt
prattr	Präpositionalattribut
präd	Prädikat
prädnom	Prädikatsnomen
prgeb	präpositional gebunden
probj	Präpositionalobjekt
subj	Subjekt
verg	verbale Ergänzung
vgeb	verbal gebunden

Konstituentenkategorien

Adv	Adverb
AdvGr	Adverbialgruppe
IGr	Infinitivgruppe
K	Konjunktion
N	Nomen
NGr	Nominalgruppe
Pr	Präposition
PrGr	Präpositionalgruppe
PtGr	Partizipialgruppe
S	Satz
V	Verb

Paradigmenkategorien

ADJ	Adjektiv
AKK	regiert Akkusativ
(AKK)	regiert fakultativen Akkusativ
ANAKK	regiert PrGr mit *an* + Akk
ART	Artikel
ASUB	subordinierende Konjunktion Adverbialsatz
COM	Appellativum (common noun)
DAGEN	regiert Dativ oder Genitiv
DAKK	regiert Dativ oder Akkusativ
DASS	regiert *daß*-Satz
DAT	regiert Dativ
DEF	definit
DEMPR	Demonstrativpronomen
DETPR	Determinativpronomen
ESUB	subordinierende Konjunktion, Ergänzungssatz
FEM	Femininum
FV	Funktionsverb
GEN	regiert den Genitiv
HMV	Halbmodalverb
HV	Hilfsverb
IDFPR	Indefinitpronomen
INDAT	regiert PrGr mit *in* + Dat
INF	regiert reinen Infinitiv
INTPR	Fragepronomen
KOR	koordinierende Konjunktion
KV	Kopulaverb
MAS	Kontinuativum (mass noun)
MASK	Maskulinum
MV	Modalverb
MV1	Modalverb Typ 1
MV2	Modalverb Typ 2
NDEF	nicht definit
NEG	Negationselement
NRES	nicht restringiert im Numerus
NEUT	Neutrum
NOM	regiert Nominativ
NOM/AKK	regiert Nominativ und Akkusativ
OB	regiert *ob*-Satz
PLT	Pluraletantum
POSPR	Possessivpronomen
PRO	Pronomen
PRP	Eigenname (proper noun)
PRSPR	Personalpronomen
RELPR	Relativpronomen
RES	restringiert im Numerus

SGT	Singularetantum
1ST	einstellig
2ST	zweistellig
SUB	subordinierende Konjunktion
SUBST	Substantiv
VODAT	regiert PrGr mit *von*
VV	Vollverb
WE	regiert *w*-Satz
ZINF	regiert *zu*-Infinitiv

Einheitenkategorien

Akk	Akkusativ
Akt	Aktiv
Dat	Dativ
Det	determinierend (Adjektiv)
Fem	feminin
Fut1	Futur 1
Fut2	Futur 2
Gen	Genitiv
Idet	indeterminierend (Adjektiv)
Imp	Imperativ
Ind	Indikativ
Inf	reiner Infinitiv
Komp	Komparativ
Konj	Konjunktiv
Mask	maskulin
Neut	neutral
Nom	Nominativ
Part	Partizip
Pass	Passiv
Pf	Perfekt
Pl	Plural
Pos	Positiv
Pqpf	Plusquamperfekt
Präs	Präsens
Prät	Präteritum (Imperfekt)
1.Ps	erste Person
2.Ps	zweite Person
Schw	schwach
Sg	Singular
Stk	stark
Sup	Superlativ
Unfl	unflektiert
Zinf	*zu*-Infinitiv

Sonstiges

→	siehe auch (Sachregister)
*	ungrammatisch
△	unanalysiert
≥	größer oder gleich
≤	kleiner oder gleich
~	nicht
∧	und
∨	oder
⊃	wenn
←	weil
<	da
··········	Rektionsbeziehung
–·–·–·–·	Kongruenzbeziehung
+ + + + + +	Identitätsbeziehung
– – – – – – –	syntaktische Relation; direkt oder unspezifiziert
–··–·–··–·	syntaktische Relation, indirekt
/ /	phonologische Einheit
⌈ ⌉	phonetische Einheit
< >	graphematische Einheit

1. Rahmen und Zielsetzungen

1.1 Zur Aufgabe von Grammatiken

Eine Grammatik als Gebrauchsbuch soll Auskunft darüber geben, was richtig und was falsch ist. Eine deutsche Grammatik stellt fest, was zum Deutschen gehört und was nicht. Das Richtige seinerseits ist für eine Gebrauchsgrammatik nicht einfach richtig, sondern es kann ›kaum noch gebräuchlich‹ oder ›sogar schon möglich‹ sein, ›unschön‹ oder ›gewählt‹, ›geziert‹ oder ›schwerfällig‹.

Diese und viele andere wertende Prädikate verwendet die Duden-Grammatik zur Kennzeichnung von Ausdrücken, die für die große Mehrheit der Sprecher des Deutschen selbstverständlich sind, die sie gebrauchen, ohne sich je um die Meinung einer Grammatik zu kümmern. Fängt jemand erst an, eine Grammatik zu konsultieren, so hat sich sein Verhältnis zur Sprache schon entscheidend geändert: er ist zu ihr auf Distanz gegangen und dabei, seine Sprache mit ›dem Deutschen‹ zu vergleichen.

Das Verhältnis von Gebrauchsgrammatik und Sprache wird ganz deutlich, wenn man sich vorstellt, es gäbe keine Grammatik. Wir unterstellen, daß der Wille zum richtigen und sogar guten Deutsch nicht an der Existenz einer Grammatik hängt, wo immer er sonst herkommt. Wer ohne eine Grammatik richtig und gut sprechen will und sich dabei nicht auf sich selbst verläßt, kann nichts anderes tun, als andere Sprecher fragen, ob man so und so sagen könne. Irgendwann wird es ihm dann wie Schuppen von den Augen fallen, daß er von seinem Nachbarn oder irgendjemandem sonst keine bessere Auskunft bekommen kann als von sich selbst. Sagt ihm jemand »Du sprichst schlecht« oder »Deine Ausdrucksweise ist unschön«, so wird ihm klar, daß gut und schlecht, schön und unschön, richtig und falsch nichts sind als andere Bezeichnungen für ›meine Sprache‹ und ›deine Sprache‹. Das Deutsch der anderen, die sagen, wie es gut und richtig ist, wird in der Regel ›die deutsche Standardsprache‹ genannt, oder auch ›deutsche Literatursprache‹ oder einfach ›Hochdeutsch‹. ›Mein Deutsch‹ dagegen bedeutet in der Regel ›mein Dialekt‹, ›mein Jargon‹, ›meine Alltagssprache‹.

Die Funktion von Grammatiken in diesem Zusammenhang ist es seit jeher gewesen, das Denken in den Kategorien ›meine Sprache‹ und ›deine Sprache‹ zu vermeiden, es gar nicht dazu kommen zu lassen. Ist eine Grammatik als explizite, kodifizierte Norm einmal anerkannt, so beweist das nur, daß auch die Existenz einer bestimmten Sprachausprägung, etwa das Hochdeutsche, als weitgehend unabhängig von den Sprechern anerkannt ist. Die Grammatik als kodifizierte Norm verhilft einer bestimmten Sprachausprägung zum Anschein des Natürlichen, zumindest aber des nicht hinterfragbar Gegebenen. Zwar mögen einsichtsvolle Leute – unter ihnen sicherlich die Linguisten – längst wissen und auch sagen, daß es ›das Hochdeutsche‹ nicht gibt, daß die Sprache des Einen nicht schlechter sei als die des Anderen und daß es höchstens gewisse praktische Gründe für sprachliche Vereinheitlichungen gebe: sie werden wenig an der Vorstellung ändern, man könne mithilfe der Grammatik zu richtigem Deutsch gelangen. Wer nicht glaubt, daß es sich so verhält, sollte einmal einige der Briefe mit Anfragen an die Sprachberatungsstelle der Duden-Redaktion lesen (Berger 1968). Die Mitarbeiter des Duden werden kaum einmal um ihre Ansicht zu diesem oder jenem Problem gebeten. Meist wird vielmehr gefragt, wie es sich denn ›wirklich‹ verhalte.

Man kann nun versuchen, das Normproblem der sogenannten traditionellen Grammatik anzuhängen, indem man darauf verweist, daß die moderne Linguistik auch dort, wo sie Grammatik treibt, damit nichts zu tun hat oder sich gar vom normativen Gebrauch der Grammatik distanziert. In der Tat hat man von linguistischer Seite älteren Grammatiken neben ihrer historischen Ausrichtung und allerlei Mängeln an ›Wissenschaftlichkeit‹ (dazu Cherubim 1975; Platz 1977; Rüttenauer 1979) immer wieder vorgehalten, sie seien normativ (Lyons 1971: 43 ff.; dazu auch Hartung 1977: 43 ff.). Man selbst versteht sich dagegen als deskriptiv. Die Grammatik soll erfassen, was ist, und nicht vorschreiben, was sein soll.

Die Unterscheidung von deskriptiver und präskriptiver (normativer) Grammatik hat sich jedoch als aus mehreren Gründen problematisch erwiesen. Einmal ist es nicht die Grammatik selbst, die normativ ist, sondern der Gebrauch, der von ihr gemacht wird. Jede deskriptive Grammatik kann so verwendet werden, u. U. ganz entgegen den Intentionen ihrer Verfasser. Zweitens führt die Präzisierung der Termini ›Grammatik‹ und ›Sprache‹, wie sie in der neueren Linguistik akzeptiert ist, auch theoretisch zu der Einsicht, daß Deskription und Präskription kaum zu trennen sind. Das Problem liegt bei der Vollständigkeit, mit der eine Grammatik eine Sprache erfassen soll. In seinem 1957 erstmals erschienen und allgemein als für den neuen Grammatikbegriff epochemachend angesehenen Büchlein ›Syntactic Structures‹ schreibt Noam Chomsky über das Verhältnis von Grammatik und Sprache (1973: 15 f.): »Von jetzt ab werde ich unter einer Sprache eine (endliche oder unendliche) Menge von Sätzen verstehen, jeder endlich in seiner Länge und konstruiert aus einer endlichen Menge von Elementen. Alle natürlichen Sprachen – in ihrer gesprochenen oder geschriebenen Form – sind Sprachen in diesem Sinn, da jede natürliche Sprache eine endliche Zahl von Phonemen (oder Buchstaben in ihrem Alphabet) hat und jeder Satz als eine endliche Folge von Phonemen (oder Buchstaben) dargestellt werden kann, obwohl es unendlich viele Sätze gibt. Ähnlich kann die Menge von ›Sätzen‹ irgendeines formalisierten Systems der Mathematik als eine Sprache verstanden werden. Das grundsätzliche Ziel bei der linguistischen Analyse einer Sprache L ist es, die grammatischen Folgen, die Sätze von L sind, von den ungrammatischen Folgen, die nicht Sätze von L sind, zu sondern und die Struktur der grammatischen Folgen zu studieren. Die Grammatik von L wird deshalb eine Vorrichtung sein, die sämtliche der grammatischen Folgen von L erzeugt und keine der ungrammatischen . . .

Zu beachten ist, daß es genügt, um die Ziele der Grammatik sinnvoll zu setzen, eine Teilkenntnis von Sätzen und Nicht-Sätzen anzunehmen. Das heißt, wir können für diese Diskussion annehmen, daß gewisse Folgen von Phonemen eindeutig Sätze und daß gewisse andere Folgen eindeutig Nicht-Sätze sind. In vielen mittleren Fällen werden wir dann so weit sein, die Grammatik selbst entscheiden zu lassen, wenn nämlich die Grammatik in der einfachsten Weise aufgestellt ist, so daß sie die klaren Sätze ein- und die klaren Nicht-Sätze ausschließt.«

Die Sprache als Menge von Sätzen und die Grammatik als Mechanismus, der genau diese Menge von Sätzen erzeugt: das sind Begrifflichkeiten, die so ausschließlich auf konstruierte Sprachen passen, in denen sich die Frage der Abgrenzung grammatischer und ungrammatischer Sätze aus dem Sprachgebrauch heraus gar nicht stellt. Werden sie auf natürliche Sprachen – so nennt man unsere Sprachen, eben so, als seien sie ein Stück Natur – angewendet, dann bringt allein die Forderung nach Abgrenzung der grammatischen von den ungrammatischen Sätzen die Behauptung vom deskriptiven Charakter der Grammatik ins Wanken. Die Grammatik selbst ist es, die bestimmt, welche der Zweifelsfälle noch zur Sprache gehören und welche schon nicht mehr. Es ist und bleibt Aufgabe der Grammatik, zwischen richtig und falsch für eine Sprache zu entscheiden.

Man muß allerdings zugestehen, daß die Gründe, die zu dieser Aufgabenstellung für die Grammatik führen, bei der normativen gänzlich andere sind als bei der, die gern deskriptiv sein möchte. Geht es im ersten Fall um Fortschreibung und Durchsetzung einer bestimmten Sprachausprägung für alle Sprecher, so geht es im zweiten Fall um den Versuch, eine Sprache möglichst vollständig und in diesem Sinne genau zu erfassen. Beiden gemeinsam ist aber, daß sie von der zweiten und eigentlich interessanten Aufgabe von Grammatiken absehen.

Grammatiker streiten sich ja häufig. Sie arbeiten unterschiedliche Lösungen für dieselben Mengen von Fakten aus und setzen sich darüber auseinander, welche der Lösungen die bessere oder gar die richtige ist. Beispielsweise gibt es eine lange Diskussion darüber, wieviele und welche Wortarten das Deutsche hat. Eine solche Frage betrifft nicht die Unterscheidung von richtig und falsch, sondern sie betrifft die Klassifikation von Einheiten, deren Zugehörigkeit zur Sprache außer Zweifel steht. Statt um richtig und falsch geht es darum, welche Struktur ein bestimmter Bereich des Deutschen hat. Grammatische Auseinandersetzungen sind meistens Auseinandersetzungen über Strukturen, auch wenn sie nicht als solche verstanden werden. Die zweite Aufgabenstellung der Grammatik besteht also darin, Aussagen über die Struktur einer Sprache zu machen. Diese Aufgabe widerspricht der ersten nicht, sie geht aber wesentlich über sie hinaus. Man kann sehr wohl zwischen richtig und falsch für eine Sprache unterscheiden, ohne das Geringste über die Struktur der richtig gebildeten Ausdrücke zu wissen. Man kann aber nicht über die Struktur von Ausdrücken reden, ohne zu wissen, daß sie Ausdrücke sind, d.h. zur Sprache gehören.

Dennoch stellt sich das Problem von richtig und falsch für den an der grammatischen Struktur Interessierten ganz anders dar als für den, der vor allem ein Interesse an der Norm hat. Jemand werde gefragt »Warum kommst du so spät?« und er antwortet »Ich komme erst jetzt, weil ich hab noch gearbeitet«. Ausdrücke dieser Form kommen im gesprochenen Deutsch seit einiger Zeit ziemlich häufig vor, aber sie sind falsch (Kann 1972; van de Velde 1974). Dem Sprachnormer fällt dazu genau eines ein, nämlich »Richtig muß es heißen . . . **weil ich noch gearbeitet habe.**«

Für sich genommen ist diese Aussage blind. Sie sagt dem Belehrten nichts, solange sie nicht begründet und verallgemeinerbar wird. In einem bestimmten Sinne ist sie nicht einmal verstehbar. Fängt man aber an, die Aussage zu begründen und verallgemeinerbar zu machen, redet man auch über die Struktur des Satzes, um den es geht. Das beginnt mit der Feststellung, daß hier ›fälschlicherweise‹ die Nebensatzstellung (finites Verb am Schluß) durch die Hauptsatzstellung (finites Verb an zweiter Stelle) ersetzt wurde. Schon diese Feststellung beinhaltet viel Strukturelles, denn sie weist darauf hin, daß der Sprecher nicht einfach den Bereich der Regeln verläßt. Vielmehr wählt er eine Konstruktion, die es im Deutschen tatsächlich gibt. Und es gibt neben **weil** sogar eine andere kausale Konjunktion, die den Hauptsatz verlangt, nämlich **denn**. Daß **denn** und **weil** beinahe dasselbe bedeuten, könnte sehr wohl ein Grund für die ›Verwechslung‹ von Haupt- und Nebensatz sein. Geht man dem weiter nach, dann stellt sich heraus, daß die Hauptsatzstellung gern auch bei **obwohl** verwendet wird. **Obwohl** ist konzessiv, und bei den Kozessivsätzen gibt es wie bei den Kausalsätzen ebenfalls die Konstruktion Hauptsatz + Hauptsatz, eingeleitet etwa mit **zwar . . . aber**.

Umgekehrt haben wir eine andere kausale Konjunktion, bei der die Hauptsatzstellung überhaupt nicht vorkommt, nämlich **da**. Es könnte sein, daß **da** im Gesprochenen selten verwendet wird, eher auf das Schriftdeutsch beschränkt ist und daß hier Freiheiten wie im Gesprochenen ausgeschlossen sind. Es könnte aber auch am Bedeutungsunterschied zwischen **da** und **weil** liegen. Vielleicht ist man sich des im Nebensatz gegebenen Grundes bei **weil** nicht so sicher wie bei **da**, vielleicht verwendet der Sprecher **weil** dann, wenn er eine Begründung eher zögerlich vorbringt oder sie gar erst sucht, so daß nach **weil** leicht eine Pause entsteht. Das würde zur Hauptsatzstellung passen, denn der Hauptsatz signalisiert nicht schon wie der Nebensatz durch seine Form, daß er Teil eines anderen Satzes ist (genauer zu **da** – **weil** 10.2.2). Zu dieser Deutung würde es auch passen, daß die Hauptsatzstellung nach **weil** nicht vorkommt, wenn der Nebensatz dem Hauptsatz vorausgeht.

> (1) a. **Weil ich noch gearbeitet habe, komme ich erst jetzt**
> b.***Weil ich habe noch gearbeitet, komme ich erst jetzt**

1b ist vollkommen ausgeschlossen, niemand würde den Satz so äußern.

Schließlich könnte auch erwogen werden, daß die Konstruktion aus zwei Hauptsätzen kognitiv einfacher zu verarbeiten ist als die aus Haupt- und Nebensatz.

(2) a.   b.

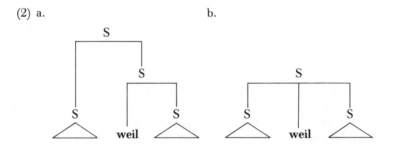

2a zeigt ein denkbares Schema für die Konstruktion mit Nebensatz. Der Nebensatz nach **weil** ist subordiniert, die Konstruktion ist hypotaktisch und erreicht eine größere ›Einbettungstiefe‹ als die parataktische Konstruktion mit zwei Hauptsätzen wie in 2b. Man weiß seit langem, daß hypotaktische Konstruktionen schwerer zu verarbeiten sind als parataktische.

Zu den angedeuteten Überlegungen gehört es, daß man etwas über die Struktur des falsch gebildeten Satzes weiß und den Fehler systematisch einordnen kann. Nur über das Verstehen der Struktur verschafft man sich die Möglichkeit, zu Hypothesen über Deutungen zu kommen.

Der Schluß läßt sich verallgemeinern. Die eigentlich wichtige und interessante Aufgabe einer Grammatik ist es, etwas über die Struktur der Ausdrücke einer Sprache mitzuteilen. Wer sich mit einer Sprache zu beschäftigen hat und andere als feuilletonistische Aussagen über sie machen möchte, muß sich auf strukturelle Gegebenheiten beziehen können. Egal, ob einer den Thesen vom Niedergang unserer Muttersprache widersprechen will, ob er das Pidgin von Arbeitsimmigranten erfassen möchte, ob er sprachtherapeutisch oder sprachpädagogisch tätig ist oder irgendein anderes sprachpraktisches Interesse hat, er wird das jeweilige Sprachverhalten leichter und weitergehender verstehen, wenn die verwendete Sprache ihm strukturell durchsichtig ist.

Was aber umfaßt die strukturelle Beschreibung einer Sprache, worauf erstreckt sie sich? Die Grobgliederung einer solchen Beschreibung ist fast immer an den sog. Beschreibungsebenen orientiert. Diese ihrerseits sind durch den Aufbau des Sprachsystems selbst vorgegeben. Traditionell umfaßt die Grammatik eine Lautlehre, Formenlehre und Satzlehre, häufig noch eine Wortbildungslehre. Unter Formenlehre wird dabei die Lehre vom Flexionssystem einer Sprache verstanden. Man kann das Flexionssystem unabhängig von der Satzlehre betrachten, indem man etwa Flexionsreihen zusammenstellt, sie nach Typen ordnet und ihre interne Struktur untersucht. Im übrigen sind Flexion und Satzlehre aber nicht zu trennen, denn ein Satz ist aus flektierten Formen aufgebaut. Man spricht heute im allgemeinen nicht von Satzlehre, sondern von Syntax. Will man ausdrücklich darauf verweisen, daß dazu auch ein morphologischer Teil gehört (nämlich die Flexion), so spricht man auch von Morphosyntax. Die Morphosyntax des Deutschen ist der Gegenstand unserer Grammatik. In der vorliegenden Form enthält die Grammatik weder eine Lautlehre noch eine Wortbildungslehre. Die Morphosyntax gilt allgemein als das Kerngebiet einer Grammatik. Viele – auch neuere – Grammatiken beschränken sich fast ganz auf diesen Teilbereich, ohne die Einschränkung besonders zu rechtfertigen (Admoni 1970; Schmidt 1973; Helbig/Buscha 1975; Erben 1980). Für uns hat die Beschränkung allein praktische Gründe und keine konzeptionellen. Konzeptionell gehören Lautlehre und Wortbildungslehre unbedingt dazu.

Daß wir dennoch auch von einer Grammatik und nicht nur einer Syntax des Deutschen reden, hat zwei Gründe. Einmal wird bewußt an einen verbreiteten Sprachgebrauch angeknüpft, denn es gibt ja viele Grammatiken, die ebenso verfahren. Zweitens aber ist der Begriff Syntax seit längerer Zeit in folgender Weise spezifisch besetzt.

Die weitaus meisten Grammatikkonzeptionen der neueren Linguistik verstehen unter einer Grammatik einen Algorithmus, das ist eine Menge von Regeln, die als Anweisungen zum Aufbau (›generieren‹) von Sätzen zu verstehen sind. Die Generierung eines deutschen Satzes kann man sich etwa so vorstellen. Zunächst wird eine semantische Repräsentation des Satzes hergestellt. Das ist ein Ausdruck in einer künstlichen Sprache, der für die Bedeutung des natursprachlichen Satzes steht. Die semantische Repräsentation wird umgeformt so lange, bis man den gewünschten Satz des Deutschen erhält, seine sog. syntaktische Oberflächenrepräsentation. Diese Oberflächenrepräsentation trägt ihren Namen, weil die semantische

Repräsentation ihr ›zugrunde‹ liegt. Die Metaphorik von Tiefe und Oberfläche besagt im Prinzip immer ›Nähe zur Bedeutung‹ vs. ›Nähe zur Form‹.

Die syntaktische Oberflächenrepräsentation enthält noch keine Wörter mit ihrem Lautkörper, sondern erst eine abstrakte Lautrepräsentation, die sog. phonologische Tiefenstruktur. Man formt sie weiter um bis zur konkreten Satzgestalt, der phonetischen Repräsentation, die dann als endgültige und letzte Oberflächenrepräsentation gilt (zur Einführung Lyons 1971: 250 ff.; Bartsch/Lenerz/Ullmer-Ehrich 1977: 88 ff.; Heringer/Strecker/Wimmer 1980: 49 ff.; zum Deutschen Huber/Kummer 1974; Edmondson 1982).

(3)

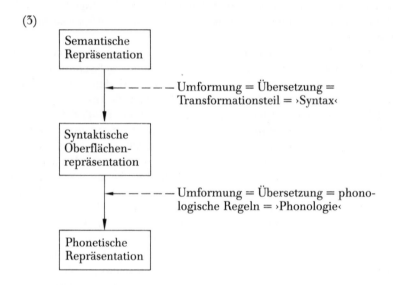

Die Idee vom Algorithmus macht aus der Grammatik eine Maschinerie, einen Apparat zur Symbolmanipulation. Die Linguisten haben sich dann zu überlegen, wie die hardware und die software dieses Apparats aussehen könnten. Dazu wurden viele Vorschläge gemacht, 3 gibt nur eine der Möglichkeiten sehr vereinfacht wieder. Das Gemeinsame ist den Vorschlägen aber ihr Syntaxbegriff insofern unter Syntax stets die Übersetzung einer tieferen und eine Oberflächenrepräsentation verstanden wird. Manchmal gehört auch die Generierung der tieferen Repräsentation selbst zur Syntax, immer gehört aber der Umformungsprozeß dazu.

Es ist dieser Syntaxbegriff, von dem wir uns distanzieren wollen. Unter Syntax verstehen wir ausschließlich die Lehre von der syntaktischen Oberflächenform, eben von der Form selbst, und nicht die Lehre davon, wie man diese Form aus einer ›tieferliegenden‹ erhält. Der Gebrauch der Termini Oberflächensyntax und Oberflächenstruktur zur Charakterisierung des hier vertretenen Ansatzes ist an sich schon problematisch, weil er suggeriert, es gäbe auch andere als Oberflächensyntaxen. Es gibt sie nicht, wenn man zum Ziel hat, in der Syntax die (syntaktische) Form von Sätzen zu beschreiben. Formen können nichts anderes sein als ›Oberflächenformen‹.

Traditionelle Grammatiken sind Oberflächengrammatiken. Sie beschäftigen sich mit der Form von Ausdrücken selbst und nicht mit dem, was ihnen angeblich zugrunde liegt. Wir berufen uns auf diesen Tatbestand als Tradition, wenn wir statt von Syntax und syntaktisch einfach auch von Grammatik und grammatisch reden.

1.2 Sprachfunktion und Sprachstruktur

Die Ankündigung, man wolle die Strukturen der Sätze einer Sprache ermitteln, kann nicht das letzte Wort zur Zielsetzung einer Grammatik sein. Denn interessant wird die Beschäftigung mit der Form von Sätzen erst, wenn man sich fragt, warum die Form so ist wie sie ist und was sie leistet. Die Funktionalität einer Form kann dabei auf zwei unterschiedlichen Ebenen thematisiert werden, nämlich sprachimmanent und sprachfunktional.

Der Gedanke einer immanenten Funktionalität ist mit dem Systemgedanken vorgegeben. Wenn das Sprachsystem insgesamt funktionieren soll, dann müssen seine Teilsysteme bis hin zu den einzelnen Einheiten im Sinne des Gesamtsystems funktionieren. Die innere Rationalität des Systems erzwingt dann möglicherweise Veränderungen einzelner Teile, die interpretiert werden können als ›Beseitigung von Störstellen‹, ›Ausgleich im System‹ usw. (Heeschen 1972: 49 ff.). Solche Vorgänge gibt es auf allen Ebenen des Systems, in der Phonologie ebenso wie in der Syntax, bei den Wortbedeutungen ebenso wie in der Morphologie. Und sie sind seit langem Gegenstand sprachwissenschftlicher Untersuchungen, beispielsweise in der Phonologie der Prager Schule (Trubetzkoy 1939). Besonders entwickelt wurde diese Art des funktionalen Denkens in der Erforschung von Sprachuniversalien, wie sie etwa im Anschluß an die Arbeiten des Amerikaners Joseph Greenberg betrieben wird (Greenberg 1966, 1978). Dort werden Sätze in Form von Implikationen formuliert, etwa »Wenn eine Sprache ein ausgebautes Flexionssystem hat, dann ist sie flexibel hinsichtlich der Wortstellung«, oder auch »Je weniger ausgebaut das Flexionssystem, desto strikter die Wortstellungsregeln«. Die Funktionalität solcher Zusammenhänge hat man erkannt, wenn man eine systemorientierte Kausalbeziehung zwischen dem Vorsatz und dem Nachsatz gefunden hat. Für unser Beispiel scheint sie auf der Hand zu liegen: das Deutsche kennt die Stellungsvarianten **Dein Bruder glaubt dem Chef** und **Dem Chef glaubt dein Bruder,** weil der Unterschied zwischen Nominativ (Subjekt) und Dativ (Objekt) formal markiert ist. Das Englische kennt nur **Your brother believes the boss,** nicht aber die Alternative **The boss believes your brother,** eben weil es die Kasusunterschiede nicht gibt.

Die immanente Funktionalität von Struktureigenschaften einer Sprache muß man verstehen, wenn man ihr Gesamtsystem verstehen will. Durch bloßes Aufzählen dessen, was ist, erreicht man ein Verständnis nicht.

Wichtiger freilich ist der Zusammenhang von Sprachstruktur und Sprachfunktion. Nicht, weil das Sichbeschäftigen mit Grammatik dadurch motiviert werden kann, sondern allgemeiner, weil sprachstrukturelle Untersuchungen dadurch erst nutzbar werden, sei es für Untersuchungen in Nachbardisziplinen der Sprachwissenschaft, sei es für Zwecke der angewandten Sprachwissenschaft.

Viele Schwierigkeiten stehen dem entgegen. Weder hat sich eine funktionale Sprachbetrachtung allgemein durchgesetzt, noch ist es zu einem Konsens über die

Begriffe Struktur und Funktion gekommen. Ein Grund dafür ist u.E., daß das strukturelle Denken und das funktionelle Denken einerseits eng zusammengehören und andererseits grundverschieden sind, so daß die Gratwanderung selten gelingt. Die Gratwanderung nämlich, die einerseits Struktur und Funktion zu trennen vermag, ohne andererseits ihre gegenseitige Bedingtheit aus den Augen zu verlieren. Zur Illustration ein einfaches Beispiel.

Ein Hammer besteht aus Hammerkopf und Hammerstiel, sagen wir kurz ›Kopf‹ und ›Stiel‹. Das scheint zunächst eine Formbeschreibung zu sein. Die Struktur des Hammers hätten wir erfaßt, wenn wir außer den Bestandteilen Kopf und Stiel noch die Beziehung zwischen beiden richtig wiedergeben.

Strukturell im eigentlichen Sinne ist die Beschreibung so aber noch nicht. Ein Wort wie **Stiel** meint nicht eine Klasse von Gegenständen, die losgelöst von ihrer Funktion gesehen werden können, noch können diese Gegenstände aufgrund ihrer Form allein abgegrenzt werden. Äpfel, Harken, Bratpfannen und Hämmer haben Stiele und all die Stiele haben gemeinsame Formmerkmale, aber sie haben auch gemeinsame Funktionsmerkmale. Mit der Verwendung des Wortes **Stiel** bleibt man dem Funktionalen verhaftet. Verwenden wir also statt **Stiel** das Kürzel B, statt **Kopf** das Kürzel A und als Bezeichnung der zwischen beiden bestehenden Beziehung das Kürzel R_1, so sind wir die funktionalen Bedeutungsanteile erst einmal los. Wir kommen zu ›rein strukturellen Aussagen‹ wie AR_1B für den Hammer, DR_2B für die Bratpfanne, ER_5B für den Apfel usw. Wissen wir nun umgekehrt nichts über B, insbesondere nicht, daß B für **Stiel** steht, dann können wir doch gewisse Rückschlüsse aus den Strukturaussagen ziehen. Immerhin ist ihnen zu entnehmen, daß Hammer, Pfanne, Apfel und Harke etwas gemeinsam haben. Je mehr solcher Aussagen wir haben, desto genauer kommen wir an das heran, was B bedeuten könnte, ebenso A, C, D, R_1, R_2 . . . Dies ist die Idee der strukturellen Denkweise: bestimme die ›reinen Strukturen‹ und du wirst etwas über einen Realitätsbereich erfahren, wenn du seine Gesamtstruktur überblickst, auch wenn du die Bedeutung der Wörter deiner Beschreibung wie A, B, R_1, R_2 . . . zunächst einzeln nicht verstehst.

In der strukturellen Linguistik sind Methoden entwickelt worden, wie man Strukturanalysen durchführen und die Strukturen sprachlicher Einheiten ermitteln kann, ohne von ihrer Funktion zu reden. Eben weil die Trennung von Struktur und Funktion zunächst solche Schwierigkeiten macht, man aber andererseits vom wissenschaftlichen Wert reiner Strukturanalysen überzeugt war, wurde der Durchbruch zum Strukturalismus wissenschaftshistorisch als ein Akt der Emanzipation der Sprachwissenschaft verstanden – mit den Hauptstationen ›Explikation des Strukturbegriffs‹ bei Saussure (Struktur als System) und ›Grundlegung einer Methode zur Ermittlung der Strukturen‹ bei Bloomfield. Was dann nicht gelang, war die Vermittlung von Struktur und Funktion, so daß die Strukturalisten sich immerfort die Frage vorhalten lassen müssen, was ihre Strukturen eigentlich sind und wozu sie dienen. Auch Grammatiken, die das Funktionale im Namen führen, haben nicht unbedingt eine Lösung . Wilhelm Schmidt betont zwar, daß »Form und Funktion zwei Seiten ein und derselben Erscheinung« sind (1973: 26). Was diese ›Erscheinung‹ ist, was ihre Form und was ihre Funktion ist, bleibt aber weitgehend unexpliziert. Ein neuer Vorschlag in dieser Richtung, die ›Functional Grammar‹ von Dik (1978), spielt Form und Funktion gegeneinander aus. Die Funktion gilt Dik als Meister der Form, sie wird mit dieser konglomeriert nach dem Grundsatz ›Je mehr Funktion, desto weniger Form‹ (vgl. 1983: 7ff.). Die Formbeschreibungen dienen vor allem als Folie für das Dranschreiben dessen, was unter Funktion verstanden wird. Dieser Grammatiktyp interessiert sich eher für die Darstellung bestimmter Sprachfunktionen an sich als für die Beziehung zwischen Form und Funktion.

Nun kurz zum Funktionsbegriff selbst, auch wenn es nicht möglich ist, die dazu entwickelten Vorschläge zu ordnen und zu werten (zur Übersicht Meßing 1981). Wir versuchen stattdessen, an einem besonders wichtigen Einzelpunkt den Zusammenhang von sprachlicher Form und ihrer Leistung aufzuzeigen und damit zu demonstrieren, wie man von der Sprachfunktion auf ihr Strukturiertsein hindenken kann. Dieser Versuch wird wegen seiner starken Vereinfachungen und Vergröberungen manchem problematisch erscheinen. Es geht dabei um die Demonstration einer für unsere Grammatik wichtigen Denkweise, nicht um die immunisierte Darstellung des besonderen Falles.

Das wohl einflußreichste funktionale Sprachmodell ist das aus Bühlers ›Sprachtheorie‹ von 1934 (Bühler 1965). Das Buch wird eröffnet mit dem Satz »Werkzeug und Sprache gehören nach alter Einsicht zum menschlichsten am Menschen: homo faber gebraucht gewählte und ausgeformte Dinge als Zeug und das Zoon politikon setzt Sprache ein im Verkehr mit seinesgleichen.« Bühler rückt dann Sprache und Werkzeug noch enger zusammen, indem er die Sprache selbst als Organon bezeichnet, eben als Werkzeug, Mittel oder Instrument »um einer dem anderen etwas mitzuteilen über die Dinge« (1965: 24). Bühler verfolgt den Werkzeuggedanken nicht zu Ende, er fragt nicht, wie weit die Metapher tatsächlich trägt (Werkzeugherstellung als Gattungsmerkmal des Menschen, Werkzeug verbessern, Werkzeug als Kumulation gesellschaftlicher Erfahrung, Werkzeug zur Werkzeugherstellung usw., dazu explizit Ballmer 1978; Keseling 1979), und für ihn ist auch nicht entscheidend, wie weit die dann ausgemachten Sprachfunktionen beziehbar sind auf Funktionen, die Werkzeuge haben. Trotzdem gingen von seinem Organon-Modell viele Anstöße zum Nachdenken über den Werkzeugcharakter der Sprache aus.

Mit der Formulierung »um einer dem anderen etwas mitzuteilen über die Dinge« ist gleichzeitig die Sprechsituation allgemein gekennzeichnet: zu ihr gehören der Sprecher, der Adressat, die Dinge (das Besprochene) und das sprachliche Zeichen selbst. Die Funktionen werden bestimmt in Hinsicht auf die Momente der Sprechsituation, das sprachliche Zeichen erhält drei Funktionen. (1) Es ist bezogen auf den Sprecher, »dessen Innerlichkeit es ausdrückt« (1965: 28). Damit ist gemeint, daß im sprachlichen Zeichen das zum Ausdruck kommt, was der Sprecher sagen will, ebenso aber der Sprecher selbst mit seiner ›inneren Einstellung‹ zu dem, was er sagt. Was manchmal in kognitive und emotive Bedeutung getrennt wird, ist in der Ausdrucksfunktion bei Bühler durchaus beisammen. (2) Das sprachliche Zeichen ist bezogen auf den Adressaten, »dessen äußeres oder inneres Verhalten es steuert« (Appellfunktion). Zum ›inneren Verhalten‹ gehört das Verstehen des Gemeinten, zum ›äußeren Verhalten‹ etwa ein Handeln wie das Erwidern einer Äußerung. (3) Schließlich ist das Zeichen bezogen auf die Welt, »die Gegenstände und Sachverhalte«. Das ist seine Darstellungsfunktion. Sie meint, daß wir nicht einfach reden, sondern daß wir über etwas reden oder etwas sagen.

Ausdruck, Appell und Darstellung finden sich als Sprachfunktionen mit vergleichbarer Bedeutung in vielen späteren sprachfunktionalen Ansätzen. Das sicher deshalb, weil schon Bühler nicht das sprachliche Zeichen für sich, sondern die

Sprechsituation betrachtet. Charles Morris etwa spricht vom appreziativen, präskriptiven und designativen Signifikationsmodus (1973: 142 ff)., Roman Jakobson unterscheidet im direkten Bezug auf Bühler neben anderen eine emotive, konative und referentielle Funktion (1960: 353 ff.), und in der Sprechakttheorie spricht man vom illokutionären, perlokutionären und propositionalen Akt (Searle 1971). So unterschiedlich die Theorien und die Bedeutungen der Begriffe im Einzelnen sind, so wenig umstritten ist, daß man sich bei Bestimmung der Sprachfunktionen in der angedeuteten Weise auf Sprecher, Adressat und das Besprochene zu beziehen hat. Einigkeit besteht auch darüber, daß die Sprachfunktionen nicht gleichgewichtig sind, sondern daß die Darstellungsfunktion grundlegend ist. Die Darstellungsfunktion, so wurde auch formuliert, bestimmt im wesentlichen die Sprachstruktur (Mathiot/Garvin 1975). Bezieht man sich auf ein Konstrukt wie das Organon-Modell, so erweist sich die Darstellungsfunktion als grundlegend, weil der Sprecher sich ausdrückt indem er etwas sagt und der Adressat zu etwas veranlaßt wird, indem ihm etwas gesagt wird.

Wenn die Darstellungsfunktion die Sprachstruktur bestimmt, dann muß umgekehrt die Sprachstruktur so sein, daß sie der Darstellungsfunktion gerecht wird. Wir wollen für das Grundmuster der einfachsten Sätze des Deutschen zeigen, was damit gemeint sein kann.

Der Sprecher, der etwas auf die Welt der Gegenstände und Sachverhalte Bezogenes sagt, kann das nur, insofern die Gegenstände und Sachverhalte ihm kognitiv zugänglich sind. Hat er das, was in der Welt ist, nicht als solches identifiziert und in seiner Bedeutung für sich, für andere und füreinander erkannt, so kann er auch nicht darüber reden. Ein Reden über die Welt ohne ein Erkennen der Welt gibt es nicht. Unter diesem Gesichtspunkt ist die Erkenntnistätigkeit als psychischer Prozeß das vermittelnde Glied zwischen dem, was die Welt für den Menschen ist und dem, was der Mensch an sprachlichen Mitteln zum Reden über die Welt einsetzt.

Für die auf die Welt gerichtete Erkenntnistätigkeit des Menschen sind in psychologischen Theorien eine Reihe von Tätigkeitsmodi unterschieden worden, die teilweise direkt auf die Konstituierung bestimmter Gegenstände und Sachverhalte beziehbar sind. Zu diesen Modi der Erkenntnistätigkeit gehören das Empfinden und das Wahrnehmen. In der ›Allgemeinen Psychologie‹ von S. L. Rubinstein heißt es dazu (1973: 241): ». . . die Wahrnehmung ist das Bewußtwerden des sinnlich gegebenen *Gegenstandes* oder der sinnlich gegebenen Erscheinung. In der Wahrnehmung wird in der Regel die Welt der Menschen, der Dinge, der Erscheinungen widergespiegelt, die für uns bestimmte Bedeutung haben. Zwischen ihnen werden von uns vielfältige Beziehungen hergestellt, als deren Ergebnis sinnvolle Situationen zustande kommen, deren Zeugen und Teilnehmer wir sind. Die *Empfindung* ist die Widerspiegelung einer einzelnen Sinnes*qualität* [,] eines undifferenzierten und ungegenständlichen *Eindrucks* von der Umwelt. So unterscheiden sich *Empfindung und Wahrnehmung als zwei verschiedene Formen oder zwei verschiedene Beziehungen des Bewußtseins zur gegenständlichen Wirklichkeit*«.

Rubinstein führt dann aus, daß zum Erkennen als einer praktischen (d. h. auf die Welt gerichteten) Tätigkeit sowohl die Empfindung als auch die Wahrnehmung notwendig ist. Die Empfindung liefert sozusagen die Elementardaten, die für eine kognitive Synthese gebraucht werden. Das sind Daten über die Formeigenschaften der Gegenstände/Dinge im weitesten Sinne, über Farbigkeit, Größe, Materialeigenschaften, Oberflächeneigenschaften, Elementarformen, aber immer ungegenständlich. Die Fähigkeit zur Empfindung bedeutet die Fähigkeit zur Analyse, zur Abstraktion und zur Verallgemeinerung. Zum Erkennen der Farbigkeit eines Gegenstandes gehört es, daß er in gewisser Hinsicht anderen Gegenständen (›derselben Farbe‹) gleicht, obwohl sie vielleicht sonst nichts miteinander zu tun haben. Ist die Fähigkeit zum Vergleich und damit zur Abstraktion nicht vorhanden, so auch nicht die Fähigkeit zur systematischen Klassenbildung. Die Empfindung beruht darauf und verhilft dazu, daß wir Mengen von Objekten unter jeweils einem einzigen Gesichtspunkt zusammenfassen können.

Aufgrund unserer Empfindungen allein sind wir jedoch nicht in der Lage, ein Ding als Ganzes, als es selbst zu erkennen, sondern dazu stützen wir uns auf die Fähigkeit zur Wahrnehmung. Die Wahrnehmung als das Erkennen des ganzen Dinges setzt die *für uns* sinnvolle Gliederung und Strukturiertheit der umgebenden Welt voraus. Was als eine Einheit, als ein für sich existierendes Objekt wahrgenommen wird, hängt dabei wesentlich von unseren individuellen und gesellschaftlichen Erfahrungen ab. Der Mensch als Teil der Welt entwickelt seine Erkenntnisfähigkeit in tätiger Auseinandersetzung mit der Welt. Die Sprache als ein entscheidendes Hilfsmittel in diesem Prozeß ist in Hinsicht auf das, was gesagt werden kann, dem jeweiligen historischen Stand der Erkenntnis angemessen. Insofern die Sprache Teil und Produkt der menschlichen Erkenntnis ist, legt sie der Erkenntnisfähigkeit jeweils historisch bedingte Fesseln im Sinne der Sapir-Whorf-Hypothese (Whorf 1963; Weisgerber 1962) an: was der Mensch denkt, was er ›sieht‹ und ›hört‹, ist teilweise durch den Wortschatz und die Grammatik seiner Sprache vorgegeben. Wir werden bei unseren grammatischen Analysen immer wieder auf die Frage zurückkommen, ob ein Zusammenhang zwischen grammatischer Gliederung und unserer Wahrnehmung der Welt besteht.

Wie erscheinen nun die Erkenntnismodi Empfindung (Analyse) und Wahrnehmung (Synthese) in der Sprachstruktur? Wir stellen zunächst fest, daß es im Deutschen sowohl Ausdrücke gibt, die sich auf den Inhalt vom Empfindungen beziehen, als auch solche, die sich auf den Inhalt von Wahrnehmungen beziehen. Erstere bezeichnen nicht irgendwelche Dinge, auch nicht solche in einem abstrakten Sinne, sondern Eigenschaften oder Qualitäten von Dingen. Wir wollen den Begriff Eigenschaft für solche Merkmale eines Dinges reservieren, die ihm relativ konstant zukommen und für seine Konstituierung oder Identifizierung von Bedeutung sind. So kann es zu den Eigenschaften eines Autos gehören, daß es grün, verbeult und dreirädrig ist, nicht aber, daß es vor der Mensa geparkt ist und daß die Scheibe am Fahrersitz heruntergedreht ist. Zu den Eigenschaften von Karl kann es gehören, daß er arbeitet, trinkt, raucht und singt, wenn er das gewohnheitsmäßig tut, nicht aber, daß er ein Buch aufschlägt oder die Handbremse seines Fahrrads zieht. Die Ausdrücke des Deutschen, die Eigenschaften bezeichnen, sind bestimmte Adjektive und bestimmte Verben.

Auf der anderen Seite hat das Deutsche Ausdrücke, die sich auf Dinge direkt beziehen und zwar so, daß das Ding als Ganzes gemeint ist und es weitgehend offen bleibt, was an dem Ding jeweils interessiert. Die einfachsten Ausdrücke, die in der Regel so verwendet werden, daß sie genau ein Ding bezeichnen, sind die Eigennamen. Zwar gibt es viele Personen, die Meyer heißen, aber wenn der Satz **Meyer raucht** geäußert wird, ist von genau einer Person die Rede. Eigennamen sind, wie

27

wir später sehen werden, eine Teilklasse der Substantive und diese eine Teilklasse der Nomina. Bestimmte Nomina können sich also auf Inhalte von Wahrnehmungen beziehen, bestimmte Adjektive und Verben auf Inhalte von Empfindungen.

Das Entscheidende an dieser Feststellung ist, daß Ausdrücke für Empfindungen und Ausdrücke für Wahrnehmungen kategorial unterschieden sind. Ein Verb ist grammatisch-formal etwas anderes als ein Eigenname oder ein Adjektiv. Fassen wir etwa Verb und Nomen (zu denen die Eigennamen gehören) als grammatische Kategorien auf, dann wäre die Hypothese aufzustellen, daß im kategorialen Unterschied zwischen Verb und Nomen etwas vom Unterschied zwischen Empfindung und Wahrnehmung aufgehoben sein kann. Modi unserer Erkenntnistätigkeit hätten Korrelate im formalen Aufbau unserer Sprache, wären strukturell in ihr verankert.

Nomen und Verb sind nicht nur grammatisch-formal verschiedene Klassen von Ausdrücken, sondern ihre Formen können auch zusammen in größeren Einheiten auftreten, insbesondere können sie gemeinsam Sätze bilden. Der einfachste Aussagesatz im Deutschen vom Typ **Petra arbeitet; Klaus raucht** besteht aus einer nominalen und einer verbalen Form, die in bestimmter Weise aufeinander abgestimmt sind. Der Ausdruck für die grammatische Struktur, der einem solchen Satz zugewiesen wird, soll eben dies zum Ausdruck bringen: es handelt sich um eine sprachliche Einheit, die aus einem Nomen (N) und einem Verb (V) besteht so, daß beide zusammen einen Satz (S) bilden. Man kann das ausdrücken in einem Diagramm der Form 1 und dieses Diagramm auffassen als (noch unvollständige) Beschreibung der Form des ihm zugeordneten Satzes. Das Diagramm macht die Form explizit, die der Satz **Meier schwitzt** hat. Die Form muß explizit gemacht werden, denn selbst wenn der Satz hingeschrieben ist, sieht man ihm seine Form nicht ohne weiteres an.

(1)

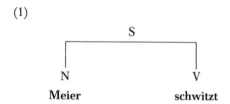

Wird der aus Nomen und Verb aufgebaute Aussagesatz geäußert, so bezieht der Sprecher sich damit auf einen Sachverhalt. Die Äußerung eines Satzes als ein ganz bestimmtes, einmaliges Ereignis bezieht sich auf einen ganz bestimmten, einmaligen Sachverhalt. Abstrahieren wir vom konkreten Einzelnen auf seiten des Bezeichnenden ebenso wie auf seiten des Bezeichneten, so können wir sagen, daß der Satz als sprachlich-formale Einheit sich auf einen Sachverhalt als strukturell-situative Einheit bezieht. Eben dies ist gemeint, wenn von der Darstellungsfunktion der Sprache, bezogen auf Aussagesätze, die Rede ist: was dargestellt und mitgeteilt werden soll, sind Sachverhalte. Warum sind es Sachverhalte und nicht etwa Dinge oder Eigenschaften? Warum ist die kleinste, ›kommunikativ selbständige‹ Einheit der Satz und nicht das Verb oder das Nomen? Wenn der einfachste Satz einen Ausdruck enthält, der sich auf den Inhalt von Empfindungen bezieht neben einem Ausdruck, der sich auf den Inhalt von Wahrnehmungen bezieht, dann heißt das, daß Empfinden ohne Wahrnehmen ebenso wenig die Regel (oder gar ebenso unmöglich) ist wie Wahrnehmen ohne Empfinden. Wir ›sehen‹ also nicht eine Eigenschaft für sich, sondern wir sehen immer etwas, das eine Eigenschaft hat. Eigenschaften existieren nicht für sich, sondern sie existieren als Eigenschaften von etwas. Ebensowenig ›sehen‹ wir ein Ding, ohne seine oder einige seiner Eigenschaften zu sehen. Die für die Erkenntnistätigkeit festgestellte gegenseitige Bedingtheit von Empfindung und Wahrnehmung läßt sich übertragen auf das Denken allgemein: »Gewöhnlich heißt es, daß drei Hauptformen des Denkens sprachlichen Ausdruck finden – der Begriff, das Urteil und der Schluß. Allerdings operiert der Mensch beim Erkennen der objektiven Welt praktisch niemals nur mit Begriffen außerhalb von Urteilen und Schlüssen . . . Das Urteil besteht aus zwei Hauptelementen – dem Subjekt . . und dem Prädikat . . . In der Sprache wird das Urteil durch einen Satz ausgedrückt.« (Serébrennikow 1973: 49). Mit der Rede vom Denken in Urteilen und Schlüssen ist etwas Einzelsprachunabhängiges gemeint, etwas, das für das menschliche Denken schlechthin gilt. Serébrennikow spricht deshalb von »den Gesetzen der Logik« als »den für alle Menschen einheitlichen Denkgesetzen«. Die Form, in der das Urteil als Denkinhalt und der Sachverhalt als in der Welt Bezeichnetes erscheint, ist dagegen von Sprache zu Sprache verschieden. Jede Sprache verfügt über Möglichkeiten, dem Urteil Ausdruck zu verleihen und Sachverhalte darzustellen, aber jede tut es auf ihre Weise. Das ist sicher keine tiefschürfende Erkenntnis, führt uns aber noch einmal vor Augen, was mit der Darstellungsfunktion der Sprache gemeint ist. Die sprachliche Form gibt dem auf die Welt gerichteten Gedanken Gestalt, ist ihm ›materielle Hülle‹ und verhilft ihm dazu, das Licht der Welt außerhalb des denkenden Kopfes zu erblicken. Für den Grammatiker kommt es dann darauf an, in der sprachlichen Form den Gedanken und seine Struktur bzw. den gemeinten Sachverhalt und seine Struktur wiederzufinden. Er beschäftigt sich nicht mit der sprachlichen Form, weil er ein Formalist ist, sondern weil die Form funktional ist, etwa indem sie dazu dient, Bedeutungen zu transportieren. Welche Bedeutung Sprache immer für uns hat – in einem bewußt vollzogenen Prozeß werden wir die Bedeutung niemals ganz verstehen, wenn wir nicht die sprachliche Form verstehen.

Einen anderen Aspekt des Zusammenhangs von Satzstruktur und Darstellungsfunktion betont die folgende Aussage des britischen Logikers und Philosophen P. F. Strawson (1952: 145; Übersetzung P. E.): »Wenn wir normale Aussagen [ordinary statements] machen, tun wir nichts anderes als auf eine bestimmte Person, ein bestimmtes Objekt, einen bestimmten Ort, eine Episode, Situation oder Institution, auf eine bestimmte Qualität oder Tatsache *zu referieren* und dem, worauf wir referieren, eine Eigenschaft *zuzuschreiben*. . . . Wir können also ganz grob unterscheiden zwischen der referierenden Funktion, die Ausdrücke in Aussagen haben können, und der zuschreibenden oder beschreibenden oder klassifikatorischen Funktion; und wir können weiter sagen, daß ein Ausdruck als ein Individuenausdruck erscheint, wenn er die zweite Funktion hat.«

Referieren, Prädizieren (›Beschreiben‹) und Aussagen-Machen lassen sich offenbar korrelieren mit dem, was wir Wahrnehmen, Empfinden und Urteilen genannt haben. Strawson spricht davon, daß ›wir‹, d. h. die Sprachbenutzer, referieren und prädizieren und daß deshalb die entsprechenden Ausdrücke eine Funktion als Individuenausdrücke und Prädikatausdrücke in Aussagen haben. Der Sprachbenutzer macht Aussagen, um etwas darzustellen, und in bezug auf dieses Ziel sind Individuenausdrücke und Prädikatausdrücke funktional. Es wird allerdings kein Versuch gemacht, die Bedeutung des Referierens und des Prädizierens für den Sprecher selbst näher zu charakterisieren, es explizit seiner Denk- und Erkenntnistätigkeit zuzuordnen oder es gar auf psychologische Begriffe zu beziehen. Ausdrücke können zum Referieren und zum Prädizieren verwendet werden, das ist offensichtlich. Warum das so sein sollte, wird bewußt offengelassen. Die sogenannte Referenzsemantik interessiert sich dafür, mit welcher Art von Ausdrücken worauf referiert werden kann. Wie es zu der Zuordnung von Zeichenträger (›Ausdruck‹) und Bezeichnetem kommt, interessiert sie nicht.

Individuenausdruck, Prädikatausdruck und Aussage sind für Strawson weder ontologische noch psychologische Kategorien, noch sind es grammatische Kategorien einer natürlichen Sprache. Gemeint sind damit vielmehr Klassen von Ausdrücken einer künstlichen, konstruierten Sprache, die kurz ›eine Logik‹ genannt wird. In solchen Sprachen kann man Aussagen formulieren und aus Aussagen mithilfe von Schlußregeln andere Aussagen ›logisch ableiten‹. Logiksprachen dienen dann zur Verdeutlichung der Satzbedeutungen natürlicher Sprachen als sogenannte semantische Explikationssprachen (einführend Allwood/Andersson/Dahl 1973). Ordnet man etwa einem Satz A des Deutschen einen Satz a einer Logiksprache zu, zieht man dann Schlüsse aus a innerhalb der Logik und nimmt man dann eine Rückübersetzung der Schlüsse in Sätze des Deutschen vor, so sollten, bei angemessener Konstruktion der Logik und richtiger Übersetzung, eben diese Sätze tatsächlich aus A folgen. Folgen sie nicht, so hat man die Bedeutung von A nicht richtig erfaßt. Das Operieren mit dem logischen Kalkül erweist sich als nützliches Hilfsmittel zur Ermittlung von Satzbedeutungen.

Eine logische ist immer eine ›indirekte‹ Semantik. Denn man ordnet den natursprachlichen Ausdrücken zunächst Ausdrücke der Logiksprache zu, und erst diese werden semantisch interpretiert. Eine direkte Semantik weist Bedeutungen ohne den Umweg über eine Explikationssprache zu. Wir werden in unserer Grammatik meist direkt über Bedeutungen von Ausdrücken des Deutschen reden, nur gelegentlich bedienen wir uns einfacher aussagenlogischer Sätze.

Die Entwicklung der Logiksprachen als semantische Explikationssprachen für die Verwendung in der Sprachwissenschaft und in der sprachanalytischen Philosophie hat einen Hauptgrund darin, daß man beim Reden über Sprache psychologische Begriffe ganz und ontologische Festlegungen weitgehend vermeiden will. Kategoriale Festlegungen sollen nicht erfolgen aufgrund von Annahmen oder Behauptungen über die Realität – denn über ihre Angemessenheit kann man streiten wie über Geschmacksfragen – sondern sie sollen gewonnen werden durch Sprachanalyse. Was hat man sich darunter vorzustellen?

Bei der Charakterisierung von Wahrnehmungen haben wir sehr grob und vorsichtig von Dingen oder Gegenständen gesprochen, die wahrgenommen werden und auf die sich Ausdrücke wie Eigennamen beziehen. Strawson dagegen spricht nicht von Dingen, sondern abstrakter von Individuen, auf die man sich mit Individuenausdrücken bezieht. Zu den Individuen gehören Personen, Objekte und Orte, Episoden, Situationen und Institutionen und sogar Qualitäten und Tatsachen. Im Sinne sprachanalytischen Denkens wäre nun zu fragen, ob diese Vielfalt von Unterscheidungen kategorial gerechtfertigt werden kann. Zugespitzt auf die Grammatik: unterscheidet das Deutsche formal Ausdrücke für die Bezeichnung von Personen, Objekten, Orten usw.? Wir werden etwa bei der Subklassifizierung der Substantive nach Arten von Entitäten oder semantischen Typen suchen, die in den grammatisch unterscheidbaren Klassen zu finden sind. Eine Frage dieser Art postuliert nicht ein der Sprache zugrundeliegendes semantisches oder ontologisches Kategoriensystem, sondern sie nimmt die Sprache selbst – genauer: die sprachliche Form – zum Ausgangspunkt der Überlegungen.

Ganz ähnlich wie bei den Individuen wird das, was wir als Eigenschaften bezeichnet haben, nicht undifferenziert stehen bleiben. Insbesondere stellt sich heraus, daß unsere Eigenschaften nur einer von einer ganzen Reihe von Bezügen für Prädikatausdrücke sind. Das bedeutet auch, daß unsere einfache Bezugsreihe Empfindung – Eigenschaft – Prädikatausdruck so nicht aufrechterhalten werden kann. Die Dinge sind – wie könnte es anders sein – in Wahrheit viel komplizierter. In dem System, das wir im wesentlichen zur semantischen Charakterisierung von Prädikaten und Aussagesätzen in unserer Grammatik heranziehen wollen, wird etwa folgendermaßen differenziert (Pleines 1976: 55 ff.).

Aussagesätze bezeichnen allgemein *Sachverhalte*. Wird ein Sachverhalt als über einen gewissen Zeitraum hinweg unveränderlich wahrgenommen, so sprechen wir von einem *Zustand* wie in **Frankfurt liegt an siebzehn Autobahnen** oder **Die Leibniz-Universität hat eine geisteswissenschaftliche Fakultät**. Der Komplementbegriff zum Zustand ist der *Vorgang* oder Prozeß. Damit ist ein in der Zeit veränderlicher Sachverhalt gemeint, etwa in **Karl weicht die Wäsche ein** oder **Der Minister schließt das Romanische Seminar**. Vorgänge können in erster Näherung als Übergänge von einem Ausgangszustand in einen Zielzustand angesehen werden. Wird dieser Übergang als durch etwas Bestimmtes verursacht wahrgenommen und dargestellt, so sprechen wir von einer *Handlung*. **Der Minister schließt das Romanische Seminar** würde ebenso eine Handlung bezeichnen wie **Der Wind knallt die Tür zu**. Eine Handlung verlangt immer etwas Handelndes oder Verursachendes, wobei noch zu fragen wäre, ob man Handlung nicht enger fassen sollte, nämlich als einen Vorgang, der bewußt verursacht oder intentional ist. Wir lassen die Frage an dieser Stelle offen. Der komplementäre Begriff zur Handlung ist das *Ereignis*, bei dem ein Verursacher nicht gesehen oder nicht genannt wird wie in **Die Wäsche weicht** oder **Das Romanische Seminar wird geschlossen**. Auch die Zustände sind wohl weiter zu subklassifizieren. Ein Ding befindet sich in einer bestimmten Art von Zustand, wenn ihm eine *Eigenschaft* zugeschrieben wird wie in **Mein Auto ist gelb**, während man bei Lokalangaben wie in **Karl ist im Keller** möglicherweise von einem anderen Typ von Zustand als bei Eigenschaften sprechen will. Diese Andeutungen sind vage und oberflächlich und sollen nur zu einer Idee davon verhelfen, was es heißen könnte, daß Prädikatausdrücke – etwa Verben – weiter subkategorisiert werden.

Nehmen wir nun an, daß ein Satz, der einen Zustand bezeichnet, ein Zustandsverb enthält, während ein einen Vorgang bezeichnender ein Vorgangsverb enthält, dann kann wieder die grammatische Frage gestellt werden: unterscheidet das Deutsche formal Subklassen von Verben, die Zustände, Vorgänge usw. bezeichnen? Gibt es ein System von grammatischen Kategorien des Verbs, das wie Schema 2 aufgebaut ist?

Fragen wir in dieser Weise, dann beginnen wir mit einer Hypothese über eine semantische Gliederung des deutschen Verbwortschatzes und versuchen danach, entsprechende grammatische Kategorien zu finden. Ausgangspunkt wäre also nicht

(2)

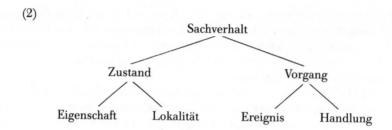

die sprachliche Form, sondern ein semantisches Kategoriensystem, von dem wir zunächst nicht wissen, ob ihm ein grammatisches entspricht. Verlassen wir damit den Pfad der Tugend, der uns vorschreibt, nicht etwas Semantisches zur Grundlage von grammatischen Kategorisierungen zu machen, sondern grammatische Kategorien aus der sprachlichen Form zu begründen? Wir verlassen ihn nicht, denn ob wir mit einer semantischen oder syntaktischen Hypothese beginnen, ist eine heuristische Frage, die keinen Einfluß auf das Ergebnis haben muß. Auf dem Weg zu diesem Ergebnis ist alles erlaubt, was weiterhilft, wenn nur am Ende nicht Aussagen über die Bedeutung als Aussagen über die Form ausgegeben werden.

2. Grundbegriffe

2.1 Syntaktische Kategorien

Der Begriff Kategorie ist kein Begriff der Alltagssprache. Wenn überhaupt, hören wir ihn in ziemlich speziellen Kontexten mit unklarer Bedeutung, etwa wenn ein Politiker sagt »In dieser Stunde geht es um die Kategorie der Glaubwürdigkeit«. Eine Bedeutung, an die eine Explikation des Begriffes anschließen könnte, ist hier kaum auszumachen. Kategorie wird verwendet, um dem nachfolgenden Substantiv seine rechte Bedeutsamkeit zu geben.

Dieser Begriffsrest hat seinen Ursprung wohl bei dem, was die philosophische Kategorienlehre genannt wird. Kategorien sind bestimmte Grundbegriffe des jeweiligen Systems. Sie sind als Begriffe nicht definiert, sie sind zwar explizierbar und können erläutert werden, ableitbar sind sie nicht. Beispiele für Kategorien dieser Art sind Substanz, Quantität, Qualität, Relation, Ort, Zeit, Lage, Haben, Wirken, Leiden in der Kategorienlehre des Aristoteles. Oder Materie, Bewußtsein, Bewegung, Zusammenhang, Kausalität, Wechselwirkung, Notwendigkeit, Zufall, Gesetz im philosophischen System des dialektischen Materialismus. Bei den meisten von uns ist der Begriff Kategorie ein wenig in dieser Richtung besetzt. Für die Grammatik hilft uns ein derartiger Begriff allein nicht weiter, im Gegenteil: er könnte sogar störend sein.

Dies um so mehr, als ein Teil des gebräuchlichen grammatischen Vokabulars noch an den engen Zusammenhang zwischen philosophischen und grammatischen Kategorien erinnert, der in der antiken Sprachphilosophie bestand (Cherubim 1975: 138ff.). Unser Substantiv ist der Name für Wörter, die etwas ›Substantielles‹ bezeichnen, etwas, das Substanz im Sinne der aristotelischen Kategorie hat (Murray 1946: 110ff.; Lyons 1971: 274ff.). Man war der Auffassung, daß ein enger und direkter Zusammenhang zwischen Kategorien des Seins und grammatischen Kategorien besteht. Diese Auffassung ist keineswegs auf die Antike beschränkt, sondern scheint auch auf in Eindeutschungen wie ›Eigenschaftswort‹ für ›Adjektiv‹. Ein Kategoriename wie Adjektiv oder wie Präposition sagt ja eher etwas über die Syntax (die Stellung) eines Wortes aus als über seine Beziehung zu einer philosophischen Kategorie. Das ist bei ›Eigenschaftswort‹ anders.

Unser Begriff von grammatischer Kategorie wird in einer ersten Bestimmung abgegrenzt vom Begriff der Beziehung oder Relation. Relationen bestehen zwischen Individuen unterschiedlicher Zahl, zweistellige Relationen zwischen zweien wie in **Karl ist der Bruder von Egon** und dreistellige zwischen dreien wie in **Dietrich verrät Helmut an Franz**. Kategorien sind ein spezieller Fall von Relation in einem technischen Sinne, nämlich die einstellige Relation. Kategorial in diesem Sinne wären Sätze wie **Karl ist Bäcker** oder **›Bär‹ ist ein Substantiv**. Die Sätze besagen, daß Karl zur Klasse der Bäcker gehört oder unter die Kategorie Bäcker fällt und daß **Bär** zur Klasse der Substantive gehört oder unter die Kategorie Substantiv fällt. Kategorien sind Mengenbegriffe. Der Umfang einer Kategorie, ihre Extension, ist eine Menge von Entitäten bestimmter Art: gewöhnlich haben die Elemente dieser Menge eine bestimmte Eigenschaft gemeinsam. Diese Eigenschaft wird die Bedeutung der Kategorie oder ihre Intension genannt.

Was hier ›Kategorie‹ genannt wird, findet sich häufig auch unter der Bezeichnung ›einstelliges Prädikat‹ oder ›klassifikatorischer Begriff‹ (Kutschera 1972: 16 ff.). Danach dienen Kategoriensysteme der klassifikatorischen Gliederung von Entitäten bestimmter Art. Das wird so ausdrücklich auch für unser System von grammatischen Kategorien vorausgesetzt, und es stellt sich dann die Frage, welche Art von Entitäten unter grammatische Kategorien fallen. Als ersten Schritt zur Beantwortung der Frage führen wir uns vor Augen, was üblicherweise als grammatische Kategorien angesehen wird.

Zu den grammatischen Kategorien gehören sicher die Wortarten traditioneller Grammatiken wie Verb, Substantiv, Adjektiv, Adverb, Präposition, Partikel, Konjunktion, Artikel und Pronomen. Grammatische Kategorien wären dann Mengen von Wörtern. Die Kategorie Substantiv würde eine Klasse von Wörtern umfassen, die sich von denen des Adjektivs, Verbs usw. unterscheidet. Das System der grammatischen Kategorien wäre eine Klassifikation des Wortbestandes oder Vokabulars einer Sprache. Die grammatischen Kategorien als Wortarten sind nach Auffassung fast aller Grammatiken in zwei Gruppen zu unterteilen, nämlich die *lexikalischen* oder *offenen Kategorien* Substantiv, Verb, Adjektiv und Adverb und die *Funktionswörter* oder *abgeschlossenen Kategorien* Präposition, Partikel, Konjunktion, Artikel und Pronomen. Die Unterteilung beruht auf der Annahme, daß nur die Wörter lexikalischer Kategorien eine Bedeutung haben in dem Sinne, daß sie etwas Bestimmtes bezeichnen, und sei es ein Abstraktum wie ein Zustand oder eine Eigenschaft. Funktionswörter bezeichnen in diesem Sinne nichts, denn was sollte die Bedeutung von **auf** sein in **Sie hofft auf gutes Wetter** oder die von **wohl** in **Dir ist wohl kalt**? Von offenen Kategorien spricht man, weil die Zahl der Substantive, Verben, Adjektive und Adverbien groß ist und sich relativ schnell verändert. Im Deutschen gibt es heute viele Substantive, die man vor nur zwei oder drei Jahren noch nicht kannte. Dagegen ist die Zahl der Präpositionen, Konjunktionen usw. relativ klein und unveränderlich in der Zeit, deshalb spricht man von abgeschlossenen Klassen. Wir werden in der Grammatik mehrfach auf diese suggestive und vielfach nützliche, so aber nicht haltbare Einteilung der Wortarten zurückkommen.

Neben den Wortarten steht die große Gruppe von grammatischen Kategorien, die etwas mit dem Flexionssystem einer Sprache zu tun haben wie Femininum, Singular, 1. Person, Konjunktiv, Präteritum. Häufig werden sogar nur sie eigentlich als grammatische Kategorien angesehen und als solche neben die Wortarten gestellt. Es ist sofort klar, daß Kategorien dieser Art nicht Mengen von Wörtern sind wie die Wortarten-Kategorien. Sicher wollen wir nicht davon sprechen, daß ›Maskulinum‹ im gleichen Sinne eine Klasse von Wörtern umfaßt wie wir es uns für ›Substantiv‹ vorstellen können.

Schließlich finden wir zumal in neueren Grammatiken und Grammatiktheorien Aussagen über Kategorien wie »Zwei Ausdrücke gehören zur selben Kategorie, wenn sie überall füreinander ersetzbar sind, ohne daß eine Veränderung in der Grammatikalität eintritt«. Die Ausdrücke **dein großer Bruder** und **der Karl** gehören danach zur selben grammatischen Kategorie, weil sie beide im Kontext . . . **studiert in Berlin** und auch in anderen Kontexten gleich gut oder gleich schlecht vorkommen können. Damit ist klar, daß der Begriff der grammatischen Kategorie mithilfe des Wortbegriffes allein nicht explizierbar ist. Auch größere Einheiten als Wörter haben grammatische Kategorien, insbesondere ist auch ›Satz‹ zu den grammatischen Kategorien zu rechnen.

Damit wissen wir ungefähr, was unser Begriff von grammatischer Kategorie umfassen muß. Wir setzen zur weiteren Erklärung wieder beim Wortbegriff an und behalten im Gedächtnis, daß wir nur über Kategorien des syntaktischen Teiles der Grammatik reden und ebensogut von syntaktischen wie von grammatischen Kategorien sprechen können.

Von den vielen speziellen Bedeutungen des Wortes **Wort** meinen wir zwei verschiedene, wenn wir von Wörtern reden, die in einem Satz vorkommen, und wenn wir von Wörtern reden, die in einem Lexikon stehen. In einem Lexikon finden wir nur einen Teil der ›Wörter‹, die in den Sätzen des Deutschen vorkommen, z. B. bei Substantiven den Nominativ Singular, bei Verben den Infinitiv Präsens Aktiv und bei Adjektiven die sogenannte Kurzform. Je nach Typ des Lexikons finden wir bestimmte Wörter überhaupt nicht, in einem Konversationslexikon z. B. alle nicht, die keine Substantive sind.

Der Unterschied zwischen beiden Arten von Wörtern besteht darin, daß der Lexikoneintrag, auch Lemma genannt, nicht für sich allein steht, sondern eine ganze Reihe von Wörtern im zweiten Sinne mitmeint. Was in einem Lexikon über ein ›Wort‹ mitgeteilt wird, etwa seine Bedeutung oder seine Entsprechung in einer anderen Sprache, gilt immer für mehrere *Wortformen*. Ein deutsch-französisches Wörterbuch enthält nicht gesonderte Einträge für die Wortformen **Mannes, Manne, Männer, Männern** und **Mann**, sondern einen einzigen, der für alle steht, und dem auch ein einziger im Französischen entspricht. Die Menge der so zusammengefaßten Wortformen (beim Substantiv sind es acht, die aber teilweise formgleich sind) nennen wir ein *Paradigma*. Mit der Einführung von ›Wortform‹ und ›Paradigma‹ ersetzen wir den umgangssprachlichen Ausdruck ›Wort‹ durch zwei speziellere Begriffe und entgehen dadurch dem Zwang, jeweils zu erklären, was wir gerade unter ›Wort‹ verstehen.

Nur Wortformen kommen in Sätzen vor, niemals Paradigmen. Auch die sogenannten Grundformen, die in Lexika für Paradigmen (als Namen für Paradigmen) stehen, sind Wortformen wie alle anderen. Es ist prinzipiell durch nichts gerechtfertigt, sie vor den anderen Formen des Paradigmas auszuzeichnen. Statt des Nominativ Singular könnte bei den Substantiven ebensogut der Dativ Plural oder eine andere Form als Name für das Paradigma gewählt werden. Wenn wir genau sein wollen, müssen wir stets anzeigen, ob wir von Wortformen oder von Paradigmen sprechen. Wir führen zwei Schreibweisen ein und meinen Wortformen, also den Nominativ Singular bzw. den Infinitiv Präsens Aktiv, wenn wir **Buch** und **laufen** schreiben. Schreiben wir **Buch**[P] und **laufen**[P], so meinen wir die Pardigmen, zu denen diese Wortformen gehören.

Sehen wir uns nun an einem einfachen Beispiel an, wie Paradigmen aufgebaut sind. Die substantivischen Paradigmen im Deutschen enthalten, wenn sie vollständig sind, acht Formen. Von diesen acht Formen gehören jeweils zwei den vier Kasus und jeweils vier den beiden Numeri an, schematisch:

(1)

	Sg	Pl
Nom	Buch	Bücher
Gen	Buches	Bücher
Dat	Buche	Büchern
Akk	Buch	Bücher

Jede Form oder, wie wir sagen, jede Einheit des substantivischen Paradigmas gehört damit zwei Kategorien gleichzeitig an, einer Kasuskategorie und einer Numeruskategorie. Sprachlich sind diese Kategorien im Endungssystem sowie in bestimmten Veränderungen des Stammes (hier durch den Umlaut) realisiert. Es gehört zu den Eigenschaften des Deutschen, daß solche Realisierungen mehrfache Funktionsträger sein können. So ist es im allgemeinen nicht möglich, etwa für die Form des Genitiv Plural eine Pluralmarkierung neben einer Genitivmarkierung auszumachen. Beide sind häufig nur gemeinsam realisiert. Darüber hinaus sind häufig verschiedene Einheiten, die zu einem Paradigma gehören, formgleich. So sind von den vier Pluraleinheiten des substantivischen Paradigmas im Deutschen drei stets formgleich. Mehrdeutigkeiten dieser Art werden in der Regel im syntaktischen Kontext aufgelöst, beim Substantiv etwa durch den Artikel.

Wie die substantivischen, so sind auch andere Paradigmen des Deutschen intern gegliedert. Die interne Struktur der Paradigmen wird sichtbar gemacht oder realisiert durch die Flexion. Mithilfe der Flexionskategorien erfassen wir die unterschiedliche Form der Einheiten, die zu einem Paradigma gehören und nennen sie deshalb *Einheitenkategorien*. Einheitenkategorien beziehen sich also immer auf Merkmale der Flexion.

Das System der Einheitenkategorien im Deutschen ist vielfältig und wird im Laufe unserer Grammatik für einzelne Formklassen entwickelt. Wir geben in diesem vorbereitenden Abschnitt deshalb nur einige Beispiele für Einheitenkategorien, so daß die Strukturiertheit des Gesamtbereichs deutlich wird.

Die interne Gliederung der substantivischen Paradigmen wird mithilfe von sechs Einheitenkategorien beschrieben, nämlich mit zwei Numerus- und vier Kasuskategorien, das vollständige Substantivparadigma umfaßt daher acht Einheiten. Wie das Substantiv wird auch der Artikel hinsichtlich Numerus und Kasus flektiert, daneben aber auch hinsichtlich des grammatischen Geschlechts mit den Kategorien Mask, Fem, Neut. Das vollständige Paradigma des Artikels, wie es beim bestimmten Artikel der[P] gegeben ist, umfaßt 24 Einheiten (5.2). Etwas komplizierter liegen die Verhältnisse beim Adjektiv. Neben den 24 Einheiten, die auch der bestimmte Artikel umfaßt, enthält das adjektivische Paradigma noch sogenannte starke (Stk) und schwache (Schw) Formen. Der Unterschied wird sichtbar in **das liebe Kind** vs. **ein liebes Kind** (7.2).

Die Flexion von Substantiven, Artikeln, Adjektiven und den hier nicht genannten Pronomina wird zusammenfassend *Deklination* (»Beugung«) genannt. Die deklinierten Wortarten haben insbesondere die Gliederung hinsichtlich des Kasussystems gemeinsam. Die traditionelle Grammatik faßt daher manchmal die deklinierten Wortarten unter der Bezeichnung Nomina (N) zusammen (Sütterlin 1923: 185) und grenzt sie damit kategorial von den Flexionstypen ohne Kasusmarkierung ab. Wir werden uns ebenfalls dieses weiten Begriffs von Nomen bedienen und ihn nicht, wie es auch häufig geschieht, gleichbedeutend mit Substantiv verwenden (s. u.).

Nun zu den weiteren Flexionsarten, die das Deutsche kennt. Adjektive werden nicht nur dekliniert, sondern sie haben neben der einfachen Form (›Grundform‹), dem Positiv (Pos), die Steigerungsformen des Komparativs (Komp) und des Superlativs (Sup) wie in **das schöne Wetter, das schönere Wetter, das schönste Wetter**. Es ist seit jeher umstritten, ob die Formen des Komparativ und des Superlativ zum selben Paradigma gehören wie die des Positiv oder ob man drei getrennte Paradigmen für die Steigerungsstufen annehmen soll (Blatz 1900: 262f.; 7.2).

Die *Konjugation* ist die Flexionsart der Verben, die wir genauer in Kap. 4 behandeln. Ein Verb konjugieren (»verbinden«) meint, seinen Stamm mit einer Endung zusammenzurücken. Die traditionelle Grammatik begreift also die Flexion des Substantivs eher als Abwandlung des Stammes (›Beugung‹) und die Flexion des Verbs eher als einen Zusammenschluß von Stamm und Endung: die Verb-Endung hat im Griechischen ebenso wie im Lateinischen ein vergleichsweise hohes Eigengewicht. Die Verbform **canto** (»ich singe«) zeigt allein mit der Personalendung das Subjekt an, das im Deutschen durch Personalendung + Personalpronomen realisiert wird. Auch bei der Bildung von komplexen Formen zeigt sich das größere Gewicht der Verb-Endung des Lateinischen. So entspricht der aus mehreren Einheiten aufgebauten Form in **ich hätte gesungen** im Lateinischen die Form **cantavissem** mit einer komplexen Endung. Die Bezeichnung Konjugation ist für den Aufbau solcher Formen treffend. Sie wurde in die Grammatik des Deutschen übernommen, obwohl die Verbformen des Deutschen nicht in gleicher Weise wie im Lateinischen aus Stamm + Endung zusammengesetzt sind. Dennoch ist es auch für das Deutsche gerechtfertigt, Deklination und Konjugation als Flexionstypen zu unterscheiden, denn nominale und verbale Paradigmen sind vollkommen unterschiedlich aufgebaut.

Die Form **siehst** eines verbalen Paradigmas wie in **du siehst** wird mit fünf Einheitenkategorien beschrieben als 2. Ps, Sg. Präs, Ind, Akt. Das vollständige verbale Paradigma kennt drei Kategorien der Person (1., 2., 3. Ps), zwei Numeri (Sg, Pl) und sechs Kategorien des Tempus, nämlich das Präsens (Ps), das Präteritum oder Imperfekt (Prät), das Perfekt (Pf), Plusquamperfekt (Pqpf) und Futur (Fut1,2). Nur die Formen des Präs und Prät sind einfach (›synthetisch‹), alle anderen sind zusammengesetzt (›analytisch‹ wie **habe gesungen, werden singen** usw.). Zu den Flexionskategorien des Verbs gehören weiter die Kategorien des Modus, nämlich Indikativ (Ind) und Konjunktiv (Konj), sowie die beiden Kategorien des genus verbi, nämlich Aktiv (Akt) und Passiv (Pass). Wir wollen beim Verb immer vom genus verbi und nicht vom Genus sprechen, damit eine Verwechslung mit dem Genus der Nomina ausgeschlossen ist. Nach diesem Kategorieninventar hat das vollständige verbale Paradigma im Deutschen 144 Formen. Dazu kommen noch die Infinitive (Inf), Partizipien (Part) und Imperative (Imp).

Grammatische Kategorien treten grundsätzlich nicht isoliert, sondern in Gruppen auf. Wir haben die Einheitenkategorien des Substantivs nicht einfach aufgezählt, sondern gleich in zwei Gruppen zusammengefaßt, nämlich in die Gruppe der Kasuskategorien und die der Numeruskategorien. Diese Gruppen bezeichnet man als *Kategorisierungen*. ›Kasus‹ etwa ist keine Kategorie, wohl aber ›Nominativ‹. Ebenso ist ›Tempus‹ keine Verbkategorie, sondern eine Kategorisierung, während ›Präsens‹

und ›Perfekt‹ Kategorien sind. Kategorisierungen sind Mengen von Kategorien. Man vermeidet manche terminologische und konzeptuelle Verwirrung, wenn man Kategorie und Kategorisierung konsequent unterscheidet und beispielsweise nicht, wie es oft geschieht, von »der grammatischen Kategorie des Kasus« spricht.

Den Unterschied zwischen Kategorie und Kategorisierung machen wir in Klassifikationsschemata auch graphisch deutlich. Gleichzeitig auftretende Kategorisierungen werden unter einem horizontalen Balken zusammengefaßt, die Kategorien werden unter der jeweiligen Kategorie gebündelt. 2 gibt ein Beispiel für die Nominalformen.

(2)

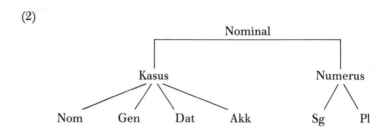

Auf den ersten Blick erscheinen die Kategorien einer Kategorisierung als gleichberechtigt und gleichgewichtig. Es gibt ebenso viele Singularformen wie Pluralformen im substantivischen und ebenso viele Präsensformen wie Perfektformen im Verbparadigma. Bei genauerem Hinsehen zeigt sich aber, daß die Kategorien nicht gleichberechtigt sind, sondern daß Asymmetrien verschiedener Art bestehen. Diese Asymmetrien können sowohl die Form als auch die Bedeutung und den Gebrauch der entsprechenden Einheiten betreffen. Betrachten wir als Beispiel wieder die Kategorien Sg und Pl beim Substantiv. Im Deutschen wird, ebenso wie in anderen Sprachen, der Nominativ Plural aus dem Nominativ Singular gebildet, indem eine Pluralendung hinzugefügt und eventuell ein Vokalwechsel (Umlaut/Ablaut) vorgenommen wird. Die Pluralform ist komplexer als die Singularform, vgl. **Bild/Bilder, Haus/Häuser, Wand/Wände, Auto/Autos, Zange/Zangen**. Niemals ist im Deutschen die Singularform komplexer als die des Plurals und man sagt, die Pluralform sei *merkmalhaltig* oder *markiert*, die des Singular sei *merkmallos* oder *unmarkiert*.

Der Begriff der Markiertheit wird meist im Anschluß an die Definition von Roman Jakobson verwendet: »falls die Kategorie I. [markiert] das Vorhandensein von A ankündigt, so kündigt die Kategorie II. [unmarkiert] das Vorhandensein von A nicht an, d. h. sie besagt nicht, ob A anwesend ist oder nicht.« (Jakobson 1966: 22). Wenn das Futur1 Zukünftigkeit signalisiert, dann signalisiert das Präsens als unmarkierte Kategorie »Zukünftigkeit ist nicht signalisiert«. Das Fut1 ist in dieser Hinsicht festgelegt, das Präs nicht. Das Präs kann in bestimmten Fällen zukunftsbezogen gelesen werden (**Nächste Woche besuchen wir dich**), aber es wird nicht immer so gelesen (**Wo ist Karl? Er besucht Paula**). Der Punkt ist von prinzipieller Bedeutung. Von zwei aufeinander bezogenen Kategorien besitzt nicht »jede ihre eigene positive Bedeutung« (Jakobson), sondern nur diejenige, die gegenüber der anderen markiert ist. Die unmarkierte ist hinsichtlich dieser Bedeutung unspezifiziert.

Idealiter geht mit der formalen Markiertheit (Merkmalhaftigkeit) einer Kategorie ihre semantische Markiertheit und die im Gebrauch einher. Beim Kategorienpaar Sg-Pl des Substantivs ist das der Fall. Der Singular als die unmarkierte Form hat die allgemeinere Bedeutung, seine Syntax ist weniger restringiert, er wird häufiger verwendet als der Plural, er wird von Kindern früher gelernt als der Plural. Es gibt eine ganze Reihe von sprachinternen und sprachexternen Kriterien, die hier herangezogen werden können (Mayerthaler 1981: 4ff.), und besonders wichtig und interessant ist, daß solche Gesichtspunkte nicht einzelsprachlich, sondern zumindest teilweise universell gelten. Das Unmarkierte stellt ja das ›Normale‹ dar, das, worüber man weniger nachdenkt und worüber man eher unbewußt verfügt, während das Markierte für das Besondere steht. Es sind deshalb sehr weitgehende Hypothesen darüber gebildet worden, was die Markiertheit/Unmarkiertheit von grammatischen Kategorien mit der Wahrnehmung und Bewältigung der Welt durch den Menschen zu tun hat. Bechert (1979, 1982) etwa vertritt die Auffassung, daß die unmarkierten Kategorien die sind, die Eigenschaften der Sprechsituation wiedergeben und sich auf den Sprecher selbst beziehen. Der Sprecher ist ein bestimmtes Individuum, das hier und jetzt handelt, und deshalb ist der Singular gegenüber dem Plural unmarkiert ebenso wie das Aktiv gegenüber dem Passiv, das Präsens gegenüber dem Präteritum, der Indikativ gegenüber dem Konjunktiv, das Subjekt gegenüber dem Objekt (Bechert 1982: 8; Cooper/Ross 1975; Mayerthalter 1981: 11ff.). Nimmt man alle unmarkierten Kategorien zusammen und bildet man mit ihnen einen einfachen Satz, so ist dieser vom Typ her als unmarkiert ausgezeichnet. Als dieser Satztyp gilt allgemein der einfache Aussagesatz im Sg Präs Ind Akt mit definitem Subjekt und indefinitem Objekt wie **Karl kauft ein Feuerzeug**. Von diesem Satztyp wird angenommen, daß er in der Kommuniktion eine besondere Rolle spielt. Er kommt nicht nur besonders häufig vor, sondern er erfaßt das Mitzuteilende auch in einer besonders stabilen, einfachen und durchsichtigen Form. Daneben und deshalb wurde er schon immer als Dreh- und Angelpunkt für die grammatische Beschreibung angesehen: von diesem Satztyp her läßt sich nach dieser Auffassung die gesamte Grammatik einer Sprache aufrollen, alle anderen Satztypen lassen sich formal und semantisch auf ihn beziehen (zu diesem Problemkreis die Zusammenfassung in Givón 1979: 45ff.).

Die genaue Erfassung der Markiertheitsverhältnisse für die grammatischen Kategorien einer Sprache ist wegen der phantastischen Reichweite des Markiertheitsbegriffs und der Komplexität des Kategoriengefüges eine schwierige Aufgabe. Viele Kategorien treten nicht in Paaren, sondern in Tripeln oder Quadrupeln auf, so daß man einen relativen Begriff von Markiertheit braucht. Auch kann eine Kategorie in einem bestimmten Zusammenhang markiert, in einem anderen unmarkiert sein. Ein Sprecher des Berliner Dialekts stellt in der Stadt den unmarkierten Fall dar. Bedient er sich seines Dialektes in einem literaturwissenschaftlichen Oberseminar, so wird er auffällig und stellt den markierten Fall dar. Solche *Markiertheitsumkehrungen* in speziellen Kontexten treten auf allen Ebenen der Grammatik auf. Beispielsweise kann man zu der Auffassung kommen, daß der Singular bei den Substantiven unmarkiert, bei den Personalendungen der Verben aber markiert ist (Plank 1977: 19f.).

Wir werden in unserer Grammatik keine geschlossene Markiertheitstheorie über das Deutsche anstreben und sie auch nicht voraussetzen, denn es gibt sie bisher

nicht. Dennoch ist es instruktiv, wenn man sich Gedanken über die Markiertheitsverhältnisse für Einzelfälle macht. Man muß nur jeweils angeben, worauf genau
sich die Markiertheit beziehen soll.

Zurück zu den syntaktischen Kategorien. Die Einheitenkategorien, mit denen wir
uns bisher allein beschäftigt haben, sind nicht der einzige Typ von syntaktischer
Kategorie, den man für eine Grammatik des Deutschen benötigt. Um das klarzuma-
chen, vergleichen wir die Rolle des grammatischen Geschlechts beim Substantiv
und beim bestimmten Artikel. Das Paradigma des bestimmten Artikels **der**[P] enthält
Formen des Maskulinum, des Femininum und des Neutrum, das Genus ist hier
eine Einheitenkategorisierung. Ein substantivisches Paradigma wie **Muttersprache**[P]
dagegen enthält nicht Formen in den drei Genera, sondern das ganze Paradigma
gehört zu den Feminina, ebenso wie **Mutterwitz**[P] zu den Maskulina und **Mutter-
glück**[P] zu den Neutra gehört. Jedes substantivische Paradigma gehört also einem
grammatischen Geschlecht an und umgekehrt kann man sagen, daß die Genera eine
Klassifizierung der substantivischen Paradigmen abgeben. Das Genus gliedert nicht
wie beim Artikel ein Paradigma intern, sondern es gliedert die substantivischen
Paradigmen insgesamt. Für die Substantive ist das Genus nicht eine Einheiten-,
sondern eine Paradigmenkategorisierung, und die zugehörigen Kategorien heißen
Paradigmenkategorien. Dies ist der zweite Typ von syntaktichen Kategorien, den wir
für unsere Grammatik ansetzen. Paradigmenkategorien sind keine Flexionskategorien. Sie treten bei flektierbaren Einheiten ebenso auf wie bei nicht flektierbaren,
also bei Substantiven ebenso wie bei Adverbien oder Konjunktionen. Um Paradigmenkategorien auch äußerlich von den Einheitenkategorien zu unterscheiden, no-
tieren wir sie in Großbuchstaben. Mask, Fem, Neut sind also die Einheitenkategorien, wie sie beim Artikel auftreten, während MASK, FEM, NEUT die Paradigmenkategorien des Substantivs sind.

Wir haben zur Illustration des Unterschiedes zwischen den Kategorientypen den
speziellen Fall herausgegriffen, bei dem eine Einheitenkategorisierung den gleichen
Namen hat wie eine Paradigmenkategorisierung. Das ist ein Sonderfall, der nicht
verallgemeinert werden kann. Er sollte uns auch nicht dazu verleiten, die Kategorien des grammatischen Geschlechts beim Substantiv und beim Artikel als ›dieselben‹ Kategorien anzusehen. Es handelt sich keineswegs um dieselben Kategorien,
denn daß ein Substantiv ein Neutrum ist, besagt etwas ganz anderes als daß die
Artikelform **das** eine Form im Neutrum ist. Daß beide Kategorien den gleichen
Namen haben, hat etwas mit der Kombinierbarkeit, also mit der Syntax von Substantiv und Artikel, zu tun und besagt nicht, daß beide ›übereinstimmen‹. Wir
kommen auf dieses Problem an verschiedenen Stellen genauer zurück.

Selbstverständlich wird in Grammatiken schon immer mit Kategorien operiert,
die dem entsprechen, was wir Paradigmenkategorien nennen, nur wurden diese
Kategorien nicht unter einem Begriff zusammengefaßt und den Einheitenkategorien gegenübergestellt. In erster Näherung kann man zu den Paradigmenkategorien
bestimmte Wortartkategorien und ihre Subklassen zählen. So gliedern wir die
nominalen Paradigmen in die substantivischen (SUBST), adjektivischen (ADJ),
pronominalen (PRO) und die der Artikel (ART). Die substantivischen ihrerseits
zerfallen in Kategorien nach dem grammatischen Geschlecht sowie danach, ob sie
Eigennamen, Gattungsnamen oder Stoffnamen sind. Ganz andere Paradigmenkategorien kommen bei den Verben ins Spiel. Die verbalen Paradigmen gliedern wir in

Vollverben (VV), Hilfsverben (HV), Kopulaverben (KV) und Modalverben (MV). Jede dieser Paradigmenklassen enthält wieder Subklassen, die Vollverben etwa die sogenannten transitiven und intransitiven Verben, die danach unterschieden sind, ob sie ein akkusativisches Objekt nehmen oder nicht. Auch nicht flektierbare Einheiten wie die Konjunktionen beschreiben wir mithilfe von Paradigmenkategorien. Die Konjunktion **aber** beispielsweise kann Hauptsätze miteinander verbinden **(Karl schießt kein Tor, aber er ist ein disziplinierter Verteidiger)**, während **weil** einen Nebensatz einleitet **(Karl schießt kein Tor, weil er ein disziplinierter Verteidiger ist)**. Die Konjunktionen werden deshalb in koordinierende (KOR) und subordinierende (SUB) eingeteilt. Ebenso werden die anderen nicht deklinierbaren Klassen, also Adverbien, Präpositionen und Partikeln, mithilfe von Paradigmenkategorien subklassifiziert. Das führt dazu, daß wir in allen diesen Fällen von ›einelementigen Paradigmen‹ sprechen. Das Paradigma **aber**^P enthält nur eine Form, nämlich **aber** selbst. Die Redeweise von den einelementigen oder auch uneigentlichen Paradigmen wirkt auf den ersten Blick ein wenig hergeholt und künstlich. Sie ist es nicht, denn sie macht deutlich, daß die syntaktische Feinkategorisierung der flektierbaren Paradigmen nach denselben Prinzipien funktioniert wie die der nicht flektierbaren. Wir werden oft flektierbare und nicht flektierbare Einheiten mit dem gleichen Kategorientyp beschreiben. Der Unterschied bleibt ja dennoch bestehen: flektierbare werden mit Einheiten- und Paradigmenkategorien beschrieben, nicht flektierbare nur mit Paradigmenkategorien.

Die beiden bisher besprochenen Typen, die Einheitenkategorien und die Paradigmenkategorien, fassen wir zusammen unter der Bezeichnung *Markierungskategorien*. Die Begründung für diese Bezeichnung wird im folgenden Abschnitt (2.2) gegeben. Der Begriff Markierungskategorie hat nichts mit dem vorhin eingeführten Begriff der Markiertheit zu tun. Die Ähnlichkeit der Bezeichnungen ist ganz zufällig.

Neben den Markierungskategorien benötigt man für die Beschreibung des Deutschen als dritten und letzten Typ die *Konstituentenkategorien*. Jeder Satz des Deutschen ist hierarchisch gegliedert. Ein Satz besteht nicht einfach aus Wortformen, sondern zwischen dem Satz als der größten und den Wortformen als den kleinsten Einheiten der Syntax werden eine Reihe weiterer Einheiten angesetzt. Diese hierarchische Gliederung wird mithilfe der Konstituentenkategorien erfaßt. Konstituentenkategorien sind also zum Teil das, was traditionell als Wortarten bezeichnet wird, aber auch größere Einheiten fallen unter die Konstituentenkategorien, für die in älteren Grammatiken im allgemeinen kein Kategorienname zur Verfügung steht. In unserer Grammatik wird mit relativ wenigen Konstituentenkategorien gearbeitet, denn ein wesentlicher Teil der syntaktischen Information wird mit den Paradigmen- und Einheitenkategorien erfaßt. Die folgende Liste enthält das vollständige Inventar an Konstituentenkategorien, das wir verwenden.

(3) a. Nomen (N): alle Substantive, Adjektive (auch Numeralia), Artikel und Pronomina. Beispiele: **Bücher, grüne, siebzehnte, des, welcher.**
Außerdem alle Kombinationen aus Artikel + Substantiv wie **der Mann, keine Frau.**

b. Nominalgruppe (NGr): komplexe Nominalausdrücke (d. h. deklinierbare Ausdrücke), die mindestens zwei nominale Kerne enthalten wie in **der große Bluff** (ADJ, SUBST) oder **das Motorrad von Karl** (SUBST, SUBST). Intuitiv gesprochen: Eine NGr enthält immer ein Attribut. Nomina und Nominalgruppen werden häufig zusammengefaßt unter dem Begriff des Nominals. ›Nominal‹ ist ein Sammelbegriff, den wir abkürzend verwenden für alle deklinierbaren Ausdrücke. Er ist aber keine Konstituentenkategorie. Als nominale Konstituentenkategorien haben wir nur N und NGr.

c. Verb (V): alle Formen von Vollverben, Hilfsverben, Kopulaverben und Modalverben, z.B. **sieht, sind, bleibt, könnt**. Auch alle zusammengesetzten Verbformen gehören zur Kategorie V wie **haben gewonnen, ist vergessen worden**.

d. Präposition (Pr): wie **in, durch, angesichts, aufgrund**.

e. Präpositionalgruppe (PrGr): alle Ausdrücke, die aufgebaut sind aus Präposition + Nominal wie **auf der Heide, angesichts schwindender Exportüberschüsse, durch Wiederholen dieser Meldung**.

f. Konjunktion (K): wie **daß, obwohl, denn, aber, wie, und**.

g. Infinitivgruppen (IGr): gewisse Ausdrücke, die aufgebaut sind aus einem Infinitiv mit **zu, um zu, ohne zu, anstatt zu** + weiteren Bestandteilen. Beispiele: **ihn zu trösten** in **Er versucht, ihn zu trösten; um zu kommen; anstatt zu fragen** usw.

h. Partizipialgruppe (PtGr): gewisse Ausdrücke, die aufgebaut sind aus einem Part Pf und weiteren Bestandteilen, z.B. **die Arme verschränkt** in **Die Arme verschränkt, stand sie vor ihm**.

i. Adverb (Adv): alle Adverbien wie **sehr, nicht, erstaunlicherweise, immer, dort**.

j. Adverbialgruppe (AdvGr): Ausdrücke, die ein Adverb als ›Kern‹ enthalten, auf den eine andere Konstituente bezogen ist, z.B. **dort am Bodensee** mit **dort** als Kern.

k. Satz (S): alle Sätze gehören zur Kategorie S, egal ob sie Haupt- oder Nebensätze, Frage- oder Aussagesätze sind.

Diese Liste von Konstituentenkategorien des Deutschen wurde zur Übersicht und als erste Orientierung zusammengestellt. Die Kategorien sind darin weder in ihrem Aufbau genau gekennzeichnet noch in ihrem Umfang vollständig erfaßt. Es wurde auch noch nichts darüber gesagt, wie die verschiedenen Kategorientypen gemeinsam für die syntaktische Beschreibung von Einheiten des Deutschen verwendet werden. Mit dieser Frage beschäftigen wir uns in 2.2 (Syntaktische Strukturen). Ebenso unerörtert ist bisher die Frage nach der Rechtfertigung von syntaktischen Kategorien geblieben. Diese Frage kann im einzelnen natürlich nur bei der Formulierung der Grammatik selbst vorgenommen werden, sie steht aber auch im Zusammenhang mit den allgemeinen Zielen einer syntaktischen Analyse und mit der Frage, welche Methoden man verwenden sollte, um zu einer syntaktischen Analyse zu kommen. Aufgabe des vorliegenden Abschnittes ist es nicht, alle Aspekte des Kategorienproblems zu erörtern, sondern mit Plausibilitätsargumenten und anknüpfend am geläufigen Begriff von grammatischer Kategorie die Typologie unseres Kategorienbegriffs darzulegen. Dazu fehlt als letzter Schritt, daß wir uns darüber klar werden, was für Entitäten syntaktische Kategorien sind. Wir haben bisher etwas ungenau von Einheiten, Formen und Ausdrücken gesprochen, aus denen Kategorien bestehen. Diese Ungenauigkeit soll jetzt beseitigt werden (zum folgenden genauer Lieb 1975; 1977: 60ff.; 1984: 80ff.).

Wir fassen alle syntaktischen Kategorien als Mengen von syntaktischen *Einheiten* auf. Syntaktische Einheiten sind die Entitäten (›Dinge‹, ›Objekte‹), mit denen sich die Syntax auseinanderzusetzen, die sie zu analysieren hat. Die syntaktischen Einheiten werden auch häufig die ›Ausdrücke‹ einer Sprache genannt. Dazu gehören die Sätze einer Sprache ebenso wie die Nominalgruppen, Verben, Konjunktionen usw., eben alles, was Gegenstand syntaktischer Überlegungen sein kann. Syntaktische Einheiten sind generell aus syntaktischen *Grundformen* aufgebaut, syntaktische Grundformen sind also die elementaren Einheiten, mit denen sich die Syntax befaßt. Als syntaktische Grundformen kommen im Deutschen vor die *Wortformen*, die *Verschmelzungen* und die sogenannten *Wortreste*. Über den Begriff der Wortform ist früher schon einiges gesagt worden: in Sätzen und generell in syntaktischen Einheiten kommen nicht ›Wörter‹ oder Paradigmen vor, sondern Wortformen. Der Satz **Viele Franzosen frieren** enthält die Wortformen **viele**, **Franzosen** und **frieren**. Formen wie **am, ins, im** wollen wir nicht einfach zu den Wortformen rechnen, sondern bringen ihren besonderen Status durch den Begriff der Verschmelzung zum Ausdruck. Verschmelzungen werden auch Portmanteau- oder Schachtelmorpheme genannt, weil sie wie in einer Schachtel die Bedeutung von zwei Morphemen unlösbar in eines zusammengepackt enthalten (Hockett 1947). Wortreste als dritte Art von syntaktischen Grundformen kommen vor in **Bier- und Weingläser, Laub- und Nadelbäume**. Beim Wortrest ist etwas weggelassen, das aber in der Umgebung ›wiedergefunden‹ werden kann. Auch ein Rückwärtsbezug des Wortrestes ist möglich wie in **Motorradhelm und -jacke** und sogar ein gleichzeitiger Vor- und Rückwärtsbezug kommt vor wie in **Spielerein- und -verkäufer** für **Spielereinkäufer und Spielerverkäufer**.

Syntaktische Einheiten sind nun generell Folgen von syntaktischen Grundformen. Der Begriff der Folge besagt dabei, daß syntaktische Grundformen zur Bildung von syntaktischen Einheiten aneinandergereiht werden und damit in einer bestimmten Ordnung zueinander auftreten. Man kann immer angeben, ob eine bestimmte Grundform in einer Einheit vor oder nach einer bestimmten anderen auftritt. Mit dem Begriff der Folge werden die zeitliche Ordnung des Gesprochenen und die räumlich-lineare des Geschriebenen erfaßt. Viele Grammatiken sprechen in diesem Zusammenhang auch von der Verkettung von Grundformen. Damit wird aber weniger explizit auf die Ordnung zwischen den Grundformen hingewiesen als wenn man von Folgen von Grundformen spricht.

Syntaktische Grundformen sind ihrerseits natürlich weiter linguistisch analysierbar auf der Ebene der Morphologie und vor allem der Phonologie. Wir können uns hier nicht mit der Frage beschäftigen, wie syntaktische Grundformen aus Phonemen und Silben aufgebaut sind. Auch ohne das ist klar, daß eine jede syntaktische Grundform über ihre lautlichen Eigenschaften erfaßt werden kann. Jede Wortform, jede Verschmelzung und jeden Wortrest kann man phonologisch charakterisieren, indem man angibt, welche Phoneme (›Sprachlaute‹) die Grundform enthält, und wie sie typischerweise betont wird (Kohler 1977; speziell Vennemann 1980; Lieb 1980a). Damit wird der Begriff der syntaktischen Einheit und auch der der syntaktischen Kategorie letztlich zurückgeführt auf phonologische Termini, denn die Phonologie beschäftigt sich mit den kleinsten sprachlichen Einheiten überhaupt.

2.2 Syntaktische Strukturen

2.2.1 Form und syntaktische Mittel

Einen Satz grammatisch beschreiben heißt, ihm seine Struktur bzw. seine Strukturen zuzuschreiben, in der Syntax speziell seine syntaktischen Strukturen. Die syntaktischen Strukturen sind Explikationen der syntaktischen Form. Wir müssen also, um über syntaktische Strukturen sinnvoll reden zu können, etwas über die Form sprachlicher Einheiten wissen. Was die Form sprachlicher Einheiten ist und wie man sie findet, liegt aber keineswegs auf der Hand. Der für seine Apercus bekannte Linguist von Stechow faßt diesen Tatbestand prägnant zusammen: »Die Form eines Ausdrucks erkennt man natürlich nicht durch bloßes Hinstarren« (1980: 124).

Zur Form eines Gegenstandes gehört allgemein das, was an ihm sinnlich wahrnehmbar ist, was man hört, sieht, fühlt usw. So unkontrovers das sein dürfte, so groß ist die Uneinigkeit, wenn man genauer anzugeben versucht, was man denn sieht und hört. Entscheidend dafür ist der Wahrnehmungsbegriff, den man verwendet. Über den aber gibt es sehr verschiedene Auffassungen.

In der ›Wahrnehmungspsychologie‹ von Hajos etwa heißt es einerseits »Wahrnehmungen sind raumzeitliche Abbildungen der Außenwelt« (1972: 15), praktisch ist dann jedoch nur von Wahrnehmungsschwellen, Unterschiedsempfindlichkeiten und Adaptionen der Sinnesorgane die Rede. Der Wahrnehmungsbegriff wird so auf niedriger Ebene des Erkennens angesiedelt. ›Hören‹ kann man danach Tonhöhen, Tonhöhenunterschiede, Tondauern, Lautheiten und Lautheitsdifferenzen. Hören kann man keine Wörter und schon gar keine Sätze, sondern höchstens Folgen von Lauten mit einer Lautstärke- und Tonhöhenkontur. Ein solcher Wahrnehmungsbegriff meint genau das nicht, was in 1.2 gemeint war: unter Wahrnehmung wurde dort das Erkennen des ganzen Dinges verstanden, seine Identifizierung über eine Erkenntnisleistung, die auf Sinnlichem beruht und die sinnliche Gegenwärtigkeit des wahrgenommenen Dings verlangt. In diesem Sinne kann man also sehr wohl Wörter und Sätze als Ganze ›hören‹ und nicht nur Folgen von Lauten, ebenso wie man Bäume und Wolken als Ganze ›sehen‹ kann und nicht nur irgendwelche Bestandteile von ihnen. Der Unterschied ist gravierend, denn er führt zu gänzlich verschiedenen Formbegriffen.

In der Sprachwissenschaft ist ein enger Formbegriff verbreitet, gegründet wohl auf einen engen Wahrnehmungsbegriff. Die Formseite des sprachlichen Zeichens wird auf das akustisch Wahrnehmbare reduziert, denn ohne das Akustische, ohne Lauterzeugung, Lautübertragung und Lautverarbeitung sei mündliche Kommunikation nicht möglich. Die lautliche Seite des Sprachzeichens wird aber, so folgert man, von der Phonetik und Phonologie bearbeitet, und nicht von der Syntax. Deshalb sind es Phonetik und Phonologie, die sich nach dieser Auffassung eigentlich mit der Formseite sprachlicher Einheiten befassen. Man versteht dann unter der

sprachlichen Form »alle wahrnehmbaren, insbesondere aber die akustisch wahr-
nehmbaren Reize (Einzelreize und Reizfolgen), die den Mitgliedern einer bestimmten Sprachgemeinschaft zur gegenseitigen Verständigung dienen« (Meier 1961: 15).
Die Schwierigkeit bei solchen Formulierungen ist, daß das Wahrnehmen an das
Akustische gebunden wird. Ein Wort etwa wird aber nicht lediglich als ›akustische
Reizfolge‹ wahrgenommen. Damit es als Wort gehört werden kann, müssen auch
seine Silbenstruktur und seine morphemische Struktur als solche gehört werden.
Diese Wahrnehmung beruht zwar auf akustischer, ist selbst aber nicht akustisch,
sondern phonologisch bzw. morphologisch. Wir sprechen deshalb von akustischen
Wahrnehmungen mit nicht mehr Recht als von phonetischen, phonologischen,
morphologischen und syntaktischen Wahrnehmungen. Jede der formseitigen Ebenen des Sprachsystems hat ihren eigenen und spezifischen Anteil an der Gesamt-
form einer sprachlichen Einheit. Die Reduktion auf das Akustische bzw. das Gra-
phisch-Visuelle hat seinen Grund wohl in einer konkretistischen Sicht auf die
Sprechsituation: der Sprecher produziert ›Laute‹, die als ›akustisches Signal‹ zum
Adressaten gelangen. Der Adressat nimmt das ›akustische Signal‹ wahr und verar-
beitet es bis zur semantischen Analyse. Systematisch ist eine solche Reduktion durch
nichts gerechtfertigt. Der Sprecher produziert nicht allein Laute, sondern er äußert
auch Wörter und Sätze. Und der Adressat hört nicht allein Laute, sondern er hört
ebenfalls auch Wörter und Sätze.

Um den Begriff der syntaktischen Form konkret zu machen, stellen wir uns nun
einen Sprecher vor, der etwas sagen und dazu ein bestimmtes Wortmaterial verwenden will. Welche Möglichkeiten stehen ihm zur Verfügung, größere Einheiten
strukturiert aus kleineren aufzubauen? Wir nehmen dazu Satz 1a und stellen fest,
was man – unter Beibehaltung des Wortmaterials – an diesem Satz ändern kann, so
daß andere Sätze entstehen. Es kommt dabei auf die Variation der Form an. Ein
›anderer Satz‹ ist also immer ein Satz mit einer anderen Form als der von 1a, egal,
ob er mit 1a in der Bedeutung übereinstimmt oder nicht.

(1) a. **Auch unsere Gruppe erreichte den Zug nicht**
      b. **Unsere Gruppe erreichte auch den Zug nicht**
      c. **Erreichte unsere Gruppe auch den Zug nicht?**
      d. **Den Zug erreichte auch unsere Gruppe nicht**
      e. **Unsere Gruppe erreichte den Zug auch nicht**
      f. **Auch nicht unsere Gruppe erreichte den Zug**
      g. **Nicht unsere Gruppe erreichte auch den Zug**

Diese sieben Sätze unterscheiden sich alle in der Form, weil die auftretenden
Wortformen in unterschiedlicher *Reihenfolge* erscheinen. Diese Unterschiede hört
man, d. h. die Reihenfolge ist ein Mittel, größere Einheiten aus kleineren Einheiten
unterschiedlich zu formen. Die Reihenfolge ist jeder syntaktischen Einheit imma-
nent, sie ist mit ihr selbst gegeben. Man braucht also, wenn man die Form explizit
macht, diesen Formaspekt nicht explizit zu machen. Mit dem bloßen Hinschreiben
der Einheit ist die Reihenfolge klar.

Das ist anders bei der *Intonation*. Unter Intonation verstehen wir die Kombination aus Tonhöhe, Tondauer und Lautheit, die zu einem Satz gehören. Zweifellos ist
die Intonation ein Formmittel. Denn man hört, ob der Hauptakzent des Satzes wie

in 2a angedeutet auf **unsere** liegt, ob er auf **den** liegt oder ob er etwa am Satzende liegt und damit den Satz zu einer Frage macht.

(2) a. **Auch** *unsere* **Gruppe erreichte den Zug nicht**
    b. **Auch unsere Gruppe erreichte** *den* **Zug nicht**
    c. **Auch unsere Gruppe erreichte den Zug** *nicht*

Wir beschäftigen uns nicht weiter mit dem Begriff der Intonation noch berücksichtigen wir Intonationen systematisch in unserer Grammatik. Das ist ein Manko, das vorerst nicht zu beheben ist. (Den ausführlichsten Teil zur Satzintonation enthalten von allen deutschen Grammatiken die ›Grundzüge‹).

Die syntaktische Form unseres Satzes kann weiter verändert werden, indem man vorkommende Einheiten morphologisch verändert (Präfix, Suffix, Infix, Umlaut und Ablaut; Beispiele in 3).

(3) a. **Auch unsere Gruppe erreichte den Zug nicht**
    b. **Auch unsere Gruppen erreichten den Zug nicht**
    c. **Auch unsere Gruppe erreicht den Zug nicht**
    d. **Auch unsere Gruppen erreichten die Züge nicht**

Wir nennen dieses Formmittel die *morphologische Markierung* syntaktischer Einheiten. Im Deutschen erstreckt sich die morphologische Markierung im wesentlichen auf Flexionsmerkmale. Sie schlägt sich unmittelbar nieder in Markierungskategorien.

Reihenfolge, Intonation und morphologische Markierung nennen wir die *syntaktischen Mittel* einer Sprache. Die syntaktischen Mittel sind es also, die das Instrumentarium zur strukturierten Bildung komplexer Ausdrücke abgeben. Es wird hier die Auffassung vertreten, daß Reihenfolge, Intonation und morphologische Markierung nicht nur die einzigen syntaktischen Mittel des Deutschen sind, sondern daß es überhaupt keine Sprache gibt, die andere syntaktische Mittel als diese drei zur Verfügung hat.

Diese Behauptung kann man nicht ohne weiteres beweisen, und manche Grammatiken nennen andere und vor allem mehr Formmittel als die drei (Admoni 1970: 211 ff.; Jung 1973: 122 ff.; Flämig u. a. 1972: 36 ff.). Man kann aber für jeden Einzelfall zeigen, daß die aufgeführten Formmittel entweder auf die drei reduzierbar sind oder daß es sich nicht um Formmittel im eigentlichen Sinne handelt. Betrachten wir als Beispiel die »Mittel zur Verknüpfung der Wörter«, wie sie in der Grammatik von Hermann Paul (1919: 4 ff.) genannt werden. »Die Mittel, deren sich die Sprache bedient, um die Verknüpfung der Wörter und der an sie angeschlossenen Vorstellungsmassen zum Ausdruck zu bringen, sind die folgenden:
  1. Die Aneinanderreihung der Wörter an sich . . .
  2. Die Stellung der Wörter . . .
  3. Die Abstufung des Stimmtones . . .
  4. Die Abstufung der Stimmstärke . . .
  5. Das Tempo der Rede . . .
  6. Wörter, die wir als Verbindungswörter bezeichnen können . . .

7. Flexion.«

Der Unterschied, den Paul in 1. und 2. macht zwischen der Tatsache, *daß* Wörter aneinandergereiht sind und der Art und Weise *wie* sie aufeinanderfolgen (bei einer bestimmten Wortstellung also), ist kaum zu rechtfertigen. Es gibt keine ›Aneinanderreihung der Wörter an sich«, es sei denn in einer Sprache mit vollkommen freier Wortordnung. Eine solche Sprache gibt es nicht, und es kann sie aus vielerlei Gründen auch nicht geben. Punkt 1. und 2. entsprechen dem, was wir das syntaktische Mittel Reihenfolge genannt haben.

3., 4. und 5. entsprechen der Intonation, wobei die weitere (hier nicht wiedergegebene) Erläuterung von 5. bei Paul zeigt, daß mit ›Tempo der Rede‹ auch das gemeint ist, was wir Tondauer nennen. Im übrigen ist das Tempo der Rede aber syntaktisch irrelevant etwa so, wie der Unterschied zwischen der Tonhöhe einer Kinderstimme und einer Männerstimme syntaktisch irrelevant ist.

Die ›Verbindungswörter‹ unter 6 sind kein syntaktisches Mittel in unserem Sinne. Paul führt als Beispiele solcher Wörter Präpositionen, Pronomina und Adverbien auf, meint also im wesentlichen das, was in 2.1 als abgeschlossene Klassen von Einheiten thematisiert wurde. Sie spielen für uns keine besondere Rolle im Sinne eines syntaktischen Mittels, vielmehr sind sie dem Gebrauch der syntaktischen Mittel ebenso unterworfen wie alle anderen Einheiten.

Das zuletzt genannte Mittel Flexion entspricht dem, was wir morphologische Markierung genannt haben.

Gravierende Unvereinbarkeiten zwischen unseren syntaktischen Mitteln und Pauls Verknüpfungsmitteln gibt es nicht: der Gedanke, die syntaktische Form über den Gebrauch der syntaktischen Mittel zu explizieren, ist nicht neu. Er wird hier besonders betont, weil er in modernen Syntaxen häufig ganz in den Hintergrund getreten ist und vielfach kaum eine Rolle bei der Rechtfertigung syntaktischer Strukturen spielt. Das liegt sicher daran, daß unter Syntax meist nicht die Lehre von der Oberflächenform selbst verstanden wird, sondern die Lehre von der Herleitung dieser Form aus einer Tiefenstruktur oder semantischen Struktur. Die syntaktischen Mittel sind von Interesse nur für die Oberflächenform.

2.2.2 Das Strukturformat

Die Oberflächenform wird gebildet mithilfe der syntaktischen Mittel. Was aber *ist* die Oberflächenform (Oberflächenstruktur) selbst, und wie wird sie anschaulich gemacht?

Wir betrachten als Beispiel einen einfachen Subjekt-Prädikat-Objekt-Satz. Für diesen Satz und seine Teile tragen wir das zusammen, was uns an syntaktischer Information bekannt ist und ordnen es systematisch den Ausdrücken zu, zu denen es gehört.

Die syntaktische Einheit **Hans verliert die Geduld** ist eine Folge von Grundformen (Wortformen). Das machen wir mit Durchzählen der elementaren Bestandteile deutlich. Die Numerierung lassen wir im allgemeinen weg, bei vollständiger Angabe der Struktur gehört sie aber dazu.

Hans ist die Form eines Nomens, ebenso **die**, **Geduld** und **die Geduld**. **Verliert** ist eine Verbform, das Ganze ist ein Satz. Alle genannten Kategorien sind Konstituen-

(1)

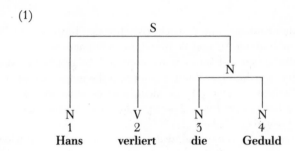

| | N
1
Hans | V
2
verliert | N
3
die | N
4
Geduld |

tenkategorien, die in 1 angegebene Struktur nennen wir eine *Konstituentenstruktur*. Die Konstituentenstruktur gibt den hierarchischen Aufbau syntaktischer Einheiten mithilfe der Konstituentenkategorien wieder.

Es werden nun einige Hilfsbegriffe eingeführt, die es uns in Zukunft sehr erleichtern werden, über Eigenschaften von Einheiten mit ihren Strukturen zu reden.

Eine *Konstituente* ist jeder Teil einer syntaktischen Einheit, der bei einer gegebenen Konstituentenstruktur einer Konstituentenkategorie zugeordnet ist. Bezüglich 1 wären Konstituenten etwa **Hans, die Geduld** und auch der ganze Satz. Keine Konstituenten sind **Hans verliert** oder **verliert die Geduld**, denn diese Teile des Satzes sind nicht für sich zu einem Knoten zusammengefaßt.

Eine Konstituenten f_1 ist einer Konstituente f_2 bei einer gegebenen Konstituentenstruktur *untergeordnet*, wenn f_1 ganz in f_2 enthalten ist. Bezüglich 1 ist beispielsweise **die Geduld** dem ganzen Satz untergeordnet, **die** ist **die Geduld** untergeordnet, **die** ist aber auch dem ganzen Satz untergeordnet. Ein besonderer Fall von Unterordnung ist die *unmittelbare Unterordnung*. Sie ist gegeben, wenn kein Knoten mehr zwischen den Kategorien zweier Konstituenten liegt. Beispielsweise ist **die** der Konstituente **die Geduld** unmittelbar untergeordnet, **die** ist aber nicht dem ganzen Satz unmittelbar untergeordnet.

Eine Konstituente f_1 ist einer Konstituente f_2 bei gegebener Konstituentenstruktur *nebengeordnet*, wenn es eine Konstituente f_3 gibt, der sowohl f_1 als auch f_2 unmittelbar untergeordnet ist. Bezüglich 1 sind etwa **Hans** und **die Geduld** nebengeordnet, oder auch **verliert** und **Hans**.

Die Konstituentenstruktur in 1 umfaßt nun keineswegs schon alles, was wir über die Grammatik der zugehörigen Einheit wissen. Wir ordnen die weitere kategoriale Information über die einzelnen Konstituenten nach Einheiten- und Paradigmenkategorien und führen alle Kategorien auf, die für eine Konstituente überhaupt infrage kommen.

Hans kann sein Nom, Sg oder Dat, Sg oder Akk, Sg (Einheitenkategorien). **Hans** ist außerdem ein Substantiv im Maskulinum (SUBST, MASK: Paradigmenkategorien). Möglicherweise gehört **Hans** zu weiteren Paradigmenkategorien, die wir erst aus einer genaueren Analyse der Substantive gewinnen (5.3.2). All dies repräsentieren wir als sogenannte Markierung von **Hans** wie in 2:

(2)   **Hans**
    {Nom, Sg} {SUBST, MASK ...}
    {Dat, Sg } {SUBST, MASK ...}
    {Akk, Sg } { SUBST, MASK ...}

(5)

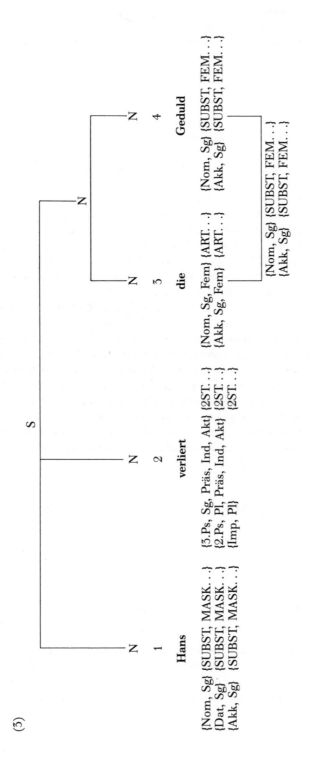

Jede der Zeilen gibt eine mögliche kategoriale Beschreibung von **Hans** mithilfe von Einheiten- und Paradigmenkategorien, die wir ja zusammen Markierungskategorien genannt haben (2.1). Von den in 2 angegebenen grammatischen Alternativen kommt im Satz aus 1 nur eine tatsächlich zum Zuge, denn **Hans** kann hier nur Nominativ sein. Aber zur vollständigen Charakterisierung gehören zunächst die drei Möglichkeiten.

Die Verbform **verliert** kann 3.Ps, Präs, Ind, Akt im Sg (**er verliert**) oder 2.Ps, Pl (**ihr verliert**) sein, außerdem die Pluralform des Imperativ (Imp, Pl). Als Paradigmenkategorie für **verlieren** geben wir hier nur an, daß es sich um ein zweistelliges Verb handelt, ein Verb also, das Subjekt und Objekt nimmt (2ST).

Eine der am häufigsten verwendeten Wortformen des Deutschen überhaupt ist **die**, und zum Teil beruht das darauf, daß **die** zu so vielen verschiedenen grammatischen Kategorien gehört. Als Artikel kann es Fem, Sg im Nom und Akk sein, außerdem Nom und Akk im Pl der drei Genera. Als Paradigmenkategorie geben wir nur ART (Artikel) an, aber **die** kann auch Demonstrativ- und Relativpronomen sein.

Geduld wird nach denselben Gesichtspunkten Kategorien zugeordnet wie **Hans**, und **die Geduld** schließlich kann nur noch auf zwei Weisen charakterisiert werden, nämlich als Nom und Akk des Sg. Alle anderen Möglichkeiten, die **die** für sich hat, sind für **die Geduld** ausgeschlossen. Damit ergibt sich insgesamt 3.

3 gibt die syntaktische Struktur des Satzes **Hans verliert die Geduld** wieder. Sie besteht aus zwei Teilstrukturen, nämlich der Konstituentenstruktur (oberer Teil des Diagramms) und der Markierungsstruktur (unterer Teil des Diagramms). Der dritte Teil jeder vollständigen syntaktischen Struktur, die Intonationasstruktur, fehlt in 3, weil in unserer Grammatik Fragen der Intonation nur am Rande behandelt werden. Natürlich geben wir in der Regel auch die beiden anderen Teilstrukturen nicht vollständig an. Insbesondere die Markierungsstruktur wird jeweils gerade so weit ausgeführt, daß man sieht, was gemeint ist. Wichtig ist, daß mit dem in 3 exemplifizierten Strukturformat alles über die syntaktische Form von Ausdrücken gesagt werden kann, was man sagen muß. Wir wollen einige Punkte erwähnen, auf die es besonders ankommt.

(4) a.   b.

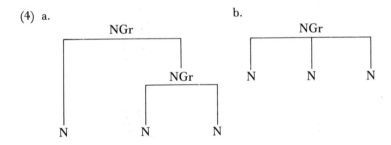

1. Beide Strukturen in 4 können Ausdrücke beschreiben, die aus drei aufeinanderfolgenden Nomina bestehen. Welche der Strukturen richtig ist, muß jeweils erörtert und entschieden werden, unser Format läßt beide zu. Das ist nicht selbstverständlich. Es gibt Grammatiken, die nur binäre Verzweigungen erlauben (Clément/ Thümmel 1975).

(5)

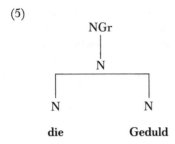

2. Eine Struktur wie 5 ist in unserer Grammatik verboten, weil sie einen nicht verzweigenden Ast enthält (sog. Mehrfachkonstituenten). Das Verbot ergibt sich aber nicht aus dem Strukturformat, sondern aus dem der Syntax zugrunde liegenden Formbegriff. Wenn ein Ausdruck ein Nomen ist, dann hat er andere syntaktische Merkmale als wenn er eine Nominalgruppe ist. Kategoriale Unterschiede signalisieren Unterschiede im syntaktischen Verhalten syntaktischer Einheiten, deshalb kann eine Einheit nicht gleichzeitig der einen und der andern Kategorie in einer Struktur zugewiesen werden. Anders formuliert: eine Konstituente hat immer nur eine ganz bestimmte Form und kann deshalb nicht zwei Konstituentenkategorien gleichzeitig zugeordnet sein.

(6) a.   b.

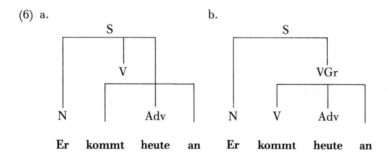

3. 6a enthält eine sogenannte unterbrochene oder *diskontinuierliche Konstituente.* Sie entsteht, weil die Verbpartikel **an** des Verbs **ankommen** unter bestimmten Umständen abgetrennt werden kann. Diskontinuierliche Konstituenten kommen im Deutschen häufig und auch in ganz anderen Konstruktionen als der in 6 vor. Viele Grammatikformate lassen sie dennoch nicht zu und greifen etwa zu Lösungen wie der in 6b, wo das Adverb mit der Verbform zu einer ›Verbalgruppe‹ zusammengefaßt wird. Warum diskontinuierliche Konstituenten solche Schwierigkeiten machen, kann nicht im Einzelnen besprochen werden. Meist vermeidet man sie, weil der formale Apparat zum Aufbau der Syntax einfach gehalten werden soll. Denn es ist klar, daß der Begriff von Konstituente, den 6a erfordert, formal aufwendiger ist als der, den 6b erfordert. Was nützt aber ein einfacher Begriff von Konstituente, wenn er auf das Deutsche nicht mehr paßt? (Zum Einstieg in die mit Fragen dieser Art verbundene, sehr weitläufige Problematik Wall 1973; Genaues zum Begriff der Konstituente aus der hier vertretenen Sicht Lieb 1975: 11ff., 1977: 60ff.; 1984: 85ff.).

Es wird noch einmal hervorgehoben, daß in diesem Abschnitt nicht konkrete Lösungen für grammatische Probleme zu besprechen waren, sondern nur der Begriff der syntaktischen Struktur selbst. Es sollte gezeigt werden, welche Möglichkeiten man hat, die Form von Sätzen durch Angabe ihrer syntaktischen Strukturen explizit zu machen. Man hat die Bausteine. Wie die Häuser aussehen, die man damit baut, ist noch weitgehend offen. Die Steine wurden so gewählt, daß die Form des Hauses nicht schon durch die Form der Steine vorgegeben ist.

2.2.3 Syntagmatische Relationen

Das Reden vom Gebrauch der syntaktischen Mittel einerseits und den syntaktischen Strukturen als seinem Ergebnis andererseits läßt noch einen großen Abstand, eine schwer überbrückbare kognitive Lücke zwischen beidem. Zwar ist offensichtlich, daß Ausdrücke mithilfe der syntaktischen Mittel geformt werden, aber viel weniger offensichtlich ist, wie dadurch eine syntaktische Struktur entsteht. Insbesondere das Ansetzen von höheren Konstituenten muß besonders begründet werden. Sprachliche Ausdrücke haben prima facie nur eine Ausdehnung in einer Dimension, sie sind linear. Die Behauptung einer hierarchischen Gliederung, einer ›verborgenen‹ Ausdehnung in die zweite Dimension, ist alles andere als unmittelbar einleuchtend. An ihr entzündet sich daher besonders leicht der Streit darüber, ob die vom Linguisten angegebenen syntaktischen Strukturen den Ausdrücken tatsächlich zukommen, ob sie existieren in einem vernünftigen Sinne. Oder ob sie nicht eher Resultat der Erfindungsgabe der Linguisten sind, Ausdruck von Fixiertheiten einer Disziplin, die ihren Gegenstand unbedingt einem bestimmten Strukturbegriff zugänglich machen möchte (dazu noch immer unübertroffen Hockett 1976, 1976a).

Der Begriff, mit dem der Schritt von den syntaktischen Mitteln zu den syntaktischen Strukturen vollziehbar wird, ist der der syntagmatischen Beziehung (Saussure 1931: 147ff.; Lyons 1971: 72ff.). Syntagmatische Beziehungen oder Relationen bestehen zwischen Teilen von sprachlichen Ausdrücken untereinander, und zwar auf allen Ebenen des Systems. Speziell in der Syntax bestehen syntagmatische Beziehungen zwischen Konstituenten. Für das Deutsche setzen wir drei Typen

(1) a.   b.

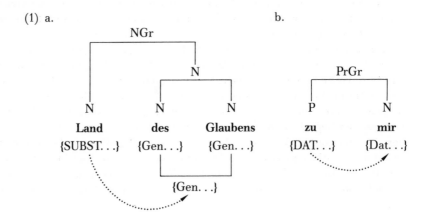

solcher Beziehungen an, nämlich die Rektionsbeziehung, die Identitätsbeziehung und die Kongruenzbeziehung.

1. *Rektion.* Eine Konstituente f_1 regiert eine Konstituente f_2, wenn eine Einheitenkategorie von f_2 durch eine Paradigmenkategorie von f_1 festgelegt ist. Das Bestehen einer Rektionsbeziehung wird durch eine gepunktete Linie angedeutet. Zwei Beispiele für Rektion im Deutschen sind in 1 wiedergegeben. Jedes Substantiv hat die Möglichkeit, ein Genitivattribut zu nehmen, d. h. das Substantiv (Paradigmenkategorie SUBST) regiert in dieser Konstruktion den Genitiv (Einheitenkategorie des Attributs). Das Attribut muß im Genitiv stehen, andere nominale Attribute gibt es unter diesen Bedingungen nicht. 1b verdeutlicht die Rektionsbeziehung zwischen Präposition und Nominal innerhalb einer PrGr. Jede Präposition erzwingt einen bestimmten Kasus oder die Wahl zwischen zwei Kasus (Dat/Akk), danach kann man sie syntaktisch klassifizieren: die Präposition regiert den Kasus des ihr folgenden Nominals.

Die Rektionsbeziehung rückt Konstituenten formal aneinander, so daß sie zusammen eine höhere Konstituente bilden. Diesen Gesichtspunkt werden wir häufig berücksichtigen, wenn es um die Frage geht, wie eine Einheit hierarchisch gegliedert ist.

Eine besondere Form von Rektion ist die *Valenz.* Von Valenz spricht man dann, wenn die regierte Konstituente die Funktion einer Ergänzung hat. So haben Verben eine Valenz, weil sie Ergänzungen nehmen (Subjekt und Objekt). Die terminologische Ausgrenzung der Valenz von den Rektionsbeziehungen ist allein historisch bedingt. Der Valenzbegriff wurde zunächst dort verwendet, wo man sich in erster Linie mit der Grammatik des Verbs beschäftigt hat. In diesem Zusammenhang hat er sich bis heute gehalten (Kap. 3). Eine systematische Trennung von Valenz und Rektion, wie sie etwa von Engel (1977: 97) vorgeschlagen wird, ist nicht möglich.

Der von uns vorgesehene Gebrauch des Begriffes Rektion kommt dem sehr nahe, was traditionell unter diesem Terminus verstanden wird. Er ist unter den Begriffen zur Bezeichnung syntagmatischer Beziehungen der allgemeinste. Ob man einen noch allgemeineren braucht, etwa den Admonischen Begriff Fügungspotenz (1970: 78 ff.) oder einen unspezifizierten Abhängigkeits- oder Dependenzbegriff, muß hier offen bleiben. Für das Deutsche könnte sich die Notwendigkeit dazu insbesondere aus der Syntax der unflektierten, aber regierten (abhängigen) Konstituenten ergeben, also etwa der Adverbien und der Partikeln.

2. *Identität.* Eine Konstituente f_1 steht in der Identitätsbeziehung zu einer Konstituente f_2, wenn es bestimmte grammatische Kategorien gibt, denen beide Konstituenten zugeordnet sind.

Man kann den hier relevanten Identitätsbegriff sehr viel exakter fassen. Weil das formal aufwendig würde, lassen wir es bei der kurzen Explikation bewenden. Der entscheidende Punkt ist, daß es Konstruktionen gibt, in denen Konstituenten denselben Kategorien zugeordnet werden müssen. Das Bestehen der Identitätsbeziehung wird angedeutet durch eine Kreuzlinie. In 2 stehen **ein Kind** und **ein Mann** in dieser Beziehung. Beide können hier nur als Nominative gelesen werden und bilden zusammen das Subjekt. Dazu müssen sie im Kasus übereinstimmen, nicht aber auch in sämtlichen anderen Kategorien. Beispielsweise können sie sich im Numerus unterscheiden. Aus diesem Grunde wurde oben etwas umständlich von ›bestimmten grammatischen Kategorien‹ gesprochen.

(2)

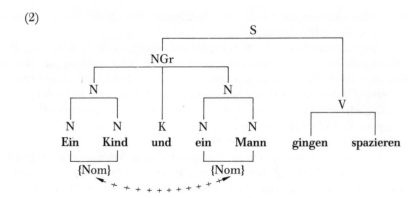

Die Identitätsbeziehung spielt eine Rolle bei den nebenordnenden Konjunktionen (**aber, und, oder**) und anderen Formen der Koordination wie in **viele blaue Veilchen**, in den sogenannten Vergleichssätzen (**Wir betrachten dich als den Würdigsten**) und aller Wahrscheinlichkeit nach auch bei der sogenannten engen Apposition (**der Bürger Danton**). Wir kommen darauf in den entsprechenden Abschnitten genauer zu sprechen. Daß die Identitätsbeziehung als eigenständige und gar nicht selten auftretende syntagmatische Beziehung neben den anderen kaum einmal erwähnt wird, liegt wohl an der begrifflichen Unschärfe im Verhältnis zur Kongruenz.

3. *Kongruenz.* Eine Konstituente f_1 kongruiert mit einer Konstituente f_2, wenn f_1 bezüglich mindestens einer Einheitenkategorie von einer Einheitenkategorie von f_2 abhängt.

Das Entscheidende ist, daß die Kongruenzbeziehung allein auf Flexionsmerkmalen der beteiligten Konstituenten beruht. Es wird gefordert, daß die entsprechenden Kategorien von beiden Konstituenten Einheitenkategorien sind. Kongruenz ist seltener als meistens angenommen wird, besonders deshalb, weil viele Rektionsbeziehungen irrtümlich als Kongruenzbeziehungen gelten. Wir illustrieren das Problem am Verhältnis des adjektivischen Attributs zum modifizierten Substantiv.

In fast allen Grammatiken steht, daß das adjektivische Attribut mit dem Kernsubstantiv bezüglich Genus, Numerus und Kasus kongruiert. In **Sie mag guten Wein** etwa kongruiere **guten** mit **Wein**, es sei Mask, Sg, Akk weil **Wein** eben diesen Kategorien zugeordnet sei.

In dieser Sichtweise stecken zwei Irrtümer. Der erste besteht darin, daß die Kongruenzbeziehung auch auf das Genus ausgedehnt wird. Das adjektivische Attri-

(3)

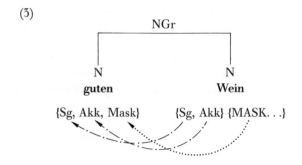

but kongruiert mit dem Substantiv wohl hinsichtlich Numerus und Kasus, nicht aber im Genus. Das Genus ist beim Substantiv eine Paradigmenkategorisierung, d. h. das Substantiv *regiert* das Adjektiv hinsichtlich des Genus. Tragen wir die Kongruenzbeziehung als Strichpunkt-Linie ein, dann stellen sich die syntagmatischen Beziehungen wie in 3 dar.

Der zweite Irrtum besteht darin, daß beim Adjektiv und beim Substantiv von ›denselben‹ Kategorien gesprochen wird. Man nimmt einfach an, daß Akk und Sg beim Adjektiv dasselbe sind wie Akk und Sg beim Substantiv. Diese Annahme ist unzutreffend. Der Kasus beim Adjektiv hat eine gänzlich andere Funktion als beim Substantiv, und er wird vollkommen anders gebildet. Er ist mit den substantivischen Kasus über die Kongruenzbeziehung verbunden, wird aber damit nicht zu einem substantivischen Kasus. Die Kategorien bleiben verschieden. Streng genommen und um eingefleischten grammatischen Vorurteilen zu begegnen, sollte man eigentlich für die adjektivischen Kasus andere Namen einführen als für die substantivischen. Wir tun das nicht, weil es nicht besonders realistisch wäre. Der Unterschied besteht aber deshalb nicht weniger.

Noch deutlicher als bei Numerus und Kasus ist die Verschiedenheit der Kategorien beim Genus. Das Adjektiv flektiert hinsichtlich des Genus, die Kategorien sind hier Einheitenkategorien. Das Substantiv flektiert nicht hinsichtlich des Genus. Wer sagt, das Adjektiv habe ›dasselbe‹ Genus wie das Substantiv, irrt gleich zweimal.

Die Unterscheidung von Rektion, Identität und Kongruenz als syntagmatische Beziehungen der genannten Art mag manchem wenig ergiebig erscheinen. Tatsächlich ist sie für das Deutsche mit seinem noch ausgebildeten Flexionssystem von großer Bedeutung. Manche Erscheinungen wie die sogenannte Subjekt-Prädikat-Kongruenz lassen sich in ihrer Systematik erst verstehen, wenn man etwa Kongruenz- und Rektionsphänomene voneinander trennen kann (8.1.2). Eigentlicher Zweck einer Bestimmung der syntagmatischen Beziehungen bleibt aber, daß sie häufig entscheidende Hinweise auf die hierarchische Strukturiertheit syntaktischer Einheiten geben.

In manchen Fällen und insbesondere dann, wenn mehrere syntagmatische Beziehungen gleichzeitig bestehen, ist es umständlich, zwischen Kongruenz, Rektion und Identität zu unterscheiden. Wir sprechen dann einfach davon, daß die Konstituenten formal aufeinander abgestimmt seien oder miteinander *korrespondieren*.

2.3 Syntaktische Relationen

2.3.1 Syntaktische Relationen als definierte Begriffe

Über die Syntax eines Satzes kann man mithilfe von syntaktischen Kategorien und Strukturen reden, wie sie in den vorausgehenden Abschnitten charakterisiert wurden, man kann sich aber auch einer Begrifflichkeit bedienen, die Ausdrücke wie Subjekt, Objekt und Attribut enthält. Betrachten wir als Beispiel den Satz **Die Regierung besteht auf der neuen Startbahn**. Wir können den Satz syntaktisch beschreiben, indem wir feststellen (1) der Satz besteht aus einem Nomen im Nominativ, einem Verb und einer Präpositionalgruppe mit Dativnominal oder (2) der Satz besteht aus Subjekt, Prädikat und Präpositionalobjekt. Beide Redeweisen sind offensichtlich weder identisch noch sind sie unabhängig voneinander, denn ›Subjekt‹ hat etwas mit ›Nominativ‹ zu tun, ›Prädikat‹ mit ›Verb‹ und ›Präpositionalobjekt‹ mit ›PrGr‹.

Begriffe wie ›Subjekt‹, ›Prädikat‹, ›Objekt‹, ›Attribut‹ und ›adverbiale Bestimmung‹ sind relationale Begriffe. Sie kennzeichnen eine Konstituente nicht für sich selbst und unabhängig von der Umgebung, sondern sie kennzeichnen, welche Funktion die Konstituente innerhalb einer größeren Einheit hat. Sie wird damit in Beziehung zu anderen Konstituenten gesetzt und diese Beziehungen oder Relationen werden als Subjekt-Beziehung, Objekt-Beziehung usw. bezeichnet. Bezogen auf unser Beispiel sagt man etwa:

(1) a. **die Regierung** ist Subjekt zu **besteht**
    b. **auf der neuen Startbahn** ist Präpositionalobjekt zu **besteht**
    c. **besteht** ist Prädikat zu **Die Regierung besteht auf der neuen Startbahn**

Die Sätze in 1 gelten nicht allgemein, sondern sie gelten für den Beispielsatz. Der Ausdruck **auf der neuen Startbahn** ist beispielsweise nicht in allen Sätzen, in denen er vorkommt, Präpositionalobjekt, sondern kann auch andere Funktionen haben.

(2) a. **Die Regierung besteht auf der neuen Startbahn**
    b. **Zahlreiche Umweltschützer übernachteten auf der neuen Startbahn**
    c. **Die erste Landung auf der neuen Startbahn wird verschoben**

Alle Sätze in 2 enthalten den Ausdruck **auf der neuen Startbahn,** aber nur in 2a ist er Präpositionalobjekt. In 2b hat er die Funktion einer adverbialen Bestimmung und in 2c die eines Präpositionalattributs. Diese Unterschiede in der syntaktischen Funktion lassen sich nicht dem Ausdruck selbst entnehmen. Die PrGr **auf der neuen Startbahn** hat in den drei Sätzen dieselbe Form (also dieselbe syntaktische Struktur), und erst bei Berücksichtigung der Umgebung ergibt sich die Verschiedenheit der Funktion. Genauer faßbar wird dieser Unterschied, wenn man die Ausdrücke mit ihrer syntaktischen Struktur betrachtet. Aus den Konstituentenstrukturen in 3 wird deutlich, daß die PrGr in jedem der drei Ausdrücke eine andere Stellung in der Struktur hat (die Strukturen dienen wiederum nur zur Demonstration und werden an dieser Stelle nicht weiter gerechtfertigt).

(3) a.

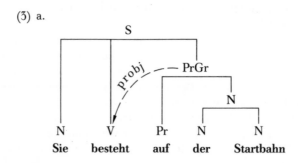

b.

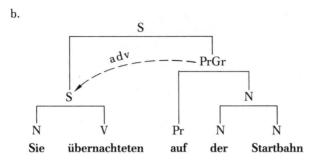

Sie   übernachteten   auf   der   Startbahn

c.

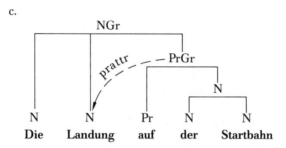

Die   Landung   auf   der   Startbahn

Zur genaueren Fassung des Unterschieds zwischen Objekt-, adverbialer und attributiver Funktion der PrGr genügt im Beispiel der Bezug auf die Konstituentenstruktur. Unter Berücksichtigung von 3 kommt man zu Formulierungen der folgenden Art.

(4) a. Wenn f ein Satz ist mit der Konstituentenstruktur k
und wenn f_1, f_2 Konstituenten von f mit k sind,
dann ist f_1 Präpositionalobjekt zu f_2, wenn gilt
1. f_1 ist PrGr in f mit k
2. f_2 ist V in f mit k
3. f_1 und f_2 sind f mit k unmittelbar untergeordnet
b. Wenn f ein Satz ist mit der Konstituentenstruktur k
und wenn f_1, f_2 Konstituenten von f mit k sind,
dann ist f_1 adverbiale Bestimmung zu f_2, wenn gilt
1. f_1 ist PrGr in f mit k
2. f_2 ist S in f mit k
3. f_1 und f_2 sind f mit k unmittelbar untergeordnet
c. Wenn f eine NGr ist mit der Konstituentenstruktur k
und wenn f_1, f_2 Konstituenten von f mit k sind,
dann ist f_1 Präpositionalattribut zu f_2, wenn gilt
1. f_1 ist PrGr in f mit k
2. f_2 ist N in f mit k
3. f_1 und f_2 sind f mit k unmittelbar untergeordnet

Der Leser wird aufgefordert, sich anhand von 3a–c zu vergewissern, daß die in 4a–c genannten Bedingungen tatsächlich erfüllt sind und daß man so Aussagen darüber machen kann, wann eine Präpositionalgruppe die eine oder die andere syntaktische Funktion hat. In den Sätzen aus 4 wird jeweils eine bestimmte Konstituente (f_1) zu einer anderen (f_2) in Beziehung gesetzt. f_1 ist die Konstituente, um deren Funktion es geht, beispielsweise das Präpositionalobjekt **auf der Startbahn** gemäß 3a und 4a. Wir wollen sagen, daß diese Konstituente sich im Vorbereich der syntaktischen Relation befindet. Entsprechend befindet sich f_2 im Nachbereich der Relation. Da syntaktische Relationen in der Regel zweistellig sind, läßt sich meist auf diese Weise ein Vorbereich und ein Nachbereich angeben.

Zur Explikation dessen, was wir unter Präpositionalobjekt usw. verstehen wollen, bedienen wir uns in 4 der kategorialen Redeweise. Das kann man verallgemeinern: relationale Begriffe definieren wir mithilfe von kategorialen und niemals umgekehrt. Eine solche Definition berücksichtigt die syntaktischen Merkmale, mit denen die zu definierende Größe von allen anderen unterschieden werden kann. Wenn eine PrGr im Deutschen nur die in 4 genannten drei Funktionen haben kann, dann genügt es, genau diese drei Funktionen voneinander zu trennen, um zu einer Definition für ›Präpositionalobjekt im Deutschen‹ zu kommen. Hat man umgekehrt alle für das Bestehen einer Relation relevanten syntaktischen Merkmale in einem Satz wie 4a erfaßt, so läßt sich für jede PrGr in einem Satz des Deutschen, dessen Struktur bekannt ist, feststellen, ob sie Präpositionalobjekt ist oder nicht.

In der relationalen Redeweise kann man auf einfache Weise ausdrücken, daß Ausdrücke mit einer bestimmten Form, hier die Präpositionalgruppen, in unterschiedlicher syntaktischer Funktion vorkommen. Das gilt für das Deutsche allgemein, denn fast jeder Ausdruck kommt in mehreren Funktionen vor. Das relationale Begriffssystem gewinnt seine Eleganz und Sinnhaftigkeit umgekehrt auch dadurch, daß man Ausdrücken unterschiedlicher Form dieselbe syntaktische Funktion zuschreibt. Nach üblicher Auffassung enthalten die Sätze in 5 alle ein direktes Objekt zu

(5) a. **Karl verspricht eine pünktliche Bezahlung**
    b. **Karl verspricht, pünktlich zu bezahlen**
    c. **Karl verspricht, daß er pünktlich bezahlt**

verspricht. Dieses Objekt hat aber in 5a die Form einer Nominalgruppe, in 5b die Form einer Infinitivgruppe und in 5c die eines **daß**-Satzes. Als Indiz dafür, daß die so verschieden geformten Ausdrücke in der Tat dieselbe Funktion haben, mag zunächst genügen, daß 5a–c im wesentlichen dieselbe Bedeutung haben (Genaueres 3.2). Eine Definition für ›direktes Objekt im Deutschen‹ hätte also zu berücksichtigen, daß das direkte Objekt unterschiedliche Form annehmen kann. Auch dies ist zu verallgemeinern: fast jede syntaktische Relation kann im Vorbereich Ausdrücke unterschiedlicher Form haben.

Das Verhältnis von Form und Funktion ist im Deutschen so geregelt, daß eine Form generell mehrere Funktionen erfüllen kann und daß eine Funktion generell von mehreren Formen erfüllt werden kann. Eine Eindeutigkeit gibt es weder in der einen noch in der anderen Richtung. Dieser Tatsache wird nicht in allen Grammatiken genügend Aufmerksamkeit geschenkt. Zwar werden fast überall kategoriale und relationale Begriffe nebeneinander verwendet, aber oft genug bleibt unklar, wie sich beide Terminologien zueinander verhalten und warum mal die eine und mal die andere bevorzugt wird. Noch schwerwiegender ist die Vermischung beider Redeweisen. Chomsky warnt (1969: 95): »Funktionale Begriffe wie ›Subjekt‹ und ›Prädikat‹ sind scharf von kategorialen Begriffen wie ›Nominal-Komplex‹ (NP), ›Verb‹ zu trennen. Die Unterscheidung darf nicht durch den zufälligen Gebrauch des gleichen Namens für Begriffe beider Bereiche vermischt werden.«

Vorbildlich ist in diesem Punkt etwa die ›Neuhochdeutsche Grammatik‹ von Friedrich Blatz aus den 80er Jahren des vorigen Jhdts (Blatz 1896; 1900). Sie trennt schon vom Aufbau her Kategorien von Funktionen und betrachtet das Deutsche systematisch unter beiderlei Aspekt. Blatz widmet den ersten Band seiner Grammatik (neben der Lautlehre) im wesentlichen der Wortlehre und diese zum allergrößten Teil der Wortformenlehre. Darunter versteht er außer der historischen Entwicklung der Wortformen ungefähr das, was wir den formalen Aufbau der einfachen syntaktischen Einheiten nennen würden. Behandelt werden die Flexion (Deklination, Komparation, Konjugation) der Hauptwortarten sowie einige Formeigenschaften einelementiger Paradigmen (Adverbien, Präpositionen, Konjunktionen). Eine Kategorie wie Genitiv etwa tritt beim Substantiv so in Erscheinung, daß alle möglichen Arten der Genitivbildung von Substantiven genannt werden. ›Genitiv‹ ist eine Klasse von substantivischen Formen, die unabhängig davon betrachtet wird, wo diese Formen vorkommen; ›Genitiv‹ ist exakt das, was wir eine Einheitenkategorie des Substantivs nennen würden.

Der zweite Band, die Syntax, gliedert den ersten Abschnitt über den Aufbau des einfachen Satzes in die Kapitel ›I. Satzglieder‹ und ›II. Verwendung der Wortarten und Wortformen zur Bildung von Satzgliedern und Sätzen‹. Unter I wird besprochen, wie die ›Satzglieder‹ (das sind für Blatz Subjekt, Objekt, Attribut u.a.) aufgebaut sind. Der Genitiv kommt vor u.a. als Genitivobjekt und als Genitivattribut. Dieses Kapitel geht also aus von relationalen Begriffen, mit denen die syntaktische Funktion der Satzglieder vorgegeben ist, und untersucht, wie diese Funktionen gefüllt sind, mit welchen formalen Mitteln sie realisiert sind. Das zweite Kapitel fragt denn genau umgekehrt. Hier gibt es innerhalb der Kasuslehre einen Abschnitt über den Genitiv, in dem alle möglichen Verwendungsweisen des Genitivs zusammengestellt sind, in dem also das explizit gemacht wird, was sich der Leser im Prinzip auch aus dem I. Kapitel zusammensuchen kann: der Genitiv als Attribut, als Objekt usw. Die drei Darstellungsschritte der Grammatik im Überblick:

(6) *1. Schritt:* Formenlehre
   a. **Chinas** ist der Genitiv von **China**[P]
   b. **des Jungen** ist der Genitiv von **der Junge**[P]

   2. Schritt: Satzgliedlehre
   a. **sich erinnern** nimmt ein Genitivobjekt, also haben wir **Er erinnert sich Chinas / des Jungen**
   b. Bei jedem Substantiv kann ein Genitiv-Attribut stehen, also haben wir **die Regierung Chinas; das Alter des Jungen**

   3. Schritt: Lehre von der Verwendung der Formen
   a. Der Genitiv kommt als Objekt vor, deshalb haben wir **Er erinnert sich Chinas / des Jungen**

b. Der Genitiv kommt als Attribut vor, deshalb haben wir **die Regierung Chinas; das Alter des Jungen**

Der erste Schritt liefert eine Übersicht darüber, welche Formen es gibt. Der zweite
Schritt liefert eine Übersicht darüber, welche syntaktischen Funktionen es im Deutschen gibt und wie sie mithilfe der vorhandenen Formen realisiert werden. Der
dritte Schritt liefert eine Übersicht darüber, welche syntaktischen Funktionen jede
einzelne Form haben kann. Bei strenger Durchführung des Konzepts (die bei Blatz
selbstverständlich nur im Ansatz gegeben ist) sind der zweite und der dritte Schritt
formal komplementär und inhaltlich letztlich identisch.

Es wäre daher möglich, den dritten Schritt der Grammatik unmittelbar an den
ersten anzuschließen und dabei den Gebrauch relationaler Ausdrücke ganz zu vermeiden. Anstelle von 6.2 und 6.3 erhielte man 7.

(7) *2. Schritt:* Lehre von der Verwendung der Formen
a. Ein Genitivnominal bildet zusammen mit einem Nominativnomi-
nal und dem Verb **sich erinnern** einen Satz, also haben wir **Er
erinnert sich Chinas / des Jungen**
b. Ein Genitivnominal bildet zusammen mit einem anderen Nominal
eine NGr, deshalb haben wir **die Regierung Chinas; das Alter des
Jungen**

Relationale Begriffe sind hier ganz vermieden. Daß wir das Ergebnis von 7a ein
Objekt nennen und das Ergebnis von 7b ein Attribut, kommt nicht zur Sprache.
Auch Blatz könnte daher ohne relationale Begriffe auskommen und dennoch sub-
stantiell die gleichen Aussagen in seiner Grammatik machen wie jetzt.

Auch für Chomsky sind in der zitierten Arbeit kategoriale Begriffe grundlegend,
insofern er sie zur Definition von relationalen verwendet. Lieb schreibt (1980: 90):
»Es ist eine traditionelle Einsicht, daß die sogenannten syntaktischen Relationen
wie ›Subjekt‹ und ›Prädikat‹ eine Rolle spielen, wenn es um den Aufbau von Satzbedeutungen geht.« Kategoriale Begriffe dienen danach zur Beschreibung der Form
von Ausdrücken, relationale zur Formulierung des Zusammenhangs von Form und
Bedeutung.

Eine Vorrangstellung in Hinsicht auf die Bedeutung räumt Admoni den Kategorien ein. So ordnet er einzelnen Kasus (Kategorien) ›verallgemeinerte Bedeutungs-
gehalte‹ zu und muß dann feststellen, daß etwa der Genitiv Funktionen hat, »die
zum Teil mit diesem verallgemeinerten Bedeutungsgehalt nicht zu vereinbaren
sind« (1970: 112). Umgekehrt wird die Rolle relationaler Begriffe besonders hervorgehoben in der ›Functional Grammar‹ von Dik (1978; 1983), und von einer Reihe
amerikanischer Linguisten wird seit einigen Jahren eine Version der generativen
Grammatik vertreten, bei der relationale Begriffe neben kategorialen grundlegend
sind (›Relational Grammar‹; Johnson 1977; Perlmutter 1980). Als Begründung für
diesen Ansatz wird geltend gemacht, man finde in allen Sprachen Eigenschaften,
die sich direkt auf grammatische Relationen und nicht auf Kategorien in Konfigura-
tionen (d.h. in strukturellen Kontexten) beziehen.

Andererseits gibt es Konzeptionen, in denen relationale Begriffe überhaupt nicht
vorkommen, etwa die sog. Montague-Grammatik (benannt nach dem amerikani-

schen Logiker Richard Montague; Gebauer 1978; Löbner 1980; Originalarbeiten in Thomason 1974). Vennemann kommt zu der Auffassung, daß der syntaktische Teil einer Sprache ausschließlich Kategorien und Kombinationsregeln zur Bildung komplexer Ausdrücke enthält (1982: 61) und von Reis wird argumentiert, daß man für das Deutsche mit einem Begriff wie ›Subjekt‹ nichts gewinne (1982; 8.1).

Diese wenigen Hinweise sagen nichts über die Kontexte, in denen die unterschiedlichen Positionen vertreten werden. Sie zeigen aber, daß beim Nebeneinander von kategorialer und relationaler Redeweise Vorsicht geboten ist. Wir werden immer wieder auf Beispiele dafür treffen, daß beides nicht klar getrennt wird. Auf die relationle Redeweise zu verzichten, verbietet sich aber schon aus praktischen Gründen. Es wäre viel zu umständlich, etwa die Subjektkonstituente jedesmal kategorial-strukturell zu identifizieren.

2.3.2 Syntaktische Relationen im Deutschen

In diesem Abschnitt stellen wir eine Liste der wichtigsten syntaktischen Relationen für das Deutsche zusammen. Diese Liste enthält weder genaue Definitionen noch auch nur halbwegs vollständige Beschreibungen der einzelnen Relationen. Sie dient lediglich als erste Orientierung und als Vereinbarung darüber, wie relationale Begriffe im weiteren verwendet werden. Sie soll auch noch einmal die grundlegende Einsicht illustrieren, daß einerseits Ausdrücke einer bestimmten Kategorie in unterschiedlicher syntaktischer Funktion auftreten können und daß andererseits eine bestimmte syntaktische Funktion von Ausdrücken ganz unterschiedlicher Form erfüllt werden kann.

1. *Subjekt.* Im Vorbereich der Subjektrelation treten Nomina und NGr im Nominativ auf (1a–d), ferner **zu**-Infinitive (1e), indirekte Fragesätze (1c) und konjunktionale Nebensätze (1g).

(1) a.   b.

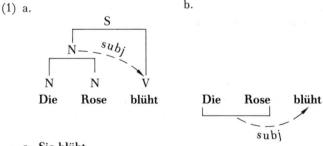

    c. **Sie blüht**
    d. **Große Hunde können selten beißen**
    e. **Früh aufzustehen ist nicht leicht**
    f. **Wieviel das kostet, wird nicht bekannt**
    g. **Daß die Regierung zurücktritt, überrascht uns sehr**

Im Nachbereich der Subjektrelation treten Vollverben auf (1a, c, g) neben Kopulaverben (1e, g) und Modalverben (1d). Das Subjekt korrespondiert formal mit der finiten Form des Verbs hinsichtlich Person und Numerus (›Verbalkongruenz‹). In

Hinsicht auf die Form (Kategorie im Vorbereich) wird das Subjekt vom Vollverb bzw. vom Prädikatsnomen regiert (Näheres 3.1; 3.2).

Das Bestehen der Subjektrelation wie von syntaktischen Relationen allgemein kennzeichnen wir durch eine gestrichelte Pfeillinie wie in 1a, die die Konstituente im Vorbereich mit der im Nachbereich verbindet. Manchmal verwenden wir stattdessen auch die platzsparende Schreibweise 1b.

2. *Prädikat.* Als Prädikat bezeichnen wir die größte Form eines Verbs, die einem S, eine IGr oder PtGr unmittelbar untergeordnet ist. Im Vorbereich der Prädikatsrelation treten demnach Formen von Vollverben (2a, b), Kopulaverben (2c, d) und Modalverben (2e) auf. Wir sprechen von der ›größten Form eines Verbs‹ als dem

(2) a.

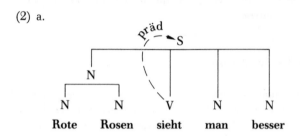

Rote   Rosen   sieht   man   besser

    b. **Rote Rosen hat man schon immer besser gesehen**
    c. **Berlin bleibt doch Berlin**
    d. **Die Saar wird frei**
    e. **Niemand mußte mit soviel Vergeßlichkeit rechnen**

Prädikat, weil wir bei zusammengesetzten Verbformen wie in 2b die ganze Form als Prädikat ansehen wollen. Das Prädikat von 2b ist also nicht **hat** sondern **hat gesehen**. Dagegen wird in Sätzen mit Modalverben wie 2e allein die Form des Modalverbs als Prädikat angesehen, denn sie bildet mit dem Infinitiv des Vollverbs keine Verbform. Die Rechtfertigung für diese Annahme findet sich in 3.3. Das Prädikat von 2e ist also **mußte** und nicht **mußte rechnen**. Im Nachbereich der Prädikatsrelation findet sich meist die Kategorie S, wir sprechen fast immer vom Prädikat eines Satzes.

3. *Objekt.* Im Nachbereich der Objektrelation tritt die Form eines Vollverbs auf, von dem das Objekt regiert wird. Hinsichtlich seiner Form ist das Objekt sehr variabel. Im Vorbereich kommen Nominale im Genitiv (3), Dativ (4) und Akkusativ (5a) vor. Vom akkusativischen Objekt sprechen wir auch als dem direkten Objekt, vom dativischen als dem indirekten Objekt. Insbesondere die Stelle des direkten

(3)   **Der Vorschlag bedarf deiner Unterstützung**

(4)   **Wir trauen ihm**

(5) a. **Karl lernt Italienisch**
    b. **Karl lernt, sich zu benehmen**
    c. **Karl lernt, wie ein Schornstein gemauert wird**
    d. **Karl lernt, daß man es ohne Krawatte zu nichts bringt**

Objekts kann auch von **zu**-Infinitiven (5b), indirekten Fragesätzen (5c) und konjunktionalen Nebensätzen (5d) besetzt sein, verhält sich also ähnlich wie das Subjekt.

Neben den Objekten in obliquen Kasus steht die große Gruppe der Präpositionalobjekte (6a, b). Wird die Stelle des Präpositionalobjekts von einem **zu**-Infinitiv oder einem Satz besetzt, so wird es häufig (manchmal auch obligatorisch) mit einem sog. Pronominaladverb wie **darauf, darüber** angeschlossen (6c–e).

(6) a.

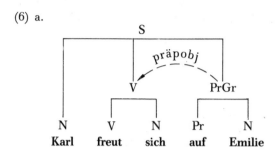

b. **Karl freut sich über Emilie**
c. **Karl freut sich (darüber), Emilie wiederzusehen**
d. **Karl freut sich darüber, wie Egon aussieht**
e. **Karl freut sich (darüber), daß Egon ihm hilft**

4. *Prädikatsnomen.* Das Prädikatsnomen ist ein Nominal im Nominativ (7a–c) oder ein Adjektiv in der Kurzform (7d, e). Im Nachbereich dieser Relation findet sich immer die Form eines Kopulaverbs. Das Prädikatsnomen wird vom Verb regiert, hat daneben aber eine enge syntaktische Beziehung zum Subjekt.

Die von einem Verb regierten Größen (Subjekt, Objekt, Prädikatsnomen) fassen wir unter dem Begriff *Ergänzung* (erg) zusammen. Ergänzungen haben im Nachbereich eine verbale Konstituente. Streng genommen muß man also von einem ›Subjekt zum Verb‹ sprechen. Wir nehmen uns, wenn keine Mißverständnisse möglich sind, die Freiheit, auch vom ›Subjekt des Satzes‹, ›Objekt des Satzes‹ usw. zu sprechen.

(7) a.

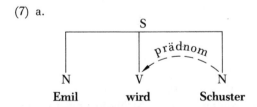

b. **Paula ist die Klügste von allen**
c. **Wir waren das nicht**
d. **Stadtamseln sind neurotisch**
d. **Der Otter ist bei uns ausgestorben**

5. *Attribut.* Wir fassen den Attributbegriff so, daß im Nachbereich dieser Relation ein Substantiv oder Pronomen auftritt. Dieses Substantiv oder Pronomen bezeichnen wir als Kern der Attributkonstruktion (**Vorschlag** in 8a). Je nach Kategorie im Vorbereich werden dann das Genitiv-Attribut (8a), das Präpositionalattribut (8b) mit den Varianten 8c–e, das adjektivische Attribut (8f), das Relativsatzattribut (8g) und als Sonderform die sogenannte enge Apposition (8h, i) unterschieden. Letztere wird nicht in allen Grammatiken zu den Attributen gerechnet. Attribute sind immer NGr untergeordnet. Das Attribut wird im Einzelnen in Kap. 7 behandelt.

(8) a.

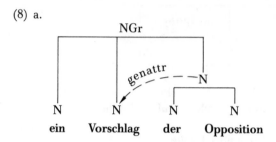

       ein   Vorschlag   der   Opposition

  b. die Idee von Renate
  c. die Idee, nach München zu fahren
  d. die Frage, wie das weitergehen soll
  e. der Vorschlag, daß Paul das machen soll
  f. ein ganz neuer Vorschlag
  g. ein Vorschlag, der ganz neu ist
  h. die Studiengruppe ›Verbvalenz‹
  i. zwei Pfund gebrannte Mandeln

6. *Adverbiale Bestimmung.* Die adverbiale Bestimmung (adv) ist die heterogenste unter den gebräuchlichen syntaktischen Relationen, eine typische Restkategorie, die auch terminologisch besondere Schwierigkeiten bereitet (vgl. 6.1). Wir zählen zu den adverbialen Bestimmungen als erste große Gruppe PrGr (9a, b) und

(9) a.

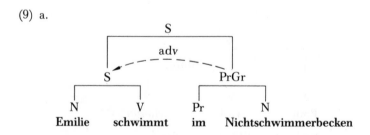

    Emilie   schwimmt   im   Nichtschwimmerbecken

  b. Renate arbeitet bei Opel
  c. Karl schläft hier
  d. Karl schläft verständlicherweise
  e. Karl schläft, weil er müde ist
  f. Renate arbeitet, um fertig zu werden
  g. Renate arbeitet, vom Erfolg beflügelt

(10) a.

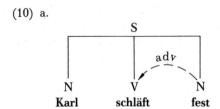

b. **Egon benimmt sich schauderhaft**
c. **Egon fürchtet sich sehr**
d. **Emilie hat eine sehr gute Begabung für Orthographie und Zeichen-**
   setzung

Adverbien (9c, d), die Sätze modifizieren, also Sätzen nebengeordnet sind. Außerdem die Adverbialsätze (9e) sowie bestimmte IGr (9f) und PtGr (9g). Die zweite
große Gruppe bilden die adverbialen Adjektive wie in (10a, b). Sie modifizieren
nicht den Satz, sondern das Verb. Zu den adverbialen Bestimmungen werden meist
auch Einheiten wie **sehr** gerechnet, die zu Ausdrücken unterschiedlicher Kategorie
treten können (10c, d). In mancher Beziehung besteht für solche Ausdrücke intuitiv
eine Nähe zu den Attributen.

Die einem Satzknoten unmittelbar untergeordneten Konstituenten fungieren in
der Regel als Prädikat, Ergänzung oder adverbiale Bestimmung. Konstituenten in
diesen Funktionen werden deshalb häufig *Satzglieder* genannt (Sitta 1984: 8 ff.). Wir
machen gelegentlich von dieser Bezeichnung Gebrauch.

Zum relationalen Vokabular im weiteren Sinne gehören auch die Begriffe Hauptsatz und Nebensatz, denn auch sie sagen etwas über die Stellung einer Kategorie
(Satz) in einer Struktur aus. Als Nebensätze wollen wir Sätze in adverbialer, attributiver und in Ergänzungsfunktion bezeichnen.

An der überkommenen Unterscheidung von Haupt- und Nebensatz ist oft Kritik
geübt worden (Harweg 1971; Vater 1976). Problematisch ist sie vor allem bei Satzge-
fügen mit Ergänzungssätzen. Streicht man etwa in **Karl erwartet, daß Paul ihm**
schreibt den Nebensatz, dann bleibt **Karl erwartet** übrig. Dieser Ausdruck ist für
sich nicht einmal grammatisch, er ist also auch kein Satz und man kann ihn schon
deshalb nicht den Hauptsatz nennen. Als Hauptsatz kann hier nur das gesamte
Satzgefüge gelten, der Nebensatz ist also Bestandteil des Hauptsatzes.

Anstelle von Haupt- und Nebensatz wird im Anschluß an die Terminologie der
generativen Schule auch von Matrix- und Konstituentensatz gesprochen. Nebensätze, die ein spezielles Einleitewort haben (Konjunktion, Fragewort, Relativpronomen) werden häufig als Komplementsätze bezeichnet. Wenn wir in der Grammatik
Ausdrücke dieser Art verwenden, dann nur so, daß keine Mißverständnisse über das
jeweils Gemeinte entstehen.

Damit ist das traditionelle Vokabular zur Bezeichnung syntaktischer Relationen
im wesentlichen erschöpft. Wir fassen diese Gruppe unter der Bezeichnung *Bestim-*
mungsrelationen zusammen. Bleibt das relationale Vokabular auf sie beschränkt,
dann ist zwar der Zugriff auf viele, aber längst nicht auf alle Konstituenten eines
Satzes möglich. Will man das erreichen und etwa auch auf Artikel, Präpositionen
und Konjunktionen Bezug nehmen, dann muß das relationale Vokabular entspre-

chend erweitert werden. Wir führen dazu einen zweiten Typ von syntaktischer Relation ein und nennen ihn *Bereichsrelationen* (Eisenberg u. a. 1975: 85 f.). Wie die Bestimmungsrelationen, so sind die Bereichsrelationen basiert auf syntagmatischen Beziehungen zwischen Konstituenten. Im Vorbereich von Bereichsrelationen treten nur einfache Konstituenten auf und wir sagen dann, daß die Konstituenten im Nachbereich an die im Vorbereich ›gebunden‹ sind. Im Einzelnen werden unterschieden:

1. *Nominale Bindung.* Sie besteht zwischen einem Substantiv und seinem Artikel.

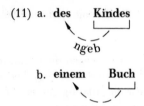

(11) a. **des   Kindes**

b. **einem   Buch**

2. *Verbale Bindung.* Sie besteht zwischen der infinitiven Form eines Vollverbs (12a), Kopulaverbs (12b) oder Modalverbs (12c) und den zugehörigen Hilfsverbformen in zusammengesetzten Verbformen.

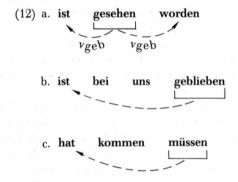

(12) a. **ist   gesehen   worden**

b. **ist   bei   uns   geblieben**

c. **hat   kommen   müssen**

3. *Präpositionale Bindung.* Sie besteht zwischen dem Nominal und der Pr innerhalb von PrGr. In 13b etwa ist die NGr **gleichzeitiger Ausnutzung aller Vorteile** präpositional gebunden an **unter**.

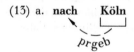

(13) a. **nach   Köln**

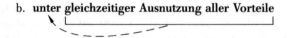

b. **unter gleichzeitiger Ausnutzung aller Vorteile**

4. *Konjunktionale Bindung.* Sie besteht in konjunktional eingeleiteten Sätzen zur Konjunktion wie in 14 angedeutet.

(14) a. **ob es reicht**

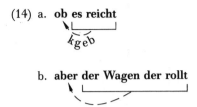

b. **aber der Wagen der rollt**

5. *Pronominale Bindung.* Sie besteht zwischen einem Satz oder einer Infinitivgruppe und einem kataphorischen Pronomen (15a) oder Pronominaladverb (15b).

(15) a. **Karl ist es gewöhnt, pünktlich zu sein**

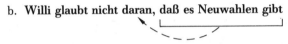

b. **Willi glaubt nicht daran, daß es Neuwahlen gibt**

In 15a ist **pünktlich zu sein** pronominal gebunden an **es**, in 15b ist **daß es Neuwahlen gibt** pronominal gebunden an **daran**.

Wir werden in unserer Grammatik häufig vom Vokabular der Bestimmungs- und nur gelegentlich vom Vokabular der Bereichsrelationen Gebrauch machen. An einem etwas komplexeren Beispiel wird noch einmal der Gebrauch des eingeführten relationalen Vokabulars illustriert.

In 16 sind für den Satz **Die beste Mannschaft aus Europa hat bei den Weltmeisterschaften ihre Anhänger enttäuscht** alle besprochenen Bestimmungs- und Bereichsrelationen eingetragen. Man sieht, daß nun keine Konstituente mehr relational in der Luft hängt. Zu jeder hat man mit mindestens einem relationalen Begriff Zugang. Damit ist der Weg gekennzeichnet, den man zu beschreiten hat, wenn man Syntax und Satzsemantik über die syntaktischen Relationen miteinander verbinden will. Daß man zu jeder Konstituente Zugang hat, ist dafür eine notwendige Bedingung.

Die bisher besprochenen syntaktischen Relationen bestehen fast durchweg zwischen Konstituenten, die einander nebengeordnet sind. Wo das nicht der Fall ist – wie etwa beim Prädikat – ließe sich der Bezug auf nebengeordnete Konstituenten durch entsprechende Umformulierung ebenfalls erreichen. Man würde dann nicht mehr vom Prädikat eines Satzes sprechen, sondern vom Prädikat zum Subjekt und zu den Objekten. Die Prädikatrelation dient dann ebenso wie die anderen im Vorausgehenden angesetzten Relationen dazu, Konstituenten auf ihnen nebengeordnete Konstituenten zu beziehen.

Ein Prinzip dieser Art kann aber nicht verallgemeinert werden. In einer Reihe von Fällen wollen wir auch Konstituenten aufeinander beziehen, die strukturell weit auseinander liegen. Ein Beispiel gibt 17

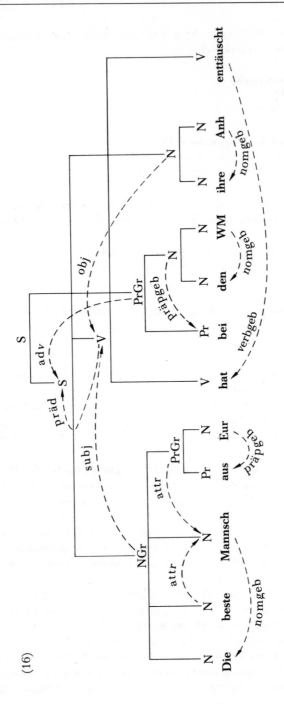

(16)

(17)

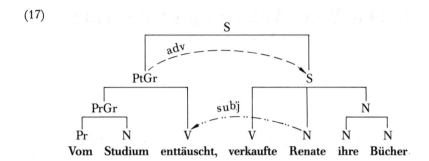

Die PtGr **vom Studium enttäuscht** ist adverbiale Bestimmung zum Satz **verkaufte Renate ihre Bücher**. Die PtGr selbst besteht aus Prädikat und Präpositionalobjekt, ein Subjekt hat sie nicht. Sie wird aber so verstanden, als sei **Renate** ihr Subjekt, denn es ist Renate, die vom Studium enttäuscht ist. Das Prädikat der PtGr ›sucht‹ sich also sein Subjekt außerhalb der PtGr und findet es im Subjekt des Hauptsatzes. Wir sagen dann, **Renate** sei *indirektes Subjekt* zu **enttäuscht**. Für die indirekte Subjektrelation gelten offenbar andere syntaktische Bedingungen als für die direkte. Indirektes Subjekt und Prädikat korrespondieren nicht hinsichtlich Person und Numerus, und sie sind einander nicht nebengeordnet.

Außer für die Partizipialgruppe, deren Grammatik wir nicht in den Einzelheiten besprechen (dazu Rath 1971; 1979), spielt die indirekte Subjektrelation vor allem eine Rolle bei den Infinitivkonstruktionen. In **Karl versucht, Fritz zu treffen** ist **Karl** indirektes Subjekt zum Infinitiv (11.2). Auch andere indirekte Relationen als die Subjektrelation kommen vor, beispielsweise bei den Vergleichssätzen (9.3). Wenn wir von indirekten Relationen Gebrauch machen, wird das immer ausdrücklich hervorgehoben. Wir verschaffen uns auf diese Weise die Möglichkeit, strukturell beliebig entfernte Konstituenten aufeinander zu beziehen, wenn das notwendig ist. Entscheidend dabei ist nur, daß die Beziehung zwischen den Konstituenten rein *syntaktisch* hergestellt wird, denn die indirekten sollen syntaktische Relationen sein ebenso wie die direkten.

Zur deutlichen Unterscheidung von den direkten markieren wir indirekte Relationen mit einer Doppelpunkt-Strichlinie (17).

3. Das Verb: Valenz und Satzstruktur

3.1 Übersicht

Einfache Subjekt-Prädikat-Sätze vom Typ **Jochen lächelt; Helga schläft** enthalten zwei Bestandteile, mit denen der Sprecher referiert (Subjekt) und prädiziert (Prädikat). Durch Referieren und Prädizieren kommt man zur Bezeichnung von Sachverhalten (1.2). Im einfachsten Fall ist ein Sachverhalt dann bezeichnet, wenn von einem Individuum ausgesagt wird, es befinde sich in einem bestimmten Zustand oder sei in einen Vorgang involviert.

Die zweiteilige Satzform genügt unseren kommunikativen und kognitiven Anforderungen nicht. Zur Bezeichnung auch simpler und wahrnehmungsmäßig ungeteilt zugänglicher Sachverhalte verwenden wir etwa Sätze mit einem zweiten Ausdruck für ein Individuum. Ein Subjekt-Prädikat-Objekt-Satz wie **Karl sieht Fritz** bezeichnet einen Sachverhalt, indem zwei Individuen zueinander in Beziehung gesetzt werden. »Will jemand einem anderen etwas mitteilen, so . . . baut [er] sich ein elementares Sprachmodell der gewählten natürlichen Mikrosituation. Er muß vor allem auf ihre Elemente hinweisen . . . und mit den Mitteln der Sprache die Beziehungen zwischen den Gegenständen ausdrücken . . . Sätze wie **Die Krähe sitzt auf dem Baum** oder **Am Ufer brennt der Wald** stellen Sprachmodelle zweier Situationen dar. Mit ihrer Hilfe kann sich der Hörer in Gedanken wirkliche Situationen vorstellen, denn die Elemente der Sprachmodelle und die Beziehungen zwischen ihnen sind den Elementen und Beziehungen solcher in der Wirklichkeit beobachteten Situationen isomorph.« (Serébrennikow 1973, 47).

Wie wichtig relationale Begriffe für unser Denken und Wahrnehmen sind, zeigt schon ein flüchtiger Blick auf die Sprache. Der weitaus größte Teil der Verben bezeichnet mehrstellige Relationen, nur ein geringer Teil ist einstellig. Und nicht nur Verben bezeichnen mehrstellige Relationen, sondern ebenso Konjunktionen, Präpositionen sowie viele Adjektive und Substantive.

Eine besondere Suggestion haben relationale Ausdrücke, weil sich hier scheinbar ganz direkt Strukturen der Realität, etwa die Struktur einer Situation, in der Sprache wiederfinden, so daß man glaubt, von Isomorphie sprechen zu können. Weist man einem Subjekt-Prädikat-Objekt-Satz die Konstituentenstruktur 1 zu, so scheint die Abbildrelation zwischen Ding-Beziehung-Ding einerseits und Sprachstruktur andererseits sogar als ikonisches Verhältnis zu bestehen. Man spricht vom Verb als vom strukturellen Zentrum des Satzes und vergleicht seine Rolle mit der des Atomkerns, der entsprechend seiner Wertigkeit Satelliten an sich bindet. Und es scheint

(1)

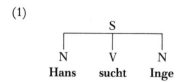

offensichtlich zu sein, daß auch andere Ausdrücke ihren relationalen Charakter umstandlos in ihrer Syntax offenbaren, beispielsweise **und** in **Hans und Inge** oder **von** in **der Graf von Monte Christo**. Diese Suggestion verliert bei näherem Hinsehen schnell an Kraft. Weder tritt der relationale Charakter sprachlicher Ausdrücke immer offen in der Topographie syntaktischer Strukturen zutage, noch ist es möglich, generell Aussagen darüber zu machen, warum bestimmte relationale Verhältnisse auf bestimmte Weise sprachlich abgebildet werden (Flämig 1971; Bayer 1975: 90 ff.). Wir werden immer wieder feststellen, wie schwierig es ist, relationale Bedeutungen als solche zu erkennen.

Soweit sich die relationale Bedeutung eines Verbs in der Syntax zeigt, erfassen wir sie als seine Valenz. Die Valenz eines Verbs ist die Grammatik des Verbs in Hinsicht auf seine Ergänzungen: welche Ergänzungen kann oder muß ein Verb nehmen und wie verhalten sich diese Ergänzungen zueinander?

Für die Besprechung der Verbvalenz in den folgenden Abschnitten setzen wir eine Gliederung der verbalen Paradigmen gemäß 2 voraus. Die Rechtfertigung für diese Gliederung ist Teil unserer Darstellung selbst. 2 besagt, daß die verbalen Paradig-

(2)

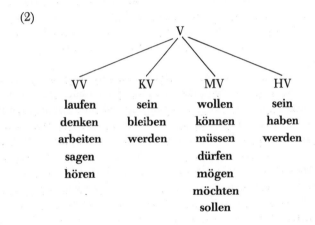

men in vier Klassen aufgeteilt sind mit den Paradigmentkategorien Vollverb, Kopulaverb, Modalverb und Hilfsverb. Die Verben der drei zuerst genannten Kategorien bilden für sich Verbformen. Hilfsverben kommen dagegen nur als Bestandteil zusammengesetzter Verbformen vor.

Als Vater des modernen Valenzbegriffes gilt allgemein der französische Linguist Lucien Tesnière, der in seinen 1959 erschienenen ›Eléments de syntaxe structurale‹ (Tesnière 1980) als erster eine systematisch umfassende Klassifikation der Verben vorgeschlagen hat. Tesnières Klassifikation wird nach zwei Gesichtspunkten vorgenommen, die bis heute als die entscheidenden jeder Valenzgrammatik zugrunde liegen: die Verben sollen subkategorisiert werden nach der Stellenzahl sowie danach, mit welcher Art von Ausdrücken die einzelnen Stellen zu besetzen sind (Darstellungen von Tesnières Ansatz in Baum 1976; Klein 1971; Seyfert 1976; Heringer/Strecker/Wimmer 1980). Die sich ergebenden Kategorien klassifizieren die Verbparadigmen, die zur Beschreibung der Verbvalenz etablierten grammatischen Kategorien sind also Paradigmentkategorien.

71

Die Valenzbeziehung zwischen einem Verb und seinen Ergänzungen ist als syntagmatische Beziehung ein Sonderfall der Rektion (2.2.3). Da Adjektive und Substantive ebenfalls Ergänzungen nehmen, hat es sich eingebürgert, auch von Adjektivvalenz (3.3) und Substantivvalenz (7.4.2) zu sprechen.

3.2 Vollverben

3.2.1 Das Kategoriensystem

Das Kategoriensystem zur Charakterisierung der Valenz von Vollverben muß einerseits die Stellenzahl und andererseits die Form der Ausdrücke berücksichtigen, die die einzelnen Stellen besetzen. Wir wenden uns zunächst der Stellenzahl zu.

Unter der *Stellenzahl* versteht man die Zahl der *Ergänzungen* (Subjekt und Objekte), die ein Verb nimmt. Sie werden auch die Mitspieler des Verbs genannt. Da das Subjekt gegenüber den Objekten einige grammatische Besonderheiten aufweist, ist umstritten, ob es richtig ist, Subjekt und Objekte als Ergänzungen zusammenzufassen und danach die Stellenzahl zu bestimmen (dazu 8.1). Rechnet man das Subjekt zu den Ergänzungen, dann finden sich im Deutschen ein- bis vierstellige Verben.

Einstellige Verben haben in der Regel das Subjekt als einzige Ergänzung wie in **Sie atmet; Er schweigt; Sie handelt; Sie geht.** Aber wir haben auch eine Reihe von Verben, die mit einem Objekt als einziger Ergänzung auftreten können, beispielsweise in **Mich friert; Ihr graut.** Einstellig sind auch die sogenannten Wetterverben. In **Es friert; Es hagelt; Es regnet; Es donnert** ist wieder nur die Subjektstelle besetzt, und zwar obligatorisch mit dem unpersönlichen Pronomen **es** (5.4.2). Bezeichnet man die Wetterverben als nullstellig (Heringer 1967a; Horlitz 1975), so ist damit nicht eine syntaktische, sondern eine semantische Charakterisierung gegeben, die sich daran festmacht, daß **es** bei den Wetterverben semantisch leer ist. Da wir einen syntaktischen Valenzbegriff haben, werden die Wetterverben als einstellig klassifiziert. Nullstellige Verben gibt es in unserer Grammatik nicht.

Die *zweistelligen* machen den Löwenanteil unter den Verben des Deutschen aus. Mit dem zweistelligen Verb werden zwei Indivuduen zueinander in Beziehung gesetzt, die von der Subjekt- und der Objektkonstituente bezeichnet werden. Zweistellige Verben, die zwei Objekte nehmen und kein Subjekt, gibt es im Deutschen nicht. Der häufigste Typ unter den zweistelligen Verben ist das sogenannte transitive Verb der traditionellen Grammatik wie **sehen, lieben, nehmen, verstehen, schlagen, befreien,** das das Subjekt und direkte (akkusativische) Objekt nimmt und ein regelmäßiges Passiv bildet.

Auch die *dreistelligen* Verben sind noch zahlreich und gebräuchlich. Sie nehmen stets das Subjekt und zwei Objekte. Ihre Verwendung dort, wo drei Individuen an einem Vorgang beteiligt sind, macht sie schon zu einer semantisch relativ einheitlichen Klasse. Zumindest bei den konkreten Verben gehören die dreistelligen meist zum semantischen Feld um **geben** und **nehmen,** vgl. etwa **schenken, entreißen, überlassen, kaufen, vermieten,** aber auch **wünschen, empfehlen** und **gönnen.** Die Verben, mit denen kommunikative Handlungen bezeichnet werden, gehören ebenfalls zur Gruppe um **geben/nehmen** und sind meist dreistellig wie **schreiben, sagen, beantworten, bitten, fragen.**

Bei den *vierstelligen* Verben ist bereits der Punkt erreicht, wo keine Einigkeit mehr darüber besteht, ob sie überhaupt existieren und wenn ja, in welchem Umfang. In Tesnières ursprünglichem Konzept sind (für das Französische) höchstens dreistellige Verben vorgesehen (1980: 98f.). Nach Erben (1980: 254) weist das Valenzwörterbuch von Helbig/Schenkel für das Deutsche ein einziges vierstelliges Verb auf, nämlich **antworten** in Sätzen wie **Der Arzt antwortete mir auf den Brief, daß er käme.** Während für Engel/Schumacher (1976: 27ff.) vierstellige Verben keine Seltenheit sind und sich in Sätzen finden wie **Uli bringt dem Vater die Mappe ins Büro,** gibt es für Heringer (1970: 198f.) sogar Anlaß, über fünfstellige Verben nachzudenken: **Karl einigt sich mit seinem Gegner in dieser Sache auf einen Vergleich.**

Bei Annahme von höchstens vierstelligen Verben liefert uns die Einteilung nach der Stellenzahl die Kategorisierung der Verbparadigmen in vier Subkategorien. Wir benennen diese vier Paradigmentkategorien mit 1ST ... 4ST.

Die Einteilung der Verben nach der Zahl ihrer Ergänzungen ist strukturell eine simple Angelegenheit, die für sich genommen kaum zu einem großen Interesse an der Verbgrammatik geführt hätte. Interessant und kompliziert wird die Beschreibung und Deutung von Verbvalenzen erst dadurch, daß die einzelnen Stellen mit formal sehr unterschiedlichen Ausdrücken besetzt werden können. Tesnière selbst sah als Ergänzungen im eigentlichen Sinne Nominalausdrücke an. Das würde für das Deutsche zu vier formal unterscheidbaren Ergänzungsklassen entsprechend den vier Kasus führen. Ein zweistelliges Verb mit einem Dativobjekt gehört danach zu einer anderen syntaktischen Kategorie als eines mit einem akkusativischen Objekt. Führen wir für die Rektionskategorien die Namen NOM (›Nominativergänzung‹ = Subjekt), GEN (Genitivobjekt), DAT (Dativobjekt) und AKK (Akkusativobjekt) ein, so erhalten wir für die Vollverben das Kategorienschema 1. Mit NOM/GEN bei-

(1)

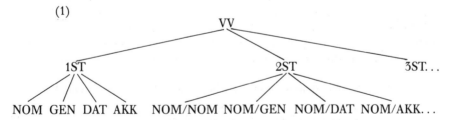

spielsweise bezeichnen wir die zweistelligen Verben, die ein Subjekt und ein Genitivobjekt nehmen **(Er bedarf deiner Hilfe)**, mit NOM/DAT/AKK die dreistelligen Verben, die außer dem Subjekt ein Dativ- und ein Akkusativobjekt nehmen **(Sie verspricht ihm neue Schuhe)**. Berücksichtigt man nur die ein- und zweistelligen Verben, so ergeben sich rein rechnerisch 14 Verbklassen, nämlich 4 einstellige und $\sum_{n=1}^{4} n = 10$ zweistellige. Bei Hinzunahme der dreistelligen erhöht sich die Zahl der möglichen Kategorien auf 34, bei Hinzunahme der vierstelligen auf 74. Das ist natürlich eine reine Zahlenspielerei mit geringem Wert für die Grammatik, denn die meisten dieser Kategorien gibt es nicht. Bei den einstelligen etwa gibt es kein

Verb der Klasse GEN, bei den zweistelligen keine der Klassen NOM/NOM, GEN/ GEN usw., und bei den dreistelligen ist nur eine Minderheit der formal möglichen Kategorien realisiert (**Aufgabe 1**). Dennoch zeigt das Schema, was mit der Valenz für ungeheure Möglichkeiten zur syntaktischen Differenzierung bereitstehen. Es fungieren ja nicht nur Nominale in den vier Kasus als Ergänzungen. In der Syntax von Engel (1978: 158 ff.) etwa werden 8 formal unterscheidbare Ergänzungsklassen angesetzt, und Helbig/Buscha (1975: 554) operieren mit nicht weniger als 19 Kategorien für die Mitspieler des Verbs. Schon diese Zahlen machen deutlich, daß die deutschen Verben nicht in ein paar Klassen syntaktisch subkategorisiert werden können. Man ist deshalb schon lange dazu übergegangen, die Valenz für jedes einzelne Verb zu ermitteln und in speziellen Valenzwörterbüchern niederzulegen. Solche Wörterbücher gab es zunächst für die Verben (Helbig/Schenkel 1983; Engel/ Schumacher 1976), später wurden sie auch für Adjektive (Sommerfeldt/Schreiber 1983) und Substantive (Sommerfeldt/Schreiber 1983) erstellt.

Ein syntaktischer Valenzbegriff verlangt, daß die Ergänzungen nach syntaktischen Gesichtspunkten unterschieden werden. Zwei Ergänzungen sind nur dann verschieden, wenn sie nicht dieselbe Form haben. Ein Verb wie **lehren** in **Die Krise lehrt uns Bescheidenheit** hat zwei akkusativische Ergänzungen, die kategorial identisch sind. Zwar besetzen die beiden Akkusative verschiedene Stellen beim Verb, aber das sieht man ihnen selbst nicht an. **Lehren** im gegebenen Kontext würde deshalb als NOM/ AKK/AKK klassifiziert und nicht etwa als NOM/AKK1/AKK2 oder ähnlich. Eine Differenzierung dieser Art würde einen kategorialen mit einem funktionalen Gesichtspunkt vermischen.

Im folgenden werden die in unserer Grammatik unterschiedenen Ergänzungsklassen genannt und es wird jeweils durch Beispiele gezeigt, daß sie tatsächlich nur bei bestimmten Verben auftreten können und bei anderen ausgeschlossen sind. Die Grammatik der einzelnen Ergänzungen wird in späteren Abschnitten genauer behandelt.

1. *Nominale Ergänzungen.* Nomina und Nominalgruppen in allen Kasus. Die zugehörigen Verbkategorien haben wir benannt mit NOM, GEN, DAT, AKK.

2. *Präpositionale Ergänzungen* (PrGr), auch Präpositionalobjekte genannt. Typisch für präpositionale Ergänzungen ist, daß ein Verb eine ganz bestimmte Präposition mit einem bestimmten Kasus zuläßt oder verlangt.

(2) a. **Sie hängt an ihrer elektrischen (*ihre elektrische) Eisenbahn**
b. **Sie denkt an ihre (*ihrer) Vergangenheit**
c. ***Sie hängt auf ihrer elektrischen Eisenbahn**
d. ***Sie denkt auf ihrer Vergangenheit**

(3) a. **Helga besteht auf der (*die) Trennung**
b. **Helmut hofft auf bessere (*besseren) Zeiten**
c. ***Helga besteht an der Trennung**
d. ***Helmut hofft an bessere Zeiten**

Hängen nimmt eine präpositionale Ergänzung mit **an** und dem Dativ. Obwohl **an** selbst sowohl mit dem Dat als auch mit dem Akk stehen kann, ist bei **hängen** in der mit 2a gegebenen Bedeutung nur der Dat möglich. 2c zeigt, daß **hängen** in dieser

Bedeutung auch keine andere Präposition nehmen kann. Mit dem Asterisk ist hier nicht gemeint, daß der Satz nicht existiert (ungrammatisch ist), sondern daß er für **hängen** in einer bestimmten Bedeutung nicht existiert. 2b zeigt, daß **denken** ebenfalls eine Präpositionalergänzung mit **an** nimmt, aber hier ist der Akk obligatorisch. 3 schließlich führt dasselbe für Verben mit **auf** vor. Daß Verben bestimmte Präpositionen zur Einleitung von Ergänzungen wählen, ist schon immer in Wörterbüchern niedergelegt, etwa indem beim Verb **hängen** die Variante **hängen an** und möglicherweise auch **hängen an jemandem** angegeben wird. Wer das Deutsche lernt, muß sich die Wahl der Präposition und des Kasus Verb für Verb einprägen. Einfache syntaktische oder semantische Kriterien gibt es für die Auswahl ebenso wenig wie bei den nominalen Ergänzungen.

Aus mnemotechnischen Gründen soll aus den Namen für die Verbkategorien sowohl die Präposition als auch der Kasus ersichtlich sein. Der Kategorienname wird deshalb aus den ersten beiden Buchstaben der Präposition und der Abkürzung für den Kasus gebildet, und es ergibt sich für **hängen** NOM/ANDAT, für **denken** NOM/ANAKK usw.

PrGr treten ausschließlich als Objekte und niemals als Subjekte auf. Eine weitere wichtige Beschränkung ist, daß präpositionale Objekte nur dativische und akkusativische Nominale enthalten können, aber keine Genitive, obwohl es viele Präpositionen gibt, die den Genitiv regieren (dazu 7.4.1). Ein besonderes Problem ist die Abgrenzung der Präpositionalobjekte von den präpositionalen Adverbialen, den sog. freien Angaben (8.2.1).

3. *Sätze.* Bestimmte Nebensatztypen können als Verbergänzungen auftreten, vor allem die mit **daß** eingeleiteten und die indirekten Fragesätze. **daß**-Sätze besetzen in der Regel Stellen, die auch von nominalen Ergänzungen besetzt werden können, insbesondere die Stelle des Subjekts und des direkten Objekts.

(4)
 a. $\begin{cases} \text{Daß du schreibst,} \\ \text{Der Brief} \end{cases}$ überzeugt mich

 b. Wir sehen $\begin{cases} \text{, daß ihr euch bemüht} \\ \text{das Fußballspiel} \end{cases}$

 c. Wir verteilen $\begin{cases} \text{deinen Lottogewinn} \\ \text{*daß du im Lotto gewonnen hast} \end{cases}$

Umgekehrt kann aber nicht überall dort, wo ein nominales Subjekt oder direktes Objekt stehen kann, auch ein **daß**-Satz stehen. In 4c entsteht ein ungrammatischer Satz, weil **verteilen** keinen **daß**-Satz als direktes Objekt zuläßt. In 5a sind einige Verben aufgeführt, die **daß**-Sätze in Objektposition zulassen, in 5b solche, die sie nicht zulassen. Fassen wir die Verben, die **daß**-Sätze als Ergänzungen nehmen, unter dem Kategoriennamen DASS zusammen, dann gehört etwa **sehen** zu den Verbklassen NOM/AKK und NOM/DASS, während **verteilen** nur zur ersten der beiden Klassen gehört. Damit ist ein syntaktischer Unterschied zwischen den beiden Verben festgestellt: **sehen** und **verteilen** haben ebenso wie die anderen Verben in 5 a

(5) a. **sehen, lesen, sagen, verlangen, rechtfertigen, verteidigen**
 b. **verteilen, suchen, tragen, begeistern, hindern, kaufen**

gegenüber denen in 5 b unterschiedliche Valenzeigenschaften bezüglich der Position des direkten Objekts. Genauso trägt die Subjektposition zur Subklassifizierung der Verben bei. Während **überzeugen** einen **daß**-Satz als Subjekt akzeptiert (4 a), ist er bei **verteilen** wiederum ausgeschlossen, die beiden Verben sind syntaktisch verschieden.

Neben den **daß**-Sätzen spielen die indirekten Fragesätze als Ergänzungssätze die wichtigste Rolle. Unter einem indirekten Fragesatz verstehen wir einen Nebensatz, der mit **ob** oder einem Fragewort (**wie, was, wer** . . .; 10.1.1) eingeleitet ist. Die indirekten Fragesätze müssen von den **daß**-Sätzen unterschieden werden, wenn es um die Verbvalenz geht, denn beide kategorisieren die Verben auf unterschiedliche Art. Betrachten wir wieder die Position des direkten Objekts. Es gibt Verben, die sowohl **daß**-Sätze als auch indirekte Fragesätze als Objekte nehmen (6a) neben solchen, die nur **daß**-Sätze zulassen (6b) und schließlich einer dritten Gruppe, die **daß**-Sätze ausschließt, aber indirekte Fragesätze zuläßt (7c) (10.1.2).

$$(6) \quad \text{a. Wir sehen,} \left\{ \begin{array}{l} \text{daß} \\ \text{ob} \\ \text{wie} \end{array} \right\} \text{er Auto fährt}$$

$$\text{b. Wir vermuten,} \left\{ \begin{array}{l} \text{daß} \\ \text{*ob} \\ \text{*wie} \end{array} \right\} \text{er Auto fährt}$$

$$\text{c. Wir fragen,} \left\{ \begin{array}{l} \text{*daß} \\ \text{ob} \\ \text{wie} \end{array} \right\} \text{er Auto fährt}$$

4. *Infinitive mit* **zu** (IGr). Viele Verben können – oft als Alternative von **daß**-Sätzen – **zu**-Infinitive als Ergänzungen nehmen. Statt **Karl hofft, daß er gewinnt** ist ebenso möglich **Karl hofft zu gewinnen**. Der **zu**-Infinitiv kann in erster Näherung als eine Art verkürzter Satz aufgefaßt werden, in dem die Subjektstelle nicht besetzt ist. Zum Verstehen dieser Konstruktion ist es nötig, daß man einen Ausdruck findet, der diese Stelle besetzen könnte. Im Beispiel ist das das Subjekt von **hoffen**, also **Karl** (Genaueres 11.2.1).

Von den Infinitivkonstruktionen spielt der **zu**-Infinitiv eine Rolle als Verbergänzung, nicht aber die Infinitive mit **um zu, ohne zu** und **anstatt zu**. Der **zu**-Infinitiv trägt zur Subklassifizierung der Verben bei, weil nicht jedes Verb ein **daß**-Komplement durch ein Infinitivkomplement ersetzen kann (7a, b) und weil andererseits manche Verben einen Infinitiv fordern wie **versuchen** in 7c. Verben, die einen **zu**-

$$(7) \quad \text{a. Helga verspricht,} \left\{ \begin{array}{l} \text{daß sie wartet} \\ \text{zu warten} \end{array} \right\}$$

$$\text{b. Helga merkt,} \left\{ \begin{array}{l} \text{daß sie träumt} \\ \text{*zu träumen} \end{array} \right\}$$

$$\text{c. Helga versucht,} \left\{ \begin{array}{l} \text{*daß sie liest} \\ \text{zu lesen} \end{array} \right\}$$

Infinitiv als Ergänzung nehmen, ordnen wir den Kategoriennamen ZUINF zu. **Versprechen** und **versuchen** werden dann als NOM/ZUINF kategorisiert, **versprechen** außerdem als NOM/DASS und **merken** nur als NOM/DASS.

Damit sind die wichtigsten Formen von Verbergänzungen genannt, aber keineswegs alle. Manche Verben nehmen Adverbien als Ergänzungen **(Karl wohnt hier)**, manche nehmen adverbiale Adjektive **(Karl sieht gut aus)**. Für viele Verben müssen besondere Formen von nominalen Ergänzungen angesetzt werden wie die sog. Maßangaben **(Der Sack wiegt zwei Zentner)** oder Akkusative mit temporaler Bedeutung **(Paul schläft den ganzen Tag)**. Je weiter man die Differenzierung der Ergänzungen treibt, desto deutlicher wird, wie eng Verbvalenz und Verbbedeutung aufeinander bezogen sind. Vielfach erweist es sich als schwierig oder unmöglich, die Grenze zwischen dem syntaktischen und einem semantischen Valenzbegriff strikt und ohne Willkür zu ziehen. Daß es solche Schwierigkeiten gibt, sagt aber nicht grundsätzlich etwas gegen den syntaktischen Valenzbegriff. Wir kommen auf diese Frage in den folgenden Abschnitten, aber auch in anderen Teilen der Grammatik immer wieder zurück (8.2; 10.2; **Aufgabe 2**).

Die formale Vielfalt der Verbergänzungen ist erheblich und die Zahl der syntaktisch unterscheidbaren Verbklassen entsprechend groß. Sie wird noch größer, wenn folgende Gesichtspunkte berücksichtigt werden.

Zwei Verben sind noch nicht dann bezüglich ihrer Valenz identisch, wenn sie dieselbe Stellenzahl haben und die einzelnen Positionen mit Ergänzungen derselben Form besetzen. Bisher ist meist davon gesprochen worden, daß ein Verb Ergänzungen bestimmter Art ›nimmt‹. Genauer wird nun danach unterschieden, ob eine Ergänzung genommen werden *muß* oder genommen werden *kann*. Beispielsweise kann man bei den Verben in 8a das direkte Objekt weglassen, ohne daß die Sätze

(8)

    a. Else $\left\{\begin{array}{l}\text{gewinnt}\\\text{ißt}\\\text{strickt}\\\text{lernt}\end{array}\right\}$ etwas

    b. Karl $\left\{\begin{array}{l}\text{verlangt}\\\text{schält}\\\text{zerreißt}\\\text{sagt}\end{array}\right\}$ etwas

ungrammatisch werden. In 8b ist das Objekt dagegen gefordert, denn **Karl verlangt** usw. ist ungrammatisch. Obwohl die Verben in 8a ebenso zweistellig sind wie die in 8b und obwohl beide Stellen gleich besetzt werden können, gehören die Verben zu verschiedenen syntaktischen Kategorien. Ihre Distribution ist verschieden, weil das Objekt in 8b *obligatorisch* und in 8a *fakultativ* ist. Fakultative Ergänzungen werden in den Kategoriennamen durch Einklammern gekennzeichnet. Die Verben in 8b gehören danach zur Kategorie NOM/AKK, die in 8a zur Kategorie NOM/(AKK).

Die Identifizierung fakultativer Ergänzungen wirft ein besonderes Problem auf. Nehmen wir an, in unserem Korpus finden sich die Sätze **Else gewinnt; Else gewinnt das Halbfinale; Karl verlangt die Rechnung**. Die Valenz von **gewinnen** kann mit den Mitteln, über die wir verfügen, auf zwei Weisen angegeben werden, die sich in der Sache erheblich unterscheiden. Die eine, NOM/(AKK), nimmt das direkte

Objekt als fakultativ. Die andere behauptet, **gewinnen** sei einmal einstellig mit dem Subjekt als einziger Konstituente, Kategorie NOM, zum anderen aber zweistellig mit der Kategorie NOM/AKK. Die letztere Kennzeichnung ordnet dem Verb mehrere Valenzmuster zu, die erstere nur eines:

(9) a. **gewinnen:** NOM/(AKK)   **verlangen:** NOM/AKK

   b. **gewinnen:** $\left\{ \begin{matrix} \text{NOM} \\ \text{NOM/AKK} \end{matrix} \right\}$ **verlangen:** NOM/AKK

Beide Versionen unterscheiden **gewinnen** kategorial von **verlangen**, so daß aus dieser Richtung kein Hinweis darauf kommt, welche Lösung die richtige ist. Wir wissen auch, daß Mehrfachkennzeichnungen von Verben grundsätzlich zugelassen sind, denn es kommt häufig vor, daß eine bestimmte Stelle verschieden besetzt werden kann. Lösung 9b hat den Vorteil, daß sie den Begriff der fakultativen Ergänzung ganz vermeidet. Was spricht eigentlich dafür, von fakultativen Ergänzungen zu reden, wenn damit nur strukturelle Differenzierungen erreicht werden, die auch anders zu erreichen sind? Nach einer langen und ausführlichen Erörterung der Frage in der Literatur hat sich die folgende Position am weitesten durchgesetzt.

Ein unverzichtbares operationales Hilfsmittel zur Feststellung der Verbergänzungen ist die sogenannte Weglaßprobe oder Abstrichmethode. In der einfachsten Form besagt sie, daß eine Konstituente dann Verbergänzung ist, wenn sie grammatisch notwendig ist. In **Karl schält Kartoffeln** wären **Karl** und **Kartoffeln** Ergänzungen, weil sowohl **schält Kartoffeln** als auch **Karl schält** ungrammatisch sind. Betrachtet man nun die Fälle näher, bei denen durch Streichen einer Konstituente die Grammatikalität des Ausdrucks nicht gefährdet wird, so erweisen sich diese als uneinheitlich. Bei Streichung der Ergänzungen in 11 kehren die Verben eine andere

(10) a. **Karl ißt (Kartoffelsuppe)**
   b. **Karl schickt (mir) einen Sonderdruck**

(11) a. **Ulrike brennt (auf Revanche)**
   b. **Julia entbindet (Marco Polo von seinem Versprechen)**
   c. **Friedhelm verspricht sich (ein gutes Ergebnis)**

Bedeutung hervor. Jede der Bedeutungen hat ihre eigene Valenz, und sie liegen soweit auseinander, daß wir jeweils von zwei verschiedenen, homonymen Verben sprechen können. Bei den eingeklammerten Ausdrücken in 11 handelt es sich also nicht um fakultative, sondern um obligatorische Ergänzungen. Neben dem einstelligen **brennen** haben wir ein zweistelliges **brennen auf etwas** usw. In 10 dagegen ändert sich die Verbbedeutung nicht, hier ist die Rede von fakultativen Ergänzungen sinnvoll. **Karl schickt einen Sonderdruck** enthält nur zwei Ergänzungen, aber **schicken** bleibt dennoch dreistellig, weil der Adressat immer mitgedacht ist. Er kann ungenannt sein, weil er kontextuell gegeben ist, weil er nicht interessiert oder weil er mit Fleiß verschwiegen wird. Zur Bedeutung von **schicken** gehört es aber, daß etwas an jemanden oder jemandem geschickt wird. Diese Bedeutungskonstanz von **schicken** ist der Grund dafür, daß man das Verb als immer dreistellig ansieht mit einer fakultativen Ergänzung für die Stelle des Adressaten.

Dieses Vorgehen mag problematisch erscheinen, weil das Kriterium Bedeutungskonstanz ganz an der Sprecherintuition über Bedeutungsdifferenzen hängt und
unabhängig davon nicht operationalisierbar ist. Dennoch dürfte der Unterschied
zwischen 10 und 11 schlagend sein, und das Bild erhellt sich weiter, wenn man die
zwischen diesen Extremen angesiedelten Fälle hinzunimmt. Die Idee dabei ist, daß
einem und demselben Verb dann mehrere Valenzmuster zugeordnet werden, wenn
mit jedem solchen Muster eine charakteristische Bedeutungsvariante verbunden ist
(Heringer 1968; Brinker 1972: 184f.; Helbig/Schenkel 1975: 60ff.). Ein Beispiel für
systematische Bedeutungsvariation in Abhängigkeit von der Valenz geben die Dis-
positionsbegriffe ab (Hartmann 1980; Eroms 1981: 55ff.). Die Sätze **Karl schreibt
einen Aufsatz; Egon baut einen Hühnerstall; Paul trinkt eine Koka** werden zur
Bezeichnung konkreter einzelner Vorgänge verwendet. Fehlt das direkte Objekt,
dann zeigt sich eine Bedeutungsvariante des Verbs, die eher einen Zustand bezeichnet, der für einige der Verben treffend als ›Disposition‹ gekennzeichnet wurde. **Karl
schreibt** bedeutet dann, daß er von sich oder von anderen als jemand angesehen
wird, der regelmäßig Literatur produziert. **Egon baut** bedeutet soviel wie »Egon ist
Bauherr«, **Paul trinkt** soviel wie »Paul ist Trinker«. Die Bedeutungsunterschiede
sind nicht so, daß man von mehreren Verben spricht, sondern eben von (systematisch aufeinander beziehbaren) Varianten ein und desselben Verbs. Der Fall liegt
damit grundsätzlich anders als in 11, wo es gerade darauf ankam, daß die Verben
mit und ohne Objekt dieselben Bedeutungen haben. 12 faßt die drei Möglichkeiten
zusammen **(Aufgabe 3)**.

(12) a. **essen:**   NOM / (AKK)
    b. **brennen$_1$:**   NOM
       brennen$_2$:   NOM / AFAKK (»auf mit AKK«)
    c. **bauen:** $\left\{ \begin{array}{l} \text{NOM} \\ \text{NOM} / \text{(AKK)} \end{array} \right\}$

Mit der Annahme fakultativer Ergänzungen wird etwas anderes ausgedrückt als
mit der Annahme von mehreren Valenzmustern. Wir halten uns beides offen und
verfügen damit konstruktiv über sämtliche Möglichkeiten zur differenzierten Beschreibung des Kategoriensystems der Vollverben. Wie differenziert dieses System
ist, führen wir uns anhand von 13 vor Augen. In diesem Schema sind die Kategorien
der zweistelligen Verben aufgeführt, die sich bilden lassen, wenn man die Subjektstelle mit einem Nominativ besetzt und nur die Objektstelle variieren läßt.

Wie groß ist die Zahl der Valenzmuster für diesen besonderen Fall? Nehmen wir
an, daß zwölf die PrGr einleitende Präpositionen sowohl mit dem Dat als mit dem
Akk stehen, dann sind das 24, ergänzt um drei Kasus, DASS, OB und ZUINF macht
30, bei Berücksichtigung von Obligatorik/Fakultativität also 60 Muster. Diese Zahl
vervielfacht sich, wenn man die Variabilität der Subjektstelle berücksichtigt, so daß
wir auf einige hundert, jedenfalls aber eine dreistellige Zahl von zweistelligen
Valenzmustern kommen. Stellen wir weiter in Rechnung, daß so gut wie jedes Verb
nicht durch ein, sondern im Durchschnitt vier bis fünf Muster gekennzeichnet ist
(vgl. dazu die Valenzwörterbücher, die trotz ihrer groben Analyse schon zu mindestens dieser Zahl von Mustern pro Verb kommen), dann wachsen die Möglichkeiten, Verben valenzmäßig voneinander zu unterscheiden, noch einmal sprunghaft an.

(13)

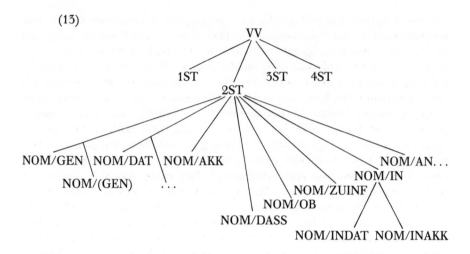

Zwar sind viele dieser Möglichkeiten nicht realisiert. Dennoch dürfte es kaum zwei Verben im Deutschen geben, die hinsichtlich ihrer Valenz vollkommen identisch sind. Mit identischer Valenz muß man vielleicht bei bestimmten Neologismen, Fremdwörtern und Verben aus Fachwortschätzen rechnen, kaum aber bei alteingesessenen, der Standardsprache zugehörigen.

Die Behauptung, es gäbe kaum zwei Verben mit identischen Valenzeigenschaften, mag überraschen. Ist eine grammatische Kategorisierung nicht gerade dazu da, die große Zahl der Ausdrücke in eine übersichtliche und handhabbare Zahl von Klassen zu gliedern? Was sollen wir mit einem System anfangen, das jeder Einheit seine eigene syntaktische Charakteristik zuweist? Die Antwort auf diese Fragen muß lauten, daß zwar jedes Verb sein eigenes syntaktisches Verhalten hat, daß aber die Parameter, die dieses Verhalten steuern, systematisch und übersichtlich sind: die Mittel zur Konstituierung von Valenzmustern sind endlich, ihre Struktur ist denkbar einfach. Ein Schema wie 13 läßt sich ohne große Mühe weiter vervollständigen.

Wir insistieren an dieser Stelle ein wenig und heben vor allem auf die Vielfalt der Verbvalenz ab, weil oft genug eher auf die Beschränktheit der Ausdrucksmittel in diesem Bereich hingewiesen wird und diese Beschränktheit noch als eine interpretiert wird, die nicht nur das Sagbare, sondern möglicherweise auch das Denkbare betrifft. »Da die semantischen Muster zumindest so zahlreich sind (,) wie die Anzahl der Prädikatoren, da andererseits aber die syntaktischen Muster so wenige sind . . ., und da diese syntaktischen Muster zudem aus der verschiedenen Kombination einiger weniger Nominal- und Präpositionalphrasen aufgebaut sind, so reduziert sich die semantische Komplexität auf eine minimale Zahl syntaktischer Konstituententypen, für das Deutsche grob gesprochen auf die Kombination von vier kasuell angeschlossenen und einer größeren Anzahl präpositional markierter Nominalphrasen . . . Der Gedanke, daß die syntaktische Reduktion der semantischen Verhältnisse zugleich gedanklich wichtige Generalisierungen beinhaltet, drängte sich nicht erst den Vertretern der ›inhaltsbezogenen Grammatik‹ auf. Ein geschlossenes System von Kasus ist immer schon ein guter Kandidat für das ›gedankliche Weltbild‹ einer Sprachgemeinschaft gewesen . . .« (Seyfert 1976: 292f.).

Fehleinschätzungen dieser Art resultieren, was die grammatische Seite des Problems betrifft, einmal schlicht aus Nichtberücksichtigung dessen, was an syntaktischen Mustern tatsächlich möglich ist. Das Reden von den vier Kasus und ein paar Präpositionen, deren Verhalten dem der ›reinen Kasus‹ noch durch die Bezeichnung ›Präpositionalkasus‹ (Schmidt 1973: 168; Helbig/Buscha 1975: 264 ff.) begrifflich nähergebracht wird, dieses Reden verkennt zuerst die Rolle der Sätze und Infinitive für die Valenz, dann aber auch die Differenzierungsmöglichkeiten, die mit der Kombinierbarkeit von Ergänzungsklassen und Valenzmustern gegeben sind. Die Konzentration auf das Kasussystem im engeren Sinne ist Ausdruck eines grammatischen Denkens mit einer langen Tradition, von dem auch die Valenzgrammatik Tesnières ausgegangen ist, das sie aber längst überwunden hat. Sprachtypologische Untersuchungen wurden und werden etwa in der Indogermanistik häufig auf der Basis des Kasussystems von Einzelsprachen oder Sprachgruppen vorgenommen. So ergiebig solche Untersuchungen typologisch sind, so wenig reicht die Beschränkung auf das Kasussystem zur Beschreibung der Verbgrammatik einer Einzelsprache aus (Aufgabe 4).

Eine weitere Gefahr besteht darin, daß dem Valenzmuster für sich ein zu großes Gewicht zugeschrieben wird. Ein Valenzmuster ist die Beschreibung der Grundstruktur einer Menge von Sätzen. Das Verb als ›Zentrum‹ des Satzes bindet ›Mitspieler‹ in Form von Ergänzungen, der Satz ist damit vollständig. Umgekehrt ist nun auch versucht worden, die Valenzmuster direkt als Satztypen anzusehen, die einer Sprache zur Verfügung stehen. Die deutschen Grammatiken sprechen meist von Satzbauplänen (Engel 1970; 1977: 179 ff.; Engelen 1975 a), die durch das Valenzmuster festliegen und durch geeignete Abwandlung auf bestimmte Mengen von Sätzen abgebildet werden. Beispielsweise gehört das Muster NOM/AKK zu dem Satz **Karl verlangt die Rechnung**, aber ebenso zu **Karl verlangte die Rechnung; Die Rechnung wird von Karl verlangt; Verlangt Karl die Rechnung?; . . . weil Karl die Rechnung verlangt; Die Rechnung verlangt Karl** usw. Wieviel Satzbaupläne ein Autor annimmt, hängt natürlich auch von seinem Valenzbegriff ab. Engel (1977: 180) spricht von »um die vierzig« Satzmustern für das Deutsche, wobei allerdings die Unterscheidung fakultativ/obligatorisch nicht berücksichtigt ist. Der Duden (1984: 606 ff.) führt 23 Hauptpläne und 14 Nebenpläne auf, Helbig/Buscha (1975: 554) haben eine Liste von 97 ›Satzmodellen‹ und Erben (1980: 257 ff.) unterscheidet vier ›Grundmodelle‹ nach der Stellenzahl, die nach der Besetzbarkeit der einzelnen Positionen in ›strukturelle Ausprägungen‹ differenziert werden.

Der Begriff des Satzbauplans ist sicher nützlich, insofern er Gemeinsamkeiten und Unterschiede bei Sätzen und Satztypen verdeutlicht. Was der Ausdruck ›Satz des Deutschen‹ meint, wird dadurch konkreter vorstellbar. Dieser Begriff darf sich aber nicht gegenüber dem der Verbvalenz verselbständigen. Der Satzbauplan ist ein Konstrukt, in dem bestimmte Merkmale von Satzstrukturen aufgehoben sind, aber Satzbaupläne und Satzstrukturen sind dennoch etwas gänzlich Unterschiedliches. Wir reden nicht in Satzbauplänen, sondern in Sätzen und bauen diese Sätze aus einfachen syntaktischen Einheiten auf, zu denen auch Verbformen gehören. Das syntaktische Verhalten eines Verbs kann nicht dadurch erfaßt werden, daß man feststellt, es trete in einen bestimmten Satzbauplan ein. Denkt man so, dann ist der Satzbauplan das Primäre und nicht das Verb und man fragt sich als Nächstes, ob einem Satzbauplan nicht eine bestimmte Bedeutung zukomme (Weisgerber 1963a). Diese Frage ist an sich schon Anzeichen für eine Hypostasierung. Der Zusammenhang von Valenz und Bedeutung läßt sich nicht erfassen, indem man Valenzmustern oder gar einzelnen Kasus Bedeutungen zuordnet, sondern indem man aus dem *gesamten* Valenzverhalten eines Verbs im Vergleich zu dem anderer Verben auf seine Bedeutung schließt. In der Bedeutung des Verbs sind seine syntaktischen Möglichkeiten angelegt, einschließlich der Bindung nicht an einen ganz bestimmten Satzbauplan, sondern an eine spezifische Kombination von ihnen. Im folgenden Kapitel wollen wir diesen Zusammenhang von syntaktischer Valenz und Verbbedeutung anhand einiger Beispiele genauer besprechen.

3.2.2 Valenz und Bedeutung

Zwei Denkweisen stehen sich gegenüber, wenn es um die Explikation des Zusammenhangs von Valenz und Bedeutung geht. Jede der beiden hat eine gewichtige Tradition und gute Argumente, und weil das so ist, werden einseitige Festlegungen heute meist vermieden.

Position A: Kennt man die Valenz eines Verbs und weiß man, was die einzelnen Kasus bedeuten, dann kann man aus der Valenz Rückschlüsse ziehen auf die Verbbedeutung.

Die Frage nach dem Zusammenhang von Valenz und Bedeutung wird hier konzentriert und reduziert auf die Frage nach der Bedeutung der nominalen und möglicherweise auch der präpositionalen Kasus. Admoni etwa spricht von den »allgemeinen Bedeutungen« der nominalen Kasus (1970: 106 ff.). Die Bedeutung des Nominativ sei es, etwas zu benennen, »um die Aufmerksamkeit des Hörenden ... auf den betreffenden Gegenstand zu lenken.« Der Akkusativ »bedeutet den unmittelbaren Gegenstand der Handlung« und der Dativ »bedeutet den Gegenstand, dem die Handlung zustrebt« (1970: 116). Andere Konzeptionen würden im Sinne semantischer Rollen oder – wie es in der Valenzgrammatik vielfach heißt – ›Aktantenfunktionen‹ vielleicht vom Handelnden oder Agens für den Nom, vom Patiens für den Akk und vom Benefaktiv für den Dat sprechen (dazu genauer die Übersicht zur Theorie der Kasusbedeutungen in Eroms 1981: 65 ff.; für das Deutsche Helbig 1973 a: 195 ff.; 8.1).

Wichtig ist im Augenblick nicht so sehr, *was* die einzelnen Kasus bedeuten, sondern *daß* sie feste und unterscheidbare Bedeutungen haben. Das Verb **helfen** etwa bezeichnet dann eine Handlung, die einem Gegenstand zustrebt (**Er hilft mir**), während **unterstützen** eine Handlung bezeichnet, die unmittelbar auf einen Gegenstand gerichtet ist (**Er unterstützt mich**). Zwischen beiden Verben besteht ein Bedeutungsunterschied, der zwischen **helfen**, **vertrauen** und **raten** nicht besteht (sie nehmen alle den Dativ) und der auch zwischen **unterstützen** und **schlagen**, **lieben** usw. nicht besteht.

Position B. Ausschlaggebend ist die Verbbedeutung selbst. Mit der Verbbedeutung liegt die Zahl der Stellen fest. Die Kasusdifferenzierung dient der Identifikation der einzelnen Stellen, eine eigene Bedeutung kommt den Kasus nicht zu. Kennt der Hörer die Verbbedeutung, so weiß er auch, welche semantischen Rollen den einzelnen Ergänzungen entsprechen. Verschiedene Kasus gibt es im Prinzip nicht, weil damit verschiedene Bedeutungen realisiert werden sollen, sondern weil es Verben mit mehreren Ergänzungen gibt und diese Ergänzungen auseinandergehalten werden müssen (Heringer 1970: 90 ff.; zur Funktionalität von Kasusformen auch 5.1; 5.2). Die »Ergänzungen bringen zum Begriffe des verbums nichts neues hinzu, sondern legen ihn nur in einige seiner Momente auseinander« (Porzig 1973: 82).

Mit Position A ist die Gefahr einer Hypostasierung grammatischer Kategorien verbunden. Jede substantivische Form des Deutschen *muß* ja einen Kasus haben. Weist man den Kasus festliegende Bedeutungen zu, dann unterstellt man, daß im Prinzip (bei allen zugelassenen Ausnahmen) dies die möglichen grammatischen Bedeutungen der substantivischen Formen seien. Von hier aus ist es nur ein kleiner Schritt zu der These, unser Denken sei durch die Grammatik vernagelt. Andererseits: wenn beispielsweise zur formalen Trennung der Ergänzungen bei den dreistelligen Verben der Nom, der Dat und der Akk verwendet werden und die semantische Funktion der Mitspieler in großen Verbgruppen Ähnlichkeiten aufweist, dann wäre es unvernünftig von unserer Sprache, dieselbe semantische Funktion bei den Verben unterschiedlich zu enkodieren. Wenn alle Verben ein Agens haben, dann macht es wenig Sinn, das Agens einmal als Nom, bei einem anderen Verb als Dat und bei einem dritten als Akk zu enkodieren. Es ist deshalb gar nicht zu bestreiten, daß den Kasus in weiten Bereichen ›feste Bedeutungen‹ zugeschrieben werden können. Dies ist aber etwas anderes, als im Transport bestimmter Bedeutungen die eigentliche Kasusfunktion zu sehen.

In Hinsicht auf den Zusammenhang von Valenz und Bedeutung wird die Richtigkeit beider Positionen evident, wenn man sich nicht auf eine Betrachtung nominaler Ergänzungen beschränkt, sondern das gesamte Formspektrum berücksichtigt. Es mag vielfach semantisch irrelevant sein, ob ein Verb ein dativisches oder akkusativisches Objekt nimmt, es ist aber niemals semantisch irrelevant, ob ein Verb eine bestimmte Stelle mit einem Nominal und einem Satz besetzen kann oder nur mit einem Nominal. Wir folgen mit dieser Aussage der Denkweise von Position A. Daß 2b ungrammatisch ist und 1b nicht, kann man semantisch folgendermaßen begrün-

(1) a. **Karl sieht das Saxophon**
    b. **Karl sieht, daß du Saxophon spielst**

(2) a. **Karl trägt das Saxophon**
    b. *****Karl trägt, daß du Saxophon spielst**

den. Der Gesamtbereich von Individuen, der sprachlich erfaßbar ist, die Gesamtheit der Entitäten also, die wir sprachlich benennen können, ist in sich nicht homogen, sondern gegliedert in einem System von semantischen Typen. Für unsere Wahrnehmung, unser Denken und unser Sprechen ist es beispielsweise nicht dasselbe, ob wir es mit einem Konkretum wie einem Spaten oder einem Abstraktum wie der natürlichen Zahl »Drei« zu tun haben. Mit der Drei praktisch, kognitiv und sprachlich umzugehen, ist etwas anderes als mit einem Spaten umzugehen. Der Unterschied zwischen beiden Typen von Individuen ist so bedeutend, daß er in die sprachliche Form durchschlägt und im unterschiedlichen syntaktischen Verhalten von **Spaten** und **Drei** manifest wird (zur Substantivklassifikation auch 5.3). Analog liegt der Fall in 2b. Sätze bezeichnen Sachverhalte und Sachverhalte sind für die Sprache ein anderer Individuentyp als Dinge (konkrete Objekte). Die syntaktische Beschränkung von **tragen** gegenüber **sehen** ist Ausdruck der Tatsache, daß seine

Bedeutung sich nicht auf Sachverhalte beziehen kann. Sachverhalte kann man nicht tragen, verteilen, suchen oder begeistern. Man kann all dies mit Dingen tun, manches vielleicht nur mit Dingen bestimmter Art, aber nichts davon mit Sachverhalten. Dagegen kann man Dinge ebenso wie Sachverhalte sehen, lesen, mitteilen und verlangen. Daß das so ist, lehrt die Syntax dieser Verben, die allesamt als direktes Objekt ein Nominal und einen Satz zulassen. Der daß-Satz als reiner Inhaltssatz hat insofern eine feste Bedeutung, als er Sachverhalte bezeichnet. Nominale Ergänzungen können Sachverhalte bezeichnen, sie können aber auch Entitäten anderer Typen bezeichnen. Der Unterschied in der Valenz von **tragen** und **sehen** ist ein zuverlässiger Anzeiger eines semantischen Unterschieds zwischen beiden Verben.

Wir sind der Denkweise von Position A gefolgt, weil wir einen Bedeutungsunterschied zwischen Sätzen und Nominalen dingfest gemacht haben und von ihm auf die Verbbedeutung rückgeschlossen haben. Ebenso sinvoll ist es, in der anderen Richtung zu denken und zu sagen, **tragen** könne aufgrund seiner Bedeutung keinen **daß**-Satz als direktes Objekt nehmen. Der scheinbar so grundlegende Unterschied zwischen A und B verschwindet hier bereits.

Auf welche Weise sich besondere Merkmale von Verbbedeutungen in der Valenz spiegeln, zeigen wir als nächstes am Beispiel der sog. symmetrischen Prädikate (Lakoff/Peters 1969; Wandruszka 1973).

Eine Relation R ist symmetrisch, wenn gilt Rxy = Ryx. Bei symmetrischen Relationen ist es gleichgültig, in welcher Richtung die Individuen aufeinander bezogen werden: der Gesamtausdruck bedeutet immer dasselbe. Die Relation besteht entweder in beiden Richtungen in gleicher Weise oder sie besteht gar nicht.

Ein symmetrisches Verb ist **heiraten**, nicht symmetrisch ist **verehren**. Wenn Emma den Karl heiratet, dann muß auch Karl die Emma heiraten. Verehrt Emma den Karl, so ist das möglicherweise allein ihre Sache.

(3) a. **Karl heiratet Emma**
    b. **Emma heiratet Karl**
    c. **Karl und Emma heiraten**
    d. **Die beiden heiraten**

(4) a. **Karl verehrt Emma**
    b. **Emma verehrt Karl**
    c. ***Karl und Emma verehren**
    d. ***Die beiden verehren**

Die Besonderheit des symmetrischen Verbs besteht zunächst darin, daß Subjekt und Objekt ohne Bedeutungsänderung vertauscht werden können (3b vs. 4b). Das entspricht formal genau dem, was unter ›symmetrisch‹ verstanden wird. Die zweite

(5)

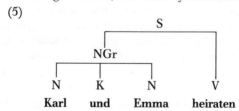

Besonderheit ist, daß neben der zweistelligen auch zwei einstellige Varianten des Verbs existieren, wobei das Subjekt jeweils eine ganz bestimmte Form haben muß. Entweder es handelt sich um eine Koordination mit **und** wie in 5 oder das Subjekt steht im Plural.

Man könnte einwenden, daß bei jedem Verb ein koordiniertes Subjekt stehen kann und ebenso ein Subjekt im Plural, und daß es deshalb nicht gerechtfertigt ist, die symmetrischen Verben auf diese Weise besonders zu kennzeichnen. Denn 6 enthält von der Form her dieselben Sätze wie 3.

(6) a. **Karl sieht Emma**
    b. **Emma sieht Karl**
    c. **Karl und Emma sehen**
    d. **Die beiden sehen**

Der Unterschied zwischen 6 und 3 besteht in der Systematik der Satzbedeutungen. Beim symmetrischen Verb bedeuten die Sätze a bis c dasselbe, beim nicht symmetrischen Verb bedeuten sie nicht dasselbe. **Sehen** ist weder in der zweistelligen noch in der einstelligen Version symmetrisch, auch wenn die einstellige eine Koordination enthält oder im Plural steht. **Sehen** kann man auch symmetrisch verwenden, aber nur, wenn das durch ein reflexives Pronomen besonders angezeigt wird wie in **Karl und Emma sehen sich (Aufgabe 5)**.

Man kann Verbbedeutungen miteinander vergleichen, indem man Verbvalenzen vergleicht. Durch einen solchen Vergleich lassen sich nicht nur Unterschiede und Überschneidungen in den Bedeutungen feststellen, sondern man kann auch gewisse Aussagen über die Bedeutungen selbst machen. Welcher Art diese Aussagen sind, wollen wir im folgenden an einer Einzelanalyse zeigen.

Als Beispiel wählen wir **wissen** und **glauben**, zwei Verben, mit denen sich Sprachwissenschaft und Sprachphilosophie schon immer besonders ausführlich beschäftigt haben. Innerhalb der sprachanalytischen Philosophie hat sich mit der epistemischen Logik ein Spezialgebiet für die Begriffe des Wissens und Glaubens herausgebildet. Bei Kutschera (1976: 79) heißt es »Die epistemische Logik ist die Logik der Begriffe des Glaubens und Wissens. Ihr Grundbegriff ist der des Glaubens; der Wissensbegriff läßt sich . . . darauf zurückführen.« Die Rückführung besagt: dafür, daß jemand etwas weiß, müssen drei Bedingungen erfüllt sein. (1) er muß es glauben, (2) er muß gute Gründe haben, es zu glauben und (3) es muß wahr sein.

(7) a weiß, daß p genau dann, wenn gilt
    1. a glaubt, daß p
    2. a hat gute Gründe, zu glauben, daß p
    3. p ist wahr.

Bedingung 2 ist noch am ehesten umstritten. Während Kutschera sie nicht gelten läßt (1976: 88 f.), wird sie meist für notwendig gehalten (dazu Savigny 1969: 307 ff.). Einigkeit besteht weitgehend über die Bedingungen 1 und 3. Der Gedanke, daß das Wissen grundlegender sein könnte als das Glauben, wird selten erwogen. Zu sicher ist der Wissenschaftler, daß man erst durch harte Arbeit vom Glauben zum Wissen gelangen könne. Eine der wenigen Gegenstimmen ist die des polnischen Philosophen Andrzeij Boguslawski, der fragt, ob nicht **wissen** die in einem bestimmten Sinne einfachere Bedeutung habe als **glauben** (1981: 61 ff.). Verwenden wir **wissen** nicht häufiger und mit einem größeren Anwendungsbereich als **glauben**? Etwas wissen können nicht nur Personen, sondern auch Tiere und Lebewesen allgemein. Wir sprechen vom Wissen einer Maschine, vom Wissen der Institutionen, und sogar Abstrakta können etwas wissen (»Die Freiheit weiß, wer ihre Freunde sind«). Glauben ist in dieser Hinsicht viel eingeschränkter.

Es geht im folgenden natürlich ausschießlich um die Bedeutung der deutschen Verben **wissen** und **glauben** und nicht um speziellere Begriffe in einem philosophischen System. Allerdings sind erstere für letztere von größter Bedeutung. Kutschera schreibt (1976: 79), die epistemische Logik setze voraus, »daß es einen für viele Zwecke hinreichend eindeutigen umgangssprachlichen Gebrauch von ›glauben‹ gibt, und unternimmt es, dieses Prädikat für gewisse philosophische, speziell erkenntnistheoretische Zwecke aufzubereiten.« Die Basis bleibt also der alltagssprachliche Begriff.

Unsere vergleichende Analyse ist unvollständig. Sie behandelt das Subjekt gar nicht. Bei den Objekten betrachten wir zwei Probleme, nämlich (1) das Verhältnis von direktem und indirektem Objekt und (2) mögliche Satzkomplemente.

Wissen und **glauben** sind beide maximal dreistellig. Die semantischen Funktionen der drei Stellen charakterisieren wir in erster Näherung als die des Wissenden/Glaubenden (Subjekt), des Gewußten/Geglaubten (direktes Objekt) und als die der Quelle des Wissens/Glaubens (indirektes Objekt).

(8) a. **Er weiß das Ergebnis von Karl**
    b. **Er weiß aus alten Büchern die komischsten Dinge**

(9) a. **Sie glaubt dem Vertreter jedes Wort**
    b. **Sie glaubt an den Wetterbericht**

Wir beziehen uns im folgenden der terminologischen Einfachheit halber mit diesen Ausdrücken auf die einzelnen Stellen, auch wenn unter einem indirekten Objekt normalerweise ein dativisches und nicht ein präpositionales Objekt wie bei **wissen** verstanden wird. Die Valenzwörterbücher sehen **wissen** als zweistellig an (Engel/Schumacher 1976: 300; Helbig/Schenkel 1975: 377). Es gibt aber keinen Grund, die PrGr **aus/von** + Dativ nicht zu den Ergänzungen zu zählen.

Bei **wissen** tritt das indirekte Objekt fakultativ und nur zusammen mit dem direkten Objekt auf, während das direkte Objekt auch allein vorkommt. Die meisten dreistelligen Verben verhalten sich so (**geben, sagen, kaufen**). Die Valenz von **wissen** stellt in diesem Punkt keine Besonderheit dar.

Glauben verhält sich differenzierter. Jedes seiner Objekte kann ohne das andere vorkommen, vgl. **Ich glaube ihm** und **Ich glaube das**. Der Grund dafür dürfte in einer semantischen Besonderheit von **glauben** zu suchen sein: die Aktantenfunktionen des direkten und des indirekten Objekts sind nicht immer klar voneinander zu trennen. Was mit dem direkten Objekt gesagt wird, kommt manchmal dem sehr nahe, was mit dem indirekten Objekt gesagt wird. Der Satz **Ich glaube ihm** mit der Bedeutung »Ich glaube ihm, was er sagt« kann sich auf eine bestimmte einzelne Situation beziehen, wo klar ist, was gerade geglaubt wird. Es kann aber auch gemeint sein, daß ich ihm immer und prinzipiell glaube, was er sagt. **Jemandem glauben** hat dann ungefähr die Bedeutung »sich auf jemanden verlassen« oder »jemandem vertrauen«. Helbig/Schenkel (1975: 186) geben dies als eine besondere Bedeutung von **glauben** mit dativischem Objekt an. Man trifft das Besondere an **glauben** besser, wenn man nur eine Bedeutung annimmt und auf die Nichttrennbarkeit der Aktantenfunktionen verweist.

Es gibt andere Hinweise in diese Richtung. Zahlreiche Nominale lassen sich bei glauben ebenso gut als direktes wie als indirektes Objekt verwenden. Ein semanti-

(10)

$$\text{Er glaubt} \begin{cases} \text{der/die Nachricht} \\ \text{der/die Sendung} \\ \text{dem/den Brief} \\ \text{der/die Meldung} \\ \text{dem/das Buch} \end{cases}$$

scher Unterschied ist zwar vorhanden, aber er ist gering. Der Dativ zielt mehr auf den Formaspekt, der Akkusativ mehr auf den Inhaltsaspekt. Deshalb verliert sich die doppelte Verwendbarkeit bei solchen Substantiven, bei denen die Differenzierung nach Form und Inhalt nicht ein wesentliches Moment der Wortbedeutung ist, vgl. **Er glaubt dem/*das Fernsehen; Er glaubt *dem/den Unsinn.**

Für den kontinuierlichen Übergang zwischen den semantischen Rollen von direktem und indirektem Objekt bei **glauben** spricht auch die Bedeutung der PrGr an + Dativ wie in 9b. Wird damit eher das Geglaubte oder eher die Quelle des Glaubens verbalisiert? Man vergleiche die Sätze in 11. 11a kommt dem indirekten Objekt semantisch sehr nahe, 11i hat damit nichts zu tun. Die Sätze sind so geordnet, daß

(11) a. **Unser Opa glaubt an den Herrn Bürgermeister**
b. **Kinder glauben an ihre Mutter**
c. **Wir glauben alle an die Partei**
d. **Nur eine Minderheit glaubt an die Kernkraft**
e. **Mancher glaubt an den Fortschritt**
f. **Einige glauben an Gott**
g. **Helmut glaubt an die Wiedervereinigung**
h. **Joseph K. glaubt an den Teufel**
i. **Niemand glaubt an Einhörner**

die semantische Nähe zum indirekten Objekt abnimmt. 11a und 11i enthalten in der PrGr Konkreta, wobei das erste etwas bezeichnet, dem man etwas glauben kann und das letzte etwas, von dem niemand glaubt, daß es existiert. Die dazwischenliegenden haben verschiedene Grade von Abstraktheit, die den Unterschied mehr oder weniger verschwinden lassen. **Glauben** mit **an** + Akk leistet semantisch ungefähr das, was **glauben** + Dat und **glauben** + Akk leisten. Dies ist der Grund für die Zweistelligkeit.

Die Spezifika der Aktantenfunktionen verdeutlichen sich weiter, wenn man berücksichtigt, daß nicht alle Nominale als direkte Objekte für beide Verben zugelassen sind. Unterschiede treten bei den jeweils zugelassenen Substantivklassen auf,

(12) a. Er $\left\{ \begin{array}{l} \text{glaubt} \\ \text{weiß} \end{array} \right\}$ diesen Unsinn / diese Neuigkeit /

dieses Ergebnis / diese Tatsache / das Wichtigste /
das / alles / etwas / nichts

b. Er $\left\{ \begin{array}{l} \text{glaubt} \\ \text{*weiß} \end{array} \right\}$ diesen Brief / diese Meinung /

diese Behauptung / dieses Argument / diese Beteuerung /
diese Lüge

vgl. 12b. An dieser Stelle kann nicht der Frage nachgegangen werden, ob sich die bei **wissen** zugelassenen Substantivklassen formal isolieren lassen (etwa als Typen von Nominalisierungen), wie weit also der Unterschied zwischen 12a und 12b noch als syntaktischer gefaßt werden kann. Der semantische Unterschied ist aber klar. **Wissen** hat in diesem Punkt die speziellere Bedeutung. Im Kontext des akkusativischen Objekts sind nicht **glauben** und **wissen** gleich verteilt, sondern viel eher **glauben** und **kennen/können**. Diese Opposition entspricht weitgehend der zwischen **believe** und **know** im Englischen, die beide ziemlich unrestringiert nominale Objekte nehmen (**I know him; I know German**). Auch in 12b kann überall **kennen** eingesetzt werden. Auf der anderen Seite geht das akkusativische Objekt im Bereich der Konkreta bei **kennen** weit über das hinaus, was bei **glauben** zugelassen ist. **Ich kenne Karl** und **Ich kenne die Regierung** enthalten direkte Objekte, die bei **glauben** nur als indirekte Objekte möglich sind (**Ich glaube Karl/der Regierung**), und dem Objekt in **Ich kenne New York** entspricht bei **glauben** nichts mehr. **Kennen** exponiert ein Bedeutungselement, daß auch **glauben** hat, besonders deutlich und hilft uns so, den Unterschied zu **wissen** zu verstehen. **Ich kenne diese Behauptung** heißt nicht nur, daß man weiß, was dort behauptet wurde, sondern es wird auch mitgeteilt, daß man den Inhalt in einer bestimmten Form zur Kenntnis genommen hat. Er wurde nämlich behauptet. Noch konkreter ist die Form in **Ich kenne diesen Brief** oder **Ich kenne dieses Buch**. Immer richtet sich die Kenntnis auf den *Inhalt in einer ganz bestimmten Form*. Dasselbe gilt für **glauben**, aber, wie wir gesehen haben, nur soweit, wie die Form oder das Gegenständliche ersichtlich von jemandem stammt oder bei etwas seinen Ursprung hat, dem selbst man etwas glauben kann.

Der Unterschied zu **wissen** besteht darin, daß **wissen** Substantive im direkten Objekt nimmt, die sich auf ›reine Inhalte‹ beziehen, die insbesondere von der Form und dem Präsentationsmodus abstrahieren, an die der Inhalt gebunden ist. **Unsinn, Neuigkeit, Ergebnis** beinhalten nichts über die Art der Wahrnehmung, mit deren Hilfe wir uns Zugang zu dem betreffenden Inhalt verschaffen. **Nachricht, Brief, Behauptung, Argument** sind in dieser Hinsicht konkreter und deshalb im direkten Objekt von **wissen** ausgeschlossen. Was gewußt wird, wird offenbar als reiner Inhalt gewußt. Die im direkten Objekt zugelassenen Nominale schließen die gleichzeitige Bezugnahme auf konkrete Vermittlungsformen und -modalitäten des Gewußten aus. Dies paßt auf das Genaueste dazu, daß Aktantenfunktionen und syntaktische Funktionen bei **wissen** eindeutig aufeinander bezogen sind.

Wir interpretieren diesen Befund folgendermaßen. Wer **wissen** gebraucht, muß sagen, was er weiß. Kommt es ihm nicht auf diese Mitteilung an, wird er **wissen** nicht verwenden, denn das direkte Objekt ist immer vorhanden (wenn auch fakultativ wie in **Ich weiß**, aber auch dieser Satz wird nur geäußert, wenn klar ist, was gewußt wird). Zusätzlich zum Gewußten kann die Quelle des Wissens genannt werden. Sie ist syntaktisch und semantisch klar vom Gewußten getrennt. Das Gewußte erscheint als reiner Inhalt und ohne Anklang an seine Herkunft oder Erscheinungsform. Wenn wir sagen, wir wissen etwas, dann verhalten wir uns direkt und unmittelbar zu einem Inhalt.

Bei **glauben** können wir jeweils für sich das Geglaubte und die Quelle des Geglaubten nennen. Schon durch die Syntax erhält die Quelle des Geglaubten damit ein starkes Eigengewicht. Die Valenz sieht den Satz vor, der allein die Quelle des Geglaubten nennt. Dazu kommt, daß bei Nennung des Geglaubten seine Quelle häufig latent vorhanden ist, sei es dadurch, daß die Erscheinungsform des Geglaubten mitgenannt wird, sei es, daß Geglaubtes und seine Quelle gar nicht zu trennen sind. Was wir glauben, müssen wir irgendwoher haben. Die Struktur der Sprache sorgt dafür, daß wir das nicht vergessen. Es verhält sich also gerade nicht so, wie die Explikation 7 behauptet. Wir kommen nicht vom Glauben zum Wissen, sondern wir wissen zunächst etwas, und erst wenn Grund zum Zweifeln besteht, fangen wir an zu glauben. So jedenfalls verwenden wir die Verben **wissen** und **glauben**.

Nun zu den Satzkomplementen. **Wissen** und **glauben** nehmen Ergänzungssätze nur in der Position des direkten Objekts. Beide Verben lassen in dieser Position **daß**-Sätze zu (das Gewußte/Geglaubte sind Sachverhalte). **Wissen** läßt darüber hinaus

$$(13) \quad \text{a. Er} \left\{ \begin{array}{l} \text{weiß} \\ \text{glaubt} \end{array} \right\} \text{daß Paula in München ist}$$

$$\text{b. Er} \left\{ \begin{array}{l} \text{weiß} \\ \text{*glaubt} \end{array} \right\} \text{ob Paula in München ist}$$

alle Formen von indirekten Fragesätzen zu, **glauben** läßt indirekte Fragesätze generell nicht zu. Von den indirekten Fragesätzen ziehen wir für das folgende nur den **ob**-Satz wie in 13b heran.

Verben, die indirekte Fragesätze und **daß**-Sätze als Objekte nehmen, sind in der Regel faktiv. Faktizität ist eine semantische Eigenschaft von bestimmten Verben und Adjektiven, die an ihren Valenzeigenschaften festgemacht werden kann (10.1.2). Ein Satz mit einem faktiven Verb kann nur geäußert werden, wenn der Sprecher sich zur Wahrheit des Objektsatzes bekennt, wenn er ihn also als wahr unterstellt oder präsupponiert. Das ist bei **wissen** der Fall, bei **glauben** nicht. Der Sprecher von 13a muß nur bei **wissen** davon überzeugt sein, daß Paula in München ist. Bei **glauben** legt er sich in diesem Punkt nicht fest (zur Faktizität Kiparski/Kiparski 1968; zu den speziellen Problemen von **wissen** und **glauben** Reis 1977: 171 ff.).

In die Explikation der Bedeutung von **wissen** entsprechend 7 geht die Faktizität über Bedingung 3 ein. Jedoch: 3 besagt nicht, daß der Sprecher p für wahr hält, sondern daß p wahr *ist*. Der Unterschied ist entscheidend für das Verhältnis der Bedeutungen von **wissen** und **glauben**. Ein Kennzeichen des Alltagsbegriffs von **wissen** ist, daß etwas gewußt werden kann, ohne daß es wahr ist. Wenn a sagt »Ich weiß, daß Paula in München ist« und b bestreitet das, dann setzt er die Negation des Komplementsatzes dagegen und sagt »Paula ist nicht in München«. Er würde niemals sagen können »Du weißt nicht, daß Paula in München ist.« Der Widerspruch richtet sich nicht gegen das Wissen selbst, sondern gegen seinen Inhalt. Die Tatsache eines Wissens des a bleibt unbestritten in dem Sinne, daß niemals von a verlangt wird, sein sogenanntes Wissen durch ein Nichtwissen zu ersetzen.

Kutschera nennt die Annahme, daß Wissen die Wahrheit von p verlange, »unbestritten« (1975: 87). Tatsächlich darf diese Bedingung aber gar nicht gestellt werden, weil die richtige Verwendung von p nicht an das Wahr-Sein, sondern an das Für-Wahr-Halten gebunden ist (dazu Keller 1975). Wäre dies nicht so, müßten wir die Verwendung des Verbs **wissen** in der Alltagsspache sofort einstellen.

Und erneut zweifelhaft wird die zweite mit 7 verbundene Annahme, die besagt, daß derjenige, der etwas weiß, dies auch glauben müsse (Kutschera 1976: 87; Hintikka (1962: 87) nennt sie »perfectly uncontestable«). Wenn jemand sagt »Ich weiß, daß p« und ihm wird gesagt »Also glaubst du auch, daß p«, dann wird er in der Regel widersprechen, indem er bekräftigt »Ich glaube nicht, daß p, sondern ich weiß, daß p«. Das liegt daran, daß eben nicht generell zuerst das Glauben da ist und als seine höchste und sicherste Form das Wissen anzusehen ist. Vielmehr ist in der Regel zuerst und spontan ein Wissen da.

Daß nicht einmal alles geglaubt werden kann, was man weiß, zeigt sich nun an 13 b. Das direkte Objekt enthält das Gewußte/Geglaubte. Da **wissen** einen **ob**-Satz zuläßt, **glauben** aber nicht, kann das, was der **ob**-Satz bezeichnet, wohl gewußt, aber nicht geglaubt werden. Der Einwand, in 7 sei nur von **daß**-Sätzen die Rede, verfängt nicht. Es ist Ausdruck der Bedeutung von **wissen**, daß der **ob**-Satz zugelassen ist und Ausdruck der Bedeutung von **glauben**, daß er nicht zugelassen ist.

Mit der Äußerung des Satzes **Ich weiß, ob Paula in München ist** teilt der Sprecher mit, daß er Kenntnis darüber hat, welche des beiden Möglichkeiten zutrifft, ohne aber mitzuteilen, welche die zutreffende ist. Hätte **glauben** die ihm häufig zugeschriebene Bedeutung »für wahr halten«, müßte es möglich sein, daß man sagt **»Ich glaube, ob Paula in München ist«** mit der Bedeutung »Ich halte eines von beidem für wahr: nämlich daß Paula in München ist oder daß sie nicht in München ist. Aber ich teile nicht mit, welche der Möglichkeiten ich für zutreffend halte.« Daß es den **ob**-Satz bei **glauben** nicht gibt, zeigt, daß **glauben** die unterstellte Bedeutung nicht hat. Es kann sie nicht haben, weil »für wahr halten« zur Bedeutung von **wissen** gehört.

Der Satz **Ich weiß, ob Maria in München ist** teilt zweierlei mit, nämlich daß der Sprecher etwas weiß und worüber er etwas weiß. Die Mitteilung der Tatsache eines Wissens ist nichts anderes als die Mitteilung eines Wissens über ein Wissen. Ein **ob**-Satz dieser Art kann nur gesagt werden, wenn das Wissen sich nicht auf das Einsammeln von Fakten beschränkt, sondern wenn es zum Gegenstand der Reflexion wird. Gilbert Ryle spricht davon, daß **knowing** ›**self intimating**‹ sei, d. h. wenn gilt **a knows p**, dann gilt auch **a knows that a knows that p** (vgl. Hintikka 1962: 56f.). Hintikka selbst argumentiert auch umgekehrt, daß **knowing that one knows p** ›virtuell äquivalent‹ sei mit **knowing p**. Es ist angesichts solcher Aussagen eigentlich unverständlich, daß nicht ein Schritt mehr gemacht und anerkannt wird, daß **knowing p** ›virtuell äquivalent‹ ist mit **p**. Wenn wir etwas behaupten, dann geben wir einem Wissen Ausdruck, das ist der unmarkierte Fall. Linguistische Analysen, die eine Behauptung als Ausdruck eines Wissens *oder* eines Glaubens ansehen (Luelsdorff 1980) erweisen sich als von der philosophischen Standardsicht beeinflußt. Die sprachliche Analyse selbst gibt das nicht her (**Aufgabe 6**).

3.3 Kopulaverben

Unter der Bezeichnung Kopula faßt man eine kleine Gruppe von Verben zusammen, die sich syntaktisch und semantisch sowohl von den Vollverben als auch von den Modalverben unterscheiden. Ihre Zuweisung zu einer besonderen Kategorie (Paradigmentkategorie KV; Schema 1 S. 71) stützt sich auf das Vorkommen in Sätzen mit substantivischem (1a) und adjektivischem (1b) Prädikatsnomen. **Sein** wird in diesen

> (1) a. **Paul ist Schreiner**
> b. **Susanne ist bescheiden**

Sätzen als Kopula (»Verknüpfer«, »Satzband«) bezeichnet, weil es – obwohl einziges Verb im Satz – semantisch ein Leichtgewicht sei, das dazu dient, das gewichtigere Subjekt mit dem gewichtigeren Prädikatsnomen zum Satz zu verbinden.

Zu den Kopulaverben gehören außer **sein** zweifelsfrei nur **werden** und **bleiben**. Schreibt man **sein** als Kopula eine Bedeutung ganz allgemeiner Art zu wie »eine Eigenschaft haben« oder »sich in einem Zustand befinden«, dann hat **werden** die Bedeutung »in einen Zustand gelangen« und **bleiben** die Bedeutung »in einem Zustand verharren«. **Werden** hat mit dem ingressiven/inchoativen und **bleiben** mit dem durativen jeweils ein spezielles Bedeutungselement gegenüber dem neutraleren **sein**, sie sind gegenüber **sein** semantisch markiert (**Aufgabe 7**).

Die Kopulaverben und insbesondere **sein** treten außer mit Prädikatsnomen auch in einer Reihe anderer Kontexte auf, zu denen die in 2 gehören (eine vollständige Liste der möglichen Konstruktionen in Helbig 1978).

> (2) a. **Ich denke, also bin ich**
> b. **Karl ist hier**
> c. **Das Endspiel ist morgen**
> d. **Er ist des Wahnsinns**
> e. **Das Problem ist zu lösen**

Zur modalen Bedeutung von 2e s. 11.1. Für die meisten anderen Fälle läßt sich eine Differenzierung in ›reine Existenz‹ (**Gott ist** oder 2a), lokale Situierung (»sich befinden«, 2b) und temporale Situierung (»stattfinden«, 2c) herauslesen. Ob man hier andere Verben **sein** neben der Kopula ansetzen oder bei einem einzigen Verb bleiben sollte, lassen wir offen (Erben 1978: 81 ff.; Bickes 1984: 73 ff.). Daß man mit einer einzigen Bedeutung auskommt, ist keineswegs ausgeschlossen. Denn die **sein** etwa in 2b zugeschriebene Bedeutung »sich befinden« könnte auch kontextuell determiniert sein. Sie tritt nur im Kontext lokaler Bedeutungen auf.

Zu den Kopulaverben werden manchmal noch **heißen** und **scheinen** gerechnet (Wahrig 1978: 30). Der Duden kennt die Kategorie Kopulaverb nicht. Er behandelt die Verben mit adjektivischem und substantivischem Prädikatsnomen (›Gleichsetzungsnominativ‹) getrennt (1984: 815). Zu der syntaktisch und semantisch ziemlich heterogenen Klasse von Verben mit Gleichsetzungsnominativ gehört außer den genannten auch **sich dünken**.

Syntaktisches Charakteristikum der Kopulaverben ist zunächst ihre Valenz. Sie nehmen zwei Nominative (Kategorie NOM/NOM) oder Nominativ und Adjektiv in der Kurzform (NOM/ADJ). Eine Besonderheit gegenüber den Vollverben ist, daß in Kopulasätzen zwischen den Ergänzungen eine ausgeprägte syntagmatische Beziehung besteht: Subjekt und Prädikatsnomen sind syntaktisch direkt aufeinander bezogen.

Diese Beziehung wird meist als Kongruenzbeziehung wahrgenommen. Da Subjekt und substantivisches Prädikatsnomen im Kasus und häufig auch im Numerus sowie im Genus übereinstimmen, nimmt man an, das Prädikatsnomen kongruiere mit dem Subjekt (Erben 1978: 77; Duden 1984: 656ff.). Nach der in 2.2.3 eingeführten Begrifflichkeit läge allerdings Kategorienidentität und nicht Kongruenz vor.

Allgemeiner als diese Identität ist aber eine Rektionsbeziehung zwischen Prädikatsnomen und Subjekt. Das zeigt sich, wenn man als Subjekte nicht nur Nominative, sondern etwa auch **daß**-Sätze berücksichtigt.

(3) a. **Daß sie schreibt, ist ein Erfolg**
    b.***Daß sie schreibt, ist ein Brief**

Die Möglichkeit und Unmöglichkeit des **daß**-Satzes in 3 hängt allein vom Substantiv im Prädikatsnomen ab. Das Kopulaverb ist als NOM/NOM syntaktisch markiert. Mit allen anderen als nominativischen Subjekten ist es zwar verträglich, regiert werden diese aber vom Prädikatsnomen. Umgekehrt ist natürlich auch das Prädikatsnomen immer mit einem nominativischen Subjekt verträglich.

Wir verdeutlichen die syntagmatischen Beziehungen an einem Beispiel. In 4a besteht zwischen den Ergänzungen Identitätsbeziehung. In 4b ist diese durch eine Rektionsbeziehung ersetzt. Das Kopulaverb ist zwar noch immer zweistellig, bestimmt aber nicht mehr die Form des Subjekts.

(4) a.

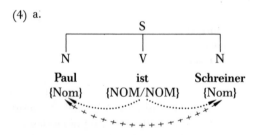

b.

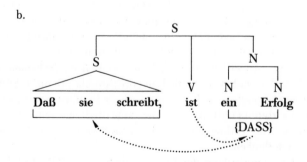

In der Konstituentenstruktur unterscheidet sich der Kopulasatz nicht vom Subjekt-Prädikat-Objektsatz mit Vollverb wie **Hans sucht den Schlüssel**. Der Unterschied liegt in der Markierungsstruktur. Beim Vollverb laufen alle syntagmatischen Beziehungen der unmittelbaren Konstituenten des Satzes zusammen. Das Kopulaverb dagegen sichert lediglich die Zweistelligkeit und ist in Hinsicht auf Person und Numerus auf das Subjekt abgestimmt, es bestimmt aber nicht, welche Form das Subjekt hat. Regiert wird das Subjekt vielmehr vom Prädikatsnomen, so daß sich Kopula und Prädikatsnomen die Aufgaben teilen, die das Vollverb allein erfüllt.

Verglichen mit dem Vollverb ist die Stellung des Kopulaverbs also schwach, verglichen mit dem Objekt ist die Stellung des Prädikatsnomens stark. Das Prädikatsnomen ist nicht nur selbst Ergänzung, sondern es hat auch Einfluß auf andere Ergänzungen und verhält sich in dieser Hinsicht ähnlich wie ein Vollverb. Ganz deutlich wird das, wenn man die Valenzeigenschaften des adjektivischen Prädikatsnomens berücksichtigt (Sommerfeldt/Schreiber 1983; Starke 1973; Eisenberg 1976).

(5) a. **Sie ist klug**
  b. **Sie ist des Wartens müde**
  c. **Sie ist dem Kind fremd**
  d. **Sie ist den Aufwand leid**

Bei den Adjektiven sprechen wir von Valenz im selben Sinne wie bei Vollverben. 5 enthält Adjektive mit Ergänzungen in den Kasus obliqui. **Klug** ist einstellig mit der Kategorie NOM, **müde** ist zweistellig mit der Kategorie NOM/GEN, **fremd** wird kategorisiert als NOM/DAT und **leid** als NOM/AKK (**Aufgabe 8**).

Die Form des Adjektivs selbst bezeichnet man als seine *Kurzform*. Diese Form hat eine ausgezeichnete Stellung innerhalb des adjektivischen Paradigma insofern, als ihr keine Flexionskategorien zugewiesen werden können. Sie ist als einzige Form im Paradigma endungslos. Während also das substantivische Prädikatsnomen flektiert ist (Nom, Sg/Pl), kennzeichnen wir das adjektivische mit der Einheitenkategorie Unm (unmarkiert) als kasus-, numerus- und genuslos. Für 5c erhalten wir die Struktur 6.

(6)

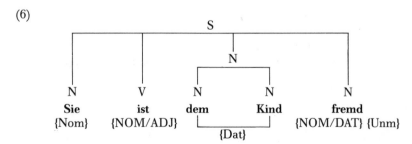

Die Konstituentenstruktur des in Rede stehenden Satzes wird in kaum einer Grammatik so angesetzt wie in 6. Wir wollen deshalb die Alternativen darstellen und kurz kommentieren. Weil es dabei in erster Linie um den hierarchischen Aufbau der Sätze geht, führen wir nicht die Kategoriennamen der verschiedenen Grammatiken ein, sondern ersetzen sie durch die hier verwendeten oder – in kritischen Fällen – durch die neutralen Namen X, Y.

Eine gänzlich andere Ausgangsposition ergibt sich für Grammatiken, die den Satz grundsätzlich in Subjekt und Prädikat teilen und insbesondere die Objekte nicht dem Satz, sondern einer Verbalgruppe oder Verbalphrase unmittelbar unterordnen. Der einfache Kopulasatz erhält dann die Struktur 7a (Duden 1984: 615f.; Grundzüge 249). Auf die Frage, ob jeder Satz in Subjekt und Prädikat gegliedert ist, kommen wir in Kap. 8.1.2 zurück. Für den Kopulasatz scheint es aber besonders gute Gründe zu geben, 7a und nicht 7b anzusetzen. Denn Kopula und Prädikatsnomen haben gemeinsam die Funktion, die das Vollverb allein hat. Das Prädikatsnomen als inhaltlich ›eigentliches‹ Prädikat und gleichzeitig Valenzträger im Kopulasatz wird deshalb traditionell *Prädikativum* genannt, auch die Bezeichnung Prädikatsnomen erinnert an diese Funktion. Die Rolle der Kopula wird in Lösungen dieser Art eher heruntergespielt. »Das Kopula-Verb erscheint... als semantisch leer. Es fungiert im wesentlichen als Träger der Verbmorpheme ...« (Grundzüge

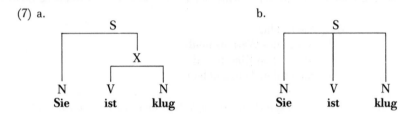

(7) a.   b.

250). Seyfert (1976: 263f.) formuliert, die Bedeutung der Kopula sei instabil und ihre Funktion bestehe darin, dem Prädikativum »die finite Form zu verleihen«. Letztlich wird hier versucht, den Kopulasatz auf die Form des Satzes mit Vollverb zu bringen. Indem Kopula + Prädikatsnomen zum Prädikat zusammengefaßt werden,

(8) a.

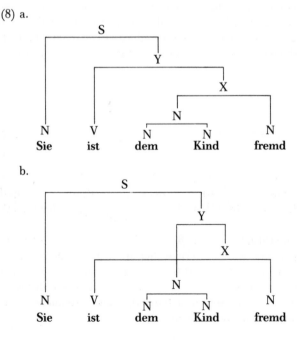

b.

erhält der Satz **Sie ist klug** dieselbe Struktur wie **Sie schläft**. Die wesentliche Unangemessenheit von 7a besteht aus unserer Sicht darin, daß die Rektionsbeziehung zwischen Prädikatsnomen und Subjekt nicht herauskommt.

Wie problematisch 7a ist, zeigt sich dann deutlich bei Sätzen mit Objekt. Für Satz 5c setzt der Duden die Struktur 8a an. Sein Argument ist, daß das Objekt nur von **fremd** abhängig sei (Duden 1984: 605; 625f.). Die Grundzüge nehmen dagegen Lösung 8b als richtig an, weil **dem Kind** als Objekt zum Prädikat **ist fremd** angesehen wird. Zwar heißt es auch hier, daß das Adjektiv der Valenzträger sei, aber das Objekt sei immer Objekt zum gesamten Prädikat, also zu **ist fremd** (Grundzüge 232f., 251). Die Unsicherheit in der hierarchischen Zuordnung von **dem Kind** führen wir auf die Unangemessenheit der Ausgangsstruktur 7a zurück. Schon diese Struktur berücksichtigt die tatsächlich bestehenden Rektionsbeziehungen nicht.

Grammatiken, die sich ausdrücklich auf den Valenzgedanken berufen, favorisieren meist Struktur 7b (Erben 1980: 264; Engelen 1975 a: 90; Engel 1977: 174; Ausnahme: Heringer 1970: 169ff.). Auch hier wird mit einer allgemeinen Annahme über die Satzstruktur argumentiert: wenn das Vollverb strukturelles Zentrum des Satzes ist, dann auch das Kopulaverb. Prädikatsnomina sind dann Ergänzungen wie alle anderen. Objekte werden nicht zu den Verbergänzungen gezählt, sondern als Ergänzungen des Prädikatsnomens diesem nebengeordnet (Erben 1980: 290; Engel 1977: 177). Es ergibt sich die Hierarchie in 9.

(9)

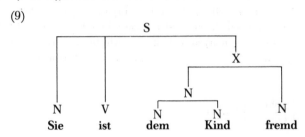

Alle überhaupt denkbaren Möglichkeiten bezüglich der Konstituentenhierarchie von Kopulasätzen werden also auch tatsächlich vertreten. Die formale Trennung von syntaktischem Prädikat und dem, was man semantisch den prädizierenden Ausdruck nennt, macht diesen einfachen Satztyp strukturell unübersichtlich (zu den Kopulasätzen auch 5.2; 7.2; 8.1.2).

3.4 Modalverben

Wie die Kopulaverben (3.3) sind die Modalverben gering an Zahl, eine kleine, abgeschlossene Klasse. Wir fassen sie unter dem Kategoriennamen MV (Paradigmentkategorie) zusammen, vgl. Schema 1, S. 71. Ihr wichtigstes syntaktisches Charakteristikum ist, daß sie einen reinen Infinitiv als Ergänzung nehmen, also einen Infinitiv ohne **zu**.

(1) a. **Paula muß schlafen**
    b. **Karl soll Bier holen**
    c. **Egon will Bäcker werden**

Den Infinitiv bei den Modalverben bezeichnen wir als *verbale Ergänzung* (verg). In Sätzen wie 1 sind Modalverben dann zweistellig mit Nominativ als Subjekt und Infinitiv als verbaler Ergänzung (Kategorie NOM/INF).

Zweifelsfrei zu den Modalverben gehören die unter 2a. Unter 2b sind einige Verben aufgeführt, die manchmal zu den Modalverben, manchmal zu den Hilfs-

(2) a. **dürfen, können, mögen, müssen, sollen, wollen**
b. **brauchen, möchten, nicht brauchen, lassen, werden**

oder Vollverben gerechnet werden. Die Gründe für die Unsicherheit der Zuordnung sind unterschiedlich. Für **möchten** besteht das Problem darin, daß es etymologisch verwandt ist mit **mögen**. Noch in der Grammatik von Blatz (1900: 554) erscheint nur **mögen**, nicht aber **möchten**. Das Präteritum zu **ich mag** ist **ich mochte** und dessen Konjunktiv heißt nach Blatz **ich möchte**. Auch wenn heute **ich möchte** zweifelsfrei als Präsensform anzusehen ist, die etwas anderes bedeutet als **ich mag**, fallen doch die Formen beider Verben teilweise noch immer zusammen. So lautet das Präteritum zu beiden **ich mochte**. Im allgemeinen wird jetzt **möchten** neben **mögen** zu den Modalverben gezählt (zur Einordnung von **werden Aufgabe 26**; zu **brauchen** und **lassen Aufgabe 9**).

Alle Modalverben nehmen den reinen Infinitiv als Ergänzung, aber es gibt auch andere Verben mit dieser Eigenschaft. Die verbale Ergänzung ist ein notwendiges, nicht jedoch ein hinreichendes Kriterium zur syntaktischen Abgrenzung der Modalverben. Außer bei **lassen** und **(nicht) brauchen**, die sich möglicherweise zu Modalverben entwickeln, kommt der reine Infinitiv vor allem in Sätzen wie 3 vor (zur Abgrenzung 11.1).

$$(3) \quad \text{a. } \text{Er} \left\{ \begin{matrix} \textbf{geht} \\ \textbf{kommt} \end{matrix} \right\} \textbf{baden}$$

Neben der besonderen Valenz zeigen die Modalverben ein charakteristisches Flexionsverhalten. Warum sie sich so verhalten, läßt sich teils nur historisch, teils aber auch aus ihrem syntaktischen und semantischen Verhalten erklären. Wir benennen die wichtigsten Besonderheiten der Konjugation, obwohl die Verbflexion generell erst in Kap. 4 besprochen wird.

1. Modalverben haben keinen Imperativ. Zwar werden sie häufig für Aufforderungen und Verbote verwendet (**Du sollst das tun; Du darfst das nicht tun**), aber die Formen des Imperativ fehlen im Paragima (*müsse; *sollt). Für **mögen, möchten** und **wollen** kann man sich von der Bedeutung her einen Imperativ vorstellen. Es macht durchaus Sinn, jemanden dazu aufzufordern, etwas Bestimmtes zu wollen. Für **müssen, können, dürfen** und **sollen** ist der Imperativ schon aus semantischen Gründen ausgeschlossen (dazu auch **Aufgabe 13** unten).

2. Die zusammengesetzten Formen der Vergangenheit (Perfekt und Plusquamperfekt) werden bei den Modalverben häufig nicht mit dem Partizip des Pf, sondern mit dem Inf Präs gebildet.

(4) a. **Er hat schlafen müssen**
b.*Er hat schlafen gemußt**

     c. **Wir hatten aufbrechen wollen**
     d.*__Wir hatten aufbrechen gewollt__

(5) a. **Er hat das gewollt**
    b. **Vielleicht hätte ich es gekonnt**

5 zeigt, daß das Part des Pf wohl im Paradigma der Modalverben vorhanden ist. Es wird aber nicht verwendet, wenn beim Modalverb eine verbale Ergänzung steht wie in 4. Das gilt jedenfalls für das geschriebene Hochdeutsch. Die Vermeidung des Part Pf und seine Ersetzung durch den Inf führt zum Aufeinandertreffen von zwei Infinitiven. Diese für das Deutsche ungewöhnliche Konstruktion führt zu einer Reihe von syntaktischen Brüchen und Konflikten (Edmondson 1980; Kohrt 1979 a).

3. Modalverben sind Präteritopräsentia. Damit ist gemeint, daß sie das Präsens so bilden wie andere Verben das Präteritum. Im Prät stimmen die 1.Ps Sg und die 3.Ps Sg formal überein (**ich/er sagte, ich/er war**). Bei den starken Verben sind diese Formen darüber hinaus endungslos (**ich/er lief; ich/er lag**). Beide Merkmale finden sich bei den Präsensformen der Modalverben:

(6)

ich	will	lief
du	willst	liefst
er	will	lief
wir	wollen	liefen
ihr	wollt	lieft
sie	wollen	liefen

Der Grund für diese Eigenheit ist, daß die jetzigen Präsensformen der Modalverben ursprünglich Formen des Präteritum waren. Mit der Umdeutung zum Präsens war das Präteritum unbesetzt und mußte neu gebildet werden. Die Neubildung erfolgte ›regulär‹, also mit schwachen Formen (**konnte, wollte**) und im Präsens der Modalverben haben sich Formen des alten Präteritums erhalten. Die Flexion des Präteritums der starken Verben im Mittelhochdeutschen hat sich als Präsens der Modalverben sogar reiner erhalten als bei den starken Verben selbst. Die starken Verben wiesen ursprünglich einen Vokalwechsel von den Formen des Sg zu den Formen des Pl auf, und derselbe Vokalwechsel wurde auch im Konjunktiv vollzogen. Beides treffen wir heute nur noch in wenigen erstarrten und isolierten Formen an, z.B. in **er sang – sie sungen** (»Wie die Alten sungen«); **ich starb – ich stürbe; es verdarb – es verdürbe**. Bei den Modalverben ist der Vokalwechsel dagegen erhalten, bis auf **sollen** vollziehen sie ihn alle (**er will - sie wollen – er wolle**).

Zu den Präteritopräsentia gehören mit einer Ausnahme nur die Modalverben. Das einzige Vollverb in dieser Gruppe ist **wissen (Aufgabe 10)**.

Die Modalverben konservieren Teile eines alten Konjugationsmusters, das sonst fast ganz verschwunden ist. Die Eigenheiten des Formensystems entstehen nicht durch Bildung neuer Formen, sondern dadurch, daß bestimmte allgemein wirksame Veränderungen im Konjugationssystem von einer Verbklasse nicht mitgemacht werden. Man nennt diesen Vorgang *Isolierung*. Isolierung ist einer der wichtigsten Vorgänge bei der Herausbildung neuer grammatischer Kategorien oder kategorialer Verschiebungen (Paul 1975: 189ff.).

Worin besteht nun die semantische Funktion der Modalverben und wie werden die semantischen Leistungen syntaktisch realisiert? Wenn jemand einen Aussagesatz äußert und sagt »Karl fährt mit dem Bus«, dann gibt er einem Wissen über die Welt Ausdruck: er äußert einen Satz, von dessen Wahrheit er überzeugt ist, und das heißt, daß der vom Satz bezeichnete Sachverhalt zutrifft, ein Sachverhalt in der realen Welt ist. Dies ist der unmarkierte Fall, bei dem weder im Satz selbst noch im Kontext Hinweise enthalten sind darauf, daß der Satz nicht in dieser Weise zu verstehen wäre.

Anders verhalten sich Sätze wie **Karl fährt möglicherweise mit dem Bus** oder **Es ist möglich, daß Karl mit dem Bus fährt** bezüglich des Sachverhaltes »Karl fährt mit dem Bus«. Beide Sätze bezeichnen ebenfalls diesen Sachverhalt, nur wird er nicht mehr als ein Sachverhalt in der realen Welt hingestellt. Daß Karl mit dem Bus fährt, wird als im Bereich des Möglichen liegend behauptet. Gegenüber dem auf das Reale bezogenen Satz ist der Möglichkeitssatz *modalisiert*. Der Übergang vom Realen zum Möglichen ist nur eine unter vielen Arten der Modalisierung. Andere sind der Übergang zu dem, was notwendig ist **(Karl fährt notwendigerweise mit dem Bus)**, zu dem, was erlaubt ist **(Karl darf mit dem Bus fahren)**, zu dem, was gewünscht wird **(Ich möchte, daß Karl mit dem Bus fährt)**. Modalisierung liegt auch vor, wenn das Eintreten des Sachverhaltes in der realen Welt von Bedingungen abhängig gemacht wird wie in **Karl fährt mit dem Bus, wenn du ihm das Fahrgeld gibst**. ›Modalisierung‹ ist also ein ziemlich allgemeiner semantischer Begriff, und zahlreich sind die sprachlichen Mittel, die für Modalisierungen zur Verfügung stehen. Grammatische Bezeichnungen wie Modus, Modalpartikel, Modaladverb, modaler Infinitiv und Modalverb bringen die Vielfalt der Mittel mit ähnlicher oder zumindest vergleichbarer Funktion auch terminologisch zum Ausdruck. Und es gibt eine Reihe von Untersuchungen, die das ›Modalsystem‹ einer Sprache insgesamt thematisieren, indem sie nach den semantischen Grundlagen und insbesondere den semantischen Gemeinsamkeiten der verschiedenen Modalitäten fragen (Calbert 1975; Gerstenkorn 1976). Speziell für die Modalverben unterscheidet man zwei Arten der Modalisierung, die zunächst als unterschiedliche Gebrauchsweisen zu fassen sind.

(7) a. **Er dürfte das gemerkt haben**
    b. **Er durfte das behalten**

(8) a. **Sie müßten es eingesehen haben**
    b. **Sie mußten es nachmachen**

(9) a. **Sie könnte in Freiburg wohnen**
    b. **Sie konnte in Freiburg nicht gewinnen**

In 7a–10a ist jeweils eine Stellungnahme des Sprechers enthalten. Mit 7a etwa sagt man so viel wie »Meiner Meinung nach ist es ziemlich wahrscheinlich, daß Karl das gemerkt hat«. Der Sprecher hat irgendwelche, im Modalsatz aber nicht genannte Gründe für das Zutreffen des bezeichneten Sachverhaltes und legt dem Adressaten damit nahe, den Sachverhalt ebenfalls als zutreffend anzusehen. Die Bedeutung von **dürfen** in 7a hat wenig mit der Bedeutung von **dürfen** als »Erlaubnis haben« in 7b zu tun. Entsprechendes gilt für die anderen Beispiele. Den Modalverbgebrauch in den Sätzen unter a nennt man *inferentiell*, weil auf das Zutreffen des Sachverhaltes geschlossen werden kann. Man nennt ihn auch pragmatisch, weil ein spezifischer Bezug auf die Sprechsituation vorliegt (Stellungnahme des Sprechers), und man nennt ihn subjektiv, weil der Sprecher seiner Meinung Ausdruck verleiht und nicht einfach etwas behauptet. Für die Sätze unter b spricht man dann vom *nicht-inferentiellen* oder objektiven Gebrauch der Modalverben (zusammenfassende Darstellung in Gerstenkorn 1976: 288 ff.).

Viel diskutiert ist die Frage, ob dem inferentiellen oder dem nicht-inferentiellen Gebrauch besondere Formen des Modalverbs vorbehalten sind oder ob der Unterschied sonstwie grammatikalisiert ist. Für unsere Beispielsätze liegt zweifellos immer die eine oder die andere Interpretation besonders nahe (vielleicht mit Ausnahme von 9a). Es ist aber klar, daß viele Sätze beide Lesarten haben. So kann man **Ihr müßt das gesehen haben** verstehen als »Ihr müßt unbedingt alles tun, damit ihr das seht« (nicht-inferentiell) oder als »Es kann doch gar nicht sein, daß ihr das übersehen habt« (inferentiell) **(Aufgabe 11)**.

Für den einfachen Modalsatz wird die Konstituentenstruktur in 10 angesetzt. Die Unterscheidung von Modalverb und Vollverb erscheint in der Markierungsstruktur.

(10)

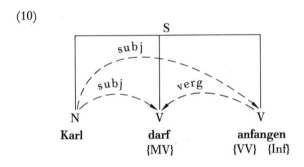

In der Kategorisierung als Modalverb ist mit ausgedrückt, daß das betreffende Verb eine verbale Ergänzung mit Infinitiv nimmt.

Die Rechtfertigung für die Konstituentenhierarchie ergibt sich wieder aus den bestehenden syntagmatischen Beziehungen (Raynaud 1977; Lieb 1978). In Hinsicht auf Kongruenz und Rektion verhält sich das Subjekt hier ähnlich wie in Sätzen mit Kopulaverben: es ist bezüglich Person und Numerus auf die finite Verbform abgestimmt und wird im allgemeinen Fall regiert von der zweiten Ergänzung, also vom Infinitiv. Als Subjekte sind in Sätzen mit Modalverben deshalb genau die Ausdrücke zugelassen, die der Infinitiv zuläßt. 11b ist grammatisch, weil auch 11a grammatisch ist (**interessieren** läßt **wie**-Sätze als Subjekte zu). 11d ist ungrammatisch, weil 11c ungrammatisch ist (**gehören** läßt in dieser Bedeutung keine **wie**-Sätze als Subjekte zu). Natürlich nimmt der Infinitiv in Modalsätzen auch alle Objekte, die aufgrund

(11) a. **Wie du aussiehst, interessiert uns**
 b. **Wie du aussiehst, muß uns interessieren**
 c. ***Wie du aussiehst, gehört uns**
 d. ***Wie du aussiehst, kann uns gehören**

seiner Valenz zugelassen oder gefordert sind. Diese Objekte haben mit dem Modalverb selbst nichts zu tun. In **Karl will Bier holen** ist **Bier** direktes Objekt zu **holen**, die funktionalen Verhältnisse liegen wie in 12 (**Aufgabe 12**).

(12)

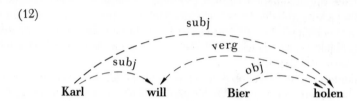

Als Konstituentenstruktur liegt deshalb 13a nahe. 13c ist schnell abgetan, wenn wir an dem Grundatz festhalten, daß die Ergänzungen zu einem Verb diesem

(13) a.

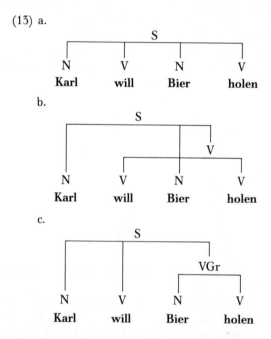

b.

c.

nebengeordnet sind. Mit 13c würde zwar die Objekt-Funktion von **Bier** angemessen erfaßt, nicht aber die syntaktischen Beziehungen zwischen **will** und **holen** sowie die zwischen **Karl** und **holen**. Einen Prädikatskomplex wie **Bier holen** mit einer eigenen Kategorie wie ›Verbalgruppe‹ kann man bei Modalverben kaum verteidigen.

Stärkere Argumente als sie für die entsprechende Struktur bei den Kopulaverben vorgebracht werden, sprechen für 13b. Bei dieser Lösung faßt man **will holen** als zusammengesetzte Verbform auf ähnlich wie **ist gegangen** und **hat gefunden**. Die Modalverbform wird wie eine Hilfsverbform behandelt, und in der Tat verhalten sich Modalverben in mancher Hinsicht wie Hilfsverben: sie sind als finite Formen auf das Subjekt abgestimmt, regieren aber das Subjekt zumindest nicht allein. Das Objekt steht in 13b innerhalb einer unterbrochenen Konstituente zwischen finiter und infiniter Verbform, ganz so wie in **Karl hat Bier geholt**. Modalverben werden manchmal kategorial unter die Hilfsverben subsumiert oder als ›modale Hilfsverben‹ zu einer Teilklasse der Hilfsverben gemacht (Helbig/Buscha 1975: 100 ff.). Insbesondere auch tiefenstrukturelle Analysen bevorzugen die Sichtweise, daß ›eigentlich‹ (d. h. tiefenstrukturell) ein Unterschied zu den Hilfsverben nicht besteht (Chomsky 1969: 90 ff.; dazu auch Reinwein 1977: 8 ff.).

Andererseits verhalten sich Modalverben nicht wie Hilfsverben, und die auftretenden Unterschiede sprechen gerade für 13a. Ein Teil der Modalverben nimmt **daß**-Sätze in Objekt-Position (MV1, vgl. 14), der andere Teil nimmt **daß**-Sätze als Subjekte (MV2, vgl. 15).

(14) a.

$$\text{Er} \left\{ \begin{array}{l} \textbf{mag} \\ \textbf{möchte} \\ \textbf{will} \end{array} \right\} \text{daß du bleibst}$$

b.

$$\textbf{*Er} \left\{ \begin{array}{l} \textbf{muß} \\ \textbf{kann} \\ \textbf{soll} \\ \textbf{darf} \end{array} \right\} \text{daß du bleibst}$$

(15) a.

$$\textbf{*Daß du bleibst} \left\{ \begin{array}{l} \textbf{mag} \\ \textbf{möchte} \\ \textbf{will} \end{array} \right\} \text{sein}$$

b.

$$\textbf{Daß du bleibst} \left\{ \begin{array}{l} \textbf{muß} \\ \textbf{kann} \\ \textbf{soll} \\ \textbf{darf} \end{array} \right\} \text{sein}$$

Eine kleine Komplikation tritt bei **mögen** ein, denn man kann durchaus sagen **Es mag sein, daß du recht hast** mit einem **daß**-Satz als Subjekt. Aber **mögen** hat hier eine ähnliche Bedeutung wie **können**, und das ist nicht die in 14a. Mit dieser anderen Bedeutung könnte **mögen** auch zu MV2 gehören. Im übrigen zeigen 14 und 15 aber, daß Modalverben wie Vollverben die Form der Ergänzungen bestimmen. Hilfsverben treten als Bestandteil zusammengesetzter Verbformen auf. Modalverben kann man so nicht charakterisieren, schon weil sie **daß**-Sätze als Ergänzungen zulassen. Es wäre beispielsweise sinnlos, **will, daß du kommst** insgesamt als Verbform anzusehen. Wir kommen zu dem Schluß, daß 13a die Konstituentenstruktur richtig wiedergibt.

Syntaktisch sind die Verben aus MV1 (**mögen, möchten, wollen**) weiter dadurch gekennzeichnet, daß sie außer **daß**-Sätzen auch Akkusative als Objekte nehmen (16) und mit Einschränkungen sogar passivfähig sind (17). Beides findet sich bei MV2 (**dürfen, können, müssen, sollen**) nicht. Die Trennung von **mögen** und **möchten** ist im Passiv wiederum nicht möglich, deshalb erscheint in 17 nur ein Beispiel für beide. Wir stellen fest, daß die Verben der Gruppe MV1 sich weitgehend wie

(16) a. **Sie mag Himbeereis**
    b. **Er möchte eine Erbsensuppe**
    c. **Er will den besten Startplatz**

(17) a. **Der Friede wird von allen gewollt**
    b. **Karl wird von allen gemocht**

transitive Verben verhalten. Damit wird ihr Status als Modalverben keineswegs infrage gestellt und man sollte nicht in der anderen Richtung fehlgehen und behaupten, Modalverben seien ›eigentlich‹ Vollverben. Aber es kann sinnvoll zwischen ›transitiven‹ (MV1) und ›intransitiven‹ (MV2) Modalverben unterschieden werden (Calbert 1975: 6 ff.). Wir wollen nun versuchen, wie in Kap. 3.2.2 die Brücke vom Valenzverhalten zur Bedeutung zu schlagen. Wie läßt sich das bisher besprochene syntaktische Verhalten der Modalverben aus ihrer Bedeutung erklären?

Nach einem Vorschlag in Brünner/Redder 1983 erfaßt man die Besonderheit der Bedeutung von Modalverben mit dem Begriff des Handlungszieles. Ein Handlungsziel ist mit einem Modalsatz gegeben wie ein Sachverhalt mit einem nicht modalen Aussagesatz. Der Sachverhalt zu **Karl schwimmt** wird in **Karl will schwimmen** potentiell, in der Zukunft liegend: er wird zum Handlungsziel.

Ein Handlungsziel kommt nicht irgendwoher, sondern es wird von jemandem gesetzt. Es muß aber auch jemanden geben, der versucht, dieses Ziel zu erreichen. Calbert (1975: 22 ff.) spricht davon, daß für jemanden eine Obligation zum Handeln bestehen muß. Derjenige, der ein Handlungsziel setzt, ist die Quelle der Obligation. Derjenige, auf den sich die Obligation richtet, also der potentiell Handelnde, ist das Ziel der Obligation. Bei den Verben aus MV1 ist die Quelle der Obligation das vom Subjekt Bezeichnete. In **Karl will/mag/möchte schwimmen** ist es Karl selbst, der das Handlungsziel setzt. Dagegen liegt die Quelle der Obligation für MV2 außerhalb des Satzes. In **Karl muß/kann/darf/soll schwimmen** wird nicht explizit gemacht, woher das Handlungsziel kommt. Die Quelle der Obligation ist dem Adressaten aus dem Kontext bekannt oder sie bleibt überhaupt im Dunkeln (**Aufgabe 13**).

Damit ist klar, warum MV1 keine **daß**-Subjekte zuläßt. Ein Handlungsziel kann von einer Person gesetzt werden oder – was schon eine starke Abstraktion ist – von einer Institution (**Die Universität will . . . ; Der Staat möchte . . .**). Dies sind Entitäten, die mit Nominalausdrücken, nicht aber mit **daß**-Sätzen bezeichnet werden. Das Wollen, Mögen und Möchten ist an mentale Prozesse beim Handelnden gebunden, die den semantischen Typ des Subjektausdrucks einschränken (Ehlich/Rehbein 1972).

Woran liegt es aber, daß bei MV1 **daß**-Objekte zugelassen sind und nicht bei MV2? Bei MV1 bezeichnet das Subjekt die Quelle der Obligation. Soll außer der Quelle auch das Ziel der Obligation genannt werden, dann gibt es logisch dafür zwei Möglichkeiten. Entweder Quelle und Ziel fallen zusammen (18a), oder der Ausdruck wird so erweitert, daß Quelle und Ziel sprachlich getrennt werden können. Das geschieht mit dem **daß**-Satz als Ergänzung (18b). Der **daß**-Satz enthält ein eigenes Subjekt, das das Ziel der Obligation bezeichnet, und der **daß**-Satz insgesamt bezeichnet den Sachverhalt, der das Handlungsziel ist (Näheres zum **daß**-Komplement bei **wollen** in Redder 1983). Mit dem **daß**-Satz als Objekt verschaffen sich die Verben aus MV1 also die Möglichkeit, einen weiteren Aktanten einzuführen.

(18) a. **Karl will kommen**
     b. **Karl will, daß du kommst**

Für MV2 besteht diese Notwendigkeit nicht, denn hier wird das Ziel der Obligation vom Subjekt bezeichnet, die Quelle der Obligation bleibt offen. Man kann noch einen Schritt weiter gehen: soll die Quelle genannt werden, so ist das mit einem **daß**-Komplement gar nicht möglich (weil dieses das Handlungsziel bezeichnen würde), sondern etwa mit einem vom Verb unabhängigen Adverbialsatz **(Karl muß schwimmen, weil der Doktor das für gesund hält)**. Ein **daß**-Objekt ist daher für MV2 aus semantischen Gründen ausgeschlossen.

Der letzte und besonders interessante Fall sind die **daß**-Subjekte bei MV2. Wie kommt es dazu, daß diese Verben **daß**-Subjekte zulassen, wo doch festgestellt wurde, daß solche Subjekte überhaupt nicht vom Modalverb regiert sind? Daß das Modalverb unter den besonderen Umständen von 15b etwas mit der Subjektwahl zu tun hat, steht außer Frage, denn die analogen Sätze mit MV1 sind ungrammatisch (15a). Die ›besonderen Umstände‹ bestehen offenbar in der Verwendung von **sein** als verbaler Ergänzung.

Sein ist das einzige Kopulaverb, das im Kontext von 15b vorkommen kann, **werden** und **bleiben** sind ausgeschlossen. Die Bedeutung von **sein** ist hier »der Fall sein«. Sätze mit **der Fall** als Prädikatsnomen sehen auf den ersten Blick wie ge-

(19)
$$\text{Es} \left\{ \begin{array}{l} \text{ist} \\ \text{*wird} \\ \text{*bleibt} \end{array} \right\} \text{nicht der Fall, daß er kommt}$$

wöhnliche Kopulasätze aus. Sie haben aber die Besonderheit, daß, wie in 15b, **werden** und **bleiben** als Verben ausgeschlossen sind und daß außerdem **daß**-Subjekte gefordert sind. **Der Fall** hat auch keine der in 3.3 besprochenen semantischen Funktionen des Prädikatsnomens, sondern es hat eine rein pragmatische Funktion. Mit dem Äußern eines Aussagesatzes ist in der Regel ein Akt des Behauptens verbunden. Dieser Akt kann sprachlich explizit gemacht werden durch Hinzusetzen von **Es ist der Fall, daß**. Wer äußert **Es ist der Fall, daß Karl kommt** anstelle von **Karl kommt**, bekennt sich ausdrücklich zur Wahrheit des Satzes. Unter rein semantischen Gesichtspunkten ist die Verwendung von **der Fall** oder **nicht der Fall** entbehrlich. Sie gewinnen ihre Funktion erst auf der kommunikativ-pragmatischen Ebene. **Der Fall** ist also nicht ein Prädikatsnomen wie alle anderen. **Der Fall sein** ist ein singulärer Ausdruck, der im Kontext 15 b **sein** ersetzen kann, ohne daß eine wesentliche Veränderung der Bedeutung eintritt.

Die Erklärung dafür, daß die Verben aus MV2 mit **sein** in der Bedeutung von »der Fall sein« **daß**-Subjekte nehmen, ist nun einfach. Das Subjekt enthält bei MV2 den Ausdruck, der das Ziel der Obligation bezeichnet. Ist das Subjekt ein Satz, so findet sich das Ziel meist im Subjekt dieses Satzes: **Es muß sein, daß du kommst** läßt sich paraphrasieren mit **Du mußt kommen**. Fehlt das Ziel der Obligation gänzlich wie in **Es darf nicht sein, daß es regnet** (›unpersönliches‹ es im **daß**-Satz), dann wird der Modalsatz in diesem Punkt unbestimmt. Er bleibt aber ein Modalsatz, weil sich hinsichtlich der Quelle der Obligation nichts geändert hat. Sie wird nach wie vor dem Kontext entnommen.

Die Verben aus MV2 lassen **daß**-Subjekte zu, weil bei ihnen weder die Quelle noch das Ziel der Obligation explizit genannt sein muß. Die Bedeutung dieser Verben ist abstrakter als die von **wollen, mögen** oder **möchten**. Bei **müssen, dürfen, sollen** und **können** kann sozusagen vom Menschen ganz abgesehen werden, die Bedeutung dieser Verben kann abstrakt sein bis hin zu einer Funktion als Operator über potentiellen Sachverhalten. In einem Satz wie **Es muß nicht sein, daß es regnet** sind Modalität und potentieller Sachverhalt sprachlich voneinander getrennt, wobei der Matrixsatz ganz ähnlich funktioniert wie Modaladverbien vom Typ **möglicherweise** und **notwendigerweise** (6.2). Sicheres Kennzeichen für diese Funktion als ›Satzoperator‹ ist das Fehlen eines Nominalausdrucks, der die Quelle oder das Ziel der Obligation bezeichnen könnte. In der Syntax der Modalverben ist das Faktum verankert, daß für eine Verpflichtung, eine Erlaubnis oder ein Verbot (für all das, was mit MV2 ausgedrückt wird) nicht explizit sein muß, woher sie kommen und auf wen sie sich richten. Dagegen muß immer gesagt werden, wer etwas will, möchte oder mag.

4. Die Einheitenkategorien des Verbs

4.1 Übersicht

Die Beschreibung einer Verbform wie **suchst** als 2. Person Singular Präsens Indikativ Aktiv beruht darauf, daß das verbale Paradigma im Deutschen in Hinsicht auf fünf Kategorisierungen intern gegliedert ist. Diese Kategorisierungen mit ihren Kategorien fassen wir in Schema 1 zusammen.

(1)

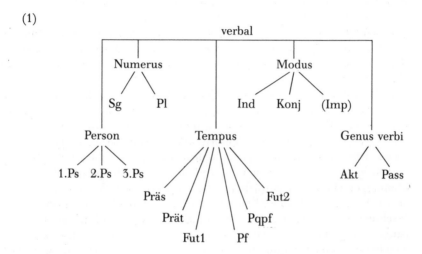

Das vollständig durchkonjugierte Paradigma eines Verbs enthält nach 1 144 Formen. Damit ist gemeint, daß 144 Verbformen grammatisch unterschieden werden können und nicht, daß es 144 verschiedene Formen im Paradigma gibt. Die Zahl der verschiedenen Formen ist wesentlich geringer. Beispielsweise sind die 1. und die 3.Ps Pl immer formgleich **(wir suchen – sie suchen)**, die 3.Ps Sg stimmt manchmal mit der 2.Ps Pl überein **(er sucht – ihr sucht)** und häufig gibt es keinen Unterschied zwischen der 1. und 3.Ps Sg **(ich suchte – er suchte)**. Solche Formübereinstimmungen *(›Synkretismen‹)* werden uns besonders in Kap. 4.2 beschäftigen.

Zu den Verbformen zählt man neben den Konjugationsformen, die sich nach Schema 1 ergeben, meist eine Reihe weiterer Formen, deren Status als Elemente im verbalen Paradigma recht unterschiedlich ist. Nicht einheitlich behandelt wird etwa der Imperativ. Semantisch spricht manches dafür, die Befehlsform den Modi zuzuschlagen (Grundzüge: 522 ff.; Duden 1973: 97; Erben 1980: 100). Andererseits enthält der Imperativ nur je eine Form im Sg und Pl **(such – sucht)** und wird nicht hinsichtlich Person flektiert. Die dem Imperativ von manchen Autoren zugeschriebene 2.Ps **(such** wird gelesen als »Du sollst suchen«) ist jedenfalls nichts, was sich an Flexionskategorien festmachen läßt (Huber/Kummer 1974: 41 ff.; zur Semantik des Imp Wichter 1978: 125 ff.).

Zum Paradigma gehören weiter die sogenannten infiniten Verbformen. *Finite Formen* sind solche, die eine Personalendung haben, infinite haben keine Personalendung. *Infinite* Verbformen sind der Infinitiv des Präsens (**suchen**) und das Partizip des Perfekt (**gesucht**). Alle zusammengesetzten Verbformen enthalten genau eine finite Form, mit Ausnahme der zusammengesetzten Infinitive, die nur aus Partizipien und Infinitiven aufgebaut sind (**gesucht haben** = Inf Pf Akt; **gesucht werden** = Inf Präs Pass **gesucht worden sein** = Inf Pf Pass.). Umstritten ist, ob der Infinitv mit **zu** wie in **Er fing an, den Erfolg zu suchen** insgesamt als Verbform anzusehen ist. Zweifelsfrei ist dagegen, daß die Einheiten **um zu suchen, ohne zu suchen** und **anstatt zu suchen** nicht als ganze Verbformen sind. **Um, ohne, anstatt** sind Präpositionen oder Konjunktionen und können als solche nicht Bestandteile einer Verbform sein (Näheres 11.2.1; 11.3). Zu den infiniten Verbformen gehört auch das Partizip des Präsens **suchend**. Man muß sich aber darüber klar sein, daß **suchend** meist nicht als Verbform, sondern als Adjektiv vorkommt (Bech 1983: 12 ff.). In **Die Formulierung war eher suchend** oder **sein suchender Blick** ist die partizipiale Form jeweils adjektivisch, lediglich in Konstruktionen wie **Nach immer neuen Lösungen suchend, verzettelte er sich völlig** ist sie Form eines Verbs (Bungarten 1976).

Die Vollverben werden nach dem Flexionsverhalten subklassifiziert in *starke* und *schwache* Verben. Die Unterscheidung von starker und schwacher Verbflexion geht wie bei den Substantiven auf Jacob Grimm zurück. Schwache Verben bilden den Präteritalstamm, indem an den Präsensstamm ein **t** oder **et** angehängt wird (**suche – suchte, lege – legte, spiele – spielte, rede – redete, tute – tutete**). Das Partizip des Perfekt bilden die schwachen Verben mithilfe des Präfix **ge** und dem Präteritalstamm (**gesucht, gelegt, gespielt, geredet, getutet**). Starke Verben sind ›stark‹, weil sie zur Bildung des Präteritalstammes kein besonderes Morphem benötigen. Den Wechsel vom Präsens zum Präteritum zeigen sie durch Vokalwechsel (Ablaut) an (**singe – sang, rufe – rief, nehme – nahm**). Das Partizip des Perfekt bilden sie mit dem Präfix **ge** und dem Infinitiv des Präsens, wobei der Stamm abgelautet sein kann (**rufen – gerufen, schlafen – geschlafen**, aber mit Ablaut **singen – gesungen, schreiben – geschrieben**).

Die Klasse der starken Verben ist groß, vermehrt sich aber nicht mehr. Wo der Bestand an einfachen Verbstämmen erweitert wird, geschieht das ausschießlich bei den schwachen Verben. Viele Verben befinden sich im Übergang von der starken zur schwachen Flexion und haben deshalb eine gemischte Flexion oder sind beiden Klassen zuzuordnen (Helbig/Buscha 1975: 48 ff.).

Das Flexionsverhalten der schwachen Verben ist insgesamt übersichtlicher und regelhafter als das der starken, weshalb erstere häufig auch als regelmäßig letztere als unregelmäßig bezeichnet werden (Henkel 1973: 172 ff.). Kompliziert und schwer zu lernen wird die Flexion der starken Verben vor allem durch die Ablautreihen. Die Feinklassifizierung der Verben auf der Basis des Ablauts und seiner Entwicklung ist ein Lieblingsthema fast aller älteren Grammatiken. In den folgenden Abschnitten stellen wir die Grundzüge des Flexionssystems der Vollverben dar und gehen vor allem auf seine Funktionalität ein. Eine Kenntnis des Ablautverhaltens ist dazu nicht erforderlich, der Unterschied von starken und schwachen Verben ist dagegen von großer Bedeutung (zur Verbflexion speziell Halle 1970; Ulvestad 1970; Wurzel 1970).

4.2 Das System der Personalformen

Die Personalform ist die hinsichtlich Person und Numerus flektierte Verbform. Das System der Personalformen ist im Deutschen relativ übersichtlich. Mit zwei Konjugationsmustern sind die finiten Formen für alle Vollverben gegeben. Der Konjunktiv verwendet dasselbe Forminventar wie der Indikativ. Hier die Formen des Indikativ:

(1) a. Präsens, stark

	Sg		Pl
1.	sing	e	en
2.		st	t
3.		t	en

b. Präteritum, stark

	Sg		Pl
1.	sang	–	en
2.		st	t
3.		–	en

Dieses Muster gilt für die starken Verben.

Das System der Personalendungen unterscheidet sich bei den starken und schwachen Verben im Präs nicht, wohl aber im Prät:

(2) a. Präsens, schwach

	Sg		Pl
1.	leg	e	en
2.		st	t
3.		t	en

b. Präteritum, schwach

	Sg		Pl
1.	legt	e	en
2.		est	et
3.		e	en

Für das Prät der schwachen Verben läßt sich eine andere Lösung denken, die den Vorteil hat, daß der Unterschied zu den starken Verben teilweise verschwindet. Setzen wir statt des Präteritalstammes **legt** in 2b einen Stamm **legte** für das Prät an,

(3) Präteritum, schwach

	Sg		Pl
1.	legte	–	n
2.		st	t
3.		–	n

so ergibt sich 3. Der Unterschied zu den starken Verben verschwindet im Sg und in der 2. Ps Pl, entsteht neu allerdings in der 1. und 3. Ps Pl.

Das System der Personalendungen kann weiter vereinheitlicht werden, wenn man nicht vom Geschriebenen, sondern von der tatsächlichen Artikulation im Gesprochenen ausgeht. Das **e** der Endungen wird phonetisch als sogenanntes Schwa (›Murmellaut‹ [ə]) realisiert. Nach einem Vorschlag von Richter (1982) ist das Schwa in den Personalendungen des Indikativ als fakultativ anzusehen, nur im Konjunktiv ist es notwendig, so daß wir im Ind hätten [içziŋ] (**ich sing**), [vi:aziŋn] (**wir singn**). Insgesamt ergibt sich für die starken Verben das Flexionsschema 4 anstelle von 1. Bei dieser Lösung unterscheiden sich die Endungen von starken und schwachen

(4) a. Präsens, stark

	Sg	Pl
1.	sing –	n
2.	st	–t
3.	t	–n

b. Präteritum, stark

	Sg	Pl
1.	sang –	n
2.	st	t
3.	–	n

Verben nicht, und auch zwischen Präs und Prät besteht bis auf die 3.Ps Sg kein Unterschied mehr. Das System der Personalendungen wäre generell durch die Formübereinstimmung zwischen der 1. und 3.Ps Pl gekennzeichnet. Die 2.Ps ist ihnen gegenüber stets gut markiert. Das gilt für alle Tempora und Modi, ausgenommen den Indikativ des Präsens und des Perfekts und ausgenommen das Futur. Hier ist jeweils die 3.Ps im Sg nicht mit der 1. formgleich (**Aufgabe 14**).

Diese Vereinfachung des Endungssystems hat Geltung nicht nur für das gesprochene Standarddeutsch, sondern auch für eine große Zahl von Dialekten (Veith 1977). Bemerkenswert ist, daß sie nicht durch Abstraktion und Idealisierung erreicht wird, sondern dadurch, daß man bei der Analyse vom Gesprochenen ausgeht. Das übliche Flexionsmuster für die starken Verben wird ersetzt durch eines, das mit dem der schwachen Verben übereinstimmt. Das Grundmuster, bei dem Gesprochenes und Geschriebenes weitgehend übereinstimmen, ist also das der schwachen Verben. Das überrascht nicht, denn nur das schwache Verb ist als Wortbildungstyp produktiv. Auch aus diesem Grunde kann die Analyse von Richter als realistisch gelten. Wir wollen sie zur Grundlage unserer weiteren Überlegungen zur Systematik der Personalendungen machen, wollen aber zuvor auf einige phonetisch bedingte Abweichungen von Schema 4 hinweisen. Durch Faktoren dieser Art kommt es zu einer größeren Formenvielfalt als nach 4 zu erwarten wäre.

Verben, deren Stamm auf **d** oder **t** endet, schieben zwischen Stamm und einige Personalendungen aus phonetisch-artikulatorischen Gründen ein **e** ein. Deshalb haben wir **ich rede – du redest** und **ich reite – er reitet**. Die regulär gebildeten Formen **du redst** und **er reitt** enthalten Häufungen von Lauten desselben Artikulationsortes. Umgekehrt wird unter vergleichbaren Bedingungen auch manchmal ein Segment weggelassen. So haben wir **ich löse – du löst** und nicht etwa **du lösst** oder das noch von unseren Großeltern bei bewußter Artikulation verwendete **du lösest**. Die beiden aus dem Stamm und der Endung aufeinanderstoßenden s-Segmente fallen zu einem zusammen, der sogenannte Zwillingslaut wird zu einem einfachen Laut reduziert (›Geminatenreduktion‹, Wurzel 1970). Das Geschriebene vollzieht hier die Geminatenreduktion ebenso wie das Gesprochene.

Außer durch Flexionsendungen werden Person und Numerus bei den starken Verben teilweise durch Veränderung des Stammes mit einem Vokalwechsel (Umlaut oder Ablaut) markiert. Viele Verben weisen einen Vokalwechsel für die 2. und 3.Ps des Präsens auf wie in **ich schlafe – du schläfst – er schläft, ich gebe – du gibst – er gibt**. Bei den meisten Modalverben wird die Opposition Sg-Pl ebenfalls durch einen Vokalwechsel angezeigt wie in **ich kann – wir können, ich darf – wir dürfen**. Erscheinungen dieser Art sind in speziellen Arbeiten gründlich untersucht worden (Halle 1970, Wurzel 1970, **Aufgabe 15**).

Weitgehend ungeklärt ist die Frage nach der Funktionalität der Synkretismen.

Warum sind die 1. und 3.Ps systematisch formgleich und warum macht gerade die 3.Ps Sg des Präs eine Ausnahme von dieser Regel?

»Die zur Bezeichnung der Personen dienenden Flexionsendungen sind nach allgemein herrschender Annahme ursprünglich nichts anderes, als die an das Verbum angehängten Personalpronomina, die zuerst selbständig gewesen sein müssen, dann aber durch Verlust ihrer Betonung sich verkürzten und mit dem Verbalstamm zu einem Worte verschmolzen wurden.« (Blatz 1900: 442. Gemeint ist hier nur ein Pronomen in Subjektfunktion. Genauer dazu Givón 1976). Die Hypothese geht aus von einem Sprachstadium, das keine Personalendungen hat. Solche Sprachen gibt es auch heute in großer Zahl, z.B. das Japanische, das Chinesische und die skandinavischen Sprachen.

Die Verschmelzung von Verbstamm und Personalpronomen führt dazu, daß das Personalpronomen in bestimmten Kontexten verschwindet oder doch eine untergeordnete Rolle spielt. Diesen Zustand finden wir im Lateinischen und im Altgriechischen vor. Zwar gibt es in diesen Sprachen Personalpronomina, sie werden aber nicht als Subjekt neben dem Verb verwendet. Im allgemeinen steckt die Personmarkierung allein in der Verbform, d.h. die Verbform ist in erster Linie semantisch motiviert und das Flexionsschema ist funktional, wenn die Kategorien der Person und die Kategorien des Numerus formal eindeutig enkodiert sind. Das ist im Lateinischen und Altgriechischen der Fall. Für solche Sprachen kann man dann weitergehende Hypothesen darüber aufstellen, welche Personalendungen formal markiert sein sollten und welche unmarkiert sind. Mayerthaler (1981: 11ff.) plädiert dafür, die deiktischen Funktionen (5.4.1) als Grundlage einer ›natürlichen‹ Enkodierung anzusehen. Unmarkiert wäre danach die 1.Ps, weil sie sprecherbezogen ist; stärker markiert wäre die 2.Ps, weil sie hörerbezogen ist; und am stärksten markiert wäre die 3.Ps, weil sie sich auf das Besprochene bezieht und damit weder sprecher- noch hörerbezogen ist (s.a. 2.1). Die empirischen Befunde stimmen jedoch insbesondere für die 3.Ps Sg nicht mit dieser Hypothese über ein ideales Konjugationsmuster überein. In vielen Sprachen ist die 3.Ps Sg merkmallos oder auffällig sparsam enkodiert. Mayerthaler (1981: 29f.) erklärt dies mit ›universalpragmatischen Gegebenheiten‹. Es sei wichtig, die 1. und 2.Ps merkmalhaft zu enkodieren, weil sie beide auf Teilnehmer an der Sprechsituation bezogen seien und diese referentielle Verankerung in der Sprechsituation auch formal hervorgehoben werden müsse. Zur deutlichen formalen Trennung der 3.Ps bleibt dann nur noch ihre merkmallose Enkodierung **(Aufgabe 16)**.

Ist eine auf dem deiktischen System fußende semantische Erklärung für das Flexionsmuster 4 im Deutschen möglich? Am besten markiert (merkmalhaft) ist die 2.Ps, ganz merkmallos ist die 1.Ps Sg, merkmalhaft ist die 3.Ps Sg im Präsens und dazu gibt es den Synkretismus zwischen der 1. und der 3.Ps. Eine solche Paradigmentstruktur widerspricht so ungefähr allem, was sich aus den Notwendigkeiten des deiktischen Systems ergibt und wird von Mayerthaler als ›ziemlich pathologisch‹ (1981: 144) bezeichnet. Die ›Normalität‹ der Sprache wird aus dieser Sicht erst wieder hergestellt, weil wir neben dem Verb das Personalpronomen haben. Verbform und Personalpronomen zusammen ergeben meist eindeutige Einheiten. Eine ausschließlich oder auch nur überwiegend semantische Deutung des Systems der Personalendungen allein scheint für das Deutsche ausgeschlossen zu sein. Seine Funktionalität muß woanders gesucht werden.

Der Spekulation über ein Zusammenwachsen von Verbstamm und Personalpronomen zur personmarkierten Verbform fügt Blatz (1900: 442) die Bemerkung hinzu »Später verschwand das Bewußtsein von der Bedeutung der Personalendungen und das Pronomen trat zum Überfluß noch vor die Form.« Wenn Subjekt und Verb in Person und Numerus korrespondieren, dann liegt in der Tat eine syntaktische Überbestimmung vor. Statt **ich singe, du singst** wären auch **ich sing, du sing** verständlich. Damit ist nicht gesagt, daß die formale Korrespondenz von Subjekt und Prädikat funktionslos ist. Sie trägt in vielen Fällen zur Identifikation des Subjekts (zur Subjekt-Objekt-Unterscheidung) bei und wird nur dann überflüssig, wenn das Subjekt anders identifiziert werden kann, nämlich über die Kasusmarkierung, über die Stellung, über die Valenzeigenschaften des Verbs oder über die Intonation. Im Deutschen ist die Subjekt-Prädikat-Korrespondenz häufig nicht zur Identifikation des Subjekts nötig. Die Personalendungen stehen deshalb zur Disposition. Es besteht eine relativ große Freiheit, sie zu verändern und sie insbesondere einander anzugleichen. Synkretismen sind damit programmiert.

Sie sind auch deshalb zu erwarten, weil die Komplexität des Flexionsparadigmas dadurch nicht zunimmt, weder in einem informationstheoretischen noch in einem sprachpsychologischen Sinne (Carstairs 1983). So ist es vom Aufwand her ziemlich gleichgültig, ob ein Kind sechs verschiedene Verbformen lernen muß oder ob es, wie bei Schema 4b, vier verschiedene Formen lernen muß und dazu zwei Regeln, die besagen, daß die 1. und 3.Ps im Sg und Pl übereinstimmen.

Die Korrespondenz von Subjekt und Prädikat in Person und Numerus führt zu zahlreichen syntaktischen Konflikten, wenn im Subjekt mehrere Nominale mit **und** oder **oder** koordiniert werden (Genaueres 8.1.2). Der Sprecher weicht Ausdrücken dieser Art aus und ersetzt sie durch vergleichsweise komplizierte Konstruktionen

(5) a. **Du und alle Anwohner *seid/*sind betroffen**
   b. **Du und Karl *seid/*sind Geschwister**
   c. **Ihr oder wir *solltet/*sollten das tun**

wie das sogenannte *left dislocation* (Linksversetzung; Huber/Kummer 1974: 111 ff.; Altmann 1981: 219 f.) in **Du und alle Anwohner, ihr seid betroffen** für 5a oder durch Satzkoordinationen wie in **Ihr solltet das tun oder wir sollten das tun** für 5c. Liegen Synkretismen vor, so verschwinden Konflikte dieser Art. Wenn wie im Deutschen die *origo* (1.Ps) mit dem Besprochenen (3.Ps) formgleich ist, dann ist das besonders für das Berichten und Erzählen von Bedeutung. Gerade in der ›Erzählzeit‹, dem Präteritum, fallen ja 1. und 3.Ps auch im Sg zusammen. Der Synkretismus von 1.

(6) a. **Wir und alle Anwohner sind betroffen**
   b. **Wir oder die Hamburger gewinnen**
   c. **Karl oder ich muß das machen**
   d. **Karl oder ich sollte aufpassen**

und 3.Ps macht die Ausdrücke in 6 erst möglich. Eine umfangreiche syntaktische Lücke wird teilweise geschlossen.

1. und 3.Ps können übereinstimmen, solange es keine besonderen Gründe gibt, die Korrespondenz von Subjekt und Prädikat transparent zu machen. Die Notwen-

digkeit dazu ist offenbar für die 3.Ps Sg des Präsens gegeben, denn die 3.Ps ist hier nicht formgleich mit der 1.Ps. Die 3.Ps wird merkmalhaft mit einem t enkodiert, das derart aus dem Rahmen fällt, daß Richter (1982) vom ›skandalösen t‹ spricht. Noch extremer liegen die Verhältnisse im Englischen, wo die 3.Ps Sg des Präsens die einzige merkmalhaltige Form überhaupt ist (Mayerthaler 1981: 53f.; Plank 1981: 83).

Das Präsens ist das unmarkierte Tempus, es ist semantisch am wenigsten festgelegt und spielt über die Hilfsverben auch eine besondere Rolle bei der Bildung zusammengesetzter Verbformen. Die 3.Ps Sg ist ihrerseits das, was man die syntaktisch unmarkierte Form im Flexionsparadigma nennen könnte. Sie wird immer dann gewählt, wenn eine positive Spezifizierung der Subjekt-Prädikat-Korrespondenz nicht gegeben ist wie bei subjektlosen Sätzen (**Mich friert**) oder wenn ein Subjektsatz oder ein Subjektinfinitiv vorliegt wie in **Daß du bleibst, schmeichelt ihm; Pünktlich zu sein war unsere Absicht**. Sätze und Infinitivgruppen tragen weder eine Person- noch eine Numerusmarkierung, ziehen aber immer die 3.Ps Sg des Verbs nach sich (Genaueres 8.1.2). Die 3.Ps Sg ist die einzige Verbform, bei der alle überhaupt möglichen Subjektausdrücke erscheinen können: Pronomina ebenso wie substantivische Nominale, Subjektsätze aller Art und Infinitivgruppen. Das Subjekt ist bei der 3.Ps Sg von sich aus am wenigsten als Subjekt identifizierbar. Nicht nur, daß die ganze Vielfalt der Subjektformen auftritt, sondern in vielen Fällen (bei allen Nicht-Nominalen) gibt es keinen Formunterschied zum Objekt mehr. Unter diesen Umständen ist es funktional, daß die Verbform formal herausgehoben wird. Wie das geschieht, kann nicht für alle Sprachen einheitlich vorausgesagt werden, sondern richtet sich nach dem Aufbau des Gesamtparadigmas. In Sprachen mit einem ausgeprägten und unmittelbar semantisch motivierten Endungssystem wird die 3.Ps Sg offenbar durch Merkmallosigkeit markiert, in Sprachen ohne Endungssystem wie dem Englischen durch Merkmalhaftigkeit. Das Deutsche liegt dazwischen. Zu den formalen Besonderheiten der 3.Ps Sg gehört hier eben die Aufhebung des Synkretismus mit der 1.Ps. Dadurch wird die Subjekt-Prädikat-Beziehung strukturell und perzeptiv transparent gemacht. Dem relativ schlecht markierten Subjekt kommt ein relativ gut markiertes Prädikat zuhilfe.

4.3 Das Tempus

Unter den Flexionskategorien des Verbs sind die des Tempus formal am weitesten differenziert. Das Deutsche hat sechs Tempora, von denen mindestens vier im alltäglichen Gebrauch des durchschnittlichen Sprechers sind. Das Forminventar ist relativ kompliziert, aber sehr systematisch aufgebaut. Nur das Präsens und das Präteritum im Aktiv haben einfache (d. h. synthetische) Formen. Perfekt, Plusquamperfekt sowe Futur 1 und 2 im Aktiv und alle Formen des Passiv sind zusammengesetzt (analytisch). Wir betrachten die Grundregeln der Formbildung am Beispiel der 1.Ps Sg des Indikativ Akktiv, getrennt nach schwachen und starken Verben.

1. *Schwache Verben.* Die Form des Präsens **leg + e** wird gebildet aus Verbstamm und Personalendung. Für das Präteritum **leg + t + e** wird zwischen Verbstamm und Personalendung das Präteritalmorphem eingeschoben. Das Futur 1 **werd + e leg + en** hängt das Personalsuffix dem Stamm von **werden** an und verwendet den Infinitiv

des Vollverbs. Im Perfekt **hab** + **e ge** + **leg** + **t** wird die finite Form von **haben** (bei anderen Verben von **sein**) gebildet. Das Partizip Perfekt besteht aus **ge** und dem Präteritalstamm. Das Plusquamperfekt **hatte gelegt** bildet die finite Form als Präteritalform von **haben/sein** und das Futur 2 **werde gelegt haben** schließlich verwendet wieder als finite Form das Präsens von **werden** zusammen mit dem Partizip und dem Infinitiv von **haben/sein**.

Zur Formbildung des Tempus beim Vollverb werden jeweils drei einfache Verbstämme (›Wurzeln‹) verwendet, die immer wieder den gleichen Operationen zur Bildung bestimmter finiter/infiniter Formen unterworfen werden. Die drei Stämme bezeichnen wir mit A (Vollverbstamm), B (Stamm von **werden**) und C (Stamm von **haben/sein**). Die auf diesen Stämmen durchgeführten Operationen nennen wir Operation 1 (Bildung der finiten Form, d. h. Anhängen der Personalendung), Operation 2 (Bildung des Präteritalstammes, also z. B. Anhängen von t bei den schwachen, Ablautung bei den starken Verben), Operation 3 (Anhängen von **en** an einen Vollverbstamm wie beim Infinitiv **leg+en** oder Part Pf **ge+worf+en**) und Operation 4 (Präfigierung von **ge**). Die Tempusbildung der schwachen Verben im Aktiv läßt sich damit folgendermaßen schematisieren (zum Passiv **Aufgabe 17**).

(1) Tempusbildung der schwachen Verben

Präs	A1	**leg+e**
Prät	A21	**leg+t+e**
Fut1	B1 A3	**werd+e leg+en**
Pf	C1 A42	**hab+e ge+leg+t**
Pqpf	C21 A42	**hatt+e ge+leg+t**
Fut2	B1 A42 C3	**werd+e ge+leg+t hab+en**

Anhand dieses Schemas als dem der eigentlich regelmäßg gebildeten Tempusformen kann man einige Spekulationen darüber anstellen, welche Gruppen von Tempora es gibt und in welchem Verhältnis die Formen zueinander stehen. Als eine Gruppe heben sich die Tempora mit der Form A42 (Partizip Perfekt) und dem Stamm C **(haben/sein)** heraus: Pf, Pqpf und Fut2 gehören zusammen. Stellt man sie den drei anderen gegenüber, so ergeben sich als weitere Systematik auffällige formale Analogien zwischen den Elementen der beiden Gruppen. Das Pqpf verhält sich zum Pf wie das Prät zum Präs (jeweils Ausführung der Operation 2). Das Fut2 verhält sich zum Pf wie das Fut1 zum Präs; aus der finiten Form wird jeweils der Infinitiv (A1 → A3 bzw. C1 → C3) und als finite Form wird die Form B1 **(werden)** genommen. Die Tempusformen wären bei dieser Analyse in zwei Gruppen zu gliedern. Im Zentrum der ersten Gruppe würde das Präsens, im Zentrum der zweiten Gruppe würde das Perfekt stehen. Natürlich lassen sich aus 1 auch andere Systematisierungen herauslesen. Keine dürfte aber ein vergleichbar dichtes formales Gefüge erzeugen. Das wichtigste ist freilich, daß die dargelegte Systematik der Formen sich in der Semantik des Tempussystems wieder findet, (s. u.).

2. *Starke Verben.* Wir betrachten als Beispiel das Verb **rufen**. Behalten wir die Parameter der Formbildung von den schwachen Verben bei, so ergibt sich Schema 2. Die Unterschiede zwischen starker und schwacher Formbildung sind für die Struktur des Tempussystems unerheblich. Daß das Part Pf nicht das Präteritalmorphem, sondern das Infinitivmorphem **en** enthält, verändert nicht das Verhältnis der For-

(2) Tempusbildung von starken Verben

Präs	A1		ruf+e
Prät	A21		rief
Fut1	B1	A3	werd+e ruf+en
Pf	C1	A43	hab+e ge+ruf+en
Pqpf	C21	A43	hatt+e ge+ruf+en
Fut1	B1 A43	C3	werd+e ge+ruf+en hab+en

men zueinander. Das Part Pf wird bei den starken Verben nicht generell mit Hilfe des Präsensstammes gebildet wie bei **rufen – gerufen**. In zahlreichen Fällen wird die Infinitivendung vielmehr dem Präteritalstamm suffigiert wie in **heben – hob – gehoben, schreiben – schrieb – geschrieben**. Es kann auch sein, daß der Perfektstamm einen Vokal hat, der weder der des Präsens noch der des Präteritums ist wie in **stehlen – stahl – gestohlen**. Die Besonderheiten des Ablautsystems stören aber nicht die dargelegte Strukturiertheit der Tempusformen.

Sowohl unter den starken als auch unter den schwachen Verben gibt es solche, die das Pf, Pqpf und Fut2 mit **sein** bilden, und solche, die **haben** erfordern. Bei einigen Verben ist sowohl **sein** als auch **haben** möglich.

1. Transitive Verben bilden das Pf, Pqpf und Fut2 mit **haben**, vgl. **Sie hat ihn gehört; Er hat es verkauft; Er hat es geschrieben**. Das reguläre transitive Verb nimmt ein direktes Objekt und bildet ein Passiv. Im Perfekt das Passiv erscheint immer **sein** wie in **Er ist von ihr gehört worden; Es ist von ihm verkauft worden; Es ist von ihm geschrieben worden**. Im Passiv kann nun generell die von-Phrase und häufig die Form **worden** wegfallen, so daß als ›verkürzte passivische Sätze‹ (sog. Zustandspassiv) die in 3a entstehen. Der Satztyp 3b entsteht aus dem Aktivsatz im

(3) a. **Er ist gehört; Es ist verkauft; Es ist geschrieben**

    b. **Sie hat gehört; Er hat verkauft; Er hat geschrieben**

Perfekt, wenn das direkte Objekt wegfällt. Beide Satztypen unterscheiden sich nur noch durch **sein/haben**.

2. Für intransitive Verben wird meist angenommen, daß sie **haben** vs. **sein** prinzipiell in Abhängigkeit von der *Aktionsart* verwenden (Helbig/Buscha 1975: 72ff.; Grundzüge 505; Duden 1984; 121f.) Was ist damit gemeint?

Die Einteilung der Verben nach Aktionsarten ist eine semantische Klassifizierung, durch die »Art und Verlaufsweise eines Vorgangs« erfaßt werden sollen (Grundzüge: 501). Die meistgenannten Aktionsarten sind die *durative* und die *punktuelle*. Durative Verben bezeichnen Vorgänge, die eine gewisse zeitliche Erstreckung haben (4a). Punktuelle Verben (4b) dagegen bezeichnen Vorgänge, die sich zu einem

(4) a. **schneien, regnen, schlafen, arbeiten, reden, blühen, wohnen**

    b. **ankommen, losfahren, einschlafen, aufblühen, sterben, umziehen**

Zeitpunkt abspielen. Sie werden so verstanden, als hätten die von ihnen bezeichneten Vorgänge keine zeitliche Erstreckung. Neben der durativen und der punktuellen ist eine Reihe weiterer Aktionsarten vorgeschlagen worden, insbesondere zur Subklassifizierung der punktuellen. Man unterscheidet etwa Verben, die das Eintreten oder den Beginn eines Zustandes oder Vorganges bezeichnen (*inchoative* Verben wie **einschlafen, öffnen, anstecken, losfahren, aufgehen, aufblühen**) von solchen, die das Ende eines Zustands oder Vorgangs bezeichnen und beispielsweise *egressiv* (**aufwecken, austrinken, verlassen, verlieren**) oder *resultativ* sind (**durchbohren, zudecken, abschließen, totschlagen**). Das Aktionsartensystem ist für das Deutsche bisher ziemlich uneinheitlich und unterschiedlich beschrieben worden (Duden 1984: 93 ff.; Grundzüge: 502 ff.).

Eine aktionsartliche Erklärung für die Wahl von **sein** im Pf könnte folgendermaßen aussehen. Man zeichnet eine Aktionsart »Übergang in einen Zustand« aus. Zu dieser Aktionsart gehören insbesondere die intransitiven Verben, bei denen das vom Subjekt Bezeichnete sich nach Abschluß des vom Verb bezeichneten Vorgangs in einem bestimmten Zustand befindet (Beispiele 4b). Wenn die Blume aufblüht, dann führt das zu einem neuen Zustand und wir können sagen **Die Blume ist aufgeblüht.** Verben dieses Typs sind ganz verschieden benannt worden, etwa mutativ, transformativ, perfektiv oder resultativ. Die Idee ist immer dieselbe: die Verben bezeichnen Vorgänge, die zu Zuständen führen. Die Subjekte der intransitiven **sein**-Verben verhalten sich in dieser Hinsicht semantisch so wie die direkten Objekte von vielen transitiven Verben.

Der Satz **Die Blume ist aufgeblüht** ist ein Satz im Perfekt, kann aber möglicherweise auch als Satz mit prädikativem Adjektiv angesehen werden. Die Grenzen sind fließend, denn natürlich entwickeln sich viele Adjektive aus Partizipien. Das Adjektiv bezeichnet dann ebenfalls den Zustand, der als Folge des vom Verb bezeichnenden Vorgangs anzusehen ist. Eine Verwechslung von Perfekt Aktiv und Perfekt Passiv wie bei den transitiven Verben ist bei den intransitiven ausgeschlossen, denn diese bilden meist nur ein unpersönliches Passiv. Der Satz **Die Blume ist aufgeblüht** kann nur aktivisch sein. **Sein/haben**-Perfekt und Passivbildung hängen offenbar generell zusammen. Das **sein**-Perfekt ermöglicht bei dieser Deutung den Übergang vom Partizip zum Adjektiv bei einer semantisch dazu geeigneten Klasse von intransitiven Verben (**Aufgabe 18**).

So einleuchtend eine Erklärung dieser Art ist, sie gilt doch immer nur in erster Näherung. Aktionsartliche Differenzierungen sind in der Regel vage, erlauben aber dennoch keinen durchweg überzeugenden Bezug auf die Wahl von **haben/sein** beim Perfekt. In wiefern etwa sind **rollen, begegnen, unterlaufen** oder **vergehen** mutativ? Einen einfachen Bezug der **sein**-Verben auf Aktionsarten gibt es nicht. Es ist deshalb vorgeschlagen worden, die **sein/haben**-Wahl syntaktisch zu erklären (Haider 1985). Nicht in semantischer, sondern in syntaktischer Hinsicht verhalte sich das Subjekt der **sein**-Verben wie das direkte Objekt der transitiven Verben. Auch hier spielt der Übergang zum Adjektiv eine entscheidende Rolle. Haider verweist insbesondere darauf, daß nur die Partizipien der **sein**-Verben attributiv stehen können (5a), nicht aber die der **haben**-Verben (5b). Vergleicht man 5a mit den entsprechenden Derivaten transitiver Verben (5c), so stellt man fest, daß letztere objektbezogen sind (jemand hat den Verwandten eingeladen). Erstere sind subjektbezogen (die Blume ist aufgeblüht).

(5) a. **die aufgeblühte Blume; die untergegangene Sonne**
    b. *****die geblühte Blume; *das geschlafene Kind**
    c. **der eingeladene Verwandte; das besprochene Buch**

Wegen dieser und anderer Gemeinsamkeiten des Subjekts der **sein**-Verben mit dem Objekt der transitiven Verben nennt Haider die **sein**-Verben ergativ (dazu auch Grewendorf 1983). Der Begriff schließt an den üblichen Ergativitätsbegriff an, verändert ihn aber doch stark. Mit Ergativität ist üblicherweise ein bestimmtes Verhältnis von Valenz- oder Aktantenmustern eines Verbs gemeint (Aufgabe 4). Wozu soll es dienen, diesen ehrwürdigen Begriff neu zu füllen?

Eine eindeutige Erklärung der **haben/sein**-Unterscheidung bringt auch die syntaktische Lösung nicht. Schon das in 5 illustrierte Kriterium der Attribuierbarkeit trifft nicht durchgehend zu. Es setzt voraus, daß *alle* Partizipien von **sein**-Verben Adjektive sind, vermischt also einen syntaktischen mit einem morphologischen Aspekt. Ausdrücke wie ***der gegangene Mann, *die umgezogene Familie** und viele andere dieser Art sind ungrammatisch (dazu auch Wolff 1981; Wiese 1983).

Die Tempuskategorien wurden bisher als grammatische, also Formkategorien behandelt. Obwohl das Forminventar durchorganisiert und systematisch aufgebaut ist, wird dem Tempus manchmal der systematische Charakter abgesprochen mit der Begründung, ihm entspreche kein Zeitsystem. Die Bedeutung der Tempora als Zeitreferenzen seien kaum systematisch zu erfassen (s. u.).

Wir folgen dieser Auffassung nicht. Anhand von 6 machen wir einen ersten Gang durch die Tempora und stellen die Zeitbezogenheit dieser Sätze schematisch in 7 dar.

(6) a. **Es schneit**
    b. **Es schneite (als wir ankamen)**
    c. **Es wird schneien (wenn wir ankommen)**
    d. **Es hat geschneit**
    e. **Es hatte geschneit (als wir ankamen)**
    f. **Es wird geschneit haben (wenn wir ankommen)**

(7)

	×		•		×
b. (Prät)		a. (Präs)		c. (Fut1)	

	×		•		×
e. (Pqpf)		d. (Pf)		f. (Fut2)	

→ Zeit

Der von 6a bezeichnete Sachverhalt »Es schneit« hat eine nicht abgegrenzte zeitliche Erstreckung. Dieses Zeitintervall von unbestimmter Länge repräsentieren wir in 7 als—und bezeichnen es als *Aktzeit*. Die Aktzeit ist das Zeitintervall, das der vom Satz bezeichnete Sachverhalt einnimmt.

Es schneit besagt weiter, daß es zum Zeitpunkt der Äußerung dieses Satzes schneit. Den Zeitpunkt der Äußerung (die zeitdeiktische origo) bezeichnen wir als *Sprechzeit* und repräsentieren sie in 7 als •. Das Präsens in 6a signalisiert also, daß die Sprechzeit innerhalb der Aktzeit liegt. Auch die Bedeutung des Perfekt 6d läßt sich allein mithilfe von Sprechzeit und Aktzeit darstellen. Wenn jemand morgens aus dem Fenster sieht und sagt »Es hat geschneit«, dann bezeichnet er den Vorgang des Schneiens als zur Sprechzeit abgeschlossen. Die Aktzeit liegt vor der Sprechzeit, kann aber bis unmittelbar an die Sprechzeit heranreichen.

Das Präteritum kann in dieser Situation nicht verwendet werden. Das Prät in 6b signalisiert zwar wie das Pf, daß die Aktzeit vor der Sprechzeit liegt, es benötigt aber, um verstanden zu werden, die Relativierung auf eine weitere Zeit (Zeitpunkt oder Zeitintervall), die wir *Betrachtzeit* nennen. Die Betrachtzeit ist in 6b durch den in Klammern gesetzten temporalen Nebensatz gegeben, sie kann aber auch durch den weiteren Kontext gegeben sein. Auch wenn nur der Satz **Es schneite** geäußert wird, ist eine Betrachtzeit immer mitverstanden. Wir repräsentieren sie in 7 als x. für das Prät in 6b liegt die Betrachtzeit innerhalb der Aktzeit und beide liegen vor der Sprechzeit (**Aufgabe 19**).

Bezogen auf den Sprechzeitpunkt spiegelbildlich zum Präteritum liegt das Futur 1. Der Satz **Es wird schneien** wird ebenfalls über eine Betrachtzeit verstanden, die bei 6c in der Aktzeit liegt. Beide liegen nach der Sprechzeit.

Pqpf (6e) und Fut2 (6f) entsprechen in der Bedeutung dem Prät bzw. dem Fut1, nur daß die Aktzeit der Bezugszeit jeweils vorausgeht, also spätestens mit der Bezugszeit abgeschlossen ist. Pqpf und Fut2 werden von manchen Grammatiken als ›relative Tempora‹ bezeichnet (Admoni 1970: 181 ff.) oder als Tempora, die in erster Linie ›relativ‹ verwendet werden (Schmidt 1973: 221). Damit ist gemeint, daß diese Tempora nicht unmittelbar, sondern nur über andere, ›absolute‹ Tempora auf die Sprechzeit bezogen sind. Diese Sichtweise wird lediglich von der Formseite dieser Tempora nahegelegt, denn das Pqpf wird durch ›Abwandlung‹ des Pf gebildet, das Fut2 durch ›Abwandlung‹ des Fut1. Schema 7 zeigt, daß es keine semantischen Gründe gibt, Pqpf und Fut2 als relative Tempora zu bezeichnen.

Von den zur Explikation der Zeitbezüge verwendeten Begriffen ist am unklarsten der der Betrachtzeit. Kratzer (1978: 69) schreibt, der Satz **Ich nieste** sei »nicht schon dann wahr, wenn ich überhaupt irgendwann einmal vor meiner Äußerung geniest habe. Das habe ich aber bei dieser Äußerung sicher nicht im Sinn. Was hier gemeint ist, ist so etwa, daß ich zu einer Zeit geniest habe, *von der gerade die Rede ist*«. Diese Zeit ist die Betrachtzeit. In 6 ist sie jeweils durch den Nebensatz als Zeitpunkt gegeben, im allgemeinen ist sie aber wie die Aktzeit ein Zeitintervall. So bedeutet etwa **Heute wird es schneien** mit »heute« als Betrachtzeit, daß es in einem Zeitintervall schneit, das nach der Sprechzeit und innerhalb des von **heute** bezeichneten Zeitintervalls liegt.

Auch für das Präs und das Pf muß man im allgemeinen Fall mit einer Betrachtzeit arbeiten. Für **Es schneit** und **Es hat geschneit** in 6 fällt die Betrachtzeit mit dem Sprechzeitpunkt zusammen, für **Heute schneit es** aber beispielsweise nicht. Hier liegt die Sprechzeit innerhalb der Aktzeit und der Betrachtzeit.

Die Explikation der Tempusbedeutungen mit Hilfe von Begriffen wie Aktzeit, Sprechzeit und Betrachtzeit geht auf die frühe zeitlogische Tempusanalyse von Hans Reichenbach (1947) zurück und wird in prinzipiell vergleichbarer Weise in vielen neueren linguistischen Arbeiten zum Tempus verwendet (z. B. Wunderlich/Baumgärtner 1969; Kratzer 1978; Bäuerle 1979; Steube 1980). In die Grammatiken hat sie nur teilweise Eingang gefunden (Eichler/Bünting 1976; Helbig/Buscha 1975). Einer der Vorteile dieses Ansatzes ist, daß er den zeitreferentiellen Aspekt der Tempusbedeutung zu trennen erlaubt von anderen Aspekten, insbesondere dem modalen und dem der Aktionsarten. Beide wurden und werden häufig als integraler Bestandteil der Tempusbedeutung mitbehandelt. Zur Verdeutlichung der Problematik gehen wir wieder von den Sätzen in 6 aus.

Bei der Erörterung des **haben/sein**-Perfekts waren als Aktionsarten Begriffe wie punktuell/durativ eingeführt worden. Zur Beschreibung der Tempusbedeutungen führen wir jetzt das damit verwandte, aber nicht identische Begriffspaar perfektiv/ imperfektiv ein. Ein Vorgang ist *imperfektiv*, wenn das Zeitintervall, in dem er sich abspielt, beidseitig offen ist, wie das für die Aktzeit in 6a, b, c gilt. Er ist *perfektiv*, wenn das Zeitintervall nach rechts (›hinten‹) abgeschlossen ist, wie das in 6d, e, f für die Aktzeit der Fall ist. Hier wird signalisiert, daß es einen Zeitpunkt gibt, zu dem es aufgehört hat zu schneien. Beim Pf in 6d ist dies die Sprechzeit, beim Pqpf in 6e und beim Fut2 in 6f ist es die Betrachtzeit. Ob ein vom Verb bezeichneter Vorgang oder Zustand perfektiv (abgeschlossen) oder imperfektiv (nicht abgeschlossen) ist, hängt zumindest in bestimmten Fällen vom Tempus ab. Die Unterscheidung perfektiv/ imperfektiv ist also auf Einheitenkategorien beziehbar und hat deshalb einen grundsätzlich anderen Status als die Unterscheidung punktuell/durativ, die ja auf einer Klassifikation von Verbparadigmen beruht: **schneien** ist ein duratives Verb, das perfektive und imperfektive Formen hat, und man sagt dann, diese Formen seien unterschieden im *Aspekt*. Der Aspekt betrifft eine semantische Klassifikation von Verbformen, die Aktionsart eine semantische Gliederung von Verbparadigmen (H. G. Klein 1974: 77ff.; 103ff.; Gross 1974: 45ff.; 54ff.).

Eine Tempusanalyse entsprechend 7 bezieht also den aspektuellen Unterschied von perfektiv/imperfektiv ausdrücklich in die Tempusbedeutung ein. Ein Tempus signalisiert danach ein zeitliches und ein aspektuelles Verhältnis. Wir schließen uns nicht einer Auffassung an, die das Tempus lediglich versteht als »das zeitliche Verhältnis, das zwischen Aktzeit, Sprechzeit und Betrachtzeit jeweils besteht« (Helbig/Buscha 1975: 123). Mit den meisten Grammatiken schreiben wir dem Tempus auch die Funktion zu, die (Nicht-)Abgeschlossenheit eines Vorgangs zu signalisieren. Die manchen Vorschlägen eigene Unklarheit in der Tempusanalyse kommt weniger durch die gemeinsame Behandlung von Zeitbezug und Aspekt, sondern eher dadurch zustande, daß Aspekt und Aktionsart nicht getrennt werden. Was man einerseits als Aktionsarten der Verben bezeichnet, verwendet man andererseits zur Beschreibung der Tempusbedeutung (Grundzüge: 501ff., 511ff.; dazu auch Wunderlich 1970 141ff.; Grewendorf 1982: 226ff.). So etwa, wenn dem Prät der imperfektive Aspekt zugeschrieben wird, um dann zu erwarten, daß für den bezeichneten Vorgang auch tatsächlich Nichtabgeschlossenheit signalisiert wird. Nichtabgeschlossenheit ist überhaupt nur möglich bei bestimmten Verben, sie ist insbesondere nicht möglich bei punktuellen Verben. In einem Satz wie **Um vier Uhr fand er sein Schlüsselbund wieder** kann das Prät nicht Imperfektivität signalisieren, weil **finden** punktuell ist. Die Verbbedeutung schließt das Wirksamwerden des imperfektiven Aspekts auch dort aus, wo er von der Flexion her eigentlich gegeben sein müßte. Das heißt nicht, daß das Prät bei punktuellen Verben eine andere Bedeutung hat als bei durativen. Es heißt nur, daß bei einem Konflikt zwischen einem aktionsartlichen und einem aspektuellen Bedeutungselement das aspektuelle bei der Konstituierung der Satzbedeutung in den Hintergrund tritt. Anders ausgedrückt: die Bedeutung des Verbstammes ist von größerem Gewicht als die Bedeutung des Flexivs. Für die Beispiele in 6 wurde ein duratives Verb gewählt, weil bei einem punktuellen die aspektuelle Seite der Tempusbedeutung nicht entfaltet wird (**Aufgabe 20**).

Aspekt und Aktionsart sind nicht dasselbe, aber sie liefern teilweise ähnliche Beiträge zur Satzbedeutung. Die Bedeutung der Tempora kann man deshalb nur

117

ermitteln, wenn es gelingt, die aspektuellen von den aktionsartlichen Merkmalen zu trennen. Ein ganz ähnliches Problem stellt sich auch beim Zeitbezug im engeren Sinne, den das Tempus hat und den es zur zeitlichen Situierung des vom Satz bezeichneten Sachverhaltes liefert. Denn die zeitliche Situierung ist nicht allein vom Tempus abhängig, sondern ebenso von anderen zeitbezogenen Ausdrücken wie den temporalen Adverbien, Präpositionen (PrGr) und Konjunktionen (Sätzen). Auch der weitere sprachliche und situative Kontext ist vielfach entscheidend für den Zeitbezug. All dies wirkt an der Festlegung der Betrachtzeit mit. Der Zeitbezug einer Satzbedeutung darf nicht generell mit dem Zeitbezug des Tempus in diesem Satz gleichgesetzt werden. Betrachten wir unter diesem Gesichtspunkt die verschiedenen ›Bedeutungen‹ oder ›Gebrauchsvarianten‹, die den Tempora zugeschrieben werden.

Für das Präsens werden meist vier Varianten angenommen, die manchmal noch weiter differenziert werden. Wunderlich (1970: 124 ff.) kommt auf sieben Gebrauchsweisen mit weiteren Subvarianten. Wir haben als Bedeutung des Präs für den Satz 6a den in 7 wiedergegebenen Zeitbezug identifiziert, der besagt, daß die Sprechzeit innerhalb der Aktzeit liegt. Daneben kommt das Präs auch in Sätzen mit

(8) a. **Morgen schneit es**
   b. **Wenn dieses Tief hier durchzieht, schneit es**

dem Zeitbezug des Fut1 vor (›futurisches Präsens‹, vgl. 8). Das Präs tritt weiter als sogenanntes historisches Präsens mit dem Zeitbezug des Präteritum auf (9).

(9) a. **Im Jahre 1968 gewinnt die Eintracht erstmals die deutsche Fußballmeisterschaft**
   b. **Am 6. März 1983 ziehen die Grünen in den Bundestag ein**

Und schließlich wird das Präs in allen Sätzen verwendet, die keinen von den Zeitbezügen haben, die von einer Tempusbedeutung nach 7 realisiert sind, sondern die ›zeitlos‹ sind. Dazu gehören Sprichwörter und Gesetzesaussagen. Es gibt kein anderes Tempus, das in Sätzen mit ähnlich unterschiedlichen Zeitbezügen vor-

(10) a. **Wes Brot ich esse, des Lied ich singe**
   b. **Mord ist Tötung aus niederen Motiven**
   c. **Die älteren Mitbürger sind als Käuferschicht ebenso wichtig wie die Jugendlichen**
   d. **Der 2. Hauptsatz der Thermodynamik besagt, daß jeder Wärmeprozeß in Richtung auf eine Erhöhung der Entropie verläuft**
   e. **Zwei mal drei ist sechs**

kommt wie das Präs. Dies und insbesondere sein Vorkommen in ›zeitlosen‹ Sätzen spricht dafür, das Präs als die unmarkierte Tempuskategorie anzusehen. Wie wir wissen, ist eine markierte Kategorie dadurch ausgezeichnet, daß sie ein bestimmtes Merkmal hat oder signalisiert, wärhend die unmarkierte Kategorie signalisiert, daß dieses Merkmal nicht vorhanden ist. Das Prät signalisiert Vergangenheit der Aktzeit, das Fut1 signalisiert Zukünftigkeit der Aktzeit. Das Präs ist gegenüber beiden unmarkiert, sein Gegenwartsbezug wäre deshalb zu deuten als »weder vergangen noch zukünftig« (Ludwig 1971, 1972). Das Präs als gegenüber dem Prät und dem Fut unmarkierte Kategorie muß aus dem Blickwinkel der Markiertheitstheorie mit den Bedeutungen dieser beiden Tempora verträglich sein. Das ist mit dem historischen und dem futurischen Präsens auch der Fall. Schema 7 spiegelt die Markiertheitsverhältnisse für das Präs richtig wider: es kann in Sätzen mit dem Zeitbezug des Prät und des Fut1 vorkommen, wenn der Zeitbezug durch den Kontext entsprechend festgelegt wird. In 8 und 9 geschieht das jeweils durch die Adverbiale (Adverb, Nebensatz oder PrGr). Die ›reine Präsensbedeutung‹ wie in 6d kommt für den Zeitbezug des Satzes nur zum Zuge, wenn der Kontext nicht einen anderen Zeitbezug vorschreibt.

Ganz ähnlich haben wir die untere Zeile von Schema 7 zu interpretieren. Fast alle Grammatiken sehen für das Perfekt drei ›Bedeutungsvarianten‹ vor bzw. stellen fest, daß das Perfekt in Sätzen mit drei verschiedenen Zeitbezügen vorkommt, nämlich in seiner eigentlichen Bedeutung wie in 6d, daneben aber mit dem Zeitbezug des Pqpf (11) und dem des Fut2 (12).

(11) a. **Es hat geschneit, bevor wir ankamen**
b. **Er hat die Rechnung schon bezahlt, bevor das Verfahren entschieden war**

(12) a. **Wenn du uns besuchst, hat es bestimmt schon wieder geschneit**
b. **Morgen abend habe ich dieses Kapitel abgeschlossen**

In 11 kann auch das Pqpf, in 12 kann auch das Fut2 verwendet werden. Der Zeitbezug der Sätze wird wieder wesentlich durch die Adverbiale bestimmt, das Pf ist gegenüber dem Pqpf und dem Fut2 die unmarkierte Kategorie.

Zwei weitere Standardprobleme des Verhältnisses von Tempusbedeutung und Tempusgebrauch wollen wir noch besprechen. Das erste betrifft eine ›spezielle Bedeutung‹ des Futurs.

(13) a. **Er wird wohl im Garten arbeiten**
b. **Ich nehme an, sie werden jetzt in Rom sein**

(14) a. **Das wird meine Tochter gemacht haben**
b. **Du wirst das doch hoffentlich nicht versprochen haben**

Von der Form her kann 13 als Fut1 und 14 als Fut2 angesehen werden. Das Fut hätte dann neben der temporalen auch eine modale Lesart des Typs Annahme oder Vermutung. Man kann 13 aber auch als Sätze im Präs auffassen und **wirst** nicht als Form eines Hilfsverbs, sondern als Form eines Modalverbs deuten. Entsprechend stünden die Sätze in 14 nicht in Fut2, sondern im Pf. 13a wäre gebaut wie **Er muß wohl im Garten arbeiten**, 14a wäre gebaut wie **Das muß meine Tochter gemacht haben**. Die Frage, ob und unter welchen Bedingungen **werden** ein Modalverb ist, ist umstritten. Wir schlagen vor, **werden** in 13 und 14 als Modalverb, in 6 c und 6 f als Hilfsverb anzusehen, so daß 13 und 14 keine Formen des Futurs enthielten. Diese Lösung hat jedenfalls den Vorteil, daß man keine spezielle Erklärung dafür braucht, daß Formen des Futurs plötzlich keine futurische, sondern eine modale Bedeutung in einem ganz anderen Tempus haben. Unsere Lösung verlangt stattdessen eine Erklärung dafür, warum **werden** sowohl als Hilfsverb als auch als Modalverb anzusehen ist (dazu 4.5, **Aufgabe 26**).

Besonders häufig und ausführlich ist in der Literatur das Verhältnis von Perfekt und Präteritum diskutiert worden. Meist wird angenommen, daß der Zeitbezug von Pf und Prät weitgehend identisch ist, das Pf sich aber dadurch auszeichne, daß es einen Vorgang als abgeschlossen signalisiere. Im übrigen wird darauf verwiesen, daß es dialektale Unterschiede im Gebrauch gibt (in Süddeutschland wird eher das Pf, im Norden mehr das Prät verwendet) und daß im Gesprochenen mehr Gebrauch vom Pf, im Geschriebenen mehr Gebrauch vom Prät als ›Erzählzeit‹ gemacht wird. Es scheint auch zuzutreffen, daß in bestimmten Registern des Geschriebenen wie der Zeitungssprache sich textsortenspezifische Funktionsdifferenzierungen herausgebildet haben (Latzel 1975). So wird in Schlagzeilen und Kurz-(Sensations-)Meldungen das Prät verwendet. Der Anteil des Pf steigt in Kommentaren und längeren Berichten.

Bezüglich des Aspekts geben wir den Bedeutungsunterschied von Pf und Prät in 7 nicht anders an als fast alle Grammatiken, bezüglich des Zeitbezugs weicht unsere Analyse von den meisten Grammatiken ab. Es ist zwar unbestreitbar, daß Pf und Prät häufig ohne Bedeutungsänderung ausgetauscht werden können. Das besagt aber nicht, daß sie bedeutungsgleich sind. Wo die Perfektbedeutung und die Präteritumsbedeutung Aspekt und Zeitbezug im Satz allein bestimmen wie in 6b und 6d, sind die Tempora gerade nicht austauschbar. Niemand kann sagen »Es schneite«, wenn er das mitteilen möchte, was **Es hat geschneit** besagt. Man gewinnt wenig, wenn man die häufige Austauschbarkeit als Grund für die Bedeutungsgleichheit beruft, sondern man muß sich fragen, woher es kommt, daß die Tempora trotz verschiedener Bedeutung in bestimmten Kontexten austauschbar sind. 15a und 15b

(15) a. **Es schneite**
b. **Es hat geschneit**

(16) a. **Es schneite fünf Stunden lang**
b. **Es hat fünf Stunden lang geschneit**

(17) a. **Es schneite gestern fünf Stunden lang**
b. **Es hat gestern günf Stunden lang geschneit**

werden im Sinne von 7 verschieden verstanden, weil für 15a eine Betrachtzeit gefordert ist, die nicht die Sprechzeit ist. 15b kann direkt auf die Sprechzeit bezogen werden. Dasselbe gilt für 16. Die Angabe der Dauer ändert nichts daran, daß 16a eine Betrachtzeit außerhalb der Sprechzeit hat, während 16b auf die Sprechzeit beziehbar ist. In 17 bedeuten nun beide Sätze dasselbe. Das Adverb **gestern** liefert für 17a die Betrachtzeit. Die Betrachtzeit ist in diesem Beispiel ein Zeitintervall, das länger ist als die Aktzeit von fünf Stunden. Der Satz besagt also, daß die Aktzeit ganz innerhalb der Betrachtzeit liegt, und das kann so gedeutet werden, daß der Vorgang innerhalb der Bezugszeit abgeschlossen wurde.

In 17b wird mit **gestern** ein Zeitintervall eingeführt, innerhalb dessen der Vorgang von fünf Stunden Dauer als abgeschlossen signalisiert ist. Wegen des Vorhandenseins von **gestern** wird die Aktzeit nicht mehr wie in 16b auf die Sprechzeit, sondern auf dieses in der Vergangenheit liegende Zeitintervall bezogen. Beide Sätze in 17 können damit gleich gedeutet werden. Eine unterschiedliche Deutung, die auch hier die Bedeutungsunterschiede der Tempora herausbringt, ist nur in markierten Kontexten zu erwarten. 18 faßt die Erörterung zusammen. 18a steht für 16a.

(18)
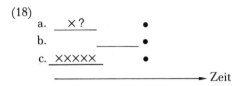

Die Betrachtzeit ist hier nicht genannt. 18b steht für 16b. Die Aktzeit kann – wenn der Kontext nichts anderes gebietet – auf die Sprechzeit bezogen werden. 18c steht für 17a, b. Hier liegt die Aktzeit innerhalb der Zeitspanne, die von **gestern** bezeichnet wird (dargestellt als xxxx). Es ist damit gezeigt, wie bei unterschiedlicher Bedeutung von Prät und Pf Aspekt und Zeitbezug der Sätze 16a, b übereinstimmen können **(Aufgabe 21)**.

Die Prinzipienfrage bei der Analyse der Tempora im Deutschen ist, wieviele Bedeutungen, Bedeutungsvarianten oder Gebrauchsvarianten den einzelnen Tempora zugeschrieben werden. Viele Grammatiken nehmen für jedes Tempus mehrere Bedeutungen (als Varianten) an, ohne eine Grundbedeutung auszuzeichnen (Brinkmann 1971; Helbig/Buscha 1975; Grundzüge). Bei einer Reihe von Grammatiken verschwimmt die Grenze zwischen Bedeutungsvariante und Gebrauchsvariante derart, daß sich die Frage erhebt, ob überhaupt noch mit einem Tempussystem für das Deutsche gerechnet wird (Duden 1973: 79 ff.; Brinkmann 1971: 321 ff.; dazu ausführlicher Grewendorf 1982). Demgegenüber favorisieren neuere linguistische Ansätze den Gedanken einer klaren Unterscheidbarkeit von Tempussystem und Tempusgebrauch (speziell zum Präsens Ballweg 1984; Grewendorf 1984).

Wir haben uns diesem Vorgehen angeschlossen. Das Deutsche hat nicht nur ein Tempussystem als System von Formen, sondern der Aspekt- und Zeitbezug ist ebenfalls systematisch. Mehr noch: die Bedeutungsseite dieses Systems ist denkbar einfach strukturiert und eindeutig auf die Formseite bezogen. Sie erschließt sich in ihrer Systematik allerdings erst, wenn man von dem Gedanken abläßt, daß der Tempus- und Aspektbezug eines Satzes übereinstimmen müsse mit der Bedeutung des im Satz enthaltenen ›Tempusmorphems‹.

4.4 Indikativ und Konjunktiv

Indikativ und Konjunktiv sind syntaktische Einheitenkategorien, die der Signalisierung von Modalität dienen. Der Indikativ spielt dabei formal und semantisch die Rolle der unmarkierten Kategorie. Deshalb ist es einfacher, die Besonderheiten des Konj gegenüber dem Ind herauszuarbeiten als Ind und Konj jeweils positiv und für sich zu charakterisieren. Unsere Aufmerksamkeit gilt also vornehmlich dem Konjunktiv.

Es sind vor allem zwei Fragen, die die Diskussion der Grammatik des Konjunktivs bestimmen. Die erste betrifft seine Bedeutung. Hat der Konj gegenüber dem Ind einheitliche Bedeutungsmerkmale und wenn ja welche? Die zweite ist die vorgängige und prinzipiellere: wie ist der Konjunktiv organisiert? Welche Formen gehören überhaupt zum Konjunktiv und welche Stellung nehmen die Konjunktivformen im Verbparadigma ein? Bezüglich dieser Frage beziehen wir folgenden Standpunkt.

Sind Konj und Ind grammatische Kategorien und kategorisieren sie die Verbformen hinsichtlich Modus, dann muß im regelmäßig ausgebildeten Verbparadigma jeder indikativischen eine konjunktivische Form gegenüberstehen. Danach gibt es den Konj für alle Personalformen in allen Tempora im Aktiv wie im Passiv. Fehlt er irgendwo, dann hat das besondere Gründe. Treten Formen auf, die sich dem Schema nicht fügen, sind sie zumindest nicht ohne weiteres als Formen des Konj anzusehen. Wir werden sehen, daß der Begriff des Modus ebenso wie der des Konjunktiv oftmals nicht in dieser Weise verstanden wird.

Ob eine Verbform indikativisch, konjunktivisch der beides ist, erkennt man an ihrem finiten Bestandteil: die zusammengesetzten Verbformen sind für Ind und Konj bis auf das finite Verb identisch. Da das finite Verb immer eine Form des Präs oder des Prät ist, braucht man zur Herleitung des vollen Forminventars des Konj aus dem Ind nur die Formen des Konj Präs und des Konj Prät zu kennen. Zu berücksichtigen ist lediglich noch, daß der Konj für starke und schwache Verben unterschiedlich gebildet wird.

(1) Präsens, schwach

		Sg	Pl
1.	leg	e	en
2.		est	et
3.		e	en

Der Konj Präs der schwachen Verben wird gebildet aus dem Präsensstamm und denselben Personalendungen, die der Ind Prät der schwachen Verben verwendet (4.2). Neue Gesichtspunkte für die Deutung des Systems der Personalendungen ergeben sich also für den Konjunktiv nicht.

Im Präteritum unterscheiden sich indikativische und konjunktivische Formen bei den schwachen Verben nicht. Daß die schwachen Verben als die eigentlich regelmäßige und morphologisch produktive Verbklasse hier formal nicht differenzieren, könnte als Hinweis dafür genommen werden, daß der Konj Prät im Schwinden begriffen ist. Wir kommen darauf zurück.

Auch der Konjunktiv der starken Verben hat in beiden Tempora das Endungssystem aus 1. Hervorzuheben ist aber das Verhalten bezüglich des Stammvokals. Der Konj Präs verwendet durchgängig den Stammvokal des Infinitiv. Ablautbildungen wie im Ind Präs gibt es nicht, vgl. den Ind **ich treffe, du triffst, er trifft** mit dem Konj **ich treffe, du treffest, er treffe**. Im Konj Prät wird der Stammvokal wann immer möglich umgelautet (**nahm – nähme; bat – böte; fuhr – führe**), so daß sich hier häufig ein formaler Unterschied zum Ind ergibt.

Berücksichtigen wir neben den Vollverben auch die Hilfs- und Modalverben (**Auf-**

gabe 22), so fällt die große Regelmäßigkeit der Formbildung auf. Man findet weder Vokalwechsel noch suppletive Formen. Ein einheitliches Formmerkmal des Konjunktiv gegenüber dem Indikativ – etwa so wie zwischen Passiv und Aktiv – gibt es aber nicht. Vielmehr verhält sich der Konj Präs formal ganz anders zu seinem Ind als der des Prät. Soll man daraus schließen, daß sich beide Konjunktive auch semantisch unterschiedlich zum jeweiligen Indikativ verhalten?

In der Tat ist das der Fall. Der Bedeutungsunterschied zwischen den Konjunktiven geht so weit, daß jeder einige spezielle Kontexte hat, in denen der andere nicht stehen kann, in denen deshalb auch die jeweilige Eigenbedeutung der Konjunktive faßbar wird. Für den Konj Prät ist ein solcher Kontext der Konditionalsatz. Um das zu zeigen, vergleichen wir indikativische und konjunktivische Konditionalsätze in den verschiedenen Tempora.

(2) a. **Wenn du kommst, fahren wir**
    b.***Wenn du kommest, fahren wir**

(3) a. **Wenn du kamst, fuhren wir**
    b. **Wenn du kämest, führen wir**

(4) a. **Wenn du gekommen bist, sind wir gefahren**
    b.***Wenn du gekommen seist, seien wir gefahren**

(5) a. **Wenn du gekommen warst, waren wir gefahren**
    b. **Wenn du gekommen wärest, wären wir gefahren**

Wir haben der Einfachheit halber für Nebensatz (**wenn**-Satz) und Hauptsatz immer dasselbe Tempus und denselben Modus gewählt.

In Konditionalsätzen können nicht der Konj Präs (2b) und nicht der Konj Pf (4b) stehen, ebenso nicht die Konjunktive des Futurs (für die wir der Kürze halber keine Beispielsätze anführen). Der Konditionalsatz ist beschränkt auf den Konj Prät (3b) und den Konj Pqpf (5b), auf zwei Tempora also, die eine analoge Stellung im Tempussystem haben (Schema 7, S. 115). Der Gemeinsamkeit dieser beiden gegenüber allen übrigen Konjunktiven trägt man terminologisch Rechnung, indem man sie unter der Bezeichnung *Konjunktiv II* zusammenfaßt. Konditionalsätze im KonjII weisen nicht den Zeitbezug des entsprechenden Indikativsatzes auf. Der Zeitbezug von 3b ist die Gegenwart oder die Zukunft, der Zeitbezug von 5b ist die Vergangenheit. Man kann also sagen, daß im indikativischen Konditionalsatz generell nicht ein konjunktivischer mit demselben Zeitbezug entspricht. Entweder der konjunktivische existiert gar nicht, oder er hat einen anderen Zeitbezug als der im Indikativ.

Neben dem Zeitbezug ändert sich der Realitätsbezug. 3b besagt, daß wir jetzt oder zukünftig fahren, wenn du jetzt oder zukünftig kommst. Beides hat nicht stattgefunden, aber es besteht die Möglichkeit, daß du kommst, deshalb wird 3b ein *potentialer* Konditionalsatz genannt. 5b besagt, daß du nicht gekommen bist und wir nicht gefahren sind. Das erstere hat nicht stattgefunden und deshalb auch nicht das letztere. Über die Möglichkeit wird nichts ausgesagt, deshalb wird 5b ein *irrealer* Konditionalsatz genannt. 2a–4a heißen *reale* Konditionalsätze.

Der Irrealis signalisiert, daß weder der vom Antezedens noch der von der Konsequenz bezeichnete Sachverhalt zutrifft. Der Potentialis signalisiert dies ebenfalls, läßt aber die Möglichkeit offen, daß die Sachverhalte in Zukunft zutreffen könnten. Natürlich ist das auch beim Irrealis rein logisch nicht ausgeschlossen. Das Mögliche als Zukünftiges kommt aber von der Bedeutung des Irrealis her gar nicht ins Blickfeld. Mit dem Irrealis verweist der Sprecher ausschließlich auf das Nichtzutreffen der Sachverhalte in einem vergangenen Zeitintervall, mit dem Potentialis schließt er die Perspektive auf das Mögliche als Zukünftiges mit ein. Problematisch und ganz mißverständlich ist die Bezeichnung indikativischer Konditionalsätze als Realis. Mit **Wenn Karl kommt, gehe ich** wird ja keineswegs unterstellt oder behauptet, daß einer der beiden bezeichneten Sachverhalte jetzt oder irgendwann zutrifft. Das gilt nicht einmal für Sätze in Vergangenheitstempora und schon gar nicht für solche im Futur. Allenfalls wenn das Antezedens im Pqpf steht könnte es sein, daß der betreffende Sachverhalt als zutreffend unterstellt wird (**Wenn Karl gekommen war, bin ich gegangen**).

Der indikativische Konditionalsatz sagt nichts über das Zutreffen der bezeichneten Sachverhalte, er sagt aber auch nichts über ihr Nichtzutreffen (genauer dazu Fischer 1981: 124 ff., 174 ff.). Er ist damit bezüglich der Unterscheidung ›Sachverhalt trifft zu/trifft nicht zu‹ unmarkiert. Der konjunktivische Konditionalsatz ist bezüglich dieser Unterscheidung markiert. Charakteristisch für die Konditionalsätze insgesamt ist also, daß niemals das Zutreffen der bezeichneten Sachverhalte behauptet oder präsupponiert wird. Wollte man dem terminologisch Rechnung tragen, dann sollte der indikativische Konditionalsatz nicht Realis, sondern Nicht-Irrealis genannt werden (10.2.2; **Aufgabe 25**).

Der Konj Prät hat die Funktion als Potentialis allgemein in Sätzen, die als Konditionale interpretiert werden, auch wenn sie nicht die zweiteilige Form des **wenn-dann**-Satzes haben (6). Die Beispiele in 7 zeigen, daß der Konj Pqpf unter

(6) a. **An deiner Stelle täte ich das auch**
    b. **Wie wäre es, wenn du mal pünktlich kämest?**

(7) a. **Wie gern hätten wir dich abgeholt**
    b. **Wäre diese Ehe nicht ein Unheil gewesen?**

vergleichbaren Bedingungen ebenfalls seine Funktion behält. 7a und 7b sind beide als Irrealis zu lesen. Für die Konjunktive des Prät und des Pqpf ist damit eine spezifische Leistung angegeben, und es fragt sich, ob das auch für die Konjunktive der übrigen Tempora möglich ist.

Wir gehen aus vom Konj Präs. Es gibt zahlreiche Verben, bei denen der Konj Präs im Objektsatz stehen kann (8a), während er bei anderen ausgeschlossen ist (8b). 8b wird grammatisch, wenn man statt **wolle** die indikativische Form **will** einsetzt. Man kann die Verben mit **daß**-Komplementen in zwei disjunkte Klassen danach einteilen, ob sie den Konj Präs im **daß**-Satz akzeptieren oder nicht. Akzeptiert ein Verb den Konj nicht, so ist es faktiv, d. h. der Sprecher setzt die Wahrheit des Komple-

(8) a. **Karl meint / hört / hofft / glaubt, daß Egon bleiben wolle**
    b. *****Karl versteht / vergißt / entschuldigt / weiß, daß Egon bleiben wolle**

mentsatzes voraus. Wer äußert »Karl versteht, daß Egon bleiben will« muß voraussetzen, daß Egon tatsächlich bleiben will, anderenfals kann er das Verb **verstehen** hier nicht verwenden. Wer äußert »Karl hofft, daß Egon bleiben will«, setzt die Wahrheit des Komplementsatzes nicht notwendig voraus und kann deshalb statt des Ind ebensogut den Konj setzen. Der Konj Präs kann immer dann stehen, wenn der Sprecher sich nicht zur Wahrheit des Komplementsatzes bekennen muß. Unter diesem Gesichtspunkt sind die überkommenen Eindeutschungen von ›Konjunktiv‹ als »Möglichkeitsform« und ›Indikativ‹ als »Wirklichkeitsform« durchaus angemessen.

Durch Einsetzen anderer Tempora in 8 kann man sich davon überzeugen, daß die Konjunktive des Pf, des Fut1 und des Fut2 sich bezüglich Faktizität ebenso verhalten wie der Konj Präs. Man faßt die Konjunktive dieser vier Tempora wegen ihrer Gemeinsamkeiten unter der Bezeichnung *Konjunktiv I* zusammen. Wir werden diese Bezeichnung im folgenden ebenfalls verwenden, halten aber fest, daß mit KonjI (= Konj Präs, Konj Pf, Konj Fut) und KonjII (= Konj Prät, Konj Pqpf) lediglich die Konjunktive mehrerer Tempora gemeinsam abkürzend benannt werden. KonjI und KonjII sind keine grammatischen Kategorien.

Nach dem Gesagten gilt als allgemeine Regularität: in **daß**-Komplementen von faktiven Verben steht der Ind, in solchen von nicht-faktiven Verben kann sowohl der Ind als der KonjI stehen. Dieser einfache Zusammenhang zwischen Verbbedeutung und Verwendbarkeit des KonjI wird nun durch mehrere grammatische Faktoren kompliziert, durch sprachpflegerische, den Konjunktivgebrauch normierende Regelsetzungen sogar bis zur Unkenntlichkeit verstellt. Beginnen wir mit dem zuletztgenannten Aspekt des Problems.

Kein Bereich der Grammatik des Deutschen ist in gleichem Umfang sprachpflegerischen Ambitionen ausgesetzt wie der Konjunktiv. Sprachpfleger und Normsetzer werden besonders dann aktiv, wenn sich die Stellung einer Konstruktion im System ändert, etwa weil sie Konkurrenz erhält und ihre Funktion dadurch langfristig erneuert oder verliert. Das zeitweise Nebeneinander mehrerer Konstruktionen mit gleicher oder ähnlicher semantischer Leistung fordert zur Bewertung der Möglichkeiten im Sinne stilistischer Varianten heraus. Das gilt beispielsweise für den Gebrauch des Präteritum gegenüber dem Perfekt, es gilt für den Gebrauch des Genitiv gegenüber der Präpositionalgruppe und es gilt besonders für den Gebrauch des KonjII gegenüber dem KonjI oder anderer Alternativen wie der ›Umschreibung‹ mit **würde**.

Ausgangspunkt für die normative Festschreibung des KonjI ist sein Gebrauch nach den verba dicendi in der indirekten Rede, also in Sätzen wie **Karl hat erzählt, daß Egon angekommen sei**. Alle zu dieser Frage konsultierten Grammatiken behaupten, die indirekte Rede sei die typische Verwendungsweise des KonjI in Komplementsätzen sei. Die These verdichtet sich so weit, bis der Begriff ›indirekte Rede‹ dann seinerseits definiert wird als Komplementsatz von einem verbum dicendi, dessen Prädikat im KonjI steht (dazu Jäger 1971a: 243; Wichter 1978: 146ff., dort weitere Nachweise).

In der Tat können die Verben des Sagens stets sowohl den Indikativ als auch den Konjunktiv nach sich ziehen, d.h. sie verhalten sich so, wie wir das für die nicht-faktiven Verben festgestellt haben. Aus 9 geht nun hervor, daß die verba dicendi keineswegs alle nicht-faktiv sind. Wer 9b äußert, unterstellt, daß der Graf wirklich

(9) a. **Bild behauptet, daß der Graf verhaftet worden ist**
b. **Bild berichtet, daß der Graf verhaftet worden ist**

(10) a. **Bild behauptet, daß der Graf verhaftet worden sei**
b. **Bild berichtet, daß der Graf verhaftet worden sei**

verhaftet worden ist, wer 9a äußert, unterstellt das nicht unbedingt. **Berichten** ist also faktiv, behaupten nicht, und dennoch kann auch **berichten** mit dem Konjunktiv stehen. Kommen wir mit der These, der Konjunktiv stehe nur bei nicht-faktiven Verben, in Schwierigkeiten?

Eine mögliche Erklärung für das widersprüchliche Verhalten der verba dicendi könnte sein, daß sich ihr Gebrauch aufgrund der ständigen Normierungsbestrebungen verändert hat und sie nun, weil die Grammatiken seit langem die Ansicht vertreten, in der indirekten Rede stehe der Konjunktiv, entgegen ihrer Semantik den Konjunktiv nehmen. Es ist wiederholt auf die Gefahr einer Vermischung von Deskription und Präskription in der Grammatik des Konjunktivs hingewiesen worden (Bausch 1975: 333, 1979: bes. 55 ff.). Prinzipiell ist ein Vorgang dieser Art nicht ausgeschlossen, in unserem Fall liegt er aber nicht vor. Vergleichen wir noch einmal 9 und 10. Der Sprecher von 9b hält für wahr, daß der Graf verhaftet wurde, der Sprecher von 10b aber nicht. Die Bedeutung von **berichten** in 10b kann angegeben werden mit »es stand in Bild«. Wir sagen, daß die Presse etwas oder von etwas berichtet, ohne daß wir damit anerkennen, daß das Berichtete wahr ist. **Berichten** hat in diesem Kontext eine spezielle Bedeutung. In dieser Bedeutung ist es nicht faktiv. Dasselbe oder etwas Vergleichbares gilt auch für alle anderen verba dicendi, die in ihrer Grundbedeutung faktiv sind, dennoch aber mit dem Konjunktiv stehen können. Sie haben alle eine nicht-faktive Variante, und nur sie erlaubt das Auftauchen des Konjunktiv.

In vielen Analysen zum Konjunktiv finden sich ähnliche Aussagen. Jäger (1971a: 242 f.) diskutiert das Satzpaar **Er teilte mir mit, daß er kommt/komme** und stellt fest, daß der Sprecher beim Gebrauch des Indikativs sich dessen absolut sicher sei, daß er kommt, während er mit dem Konjunktiv keine Stellung bezieht. Das ist eine Umschreibung dessen, was mit Faktizität gemeint ist. Jäger meint aber, dieses Verhalten gelte für verba dicendi generell. In Wahrheit gilt es nur für die Verben mit einer faktiven und nicht-faktiven Variante. Ein Vergleich von 10a mit 9a zeigt, daß bei den nicht-faktiven Verben durch den Übergang vom Ind zum Konj kein Bedeutungsunterschied eintritt. Wer 9a äußert, behauptet keineswegs dasselbe wie Bild.

Der KonjI ist in Komplementsätzen nicht an die indirekte Rede, sondern allgemeiner an nicht-faktive Verben gebunden ist. Bei faktiven Verben steht er nicht, bei nicht-faktiven ist er ohne Bedeutungsänderung gegen den Ind austauschbar und bei Verben mit einer faktiven und einer nicht-faktiven Variante zeigt er an, daß die nicht-faktive gemeint ist.

Diese Analyse hat gegenüber der, die den KonjI an die indirekte Rede bindet, zwei Vorteile. Erstens ist sie allgemeiner. Die verba dicendi sind nur eine Teilklasse der Verben, die im Komplement den KonjI nehmen. Bindet man Konj und indirekte Rede zusammen, kommt man in Schwierigkeiten bei allen Verben, die nicht Verben des Sagens sind. Beispielsweise nehmen **hoffen** und **glauben** den Konjunktiv, sie sind nicht faktiv. Es bedarf einer gewaltigen terminologischen Strapaze, sie den verba dicendi zuzuschlagen (**Aufgabe 24**; zur Abgrenzung der verba dicendi Wunderlich 1969). Zweitens aber wird ein unklarer und systematisch statusloser Begriff ersetzt durch einen besser faßbaren. Niemand weiß genau, was eine indirekte Rede ist. ›Indirekte Rede‹ ist keinesfalls eine grammatische Kategorie und es ist auch zweifelhaft, daß der Begriff semantisch systematisch explizierbar ist (Jäger 1971: 73 ff.; Kaufmann 1976). Dagegen ist Faktizität eine einfache und wohlbestimmte semantische Kategorisierung (was nicht besagt, daß es immer leicht ist zu sagen, ob ein Verb faktiv ist).

Mit der Bestimmung der Eigenleistung des KonjI als Signalisierung von Nicht-Faktizität ist ein Schritt von der Norm zum System gemacht. Wenn man weiß, was der KonjI als sprachliche Form semantisch leistet, dann braucht man seinen Gebrauch nicht zu normieren. Wer als Sprecher des Deutschen die Leistung des KonjI benötigt, wird ihn auch ›leistungsgerecht‹ verwenden. Nur wer sie nicht benötigt, kann sich beim Konjunktivgebrauch nach ›Empfehlungen für den Gebrauch des Konjunktiv‹ richten. Niemand würde auf die Idee kommen, uns zu empfehlen, wann wir ein Nomen im Sg und wann eines im Pl verwenden sollen. Der Fall liegt beim Konj nicht prinzipiell, sondern nur graduell anders: die Leistung des Konj ist nicht so leicht zu erkennen wie die des Pl.

Eine weitere Funktion des KonjI wollen wir wenigstens erwähnen. In Hauptsätzen und bestimmten Nebensatztypen dient er auch dazu, die Setzung eines Sachverhaltes oder die Aufforderung zur Realisierung eines Sachverhaltes auszudrücken.

(11) a. **Dies sei ein rechtwinkliges Dreieck mit A als Hypothenuse**
      b. **Sei dies ein rechtwinkliges Dreieck mit A als Hypothenuse**
      c. **Sage er ihm, er kann mich**
      d. **Man nehme eine Bratpfanne und schlage ein Ei hinein**
      e. **Lang lebe die deutsche Bundespost**

Man nennt den Konjunktiv in dieser Verwendung *volitiv*. Aus pragmatischen Gründen kommt er hier so gut wie nur in der 3.Ps vor, denn man fordert sich selten selbst verbal auf, und für die 2.Ps steht der Imperativ zur Verfügung. Ob der volitive Konjunktiv lediglich als historisches Relikt anzusehen ist (Fourquet 1973a) und ob es sich dabei um eine gänzlich andere Funktion als die oben besprochene handelt, muß offen bleiben (zum Konj in Vergleichssätzen Wichter 1978; Bausch 1979; Leys 1980).

KonjI und KonjII sind bisher getrennt behandelt worden, indem wir je spezifische semantische Leistungen in je spezifischen syntaktischen Kontexten herausgestellt haben. Für den KonjII in Bedingungssätzen ist dies Vorgehen realistisch, für den KonjI in Komplementsätzen zur Signalisierung von Nicht-Faktizität aber nicht. Denn hier taucht häufig auch der KonjII auf, vgl. **Karl sagte, daß Egon käme** oder **Karl glaubte, daß Egon geschlafen hätte**. Offenbar ist statt des Konj Präs auch der Konj Prät und statt des Konj Pf auch der Konj Pqpf ohne wesentliche Bedeutungsänderung verwendbar. Was heißt aber ›wesentliche‹ Bedeutungsänderung? Läßt sich dieses Eindringen des KonjII in die Domäne des KonjI verstehen, oder läßt es sich nur feststellen?

Die verbreitetste Deutung besagt, daß der KonjII in Komplementsätzen an die Stelle des KonjI treten kann, weil der KonjI gegenüber dem Ind formal häufig schlecht markiert ist. Damit der Konj überhaupt als solcher erkennbar sei, müsse man den KonjII verwenden (Grundzüge: 527; Helbig/Buscha 1975: 165; Wichter 1978: 99 ff.).

Tatsächlich stimmen die Formen des Konj Präs weitgehend mit denen des Ind Präs überein, während der Konj Prät sich immer vom Ind Präs unterscheidet, denn er wird mit dem Präteritalstamm gebildet. Dennoch ist die ›Ersatzregel‹ unhaltbar. Jägers Untersuchungen über die Häufigkeit der Konjunktivformen haben ergeben, daß mehr als 90% aller Formen des Konj Formen der 3.Ps Sg sind und daß über 80% der KonjII-Formen in der indirekten Rede ebenfalls Formen der 3.Ps Sg sind. Etwa 20% der Formen des KonjII in indirekter Rede entfallen auf die 1.Ps (1970a: 246f.). Da der Konj Präs und der Ind Präs sich gerade in der 3.Ps Sg immer unterscheiden (**er kommt – er komme; sie gibt – sie gebe**), kann die Ersatzregel, wenn überhaupt, nur für die 1.Ps eine Rolle spielen. Hier fallen die Formen des Ind und Konj Präs häufig zusammen.

Ein weiterer Grund für das Auftreten des KonjII in Komplementsätzen und speziell solchen der indirekten Rede ist rein konstruktiv, ergibt sich also aus den besprochenen Regularitäten ganz unabhängig vom KonjI. Als Wiedergabe von 12a in

(12) a. **Karl sagte: »Ich komme, wenn du willst«**
     b. **Karl sagte: »Ich käme, wenn du wolltest«**

(13) a. **Karl sagte, er komme, wenn du wolltest**
     b. **Karl sagte, er käme, wenn du wolltest**

indirekter Rede kann 13a gelten. Für 12b ist nicht ganz klar, wie die Wiedergabe in indirekter Rede aussehen müßte. Wählt man die Form 13a, so bleibt unberücksichtigt, daß die direkte Rede ein Potentialis ist. Wählt man 13b, so hat man – abgesehen von der Ersetzung der 1.Ps der Personalpronomens durch die 3.Ps (sog. *Personverschiebung* in der indirekten Rede) – am Satz in direkter Rede nichts geändert und dennoch den KonjII in der indirekten Rede. Der KonjII tritt also in der indirekten manchmal einfach deshalb auf, weil er auch in der direkten Rede auftritt, nämlich als Potentiales und Irrealis. Dem Satz 13b ist durch nichts anzusehen, ob er ›Ersatz‹ für den KonjI oder ein Potentialis ist. Man hat damit erst einmal einen Grund dafür, daß der KonjII hier überhaupt und unabhängig vom KonjI zum Zuge kommt. Nach Jäger (1970a: 249) ist in weniger als der Hälfte aller Fälle eindeutig, daß der KonjII in der indirekten Rede nicht ein Potentialis oder Irrealis ist.

Halten wir uns für eine Bewertung dieses Restes an Fällen von ›Austausch‹ noch einmal die Situation vor Augen: der KonjI wird gegenüber dem Ind semantisch relevant in dem speziellen Fall, in dem Nicht-Faktizität signalisiert werden soll. Der KonjII wird gegenüber dem Ind semantisch relevant als Potentialis und Irrealis. Potentialis und Irrealis können auch in Komplementsätzen auftreten, also in dem Kontext erscheinen, in dem der KonjI ebenfalls erscheint. In diesem Kontext könnte es zu einer semantischen Opposition zwischen KonjI und KonjII kommen, und zwar dann, wenn der Komplementsatz ein Konditionalsatz ist. Wir stellen den Sachverhalt wegen seiner Unübersichtlichkeit in einer Übersicht dar. Links sind die Verbklassen aufgetragen, also faktive Verben (**vergessen**), nicht-faktive Verben (**glauben**) und solche mit einer faktiven und einer nicht-faktiven Variante (**berichten**). Die

(14) a. Konditionalsätze im Komplement

	Konj I	Konj II
fakt	1 ⟋	4 Pot/Irr
n-fakt	2 n-fakt	5 Pot/Irr n-fakt
fakt/n-fakt	3 n-fakt	6 Pot/Irr fakt/n-fakt

b. andere Komplemente, z. B. **daß**-Sätze

	Konj I	Konj II
fakt	1a ⟋	4a ⟋
n-fakt	2a n-fakt	5a ?
fakt/n-fakt	3a n-fakt	6a ?

Felder der Kästen geben an, wie die entsprechenden Komplementsätze im KonjI bzw. KonjII semantisch zu charakterisieren sind. Ein durchgestrichenes Feld heißt, daß die entsprechende Konstruktion nicht existiert (**Aufgabe 25**, bitte unbedingt an dieser Stelle lösen, weil sonst unklar bleibt, was mit 14 gemeint ist).

Unser Interesse richtet sich auf die Felder 5a und 6a mit Sätzen wie **Karl glaubt, daß Egon gelogen hätte** und **Karl berichtet, daß Egon gelogen hätte**. Gäbe es diese Sätze nicht, so hätte dies seinen guten Grund: der KonjII wäre auf den Konditionalsatz beschränkt. Andererseits spricht systematisch nichts dagegen, daß es sie gibt, denn sie beeinträchtigen die Eigenleistung des KonjII in Konditionalsätzen nicht. Ihre Semantik ist aber offen. 5a kann nur nicht-faktiv gelesen werden, denn das Verb ist nicht-faktiv. 6a könnte eine faktive und eine nicht-faktive Lesart haben, weil das Verb beide Lesarten hat. Was würde das aber bedeuten? Wir wissen, daß der entsprechende Satz mit KonjI nur nicht-faktiv gelesen werden kann. **Karl berichtet, daß Egon lüge** präsupponiert nicht, daß der Sprecher Egons Lügerei als gegeben ansieht. Sollte die faktive Lesart für den KonjII möglich sein, so wäre hier ein äußerst diffiziler, systematisch aber herleitbarer Bedeutungsunterschied zwischen KonjI und KonjII gegeben. Der Konj Pqpf des Beispiels in seiner Eigenleistung sonst dem Irrealis vorbehalten, würde – im Gegensatz zum Konj Präs im Beispiel – faktiv gelesen werden können. Das System kollabiert an dieser Stelle, denn natürlich hat 6a die faktive Lesart nicht. Das Zusammenwirken von Verbbedeutung und Eigenleistung der Konjunktive hat einen Grad an Differenziertheit erreicht, der kommunikativ bedeutungslos ist.

Fazit: es gibt keinen Bedeutungsunterschied zwischen KonjI und KonjII in Komplementsätzen entsprechend 14b, es gibt ihn möglicherweise aber in Komplementsätzen, die Bedingungssätze sind wie in 14a dargestellt.

In der Literatur werden bezüglich dieser Frage zwei Positionen bezogen. Die Untersuchungen von Bausch (1975, 1979) haben ergeben, daß der Unterschied im Gebrauch von KonjI und II nicht semantisch bestimmt, sondern eher registerabhängig ist. Der KonjI wird mehr in öffentlichen, der KonjII mehr in nicht-öffentlichen

Situationen verwendet, er ist die Form des informellen Sprechens. Bauschs Ergebnisse vertragen sich ohne weiteres mit dem, was auf den vorausgehenden Seiten ausgeführt wurde.

Jedoch scheint hier der Anlaß für die Normierungsbestrebungen zu liegen, die sich ja im Prinzip darauf richten, den KonjII zugunsten des KonjI zurückzudrängen. Denn man fordert, daß in der indirekten Rede der KonjI verwendet wird. Die Grammatiken unterstützen die Normierung darüber hinaus durch ihre ›semantische‹ Analyse des KonjII. Fast durchweg akzeptiert ist die Auffassung, der Sprecher nehme »wenn er in indirekter Rede den Konjunktiv II verwendet, gegenüber dem Inhalt der referierten Aussage eine skeptische Haltung ein« (Jäger 1970a: 250). Das bedeutet praktisch folgendes. Wenn jemand sagt »Karl hat erzählt, du wärest krank«, dann nennt er Karl einen Schwindler, sagt er aber »Karl hat gesagt, du seist krank«, dann nicht. Mit der Vorschrift zur Verwendung des KonjI ist also ein Angebot der Normsetzer verbunden. Wer den KonjI verwendet, signalisiert generell weniger Skepsis gegenüber dem Wahrheitsgehalt der Aussagen anderer als der, der den KonjII verwendet. Der KonjII als die Form des Skeptikers? Wenn Bausch recht hat und der KonjII in Wahrheit eher dem informellen und möglicherweise einem sozial gebundenen Sprechen angehört, steckt an dieser Stelle eine brisante Umdeutung sprachlicher Variation in außersprachliche Wertsetzungen.

Das Konstruieren einer einfachen semantischen Opposition zwischen KonjI und KonjII, wie es gerade kritisiert wurde, hat eine strukturelle Entsprechung. Manche Grammatiken sprechen nicht vom Ind und Konj als den Modi des deutschen Verbs, sie nehmen vielmehr den KonjI und den KonjII als relativ selbständige Modi an, die parallel zum Ind auf den verschiedenen Stufen des Zeitsystems angesetzt werden (Duden 1984: 115 ff.; Grundzüge: 523; zur Diskussion des Konjunktivparadigmas weiter Bausch 1979: 61 ff.). Eine solche Sicht ist unakzeptabel, schon weil sie nicht dem formalen Aufbau des Verbparadigmas folgt.

Für das künstliche ›Aufkonstruieren‹ von ›Konjunktiv-Paradigmen‹ spielt besonders die sog. **würde**-Umschreibung eine Rolle. Was aber könnte der Status dieser Formen im Paradigma sein? Die Grammatiken stellen fest, daß sie gebildet werden aus dem Konj Prät von **werden** mit dem Inf Präs (**würde sehen**) oder dem Inf Pf (**würde gesehen haben**). Die Hauptmühe wird darauf verwendet, die **würde**-Formen in das Konjunktivparadigma zu integrieren. Als relevante Gesichtspunkte dafür gelten (1) die Bedeutung der Formen mit **würde**, zugespitzt auf die Frage, welche konjunktivischen Formen durch **würde**-Formen ersetzbar sind (Duden 1984: 156 ff.; Grundzüge: 523 ff.) und (2) formale Gesichtspunkte. Dabei nimmt man meist an, daß den indikativischen Formen des Futurs jeweils zwei konjunktivische Formen gegenüberstehen (Bausch 1979: 65 f.).

(15) a. Fut 1

er wird arbeiten $\begin{cases} \text{er werde arbeiten} \\ \text{er würde arbeiten} \end{cases}$

b. Fut 2

er wird gearbeitet haben $\begin{cases} \text{er werde gearbeitet haben} \\ \text{er würde gearbeitet haben} \end{cases}$

Keines der beiden Argumente sagt etwas über die Stellung der **würde**-Formen im Paradigma aus. Wenn **er würde arbeiten** etwas Ähnliches bedeutet wie **er arbeitete**, heißt das keineswegs, daß beide Formen dieselbe Stellung im Paradigma haben. Und **er würde arbeiten** in 15a ist ebensowenig eine konjunktivische Form zu **er wird arbeiten** wie **er würde gearbeitet haben** in 15b der Konjunktiv ist zu **er wird gearbeitet haben**. Sollte **er würde arbeiten** eine konjunktivische Form im Verbparadigma sein, so müßte ihr Indikativ lauten **er wurde arbeiten**. Diese Form gibt es nicht, und daraus folgt, daß die **würde**-Formen nicht in die üblicherweise angenommene Struktur des Verbparadigmas passen. Ihr gegenwärtiger Status im System ist ungeklärt. Offenbar müssen wir unser Bild vom Aufbau des Verbparadigmas revidieren, so daß die **würde**-Formen ihren Platz finden. Die Grammatiken, die von ›Sonderformen‹ des Konj sprechen, andererseits aber die **würde**-Formen in die überkommene Struktur des Verbparadigmas integrieren, widersprechen sich auf engstem Raum selbst. Man sollte vielmehr zugestehen, daß die Stellung der **würde**-Formen im Paradigma noch unverstanden ist.

Vielleicht ist es richtig, zur Klärung dieser Frage dort anzusetzen, wo **würde** tatsächlich vorkommt. Man kann sich etwa vorstellen, daß 17c einen Ansatzpunkt

(16) a. **Inge wurde klug**
　　 b. **Inge würde klug**

(17) a. **Inge wurde eingestellt**
　　 b. **Inge würde eingestellt (werden)**

zum Eintritt von **würde** in das Verbparadigma darstellt. **Inge würde eingestellt** kann einerseits ein Kopulasatz sein. Wird die Form **eingestellt** als Partizip, d.h. als Verbform gelesen, dann zeigt sich die Nähe des Kopulasatzes mit **werden** und bestimmten Passivsätzen (4.5). Ein anderer Ansatzpunkt könnte bei der Verwandtschaft von

(18) a. **Inge konnte Karl sehen**
　　 b. **Inge könnte Karl sehen**

(19) a. *__Inge wurde Karl sehen__
　　 b. **Inge würde Karl sehen**

werden mit den Modalverben liegen (s.a. **Aufgabe 26**). Obwohl es 19a nicht gibt und dies gerade einer der Gründe dafür ist, **werden** nicht generell als Modalverb anzusehen, könnte es sein, daß der Satztyp 19b in Analogie zu 18b gebildet wird.

Möglicherweise erschließt sich die Systematik der **würde**-Formen erst, wenn sie im Zusammenhang weiterer potentieller Hilfsverbformen untersucht werden. So schlägt Fischer vor (1981: 92f.), auch **sollen** in Sätzen wie **Sollte er kommen, dann rufe mich an** nicht als Modalverb, sondern als Hilfsverb anzusehen.

4.5 Aktiv und Passiv

Im vollständigen Paradigma des Vollverbs gibt es zu jeder Form im Aktiv eine Form des Passivs, das verbale Paradigma ist hinsichtlich des Genus verbi zweigeteilt. Der Ausdruck Genus verbi (»Art des Verbs«) als Name einer Einheitenkategorisierung gibt uns – anders als etwa der Ausdruck Tempus – keinen Hinweis darauf, was der Bedeutungsunterschied zwischen den Formen der zugehörigen Kategorien sein könnte. Und in der Tat liegt hier das Hauptproblem für ein Verständnis der Kategorisierung in Aktiv und Passiv. Warum gibt es beide Kategorien, wo doch aktivische und passivische Sätze im wesentlichen gleichbedeutend sind? Gehört das Passiv zur Komfortausstattung einer Sprache, ist es gar ein sprachlicher Luxus oder ist es neben dem Aktiv funktional nützlich und notwendig? Das Interesse der Grammatiker am Passiv speist sich wesentlich aus der Schwierigkeit, diese Frage schlüssig zu beantworten. Wir wenden uns ihr im zweiten Teil dieses Abschnitts zu. Im ersten besprechen wir die wichtigsten Erscheinungsformen des Passivs als Voraussetzung für die Frage nach seiner Funktion.

Die passivische Verbform wird gebildet mit dem Hilfsverb **werden** und dem Partizip des Perfekt. Pf, Pqpf und Fut2 verwenden außerdem Formen von **sein**. Eine Zweiteilung der Verben danach, ob diese Tempora mit **sein** oder mit **haben** gebildet werden, gibt es nur im Aktiv. Das Passiv kennt allein die Bildung mit **sein**.

Ein Vergleich der Passivformen (1a) mit den Formen des Kopulaverbs **werden** (1b) zeigt weitgehende Identität. Der einzige Unterschied ist die Partizipalform

(1)		a.	b.
	Präs	**wird geteilt**	wird ärgerlich
	Prät	**wurde geteilt**	wurde ärgerlich
	Fut 1	**wird geteilt werden**	wird ärgerlich werden
	Pf	**ist geteilt worden**	ist ärgerlich geworden
	Pqpf	**war geteilt worden**	war ärgerlich geworden
	Fut 2	**wird geteilt worden sein**	wird ärgerlich geworden sein

geworden beim Kopulaverb, wo das Passiv **worden** hat. Die Verwendung von **worden** statt **geworden** gibt umgekehrt ein Merkmal zur Unterscheidung von passivischen Sätzen und Kopulasätzen ab (s. u.). Sie vermeidet gleichzeitig das doppelte Präfix **ge** wie in *Das Vaterland ist geteilt geworden (zu den Formen von **werden** **Aufgabe 26**).

Die interne Systematik der passivischen Formen ist dieselbe wie im Aktiv. Das Präs mit dem Prät und dem Fut1 bildet eine Gruppe von Formen gegenüber dem Pf mit dem Pqpf und dem Fut2, die alle **worden** und eine Form von **sein** enthalten. Die Parallelität von Aktiv- und Passivformen erschließt sich sofort, wenn man ihre Bildungsschemata nebeneinander hält (**Aufgabe 17**).

Auch die Struktur des Satzes mit passivischer Verbform unterscheidet sich nicht von Strukturen, die wir von Sätzen im Aktiv kennen. Die zusammengesetzte Verbform (**wird geteilt, hat geteilt**) tritt im Hauptsatz als diskontinuierliche Konstituente auf, die Objekte und Adverbiale einklammert (Verbalklammer). Die strukturelle Gleichheit bleibt auch in anderen Satztypen gewahrt. So gilt die Regularität, daß das finite Verb im Nebensatz am Schluß steht, für passivische Sätze genauso wie für

(2)

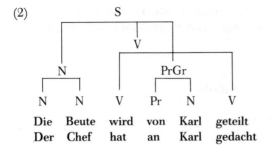

| Die | Beute | wird | von | Karl | geteilt |
| Der | Chef | hat | an | Karl | gedacht |

aktivische (weil die Beute von Karl geteilt wird; wenn der Chef an Karl gedacht hat).

Der prototypische Passivsatz ist der mit transitivem Verb. Der Aktivsatz mit transitivem Verb bestehend aus Subjekt, Prädikat und direktem Objekt hat als Äquivalent einen Passivsatz bestehend aus Subjekt, Prädikat und Präpositionalobjekt mit **von** oder **durch**. Aktivsatz und Passivsatz enthalten also dieselben Aktanten,

(3) a. Aktiv: $subj_1$ präd $dirobj_2$ **Karl verteilt die Beute**
    b. Passiv: $subj_2$ präd $probj_1$ **Die Beute wird von Karl verteilt**

aber die Aktanten werden auf unterschiedliche syntaktische Rollen verteilt. Was im Aktivsatz als Subjekt erscheint, wird im Passivsatz zum Präpositionalobjekt, und das direkte Objekt des Aktivsatzes erscheint als Subjekt des Passivsatzes. Die Verteilung der Aktanten haben wir in 3 durch Indizes angedeutet. Das Verhältnis von Aktiv- und Passivsatz kann man also begreifen als die unterschiedliche Enkodierung derselben Bedeutung. Gleiche semantische Rollen entsprechen unterschiedlichen syntaktischen Formen oder *Diathesen*.

Das Verhältnis von Aktivdiathese und Passivdiathese kann für das Deutsche allgemein so gekennzeichnet werden:

(4) a. der aktivischen Verbform entspricht die passivische Verbform
    b. dem Subjekt des Aktivsatzes entspricht ein fakultatives Präpositionalobjekt mit **von/durch** + Dat/Akk im Passivsatz, dem direkten Objekt des Aktivsatzes entspricht das Subjekt des Passivsatzes
    c. allen anderen Ergänzungen im Aktivsatz entsprechen Ergänzungen gleicher Form im Passivsatz
    d. bis auf das Subjekt gemäß 4b ändert sich an der Obligatorik/Fakultativität von Ergänzungen zwischen Aktiv und Passiv nichts

4b gilt allgemein und insbesondere unabhängig von der Form, die Subjekt und direktes Objekt im Aktivsatz haben. Wir demonstrieren das anhand von 5 mit einem **daß**-Satz als Subjekt und von 6 mit einem **daß**-Satz als Objekt.

(5) a. **Daß du rauchst, stört ihn**
    b. **Er wird dadurch gestört, daß du rauchst**

(6) a. **Die Regierung kündigt an, daß die Mehrwertsteuer steigt**

    b. **Daß die Mehrwertsteuer steigt, wird von der Regierung angekündigt**

Die Gültigkeit von 4c demonstriert 7 für Sätze mit nominalem Objekt und 8 für Sätze mit Präpositionalobjekt (**Aufgabe 27**).

(7) a. **Karl hilft uns – uns wird von Karl geholfen**

    b. **Die Nation gedenkt seiner – Seiner wird von der Nation gedacht**

(8) a. **Wir haben lange über dich geredet – Über dich ist lange von uns geredet worden**

    b. **Alle warten auf den Aufschwung – Auf den Aufschwung wird von allen gewartet**

Ein Sonderfall oder gar eine Abweichung von 4 scheint auf den ersten Blick bei einigen Verben mit doppeltem Akkusativ vorzuliegen (**nennen, schimpfen, rufen, heißen** (9)), sowie bei Verben mit **als-** und **wie**-Ergänzungen (10). Denn in diesen Fällen wird nicht *ein* akkusativisches Nominal des Aktivs zum Nominativ des Pas-

(9) **Sie nannte ihn den größten Angeber der ganzen Bundesliga – Er wurde von ihr der größte Angeber aus der ganzen Bundesliga genannt**

(10) a. **Wir sehen deinen Vorschlag als möglichen Kompromiß an – Dein Vorschlag wird von uns als möglicher Kompromiß angesehen**

    b. **Sie behandelt ihn wie einen dummen Jungen – Er wird von ihr wie ein dummer Junge behandelt**

sivs, sondern zwei. Es wäre verfehlt, 4 aufgrund von Beispielen dieser Art zu ändern und etwa eine Sonderregel für **als** und **wie** anzunehmen. 9 und 10 erfaßt man richtiger mit Hilfe des Begriffs Koordination. Der Akkusativ **einen dummen Jungen** in 10b etwa ist gefordert, weil beide Objektkasus übereinstimmen müssen. Die Übereinstimmung im Kasus muß auch im Passivsatz gewahrt bleiben, deshalb erscheinen beide Nominale im Nominativ. Die strukturellen Verhältnisse werden verwischt, wenn man lediglich feststellt, daß beide Akkusative zu Nominativen werden, sozusagen unabhängig voneinander. Entscheidend ist vielmehr, daß beide im Kasus übereinstimmen.

4 zeigt, daß die in Kap. 3.2 entwickelte Charakterisierung der Verbvalenz systematisch unvollständig ist. Als die Valenz eines Verbs wurden bisher die möglichen Kombinationen von Ergänzungen angesehen, die auftreten, wenn das Verb im Aktiv steht. Steht das Verb im Passiv, so hat es eine Valenz, die sich aufgrund von Regularitäten wie 4b und 4c aus der Valenz im Aktiv ableiten läßt. Umgekehrt läßt sich auch aus der Valenz im Passiv die Valenz im Aktiv herleiten. Man weiß nämlich, daß eine **von**-Ergänzung dem Nom, ein Nom dem Akk entspricht und daß die anderen Ergänzungen ihre Form behalten.

(11) a. **Der Hase wird von allen gejagt – Alle jagen den Hasen**
    b. NOM/VODAT – NOM/AKK

(12) a. **Dem Meier wird von keinem vertraut – Keiner vertraut dem Meier**
    b. DAT/VODAT – NOM/DAT
    c. *Der Meier wird von keinem vertraut – ?
    d. NOM/VODAT – ?

(13) a. **An die UNO wird von vielen appelliert – Viele appellieren an die UNO**
    b. ANAKK/VODAT – NOM/ANAKK
    c. *Die UNO wird von vielen appelliert – ?
    d. NOM/VODAT – ?

Die Valenz des Verbs im Aktiv ist aus dem Passivsatz nur deshalb rekonstruierbar, weil alle Ergänzungen bis auf den Nom und den Akk ihre Form behalten. Würde auch das Dativobjekt zum Nominativ werden wie in 12c oder das Präpositionalobjekt wie in 13c, so wäre kein Unterschied mehr zum Passivsatz mit transitivem Verb (11a) vorhanden, und die Valenz des Verbs im Aktiv ließe sich aus dem Passivsatz nicht mehr rekonstruieren. Die Eigenart des Passivs im Deutschen, nur das Subjekt und das direkte Objekt des Aktivs formal zu verändern, garantiert die Eineindeutigkeit der Formbeziehung zwischen den Genera verbi und ist von daher strukturell motiviert.

Die Eineindeutigkeit der Formbeziehung bei gleichzeitiger Bedeutungskonstanz hat Aktiv und Passiv seit jeher zu einem der bevorzugten Demonstrationsobjekte für die Sinnhaftigkeit des transformationellen Denkens gemacht. Man habe es, so wird argumentiert, hier mit Sätzen zu tun, die sich ›nur‹ syntaktisch voneinander unterscheiden, die aber in einem tieferen Sinne identisch seien. Solche Sätze müsse man daher in der Grammatik formal aufeinander beziehen. Meist wird der Passivsatz aus dem Aktivsatz abgeleitet mit Hilfe der ›Passivtransformation‹ (Bierwisch 1963: 90 ff.; Huber/Kummer 1974: 221 ff.; Bartsch u. a. 1977: 161 ff.; **Aufgabe 28**). Leitet man den Passivsatz aus dem Aktivsatz ab, so gilt der Aktivsatz als primär oder grundlegend, der Passivsatz als sekundär. Das Verhältnis von Aktiv und Passiv wird fast immer so gesehen. Nur sehr selten ist der Vorschlag gemacht worden, das Passiv als primär anzusehen (für das Englische z.B. Emonds 1980: 72 ff.). Der transformationelle Ansatz *muß* immer einen der Satztypen als primär dem anderen gegenüber ansehen, eben weil er mit dem Begriff der syntaktischen Ableitung operiert. Und es muß dann auch erklärt werden, was genau es heißt, daß ein Satztyp primär ist. Ausdrücke wie primär/sekundär sind ja für sich nicht verständlich.

Aus dem Valenzverhalten der Verben im Passiv ergibt sich, daß viele passivische Sätze kein grammatisches Subjekt haben, nämlich alle die Sätze, deren Verb nicht transitiv ist. Nur bei den transitiven Verben wird ja das direkte Objekt des Aktivs zum Subjekt im Passiv.

Diese Aussage über die Subjektlosigkeit muß in einem Punkt eingeschränkt werden. Passivsätze mit intransitiven Verben müssen zwar niemals ein grammatisches Subjekt nehmen, aber sie können immer das ›unpersönliche‹ Personalpronomen **es** als Subjekt haben:

(14) a. **Dem Meier wird von keinem vertraut**
    b. **Es wird dem Meier von keinem vertraut**

(15) a. **Der Toten wird an diesem Tag besonders gedacht**
    b. **Es wird der Toten an diesem Tag besonders gedacht**

(16) a. **An die UNO wird von vielen appelliert**
    b. **Es wird von vielen an die UNO appelliert**

In Kap. 8.1 wird gezeigt, daß **es** immer dann als Subjekt auftritt, wenn kein anderes grammatisches Subjekt da ist wie in **Es hagelt** oder **Es wird mir schlecht.** Diese Regularität gilt auch für das Passiv und führt zu Sätzen wie 14b–16b, dem sogenannten *unpersönlichen Passiv.* Wir folgen dem üblichen Sprachgebrauch und sprechen vom unpersönlichen Passiv genau dann, wenn das unpersönliche **es** als Subjekt auftaucht, unabhängig davon, welche anderen Mitspieler im Satz vorkommen. Auch in 16b liegt ein unpersönliches Passiv vor, obwohl der Satz eine Agens-Konstituente enthält (Erben 1980: 84f.; Helbig/Buscha 1975: 147).

Aus der Regularität über das Verhalten von **es** folgt, daß das unpersönliche Passiv für alle intransitiven Verben gebildet werden kann, die überhaupt ein Passiv bilden. Egal, wieviel Stellen die Verben haben, egal, ob sie das Pf Akt mit **haben** (17a) oder

(17) a. **es wird gekämpft, gesündigt, verschlafen, gewartet,**
      maßgenommen
    b. **es wird gegangen, gelaufen, gestorben, geplatzt, gefallen**

mit **sein** (17b) bilden, das unpersönliche Passiv gibt es immer. Bei den Verben mit **sein**-Perfekt ist es häufig sogar die einzige Form, in der das Passiv existiert (s. u.). Natürlich kann das unpersönliche Passiv mit **es** als einziger Ergänzung nicht gebildet werden, wenn eine weitere Ergänzung, wie in 18 das Dativ-Objekt, obligatorisch ist.

(18) a. **Karl nützt/schadet dem Egon**
    b. **Dem Egon wird vom Karl genützt/geschadet**
    c. ***Es wird (vom Karl) genützt/geschadet**

Aufschlußreich ist das Verhalten der transitiven Verben. Unpersönliches **es** kann dort auftreten, wo ein anderes grammatisches Subjekt obligatorisch ist. Das ist genau bei den transitiven Verben der Fall, die im Aktiv ein obligatorisches direktes Objekt haben wie in 19 und 20. Ist das Objekt nicht obligatorisch wie bei **kehren** in 21, so ist das unpersönliche Passiv möglich. Das Bemerkenswerte ist, daß ein Satz wie 19d in der Bedeutung des unpersönlichen Passiv ungrammatisch ist, obwohl Anforderungen an die Verbvalenz rein formal genügt ist. Aber auch im Aktiv kann ja

(19) a. **Hans sieht das Endspiel**
    b. ***Hans sieht**
    c. **Das Endspiel wird gesehen**
    d. ***Es wird gesehen**

(20) a. Karl sagte mir, daß Franz kommen soll
    b. *Karl sagte
    c. Daß Franz kommen soll, wurde mir gesagt
    d. *Es wurde mir gesagt

(21) a. Hans kehrt den Flur
    b. Hans kehrt
    c. Der Flur wird gekehrt
    d. Es wird gekehrt

nicht jedes Verb mit unpersönlichem **es** gebraucht werden (vgl. **Es blüht** vs. ***Es tanzt**).

Nicht verwechselt werden darf das unpersönliche Passiv mit Sätzen wie **Es wird niemand bevorzugt** oder **Es werden noch Meldungen entgegengenommen.** In diesen Sätzen ist jeweils ein ›echtes‹ grammatisches Subjekt vorhanden **(niemand** bzw. **Meldungen),** das durch das Pronomen **es** vorweggenommen (kataphorisiert) wird. **Es** ist hier nicht allein das grammatische Subjekt (Näheres 5.4.2).

Als passivisch haben wir bisher Sätze gelten lassen, die eine passivische Verbform enthalten, eine Verbform also, die gemäß 1 mit dem Hilfsverb **werden** gebildet ist. Diese enge Fassung des Passivbegriffes rechtfertigt sich systematisch aus dem Platz, den ›Passiv‹ im System der grammatischen Kategorien hat. Aktiv und Passiv sind Einheitenkategorien des Verbs. Nimmt man diese Aussage ernst, dann muß umgekehrt jeder passivische Satz eine passivische Verbform enthalten. Eine andere Quelle für seinen Charakter als ›passivisch‹ kann es nicht geben.

Nun wird aber der Passivbegriff fast nirgends so eng gefaßt. Das **werden**-Passiv gilt vielmehr als eine von vielen Passivformen wie den folgenden.

(22) a. **Die Suppe ist ungenießbar**
    b. **Karls Abneigung ist erklärlich**
    c. **Ein derartiger Schritt ist nicht ratsam**

(23) a. **Der Antrag ist von uns gestellt**
    b. **Vera bekommt von dir geholfen**
    c. **Karl kriegt von seiner Tante gedroht**
    d. **Dieses Haus gehört abgerissen**
    e. **Paul erhält eine geklebt**

(24) a. **Diese Entscheidung ist zu akzeptieren**
    b. **Die Niederlage ist vom Trainer zu verantworten**
    c. **Der Erfolg deiner Mühe bleibt abzuwarten**

Die Bedeutung der Sätze in 22 ist irgendwie passivisch, ihre Form hat aber nichts mit dem Passiv zu tun. Sie sind Kopulasätze, deren ›passivische‹ Bedeutung dem Derivationstyp des Prädikatsnomens geschuldet ist, nicht aber einer Flexionsform.

Die Beispiele in 23 kommen dem Passiv formal näher. Sie enthalten wie das **werden**-Passiv eine finite Verbform und das Partizip Perfekt eines Vollverbs. Will man den grammatischen Passivbegriff beibehalten, so muß man die finiten Verbformen als Formen von Hilfsverben analog zu den Formen von **werden** ansehen. Die Konsequenz wäre, daß etwa zum Paradigma von **helfen** nicht nur die passivische Form **wird geholfen** gehört, sondern auch die Formen **bekommt geholfen, kriegt geholfen** und **gehört geholfen**. Ein solcher erweiterter Passivbegriff würde also Rückwirkungen haben auf den Begriff des Hilfsverbs und auf den Aufbau des Vollverbparadigmas. Man hätte wesentlich mehr Formen zum Vollverbparadigma zu zählen. Zumindest für **kriegen** und **bekommen** scheint diese Konsequenz unausweichlich und mit einem strengen Passivbegriff vereinbar (**Aufgabe 29**), und sie ist auch in ihren grammatischen Einzelheiten durchdacht worden (Reis 1976; Höhle 1978: 86 ff.; kritisch dazu Haider 1984). Sehr viel häufiger wird aber in der Literatur ein erweiterter Passivbegriff gefordert, ohne daß der Ort fixiert würde, den die Kategorie ›Passiv‹ im Kategoriensystem dann hat (Kolb 1966; Duden 1973; 95 f.; Pape-Müller 1980: 29 ff.).

Einem Passivbegriff im Sinne einer Flexionskategorie sind auch die Formen in 24 zugänglich (Höhle 1978: 46 ff.). Diese Konstruktion wird meist *modaler Infinitiv* genannt, weil die Bedeutung der Sätze ein modales Element enthält (Gelhaus 1977). 24a kann gelesen werden als »Es ist möglich, diese Entscheidung zu akzeptieren« und als »Es ist notwendig, diese Entscheidung zu akzeptieren«. In gleicher Weise sind viele Sätze mit **sein** und **zu**-Infinitiv doppeldeutig. Vereindeutigung ist etwa möglich durch eine **von**-Phrase (24b). Sie führt meist zur Lesung »Es ist notwendig . . .«

Der modale Infinitiv mit **sein** kann von so gut wie allen Verben gebildet werden, die passivfähig im Sinne des **werden**-Passiv sind. Der modale Infinitiv mit **bleiben** ist beschränkter. Von den bisher besprochenen Passivtypen würde der modale sich dadurch unterscheiden, daß als infinite Verbform nicht ein Partizip, sondern ein Infinitv auftaucht. Die Formen von **sein** und **bleiben** wären selbstverständlich als Formen von Hilfsverben und nicht der entsprechenden Kopulaverben anzusehen.

Das Diathesenverhältnis ist für das **sein/bleiben**-Passiv im wesentlichen dasselbe wie beim **werden**-Passiv (statt der **von**-tritt teilweise eine **für**-Phrase auf wie in **Das ist für mich nicht zu verstehen**). Dies und die Regelmäßigkeit der Formbildung sind die stärksten Argumente dafür, hier von einem Passiv zu sprechen.

Unzweifelhaft passivisch sind bestimmte Formen mit **sein** und Part Pf (23a). Ein Satz wie **Das Fenster ist gestrichen** wird als *Zustandspassiv* gekennzeichnet und dem **werden**-Passiv **Das Fenster wird gestrichen** gegenübergestellt, das man *Vorgangspassiv* nennt. Prima facie ist das Zustandspassiv ganz analog dem Vorgangspassiv aufgebaut. Darüberhinaus existiert es in der Regel für die Verben, von denen es auch ein Vorgangspassiv gibt. Dennoch ist es nicht gerechtfertigt, das Zustandspassiv generell auf das Vorgangspassiv zu beziehen oder gar von ihm ›abzuleiten‹.

Der Zusammenhang zwischen beiden Formen des Passivs ist über das Perfekt des Vorgangspassivs vermittelt. Der perfektive Aspekt dieses Tempus besagt, daß der vom Verb bezeichnete Vorgang abgeschlossen ist. Das bedeutet für die meisten Verben, daß ein Zustand eingetreten ist, in dem sich das vom Subjekt bezeichnete Objekt befindet. Deshalb kann zum Beispiel aus dem Perfekt **Das Fenster ist gestri-**

(25) a. *Er ist gerochen / gefühlt / gesehen / gehört
     b. *Es ist gelobt / gefunden / verehrt / gezeigt

chen worden gefolgert werden, daß das Fenster gestrichen *ist*. Formaler Ausdruck dieser Tatsache ist die Weglaßbarkeit von **worden**, die zu einer verkürzten Perfektversion des **werden-Passivs führt**. **Die Weglaßbarkeit** von **worden** ist logischerweise ausgeschlossen, wenn das Verb Vorgänge bezeichnet, die das Subjekt nicht in einen neuen Zustand versetzen, die es nicht affizieren. Das gilt etwa für die verba sentiendi (Verben der Sinneswahrnehmung) in 25a und eine Reihe anderer an sich passivfähiger Verben wie die in 25b. Hier ist aus semantischen Gründen nur das Perfekt mit **worden** möglich, und es gibt auch kein Zustandspassiv.

Das Zustandspassiv ist formal und semantisch eng auf das Vorgangspassiv bezogen. Seine Selbständigkeit zeigt sich aber daran, daß es manchmal eine gänzlich andere Bedeutung hat als das Vorgangspassiv (26) und daß es Fälle gibt, wo ein Zustandspassiv, nicht aber ein Vorgangspassiv möglich ist wie in 27 (nach Höhle 1978: 42; s.a. Brinker 1971: 116). Das Zustandspassiv wird daher mit Recht sowohl

(26) a. **Ihr seid herzlich zu unserem Fest eingeladen (worden)**
     b. **Mit 10 Mark wären die Plätze sehr teuer bezahlt (worden)**

(27) a. **Im Augenblick ist die Straße von Schneemassen blockiert (worden)**
     b. **Im Moment ist Karl entlassen (worden)**

als eine Form des Passivs als auch als tendenziell vom Vorgangspassiv unabhängige Konstruktion angesehen. Ausdrücke wie **ist gestrichen; ist geteilt; ist blockiert** sind als passivische Verbformen anzusehen, die ebenso wie **wird gestrichen; wird geteilt** und **wird blockiert** ins Paradigma der entsprechenden Vollverben gehören.

Das Zustandspassiv kann als Konstruktion verstanden werden, die den Übergang zwischen dem Perfekt des Vorgangspassiv und den Kopulasätzen mit adjektivischem Prädikatsnomen markiert. Ebenso wie die Abgrenzung vom ›verkürzten Perfekt‹ des Vorgangspassivs teilweise willkürlich ist, so gibt es auch fließende Übergänge zum Kopulasatz. Ein Kopulasatz liegt jedenfalls dann vor, wenn das Perfekt mit **geworden** gebildet werden muß. Deshalb haben wir es in 28 bereits mit Adjektiven und nicht mit dem Zustandspassiv zu tun. **Begabt** und **behindert** in 28 b sind als echte Grenzfälle anzusehen, die einerseits als Adjektive stehen, andererseits aber nicht in Kopulasätzen mit dem Verb **werden** auftreten können (Helbig/Buscha 1975: 148 ff.; **Aufgabe 30**).

Warum gibt es neben dem Aktiv ein Passiv? Längst nicht alle Verben bilden ein Passiv, aber im Verhältnis zur Gesamtzahl der Verben ist der Anteil derer ohne Passiv relativ gering. Wenn es gelingt, gemeinsame Merkmale der nicht passivfähigen Verben herauszufinden, kann man möglicherweise Rückschlüsse darauf ziehen, warum es ein Passiv gibt.

Bei der semantischen Beschreibung der Passivfähigkeit wird meist darauf abgehoben, ob ein Verb »ein persönlich tätiges Agens« oder ob es »einen Zustand kennzeichnen« könne (Grundzüge: 550 f.). Solche semantischen Eigenschaften von Verben schlagen sich, wie wir wissen, in ihrer Valenz nieder. Man kommt zu einer übersichtlichen Darstellung der nicht passivfähigen Verben, wenn man sie nach Valenzkriterien ordnet.

1. Einstellige Verben. Sie sind generell in der Passivfähigkeit eingeschränkt,

wenn sie das Pf Akt mit **sein** bilden. In der Regel wird nur ein unpersönliches Passiv gebildet. Ausdrücke wie **Es wird gegangen/verreist/eingeschlafen** sind agenslos. Die entsprechenden Aktivsätze haben immer das semantisch nicht-leere Subjekt, es sei denn, das Subjekt ist **man**.

Von den Verben mit **haben**-Perfekt sind gänzlich passivlos die Wetterverben, deren einziges mögliches Subjekt es ist. Sätze wie **Es regnet/hagelt/schneit** brauchen kein Passiv, denn sie sind bereits agenslos. Ganz ähnlich läßt sich die Passivlosigkeit der Verben in 29 verstehen. Hier ist das unpersönliche Subjekt nicht zwin-

(28) a. **Das ist ihm vertraut/bekannt/unerwünscht geworden (*worden)**
b. **Karl ist begabt/behindert *geworden (*worden)**

(29) a. **Das Matterhorn blüht/grünt/dampft/riecht/stinkt**
b. **Es blüht/grünt/dampft/riecht/stinkt**

gend, aber es ist möglich. Man braucht also kein unpersönliches Passiv, um einen agenslosen Satz zu erhalten. Einstellige Verben, die das unpersönliche **es** als Subjekt im Aktiv nicht zulassen, bilden in der Regel ein unpersönliches Passiv.

Es erscheint gerechtfertigt, das Passiv bei den einstelligen Verben als Mittel zur Realisierung agensloser Ausdrücke anzusehen. Diese semantische Funktion läßt sich strukturell über das Vorkommen von **es** als Subjekt fixieren.

2. Zweistellige Verben. Nicht passivfähig sind zweistellige Verben, die Mengenrelationen bezeichnen und sich typischerweise mit Maßangaben verbinden wie in **Das Fahrrad wiegt 26 Kilo**. Der Begriff Maßangabe kann syntaktisch expliziert werden.

(30) **kosten, wiegen, gelten, enthalten, fassen**

Ein Passiv fehlt auch bei den Verben, deren einzige ›agensfähige‹ Konstituente schon im Aktiv als Objekt erscheint. Dazu gehören als eine strukturell ausgezeichnete Teilklasse die Verben, die ganz ohne grammatisches Subjekt stehen können (**Ihn friert** usw., 31b). Passivlos sind weiter solche Verben, bei denen schon im Aktiv

(31) a. **gehören, schmerzen, wundern, bedrücken, bekümmern**
b. **frieren, grauen, dürsten, hungern, ekeln, schaudern, schwindeln**

trotz Belebtheit des Subjekts Agenslosigkeit vorliegt. Diese Verben haben spezielle syntaktische Eigenschaften und gehören zu denen, die manchmal selber als passivbildend (als ›Hilfsverben‹, s. o.) angesehen werden.

(32) **bekommen, kriegen, erhalten**

Ebenfalls strukturell faßbar ist die Gruppe der symmetrischen Verben wie **ähneln, gleichen, grenzen an**. Ihre Passivlosigkeit scheint nichts mit dem Agens zu tun zu haben, sondern beruht darauf, daß bei diesen Verben die ›Aktantenvertauschung‹ auch in Aktiv möglich ist:

(33) a. **Egon gerät mit Paul aneinander**
    b. **Paul gerät mit Egon aneinander**

Kein Passiv hat schließlich **haben**, auch wenn es in der Bedeutung von »besitzen« verwendet wird.

Die Aufstellung läßt auch bezüglich der zweistelligen Verben den Schluß zu, daß die Agenslosigkeit für die Existenz des Passiv eine besondere Rolle spielt. Es entspricht offenbar einem kommunikativen Bedarf, eine Konstruktion verfügbar zu haben, in der das Agens oder – allgemeiner und grammatisch korrekter – der Aktant des Subjekts im Aktiv fehlen kann. Die **von**-Phrase im Passiv ist ja immer fakultativ. Statistische Untersuchungen haben ergeben, daß der größte Teil der passivischen Sätze die **von**-Phrase nicht enthält (Brinker 1971: 41; Schoenthal 1976: 124). Der tatsächliche Passivgebrauch unterstützt also die These, daß Agenslosigkeit funktional konstitutiv für das Passiv ist. Man kann diesen Gesichtspunkt verallgemeinern: das Passiv ist hinsichtlich der Aktantenwahl generell flexibler als das Aktiv. Ein typisches transitives Verb wie **verlieren** kann im Aktiv mit zwei oder mit einer

(34) a. **Die Bayern verlieren das Endspiel**
    b. **Die Bayern verlieren**

(35) a. **Das Endspiel wird von den Bayern verloren**
    b. **Das Endspiel wird verloren**
    c. **Von den Bayern wird verloren**
    d. **Es wird verloren**

besetzten Stelle auftreten (34). Im Passiv kann jede Stelle für sich realisiert sein, und wegen des unpersönlichen Passivs ist auch der Satz ganz ohne Aktant realisierbar. Das ›typisch zweistellige‹ Verb kann mit allen theoretisch möglichen Aktantenkombinationen verwendet werden!

Der kommunikative Bedarf für eine agenslose Konstruktion ist gedeutet worden als die Notwendigkeit, Handlungen als Ereignisse darzustellen. Pape-Müller (1980: 59 ff.) argumentiert folgendermaßen. Den größten Anteil an den Vollverben haben die Handlungsverben. Handlungsverben dienen zur Darstellung von Ereignissen, wobei zum Ereignis immer auch der Verursacher genannt wird, normalerweise im Subjekt. Eine Handlung ist ein Ereignis, das von einem Menschen verursacht wird. Daß die meisten Verben Handlungsverben sind, liegt an der ›anthropozentrischen Sichtweise‹, die in unserer Sprache steckt. Worüber der Mensch redet, ist vornehmlich etwas, das auf ihn selbst als ›Verursacher‹ bezogen ist. Die Niederlage im Endspiel ist ein Ereignis, das als Handlung beschrieben wird, wenn die Bayern als Verursacher des Ereignisses genannt werden. Das Passiv ist notwendig, eben weil einerseits die meisten Verben Handlungsverben sind, andererseits aber der Verursacher des mitgeteilten Ereignisses oft nicht bekannt ist oder aus anderen Gründen nicht genannt werden soll. Diese Sicht gibt auch einen der Gründe ab für die Kennzeichnung des Passiv als ›täterabgewandt‹ (Weisgerber 1963) oder ›nicht täterbezogen‹ (Grundzüge: 541 f.; **Aufgabe 31**).

So wichtig die Flexibilität des Passivs in Hinsicht auf die Aktantenwahl und insbesondere die Weglaßbarkeit des Agens ist, so wenig ist damit seine Funktion hinreichend gekennzeichnet. Denn erstens kann das Agens auch im Passiv auftreten. Wird das Passiv mit Agens verwendet, muß es andere Gründe für die Passivwahl geben. Und zweitens kann die Leistung des Passivs in vielen Fällen auch mit anderen Mitteln erreicht werden. Das Weglassen des Agens wird von Erben (1980: 81 ff.) als ein Prozeß der ›Intransitivierung‹ eines transitiven Verbs verstanden. Intransiviert werden kann auf vielfältige Weise, etwa durch Bildung einer intransitiven Variante eines transitiven Verbs. So haben wir neben dem transitiven **Karl wendet den Wagen** die ›intransitiven‹ Muster **Der Wagen wird gewendet** und **Der Wagen wendet**.

In den Grundzügen (542) heißt es, im Passiv werde »angezeigt, daß das Geschehen ausdrücklich als nicht agensbezogen gelten soll ... sofern ein Täter überhaupt – beiläufig – genannt wird, geschieht das durch eine präpositionale Wortgruppe.« Hier wird festgestellt, daß es neben dem semantischen Unterschied zwischen den Ergänzungen des Verbs noch Unterschiede auf einer anderen Ebene gibt. Die Nennung eines Aktanten im Subjekt macht ihn wichtig, die Nennung in der **von**-Phrase ist ›beiläufig‹.

Die Unterscheidung wichtiger und unwichtiger, hervorgehobener und beiläufig genannter Satzglieder ist richtig, falsch ist es jedoch, das Subjekt als wichtig und die **von**-Phrase als unwichtig anzusehen. Die Verhältnisse liegen gerade umgekehrt.

Der Gedanke einer Funktionalität von Satzgliedern, die neben ihrer im engeren Sinn semantischen Funktion besteht und sich erst auf der Ebene des Textes erschließt, ist besonders von der Prager Linguistengruppe um Eduard Beneš (bekannt als Prager Funktionalisten) in der Theorie der funktionalen Satzperspektive ausgearbeitet worden (Beneš 1967; Firbas 1964; Sgall 1972).

Ein Text ist nicht einfach eine Aneinanderreihung von Sätzen, vielmehr gibt es in jedem Satz Ausdrücke, die an bereits Genanntes oder Bekanntes anknüpfen und sich darauf zurückbeziehen. Solche Bezüge zwischen Sätzen machen einen Text inhaltlich und formal kohärent. Im einfachen Fall wird etwas schon Genanntes wieder aufgenommen und mit neuer Information versehen, inhaltlich weiterentwickelt. Im zweiten Satz von 36a stellt das Subjekt **der Kanzler** die Verbindung zum

(36) a. **Der Präsident schlägt den Kanzler vor. Der Kanzler benennt die Minister**

b. **Der Präsident schlägt den Kanzler vor. Der Kanzler wird vom Parlament gewählt**

c. **Der Präsident schlägt den Kanzler vor. Den Kanzler wählt das Parlament**

d. **Der Präsident schlägt den Kanzler vor. Benannt werden die Minister vom Kanzler**

vorausgehenden Satz her. Es ist der bekannte, vorerwähnte Satzteil und wird das *Thema* des Satzes genannt. Der Rest des Satzes ist sein *Rhema*. Das Rhema enthält die neue Information über das Thema, das, was über das Thema ausgesagt werden soll (traditionell ›Satzaussage‹). In Theorien angelsächsischer Provenienz wird statt von Thema/Rhema häufig (und mit etwas anderer Bedeutung) von Topik und Kommentar gesprochen. Die Thema-Rhema-Struktur ist als eine nur textlinguistisch erfaßbare Gliederung auf der pragmatischen Ebene anzusehen.

Was das Thema eines Satzes ist, geht inhaltlich meist aus dem Textzusammenhang hervor. Daneben gibt es satzgrammatische Mittel zur Signalisierung von Thema und Rhema. Ein kohärenter Text entsteht erst, wenn das, was satzgrammatisch als Thema/Rhema gekennzeichnet ist, verträglich ist mit dem, was textuell als Thema/Rhema erwartet wird. Ein Beispiel für eine inkohärente Satzfolge ist in 36d gegeben. Obwohl der zweite Satz dasselbe besagt wie in 36a, ist er schwer oder gar nicht als Folgesatz zum ersten zu verstehen, weil er eine dem Zusammenhang nicht angemessene Thema-Rhema-Struktur hat.

Von den satzgrammatischen Mitteln zur Kennzeichnung von Thema und Rhema sind in unserem Zusammenhang zwei besonders wichtig. Im Deutschen ist das Thema meistens der Ausdruck der (1) das Subjekt ist und (2) am Satzanfang steht. Es ist umstritten, ob beide Bedingungen unabhängig voneinander gelten oder ob das Subjekt meist thematisch ist, weil es am Satzanfang steht (Eroms 1975; Reis 1982: 175f.; 8.3).

In den Folgesätzen der Beispiele in 36 ist jeweils das erste Satzglied Thema, in 36b das Subjekt des Passivsatzes und in 36c das Objekt des Aktivsatzes. Der Passivsatz erlaubt es also, denselben Aktanten zu thematisieren wie der Aktivsatz mit vorangestelltem Objekt. Dennoch sind beide Sätze hinsichtlich dieser Funktion nicht gleich. Der passivische Satz weist die unmarkierte Reihenfolge der Satzglieder auf (Subjekt am Anfang) und wirkt deshalb ›natürlicher‹ und ›zwangloser‹. Er hat außerdem die Wirkung, daß mit der Thematisierung des einen Satzgliedes das andere in besonderer Weise rhematisiert wird. Die **von**-Phrase ist in 36b wichtigster Teil des Rhema, in 36c ist es eher das Prädikat **wählt**. Indikator dafür ist der unterschiedliche Satzakzent in beiden Fällen (dazu Pape-Muller 1980: 135ff.). Das Passiv hat also die Funktion, den im Aktiv unmarkiert endokierten und meist als Thema erscheinenden Aktanten, das Agens, zu rhematisieren und ihm ein besonderes Gewicht zu verleihen. Das Passiv ist daher nicht nur ›täterabgewandt‹ im Sinne von agenslos, sondern es ist, wenn die **von**-Phrase vorhanden ist, in besonderer Weise ›täterzugewandt‹. Es rückt das Agens in die Position des gewichtigen Satzgliedes (Bátori 1981: 121f.).

Damit ist ein neues Licht auf die Funktion des Agens im Passiv geworfen. Ist kein Agens vorhanden, so wird es, wie wir gesehen haben, entweder mit Fleiß verschwiegen oder es ist kontextuell derart präsent, daß es nicht genannt zu werden braucht. Ist das Agens vorhanden, so ist es besonders betont. Insgesamt kann das Passiv gesehen werden als strukturelle Fixierung des komplizierten Verhältnisses zwischen Ereignissen und ihrer Ursache (ihrem Verursacher). Das Aktiv mit seiner einfachen ›Agens-Ereignis-Struktur‹ wird dem nicht gerecht. Es wird sinnvoll komplementiert vom Passiv mit seinen Möglichkeiten, vom Agens ganz abzusehen oder aber es explizit oder implizit besonders hervorzuheben. Die Kategoriennamen ›Aktiv‹ und ›Passiv‹ sind irreführend insofern, als sie nur anzeigen, was die semantische Funktion des grammatischen Subjekts in beiden Diathesen ist. In Wahrheit kommt das Agens im Passiv stärker zur Geltung als im Aktiv (**Aufgabe 32**).

5. Substantiv, Artikel, Pronomen

Kapitel 5 behandelt die Kategorisierung aller einfachen Nominalausdrücke mit Ausnahme der Adjektive. Die Deklination des Adjektivs wird beim Attribut (7.2) besprochen.

5.1 Die Flexion des Substantivs

Im Vergleich zum Verbparadigma ist das Substantivparadigma geradezu simpel strukturiert. Ist es vollständig, so enthält es acht Formen, je vier für die vier Kasus im Singular und im Plural. Die Kasuskategorien Nom, Gen, Dat, Akk sind für das Substantiv Einheitenkategorien, ebenso die Numeruskategorien Sg und Pl: jede substantivische Einheit wird mit Kategorienpaaren wie Nom Sg, Akk Pl usw. beschrieben. Dabei ist die Funktion der beiden Kategorien ganz verschieden. Während der Kasus die syntaktische Funktion anzeigt, wird der Numerus nach der Bedeutung gewählt (**Aufgabe 33**).

Die acht Formen des Substantivparadigmas werden im gegenwärtigen Deutsch nicht mehr vollständig ausdifferenziert. In jedem Paradigma gibt es Synkretismen, und die Tendenz scheint in Richtung auf eine weitere Angleichung der Formen zu gehen. So ist nicht nur das Dativ-**e** (**einem Mann(e), keinem Kind(e)**) obsolet, sondern vielfach wird auch schon auf das Genitiv-**(e)s** verzichtet (**des Paradigma(s), des Atlas(es)**). Die Signalisierung der Kasus wird weniger vom Substantiv allein und mehr vom Nominal aus Artikel + Substantiv (5.2) oder Artikel + Adjektiv + Substantiv (7.2) insgesamt geleistet. Selbst wenn die Substantivflexion weiter an Bedeutung verliert, würde das nicht unbedingt heißen, daß die Kasus aus dem Deutschen verschwinden.

Zur Anzeige von Kasus und Numerus stehen die Endungen **e, n, en, s, es** und **er** sowie Endungslosigkeit und der Umlaut zur Verfügung. Nach der Wahl der Ausdrucksmittel faßt man die Substantive zu Klassen zusammen, die man *Flexionstypen* zuordnet. Abgesehen von bestimmten Mischtypen, Sonderformen und der Deklination vieler Fremdwörter sind das etwa die folgenden (nach Duden 1973).

Typ 1. Maskulina und Neutra, stark

(1) a.

	Sg	Pl
Nom	**Eimer** –	–
Gen	s	–
Dat	–	n
Akk	–	–

b.

	Sg	Pl
Nom	**Kind** –	er
Gen	es	er
Dat	(e)	ern
Akk	–	er

Entsprechend 1 deklinieren die meisten Maskulina und alle Neutra bis auf **Herz**, z. B. **Tisch, Tag, Schuh, Esel, Jäger, Haus, Buch**. Allgemeines Kennzeichen dieses Flexionstyps ist, daß der Gen im Sg auf **s** oder **es** und der Dat im Pl auf **n** gebildet wird. Der Dat Sg kann als Endung ein **e** haben, kann aber auch endungslos sein. Der Nom Sg ist stets endungslos. Der Plural kann die Endungen **e, er** haben und gleichzeitig durch Umlaut angezeigt sein **(Bach – Bäche, Buch – Bücher)**. Endet der Nom Sg auf **el, er**, so ist der Nom Pl endungslos, also formgleich mit dem Nom Sg. Für den Wechsel von **s** und **es** im Gen Sg gibt es eine Reihe von phonotaktischen Regeln, z. B. steht **s** immer nach Vokal **(Schuhs, Schuhes)** und **es** immer nach s-Lauten **(Hauses, *Hauss)**. Auch das Dativ-**e** kann nicht immer stehen **(*Eimere, *Esele, *Knochene)**. Ausgeschlossen ist es nach unbetontem Vokal mit folgendem Nasal ([m]; [n]) oder Liquid ([1]; [r]). Es gibt weitere derartige Regularitäten, für diesen Deklinationstyp wie für alle anderen (Wurzel 1970: 25 ff.). Sie tragen dazu bei, daß das tatsächlich auftretende Inventar sehr viel größer ist, als es durch eine Charakterisierung des Flexionstyps mit »(e)s im Gen Sg und n im Dat Pl« den Anschein haben könnte. Die Vielfalt der Formen und der Bedingungen ihres Auftretens ist einer der Gründe für Auseinandersetzungen darüber, welche Flexionstypen man unterscheiden sollte (s. u.; zur Deklination der Eigennamen **Aufgabe 34**).

Typ 2. Maskulina, schwach

(2) a.

	Sg	Pl
Nom	**Mensch** –	en
Gen	en	en
Dat	(en)	en
Akk	(en)	en

b.

	Sg	Pl
Nom	**Löwe** –	n
Gen	n	n
Dat	(n)	n
Akk	(n)	n

Nach 2a deklinieren eine Reihe von Maskulina, die im Nom Sg konsonantisch auslauten **(Bär, Held, Fürst, Narr, Christ)**, nach 2b solche mit e-Auslaut **(Geselle, Bote, Affe, Hase, Kunde, Erbe)**. Nimmt man die Teilung in Stamm und Endung entsprechend 2 vor, so ist der Nom Sg endungslos. Das **(e)n** im Dat und Akk Sg ist im allgemeinen fakultativ. Der Deklinationstyp 2 wird von vielen Fremdwörtern übernommen **(Philosoph, Katholik, Patriot, Chirurg)**, insbesondere wenn sie enden auf **ant (Demonstrant)**, at (Automat), ent (Präsident), ist (Optimist), nom (Astronom) und loge (Astrologe) (Aufgabe 35).

Typ 3. Maskulina und Neutra, gemischt

(3) a.

	Sg	Pl
Nom	**Staat** –	en
Gen	es	en
Dat	(e)	en
Akk	–	en

b.

	Sg	Pl
Nom	**Ende** –	n
Gen	s	n
Dat	–	n
Akk	–	n

Dieser Mischtyp zwischen starker und schwacher Flexion, der manchmal auch einfach als unregelmäßig bezeichnet wird, erscheint in zwei Ausprägungen. 3a umfaßt Substantive mit unterschiedlichem Auslaut, die jedoch niemals mit unbetontem **e** oder **en** enden (**Bett, Ohr, Strahl, Fleck, See, Pfau, Mast**). 3b umfaßt Substantive mit unbetontem **e** oder **en** im Auslaut, also nur Mehrsilber (**Ende, Buchstabe, Wagen, Knochen, Regen, Leben, Schrecken** sowie die substantivierten Infinitive **das Beben, Laufen**, einschließlich solcher, wo das **e** in der Endung aus phonotaktischen Gründen fehlt wie **das Handeln, Meckern**). Typ 3 wird als Mischtyp bezeichnet, weil er einerseits das **(e)s** im Gen Sg, andererseits **(e)n** als Endung hat.

Erhellend ist ein Vergleich der Typen 3b und 2. Man kann hier verfolgen, wie sich der Übergang vom einen Typ zum anderen vollzieht. Eine ganze Reihe von Substantiven sind gegenwärtig beiden Typen zuzuzählen, etwa **Friede, Funke, Gedanke, Glaube, Harfe, Name, Same, Schade, Wille** (Duden 1984: 236f.). Ihr Flexionsverhalten kann man sich in einem Prozeß der folgenden Art entstanden denken.

Da alle Formen des Typs 2 bis auf den Nom Sg auf **n** enden, findet bei einigen Substantiven eine Übertragung des **n** auch auf den Nom Sg statt, der damit auf **en** ausgeht. Das ist umso leichter möglich, als es sowieso Substantive gibt, die im Nom Sg auf **en** enden, nämlich die unter 3b genannten **Wagen, Regen, Schrecken, Leben**. Es existiert nun neben **Friede, Gedanke** auch **Frieden, Gedanken** als Nom Sg, der Typ 2 hat eine Reihe von Ausnahmen erhalten. Ihre ›Irregularität‹ besteht bezüglich 2 darin, daß sie **en** im Nom Sg haben, bezüglich 3b darin, daß sie kein **s** im Gen Sg haben. Der nächste Schritt im Übergang von 2b zu 3b ist die Hinzufügung des Genitiv-**s**. Rein schematisch ergeben sich dann für den Gen Sg dieser Substantive drei mögliche Formen. (1) der Gen gemäß 2b (**des Frieden, des Gedanken**), (2) der Gen gemäß 3b nach dem Muster von **Ende (des Friedes, des Gedankes)** und (3) schließlich der Gen gemäß 3b nach dem Muster von **Wagen (des Friedens, des Gedankens)**. Alle drei Formen kommen vor, jede hat ihre Logik, und Gebrauchsunsicherheiten sind an der Tagesordnung. Sie zeugen keinesfalls von grammatischem Nichtwissen, sondern eher von einiger Sensibilität für strukturell vorgegebene Alternativen. In einigen Fällen führt die ›Doppelexistenz‹ der Substantive zu Bedeutungsdifferenzierungen. Das kann zur Folge haben, daß sich beide Versionen auch flexionsmäßig stabilisieren, z.B. **Fels – Felsen, Lump – Lumpen, Reif – Reifen, Schreck – Schrecken, Tropf – Tropfen**. Interessant ist weiter, daß der Prozeß der Angleichung des Nom Sg so gut wie ausschließlich bei Substantiven auftritt, die keine Lebewesen bezeichnen (Personen- und Tiernamen). Wir finden also niemals **der Löwen, Boten, Gesellen** als Form des Nom Sg (**Aufgabe 36**).

Typ 4. Feminina

(4) a.

	Sg	Pl
Nom	**Burg** –	**en**
Gen	–	**en**
Dat	–	**en**
Akk	–	**en**

b.

	Sg		Pl
Nom	**Wand** –	**Wänd**	e
Gen	–		e
Dat	–		en
Akk	–		e

Die Feminina weisen im Sg keine Kasusmarkierung auf, im Pl ist höchstens der Dativ markiert (4b). Ingesamt lassen sich bei den Feminina vier Gruppen unterscheiden. (1) Substantive mit **e, el, er** im Sg hängen im Pl ein **n** an (**Jacke, Decke, Schraube, Wiese, Katze, Nadel, Nudel, Feder, Natter**). (2) Die meisten anderen Substantive hängen im Pl ein **en** an wie in 4a (**Zeit, Frau, Welt, Leitung, Tapferkeit, Lehrerin, Wissenschaft**). (3) Eine relativ kleine Teilgruppe bildet den Plural auf **e** mit gleichzeitiger Umlautung des Stammvokals wie 4b (**Hand, Axt, Kuh, Kunst, Not, Maus, Braut**). (4) Es gibt auch den Fall, daß der Pl nur durch den Umlaut angezeigt wird (**Mutter, Tochter**).

Der Deklinationstyp 4 wird insbesondere von solchen Grammatiken, die die Kasus- und Numerusbildung getrennt betrachten, als unveränderlich oder endungslos bezeichnet (Grundzüge 599; Helbig/Buscha 1975: 204). Diese Qualifikation bezieht sich dann allein auf die Kasusbildung. Eine wirkliche Charakterisierung der Feminina gibt sie nur für den Sg ab, denn im Pl findet sich Unveränderlichkeit auch sonst, vgl. Typ 2.

Als besonderes Kennzeichen der Feminina ist insbesondere von August (1979: 224) nicht ihre Unveränderlichkeit hinsichtlich Kasus, sondern die konsequente Markierung des Plural herausgestellt worden. Der Plural muß bei den Feminina am Substantiv markiert werden, weil die Formen des bestimmten Artikels im Sg und Pl bis auf den Dat gleich sind, der Artikel im allgemeinen also Sg und Pl nicht unterscheiden kann. Der Zwang zur Pluralmarkierung dürfte auch die Erklärung dafür sein, warum der Typ 4b so gut wie nur mit Umlaut auftritt: die meisten der morphologisch einfachen Feminina enden im Sg auf e, deshalb ist e in 4b als Pluralmarkierung nicht besonders wirkungsvoll. Der Umlaut tritt hinzu. Auch dort, wo der Plural endungslos ist, wie bei **Mutter, Tochter**, wird er wenigstens durch Umlaut angezeigt.

Was fängt man nun mit einer derartigen Darstellung des Flexionsverhaltens der Substantive an? Sicher ist sie sinnvoll insofern, als sie einen gewissen Überblick gestattet und zeigt, welche Formen überhaupt vorhanden sind. Man kann auch einige Aussagen darüber machen, welche Formen markiert sind. Es fällt auf, daß der Gen Sg ziemlich gut markiert ist, daß der Dat Pl (und mit Einschränkungen der Dat Sg) relativ gut markiert ist, daß die Übereinstimmung zwischen Nom und Akk allgemein groß ist und daß es eine Tendenz zur formalen Unterscheidung von Sg und Pl gibt, wobei der Pl als markierte Kategorie aufwendiger enkodiert ist. Über die Funktionalität solcher Differenzierungen wird man aber sinnvoll nur im Zusammenhang mit der Artikel- und Adjektivflexion reden können.

Jedoch auch unabhängig von der funktionalen Interpretation stellen sich einige Fragen grundsätzlicher Art an eine Darstellung wie die obige. Denn sie gibt eine Ordnung vor, wo vielleicht gar keine oder eine ganz andere ist. Die Substantivflexion des Deutschen gilt seit jeher als ziemlich undurchschaubar, wenn nicht unsystematisch (eine Zitatensammlung dazu in Mugdan 1977: 114). Das fängt an bei der Terminologie, setzt sich fort bei der Einteilung in Flexionsklassen und endet bei der Frage, wo man überhaupt von Regularitäten sprechen kann.

Im Terminologischen geht es vor allem um die Unterscheidung von starker und schwacher Flexion. Viele Grammatiken machen sie mit, auch neuere wie die Grundzüge (der Duden bis 1973). Nicht selten werden die Begriffe aber in Anführungszeichen oder in Klammern gesetzt, weil sie unangemessen, veraltet oder

»wenig hilfreich« (Duden 1973: 186) seien. Die großen Untersuchungen zur Substantivflexion aus den 70er Jahren (Rettig 1972; August 1975; Bettelhäuser 1976; Mugdan 1977) lehnen sie durchweg und teilweise emphatisch ab (Ausnahme: Wurzel 1970). Rettig widmet der Entstehung und Geschichte der Begriffe ein eigenes Teilkapitel seiner Arbeit (1972: 45 ff.). Er zeigt, daß es Jacob Grimm bei Einführung der Begriffe im wesentlichen um die Erfassung diachroner Gegebenheiten ging. Von den zahlreichen Gründen, die Grimm zur Rechtfertigung der Unterscheidung anführt, treffe lediglich ein einziger »zufällig für einen Aspekt des neuhochdeutschen Systems noch zu«. Dieses eine Kriterium ist, daß die schwache Deklination weniger Kasus formal unterscheidet als die starke. Die Begründung vieler Grammatiken, die schwache Deklination sei schwach, weil sie ein n als ›konsonantische Stütze‹ benötige, trifft zumindest nicht Grimms ursprüngliche Intention. Darüber hinaus wird dieses Kriterium aber auch dort, wo es geltend gemacht wird, in der Regel nicht konsequent beachtet.

Es ist also zutreffend, daß man für das gegenwärtige Deutsch weder im Sinne von Grimm noch im Sinne der alltagssprachlichen Bedeutung der Wörter von einer starken und einer schwachen Flexion sprechen kann. Dennoch gibt es keine besondere Rechtfertigung dafür, diese Begriffe einfach aufzugeben. Anders als viele andere, weniger heftig attackierte wie Passiv, Substantiv, Objekt oder Adverb führen sie nicht zu falscher grammatischer Wahrnehmung. Sie haben ersichtlich so wenig mit der Sache zu tun, daß sich jeder mit ihnen erstmals Befaßte fragt, woher sie wohl kommen. ›Stark‹ und ›schwach‹ erfüllen als reine Etiketten eine Bedingung, die eigentlich an alle grammatischen Termini gestellt werden sollte.

Eine der Sache geschuldete Schwierigkeit betrifft die flexionsmorphologische Analyse der Substantivformen. Dazu gehört einerseits die Behandlung von Stammvarianten, wie sie sich bei Auslautverhärtung ([hunt] – [hundə]) und vor allem dem Umlaut im Plural zeigen. Gibt es *einen* Stamm für das ganze Substantivparadigma oder soll man mehrere zulassen?

Zur flexionsmorphologischen Analyse gehört weiter die Deutung der Flexionsendungen. Wir haben in den Schemata 1 bis 4 jeweils eine nicht weiter gerechtfertigte Segmentierung in Stamm und Endung vorgenommen und haben einer Endung bzw. der Endungslosigkeit die gleichzeitige Signalisierung einer Kasus- und einer Numeruskategorie zugeschrieben. Flexionsmerkmale werden für das Deutsche aus dieser Sicht als *mehrfachfunktional* bezeichnet. Die Form **Kindes** etwa ist an der Endung **es** als Gen Sg kenntlich, die Form **Kinder** als Nom Pl, Gen Pl und Akk Pl. Weder bei **Kindes** noch bei **Kinder** werden Kasus und Numerus für sich signalisiert, denn es gibt nur eine Endung. Diese Auffassung ist weder für das Substantiv noch für die anderen flektierenden Einheiten des Deutschen durchgängig anerkannt, sondern es gibt nach wie vor Versuche, etwa Numerus- und Kasusmorpheme zu trennen **(Aufgabe 37)**.

Und wie soll überhaupt segmentiert werden? Betrachten wir die schwachen Maskulina, die nur die Endung **(e)n** aufweisen. Was ist der Status dieser Endung? Wurzel beschreibt die verbreitete Auffassung so (1970: 26): »Meist faßt man sie in den obliquen Kasus des Singulars als Kasussuffix auf, während man sie im Nominativ Plural als Numerussuffix betrachtet«. Damit bleibt die Frage unbeantwortet, welches denn die Endungen der obliquen Kasus im Pl seien. Und man kann weiter fragen: was genau heißt es, daß eine Endung ›die Pluralendung‹ in einem Paradigma sei? Ist der Unterschied zwischen den Nominativen entscheidend? Und wenn ja, warum gerade er? Im Paradigma **Mensch** etwa lautet der Gen Sg ebenso wie die Pluralformen, nämlich **Menschen**, und auch die anderen Sg-Formen mit Ausnahme des Nom können **Menschen** lauten. Ist es angesichts dieser Tatsache nicht reine Willkür, das Suffix **en** als Pluralsuffix zu bezeichnen?

Es ist keine Willkür. Überblickt man die Flexionsschemata insgesamt, so fällt auf, daß die Pluralformen einheitlich gekennzeichnet sind. Das heißt nicht, daß der Plural für jeden Kasus dem Singular gegenüber dasselbe formale Merkmal aufweist. Es bleibt dabei, daß das Deutsche nicht in der in Aufgabe 37 dargelegten Weise agglutiniert. Aber die Pluralformen in einem Paradigma haben stets ein formales Merkmal gemeinsam, sei es eine Endung, eine Endung + Umlaut, ein Umlaut allein, eine Veränderung des Auslauts oder aber die Endungslosigkeit wie beim Typ 1a. Auch hier, wo kein Unterschied zum Sg besteht, bleibt die Einheitlichkeit des Plural erhalten.

Eine Tendenz zur Markierung des Plural sagt allerdings noch nichts darüber, wie systematisch die Pluralbildung verläuft. Welche Substantive wählen welche Form der Pluralbildung? Muß der Plural Wort für Wort gelernt werden oder gibt es allgemeine Regularitäten? Die Grammatiken sprechen meist davon, daß es ›gewisse Zusammenhänge‹ zwischen Stammausgang, Genus und Pluralbildung gibt. Helbig/Buscha (1975: 210 ff.) liefert außerdem eine Systematisierung für die Fremdwörter. Der Frage sind im einzelnen August (1975, 1979) und Mugdan (1977) nachgegangen. August (1979: 224 ff.) formuliert für das ›zentrale Pluralsystem‹ drei Regeln. Zum zentralen System gehören nicht der Plural auf **er** und der Umlaut und ebenso nicht die Plurale auf **s**, die auch in unserer Übersicht nicht auftauchen. Außer bei vielen Fremdwörtern steht der **s**-Plural bei solchen Substantiven, bei denen »auf die Kernsilbe mit Vollvokal ein weiterer Vollvokal folgt« (August 1979: 227) wie in **Echo, Papa, Mutti, Uhu, Auto, Omi, Baby**. Als Regeln für das zentrale Pluralsystem haben wir dann 5.

(5) a. Maskulina und Neutra bilden den Plural auf **e**, Feminina auf **en**
 b. Substantive auf **e** bilden den Plural auch im Maskulinum auf **en**
 c. Maskulina und Neutra auf **el, er, en** und **lein** bilden den Plural endungslos.

Welchen Gültigkeitsgrad haben diese Regeln? Abgeleitete Substantive gehorchen ihnen so gut wie immer. Ableitungsaffixe wie **heit, ung, ling** und **Ge** legen sowohl das Genus als auch die Pluralbildung eindeutig fest. Für Substantive mit charakteristischem Ausgang, der in 5 erwähnt wird, der aber nicht als morphologische Einheit angesehen werden kann (also für Substantive mit den ›Pseudosuffixen‹ **e, el, er, en**) gilt die Regel für über 98 %, genau für 2429 von 2476 Substantiven. Für Wörter ohne charakteristischen Ausgang gilt sie nur für 84 %, nämlich für 1524 von 1819. Gerade diese aber sind es, die besonders häufig vorkommen, die von Kindern mit zuerst gelernt werden, die das ausmachen, was man unter dem Kern des Bestandes an Substantiven versteht. Wie wenig man gar von einer ›psychisch realen‹ Regel zur Pluralbildung sprechen kann, zeigt Mugdans Untersuchung (1977: 153 ff.). Er ließ sechs- bis siebenjährige Kinder, die den Plural von ihnen bekannten Wörtern im allgemeinen richtig bilden konnten, Pluralformen von nonsense-Wörtern bilden.

Diese Wörter waren so strukturiert, daß nach den Regeln jeweils ein bestimmter Plural erwartet werden durfte. Beispielsweise wurde für das Femininum [neːbə] ein Plural auf n (analog **Blume – Blumen**) und für das Femininum [zaːri] ein Plural auf **s** (analog **Mutti – Muttis**) erwartet. Statt aber nach den ›Regeln‹ zu verfahren, verwendeten die Kinder in mehr als 75 % der Fälle einfach die endungslose Form als Plural. Die endungslose Form war nach den Wortstrukturen nur in 23 % der Fälle die ›richtige‹ Pluralform.

Es muß vorerst offen bleiben, bis zu welchem Grade die Pluralbildung der deutschen Substantive strukturell festliegt. Je mehr morphologische Struktur ein Substantiv hat, desto sicherer kann im allgemeinen sein Plural vorausgesagt werden. Unterhalb der morphologischen Ebene läßt sich offensichtlich einiges der Silbenstruktur entnehmen. Ob darüber hinaus – besonders bei den Einsilbern – Pluralbildung und phonetische Struktur korrelieren, ist wohl nur im Zusammenhang mit der Genuszuweisung zu klären (5.3.1).

Überlegungen zu den Gesetzmäßigkeiten der Pluralbildung oder der Bildung einzelner Kasus können auch gewisse Hinweise darauf liefern, was eine bestimmte Einteilung in Flexionstypen gegenüber anderen Einteilungen leistet. Grundsätzlich ist die Motiviertheit der Deklinationstypen aber bisher ungeklärt geblieben. Welche Deklinationstypen soll man ansetzen, welches sind die relevanten Unterscheidungskriterien und was für eine Art von Klassifikation hat man gefunden, wenn man die Deklinationstypen hat? Als extreme Antworten sind die folgenden denkbar.

Alle überhaupt auftretenden Formunterschiede bei den Numerus- und Kasuskategorien werden berücksichtigt. Man erhält dann auf rein mechanischem Wege eine ziemlich große Zahl von Flexionsmustern, wobei es keine Rolle spielt, ob viele oder wenige, wichtige oder unwichtige Unterschiede zwischen den einzelnen Mustern bestehen. Mugdan (1977: 68 ff.) hat nach einem Verfahren dieser Art über 30 Flexionsmuster für das Substantiv ermittelt. So uninteressant und nichtssagend das Ergebnis ist, so wichtig kann es als Analyseschritt zur vollständigen Faktensicherung sein.

Das andere Extrem betont, daß mit der Aufteilung in Flexionstypen eine Paradigmaklassifikation der Substantive vorgenommen wird. Es wäre dann zu fragen, ob den Flexionstypen nicht Paradigmenkategorien entsprechen. Die Zugehörigkeit eines Substantivs zu einem Flexionstyp wäre gleichbedeutend mit seiner Zugehörigkeit zu einer grammatischen Kategorie. Man kann sich beispielsweise vorstellen, daß Kongruenzerscheinungen zwischen adjektivischem Attribut und Substantiv für die Flexionstypen unterschiedlich geregelt sind, oder man kann sich vorstellen, daß es eine eindeutige Zuordnung von Flexionstyp und Genus gibt. Im Deutschen bestehen Zusammenhänge dieser Art, und es bestehen, wie in Aufgabe 35 und 36 deutlich wurde, auch Zusammenhänge zwischen dem Flexionsverhalten und der semantischen Klassifikation der Substantive. Dennoch dürfte es zu keiner stringenten und fruchtbaren Klassifikation führen, wollte man die Flexionstypen direkt als grammatische Kategorien interpretieren. Freilich bedeutet dies, daß der theoretische Status der Flexionstypen unklar bleibt.

Es ist ganz ausgeschlossen, die verschiedenen Auffassungen von den Flexionstypen und die Auseinandersetzung um sie an dieser Stelle zu referieren. Wir beschränken uns auf die Nennung der häufigsten Kriterien und einige Literaturhinweise dazu (zur Übersicht Mugdan 1977: 108 ff.).

Zwei Formen werden am häufigsten zur Rechtfertigung von Flexionstypen heran-gezogen, nämlich der Gen Sg und der Nom Pl, wobei, wie wir gesehen haben, statt von Nom Pl im allgemeinen einfach von ›Pluralbildung‹ gesprochen werden kann. Bei der Unterteilung in starke und schwache Deklination ist entscheidend, ob Gen Sg und Nom Pl mit **(e)n** enden (Jung 1973: 285; Wurzel 1970: 26ff.; Duden 1973: 184ff.; Grundzüge 597ff.). Hat nur der Gen Sg oder nur der Nom Pl das **(e)n**, so spricht man häufig von gemischter Deklination. Ein Streitpunkt sind in dieser Hinsicht die Feminina mit **(e)n** (unser Typ 4a). Von Grimm wurden sie in die Klassifikation stark/schwach einbezogen, heute werden sie dagegen häufig als be-sonderer Typ außerhalb dieser Unterscheidung geführt.

Die Einteilung in starke und schwache Deklination bedeutet, daß immer gleich-zeitig der Gen Sg und der Nom Pl berücksichtigt werden. Als besonders unlogisch müssen deshalb Konzeptionen bezeichnet werden, die mit stark/schwach arbeiten, gleichzeitig aber Sg und Pl getrennt betrachten möchten (Admoni 1970: 99ff.; Grundzüge 596). Andere Grammatiken sind hier konsequent. Bei Helbig/Buscha (1975: 203ff.) finden sich getrennte Abschnitte über Deklination im Sg und Dekli-nation im Pl. Weiter gibt es nun sämtliche Auffassungen, die mit den genannten Parametern logisch möglich sind. Auf der einen Seite werden die Haupttypen nach den Formen des Gen Sg gebildet (Jørgensen 1969: 135; Erben 1980: 162ff.), auf der anderen Seite wird die Pluralbildung als ausschlaggebend angesehen (Hermodsson 1968: 154; Brinkmann 1971: 8ff.). Drittens schießlich kommt es nach Meinung anderer Autoren gerade darauf an, sowohl die Formen des Gen Sg als auch die Pluralbildung zu berücksichtigen und darüber hinaus schon zur Etablierung der Haupttypen zueinander in Beziehung zu setzen (Bech 1963: 185f.; Rettig 1972: 28ff.; Bettelhäuser 1976: 52).

Niemand weiß, wer ›recht hat‹. Aber man kann fragen, woher die an Willkürlich-keit grenzende Vielfalt an Vorschlägen kommt. Wenn wir von grammatischen Kate-gorien sprechen, dann meinen wir etwas, was es gibt. Grammatische Kategorien sind als Formklassen bezogen auf die Struktur des Untersuchungsgegenstandes, und unsere Voraussetzung ist, daß die Sprache eine Struktur hat. Wenn die Sprache eine Struktur hat, dann kann man nach ihr suchen. Ein Ergebnis dieser Suche sind die grammatischen Kategorien. Die für das Substantiv im Deutschen vorgeschlage-nen Flexionstypen sind keine grammatischen Kategorien. Insofern stellt sich hier die Frage, in welchem Sinne es sie ›gibt‹, noch einmal neu. Sie ist m. W. bisher nicht stringent beantwortet und nicht einmal offen gestellt worden. Eine Ausnahme sind lediglich die Untersuchungen zum Plural (Mugdan 1977; Augst 1979), die aber, wenn überhaupt, eher für ›Nicht-Existenz‹ der Flexionstypen sprechen. Manche Grammatiken geben inzwischen vorsichtig zu erkennen, daß man es wie sie, aber auch anders machen könne. Andere bleiben bei Formulierungen wie »Es gibt nur drei Geschlechter, aber sechs Formklassen« (Brinkmann 1971: 8), sie wählen das-selbe **es gibt** für Kategorien und Flexionstypen.

Der Status der Flexionstypen bleibt unklar. Das heißt aber nicht, daß man auch die Funktionalität der Flexionsformen selbst nicht versteht. Über sie kann man unabhängig von den Flexionstypen reden. Die Flexionstypen selbst sind ein Mittel, mit dem man sich eine Übersicht über den Formenbestand verschafft. Dieses Mittel kann effektiv gestaltet oder mit inneren Widersprüchen behaftet sein, und insofern kann man sich auch darüber streiten.

5.2 Der Artikel. Determination und Quantifikation

Syntaktisches Hauptcharakteristikum der Artikel ist ihr Auftreten beim Substantiv. Sie werden deshalb auch ›Begleiter des Substantivs‹ (Duden 1984: 314) oder ›Hilfswörter im Bereich des Substantivs‹ (Grundzüge 591) genannt. Die Abhängigkeit des Artikels vom Substantiv ist allerdings nicht einseitig, im Vorkommen bedingen sich beide meist gegenseitig. Substantive müssen in vielen Umgebungen einen Artikel nehmen (**Der Baum wird gefällt; *Baum wird gefällt**). Auch formal besteht keine Abhängigkeit des Artikels vom Substantiv in Hinsicht auf Numerus und Kasus, denn Artikel und Substantiv kongruieren bezüglich dieser Kategorisierungen (**der Baum, des Baumes, die Bäume . . .**). Dagegen wird das Genus des Artikels vom Substantiv regiert, so daß in diesem Punkt tatsächlich eine Abhängigkeit besteht. Alle Artikel flektieren im Genus und haben daher das grammatische Geschlecht als Einheitenkategorien, während die Genera beim Substantiv als Paradigmenkategorien auftreten: ein bestimmtes Substantiv hat immer ein bestimmtes, festliegendes Genus. Der bestimmte Artikel in **der Baum; die Wiese; das Buch** etwa macht das beim Substantiv nicht offen gekennzeichnete Genus formal explizit. Man sah in älteren Grammatiken darin manchmal die Hauptfunktion des Artikels und nannte ihn das Geschlechtswort (Sütterlin 1923: 208; Jude 1975: 106).

Welche Einheiten zu den Aritkeln gehören, ist durchaus umstritten. Einerseits stehen Artikel nicht nur bei Substantiven, sondern auch bei bestimmten Pronomina (**die alle; ein jeder**). Andererseits stehen beim Substantiv viele Einheiten, die man üblicherweise nicht als Artikel bezeichnet. Neben **der Baum** und **ein Baum** haben wir auch **dieser/mein/kein Baum; einige/wenige/viele/alle Bäume**. Das Hauptproblem besteht dabei in der Abgrenzung der Artikel von den Pronomina. Nach traditioneller Auffassung steht das Pronomen nicht *bei* einem Nominal, sondern an seiner Stelle. Das Abgrenzungsproblem entsteht, weil viele Ausdrücke sowohl adnominal als auch für sich stehen können (**Karl pflanzt diesen Baum** vs. **Karl pflanzt diesen**). Vielfach werden Pronomina und Artikel deshalb in den Grammatiken gemeinsam behandelt und als Paradigmen nicht voneinander getrennt (Erben 1980: 222ff.; Duden 1984: 313ff.). Eine völlige Neuordnung des Bereichs schlägt Vater vor (1979a; 1984), indem er einerseits von Determinantien (**der, dieser, mein, derjenige, derselbe . . .**) und andererseits von Quantoren (**ein, kein, einige, manche, jeder . . .**) spricht (s. u., 5.4.3).

Wir folgen beiden Wegen nicht, sondern bleiben bei der traditionellen Einteilung in Artikel und Pronomina. Artikelparadigmen kennzeichnen wir dadurch, daß ihre Formen speziell auf den adsubstantivischen Gebrauch abgestimmt sind. Mit diesem Kriterium grenzen wir die Artikel auf zwei Weisen von den Pronomina ab.

1. Nicht zu den Artikeln gehören Paradigmen, deren Formen sowohl adsubstantivisch als auch für sich stehen können wie **dieser, jener, einige**. Wir haben **Diesen Kuchen mag ich** neben **Diesen mag ich**, deshalb ist **dieser** kein Artikel. Dagegen gibt es sowohl einen Artikel **der**[P] wie ein Pronomen **der**[P]. Beide unterscheiden sich etwa in Dat Pl (**Wir glauben den Sternen** vs. **Wir glauben denen**).

2. Nicht zu den Artikeln gehören etwa **einer, keiner** und **meiner**. Diese Paradigmen sind morphologisch bezogen auf die Artikel **ein, kein, mein**, sind selbst aber nicht adsubstantivisch verwendbar.

Die Zahl der Artikel bleibt mit dieser Abgrenzung klein und ist beschränkt auf

(1) **der, ein, kein, mein.**

Außer dem bestimmten und dem unbestimmten Artikel fassen wir unter ART auch den Negationsartikel **kein** und den Posssivartikel **mein**. Kein und **mein** erfüllen das Abgrenzungskriterium. Wir belassen es bei diesen ersten Bemerkungen zur Abgrenzung und wenden uns der Artikelflexion zu.

(2)		Sg		Pl
	Mask	Fem	Neutr	Mask/Fem/Neutr
Nom	der	die	das	die
Gen	des	der	des	der
Dat	dem	der	dem	den
Akk	den	die	das	die

Der bestimmte Artikel flektiert ähnlich wie die Pronomina, jedoch ist eine morphologische Trennung von Stamm und Endung nur bedingt möglich. Der bestimmte Artikel verfügt nicht über einen Stamm mit Morphemstatus.

Das Flexionsmuster 3 gilt neben **kein** auch für **mein/dein/sein** und **ein**. **Ein** hat keinen Plural. Was man als die Pluralbedeutung des unbestimmten Artikels erwar-

(3)		Sg		Pl
	Mask	Fem	Neut	Mask/Fem/Neut
Nom	kein	–	e	–	e
Gen		es	er	es	er
Dat		em	er	em	en
Akk		en	e	–	e

ten dürfte, wird im wesentlichen durch Artikellosigkeit der Substantive realisiert (**ein Baum – Bäume**). Die Artikellosigkeit im Plural vergegenständlicht man sprachlich häufig als sogenannten Nullartikel (Erben 1980: 227; Helbig/Buscha 1975: 335 ff.).

Eine besondere grammatische Ausprägung der Artikelfunktionen liegt in der Verschmelzung mit Präpositionen vor. Wir gehen auf Einheiten wie **am, vom** und **ins** bei den Präpositionen näher ein (7.4.1).

Die Formdifferenzierung in den Artikelparadigmen zeigt die gleiche Tendenz wie bei den Substantiven. Nom und Akk stimmen bis auf den Sg Mask des bestimmten Artikels immer überein, Dat und Akk stimmen nie überein, und der Gen ist innerhalb der einzelnen Genera gut markiert. In der Verbindung aus Artikel + Substantiv gibt das Substantiv in keinem Fall mehr Hinweise auf den Kasus der zusammengesetzten Einheit als der Artikel. Das Substantiv legt aber erst das Genus des gesamten Nominals fest, und das Substantiv ist auch hinsichtlich des Numerus markiert. Nur das Zusammenwirken der Artikel mit den Substantiven kann uns daher einigen Aufschluß über die Funktionalität des Deklinationssystems und insbesondere des Kasussystems geben (**Aufgabe 38**; zur Rolle des adnominalen Adjektivs 7.2).

(4)	Sg			Pl
	Mask	Neut	Fem	Mask/Neut/Fem
Nom	**der Baum**	**das Buch**	**die Wiese**	**die Bäume** **Wiesen** **Bücher**
Akk	**den Baum**			
Gen	**Des Buches, Baumes**		**der Wiese**	**der Bäume,** **Wiesen, Bücher**
Dat	dem Buch, Baum			den Bäumen, **Wiesen, Büchern**

Schema 4 zeigt in der Übersicht, wie das Kasussystem von Artikel-Substantiv-Verbindungen differenziert ist (Jørgensen 1953: 169). Synkretismen sind auch hier keineswegs ausgeschlossen. Eine vollständige Desambiguierung läge dann vor, wenn alle Linien im Schema durchgezogen wären. Für den Kasus bleibt festzustellen, daß Nom und Akk weitgehend zusammenfallen, und daß der Dat vom Akk (und vom Nom) gut getrennt ist. Das Gleiche gilt für den Gen. Gen und Dat fallen ihrerseits nur im Sg der Feminina zusammen. Gen und Dat sind also mit Ausnahme des Sg Fem jeweils von allen anderen Kasus unterschieden. Vom Gen wissen wir außerdem, daß er im Sg beim Substantiv selbst gut markiert ist, etwa auch bei den in 4 nicht vertretenen Eigennamen.

Zu einer Deutung dieser Ausprägung des Kasussystems kommen wir, wenn wir den Kasus die Aufgabe zuschreiben, die syntaktische Funktion von Nominalen anzuzeigen. Ob ein Nominal etwa Subjekt, Objekt oder Attribut ist, hängt wesentlich auch von seinem Kasus ab. Nominale A und B sollten dann durch den Kasus unterschieden werden können, wenn eine der folgenden Bedingungen erfüllt ist.

1. *Syntagmatische Bedingung.* Die Nominale A und B stehen im Satz nebeneinander und haben verschiedene syntaktische Funktion, die auch durch den Kasus angezeigt wird. Die Kasusformen ermöglichen oder erleichtern es dann, die jeweilige Funktion von A und B zu erkennen.

2. *Paradigmatische Bedingung.* A steht an einer Stelle im Satz, an der auch B stehen könnte. Die syntaktische Funktion von A kann dann an der Kasusform erkannt werden.

Um die Wirksamkeit beider Bedingungen abzuschätzen, werfen wir einen ersten Blick auf die Syntax der Nominale (dazu Schmidt 1973: 174; Admoni 1970: 68 f.). In 5 listen wir auf, welche Kasus vornehmlich nebeneinander vorkommen. Die Liste ist natürlich unvollständig, vermittelt aber einen richtigen ersten Eindruck.

(5)	a. obj-obj	Er vertraute der Bank das Geld an	Dat-Akk
	b. **subj-obj-obj**	weil er der Bank das Geld anvertraute	Nom-Dat-Akk
	c. **attr**	**der Plan der Ministerin**	Nom-Gen
		dem Plan der Ministerin	Dat-Gen
		den Plan der Ministerin	Akk-Gen

Es ergibt sich sofort, daß der Gen aufgrund der Attributfunktion (und sicherlich nicht aufgrund der untergeordneten und in 5 nicht erwähnten Funktion als Objekt) eine besondere Markierung benötigt. Als einzige Form des substantivischen Attributs taucht er neben allen anderen Kasus auf. Dat und Akk stehen vor allem als Objekte bei dreistelligen Verben nebeneinander und sind hier sogar stellungsmäßig variabel (8.3). Für die gute Trennung von Dat und Akk dürfte neben dem syntagmatischen auch ein paradigmatischer Gesichtspunkt ausschlaggebend sein: viele der am häufigsten verwendeten Präpositionen regieren sowohl den Dat als auch den Akk. Die Syntax der PrGr ist daher besonders auf die Unterscheidbarkeit dieser Kasus angewiesen. Insgesamt scheinen die Kasusmarkierungen unmittelbar syntaktisch motiviert zu sein.

Zur Erschließung der semantischen Funktion des Artikels beschränken wir uns auf den einfachsten Fall der Verbindung aus Artikel und konkretem Appellativum (**der Baum; ein Mann**). In den meisten syntaktischen Kontexten muß ein Appellativum mit einem Artikel oder einem in der Artikelposition verwendbaren Pronomen stehen. Welche semantische Grundentscheidung wird mit der Artikelwahl getroffen? Betrachten wir dazu 6.

    (6) a. **Der Baum wurde gefällt**
           b. **Ein Baum wurde gefällt**

Sowohl in 6a als auch in 6b ist von genau einem Baum die Rede. 6a kann nur dann geäußert werden, wenn der Sprecher unterstellt, daß der Hörer weiß, worauf er sich mit **der Baum** beziehen soll. *Wie* Sprecher und Hörer den gemeinsamen Bezug hergestellt haben, ob davon vorher die Rede war, ob auf einen Baumstumpf gezeigt wurde oder ob sie den Baum vor zwanzig Jahren gemeinsam gepflanzt haben, ist gleichgültig. 6a kann etwa vorkommen im Zusammenhang **Karl hat eine Kastanie gepflanzt. Der Baum wurde gefällt.** Der Hörer hat die Kastanie vielleicht nie gesehen, er weiß nicht einmal, ob es sie wirklich gibt. Das mit **der Baum** Bezeichnete ist ihm lediglich ›in gewisser Weise‹ bekannt. Er hat dafür eine ›kognitive Adresse‹ und kann diese Adresse immer wieder ansprechen (zu den sprachlichen Mitteln, mit denen das erreicht wird, genauer Hawkins 1978 für das Englische, Vater 1984 für das Deutsche).

Ausdrücke wie **der Baum** und **mein Baum**, die in der angedeuteten Weise aus der Menge der benennbaren Dinge ein bestimmtes bezeichnen, heißen *definite Kennzeichnungen*, Ausdrücke wie **ein Baum** und **kein Baum** heißen *nicht definite Kennzeichnungen*. Von den Artikeln sind also **der** und **mein** definit, **ein** und **kein** sind nicht definit. Die Klassifikation gilt auch für große Gruppen von Pronomina. So sind **dieser Baum, jener Baum, derjenige Baum** definit und **einige Bäume, manche Bäume** nicht definit. Da gezeigt werden kann, daß die definiten und die nicht definiten Artikel und Pronomina sich syntaktisch unterschiedlich verhalten (s. u.), etablieren wir die Paradigmenkategorien DEF und NDEF. **Der** und **mein** sind DEF, **ein** und **kein** sind NDEF.

Eine semantische Leistung der Artikel ist also die Signalisierung von definit/nicht definit für den Hörer und man sagt, die Artikel hätten eine Funktion als *Determinatoren* oder Determinantien (Vater 1979a; 1984; Oomen 1977). Dabei sind **der** und **mein** bezüglich der Signalisierung von Definitheit markiert, **ein** und **kein** sind unmarkiert. Sie signalisieren nicht Indefinitheit, sondern nur, daß nicht unbedingt Definitheit vorliegt. Vater (1984: 27) bringt dazu folgendes Beispiel.

(7) a. **Heinz hat ein Auto ausgeschlachtet und**
    b. **den Motor verkauft**
    c. **ein Rad verkauft**

Während 7b so gelesen werden muß, daß Heinz den Motor des ausgeschlachteten Autos verkauft hat (also definit), kann 7c auch so gelesen werden, daß das verkaufte Rad nicht von dem ausgeschlachteten Auto stammt. Sowohl definite als auch indefinite Lesung von 7c ist möglich.

Die Unterscheidung von definiten und nicht definiten Kennzeichnungen gilt auch für die Nominale im Plural. In **Die Bäume wurden gefällt** ist das Subjekt definit. Artikellosigkeit wie in **Bäume wurden gefällt** signalisiert nicht Definitheit. Im Plural ist bei einer definiten Kennzeichnung nicht genau ein Objekt gemeint, sondern eine bestimmte Menge von Objekten mit mehr als einem Element. Die von einer definiten Kennzeichnung benannte Menge kann als Ganze eingeführt sein, sie kann aber auch über ihre einzelnen Elemente eingeführt sein. Wir nennen definit also ausdrücklich auch Nominale im Plural, die Mengen mit mehr als einem Element bezeichnen (Oomen 1977; 36ff.). Auf diese Redeweise wird besonders aufmerksam gemacht, weil der Begriff der definiten Kennzeichnung in der sprachphilosophischen Literatur (Russel 1905; Strawson 1952: 184ff.) zunächst mit der Bedingung entwickelt wurde, daß genau ein Objekt bezeichnet wird.

Außer auf einzelne Objekte und Mengen von Objekten bezieht man sich mit Artikel-Substantiv-Verbindungen auch auf Gattungen. Mit 8a und 8b wird etwas

(8) a. **Das Fahrrad ist ein umweltfreundliches Verkehrsmittel**
    b. **Ein Fahrrad ist ein umweltfreundliches Verkehrsmittel**

(9) a. **Das Fahrrad wurde um 1850 erfunden**
    b. **Ein Fahrrad wurde um 1850 erfunden**

(10) a. **Die Fahrräder sind umweltfreundliche Verkehrsmittel**
    b. **Fahrräder sind umweltfreundliche Verkehrsmittel**

ausgesagt, was gelten soll für alle Exemplare der Gattung Fahrrad, deshalb nennt man Sätze dieser Art *generisch* (»die Gattung betreffend«). In 8a wird mit dem bestimmten Artikel angezeigt, daß die Gattung selbst gemeint ist. Man kann 8a paraphrasieren mit »Wenn etwas ein Fahrrad ist, dann gehört es zu einer Gattung mit der Eigenschaft ›umweltfreundliches Verkehrsmittel‹«. Daß eben dies ausgesagt wird, zeigt 9a, wo **das Fahrrad** ebenfalls generisch im gerade angegebenen Sinne gelesen werden muß. Der unbestimmte Artikel meint dagegen nicht die Gattung selber, sondern er kennzeichnet ein einzelnes Fahrrad als Element der Gattung in ›exemplarischer Sicht‹ (Oomen 1977). 9b ist in der Lesart 9a ungrammatisch, weil das Prädikat nicht für alle Exemplare der Gattung gilt, sondern für die Gattung selbst. Es ist unzutreffend, wenn festgestellt wird, daß der bestimmte und der unbestimmte Artikel in generischen Sätzen dieselbe Bedeutung hätten (Helbig/

Buscha 1975: 334f.; Duden 1973: 166). Daß 8a und 8b synonym sind, hängt mit der besonderen Struktur dieser Sätze zusammen, bei der der Unterschied verschwindet, der in 9 sichtbar ist (Aufgabe 39).

Der Unterschied definit/nicht definit bleibt auch in generischen Sätzen erhalten, und zwar im Singular wie im Plural. In 10a wird wieder direkt auf die ganze Gattung Bezug genommen, in 10b wird die Gattung erfaßt über ›beliebige Teilmengen‹. 10b kann paraphrasiert werden mit »Nimm irgendwelche Fahrräder: sie sind alle umweltfreundliche Verkehrsmittel«.

Definitheit eines Nominals darf nicht verwechselt werden mit Referentialität (Donnellan 1971). Wenn jemand äußert Ich kaufe das Auto hier oder Eben hat ein Student die Tafel abgewischt, dann kann er sich mit das Auto hier oder ein Student auf etwas Bestimmtes in der Welt beziehen, und insofern benutzt er die Nominale zum Referieren. Referentialität ist wie Definitheit an ›Vollständigkeit‹ des Nominals gebunden, d.h. nur mit der Artikel-Substantiv-Verbindung kann man referieren und nicht mit dem Appellativum allein. Definitheit ist weder notwendige noch hinreichende Bedingung für Referentialität. Nichtreferentielle definite Nominale sind etwa die in generischen Sätzen. Aber auch in Sätzen wie Dein Bruder ist klug muß dein Bruder nicht unbedingt referentiell sein. Wer den Satz äußert, muß sich nicht auf eine bestimmte Person beziehen. Er kann auch meinen, daß, wer immer dein Bruder ist, klug sein muß. Dein Bruder meint dann nicht dasselbe wie etwa die Person, die wir Karl nennen (Eigennamen sind in der Regel referentiell), sondern gemeint ist die Person, die die Eigenschaft hat, dein Bruder zu sein. Eine Kennzeichnung kann sogar referentiell verwendet werden, ohne daß der Referent die vom Nominal bezeichnete Eigenschaft hat. Mit dem Objekt in Karl hat das Ungeheuer vom Maschsee gesehen ist Referenz auf vieles möglich. Solange Hörer und Sprecher wissen, daß das Ungeheuer ein faschistisches Denkmal, ein Bademeister oder das Spielkasino ist, glückt der Referenzakt. Referentialität in diesem Sinne ergibt sich also aus dem vom Sprecher vollzogenen Referenzakt. Definitheit dagegen ergibt sich daraus, ob für etwas Benennbares eine ›kognitive Adresse‹ vorhanden ist (in der linguistischen Literatur werden Definitheit und Referentialität teilweise anders aufeinander bezogen: Aufgabe 40).

Neben der Funktion als Determinatoren wird den Artikeln meist eine Funktion als *Quantoren* zugesprochen, wobei es in der traditionellen Prädikatenlogik vor allem um die Unterscheidung von Allquantoren und Existenzquantoren geht (Allwood/Andersson/Dahl 1973: 60ff.). Allquantoren tauchen in der logischen Repräsentation von generischen Sätzen auf, sie machen explizit, daß in einem generischen Satz Aussagen über alle Elemente einer bestimmten Klasse gemacht werden. Der Löwe ist ein Raubtier würde expliziert als »Für alle x gilt: wenn x ein Löwe ist, dann ist x ein Raubtier.« Generische Lesungen treten bei Nominalen mit der und ein auf. Mit Allquantor zu lesen sind auch Pluralnominale mit mein, z.B. Meine Brüder sind stark als »Für alle x gilt: wenn x mein Bruder ist, ist x stark«. Nominale mit kein sind ebenfalls mit Allquantor zu lesen, Kein Auto wurde verkauft etwa als »Für alle x gilt: wenn x ein Auto ist, wurde es nicht verkauft«.

Existenzquantoren tauchen vor allem in der logischen Repräsentation von Ausdrücken mit ein oder mit nicht definiten Pronomina auf. So kann der Satz Einige Niedersachsen sind klug die Existenzaussage machen »Es gibt einige x, so daß gilt: x ist ein Niedersachse und x ist klug«. Der Satz muß aber nicht so verstanden werden.

Ebensogut kann er meinen, daß wir es mit einer Gruppe von Niedersachsen zu tun haben, von denen einige klug sind. Bei dieser Interpretation wird keine Existenzbehauptung aufgestellt und es wäre nicht angemessen, den Satz mit Existenzquantor darzustellen.

Für die Bedeutung vieler Nominale mit ›Artikelwörtern‹ spielt weder der Existenz- noch der Allquantor eine Rolle. Und insbesondere zur Kennzeichnung von Bedeutungsunterschieden wie zwischen **ein, einige, manche** usw. stellt die einfache Prädikatenlogik keine Mittel bereit. Wir verfolgen deshalb den Begriff des logischen Quantors nicht weiter, sondern schließen uns bei der Bedeutungskennzeichnung dem Vorgehen von Arbeiten an, die unter Quantoren einfach solche Ausdrücke verstehen, mit denen Quantitäten bezeichnet werden. ›Quantor‹ ist damit zunächst ein semantischer Begriff.

Die von Vater (1984) als Quantoren klassifizierten Ausdrücke sind in unserem System teils Artikel **(ein, kein)**, teils Numeralia **(eins, zwei, drei** ...) und teils Pronomina oder Adjektive (s. u. Schema 11). Vater stellt fest, daß die Quantoren sämtlich nicht hinsichtlich Definitheit markiert sind. Gegenüber den Determinatoren (Kategorie DEF) haben sie eine Reihe gemeinsamer syntaktischer Eigenschaften wie die folgenden. (1) Sie sind mit Determinatoren kombinierbar **(Das eine Paket ging verloren; Die vielen Menschen störten mich nicht)**. (2) Sie können in ›Distanzstellung‹ zum Nominal auftreten **(Brot ist ein/keins da**, aber ***Brot ist das-/meins da)**. (3) Nominale mit Determinatoren können nach rechts herausgestellt werden wie in **Ich habe es gefunden das/mein Buch**, Nominale mit Quantoren nicht **(*Ich habe es gefunden ein/manches Buch)**. Aufgrund solcher syntaktischen Merkmale können die ›Quantoren‹ dort, wo sie mit ›Determinatoren‹ in einer syntaktischen Kategorie auftreten, der Kategorie NDEF zugeschlagen werden. Man hat damit etwa eine Rechtfertigung zur syntaktischen Unterscheidung von DEF-NDEF bei den Artikeln.

Nimmt man nun an, daß von einem Substantiv eine Menge M_1 bezeichnet wird (mit **Baum** die Menge der Bäume als seine Extension), dann operiert ein adsubstantivischer Quantor auf einer solchen Menge M_1 und spezifiziert auf ihr als Basis absolut oder relativ eine weitere Menge M_2. M_2 kann eine festliegende Anzahl von Elementen aus M_1 umfassen, z.B. zwei Elemente wie in **zwei Bäume**, M_2 kann unbestimmt viele Elemente aus M_1 umfassen wie in **einige Bäume, viele Bäume**, und es kann alle Elemente umfassen wie in generischen Sätzen.

Zur Festlegung der absoluten Elementzahl von M_2 dienen die Numeralia (NUM). Die Zahlwörter für Kardinalia ≥ 2 nehmen in der Regel den Plural **(drei Bäume)** und markieren als einzige Kasusform den Genitiv bei artikellosem Gebrauch **(das Fällen dreier Bäume)**. Das Zahlwort zur Bezeichnung der Eins spielt eine Sonderrolle (auch die Zwei spielt noch eine Sonderrolle, auf die aber nicht näher eingegangen wird, vgl. Reis/Vater 1982). Wir unterscheiden einen Artikel **ein** von einem Numerale **ein**. Die Notwendigkeit dazu zeigt sich an Ausdrücken wie **der eine Baum**, wo **ein** wie ein Adjektiv flektiert und kein Artikel sein kann. Zur Bezeichnung der Eins dient ausschließlich das Zahlwort, nicht aber der Artikel. Sieht man den unbestimmten Artikel als Quantor an, so muß man auch den bestimmten Artikel als Quantor gelten lassen, denn in **Der Baum wurde gefällt** ist ebenso von einem Baum die Rede wie in **Ein Baum wurde gefällt** (zu Zahlwort vs. Artikel weiter Harweg 1973). Von den Artikeln gehört also allenfalls **kein** zu den Quantoren im angegebenen Sinne. Aber auch das ist zweifelhaft. Faßt man **kein** als Quantor auf, so müßte man etwa sagen, daß **kein Baum** die ›leere Menge‹ bezeichnet. **Kein Baum, kein Buch, kein Auto** würden alle dasselbe bedeuten. Auch daß **kein** den Plural hat **(keine Bücher)** zeigt, daß hier nicht das ›Nichts‹ gemeint ist, sondern ein ›Nicht etwas‹.

Zur Spezifizierung von relativen Mengenangaben mit Indefinitpronomina weiter 5.4.3. Die Klassifikation der Nominale fassen wir im Schema 11 zusammen, soweit sie in diesem Abschnitt angesprochen wurde. Die einzelnen Kategorien werden in den im Schema vermerkten Abschnitten weiter behandelt und dabei weiter subklassifiziert.

(11)

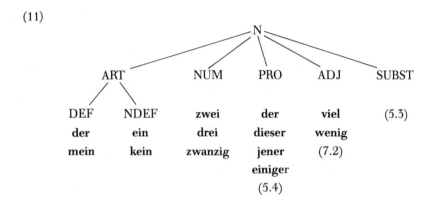

5.3 Paradigmenkategorien des Substantivs

5.3.1 Das Genus

Das Genus oder grammatische Geschlecht ist die durchgängigste und einheitlichste Kategorisierung der deutschen Substantivparadigmen. Jedes Substantiv gehört genau einer der Kategorien des Genus an, ist also MASK, FEM oder NEUT: diese Kategorien gliedern die substantivischen Paradigmen vollständig und in disjunkte Klassen. Es gibt nur wenige Ausnahmen zu dieser Regel. Einige Substantive schwanken im Genusgebrauch (1a). In weiteren Fällen stimmen einige oder auch alle Formen von Substantiven mit unterschiedlichem Genus überein (1b). Von ›Genusschwankung‹ kann hier nicht die Rede sein.

(1) a. **der/das Entgelt, Filter, Hehl, Joghurt, Knäuel,**
    Lasso, Raster, Sims, Zepter
   b. **der/das Balg, Band, Ekel, Gummi, Kalkül,**
    Paternoster, Verdienst
    der/die Flur, Hut, Kunde, See
    die/das Maß, Steuer, Wehr

Auffällig ist, daß in 1 überwiegend Paare mit dem Maskulinum und dem Neutrum auftreten. Von Interesse sind in diesem Zusammenhang auch Unsicherheiten bei der Genuszuweisung von Fremdwörtern, weil sich daraus Regularitäten über die Genuszuweisung allgemein ableiten lassen (**Aufgabe 41**).

Warum haben die Substantive des Deutschen überhaupt ein grammatisches Geschlecht? Auf den ersten Blick ist klar, daß ein systematischer Zusammenhang von Genus und Sexus oder grammatischem und natürlichem Geschlecht nicht besteht (zu Einzelheiten Wienold 1967). Daß das Genus sich dennoch im Deutschen hält, muß also andere als ausschließlich semantische Gründe haben. Wir behandeln die Frage in drei Schritten und klären zunächst, welche Formeigenschaften von Substantiven einen Hinweis auf ihr Genus geben (strukturelle Genusdetermination). Wir wenden uns dann der semantischen Rolle der Genus zu und fragen schließlich nach der syntaktisch-perzeptuellen und kommunikativen Funktion, die es möglicherweise hat. Die Darstellung kann Faktoren benennen und Beispiele für ihre Wirksamkeit geben. Sie kann aber nicht das komplizierte Zusammenwirken der Faktoren bei der Genusdetermination thematisieren (dazu Köpcke/Zubin 1984).

Obwohl das grammatische Geschlecht von Substantiven meist unter dem Blickwinkel des Verhältnisses zum natürlichen Geschlecht diskutiert wird, ist es in den allermeisten Fällen rein strukturell bedingt. Diese Bedingungen können morphologischer wie phonetischer Art sein.

Ein großer Teil der deutschen Substantive wird durch Ableitung aus anderen Wörtern mit Hilfe von Ableitungsaffixen gewonnen. Diese Affixe bestimmen teilweise die Bedeutung der abgeleiteten Substantive, und sie bestimmen fast immer ihr grammatisches Geschlecht.

(2) a. Maskulina
el (Zügel; s.a. **Aufgabe 42c**)
er (Behälter), ich (Rettich), ig (König),
ling (Fremdling)
b. Feminina
ei (Heulerei), in (Lehrerin), heit (Trunkenheit),
keit (Neuigkeit), schaft (Freundschaft),
ung (Befreiung)
c. Neutra
chen (Gläschen), Ge (Gelache), lein (Männlein),
nis (Ereignis), tum (Beamtentum)

Ist das grammatische Geschlecht eines abgeleiteten Substantivs nicht aufgrund seines charakteristisches Affixes vorhersagbar, dann ist das Affix nicht mehr produktiv (wie bei **sal: das Schicksal, die Trübsal**), oder es ist für ein bestimmtes Genus nicht mehr produktiv. So war **nis** (bzw. sein Vorläufer) früher für das Femininum produktiv, ist es aber heute für das Neutrum (Fleischer 1975: 188ff.). Substantive wie **Finsternis, Bewandtnis** entsprechen also der ›alten Regel‹ für **nis** und können so nicht mehr gebildet werden. Sie sind als Ganzheiten im Lexikon des Deutschen eingeschrieben, also lexikalisiert (**Aufgabe 42**).

Andere Formen des morphologisch determinierten Genus finden wir bei den nominalisierten Verbformen vor. Der nominalisierte Infinitiv ist ein Neutrum (**das**

Wandern, Saufen). Dagegen tauchen nominalisierte Partizipien in allen Genera auf (**der/die/das Betreffende; der, die, das Betroffene**). Das ist nicht anders zu erwarten, denn diese Ausdrücke sind sämtlich auch adjektivisch verwendbar, und Adjektive haben generell Nominalisierungen in allen Genera (**der/die/das Alte**). Morphologisch geregelt ist auch das grammatische Geschlecht der Substantivkomposita. Komposita, deren zweites Glied ein Substantivstamm ist, haben das Genus dieses Substantivs (**die Türkentaube, das Elefantenbaby, der Einigungsversuch**). Auch diese Regularität überrascht nicht, denn Substantivkomposita haben intern eine Art Attributstruktur mit dem zweiten Substantiv als Kern. Der Kern bestimmt allgemein die grammatischen Eigenschaften des Kompositums nach außen (zu Sonderfällen wie die Schwermut/Wehmut/Sanftmut genauer Zubin/Köpcke 1984).

Mit hoher Wahrscheinlichkeit läßt sich auch von einigen Flexionstypen her auf das Genus schließen. In 5.1 wurde festgestellt, daß z. B. die schwach deklinierten Substantive Maskulina sind (**Mensch, Geselle, Bote**), daß die Feminina einen eigenen Flexionstyp bilden mit nur einer Form für den gesamten Sg und einer für den Pl (**Blume – Blumen**) und daß die sogenannte gemischte Deklination das Femininum ausschließt. Im Vergleich zu den bisher genannten morphologischen Regularitäten tritt hier aber ein neues Problem auf. Es ist nicht ohne weiteres klar, ob das grammatische Geschlecht vom Deklinationstyp bestimmt wird oder ob es ihn teilweise selbst bestimmt. Sind die Substantive ohne Kasusendung Feminina oder haben sie keine Kasusendungen, weil sie Feminina sind? Die Frage ist nicht trivial. Sie wird uns im Zusammenhang mit der Adjektivflexion beschäftigen.

Im Kapitel über die Substantivflexion hatten wir gesehen, daß Regelmäßigkeiten umso schwerer zu finden sind, je einfacher die interne Struktur der untersuchten Wörter ist. Substantive, deren Wurzel aus einem Morphem oder gar einer Silbe besteht, sind in vielen Fällen nicht nach festen Regeln einer Flexionsklasse zuzuordnen. Etwas Ähnliches gilt auch für die Genuszuweisung. Morphologisch einfache Substantive erhalten ihr grammatisches Geschlecht grundsätzlich nicht nach morphologischen Regeln – mit der einen Ausnahme, daß es Zusammenhänge zwischen Genus und Flexionstyp gibt. Abgesehen davon können aber nur phonetische und phonologische Kriterien herangezogen werden.

Für das Deutsche sind eine Reihe von Regularitäten dieser Art bekannt, mit deren Hilfe man für ungefähr 90% aller im Rechtschreibduden aufgeführten einsilbigen Substantive das grammatische Geschlecht richtig voraussagen kann (Köpcke 1982: 81 ff.; Köpcke/Zubin 1983). Eine solche Regel lautet etwa:

$$(3)\quad \text{Endet ein Substantiv auf (k)} \begin{Bmatrix} f \\ \varsigma \\ x \end{Bmatrix} \text{t, so ist es ein Femininum.}$$

Die in Rede stehenden Substantive haben am Ende fakultativ einen Konsonanten (k), gefolgt von einem [f], [ç] (wie in **ich**) oder [x] (wie in **ach**), gefolgt von einem [t]. Beispiele: **die Luft, Kraft, Sicht, Schicht, Frucht, Pacht**. Das entscheidende Merkmal ist also, daß das Wortende von einem Frikativ bestimmter Art gebildet wird, gefolgt von einem [t]. Von 55 Substantiven mit dieser Eigenschaft sind 35 Feminina entsprechend Regel 3, 4 von ihnen sind Maskulina und 16 bekommen ihr grammatisches Geschlecht aufgrund anderer Regeln, z. B. aufgrund semantischer Merkmale wie **der Knecht, Wicht**. Phonetische Kriterien scheinen dort zu greifen, wo es keine stärkeren Merkmale für die Genuszuweisung gibt **(Aufgabe 43)**.

Eine andere Regularität oder doch allgemeine Tendenz ist die folgende.

(4) Je größer die Anzahl der Konsonanten am Wortanfang oder am Wortende, desto größer ist die Wahrscheinlichkeit, daß das Substantiv ein Maskulinum ist.

Ordnet man die deutschen Einsilber nach der Zahl der Konsonanten am Wortanfang und Wortende, so ergibt sich folgendes Bild (nach Zubin/Köpcke 1981: 441).

(5) a.

Konson. am Wortanfang	Substantive insgesamt	davon Mask. in Prozent	Beispiele
0	57	46	**Ast, Ulk**
1	853	59	**Mast, Reif**
2	505	73	**Spaß, Brief**
3	51	82	**Sproß, Stumpf**

b.

Konson. am Wortende	Substantive insgesamt	davon Mask. in Prozent	Beispiele
0	77	43	**Schuh, Brei**
1	753	63	**Schuß, Stuhl**
2	503	74	**Schutz, Halt**
3	73	77	**Schurz, Pelz**

Anmerkung: **Schurz** und **Pelz** enden mit drei Konsonanten, weil ⟨z⟩ [ts] (Affrikate) gesprochen wird.

Für ungefähr neun von zehn einsilbigen Substantiven kann man das grammatische Geschlecht nach phonetischen Gesichtspunkten richtig voraussagen. Das ist ein erstaunliches Ergebnis, das die auch in der Sprachwissenschaft verbreitete Ansicht von der Willkürlichkeit des Genus korrigieren sollte. Allerdings weiß man noch nicht genau, wie Ergebnisse dieser Art zu interpretieren sind. Handelt es sich um psychophonetische Gegebenheiten, also um etwas wie ›maskuline Klänge‹ und ›feminine Klänge‹? Psychophonetische Untersuchungen, mit denen die lange Zeit postulierte Arbitrarität des sprachlichen Zeichens ausdrücklich in Frage gestellt wird, sprechen zumindest nicht gegen eine solche Interpretation (Fónagy 1963; Ertel 1969; Tanz 1971; Ross 1980). Aber auch eine semantische Deutung ist damit nicht ausgeschlossen, nur darf das, was den Kategorien MASK/FEM/NEUT semantisch entspricht, nicht konkretistisch auf das natürliche Geschlecht reduziert werden. Die Frage der Interpretation bleibt vorerst offen. Zwar scheint festzustehen, daß das Genus der Substantive im Prinzip an strukturelle Bedingungen gebunden ist, aber es bleibt zweifelhaft, daß dem eine einheitliche semantische Klassifizierung entspricht. Die Situation scheint ähnlich der bei den Kasusbedeutungen zu sein (3.2.2). Das Genus hat jedenfalls eine strukturelle Funktion (s. u.), verbindet sich aber in weiten Bereichen mit festen Bedeutungen.

Der Zusammenhang von grammatischem Geschlecht und Bedeutung wird meist als Verhältnis von Genus und Sexus begriffen. Der Gedanke einer Zuordnung von strukturellen und semantischen Merkmalen, vom Abbildcharakter der Sprache oder der Entsprechung von Weltsicht und grammatischer Form liegt beim Genus besonders nahe. Er ist augenblicklich besonders virulent im Rahmen der Debatte über Sprache und Geschlecht.

Hat es eine Entwicklungsstufe des Deutschen oder seiner Vorläufer gegeben, auf der die Zuordnung von grammatischem und natürlichem Geschlecht systematischer war als heute? Sind die Kategorien des Genus strukturell-semantische Kategorien in diesem Sinne gewesen?

Die Auseinandersetzung um diese Frage hat in der Sprachwissenschaft Tradition (Royen 1929). Humboldt und Grimm haben als Vertreter eines Sprachbegriffs, der die sprachliche Form in direkte Beziehung zur Bedeutung bringt, eine genetische Einheit von Genus und Sexus unterstellt und sogar postuliert. Dagegen hält etwa der Junggrammatiker Brugmann (1889; 1891) eine solche Verbindung zumindest nicht für zwingend. Brugmanns Hypothese über die Entstehung des grammatischen Geschlechts in den indogermanischen Sprachen besagt, daß es ursprünglich Wort*stämme* gegeben hat, zu deren Bedeutung die ausdrückliche Markierung eines natürlichen Geschlechts gehört, z.B. noch im Griechischen $\mu\eta\text{-}\tau\eta\varrho$, $\pi\alpha\text{-}\tau\eta\varrho$ (»Mutter« - »Vater«). In der indogermanischen Ursprache müsse es etwa Bezeichnungen für weibliche Wesen wie *gena oder *mama gegeben haben. Das a im Auslaut habe zunächst nichts mit der Bedeutung »Feminin« zu tun gehabt, sondern diese Bedeutung sei erst vom Stamm auf die Endung a übertragen worden. Auf dieser Grundlage seien dann weitere Substantive auf a gebildet worden, die in Opposition zu semantisch als Maskulina markierten standen (z.B. lateinisch equa neben equus, »Pferd«). Damit gibt es wohl ein Suffix, das grammatisch Feminina markiert und zur Bezeichnung des Weiblichen verwendet wird, aber diese semantische Funktion ist nicht seine früheste und nicht seine einzige. Das Suffix für Feminina kann vielmehr auch zur Markierung von substantivischen Abstrakta verwendet werden, und diese Verwendung sei keine nachgeordnete. In Substantiven wie griechisch $\pi\varepsilon\delta\eta$ (»Fessel«), $\alpha\grave{v}\delta\eta$ (»Sprache«), $\varphi v\gamma\eta$ (»Flucht«) und $\gamma\lambda\tilde{\omega}\tau\tau\alpha$ (»Zunge«) liegen danach nicht Bedeutungen vor, die ein ›weibliches Element‹ irgendeiner Art enthalten. Darum geht letztlich die Auseinandersetzung mit einer Position wie der von Jacob Grimm: muß man annehmen, daß im Indogermanischen alle Substantivbedeutungen ein Sexus-Element enthielten oder nicht? Wurden die von Substantiven bezeichneten Dinge und Erscheinungen durchgängig durch das Raster ›natürliches Geschlecht‹ wahrgenommen oder nicht? Brugmann kann also bei seiner Position den Zusammenhang von Genus und Sexus für bestimmte Substantivgruppen anerkennen, ohne daß er ihn durchgängig fordert.

Andere Untersuchungen wie die von Greenberg sprechen eher für die Position von Brugmann als für die von Grimm. Greenberg (1978) macht zunächst klar, daß das ›gender‹ (›Genus‹, zu Deutsch »die Art«, »die Sorte«) keineswegs etwas mit dem natürlichen Geschlecht zu tun haben muß. In vielen Sprachen haben wir ein ähnliches oder vergleichbares Kategoriensystem, das die Substantive in disjunkte Klassen aufteilt und eine Formabstimmung innerhalb der Nominale bewirkt, aber semantisch, wenn überhaupt, ganz anders motiviert ist. So werden in einigen Sprachen Australiens die Substantive in vier Klassen eingeteilt. Die erste Klasse umfaßt alle, die eßbares Fleisch oder eßbare Tiere bezeichnen; die zweite alle, die Waffen, Werkzeuge und hölzerne Geräte bezeichnen; die dritte solche, die Gemüse bezeichnen und die vierte alle anderen. Vor jedes Substantiv wird im Gebrauch ein weiteres Substantiv gesetzt, das die Zugehörigkeit zu einer der Klassen anzeigt. Im Marengar beispielsweise wird die zweite Klasse dadurch angezeigt, daß das Substantiv **yeri** (»Stock«) erscheint. Erscheint das Wort für **Bumerang (kunt^{y}ikin^y)** im Text, so erscheint es als **yeri-kunt^{y}ikin^y**. »Gut« heißt im Marengar **kati**, und »guter Bumerang« heißt **yeri-kunt^y-ikin^y yeri-kati**.

Greenberg zeigt weiter, wie solche offenen Genusmarkierungen, die es im Deutschen nur in einem sehr eingeschränkten Sinne gibt, aus Pronominalformen und insbesondere aus Formen des Demonstrativpronomens entstehen. Damit kann der semantische Ausgangspunkt für das Genus teilweise durch die semantische Diffenzierung des Pronominalsystems vorgegeben sein. Dort gibt es häufig lokaldeiktische Unterschiede (etwa wie in **hier – dort**), die Unterscheidungen »belebt – unbelebt«, »menschlich – nicht menschlich«, »zählbar – nicht zählbar«. Die Unterscheidung nach dem Sexus ist also nur eine von vielen möglichen für das Genus. Für die europäischen Sprachen postuliert Bechert (1982a), daß ihre Genussysteme entsprechend den Parametern der allgemeinen Markiertheitstheorie semantisch fundiert sind. Bechert betont ausdrücklich, daß die verschiedenen semantischen Merkmalspaare sich bei der Klassifikation der Substantive überlagern können. Die semantischen Entsprechungen der Genuskategorien können also uneinheitlich sein.

Betrachten wir als Beispiel eine der Substantivklassen, deren Genus durch das Suffix festgelegt ist. Die Diminutiva auf **chen** und **lein** werden mit **Mädchen** und **Fräulein** immer wieder als ›Beweis‹ dafür angeführt, daß es eine semantische Genusdetermination im Deutschen nicht gibt. Die Bedeutung von **das Mädchen** sei hinsichtlich des Sexus markiert, die Form aber sei ein Neutrum. Das ist richtig, läßt aber außer acht, daß das Genus in diesem Fall eine andere Bedeutung hat, eben die mit dem Suffix verbundene. Das Genus selbst zeigt Diminuation an und nicht Sexus. Daß dazu das Neutrum gewählt wird, hat seinerseits aber sogar wieder etwas mit dem Sexus zu tun. Denn erstens kann sich das ›Verkleinern‹ auf Entitäten aller Art beziehen, auf sexusneutrale ebenso wie auf sexusmarkierte, und wenn für sämtliche Fälle ein einziges Genus gewählt werden muß, dann ist das Neutrum semantisch am angemessensten. Zweitens kann die ›Verkleinerung‹ zu einer wahrnehmungsmäßig vollzogenen Geschlechtsabstraktion führen, die sprachlich als Neutralisation nachvollzogen wird (**die Frau – der Mann – das Kind** oder **das Mädchen** und **das Jungchen**). Dies alles ändert jedoch nichts daran, daß eine der semantischen Funktionen des Genus im Deutschen die Markierung von Diminuativa bleibt und daß dies die Bedeutung des Neutrums in unserem Beispiel ist. Ähnlich wie für **chen** kann die Frage für alle produktiven Nominalisierungsaffixe gestellt werden (**Aufgabe 42b**).

Die Funktion der Signalisierung des natürlichen Geschlechts hat das Genus im Deutschen vornehmlich für Personenbezeichnungen. Die Grundregularität ist, daß grammatisches und natürliches Geschlecht nur dann auseinanderfallen, wenn in der Wortbedeutung ein Merkmal des Sexus besonders markiert wird. Diese Markierung ist stets abwertend oder neutral, niemals aber mit einer positiven Konnotation. Als abweichend vom Maskulinum werden immer genannt **Memme** und **Tunte**. Beide sind Feminina. Charakteristisch ist, daß als Synonyma zu **Memme** meist

Substantive in übertragener Bedeutung gebraucht werden, die Feminina sind (**die Flasche, Niete, Pflaume**) oder Maskulina (**der Schlappschwanz, Waschlappen**), kaum aber Neutra, die zitierfähig sind. Dagegen kommen als Abweichungen vom Femininum Neutra durchaus vor (**das Weib, Reff**). Maskulina tauchen meist als Metaphern auf (**der Drachen, Besen, Blaustrumpf, Vamp**). Alle anderen Personenbezeichnungen einschließlich der Verwandtschaftsbezeichnungen zeigen eine direkte Zuordnung von Genus und natürlichem Geschlecht, wobei allerdings erhebliche formale und semantische Asymmetrien auftreten.

Viele Gruppen von Personenbezeichnungen sind hinsichtlich des natürlichen Geschlechts symmetrisch aufgebaut. In **Frau – Mann – Mensch** beispielsweise haben wir einen geschlechtsneutralen neben zwei geschlechtsspezifischen Ausdrücken. Daß **Mensch** ein Maskulinum ist, muß diese Symmetrie nicht stören. **Mensch** ist, zumindest synchron und im Gegensatz zum englischen **man**, mit **Mann** ebensowenig identisch wie mit **Frau**.

In anderen Bereichen sind die Bezeichnungen jedoch ungleichmäßig verteilt. Pusch 1980 unterscheidet im Einzelnen.

1. Bei substantivierten Adjektiven und insbesondere Partizipien liegt ›Differentialgenus‹ vor, d. h. es gibt genusunterschiedene Substantive für das jeweilige natürliche Geschlecht, vgl. **die/der Abgeordnete, Jugendliche, Heranwachsende, Angestellte, Auszubildende, Neunmalkluge**. Von der Form her unterscheiden sich Substantive dieser Art genusabhängig nur beim unbestimmten Artikel (**ein Angestellter – eine Angestellte**). Aber auch hier kann keine Rede davon sein, daß die feminine Form von der maskulinen abgeleitet oder ihr sonst irgendwie nachgeordnet sei. Eine Asymmetrie entsteht für Wortpaare dieser Art allerdings auf der Bedeutungsseite: **der Angestellte** bezeichnet sowohl den männlichen Angestellten als auch die Spezies der Angestellten. Das Maskulinum als unmarkierter Fall gibt die Bezeichnung für den übergeordneten, an sich geschlechtsneutralen Begriff ab.

2. Zu zahlreichen Personenbezeichnungen im Maskulinum lassen sich Feminina morphologisch ableiten (›Movierung‹). Im Deutschen dient dazu vor allem das Suffix **in: der/die Lehrer(in), Student(in), Verkäufer(in), Arbeiter(in)**. Die Feminina als abgeleitete Formen existieren hier nicht unabhängig von den Maskulina, es besteht eindeutig ein Verhältnis der Voraussetzung. Dieses Verhältnis besteht in der Regel sowohl synchron/diachron-morphologisch als auch realiter für das Bezeichnete. Und wieder wird die maskuline Form zur Bezeichnung des genus proximum verwendet. Die Asymmetrie geht noch weiter als bei den substantivierten Adjektiven. Waren dort die Plurale geschlechtsneutral (**die Angestellten** als mask und fem), so haben wir hier auch im Plural das Motionssuffix (**die Studentinnen – die Studenten**). Im vorliegenden Falle hat ein abgeleitetes (derivationelles) Genus die Funktion, ein natürliches Geschlecht zu markieren. Das ist, wie wir gesehen haben, im Deutschen nicht der Normalfall. Die Tatsache, daß es ein derivationelles Genus gibt, kann aber sehr wohl als ein Grund dafür angesehen werden, daß sich ein Movierungssuffix derart weitgehend durchgesetzt hat.

3. In einer Reihe von Wortbildungsregeln wird auch dort vom maskulinen (unmarkierten) Stamm Gebrauch gemacht, wo eine movierte Form existiert, vgl. Puschs Beispiele **ärzt-lich, schriftsteller-nd, künstler-isch, jurist-isch, Meisterschaft**. Daß dies so ist, erscheint schon aus Gründen der Ökonomie ›natürlich‹ – es zeigt damit aber gerade, wie sehr die femininen Formen nachgeordnet sind.

4. Man kann als weitere Gruppe die Vornamen hinzufügen. Viele unserer Mädchen heißen Nikola, Manuela, Petra, Johanna und Henriette. Aber kein Junge heißt Evus oder Magdalen, und im Deutschen ist sogar der Mario eine Rarität (**Aufgabe 44**).

Wir lassen es bei diesen Hinweisen auf das Genus von Personenbezeichnungen bewenden und zählen noch einige andere Gruppen von Substantiven auf, bei denen es eine Korrelation von Genus und Bedeutung gibt. Maskulina sind Wochentage (auch die, die nicht auf **tag** enden), Himmelsrichtungen, Winde (**der Föhn, Passat, Scirocco, Monsun**), alkoholische Getränke (**der Gin, Schnaps, Whisky, Wein, Grog,** aber das wichtigste ist eine Ausnahme: **das Bier**). Neutra sind Maßeinheiten, die Fachsprachen entnommen sind (**das Erg, Phon, Hertz, Watt, Joule, PS,** aber **der-/das Meter, Liter** und **die Kalorie**), Bezeichnungen für Metalle (**Silber, Blei, Eisen, Kupfer**) sowie solche Substantive, die hoch in Begriffshierarchien stehen und Dinge bezeichnen, die der Mensch zum Leben braucht; etwa Haustiere, wenn nicht auf das natürliche Geschlecht Bezug genommen wird (**das Vieh, Geflügel, Rind, Schwein, Pferd, Huhn,** aber **der Hund, die Gans**) oder Lebensmittel (**das Getränk, Gemüse, Obst, Korn**). Man kann einige weitere Klassen hinzufügen wie Städtenamen, die Neutra sind, Schiffsnamen und Motorradmarken, die Feminina sind (Duden 1984: 200 ff.).

Über die Systematik des Zusammenhangs von Genus und Bedeutung läßt sich solchen Aufzählungen wenig entnehmen. Auch mit einem sehr abstrakten Verständnis von ›natürlichem Geschlecht‹ kommt man hier nicht weiter.

Neben den nur in Teilbereichen eindeutigen semantischen Leistungen erfüllt das Genus im Deutschen eine Reihe von syntaktischen und kommunikativen Funktionen, die ganz unabhängig davon sind, ob es etwas Bestimmtes bedeutet oder nicht. Das Genus erfüllt diese Funktionen rein strukturell, d.h. dadurch, daß es beiträgt zur Formdifferenzierung einerseits und zur Formabstimmung andererseits. Man kann annehmen, daß sich das Genus im Deutschen auch wegen der Wichtigkeit dieser Funktionen hält. Wir kommen auf seine syntaktische Rolle in verschiedenen Zusammenhängen genauer zu sprechen und geben hier nur einige Hinweise anhand von Beispielen (ausführlich Werner 1975).

Artikel und adjektivisches Attribut kongruieren hinsichtlich Kasus und Numerus mit dem substantivischen Kern eines Nominals und werden hinsichtlich des Genus vom Substantiv regiert (5.2; 7.2). Damit trägt das Genus neben Kasus und Numerus zur formalen Redundanz und damit zur Stabilität von Nominalen bei. In einem Ausdruck wie **als ein neuer Stadtverordneter aufgeregt hereinkam** sind die Einheiten **ein, neuer** und **Stadtverordneter** auch durch das Genus formal aufeinander abgestimmt. Das Nominal wird dadurch perzeptuell zur Einheit.

Anders als Numerus und Kasus hat das Genus darüber hinaus eine besondere Funktion in der sogenannten Nominalklammer. Mit dem Artikel und dem Kernsubstantiv enthält das Nominal in der Regel zwei ›genusbehaftete‹ Einheiten, die Beginn und Kern eines Nominals markieren (Artikel: Klammer auf; Substantiv: Klammer zu, vgl. 6). Mit dem Genus des Artikels ist dabei schon am Anfang des Nomi-

(6) *der* **besonders an den Ergebnissen unserer Arbeitsgruppe interessierte** *Minister*

nals klar, welche Art von Substantiv abgewartet werden muß, damit die Klammer schließt.

Außer zum Aufbau der Nominalklammer ist das Genus besonders für den Gebrauch von Pronomina von Wichtigkeit. Pronomina und insbesondere auch die Personalpronomina der dritten Person haben Formen in allen Genera. Werden Pronomina textverweisend (phorisch) gebraucht, so richten sie sich im Genus und im Numerus nach dem Bezugsnominal, im Kasus nach ihrer jeweiligen syntaktischen Funktion. In vielen Fällen ist es das Genus des Pronomens allein, das den richtigen Bezug möglich macht.

(7) **Schmidts Engagement für eine Annäherung ist zum Scheitern**

$$\textbf{verurteilt, weil} \left\{ \begin{matrix} \text{sie} \\ \text{. es} \\ \text{er} \end{matrix} \right\} \textbf{auf das Wohlwollen der Opposition}$$

angewiesen ist.

Das Subjekt in 7, nämlich **Schmidts Engagement für eine Annäherung**, enthält je ein Substantiv im Maskulinum, Femininum und Neutrum. Auf jedes dieser Substantive kann man sich pronominal beziehen. Eindeutig wird dieser Bezug nur durch das Genus. In seiner textverweisenden und damit die Kohärenz von Texten sichernden Funktion kann die Bedeutung des Genus kaum überschätzt werden.

Auf eine mögliche weitere, im engeren Sinne kommunikative Leistung des Genus haben wiederum Zubin/Köpcke (1981: 446 f.) hingewiesen. Betrachtet man Gruppen von Substantiven, die semantisch, perzeptuell und/oder lokal aufeinander bezogene Dinge bezeichnen (substantivische Wortfelder) wie Bezeichnungen für Werkzeuge, Teile des menschlichen Körpers oder Küchengeräte, so stellt man fest, daß das Genus ziemlich gleichmäßig über Gruppen dieser Art verteilt ist. Hier z.B. Bezeichnungen für Teile des Kopfes:

(8) a. **der Kopf, Hals, Nacken, Scheitel**
    b. **die Nase, Lippe, Backe, Stirn, Schläfe**
    c. **das Auge, Haar, Ohr, Kinn, Gesicht.**

Auffällig sind auch Verteilungen in Minigruppen wie **der Löffel – die Gabel – das Messer; der Boden – die Decke; das Haus – der Garten** usw. Der Grund für solche Genusverteilungen wird wieder in der Möglichkeit zur eindeutigen Verweisung durch Pronomina gesehen, jetzt aber besonders in der gesprochenen Sprache. In der mündlichen Kommunikation kommt man häufig ganz ohne Substantive aus, wenn es möglich ist, statt dessen Pronomina gemeinsam mit einer Hinweisgeste oder auch ohne eine solche zu gebrauchen. Man sagt etwa »Hast du sie/ihn/es gefunden? Ist es scharf? Gib ihn her. Halte sie andersherum« usw. Dabei ist es offenbar nützlich, wenn Bezeichnungen für nahe beieinanderliegende oder sonstwie im Wahrnehmungsraum gleichberechtigte Gegenstände grammatisch voneinander getrennt sind und deshalb mit unterschiedlichen Pronomina identifiziert werden. Diese Art des Pronominalgebrauchs ist ein Kennzeichen für die größere Situationsgebundenheit des Mündlichen gegenüber dem Geschriebenen. Die Situationsgebundenheit wird gemildert durch die Genusdifferenzierung bei den Pronomina.

5.3.2 Individualität: Gattungsnamen, Stoffnamen, Eigennamen

Außer nach dem Genus können die substantivischen Paradigmen nach einer ganzen Reihe von Kriterien subklassifiziert werden, etwa in morphologisch einfache vs. morphologisch komplexe und letztere weiter nach dem Wortbildungs- oder Nominalisierungstyp. Man kann Substantive ähnlich wie Verben nach der Valenz klassifizieren (8.3.4) oder auch explizit semantische Kriterien zur Grundlage der Klassenbildung machen. Wir behandeln im folgenden nur die Einteilung der Substantive in Gattungsnamen, Stoffnamen und Eigennamen, in drei Klassen, die je spezifische grammatische und semantische Merkmale haben. Für die Bedeutungsunterschiede zwischen den Klassen ist ausschlaggebend, wie die gemeinten Entitäten sprachlich zusammengefaßt oder einzeln bezeichnet werden. Deshalb sprechen wir von einer Kategorisierung hinsichtlich ›Individualität‹. Ob es neben den genannten weitere Substantivklassen gibt, die in ein System dieser Art gehören, etwa Zahl- oder Maßausdrücke, bleibt offen. Nach den Besonderheiten der drei Klassen besprechen wir noch kurz die sogenannten Sammelnamen sowie eine Möglichkeit zur Integration der Abstrakta in das System der Substantivkategorien.

1. *Gattungsnamen*, auch Appellativa oder common nouns (COM) genannt, sind die größte Klasse unter den Substantiven. Das Appellativum ist das ›Normalsubstantiv‹, mit dem im Bereich des Konkreten die Objekte der uns umgebenden Wirklichkeit bezeichnet werden. **Tisch, Buch** und **Feder; Auto, Hase** und **Zange; See, Kind** und **Baum** sind alles Gattungsnamen. Ein Versuch, sie in Bedeutungsgruppen systematisch zu erfassen, ist an dieser Stelle nicht möglich. Grammatisch sind die Gattungsnamen unauffällig, gegenüber den beiden anderen ist COM jeweils die unmarkierte Kategorie. Gattungsnamen haben in der Regel ein vollständiges Paradigma mit dem ›normalen‹ Unterschied von Sg und Pl. Viele Klassifizierungen führen sie unter den Bezeichnungen Individuativum oder count noun.

Was Gattungsnamen bedeuten, scheint auf der Hand zu liegen. Als Konkreta bezeichnen sie Klassen von Objekten, **Tisch** die Klasse der Tische und **Buch** die Klasse der Bücher. Gemeint ist damit die Bedeutung des jeweiligen Paradigmas, also die Bedeutung von **Tisch**^{P} und **Buch**^{P} und nicht etwa die der Formen **Tisch** bzw. **Buch** als Nom Sg. Wie kommt man zu der Behauptung, daß **Buch**^{P} »die Klasse der Bücher« bezeichnet? Auf »die Klasse der Bücher« kann man sich allenfalls mit Ausdrücken wie **alle Bücher** oder auch **die Bücher** beziehen. Diesen zusammengesetzten Einheiten ist aber nicht zu entnehmen, was **Buch**^{P} bezeichnen könnte. Um das herauszufinden, müssen wir nach einem Ausdruck suchen, in dem mit einer Form von **Buch**^{P} ohne Artikel, d. h. für sich referiert werden kann. Eine solche Form ist **Bücher** in **Karl hat Bücher, die er liebt**. Aus solchen Ausdrücken geht hervor, daß es sinnvoll ist, eine oder die Klasse der Bücher als Extension von **Buch**^{P} anzusehen. Mit dieser Annahme kann man auf einfache Weise die Bedeutung zusammengesetzter Ausdrücke wie **ein Buch, das Buch, einige Bücher** und **sämtliche Bücher** aus den Bedeutungen der Bestandteile aufkonstruieren. Außerdem ist es mit dieser Annahme möglich, den Bedeutungsunterschied etwa zwischen Gattungsnamen und Eigennamen auf einleuchtende Weise anzugeben. Das alles spricht dafür, als Extension von **Buch**^{P} die Klasse der Bücher anzusetzen. Selbstverständlich und unmittelbar einleuchtend ist diese Setzung aber nicht.

2. *Stoffsubstantive.* Sie werden auch unter den Bezeichnungen Kontinuativa oder

mass terms (MAS) geführt. Zu den Stoffsubstantiven gehören Bezeichnungen für Substanzen jeder Art und aller Aggregatzustände wie **Holz, Bier, Stahl, Gas, Papier, Mehl, Öl** und **Sauerstoff**. Eine besondere morphologische Kennzeichnung dieser Klasse gibt es nicht. Stoffsubstantive kommen in allen Genera vor und deklinieren nach unterschiedlichen Flexionsmustern. Ihre grammatischen Besonderheiten gegenüber den Gattungsnamen zeigen sich vor allem im Artikelgebrauch und bei der Pluralbildung bzw. der Pluralbedeutung.

Stoffsubstantive können, anders als Gattungsnamen, auch im Singular ohne Artikel oder eine andere determinierende Einheit auftreten. Der in 1 und 2 sichtbare

(1) a. **Stahl wird immer billiger**
    b. ***Auto wird immer teurer**

(2) a. **Japan versorgt Europa mit Stahl**
    b. ***Japan versorgt Europa mit Auto**

Unterschied im syntaktischen Verhalten von **Stahl** (MAS) und **Auto** (COM) wäre allein Grund genug, diese Substantive verschiedenen grammatischen Kategorien zuzuweisen.

Mit der Artikellosigkeit der Stoffsubstantive geht eine grammatische Erscheinung einher, die uns in ihrer Art bisher noch nicht begegnet ist. Die Einheit **billigem Stahl** in 3a ist ein Dativ. Das geht hier eindeutig nur aus der Endung des Adjektivs hervor,

(3) a. **Japan versorgt Europa mit billigem Stahl**
    b. **Japan versorgt Europa mit billigem Stahle**
    c. **Japan versorgt Europa mit Stahl**
    d. ***Japan versorgt Europa mit Stahle**

aber auch dem Substantiv kann das Dativ-**e** angehängt werden wie in 3b. Das Ganze weist keinerlei Auffälligkeiten auf. **Mit** verlangt den Dativ und der Dativ kann beim Substantiv mit dem veralteten aber möglichen **e** markiert werden. 3c ist auf den ersten Blick ebenfalls nicht auffällig: **Stahl** kann man ansehen als Dativ ohne **e**. 3d zeigt aber, daß diese Sicht unzutreffend ist. Das Dativ-**e** kann nicht stehen, es handelt sich bei **Stahl** in 3c also ebenfalls nicht um eine dativische Form.

4 zeigt, daß derselbe Effekt beim Genitiv auftritt. Auch hier kann die kasusmarkierte Form des Stoffsubstantivs ohne Begleiter nicht stehen, und es gilt allgemein: steht ein Stoffsubstantiv im Sg ohne determinierendes Element, so hat es keine Kasusmarkierung (**Aufgabe 45**).

(4) a. **der Preis japanischen Stahls**
    b. ***der Preis Stahls**

Eine Regularität dieser Art verträgt sich nicht mit dem, was als das normale Verhältnis von paradigmatischer und syntagmatischer Strukturiertheit angesehen wird. Wenn etwa aus syntaktischen Gründen ein Dativ gefordert ist und das Paradigma eine dativische Form enthält, dann kann diese Form ›normalerweise‹ auch dort verwendet werden. 3d und 4b zeigen, daß diese Annahme nicht immer gilt.

Wie ist nun aber die Form **Stahl** in 3c zu deuten, welchem Kasus ist sie zugeordnet? Drei Lösungen sind denkbar, die wir an dieser Stelle nur aufzählen können. (1) Stahl ist eine nominativische Form. Der Nominativ als die unmarkierte Kasusform, so könnte man argumentieren, tritt unter bestimmten Bedingungen an die Stelle markierter Formen. (2) Das Deutsche ist dabei, einen neuen Kasus zu entwickeln, den etwa artikellose Substantive haben. (3) Die Form **Stahl** kann weiter als kasuslos, als hinsichtlich Kasus unflektiert angesehen werden. Ähnlich wie die Adjektive eine Kurzform, so hätten die Stoffsubstantive eine neben dem Paradigma stehende Form. In allen drei Fällen würde aber gelten, daß **mit** nicht immer den Dativ fordert. Die allgemeine Regel, daß Präpositionen einen oder mehrere Kasus fordern, ist hier durchbrochen (weiter dazu Admoni 1970: 121 ff.; Eisenberg 1985).

Was soll man nun als die Bedeutung von Stoffsubstantiven ansehen? Wie bei den Gattungsnamen suchen wir nach der Bedeutung des Stoffsubstantivs dort, wo eine seiner Formen für sich steht, also etwa in 1a. Klar ist, daß **Stahl** nicht eine Menge von Objekten bezeichnet wie ein Gattungsname. Es ist überhaupt fraglich, ob man mit dem Begriff Objekt zur Erfassung der Bedeutung von Stoffsubstantiven auskommt.

Von den verschiedenen Bedeutungskonzeptionen für Stoffsubstantive (Pelletier 1979) werden zwei besonders häufig genannt. Die eine ist ontologisch vorsichtig, sie möchte keine Entitäten besonderer Art für Stoffsubstantive einführen, sondern mit denen auskommen, die man sowieso braucht. In diesem Sinne hat W. V. O. Quine vorgeschlagen, als Extension von Stoffsubstantiven ein scattered object anzusehen (1960: 97f.). $Stahl^P$ würde also das ›verstreute Objekt‹ bezeichnen, das aus der Menge des überhaupt existierenden Stahls besteht. Grundlegend bleibt der Begriff des Objekts, so wie er auch grundlegend für die Bedeutung von Gattungsnamen ist. Die Welt besteht für uns aus Objekten, aus Objekten sehr verschiedener Art vielleicht, aber etwa anderes als Objekte gibt es nicht.

Parsons (1970) schlägt vor, neben dem Begriff des Objekts andere Grundbegriffe zuzulassen, etwa den der Substanz. Stoffsubstantive hätten als Extensionen Substanzen. Ein Ausdruck wie **dieser Stahl** würde nicht wie **dieser Baum** ein ganz bestimmtes Objekt, sondern eine ganz bestimmte Quantität der betreffenden Substanz bezeichnen. Determination und Quantifikation sind dann für Stoffsubstantive ganz ähnlich möglich wie in 5.2 für Gattungsnamen besprochen, nur daß jeweils nicht die Rede von Objekten und Mengen von Objekten ist, sondern von Quantitäten und Mengen von Quantitäten von Substanzen. Substanz als Grundbegriff wird auch den anderen semantischen Eigenschaften von Stoffsubstantiven gerecht: (1) Das von ihnen Bezeichnete verliert seine konstitutiven Eigenschaften bei Teilung nicht. Stahl bleibt Stahl, gleichgültig, wieviel man davon hat. (2) Das von Stoffsubstantiven Bezeichnete ist nicht zählbar.

Als weiteres Charakteristikum von Stoffsubstantiven wird meist ihre Plurallosigkeit angesehen (Admoni 1970: 90; Helbig/Buscha 1975: 246f.). Formen wie **Milche, Wässer, Golde** gibt es nicht. Das Fehlen des Plural wäre auch einfach erklärbar. Wenn der Sg die Substanz als Ganze bezeichnet, ist für den Pl semantisch kein Platz.

Der Plural von Stoffsubstantiven tritt in zwei unterschiedlichen Kontexten auf. Der erste ist gegeben in Sätzen wie **Wir bestellen fünf Biere und drei Schnäpse**. Der Ausdruck **drei Schnäpse** bezeichnet eine Menge von Quantitäten einer Substanz und ist gleichbedeutend mit **drei Gläser Schnaps** oder **drei Glas Schnaps** (8.3.2).

Der zweite Kontexttyp ist gegeben in **Werkzeug- und Edelstähle, Öle und Fette, Biere und Säfte**. Mit **Öle** etwa kann gemeint sein »schweres und leichtes Öl«, »Olivenöl, Sonnenblumenöl und Rapsöl« usw. **Öle** hat die Bedeutung »Sorten von Öl«. Diese Form des Plural gliedert die von **Öl** bezeichnete Substanz in Teilsubstanzen auf. Die Extension der pluralischen Form ist eine Menge von Substanzen, die alle in der vom Stoffsubstantiv selbst bezeichneten Substanz enthalten sind.

Der ›Sorten-Plural‹ ist relativ jung und breitet sich gegenwärtig schnell aus. Er wird auf immer mehr Stoffsubstantive anwendbar, weil für immer mehr Substanzen ein Bedarf nach feinerer Aufgliederung und deren genauer Benennung besteht. In den meisten Fällen dürfte die Entwicklung von fachsprachlichen Notwendigkeiten in Gang gesetzt werden und von dort aus auf die Gemeinsprache übergreifen. In der zunehmenden Verwendung des Plural von Stoffsubstantiven drückt sich aus, daß wir mit Substanzen differenzierter umgehen und sie differenzierter wahrnehmen als früher. Es gibt keinen Grund, den Sorten-Plural als irgendwie unsystematisch oder marginal anzusehen. Er ist so gut verankert, daß bereits auch zugehörige Singularformen existieren. **Ein Öl** etwa ist zu lesen als »eine Sorte Öl«. Insgesamt lassen sich immer mehr der für Appellative typischen grammatischen Mittel auch für Stoffsubstantive verwenden. Das bedeutet eine Erweiterung ihres Anwendungsbereiches, es bedeutet aber nicht, daß sie ihre Spezifika verlieren. Der kategoriale Unterschied von COM und MAS ist nicht in Frage gestellt (**Aufgabe 46**).

3. *Eigennamen*, auch Propria oder proper names (PRP) genannt. Ein formal faßbarer und als grammatische Kategorie brauchbarer Begriff von Eigenname läßt sich am Flexionsverhalten und am Artikelgebrauch festmachen. Charakteristisch für Eigennamen ist, daß sie einen Gen Sg auf s haben (**Helgas, Josephs, Amerikas, Chomskys**) und daß Pluralformen nur in systematisch eingeschränktem Umfang existieren. Pluralformen von Eigennamen sind zwar bildbar (mit dem Pluralmorph s), werden tatsächlich aber nur dann gebildet, wenn mehrere gleichnamige Entitäten gemeinsam zu nennen sind wie in **die Lehmanns** oder **beide Deutschlands**. Dies ist ein vollkommen anderer Vorgang als etwa die Pluralbildung bei den Gattungsnamen. **Deutschland** bezeichnet niemals eine Menge von Ländern, sondern immer genau ein Land. Da es zwei Länder dieses Namens gibt, können sie mit der Pluralform gemeinsam bezeichnet werden. Das ändert aber nichts daran, daß **Deutschland** genau eine Entität bezeichnet.

Die Möglichkeiten eines artikellosen Gebrauchs haben die Eigennamen mit den Stoffsubstantiven gemeinsam. Anders als die Stoffsubstantive legen die Eigennamen aber bei artikellosem Gebrauch die Flexionsendung gerade nicht ab. Für die

(5) a. **Karls Vorschlag**
b. *****Biers Preis**

(6) a. **Er erinnert sich Amerikas**
b. *****Er erinnert sich Goldes**

Eigennamen ist also typisch, daß sie insbesondere im Genitiv artikellos und mit Flexionsendung auftreten (7.3.1). Eine andere syntaktische Auffälligkeit insbesondere von Personennamen zeigt sich in 7.

(7) a. **Arturo Uis Aufstieg**
    b. **der Aufstieg des Arturo Ui**
    c.* **der Aufstieg des Arturo Uis**

Das Genitiv-**s** kann nicht stehen, wenn der Eigenname dem Artikel folgt. Wie bei den Stoffsubstantiven stellt sich die Frage, was **Arturo Ui** in 7b für eine Form ist. Hat das Paradigma zwei verschiedene Genitive oder handelt es sich um eine kasuslose Form? Wiederum zeigt sich, daß nicht überall dort, wo man eine flektierte Form erwarten sollte, diese auch tatsächlich stehen kann.

Semantisch sind die Eigennamen durch zwei Eigenschaften als besondere Klasse der Substantive ausgewiesen (Wimmer 1973: 70 ff., 1980; Leys 1979).

1. Eigennamen bezeichnen genau ein Individuum, die Definitheit ist fest und braucht im Sprachgebrauch nicht jeweils hergestellt werden. Das wird besonders deutlich daran, wie Eigennamen anders als Gattungsnamen im Diskurs eingeführt werden.

(8) a. **Es war einmal ein Mann. Dieser Mann hatte sieben Söhne.**
    b.* **Es war einmal ein Karl. Dieser Karl hatte sieben Söhne**
    c. **Karl hatte sieben Söhne. Er lebte in Nürnberg.**
    d.* **Dieser Mann hatte sieben Söhne. Er lebte in Nürnberg.**

Der Ausdruck **dieser Mann** in 8a bezeichnet genau ein Individuum. Dieses Individuum muß identifizierbar sein. Das wird hier durch Vorerwähnung (**ein Mann**) erreicht. 8c zeigt, daß **Karl** einen Text ohne Vorerwähnung eröffnen kann. Selbst wenn der Adressat nicht weiß, wer Karl ist, ist 8c als Textbeginn möglich. Es gibt viele Menschen, die Karl heißen. Verwendet jemand den Eigennamen **Karl**, so bezieht er sich auf genau einen von ihnen. Die Tatsache, daß es viele Menschen gleichen Namens gibt, ändert also nichts daran, daß Eigennamen definit verstanden werden (sog. propriale Referenz).

2. Eigennamen sind Etiketten, sie dienen zur Identifizierung von Objekten und sind semantisch leer in dem Sinne, daß mit ihnen keine Vorstellung verbunden ist. Eigennamen bezeichnen ein Ding als Ganzes, ohne ihm bestimmte Eigenschaften zuzuschreiben. Sie sind geeignet zum Referieren, nicht aber zum Prädizieren (Kap. 1.2).

Zwei Einwände können gegen diese Charakterisierung vorgebracht werden. Einmal ist offensichtlich, daß wir mit jedem Eigennamen, der etwa zu einer Person gehört, auch Vorstellungen über diese Person verbinden. Das ändert aber nichts an der identifizierenden Funktion von Eigennamen. Daß Karl ein Mensch mit ganz bestimmten Eigenschaften ist, hat nichts mit dem Wort **Karl** zu tun. Daß ein Hammer ein Werkzeug ganz bestimmter Art ist, gehört dagegen zur Bedeutung des Wortes **Hammer**. Zum anderen könnte darauf verwiesen werden, daß Eigennamen doch semantische Merkmale haben. Beispielsweise ist **Karl** ein Jungenname und kein Mädchenname. Es gibt also Eigennamen mit Begriffsresten. Dennoch bleibt der charakteristische Unterschied zu den Gattungsnamen bestehen. Ebenso wie Gattungsnamen begrifflich nicht vollständig festgelegt sind, sind Eigennamen häufig nicht begrifflich vollständig leer.

Als grammatische Kategorie ist PRP nicht besser und nicht schlechter begründet als COM und MAS, dennoch gibt es bei den Eigennamen eine umfangreiche Abgrenzungsdebatte. Der Grund dafür ist, daß Eigennamen ganz systematisch sowohl zu Stoffnamen wie zu Gattungsnamen werden können und daß andererseits viele Nominale, die grammatisch eindeutig nicht Eigennamen sind, gewisse Eigenschaften mit Eigennamen gemeinsam haben.

Zum ersten Problemkreis gehören als besonders schlagendes Beispiel die Marken- und Produktnamen. Ein Firmenname wie **Opel** oder **Esso** ist zweifellos ein Eigenname im strengen Sinne. Alle grammatisch-semantischen Kriterien, die oben genannt wurden, sind erfüllt. Nun werden solche Ausdrücke aber nicht nur als Firmenbezeichnung, sondern auch als Produktbezeichnungen verwendet. Je nach Produkt sind sie dann Gattungsnamen oder Stoffnamen. Es gibt grammatisch-semantisch keinen Unterschied zwischen **Opel** und **Auto**, beide gehören zu den Gattungsbezeichnungen. Ebensowenig sind **Esso** und **Wasser** auseinanderzuhalten, beide sind Stoffsubstantive **(Aufgabe 47)**. Wenn etwa festgestellt wird, daß Firmenbezeichnungen Eigennamen, Produktbezeichnungen Gattungsnamen seien (Vater 1965: 212, 213), dann gehört eine Einheit wie **Opel** zu beiden Kategorien.

Umgekehrt gibt es viele Nominale mit einem Gattungsnamen, denen man intuitiv den Status eines Eigennamens zuweisen möchte. Zu diesen Ausdrücken gehören insbesondere definite Kennzeichnungen zur Bezeichnung historischer Ereignisse oder als geografische Bezeichnungen. **Die französische Revolution, der dreißigjährige Krieg, die Lüneburger Heide, die Frankfurter Straße** aber auch **die Alpen, die Cevennen** oder **die Hebriden**: all diese Ausdrücke bezeichnen Entitäten, die es genau einmal gibt. Die Verbindung von sprachlicher Form und Bezeichnetem ist ebenso fest wie bei Eigennamen. Von der Form her handelt es sich um definite Kennzeichnungen und nicht um Eigennamen. Dem entspricht auf der Bedeutungsseite, daß die meisten dieser Ausdrücke nicht wie die Eigennamen nur einen minimalen Begriffsrest haben. Ihre Subsumierung unter die Eigennamen bedeutet die alleinige Berücksichtigung des semantischen Kriteriums »bezeichnet genau ein Ding« (Berger 1976; Klement 1979) und die Vernachlässigung aller anderen. Soweit grammatische Kriterien den Ausschlag geben, gehören diese Einheiten nicht zu den Eigennamen. Sie verfehlen nicht nur die grammatischen Kriterien, sondern sie sind als zusammengesetzte Ausdrücke keinesfalls als Substantive anzusehen.

Die Eigennamendiskussion ist brisant, weil sie möglicherweise Konsequenzen für die Orthografie hat. Die gemäßigte Kleinschreibung möchte die Substantivgroßschreibung durch die Eigennamengroßschreibung ersetzen. Dazu muß aber feststehen, was ein Eigenname ist. Es sollte klar geworden sein, daß die grammatische Kategorie PRP ungeeignet als Grundlage für einen orthografisch relevanten Eigennamenbegriff ist. Beispielsweise ist eine orthografische Regelung undenkbar, nach der **Opel** und **Esso** mal groß und mal klein geschrieben werden. Die Orthografiereformer haben deshalb einen eher semantischen Begriff von Eigenname zur Grundlage ihrer Reformvorschläge gemacht. Das Hauptproblem dabei bleibt die Nichtabgrenzbarkeit der Eigennamen von den definiten Kennzeichnungen (Nerius 1975; Mentrup 1979).

Eine Klasse von Substantiven, die häufig neben den bisher behandelten genannt wird, sind die Sammelnamen oder Kollektiva. Sie »drücken eine Vielheit von Personen, Tieren, Pflanzen oder Gegenständen aus« (Helbig/Buscha 1975: 196). Sammelnamen sind teilweise am Wortbildungstyp erkennbar, etwa am Präfix **Ge** (**Geäst,**

Gebüsch, Gebirge, Gebälk, Gewölk) oder am Suffix **schaft (Elternschaft, Hundert-schaft, Ritterschaft, Mannschaft, Nachbarschaft)**. Jedoch sind diese Wortbildungs-mittel nicht an die Sammelnamen gebunden und viele andere Sammelnamen haben keinerlei morphologisches Charakteristikum **(Obst, Immobilien, Familie, Schmuck, Wild, Lebensmittel)**. Auch gemeinsame grammatische Merkmale gibt es nicht. Die Sammelnamen werden deshalb durchweg als eine nur semantisch faß-bare Klasse angesehen, ›Sammelname‹ ist keine grammatische Kategorie (Admoni 1970: 92 ff.; Helbig/Busca 1975: 196 f.; Duden 1973: 149). Wir schließen uns dieser Auffassung an und ziehen den Schluß, daß die Sammelnamen auf die vor-handenen Substantivkategorien aufgeteilt werden müssen. So verhalten sich **Obst, Schmuck, Wild, Lebensmittel** und **Gewölk** wie Stoffsubstantive, während **Familie, Mannschaft, Hundertschaft** und **Gebirge** den Gattungsnamen zuzuschlagen sind.

Die grammatische Behandlung der Sammelnamen könnte damit – abgesehen von einigen Schwierigkeiten bei der Aufteilung auf die Kategorien – als erledigt gelten, wenn hier nicht die Numerusfähigkeit auf besondere Weise in Erscheinung träte. Sammelnamen bezeichnen immer eine Mehrheit von Objekten, und man könnte vermuten, daß sie deshalb nur im Plural vorkommen. Das ist keineswegs der Fall. Es gibt Sammelnamen mit Sg und Pl (9a) neben solchen, die nur den Sg haben

(9) a. **Familie, Mannschaft, Volk, Gebirge, Werkzeug**
   b. **Obst, Schmuck, Wild, Gebälk, Gepäck**
   c. **Lebensmittel, Immobilien, Chemikalien, Textilien,** Spesen

(9b) und solchen, die nur im Pl vorkommen (9c). Nicht bei allen, aber doch bei einer großen Zahl von ihnen ist die Aufteilung auf die drei Klassen eindeutig. Am Beispiel der Stoffsubstantive haben wir gesehen, daß früher auf den Sg beschränkte Substan-tive systematisch einen Pl bekommen. Dennoch sind die Beschränkungen bei zahl-reichen Substantiven strikt und berechtigen uns, eine Kategorisierung hinsichtlich Numerusfähigkeit für *alle* Substantive vorzunehmen. Die weitaus meisten Substan-tive sind hinsichtlich Numerusfähigkeit nicht restringiert (NRES), sie haben sowohl den Sg als den Pl. Die restringierten (RES) werden aufgeteilt in auf den Sg be-schränkte (Singulariatantum, SGT) und auf den Pl beschränkte (Pluraliatantum, PLT).

Das Verhalten der Sammelnamen zeigt, daß der Bedeutungsunterschied zwi-schen einem Pluraletantum und einem Singularetantum nicht darin bestehen muß, daß ersteres eine Mehrheit, letzteres dagegen nur ein einziges Objekt bezeichnet. Es gibt Singulariatantum, die sich so verhalten, etwa bestimmte Eigennamen, aber notwendig ist das nicht. Singulariatantum bezeichnen häufig Mehrheiten von Ob-jekten. Pluraliatantum sind in dieser Beziehung stärker festgelegt, es gilt, »daß nahezu allen Pluraliatantum eine Pluralstufe zugrundeliegt« (Baufeld 1980: 78). Pluraliatantum bezeichnen in der Regel Entitäten, die Mehrheiten von Objekten sind. Dies unterschiedliche Verhalten von SGT und PLT ist mit Sicherheit darauf zurückzuführen, daß Pl gegenüber Sg die markierte Kategorie ist. Die Untersu-chung der Semantik von Pluraliatantum hat ergeben, daß Objekte dann zu einer Mehrheit begrifflich zusammengefaßt werden, wenn zwischen ihnen besonders enge, auf ihrem natürlichen Vorkommen oder auf ihrem Gebrauchswert für den Menschen beruhende Beziehungen bestehen (Baufeld 1980: 78 ff.).

(10) Klassifikation der Substantive

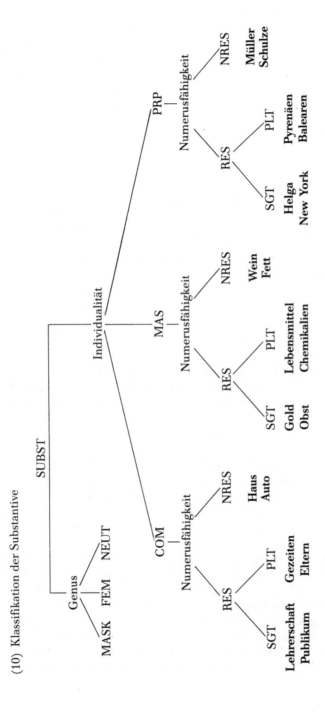

Singulariatantum und Pluraliatantum gibt es in allen Substantivklassen. Das System von Paradigmenkategorien des Substantivs kann, soweit es in 5.3.1 und 5.3.2 besprochen wurde, wie in 10 zusammengefaßt werden. 10 setzt das Kategorienschema 11 aus Kap. 5.2 fort.

Ähnlich wie die Sammelnamen behandeln wir auch die letzte der hier zu erwähnenden Substantivklassen, die Abstrakta. Es wird vorgeschlagen, die Unterscheidung konkret-abstrakt als eine Differenzierung auf der semantischen Ebene anzusehen. Die Abstrakta gliedern sich dann wie die Konkreta in COM, MAS und PRP. Es wird also angenommen, daß die für das Konkrete entwickelten Kategorien sich im Abstrakten wiederfinden. Typisch für Abstrakta ist, daß sie mehreren Kategorien angehören, insbesondere sind sie häufig sowohl COM als auch MAS (**Aufgabe 48**).

5.4 Pronomina

5.4.1 Gebrauch und Funktion von Pronomina. Grundbegriffe der Deixis

Der Kategorienname Pronomen teilt uns mit, daß diese Ausdrücke eine besondere Beziehung zu anderen Nomina haben. Das Pronomen **sie** kann in pronominaler Beziehung stehen zu **eine Tante, die Tante, die Tanten** und **Tanten**, nicht aber zu **der Onkel** oder **das Auto**. Worin besteht aber die pronominale Beziehung? Wir vereinbaren als entscheidendes Merkmal, daß Pronomina alle oder doch wesentliche syntaktische Funktionen erfüllen können, die auch von Nominalen mit einem Substantiv erfüllt werden. Dazu gehören insbesondere die Funktion als Subjekt (1a), als Objekt (1b), als Attribut (1c) und als präpositional gebunden (1d).

> (1) a. **Ihr Freund ist verreist,** *meiner* **nicht**
> b. **Joseph kaufte den Häuserblock und ließ** *ihn* **abreißen**
> c. **Karl telefonierte mit der Dame,** *deren* **Wohnung vermietet werden sollte**
> d. **Paula schreibt an die Verwaltung, um sich bei** *ihr* **zu beschweren**

Schon dies sehr allgemeine Kriterium führt zu einem engeren Begriff von Pronomen, als wir ihn in vielen Grammatiken vorfinden. So gehören in 1 nur die hervorgehobenen Ausdrücke zu den Pronomina, also **meiner** in 1a, nicht aber **ihr**. Ihr als Form des Nom Sg kann nur adsubstantivisch stehen und kann daher nicht die Funktionen substantivischer Nominale erfüllen. Es ist nicht Pronomen, sondern Artikel (5.2).

Pronomina können grundsätzlich auf zwei Weisen verwendet werden, die wir als *selbständigen* und als *unselbständigen* oder *phorischen* Gebrauch unterscheiden. Jemand möchte ein Auto kaufen und sagt zu seinem Geschäftsfreund »Ich nehme diesen hier/diese hier/dieses hier«. Wenn er gleichzeitig auf ein bestimmtes Fahrzeug zeigt, wird er in jedem Fall verstanden. Weil er in eindeutiger Weise mit dem Pronomen referiert, ist etwa die Genuswahl zweitrangig. Vielleicht ›versteht‹ der Verkäufer bei Wahl des Maskulinums »Ich nehme diesen Wagen hier«, aber er könnte auch etwas ganz anderes verstehen und die Äußerung hören als »Ich nehme diesen Daimler hier«. Die Situation soll so sein, daß es kein Substantiv gibt, das man eindeutig als Bezugssubstantiv für das Pronomen identifzieren kann. In diesem Fall sprechen wir vom selbständigen Gebrauch des Pronomens. Beim selbständigen Gebrauch gewinnt das Pronomen seine grammatischen Eigenschaften (insbesondere das Genus und den Numerus) nicht durch formale Korrelation mit einem weiteren Nominal, sondern aus anderen Quellen, beispielsweise aus den Eigenschaften des Bezeichneten. Dagegen ist die Form des Pronomens bei phorischem Gebrauch von der Form eines anderen Nominals bestimmt. Fragt der Verkäufer »Welche Kiste wollen Sie denn?« und der Kunde antwortet »Ich nehme diese hier«, dann liegt phorischer Gebrauch vor: **diese** ist Fem Sg, weil **welche Kiste** Fem Sg ist. Geht der Bezugsausdruck wie in unserem Beispiel dem Pronomen voraus, so sprechen wir von einem *anaphorischen* (rückbezüglichen) Pronomen. Folgt der Bezugsausdruck dem Pronomen wie in **Sie war heute wieder besonders eindrucksvoll, die Nancy,** dann sprechen wir von einem *kataphorischen* (vorbezüglichen) Pronomen. Kataphorische Pronomina sind schwerer zu verarbeiten als anaphorische, denn es bleibt zunächst offen, worauf sie sich beziehen. Sie erhalten ihre Füllung erst nach Auftauchen des Bezugsnominals. Schon deshalb ist der kataphorische Pronominalgebrauch seltener als der anaphorische, und in vielen Konstruktionen ist er ganz ausgeschlossen (Bátori 1981: 135 ff.).

Wir beschränken uns in diesem Abschnitt auf die Besprechung der Personalia (PERSP, **ich/du/er**) und einer weiterer Gruppe, die wir Determinativpronomina (DETP) nennen. Zu ihnen gehören die Demonstrativa, Possessiva und die Indefinitpronomina. Nicht behandelt werden hier die Relativpronomina (RELP) und die Fragepronomina (INTP). Beide kommen nur in je speziellen Satztypen vor und werden dort besprochen (7.1; 10.1.1). Die Stellung der Pronomina im System der nominalen Paradigmen gibt 2 wieder. 2 setzt Schema 11 aus 5.2 fort.

(2)

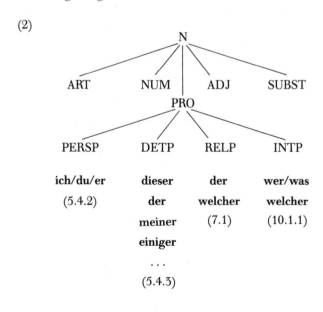

(5.4.3)

Eine besondere Form des selbständigen Pronominalgebrauchs ist der *deiktische* oder *indexikalische*. Der Begriff der Deixis ist fundamental für ein Verständnis des Systems der Pronomina und wird deshalb an dieser Stelle eingeführt. Er ist aber auch bedeutsam für weitere Bereiche der Grammatik wie das Tempus, die lokalen und temporalen Präpositionen, die Personalendungen des Verbs, die Bewegungsverben und die Raum- und Zeitadverbien. Der Deixisbegriff wird daher in einem kurzen Exkurs so allgemein dargelegt, daß wir uns auch in anderen Kapiteln auf ihn beziehen können.

Exkurs: Zum Begriff der Deixis. Deiktika (von griech. δείχνυμι = »zeige«) sind Ausdrücke, die in spezifischer Weise auf die Äußerungssituation bezogen sind. Was sie bezeichnen, läßt sich nur unter systematischem Bezug auf die Äußerungssituation angeben. Das Verstehen der Deiktika setzt eine Strukturanalyse der Äußerungssituation voraus, und umgekehrt spiegeln die Deiktika insgesamt eine Strukturiertheit der Äußerungssituation wider.

Die klassische Arbeit zur Deixis ist der zweite Hauptteil aus Karl Bühlers Sprachtheorie, überschrieben ›Das Zeigfeld der Sprache und die Zeigwörter‹ (Bühler 1965, andere grundlegende Darstellungen in Fillmore 1975 und Lyons 1977, zum Deutschen Braunmüller 1977). Bühler geht aus von der Analogie zwischen Zeiggeste und Zeigwort, die darin besteht, daß mit der gleichen Form von Situation zu Situation auf Unterschiedliches verwiesen werden kann. Das Zeigwort **ich** etwa bezeichnet den Sprecher, insofern liegt seine Bedeutung fest. Der Sprecher ist aber von Situation zu Situation eine andere Person. Worauf man mit **ich** referiert, ist nur strukturell fixiert und nicht, wie beispielsweise bei dem Eigennamen **London**, absolut.

Die Deiktika werden geordnet mit Hilfe des Begriffes der *origo*, dem Zentrum der in Raum und Zeit situierten Äußerungssituation. Die origo ist gegeben durch den Sprecher **(ich)**, der an einem bestimmten Ort **(hier)** und zu einer bestimmten Zeit **(jetzt)** spricht. **Ich, hier** und **jetzt** sind die urdeiktischen Ausdrücke; jeder von ihnen wird zum Kern eines Systems von Deiktika, nämlich der Personaldeixis, der Raumdeixis und der Zeitdeixis.

Die *Personaldeixis* erfaßt die kommunikativen Rollen in der Äußerungssituation und ist im Deutschen differenziert nach der Rolle des Sprechers (1. Ps), des Adressaten (2. Ps) und dessen, worüber gesprochen wird, Bühler nennt es das Besprochene (3. Ps). Deiktisch ist ein Ausdruck nach dieser Differenzierung, insofern er sich auf eine kommunikative Rolle bezieht. Das ›Zeigen‹ ist hier metaphorisch gemeint, die Zeigwörter haben gewisse Merkmale mit der Zeiggeste gemeinsam.

Problematisch wird ein solcher Deixisbegriff für das Besprochene. Das Besprochene erscheint unter sachlichem wie unter sprachlichem Aspekt ungleich vielfältiger als Sprecher und Adressat, man bezieht sich darauf nicht allein mit dem Personalpronomen der 3. Ps, sondern mit Nominalen jeglicher Art. Das Besprochene ist trivialerweise deiktisch, insofern es eine kommunikative Rolle meint. Wenn aber Ausdrücke wie **die Wand** oder **ein Mensch** als deiktisch zu gelten haben, wird der Begriff leer. Solche Ausdrücke sind nach Bühler gerade nicht deiktisch, sondern symbolisch. Was sie bezeichnen, ergibt sich aus ihrer Bedeutung und dem Äußerungskontext, setzt aber nicht die strukturelle Analyse der Äußerungssituation wie bei den Deiktika voraus.

In einem anderen Sinne kann aber auch das Besprochene eindeutig deiktisch sein. Eine Äußerung von **Das ist sie** oder **Dieses Auto kaufen wir nicht** kann zum

Verständnis geradezu eine Zeiggeste verlangen. Es wird also realiter gezeigt, und das Zeigen wird sprachlich unterstützt und nachvollzogen durch Ausdrücke wie **das** oder **dieses**. Wir wollen diese Art des sprachlichen Zeigens ›gestisch‹ oder den ›deiktischen Gebrauch im engeren Sinne‹ nennen. Etwas verallgemeinert heißt ›zeigen‹ oder ›deiktischer Gebrauch‹ hier soviel wie die Aufmerksamkeit des Adressaten auf etwas Bestimmtes lenken. Dieser Fokussierungsprozeß ist mehrfach zur Grundlage eines entsprechenden Deixisbegriffes gemacht worden (Ehlich 1983; Bosch 1983).

Die *Raumdeixis* mit dem Sprechort als Zentrum ist in der einfachsten Ausprägung, wie sie mit lokalen Adverbien realisiert wird, in vielen Sprachen isomorph zur personalen Deixis aufgebaut, d. h. es gibt – beispielsweise im Spanischen und im Japanischen – Ausdrücke für den Ort des Sprechers, den Ort des Adressaten und den Ort des Besprochenen (Bühler 1965: 90 f.; Hottenroth 1982; Coulmas 1982). Im Deutschen wird der Ort des Adressaten nicht besonders gekennzeichnet. Mit **hier – da/dort** unterscheiden wir lediglich Bereiche in ihrer Beziehung auf den Sprecher (6.2). Die räumliche Anordnung von Objekten relativ zur origo wird insbesondere mit Präpositionen erfaßt. So besagt der Satz **Karl versteckt sich hinter dem Baum,** daß der Baum sich zwischen Sprecher und Karl befindet (7.4.1). Bewegungsrichtungen werden danach unterschieden, ob sie auf die origo zu oder von der origo weg gerichtet sind. Diese Differenzierung findet sich sowohl bei Adverbien (**herunter – hinunter**, Brennenstuhl 1977) als auch bei Verben (**kommen – gehen, nehmen – geben**). In letzter Zeit wurden spezielle Untersuchungen über Weg- und Raumbeschreibungen durchgeführt, aus denen die enorme Bedeutung der Deixis für die Orientierung des Menschen im Raum deutlich wird (Ullmer-Ehrich 1979, 1982; Klein 1979, 1982; dazu auch Wunderlich 1982).

Die *Zeitdeixis* ist insbesondere realisiert im System der temporalen Präpositionen, Adverbien und Konjunktionen sowie im Tempussystem. Ein Bezug auf die kommunkativen Rollen macht in der Zeitdeixis wenig Sinn. Ihre Grundlage ist die Orientierung von Zeitpunkten, Zeitintervallen und gerichteten Zeitverläufen am Sprechzeitpunkt. Die Verwendung zeitdeiktischer Begriffe hat so gut wie alle neueren Tempusanalysen stark beeinflußt (4.3; Rauh 1983; Grewendorf 1982a).

Ein wichtiger Parameter zur Beschreibung des Deiktischen ergibt sich aus der Unterscheidung von Nähe und Ferne zur origo. Manchmal und vielleicht besser wird hier nicht von Nah/Fern-, sondern von Diesseits/Jenseits-Deixis gesprochen und damit zum Ausdruck gebracht, daß diese Form der Deixis sprachliches Revierverhalten anzeigt. Sie scheint quer zur Unterscheidung von personaler, räumlicher und zeitlicher Deixis zu liegen, denn sie kommt überall vor. In der Personaldeixis ist sie am deutlichsten ausgeprägt bei den sogenannten Höflichkeitsformen der Personalpronomina, die in vielen Sprachen wesentlich variantenreicher auftreten als im Deutschen mit seiner einfachen Unterscheidung von **du** und **Sie** (Kohz 1982; Winter 1984; zum Deutschen auch Ammon 1972; Bayer 1979; Vonderwülbecke 1984).

Räumliches, Zeitliches und Personales waren bisher immer konkret gemeint, aber auch das Deiktische kennt natürlich abgeleitete, metaphorische und abstrakte Verwendungen (Rauh 1983a). Man kann sich etwa vorstellen, daß topologische Merkmale der konkreten Räumlichkeit auf bestimmte Gegenstandsbereiche übertragen werden, so daß man sich dort ›räumlich‹ orientieren kann (Klein 1978). Auf diese Weise konstituiert sich zum Beispiel ein Text- oder Diskursraum, in dem man sich auf Text- oder Redeteile bezieht mit Ausdrücken wie **oben** und **unten, vorn** und **hinten, hier** und **dort**. Ebenso ist zeitdeiktische Orientierung möglich mit Zeitadverbien und Tempusformen (**Wie oben gezeigt wurde** . . . ; **Wie wir gleich sehen werden** . . .). Auch der phorische Gebrauch von Pronomina kann als textverweisend und damit als textdeiktisch angesehen werden, daher spricht Bühler von anaphorischer Deixis. Daß mit phorisch verwendeten Pronomina im Text verwiesen wird, ist gar nicht zu bestreiten. Dennoch wird das Anaphorische gegenwärtig meist gerade nicht als deiktisch angesehen, eben weil die deiktische Prozedur als Neuorientierung des Adressaten auf ein Objekt begriffen wird (dazu die zitierten Arbeiten von Ehlich und Bosch, zur Textdeixis weiter Ehlich 1982).

Deiktische Analysen sind von besonderer Bedeutung für ein Verständnis des Verhältnisses von Sprachstruktur und Außersprachlichem. Einerseits sind viele Merkmale des Deiktischen fast trivialerweise universell (etwa die Grundzüge der Rollenaufteilung), andere sind aber in einer phantastischen Variationsbreite einzelsprachlich und häufig unmittelbar kulturspezifisch interpretierbar (dazu die Beiträge in Weißenborn/Klein 1982). Die Reichweite des Deixisbegriffes ist – ähnlich der des Markiertheitsbegriffs – für das Verstehen grammatischer Strukturen gegenwärtig nicht vollständig abschätzbar. Deixis und Markiertheit berühren sich im übrigen über die jeweiligen Zentralbegriffe der origo und der prototypischen Sprechereigenschaft. Auch diesem Zusammenhang ist bisher nicht im Einzelnen nachgegangen worden.

5.4.2 Das Personalpronomen

Das Flexionsparadigma des Personalpronomens (PERSP) ist nur teilweise regelmäßig und nach geläufigen Schemata der Nominalflexion aufgebaut. Wir betrachten zunächst nur die Formen der 1. und 2. Person.

(1)

	1. Ps			2. Ps	
	Sg	Pl		Sg	Pl
Nom	ich	wir		du	ihr
Gen	meiner	unser		deiner	euer
Dat	mir	uns		dir	euch
Akk	mich	uns		dich	euch

Das Paradigma ist vollständig, aber es ist stark suppletiv. Darin spiegelt sich die singuläre Stellung des Personalpronomens im grammatischen System, und es ist ausgeschlossen, seine Formeigenschaften synchron-systematisch auf einfache Weise zu deuten.

Zweierlei springt aber ins Auge. Zum einen gibt es kaum Synkretismen. Das hängt damit zusammen, daß alle obliquen Kasus des Personalpronomens der 1. und 2. Ps reflexiv verwendbar sind. Beziehen sich die Nominale in zwei Satzgliedern auf dasselbe Objekt oder haben sie dieselbe Bedeutung und wird dies ausdrücklich durch ein phorisch gebrauchtes Pronomen signalisiert, so sprechen wir von Reflexivität. Reflexivität wird in 2a–c durch Rückbezug der Objekte auf das Subjekt, in 2d

(2) a. **Ich wasche mich**
   b. **Du traust nur dir**
   c. **Du erinnerst dich deiner**
   d. **Karl überläßt dich dir**

durch Rückbezug des indirekten auf das direkte Objekt realisiert. Bei Formgleichheit von Kasusformen und insbesondere des Nominativ mit Formen der obliquen Kasus wären solche Sätze syntaktisch mehrdeutig.

Auffällig ist weiter die Übereinstimmung des Genitiv mit Formen des Possessivums. Historisch haben sich das Possessivpronomen **meiner** (5.4.3) und der Possessivartikel **mein** aus dem Genitiv des Personalpronomens entwickelt. Wie wir wissen, ist die Hauptfunktion des Genitiv im gegenwärtigen Deutsch die des Attributs. Das Genitiv-Attribut zeigt bestimmte semantische Beziehungen zwischen zwei No-

(3) a. **Das Haus gehört dem Bürgermeister**
   b. **das Haus des Bürgermeisters**

(4) a. **Das Haus gehört dir**
   b. ***das Haus deiner**
   c. **dein Haus**

minalen an, beispielsweise eine Besitzrelation wie in 3b. Der analog zu 3b konstruierte Ausdruck 4b ist nun ungrammatisch, weil das Personalpronomen generell von der Funktion als Genitiv-Attribut ausgeschlossen ist. Diese Funktion hat der Possessiv-Artikel übernommen. Die Herausbildung des Possessivums hat also zur Folge, daß das Personalpronomen einen Teil seiner syntaktischen Funktionen verliert: es ist als reiner Kasus nicht mehr als Attribut, sondern nur noch als Ergänzung verwendbar. Semantisch ist das Possessivum eigentlich überflüssig, denn was mit ihm gesagt wird, könnte auch mit dem Genitiv-Attribut des Personalpronomens gesagt werden. Viele Sprachen kommen auch ohne ein besonderes Possessivum aus (Seiler 1983: 17 ff.).

Die Personalpronomina der 1. und 2. Ps werden fast ausschließlich selbständig verwendet, phorisch sind sie allenfalls bei reflexivem Gebrauch. Als Deiktika bezeichnen sie kommunikative Rollen. Mit **ich** bezieht sich der Sprecher auf sich selbst, mit **wir** auf eine Menge von Individuen, die ihn mit einschließt. Mit **du** bezieht sich der Sprecher auf einen einzelnen Adressaten, mit **ihr** auf eine Menge von Individuen, die den Adressaten oder mehrere Adressaten (aber keinesfalls den Sprecher) einschließt (genauer Plank 1984).

Sprecher und Adressat sind in der normalen Äußerungssituation anwesend, deshalb gibt es keinerlei Schwierigkeiten bei der Referenzfixierung der Personalpronomina der 1. und 2. Ps. Dies hat zur Konsequenz, daß **ich, du, wir, ihr** sowie das unpersönliche Personalpronomen **man** (das nur im Nom vorkommt) weitgehend ohne Bedeutungsveränderung gegeneinander austauschbar sind, wenn nur die Äußerungssituation genügend Hinweise auf das jeweils Gemeinte gibt. So können 5a,b sehr wohl auf den Sprecher selbst bezogen sein, also dasselbe bedeuten wie 5c. Und ebenso kann man 6a,b im Sinne von 6c äußern (eine erschöpfende Zusammenstellung solcher Fälle in den Grundzügen, 653 ff.).

(5) a. **Da strengt man sich an und erreicht nichts**
    b. **Da strengst du dich an und erreichst nichts**
    c. **Da strenge ich mich an und erreiche nichts**

(6) a. **Wenn ich die Gefahr kenne, muß ich mich doch anders verhalten**
    b. **Wenn man die Gefahr kennt, muß man sich doch anders verhalten**
    c. **Wenn du die Gefahr kennst, mußt du dich doch anders verhalten**

Nur so ist es auch möglich, daß Pronomina der 1., 2. und 3. Ps im Sg und im Pl sozusagen semantisch abweichend als Höflichkeitsformen oder sonstwie an soziale Rollen gebunden zur Referenz auf den Adressaten verwendet werden. Der Variabilität von Anredeformen sind kaum Grenzen gesetzt (Kohz 1982: 32 ff.).

Die situativ gesicherte Eindeutigkeit des Referierens dürfte auch der Grund dafür sein, daß die Personalpronomina der 1. und 2. Ps nicht in Hinsicht auf das Genus differenziert sind. Wenn klar ist, wer mit **ich** und **du** gemeint ist, dann ist die Differenzierung nach dem Genus überflüssig. Für die 3. Ps gilt das jedoch nicht. Das Besprochene ist vielfältig, es ist anwesend oder nicht anwesend, und das, was im Mittelpunkt des Interesses steht, kann sich im Verlauf eines Diskurses ständig ändern. Wenn jemand sagt »Er ist es gewesen« und ihm wird widersprochen mit »Nein, sie«, dann kann gerade die Differenzierung nach dem Genus den entscheidenden Hinweis zur Identifizierung des Gemeinten geben (zur Nichtdifferenzierung des Plural **Aufgabe 49**).

(7)

	Mask	Fem	Sg Neut	Pl Mask/Fem/Neut
Nom	er	sie	es	sie
Gen	seiner	ihrer	seiner	ihrer
Dat	ihm	ihr	ihm	ihnen
Akk	ihn	sie	es	sie

Auch bei der 3. Ps fällt der Gen mit Formen des Possessivums zusammen. Anders als bei der 1. und 2. Ps stimmen hier Nom und Akk außer beim Mask stets überein. Daß es dennoch nicht zu Schwierigkeiten bei der Reflexivierung kommt, liegt daran, daß das Personalpronomen der 3. Ps über das Reflexivpronomen **sich** verfügt. Reflexivierung wird hier also nicht durch einen speziellen Gebrauch der ›normalen‹ Pronomina, sondern durch ein spezielles Pronomen erreicht. Das Reflexivpronomen gibt es nur für die 3. Ps und auch hier nur für die gängigen Objektkasus Dat und Akk im Sg und im Pl, nicht aber für den Gen, vgl. 10a. Man erkennt an einem Vergleich von 8b und 9b einerseits mit 10b andererseits gut, wozu uns das Reflexivpronomen dient. 10b hat zwei Bedeutungen und kann heißen, daß er seiner selbst gedenkt oder daß er an jemand anderen denkt, auf den mit **seiner** Bezug genommen wird. 8b und 9b haben dagegen nur eine Bedeutung, denn **ihm** bzw. **ihn** kann sich nicht auf das Subjekt zurückbeziehen. Für den Rückbezug dient ausschließlich das Reflexivpronomen **sich**.

Das Reflexivpronomen **sich** ist also eine besondere Form des Dat und Akk für das Personalpronomen der 3. Ps. Die 1. und 2. Ps brauchen ein Reflexivum nicht, weil

(8) a. **Er hilft sich**
    b. **Er hilft ihm**

(9) a. **Er sieht sich**
    b. **Er sieht ihn**

(10) a. *__Er gedenkt sich__
     b. **Er gedenkt seiner**

hier die Rückbezüglichkeit mit dem üblichen Personalpronomen eindeutig angezeigt werden kann. Weil immer klar ist, wer Sprecher und wer Adressat ist, kann das Personalpronomen der 1. und 2. Ps reflexiv verwendet werden. Ein Reflexivpronomen ist es damit aber nicht. Ähnlich wie beim grammatischen Geschlecht muß auch die Differenzierung in reflexive und nichtreflexive Formen bei der 3. Ps auf die von ihr bezeichnete kommunikative Rolle zurückgeführt werden.

Mit der Analyse des Reflexivpronomens sind eine Reihe von Schwierigkeiten verbunden, die meist darauf zurückzuführen sind, daß eben nicht zwischen dem Reflexivpronomen und der viel allgemeineren Erscheinung der Reflexivität unterschieden wird. Viele Grammatiken sehen Einheiten wie **mich** und **dir** in 2 nicht als reflexivisch verwendetes Personalpronomen, sondern als Reflexivpronomen an (Duden 1984: 319f.; Grundzüge 642). Das führt dann zu dem Versuch, ein Paradigma des Reflexivpronomens für die 1., 2., 3. Ps und möglichst viele Kasus zu konstruieren (Duden 1984: 320; Leys 1973a: 225). Daraus ergibt sich dann umgekehrt das Problem, die Reflexivpronomina wiederum von den Personalpronomina abzugrenzen. Eine besondere Rolle spielt in diesem Zusammenhang die Partikel **selbst**. Leys (1973: 225) nimmt ein Reflexivpronomen der 3. Ps für alle Kasus an. Als Nominativ etwa gilt ihm ein Ausdruck wie **er selbst**. Die Funktion als Reflexivpronomen zeige sich in Einheiten wie **ein Mann, der noch er selbst ist** . . . Wir nehmen dagegen an, daß **selbst** ziemlich unrestringiert zu Nominalen hinzutreten kann und dabei allgemein eine emphatische und möglicherweise auch bestimmte semantische Funktion hat (**der Mann selbst; ich selbst; den Tisch selbst**, Plank 1979a). **Selbst** kann aber kaum Reflexivität dort signalisieren, wo sie ohne **selbst** nicht möglich wäre (dazu aber Reis 1976: 64).

In den meisten Fällen bezieht sich das Reflexivum auf das Subjekt, aber auch ein Bezug auf das direkte Objekt ist möglich (11). Zumindest die Beispiele mit PrGr scheinen dabei stets auch einen Bezug auf das Subjekt zuzulassen.

(11) a. **Karl überläßt ihn sich**
     b. **Karl erinnert ihn an sich**
     c. **Karl beschützt ihn vor sich**
     d. **Karl fragt ihn nach sich**

Noch seltener, aber ebenfalls möglich ist der Bezug auf das Dativobjekt (12). Die Beispiele sind selten, weil das Reflexivum in solchen Fällen auf ›intentionale‹ Mitspieler bezogen ist. Verben, bei denen das Dativ- und das Akkusativobjekt etwas Intentionsbegabtes bezeichnen, sind rar (anders Grewendorf 1984: 21ff.).

Neben dem Reflexivum muß eine andere Form des Personalpronomens der 3. Ps

(12) a. **Ich empfehle ihm sich**
    b. **Du ersparst ihm sich**
    c. **Du verleidest ihm sich**

besonders behandelt werden, nämlich **es**. Seine Verwendung ist gegenüber der von **er** und **sie** so vielfältig, daß ihm viele spezielle Untersuchungen und sogar ganze Monographien gewidmet wurden (Pütz 1975; Marx-Mayse 1983). Zur groben Orientierung unterscheiden wir fünf Verwendungsweisen.

1. Als Personalpronomen der 3. Ps Sg ist **es** zunächst parallel zu **er** und **sie** verwendbar. Mit **es** kann dabei auf alles Bezug genommen werden, auf das auch mit einem substantivischen, neutralen Nominal im Sg Bezug genommen werden kann wie in 13.

(13) a. **Hast du dem Kind geholfen oder hat es die Aufgabe allein gelöst?**
    b. **Jemand hat das Werkzeug benutzt und es draußen liegen lassen**

Gewisse Beschränkungen für **es** gegenüber **er** und **sie** scheint es beim deiktischen Gebrauch zu geben. Ein Satz wie **Es ist es gewesen** mit deiktischem Subjekt ist zwar nicht unakzeptabel, aber er ist unüblich im Vergleich zu **Er/Sie ist es gewesen**. Es handelt sich hier aber nicht um semantische oder gar syntaktische Beschränkungen für **es**, sondern um Beschränkungen im Gebrauch. Die vielfältige Verwendbarkeit hat dazu geführt, daß **es** eine im wörtlichen Sinne unbetonte Einheit ist. Wo – wie beim deiktischen Gebrauch im Beispiel – eine Betonung verlangt wäre, klingt es deshalb schlecht, zumal wenn noch ein unbetontes **es** im Satz vorkommt.

Weitere Verwendungsweisen von **es** erfassen wir über eine Bestimmung von Valenzeigenschaften der Verben und Adjektive, bei denen **es** stehen kann oder muß. **Es** spielt dabei syntaktisch die Rolle einer Ergänzung, und sein Vorkommen hängt davon ab, was an Ergänzungen außerdem bei einem Verb oder Adjektiv auftritt.

2. Bei verschiedenen Verben und Adjektiven tritt **es** als obligatorische Ergänzung auf, d. h. eine bestimmte Position im Stellenplan des Verbs oder Adjektivs kann nur mit **es** besetzt werden. Der einfachste Fall dieser Art sind die Wetterverben (14a).

(14) a. **Es donnert/hagelt/schneit/regnet/zieht/weihnachtet**
    b. **Es brennt/blüht/schmeckt/stinkt/klopft/taut**
    c. **Es ist warm/kalt/spät/trocken**

Hier ist das Subjekt semantisch leer, es bezeichnet nichts und hat auch keine konzeptuelle Bedeutung. Seine Funktion erschöpft sich darin, die Subjektstelle formal zu besetzen und so zur Konstitution eines vollständigen Subjekt-Prädikat-Satzes beizutragen. **Es** korrespondiert mit dem Verb und ist eine nominativische Form, es erfüllt damit die Voraussetzungen für ein grammatisches Subjekt. Weil es semantisch leer ist, sind ihm Bezeichnungen wie formales Subjekt, Scheinsubjekt oder uneigentliches Subjekt beigegeben worden.

Analog zum Subjekt bei den Wetterverben ist **es** bei den Verben in 14b zu sehen. Der Unterschied besteht darin, daß die Verben in 14b außer **es** auch substantivische Subjekte nehmen können **(Das Buch brennt; Der Baum blüht)**. Die Wahl von **es** als Subjekt geschieht nicht zwangsläufig, sondern ist semantisch begründet. Ähnlich wie diese Verben verhält sich eine Reihe von Adjektiven, von denen einige in 14c aufgeführt sind.

Außer bei den Wetterverben tritt es als semantisch leeres grammatisches Subjekt obligatorisch bei einigen Verben auf, die neben dem Subjekt eine oder mehrere Objektstellen besetzen wie das direkte Objekt in **Es gibt kein Bier**. Besonders häufig treten Präpositionalobjekte auf (15a, Zusammenstellung der Fälle in Pütz 1975,

(15) a. **Es bleibt bei/fehlt an/geht um/kommt zu/wimmelt von**
b. **es anlegen auf/aufnehmen mit/bringen zu/lassen bei/halten mit/ verderben mit**

29 ff.). Diese Verben können das Subjekt auch anders besetzen, **es** ist aber dann obligatorisch, wenn das Objekt mit der angegebenen Präposition eingeleitet wird **(Aufgabe 50)**.

Auch als Objekt tritt **es** obligatorisch auf. Die Verben in 15b, bei denen das der Fall ist, kommen alle auch als transitive Verben vor. Das ist kein Zufall: man kann sich das semantisch leere Objekt-**es** entstanden denken als Folge der Metaphorisierung des transitiven Verbs.

3. Nicht obligatorisch aber ebenfalls semantisch leer ist das grammatische Subjekt **es** auch in 16. Die auftretenden Verben sind nicht einstellig, sondern können oder

(16) a. **Es friert/hungert/dürstet/ekelt ihn**
b. **Es graut Ihnen**
c. **Es wird von allen gesündigt/gearbeitet/getanzt**

müssen ein Objekt nehmen. Ist die Objektstelle besetzt, so kann die Subjektstelle leer bleiben. Das Verb behält aber auch dann die auf **es** bezogene Form 3. Ps Sg:

(17) a. **Ihn friert/hungert/dürstet/ekelt**
b. **Ihnen graut**
c. **Von allen wird gesündigt/gearbeitet/getanzt**

Als grammatisches Subjekt hat **es** hier nicht wie bei den Wetterverben die Funktion, zur Bildung eines vollständigen Satzes beizutragen, denn auch die subjektlosen Sätze in 17 sind wohlgeformt. Für das Auftreten von **es** in 16 scheint vielmehr eine Regularität verantwortlich zu sein, die besagt, daß es im Deutschen keine Verben gibt, die kein Subjekt nehmen können. Das gilt sowohl für das Aktiv als für das Passiv. Auch im sogenannten unpersönlichen Passiv kann das grammatische Subjekt **es** immer auftreten und fehlen. Das **es** des unpersönlichen Passiv in 16c unterscheidet sich von dem in 16a,b dadurch, daß es immer am Satzanfang stehen muß (4.5; 8.1.2).

(18) a. **Es ist ein Ausländer**
b. **Es ist Hans**

(19) a. **Es sind Ausläder**
b. **Es sind Hans und Karl**

4. Einer der schwierigsten und umstrittensten Fälle der Verwendung von **es** ist die in Kopulasätzen wie 18. Häufig wird angenommen, daß **es** in diesen Sätzen Subjekt ist, so daß etwa 18 aus Subjekt, Prädikat und Prädikatnomen bestünde und ebenso aufgebaut wäre wie **Hans ist ein Ausländer** (Erben 1980: 215; Helbig/Buscha 1975: 353 f.). Diese Analyse klingt einleuchtend, führt aber zu Schwierigkeiten bei den Sätzen in 19. Wenn man **es** in 19 als Subjekt ansieht, liegt keine Numeruskongruenz zwischen Subjekt und Prädikat mehr vor. Das Prädikat würde nicht mit dem Subjekt, sondern mit dem Prädikatsnomen kongruieren, eine Grundregularität des deutschen Satzbaus wäre durchbrochen. Tatsächlich ist diese Konsequenz auch gezogen worden. In Kopulasätzen, so nimmt man an, korrespondiert das Prädikat unter bestimmten Bedingungen mit dem Prädikatsnomen (Helbig/Buscha 1975: 33). Wir halten entgegen dieser Auffassung an der Subjekt-Prädikat-Kongruenz fest und sehen **es** in 19 daher als Prädikatsnomen an (Warland 1960; 8.1.2).

Die unter 2, 3 und 4 skizzierten Verwendungsweisen sind charakteristisch für **es**, es gibt sie nicht für **er** und **sie**. Sie sind alle selbständig und nicht phorisch: **es** erscheint nicht deshalb als **es**, weil ein phorischer Bezug auf eine andere Einheit besteht, sondern wegen einer Rektionsbeziehung zum Verb. Wir wollen zum Abschluß eine für **es** charakteristische Verwendungsweise besprechen, die möglicherweise phorisch ist.

5. Das Subjekt erscheint bei unmarkierter Reihenfolge der Satzglieder in der Regel an erster Stelle im Satz (Vorfeld, d. h. vor dem finiten Verb). Unter bestimmten Bedingungen kann das Subjekt ins Mittelfeld rücken, wobei das Vorfeld von **es** besetzt wird (20).

(20) a. **Ein Gewitter wird nahen – Es wird ein Gewitter nahen**
     b. **Dein Paul grüßt dich – Es grüßt dich dein Paul**
     c. **Herr Schulz hat sie bedient – Es hat sie bedient Herr Schulz**

Die Konstruktion mit **es** dient der Rhematisierung des Subjekts. Im zweiten Satz von 20c etwa wird zuerst mitgeteilt, daß es um die Bedienung geht und erst dann, wer der Bediener ist. Letzteres ist der eigentliche Inhalt der Mitteilung.

Ist das Subjekt ein Satz oder ein IGr, so kann es nicht im Mittelfeld, sondern nur im Nachfeld erscheinen (Ausklammerung, in generativer Redeweise ›Extraposition‹. Huber/Kummer 1974: 197 ff.; Altmann 1981: 65 ff.). Auch hier wird das Vor

(21) a. **Es begeistert ihn, daß wir mitmachen**
     b. **Es nervt sie, mich anzuhören**

feld von **es** besetzt. Extraposition hat im allgemeinen aber nicht die Funktion einer Rhematisierung, der Hauptakzent liegt in Sätzen wie 21 auf dem Prädikat.

Bei Extraposition ist **es** nicht ein selbständiger Mitspieler, sondern es bildet gemeinsam mit dem extraponierten Ausdruck das Subjekt. Man nennt **es** hier das Korrelat zum **daß**-Satz bzw. der IGr (10.1.3). Dies kommt in der Konstituentenstruktur zum Ausdruck, wenn man dem Subjekt intern die Struktur einer Attributkonstruktion gibt (22). In 21b wäre **mich anzuhören** Attribut zu **es**. Eine Lösung dieser Art kommt nur für auf **es** bezogene Sätze und IGr in Frage, nicht aber für substantivische Nominale wie in 20 **(Aufgabe 51a)**.

(22)

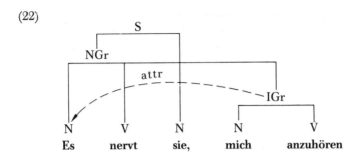

Schwer zu entscheiden ist, unter welchen Umständen **es** obligatorisch ist, wenn es nicht am Satzanfang steht. Während **es** in 23c fakultativ ist, muß es in den beiden

(23) a. **Immer begeistert es ihn, daß wir mitmachen**
b. **Eigenartigerweise nervt es sie, mich anzuhören**
c. **Heute zeigt (es) sich, daß das ein Fehler war**

anderen Sätzen stehen. Fakultatives **es** hat hier eine Rhematisierungsfunktion. In **Heute zeigt es sich, daß das ein Fehler war** liegt das kommunikative Gewicht auf dem Prädikat. Im Satz ohne **es** liegt es auf dem **daß**-Satz (ausführlich zum ›vorausweisenden‹ es Marx-Moyse 1982; 1983; 1985; Aufgabe 51).

Die Kompliziertheit der Grammatik des Personalpronomens ergibt sich aus der Vielfalt und der Unterschiedlichkeit der Gebrauchsweisen seiner Formen. Diese Kompliziertheit spiegelt sich auch in der Entwicklung seiner Theorie, auf die wir zum Abschluß kurz eingehen wollen. Es geht dabei besonders um das Verhältnis von selbständigem und phorischem Gebrauch. Die Unterscheidung der Gebrauchsweisen erscheint naheliegend und fruchtbar, schon weil sie manchen Hinweis zur Erklärung des Verhaltens von Pronomina liefert, unumstritten ist sie aber nicht.

In der generativen Linguistik war zunächst angenommen worden, daß das anaphorische Pronomen der Normalfall, wenn nicht der einzig mögliche Fall von Pronomen sei (Lees/Klima 1963 für das Englische). Man stellte sich vor, daß Pronomina der 3. Ps durch Umwandlung aus einem substantivischen Nominal entstehen unter der Bedingung, daß der entsprechende Satz oder Text zwei identische Nominale enthält. **Karl weiß, daß er träumt** wäre entstanden aus **Karl weiß, daß Karl träumt**. Der Umwandlungsprozeß, die sogenannte Pronominalisierung, ersetzt das zweite Vorkommen von **Karl** durch **er**, führt also zu einem phorischen Pronomen. Man nahm den Begriff des Pronomen wörtlich und deutete ihn als »tritt an die Stelle eines substantivischen Nominals«. Als attraktiv galt diese Auffassung auch deshalb, weil man glaubte, damit an den in der traditionellen Grammatik verankerten Begriff von Pronomen anzuschließen, ihn aber neu und strenger (›wissenschaftlich‹) zu explizieren, indem man ihn reduzierte auf den Begriff der syntaktischen Anapher (Lees/Klima 1963: 17 f.). Das war freilich ein Irrtum, denn die Grammatiker wissen seit langem, daß es einen selbständigen neben einem phorischen Pronominalgebrauch gibt (Blatz 1896: 255 ff.; Paul 1919: 121 ff.). Es fand also nicht eine Explikation des traditionellen Pronominalbegriffes statt, sondern eine Reduktion, zugeschnitten auf die Bedürfnisse einer syntaxzentrierten Grammatikkonzeption.

(24) a. **Der Fremde trug ein Gewand, wie sie bei Zirkusleuten üblich sind**
     b. **Auf der Brücke stand ein Paar. Sie stritten sich heftig**
     c. **Die Eltern des Kindes waren entsetzt, sie war dem Weinen nahe**

(25) a. **Karl hat das Mädchen gesehen, wie sie das Haus verließ**
     b. **Der Mann da drüben war es**
     c. **Die Bremen ließ am 12. April aus. Sie war ein stolzes Schiff**

Es war daher kein Wunder, daß bald Material auftauchte, an dem die Reduktion als solche erkennbar wurde. Sätze wie 24 und 25 zeigen, daß das Pronomen, das man intuitiv gern als anaphorisch ansehen möchte, keineswegs immer mit dem Antezendens formal in Hinsicht auf Person, Numerus und Genus korrespondieren muß. Beispiele dieser Art sowie einige andere wie das sogenannte Bach-Peters-Paradox (**Aufgabe 52**; Diskussion relevanter Fälle in Wiese 1983a: 380 ff.) haben dann die Hypothese von den identischen Nominalen als Basis für Pronomina immer zweifelhafter werden lassen. Auch der Versuch, den syntaktischen durch einen se-mantischen Anaphernbegriff zu ersetzen, und nicht mehr syntaktische Identität, sondern Referenzidentität zwischen beiden Nominalen als entscheidend zu postu-lieren, mußte scheitern (Dougherty 1969; Jackendoff 1972; Steinitz 1974 für das Deutsche). Denn es gibt Fälle, wo man intuitiv wiederum gern von einem anaphori-schen Pronomen sprechen möchte, wo aber überhaupt kein Antezedens vorhanden ist (›missing antecedent‹, Grinder/Postal 1971).

(26) a. **England versenkte einen Zerstörer und Argentinien auch, und sie gingen beide mit Mann und Maus unter**
     b. **Karl hat keine Freundin, wohl aber Egon. Und sie ist auch noch nett.**

Weder in 26a noch in 26b gibt es einen Ausdruck, den man als Antezedens für **sie** im Nachsatz ansehen könnte, mit welchem Nominal sollte also **sie** referenzidentisch sein?

Als Konsequenz aus solchen Schwierigkeiten ergibt sich das, was man den prag-matischen Ansatz zur Deutung der Pronomina nennen kann (z. B. Lasnik 1976; Bâtori 1981: 134 ff.; Wiese 1983a: 391 ff.). Man hebt bei diesem Ansatz stärker auf die Eigenbedeutung der Pronomina ab und stellt nicht den Zwang zur formalen Korrespondenz mit einem anderen Nominal in den Vordergrund. Worauf ein Pro-nomen Bezug nehmen kann, ist wie bei Nominalen allgemein von seiner Bedeutung abhängig. Natürlich ist der semantische Gehalt von Pronomina gering im Vergleich zu dem anderer Nominale. Für **er** etwa wissen wir nicht viel mehr, als daß das Bezeichnete nominal benennbar sein muß, und daß es außerdem eine Differenzie-rung nach dem Numerus und nach dem Genus gibt. Mit **er** kann damit auf eine ganz bestimmte Teilklasse dessen referiert werden, worauf mit Nominalen allgemein referiert werden kann.

Dadurch, daß nun ein bestimmter Referent in einem Satz oder Text mit einem substantivischen Nominal und mit einem Pronomen benennbar sein muß, ergibt sich vielfach die formale Korrespondenz zwischen beiden. Die formale Korrespon-denz kann dann kommunikativ bedeutsam sein, sie kann zur Identifizierung des

Bezeichneten des Pronomens beitragen und sie kann sogar als zwingend erscheinen: Grundlage des Pronominalgebrauchs ist sie nicht. Was mit einem Pronomen benannt werden kann, hängt vielmehr zuerst von seiner Bedeutung ab.

Auf dem Hintergrund eines solchen Ansatzes gibt es keine selbständigen und phorischen Pronomina im Sinne von semantischen oder gar syntaktischen Klassen, sondern es gibt nur einen selbständigen und einen phorischen Gebrauch von Pronomina, wobei der selbständige Gebrauch letztlich grundlegend, der phorische Aspekt dennoch in vieler Beziehung kommunikativ von großer Bedeutung ist. Daß nicht immer klar ist, welches Gewicht der phorische Aspekt hat, ob und in welchem Sinne man von phorischen Pronominalgebrauch sprechen sollte, ist dann nicht verwunderlich. Verwunderlich wäre dies nur, wenn beide Gebrauchsweisen nichts miteinander zu tun hätten.

5.4.3 Determinativpronomina: Demonstrativa, Possessiva, Indefinita

Zum Verweis auf das Besprochene steht das Personalpronomen der 3. Ps zur Verfügung, das zuerst dazu dient, das Besprochene vom Sprecher (1. Ps) und vom Adressaten (2. Ps) abzugrenzen. Die Arten des Verweisens auf das Besprochene sind aber derart differenziert, daß es dafür eine Reihe weiterer Pronomina mit je speziellen Aufgaben gibt. Man faßt diese Pronomina meist in drei Gruppen zusammen als Demonstrativa, Possessiva und Indefinita und rechtfertigt eine solche Einteilung semantisch. Syntaktisch lassen sich die drei Gruppen zur Kategorie der Determinativpronomina (DETPR) vereinigen und den Personalia, Relativa und Fragepronomina gegenüberstellen. Die Determinativpronomina werden syntaktisch subklassifiziert danach, ob sie Definitheit signalisieren oder nicht (Kategorien DEF – NDEF, zur syntaktischen Rechtfertigung 5.2). Demonstrativa (DEMPR) und Possessiva (POSPR) gehören zu DEF, die Indefinitpronomina (IDFPR) sind NDEF. Schema 2 aus 5.4.1 wird so fortgeschrieben:

(1)

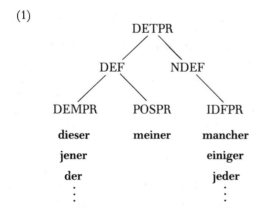

Die meisten der Pronomina flektieren nach folgendem Muster (genauer dazu Bierwisch 1967):

(2)

	Sg			Pl
	Mask	Fem	Neut	Mask/Fem/Neut
Nom	dies er	e	es	e
Gen	es	er	es	er
Dat	em	er	em	en
Akk	en	e	es	e

Diese sogenannte *pronominale Deklination* leistet von der Formendifferenziertheit etwa dasselbe wie die Kombination aus Artikel + Substantiv: es besteht weitgehende Formübereinstimmung zwischen Nom und Akk, der Gen und der Dat sind gegenüber diesen Kasus und gegeneinander formal gut markiert.

Pronomina treten in der Funktion von Satzgliedern auf. Es muß möglich sein, ein Pronomen als Subjekt, Attribut oder Objekt zu identifizieren, deshalb treten bei den Pronomina die gleichen Synkretismen und Formdifferenzierungen auf wie bei den Nominalen mit Artikel. Alternative Formen gibt es bei der pronominalen Deklination für den Gen Sg des Mask und Neut, wo statt **dieses** auch **diesen** auftritt. Die Pronomina gleichen sich hier den Adjektiven an, die den Gen Sg auf **en** bilden. Die Angleichung beruht wohl auf dem generell engen Zusammenhang zwischen pronominaler und adjektivischer Flexion (7.2). Das Muster 1 gilt in vollem Umfang für die Pronomina in 3a und für die in 3b mit Einschränkungen (zu **der** s. u., zu **wer** 10.1.1).

 (3) a. **dieser, jener, solcher, meiner, keiner, einer, mancher, einiger, jeder, weniger, vieler, welcher**
   b. **der, wer**

Als erste Gruppe der auf das Besprochene verweisenden Pronomina behandeln wir die *Demonstrativa*, zu denen meist **dieser, jener, der, derjenige** und **solcher** gezählt werden (Helbig/Buscha 1975: 223; Erben 1980: 222 ff.).

Für die Grammatik der Demonstrativa besteht, wie für die meisten anderen Pronomina aus 3, vor allem das Abgrenzungsproblem zu den Artikeln. Die Abgrenzung kann nicht nach einem generellen Schema erfolgen, sondern muß für jedes Pronomen besonders begründet werden.

Dieser und **jener** werden formgleich als Artikel und als Pronomina verwendet. Wir wollen nicht davon sprechen, daß es die Artikel und die Pronomina **dieser** und **jener** gibt, sondern daß die Pronomina **dieser** und **jener** auch als Artikel verwendet werden können. Sie gehören also immer der syntaktischen Kategorie PRON an, auch wenn sie bei einem Substantiv stehen wie in **dieses Haus, aus diesen Büchern.** Ihr Auftreten als selbständige Satzglieder unterscheidet sie von den Artikeln, die auf das Vorkommen beim Substantiv beschränkt sind.

Anders ist die Situation bei **der**. Der Artikel **der** unterscheidet sich vom Pronomen **der** in der Flexion, nämlich in allen Formen des Genitiv und im Dativ Plural. Die Genitive des Artikels (**des Stuhles, der Blume, des Kindes, der Kinder**) werden beim Pronomen zu **dessen, deren, dessen, deren,** der Dat Pl (**den Kindern**) wird zu **denen.** Die zweisilbigen Formen des älteren Pronomens sind zu den einsilbigen Artikelformen ›eingelaufen‹. Bei den Pronominalformen gibt es eine Konkurrenz zwischen **derer** und **deren** (**Er erinnert sich deren/derer noch ganz gut,** Eggers

1980). Nicht austauschbar sind **deren** und **derer** als Attribute (**deren Kinder**, aber ****derer Kinder**). Dies ist einer der zahlreichen Fälle, wo der Genitiv für bestimmte syntaktische Funktion auf bestimmte Formen beschränkt ist (5.4.2; 7.3.1).

Vom Paradigmenaufbau her ist der Artikel **der** also ohne weiteres vom Pronomen **der** zu unterscheiden. Weniger offensichtlich ist, ob dasselbe **der** sowohl Demonstrativum als auch Relativpronomen ist. Das Relativpronomen hat zweifellos demonstrative Funktion, und formal unterscheidet es sich in nichts vom Demonstrativum. Seine Syntax ist aber eine gänzlich andere. Wir setzen deshalb auch ein Relativpronomen **der** an.

Dieser/jener und **der** sind stets definit. Als Pronomina können sie sowohl selbständig als auch phorisch verwendet werden. Phorischer Gebrauch liegt vor in Fällen wie **Es war einmal ein Mann, der hatte sieben Söhne**. Der selbständige Gebrauch ist meist zugleich deiktisch im engeren Sinne, d.h. mit den Pronomina wird direkt auf etwas verwiesen, auf das gleichzeitig gestisch gezeigt wird, wie mit **Der war es**. Das Zeigen ist bei **dieser/jener** differenziert entsprechend der Nah/ Fern- oder Diesseits-/Jenseits-Deixis. **Der** ist gegenüber dieser Unterscheidung neutral, hat also einen weiteren Anwendungsbereich als **dieser** und **jener**. Allerdings wird die Diesseits-/Jenseits-Differenzierung in der Umgangssprache nicht mit **dieser/jener** realisiert, sondern es werden Verbindungen aus **der** und geeigneten Deiktika gebildet: **der hier, der da, der dort** (Braunmüller 1977: 140). Auch **dieser** ist so verwendbar.

Rein phorisch, nämlich kataphorisch, wird **derjenige** gebraucht. Der morphologische Bestandteil **jen** signalisiert den Verweis auf ein in einem nachfolgenden Relativsatz zu Spezifizierendes (**derjenige, der . . .; diejenigen, die . . .**). Obwohl **derjenige** genannt wird, bevor das Referenzobjekt spezifiziert ist, ist es immer definit. Der Bestandteil **der** flektiert nicht wie das Pronomen **der**, sondern wie der Arikel. Der Bestandteil **jenige** hat nur zwei Formen, nämlich **jenige** für den Nom Sg und **jenigen** sonst. Zusammen mit **derselbe** und vielleicht **dergleiche** ist **derjenige** einer der seltenen Fälle, wo im Deutschen ein Wort nicht am Ende flektiert wird (zu **solcher: Aufgabe 53**).

Als *Possessivpronomina* werden an erster Stelle fast immer **mein/dein/sein** genannt, obwohl sich diese Einheiten nicht wie Pronomina, sondern wie Artikel verhalten. Wir haben sie deshalb in 5.2 als Artikel klassifiziert und als Possessivartikel bezeichnet. Das eigentliche Possessivpronomen ist **meiner**. **Meiner** dekliniert pronominal und hat syntaktisch die Funktion als Verbergänzung (Subjekt und Objekt,

(4) a. **Meiner ist verschwunden**
b. **Er will meinen**
c. **Sie vertraut meinem**
d.?**Er vergewissert sich meines**
e. *****Die Bücher meines**

4a–c), nicht aber die eines Genitiv-Attributes (4e). Auch die Verwendung von **meiner** als Genitivobjekt ist, wie 4d zeigt, so gut wie ausgeschlossen, weil das Possessivum tendenziell in ein Personalpronomen uminterpretiert wird. Diese Beschränkungen als Genitivs beruhen auf dem besonderen Verhältnis von Personalia und Possessiva, auf das schon in Kap. 5.4.2 hingewiesen wurde. Die Grundform des

Possessivpronomens **meiner** fungiert ja gleichzeitig als (suppletiver) Genitiv des Personalpronomens **ich**, schon von daher ergibt sich eine große Nähe zwischen beiden Paradigmen.

Der Aufbau des Paradigmas **meiner** spiegelt auf das Genaueste seine Bedeutung und seine syntaktische Funktion wider. Mit **meiner** werden Objekte in Beziehung gesetzt zu den kommunikativen Rollen Sprecher, Adressat und Besprochenes. Das Possessivpronomen hat wie das Personalpronomen Formen der 1., 2. und 3. Ps im Sg und im Pl (Personaldeixis). Die Beziehung selbst entspricht dem, was mit dem Genitivattribut ausgedrückt werden kann. Das Possessivpronomen kann also keineswegs nur ein Besitzverhältnis anzeigen, sondern ebensogut das, was mit dem genitivus subiectivus, obiectivus usw. ausgedrückt wird (Bondzio 1973; 7.3.1). Das Objekt im Nachbereich bestimmt das Genus und den Numerus des Possessivpronomens. Mit **meiner** etwa wird Bezug genommen auf ein Objekt, das mit einem maskulinen Substantiv bezeichnet werden kann, und entsprechend für **meine** und **meins**. In der Regel wird **meiner** hier phorisch verwendet wie in **Petras Oma ist prima, meine weniger**. (Zum wichtigsten Fall des selbständigen Gebrauchs von **meiner** mit eigener lexikalischer Bedeutung, s.a. Moravia o.J.). Der Kasus des Possessivpronomens schließlich wird, mit der oben erwähnten Einschränkung beim Genitiv, von seiner jeweiligen syntaktischen Funktion bestimmt.

Im Paradigma **meiner** ist das volle Inventar an Formen entfaltet, dessen Pronomina im Deutschen fähig sind (ähnlich der Artikel **mein**). In dieser Beziehung ist **meiner** ein Unikum unter den Pronomina. Wie das Personalpronomen hat es die Differenzierung hinsichtlich Person und hinsichtlich Genus in der 3. Ps, wie die übrigen Pronomina hat es die Differenzierung im Genus danach, ob das Bezeichnete maskulin, feminin oder neutral benennbar ist **(Aufgabe 54)**.

Wir kommen zu den *Indefinitpronomina*. Mit diesem Terminus ist traditionell eine semantische Kennzeichnung der nicht definiten Pronomina gemeint. Er ist unzutreffend insofern, als Indefinita hinsichtlich Definitheit unmarkiert und nicht etwa indefinit sind (5.2). Ihre semantische Funktion ist nicht die Signalisierung von Indefinitheit, sondern die Ausgrenzung von Quantitäten. Die Indefinita machen immer relative Mengenangaben. **Einige Bücher** etwa besagt nichts über die Zahl der Bücher, sondern nur, daß von einer geringen Anzahl von Büchern im Verhältnis zur kontextuell vorgegebenen Gesamtmenge die Rede ist.

Von besonderer Bedeutung für die Grammatik der Indefinita ist die Unterscheidung von Appellativa und Kontinuativa. Viele von ihnen verbinden sich nur mit Stoffsubstantiven. Wir verschaffen uns eine Übersicht über die Indefinita, indem wir sie nach dem Flexionsverhalten ordnen.

Nur eine Form im Paradigma haben

(5) **etwas, nichts, mancherlei, allerlei, vielerlei, verschiedenerlei.**

Diese Pronomina werden nur selbständig verwendet, phorischer Gebrauch kommt nicht vor. In Sätzen wie **Er hat etwas gegessen** bezieht sich **etwas** grammatisch nicht auf ein anderes Nominal, was es bezeichnet, ergibt sich nicht aus einer phorischen Prozedur. Mit den Pronomina in 5 können Sachen (einschl. Abstrakta) bezeichnet werden, nicht aber Personen. Speziell zur Bezeichnung von Personen dienen **niemand** und **jemand**. Bis auf den Gen **(jemandes, niemandes)** kann auch hier für alle Kasus dieselbe Form verwendet werden. Pluralformen gibt es aber nicht.

Nur Singularformen haben auch **jeder** und **einer**. Mit **einer**, dem Pronomen zum Artikel **ein**, können nur Entitäten bezeichnet werden, die mit einem Appellativ benennbar sind. Stoffsubstantive nehmen in ihrer Grundbedeutung nicht den Artikel **ein**. Die Bedeutung von **jeder** zeigt sich am einfachsten im Vergleich zu **alle**. Wie bei generischem **der** vs. **ein** (5.2), so wird mit **alle** vs. **jeder** in unterschiedlicher Weise auf eine ganze Menge zugegriffen. **Jeder** meint die einzelnen Elemente einer Menge, **alle** die Elemente der Menge insgesamt. **Alle Bäume** meint etwas ähnliches wie generisches **die Bäume**, mit dem Unterschied, daß **alle** signalisiert »ohne jede Ausnahme«. Ebenso ist **jeder Baum** strikter gemeint als generisches **ein Baum**. Der Bezug auf eine Menge über ihre einzelnen Elemente ist ›distributiv‹ genannt worden (Vater 1979: 75 f.; 132).

Nur Pluralformen hat **mehrere** mit der Bedeutung »wenige, aber ausdrücklich mehr als eines«. Aus dieser Bedeutung ergibt sich die Beschränkung auf den Plural. **Mehr** wird nicht als Form von **mehrere**, sondern als suppletiver Komparativ zu **viel** angesehen.

Ein vollausgebildetes Forminventar finden wir bei der größten Zahl der Indefinita vor. Wir ordnen sie in 6 danach, für welche Art von Entitäten sie stehen können. Die in 6a bezeichnen im Sg nur Entitäten, die mit Stoffsubstantiven benennbar sind. In

(6) a. **vieler, weniger, aller, etlicher, verschiedener, übriger**
    b. **keiner, mancher**

Sätzen wie **Etliches fiel auf guten Boden; Übriges wird nicht weggeworfen** können sich **etliches** und **übriges** etwa beziehen auf das, was mit **etlicher Samen; übriges Maschinenöl** bezeichnet wird, nicht aber mit *etlicher/*übriger Baum. Im Pl können diese Pronomina Entitäten jeglicher Art bezeichnen. **Viele** kann meinen **viele Bäume**, aber auch **viele Maschinenöle**. Wir stellen also fest: die Pronomina aus 6a können adsubstantivisch verwendet werden im Sg bei Stoffsubstantiven, im Pl bei allen pluralfähigen Substantiven. Im Sg grenzen sie Teilquantitäten von Substanzen aus, im Pl Teilmengen von Gattungen oder kontextuell gegebenen ›Gesamtmengen‹. Stehen sie adsubstantivisch, dann nehmen sie syntaktisch die Position von adjektivischen Attributen ein, nicht die von Artikeln. 7 und 8 zeigen, daß die Prono-

(7) a. **guter/vieler Wein**
    b. **der gute/viele Wein**

(8) a. **gute/viele Weine**
    b. **die guten/vielen Weine**

mina nicht statt sondern neben dem Artikel auftreten und daß sich ihre Flexionsendung wie bei den Adjektiven in Abhängigkeit davon ändert, ob der bestimmte Artikel vorhanden ist (7.2). Wir haben es also bei 6a mit Pronomina zu tun, die auch als adjektivische Attribute verwendet werden können. Einige von ihnen, nämlich **viel** und **wenig**, sind wahrscheinlich sogar als Adjektive anzusehen, denn sie haben sogar Komparationsformen. Wir gehen auf die Abgrenzung nicht näher ein.

Keine syntaktisch-semantische Beschränkung auf Stoffsubstantive besteht bei **keiner** und **mancher** in 6b. Diese Pronomina stehen vielmehr für Entitäten jeder Art. Zu **keiner** gibt es den Artikel **kein,** zu **mancher** die obsolete Form **manch**. Beide verbinden sich sowohl mit Appellativa als auch mit Kontinuativa. Eine Affinität zu den Adjektiven besteht bei ihnen nicht **(Aufgabe 55)**.

6. Adverb und Adverbial

Adverbien sind nichtflektierbare Einheiten, die zum überwiegenden Teil der lokalen, temporalen und modalen Situierung von Entitäten jeder Art dienen. Die Kategorie Adverb (Adv) ist eine Konstituentenkategorie, die im Deutschen einige hundert Einheiten umfaßt wie **oben, hinten, hier, dort, links** (lokal), **bald, eben, immer, jetzt, nie** (temporal), **gern, kaum, vielleicht, leider, gewiß** (modal) und **sehr, ganz, weitaus, höchst** (graduierend). Trotz der im Vergleich zu den Adjektiven oder Substantiven relativ geringen Zahl sind die Adverbien eine offene Klasse: es gibt produktive Wortbildungsmuster, die ihren Bestand erweitern (6.2). Adverbien haben im allgemeinen eine lexikalische Bedeutung, sie sind lexikalische Einheiten und nicht Funktionswörter.

Die Adverbien gehören zum Widerspenstigsten und Unübersichtlichsten, was die deutsche Grammatik zu bieten hat. Kaum eine andere Kategorie wird ähnlich uneinheitlich abgegrenzt und intern nach so verschiedenen Gesichtspunkten gegliedert, eine den Gesamtbereich des Adverbs überzeugend ordnende Darstellung fehlt bisher. Auch im Terminologischen besteht ein Wirrwarr, der seinesgleichen sucht. Wir verwenden deshalb den ersten Abschnitt dieses Kapitels (6.1) darauf, einige Abgrenzungsfragen zu erörtern und vor allem eine feste Terminologie für diesen Bereich zu vereinbaren.

6.1 Abgrenzung und Begriffliches

Kein terminologischer Glücksfall ist das Nebeneinander der Begriffe Adverb und Adverbial. Meistens – aber längst nicht immer – wird Adverb als kategorialer, Adverbial als relationaler Begriff verwendet. Wir folgen diesem Usus und gebrauchen ›Adverbial‹ synonym mit ›adverbiale Bestimmung‹ als Bezeichnung für eine syntaktische Relation (s. u.).

Was aber ist ein Adverb? Bei den Grammatikern besteht nicht einmal Einigkeit darüber, was der Ausdruck **Adverb** bedeutet. Erben (1980: 166) übersetzt ad-verbium als Bei-wort im Sinne von »Nebenwort« und entnimmt dieser Bezeichnung, daß es sich bei den Adverbien um unselbständige Wörter in ›dienender‹ Funktion handelt. Lyons dagegen sieht im ad-verbium ein Wort, das ›zum Verb‹ tritt, das also das Verb in seiner Bedeutung modifiziert (1971: 331). Lyons weist darauf hin, daß dabei mit verbum nicht unser Verb, sondern eine viel größere Menge von Ausdrücken gemeint ist (verbum = »Wort«).

Beide Lesarten besagen immerhin so viel, daß das Adverb zu Ausdrücken verschiedener Kategorie treten kann. Die Stellung der Adverbien in der Konstituentenhierarchie ist uneinheitlich, ein und dasselbe Adverb kann auf ganz verschiedene Kategorien bezogen sein. In 1 sind Möglichkeiten des Adverbs **hier** zusammengestellt.

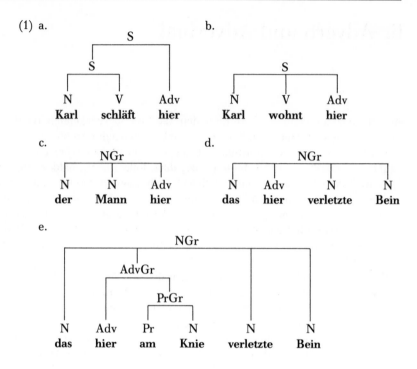

In 1a tritt **hier** zum Satz **Karl schläft**, d. h. der vom Satz bezeichnete Sachverhalt wird durch das Adverb lokal situiert. In 1b ist **hier** dagegen Ergänzung zu **wohnt**. Ohne **hier** wäre der Satz ungrammatisch. Den Fall 1c hat man die attributive Verwendung des Adverbs genannt, weil es ein Substantiv ›näher bestimmt‹ (Helbig/Buscha 1975: 307 ff.; Grundzüge: 689). In 1d tritt **hier** zum Adjektiv, in 1e tritt **hier** gemeinsam mit **am Knie** zum Adjektiv. Hier ist – ähnlich wie manchmal bei der engen Apposition (7.3.2) – nicht ohne weiteres klar, ob einer der Bestandteile den anderen ›näher bestimmt‹ oder ob sie sich nicht eher gegenseitig bestimmen. Wir entscheiden uns für **hier** als Kern der Konstituente und weisen den Gesamtausdruck AdvGr zu.

Die Vielfalt der Bezugsmöglichkeiten unterscheidet Ad-verb von den anderen mit **ad** gebildeten Termini. Das Ad-jektiv ist das deklinierte Beiwort zum Substantiv und das Ad-tribut ist ebenfalls auf ein Substantiv bezogen. In einem ersten Schritt wäre das Adverb also zu charakterisieren als nichtflektierbare, einfache Einheit mit lexikalischer Bedeutung, die nicht oder nicht nur auf Substantive und die stets auf Sätze beziehbar ist. Außerdem kann das Adv Kern einer AdvGr sein.

Eine weitere terminologische Schwierigkeit beruht nun darauf, daß man vielfach doch bei der nächstliegenden Bedeutung des Wortes Adverb anknüpft und unterstellt, das Adverb sei ›eigentlich‹ eine nähere Bestimmung zum Verb. Es steht dann in begrifflicher Opposition zu ›Adnominal‹, wozu z. B. die Adjektive gehören. Bei dieser engen Bedeutung von Adverb geht das oben herausgestellte Charakteristikum des vielfältigen Bezuges verloren, man hebt ein bestimmtes Vorkommen als konstituierend für die Kategorie heraus (Admoni 1970: 188; Erben 1972: 177). Das hat mindestens zwei problematische Folgen. Die eine ist, daß dann meist auch umgekehrt alle das Verb modifizierenden Ausdrücke Adverbien genannt werden, insbesondere solche wie **fest** und **schnell** in **Karl schläft fest** oder **Helga läuft schnell**. Unserer Auffassung nach handelt es sich hier nicht um Adverbien, sondern um Adjektive, die als Beiwort zum Verb gebraucht werden (6.3).

Der zweite Nachteil ist folgender. Es ist gar nicht zu bestreiten, daß Adverbien nicht nur zum Verb, sondern auch zu anderen Kategorien und insbesondere zum Satz treten (1a). Adverbien, für die dies typisch ist, werden dann ›Satzadverbien‹ genannt (Bartsch 1972: 15). Konsequenterweise müßte man bei dieser Redeweise zwischen Satzadverbien und Verbadverbien unterscheiden. Den Terminus Verbadverb verwendet zwar niemand, die Konsequenz zeigt aber, wie problematisch die Bildung Satzadverb ist: sie vermischt Kategoriales mit Funktionalem.

Als nichtflektierbare Einheiten müssen die Adverbien von anderen Nichtflektierbaren abgegrenzt werden. Die Trennung von den Präpositionen und Konjunktionen bereitet keine Schwierigkeiten. Präpositionen regieren einen Kasus oder auch mehrere Kasus, Adverbien haben mit Kasuszuweisungen nichts zu tun. Konjunktionen verbinden Ausdrücke bestimmter Kategorien miteinander, Adverbien stehen bei Ausdrücken bestimmter Kategorie, d. h. Konjunktionen sind zweistellig, Adverbien einstellig. Zwischen Konjunktionen und Adverbien gibt es zwar Abgrenzungsprobleme (10.1.1), sie berühren die Unterscheidbarkeit beider Kategorien aber nicht.

Ganz neue Abgrenzungsprobleme für die Adverbien wie die Nichtflektierbaren überhaupt stellen sich, wenn man die sogenannten Partikeln berücksichtigt. Die Partikeln, diese Zaunkönige und Läuse im Pelz der Sprache, wurden lange Zeit und aus verschiedenen Gründen stiefmütterlich oder gar nicht behandelt. Wir bleiben dieser Tradition treu. Zwei Gründe machen wir mit der Hoffnung auf Nachsicht geltend. Erstens hat die Partikelforschung seit Beginn ihres Aufschwunges vor etwa 15 Jahren eine solche Dynamik entwickelt, daß ihr gegenwärtiger Stand schwer überschaubar und auch in den Grundzügen nicht auf ein paar Seiten einzufangen ist. Zweitens bleibt wohl richtig, daß man die Partikeln ohne den Rest der Grammatik nicht verstehen kann, den Rest der Grammatik aber doch ohne die Partikeln.

Wie sich das Abgrenzungsproblem für die Partikeln im Prinzip darstellt, illustrieren wir anhand von zwei besonders intensiv erforschten Teilklassen, den Abtönungspartikeln und den Gradpartikeln. *Abtönungspartikeln*, auch Modalpartikeln genannt, sind Ausdrücke wie **aber, denn, doch, wohl, eben** in ganz bestimmten Verwendungen. Beispielsweise ist **aber** in **Karl ist gesund, aber Franz ist klug** Konjunktion und in **Du bist aber gewachsen** Abtönungspartikel. **Eben** ist in **Eben habe ich sie noch gesehen** temporales Adverb, während es in **Männer sind eben so** (Plötz 1979) wieder Abtönungspartikel ist. Als Abtönungspartikeln sind die Ausdrücke stets unbetont und treten als Konstituente neben den ganzen restlichen Satz. Ihre Funktion besteht allgemein darin, den Inhalt des Satzes auf die Sprechsituation zu beziehen. So zeigt **aber** im Beispielsatz an, daß der Sprecher überrascht ist, **eben** zeigt an, daß er es schon immer gewußt hat. Die Abtönung durch eine Partikel gibt »die Stellung des Sprechers zum Gesagten an.« (Weydt 1969: 61). Auch als sprechaktindizierend sind Abtönungspartikeln gedeutet worden. So kommen **auch, denn, eigentlich** und **etwa** nur in Fragen vor (König 1977), während **ja, nämlich, immerhin** und **aber** auf Behauptungen beschränkt sein sollen (Hartmann 1977). Was immer die Abtönungspartikeln im einzelnen leisten: die entsprechenden Einheiten kommen nicht nur als Abtönungspartikeln, sondern auch als Adverbien oder Konjunktionen vor. Es gibt keine Ausdrücke, die nur Abtönungspartikeln sind. Als Abtönungspartikeln sind die Ausdrücke unbetont und haben keine lexikalische Bedeutung.

Etwas Ähnliches gilt für die *Gradpartikeln* (auch Rangierpartikeln genannt, Clément/Thümmel 1975: 127ff.). Gradpartikeln sind Ausdrücke wie **nur, einzig, auch, ferner, sogar, selbst, noch, schon, erst** (Altmann 1976: 87; König 1977a: 64), die entweder auch als Konjunktionen, als Adverbien oder als Abtönungspartikeln vorkommen. Syntaktisch unterscheiden sich Gradpartikeln von Abtönungspartikeln etwa dadurch, daß sie auch auf andere Konstituenten als den Satz bezogen sein können. Die Bezugskonstituente nennt man den Skopus der Gradpartikel. **Sogar** hat in 2b den Skopus **wir**, in 2c **Helga** und in 2d **gesehen**.

(2) a. **Wir haben Helga gesehen**
   b. **Sogar wir haben Helga gesehen**
   c. **Wir haben sogar Helga gesehen**
   d. **Wir haben Helga sogar gesehen**

Die Leistung der Gradpartikeln wird darin gesehen, daß sie das von der Skopus-Konstituente Bezeichnete auf eine ›gerichtete Skala‹ abbilden. **Sogar wir** in 2b etwa heißt, daß wir und außer uns andere Helga gesehen haben. Diese anderen sind ›unter uns‹ auf einer gedachten Skala eingereiht, auf der die Elemente danach geordnet sind, wie groß ihre Fähigkeit oder Möglichkeit ist, Helga zu sehen. ›Wir‹ nehmen auf dieser Skala einen Extremwert ein, denn offenbar impliziert der Satz, daß es eher unwahrscheinlich war, daß wir Helga sehen würden. Mitgemeint sein kann auch, daß es jemand außer uns gegeben hat, der Helga trotz allem nicht gesehen hat. Mit der Bezeichnung ›Gradpartikel‹ soll eben diese Geordnetheit der Entitäten auf einer Skala ausgedrückt werden (Altmann 1976: 122ff.; **Aufgabe 56**).

Vorausgesetzt es gelingt, auf die angedeutete Weise für einzelne Partikelklassen oder sogar die Partikeln insgesamt einheitliche grammatische Merkmale nachzuweisen, wie sind dann die Partikeln im Gefüge der grammatischen Kategorien einzuordnen und wie verhalten sie sich insbesondere zu den anderen Nichtflektierbaren?

Betrachtet man die Partikeln als grammatische Kategorie neben den anderen Nichtflektierbaren, so ergibt sich Schema 3 (Grundzüge: 683; ähnlich Helbig/Buscha 1975). Das Schema setzt voraus, daß es typische und allen Partikeln gemein-

(3)

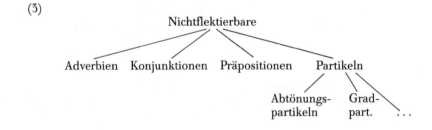

same grammatische Merkmale gibt. Eine andere Lösung sieht – etwa im Sinne eines partikelzentrierten Weltbildes – alle Nichtflektierbaren als Partikeln an. Klassen wie die Grad- und Abtönungspartikeln stehen dann gleichberechtigt neben den Adverbien (jetzt Adverbialpartikeln genannt), Konjunktionen und Präpositionen (Altmann 1976: 3; dazu auch Krivonosov 1977; Weydt 1977).

(4)

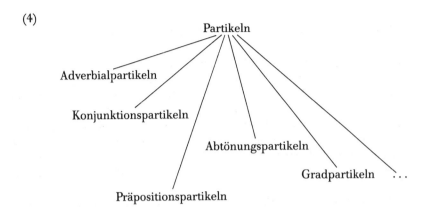

Beide Lösungen stimmen darin überein, daß es Klassen von Partikeln gibt, die als eigenständige Kategorien neben den anderen Nichtflektierbaren anzusetzen sind.

Mit den Partikeln führen beide Lösungen Kategorien ein, die keine nur diesen Kategorien zugehörigen Ausdrücke enthalten (Lieb 1977b: 163). In dieser Hinsicht würden die Partikelkategorien nicht nur von den anderen Nichtflektierbaren, sondern von den Kategorien generell abweichen, die wir bisher kennengelernt haben. Jede Kategorie hatte ja eigene, nur ihr zugehörige Ausdrücke, und es bedürfte wohl einer besonderen Rechtfertigung, wollte man diesen Gesichtspunkt außer acht lassen.

Aus der Kritik an 3 und 4 ergibt sich der Grundgedanke einer alternativen Lösung: es bleibt bei den Kategorien Adverb, Konjunktion und Präposition. Die Partikelkategorien werden nicht neben ihnen, sondern als Teilklassen von ihnen errichtet. Gradpartikeln, Abtönungspartikeln und möglicherweise weitere Partikelklassen sind Teilklassen der Adverbien und der Konjunktionen. Bei den Abtönungspartikeln gehören etwa **doch, wohl, eben** zu den Adverbien und **aber, denn** zu den Konjunktionen.

Mit dieser Lösung wird nicht ausgeschlossen, daß die Partikelklassen grammatische Kategorien (Paradigmenkategorien) sind. Ausgeschlossen wird nur, daß sie neben den anderen Nichtflektierbaren als weitere Konstituentenkategorien auftauchen.

Diese kurze Erörterung des Klassifikationsproblems der Partikeln zeigt die meistdiskutierten Vorschläge auf, ohne allerdings den Argumenten nachzugehen, die für das eine oder andere Vorgehen sprechen. Unsere Sympathie für die letztgenannte Lösung müßte im einzelnen begründet werden. Das ist an dieser Stelle nicht möglich, dennoch waren hier wenigstens Anhaltspunkte für eine Klassifizierung der Nichtflektierbaren zu geben. Anderenfalls bliebe im Dunkeln, was Adverbien sind und wie sie eingeordnet werden.

In den beiden folgenden Abschnitten dieses Kapitels besprechen wir zwei Gruppen von Adverbialen etwas genauer. In 6.2 geht es um die Adverbien in der Funktion von Satzadverbialen, in 6.3 um die sogenannten adverbialen Adjektive. Weitere Ausdrücke in adverbialer Funktion werden in den Abschnitten 8.2.1 (PrGr), 10.2 (Adverbialsätze) und 11.3 (adverbiale Infinitivgruppen) besprochen.

6.2 Adverbien als Adverbiale zum Satz

Wir besprechen in diesem Abschnitt lokale, temporale und modale Adverbien. Eine Einteilung dieser Art ist systematisch durch nichts gerechtfertigt und eignet sich eigentlich nur zur Aufzählung der Ausdrücke, über die man reden möchte. Ihr entspricht insbesondere keine syntaktische Klassifikation, keine der Klassen verhält sich den anderen gegenüber einheitlich. Angesichts der schon genannten Schwierigkeiten einer Syntax des Adverbs schlagen wir im vorliegenden Abschnitt auch keine syntaktische Klassifikation der Adverbien vor, sondern beschränken uns auf Hinweise darauf, was eine Analyse mit dem Ziel der Klassifikation zu berücksichtigen hätte.

Im einfachen Subjekt-Prädikat-Objekt-Satz kommt das Adverb in vier Positionen vor, wobei die Position nach dem finiten Verb (1b) als die unmarkierte gilt. Die

(1) a. **Helga liest den Spiegel**
   b. **Helga liest immer den Spiegel**
   c. **Helga liest den Spiegel immer**
   d. **Immer liest Helga den Spiegel**
   e. **Den Spiegel liest Helga immer**

Spitzenstellung des Adverbs wie der Adverbiale generell führt zur Inversion von Subjekt und finitem Verb (1d), das Subjekt steht hier bei zusammengesetzten Verbformen innerhalb der Satzklammer (**Immer wird Helga den Spiegel lesen**). Bei allen vier Wortstellungen bleibt das Adverb Satzadverbial, d. h. es ist stets dem Satz 1a oder einer Stellungsvariante dieses Satzes als Konstituente nebengeordnet. Die Sätze 1b–1e bedeuten deshalb auch alle dasselbe: stets wird der von 1a bezeichnete Sachverhalt als solcher vom Adverb zeitlich situiert.

Die Positionen wie in 1 können von allen Adverbien eingenommen werden, eine syntaktische Differenzierung ist auf dieser Grundlage nicht möglich. Andere Positionen sind beschränkter, sie dienen zur Bildung von syntaktischen Teilklassen.

(2) a. **Immer Helga liest den Spiegel**
   b. **Den Spiegel liest immer Helga**
   c. **Immer den Spiegel liest Helga**

Auch in diesen Sätzen ist **immer** Satzadverbial, aber die Semantik ist komplizierter als in 1. Es geht nicht mehr nur um die zeitliche Situierung des von **Helga liest den Spiegel** bezeichneten Sachverhaltes. 2a,b besagen, daß, wenn jemand den Spiegel liest, es Helga ist. Schon einige mit **immer** semantisch scheinbar eng verwandte Adverbien können nicht wie in 2a verwendet werden (**oft, häufig**). 2c besagt, daß, wenn Helga etwas liest, dann den Spiegel. Auch diese Position kann nicht von allen Adverbien eingenommen werden. Die Bedeutung von **immer** in 2 ist zumindest nicht mehr rein temporal, **immer** kann fast ohne Bedeutungsveränderung des Satzes durch **nur** ersetzt werden. Möglicherweise liegt hier bereits eine Verwendung des Adverbs als Gradpartikel vor (6.1).

Stark beschränkt ist die ›attributive‹ Position der Adverbien nach einem Nomen, auf das sie sich beziehen wie in **die Frau da; die Zeitung hier; die Brüder und Schwestern drüben**. Nur wenige temporale **(das Auto eben; dein Geschrei immer)** können so verwendet werden und gar keine modalen.

Für die Subklassifizierung der Adverbien spielen weiter ihre Kombinierbarkeit untereinander **(Aufgabe 57)** sowie möglicherweise auch der Satzakzent eine Rolle. Lokale und temporale Adverbien können, wenn sie nicht als Partikeln verwendet sind, den Hauptakzent im Satz tragen. Dagegen scheinen die modalen Adverbien bis auf wenige Ausnahmen **(tatsächlich, wirklich)** davon ausgeschlossen zu sein (Lang 1979: 201). Der Hauptakzent im Satz markiert meist das Rhema. Modale Adverbien sind in der Regel nicht rhematisch und können deshalb nicht Träger des Satzakzents sein. Tragen sie ihn dennoch, so handelt es sich nicht um einen rhematisierenden, sondern um einen Kontrastakzent. Ein Kontrastakzent tritt auf, wenn ein Satz speziell als Widerspruch oder Korrektur zu einer Behauptung geäußert wird. Sagt jemand »Helga schläft« und ein anderer entgegnet »Helga schläft möglicherweise« mit Hauptakzent auf dem Adverb, dann ist dies als Korrektur des ersten Satzes gemeint, der Akzent ist ein Kontrastakzent (Altmann 1977).

Damit sind die Mittel genannt, mit deren Hilfe die Adverbien syntaktisch weiter zu subklassifizieren sind. Wie gesagt: wir nehmen eine Subklassifizierung selbst nicht vor, weil der Aufwand dafür unverhältnismäßig hoch wäre. Statt dessen wenden wir uns direkt und ohne Bezug auf syntaktische Kategorien der Bedeutung einiger Klassen von Adverbien zu.

Bei den *lokalen* Adverbien ist der weitaus größte Teil morphologisch komplex und auf die eine oder andere Weise auf Präpositionen bezogen. Einige der Ausdrücke sind sowohl Adverbien als auch Präpositionen **(links, rechts; oberhalb, unterhalb)**, andere enthalten eine Präposition oder verwandte Form als Bestandteil **(in** vs. **innen, drinnen; unter** vs. **unten, herunter, hinunter, unterhalb; über** vs. **drüben, überall** usw.). Auch wenn diese Beziehungen synchron teilweise nur schwach wirksam sind, sollten die Adverbien nicht unabhängig von den Präpositionen betrachtet werden. Wir geben einer genaueren Behandlung der lokalen Präpositionen als den morphologisch einfacheren Einheiten den Vorzug (7.4.1). Wesentliche Parameter der Analyse können auf die Adverbien übertragen werden.

Gänzlich unabhängig von Einheiten anderer Kategorien sind die lokalen Deiktika **hier, da, dort** (zum Grundsätzlichen 5.4.1). Bei einer Bedeutungsanalyse der drei Adverbien geht man am besten von **hier** aus. **Hier** bezeichnet im einfachsten Fall den Ort des Sprechers (3a), allgemeiner kann seine Bedeutung angegeben werden mit »Sprecherort S liegt innerhalb eines Bezugsbereichs B«. 3b,c zeigen, daß der Bezugsbereich ein Raumbereich sein kann, ebenso aber ein Zeitintervall (3d) oder der Bereich einer Institution (3e).

(3) a. **Hier stehe ich**
　　 b. **Hier im Hörsaal**

c. **Hier über den Alpen**
d. **Hier während der Sitzung**
e. **Hier im ADAC**

Für die Bedeutung von **hier** ist neben dem Sprecherort und dem Bezugsbereich als dritter der sogenannte Verweisbereich V von Bedeutung, der in 4a gegeben ist durch **auf dem Tisch**.

(4) a. **Hier in meiner Küche sitzt eine Maus auf dem Tisch**
b. **Hier sitzt eine Maus auf dem Tisch**
c. **Hier sitzt eine Maus**
d. **Hier zieht's**

(5) a.   b.

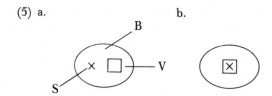

5a gibt die Konstellation der Bereiche wieder, die in 4a ausgedrückt wird. Es gibt den Bezugsbereich **in meiner Küche**, den Verweisbereich **auf dem Tisch** und den Sprecherort. Mit **hier** wird gesagt, daß S und V innerhalb von B liegen. In speziellen Fällen können Sprecherort und Verweisbereich zusammenfallen (4d, wiedergegeben in 5b). Offenbar ist auch in Fällen dieser Art ein Bezugsbereich mitgemeint. Wer sagt »Hier zieht's« kann meinen »Hier wo ich sitze«; »Hier neben der Tür«; »Hier im Auto« usw. Was der Bezugsbereich jeweils ist, kann allein kontextuell-situativ ermittelt werden. Bei Äußerung von 4c weiß man ohne den Kontext nur, daß der Sprecher und die Maus im Bezugsbereich sind, bei 4b kommt der Tisch dazu. Alles weitere über den Bezugsbereich und damit die Verwendbarkeit von **hier** hängt am jeweiligen Kontext.

Die Explikation der Bedeutung lokaler Deiktika mit Hilfe der drei Bereiche B, S, V geht auf einen Vorschlag in Ehrich 1983 zurück. Wichtig dabei ist vor allem die Unterscheidung von Bezugs- und Verweisbereich. Der Bezugsbereich ist ein Bereich, in dem sich der Sprecher selbst und mit ihm das in Rede stehende Objekt, das Ereignis, die Handlung usw. befindet. Dieses gemeinsame Sich-Befinden konstituiert einen Bereich psychischer, nicht metrischer Nähe. Deshalb ist es sowohl möglich zu sagen **hier in Europa** als auch **hier bei der SPD**: psychische Nähe ist weder an räumliche Nähe noch an Raum überhaupt gebunden, **hier** ist daher bei einer Explikation dieser Art von vornherein nicht nur ein lokales Adverb.

Systematisch hat diese Analyse zwei Vorteile. Einmal wird unmittelbar an die Struktur der Tempusbedeutungen angeknüpft (4.3). Dort war von Sprechzeit, Betrachtzeit und Aktzeit die Rede, d.h. es gibt offenbar strukturelle Analogien zwischen beiden Bereichen. Wie die Analogien aussehen und wie weit sie reichen, bleibt vorerst offen; daß sie bestehen, ist aber keine Frage.

Zum anderen lassen sich nun auf überzeugende Weise die Bedeutungen von **da** und **dort** unterscheiden, was in den älteren Arbeiten zur Deixis nie ganz gelungen ist (Bühler 1965: 100 f.). Wenn jemand 6a äußert, dann ist gesagt, daß sich Helgas

(6) a. **Dort wohnt Helga in einer Fünfzimmerwohnung**

b.

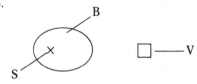

Wohnung nicht innerhalb des gerade gültigen Bezugsbereichs befindet. Hält sich der Sprecher in Frankfurt auf, dann kann er sagen »Helga ist nach München umgezogen, dort wohnt sie in einer Fünfzimmerwohnung«. Nicht akzeptabel wären dagegen »Helga ist nach Frankfurt umgezogen, dort . . .« und »Helga ist nach München umgezogen, hier . . .«. Bedingung für **dort** ist also, daß der Sprecherort innerhalb und der Verweisort außerhalb des Bezugsbereichs liegen (6b).

Für **da** weicht unsere Analyse von Ehrich 1983 ab. 7a hat dieselbe Bedeutung wie 4b, **da** leistet dasselbe wie **hier**. 7b bedeutet nicht dasselbe wie 4b; d. h. **hier** kann

(7) a. **Da sitzt eine Maus auf dem Tisch**

b. **Da zieht's**

c. **Da wohnt Helga in einer Fünfzimmerwohnung**

nicht durch **da** ersetzt werden, wenn Sprecherort und Verweisbereich zusammenfallen. 7c bedeutet dasselbe wie 6a, **da** leistet dasselbe wie **dort**. Von den drei Adverbien hat **da** die allgemeinste Bedeutung. Es kann immer an die Stelle von **dort** und häufig an die Stelle von **hier** treten (**Aufgabe 58**).

Für die *temporalen* Adverbien erhält man eine grundlegende Klassifikation durch die Unterscheidung von durativen, iterativen und der großen Klasse der deiktischen (›zeitrelativen‹) Adverbien. Letztere situieren Sachverhalte zeitlich durch Bezug auf Zeitpunkte oder Zeitintervalle, die relativ zum Sprechzeitpunkt festgelegt sind. Die Zeitadverbien dieser Klasse wirken unmittelbar mit den Tempusbedeutungen zusammen. So bezeichnet **bald** als temporaldeiktisches Adverb einen Zeitpunkt, der (kurz) nach dem Sprechzeitpunkt liegt. In dem Satz **Helga wird bald kommen** gibt **bald** die Betrachtzeit ab. Während das Tempus nur signalisiert, daß der Sachverhalt nach dem Sprechzeitpunkt eintreten wird, legt **bald** ihn genauer fest. Im Satz **Helga kommt bald** wird Zukünftigkeit nur einmal signalisiert, nämlich von **bald**. Das Präsens ist als unmarkiertes Tempus mit Zukünftigkeit verträglich, hat aber von sich aus keine futurische Bedeutung. Diese hängt allein am Adverb.

In 8 sind die Adverbien danach geordnet, ob die Betrachtzeit beim Vorkommen

(8) a. **einst, einmal, früher, neulich, gestern, vorhin, eben**

b. **jetzt, gerade, augenblicklich, heute**

c. **sofort, gleich, bald, demnächst, nachher, später, morgen, einst**

d. **irgendwann, jemals, heutzutage, anfangs, längst**

im einfachen Hauptsatz vor, bei oder nach dem Sprechzeitpunkt liegt. Die Adverbien in 8d sind nicht in dieser Weise festgelegt.

(9) a. **Gestern war Karl unglücklich**
   b. **Anfangs war Karl unglücklich**

(10) a. **Karl wird bald Oberkellner**
   b. **Karl wurde bald Oberkellner**

Ein anderes Ordnungskriterium für diese Adverbien schlägt Steube vor (1980: 73ff.). In 9a wird der von **Karl war unglücklich** bezeichnete Sachverhalt auf eine ganz bestimmte Zeit bezogen, in 9b dagegen kommen eine ganze Reihe von Zeitpunkten bzw. Zeitintervallen als Betrachtzeit in Frage. Diese Unterscheidung erlaubt es, wichtige Vorkommensrestriktionen für Zeitadverbien zu erfassen (**Aufgabe 59**). 10 zeigt, daß einige Adverbien auf beide Weisen verwendbar sind. Während **bald** in 10a den Sachverhalt auf einen Zeitpunkt bezieht, hat es in 10b die Bedeutung »bald danach« und verhält sich so wie **anfangs**.

Soll ein Sachverhalt auf eine im Diskurs bereits eingeführte Zeit bezogen werden, so geschieht das mit den Adverbien in 11. Zum Verstehen von **Danach schlief Karl**

(11) **da, danach, dann, darauf, davor, vorher, nachher, inzwischen, unterdesssen**

ein muß ein weiterer Zeitpunkt bekannt sein, der vor dem Einschlafen von Karl liegt. Die Adverbien in 11 werden in der Regel phorisch verwendet, die in 8 nicht.

Für unsere Zeiterfahrung und Zeitwahrnehmung spielt – insbesondere im Gegensatz zur Raumerfahrung – die Unveränderlichkeit eine besondere Rolle. Zeit wird zwar wahrnehmbar erst durch das Ablaufen von Prozessen, also das Sichverändern von etwas. Mit der Veränderung ist aber als Gegenpol die Unveränderlichkeit immer mitgegeben, d.h. die Fähigkeit zur Wahrnehmung von Veränderungen setzt voraus und hat zur Folge die Fähigkeit zur Wahrnehmung des immer Gleichen, der ›reinen Zeit‹. Kategorial ist der Gegensatz in unserer Grammatik bisher im Begriffspaar Vorgang-Zustand zum Ausdruck gekommen. Mit den durativen Zeitadverbien ist es möglich, das Andauern von Vorgängen und Zuständen über das hinaus zu differenzieren, was das Tempus in dieser Beziehung leistet.

Die durativen Adverbien können wieder danach geordnet werden, ob man sich mit ihnen auf eine Zeit vor (12a) oder nach (12b) dem Sprechzeitpunkt bezieht oder

(12) a. **bisher, bislang, seitdem, seither, längst, noch**
   b. **fortan, weiterhin, schon**
   c. **ewig, lang, kurz**

ob der Sprechzeitpunkt keine Rolle spielt (12c). Von den Adverbien in 12a sind nur **seither** und **seitdem** phorisch verwendbar (zur Bedeutung von **noch** – **schon**: **Aufgabe 59b**).

Das Nebeneinander oder die Gleichzeitigkeit von Veränderung und Unveränderlichkeit macht das Spezifische der iterativen Adverbien aus. Die Wiederholung und damit der Rhythmus überhaupt ist für die Zeitwahrnehmung grundlegend und natürlich unabhängig von jeder Zeitmessung (Tag – Nacht; Sommer – Winter), für die Raumwahrnehmung ist er aber zunächst nur eine Metapher. Vielleicht hängt es damit zusammen, daß das Deiktische (›Egozentrische‹) für die interativen Adverbien keine Rolle spielt. Steube (1980: 121 ff.) schlägt eine Gliederung vor danach, ob die Iteration implizit ist (13a) oder ob in der Wortbedeutung etwas über die Anzahl, Frequenz oder Häufigkeit der Iteration explizit gemacht wird (13b).

(13) a. **erstmalig, erneut, wieder, letztmalig**
      b. **einmal, zweimal, mehrmals, jedesmal, selten, wiederholt, oft, täglich, stets, immer**

Die dritte und zugleich größte Klasse von Adverbien sind die *modalen*. Ihre Zugehörigkeit zu einer Klasse ist weitgehend unkontrovers, terminologisch jedoch erreicht die Uneinigkeit hier einen Höhepunkt. Die Grundzüge (687 f.) sprechen von Modalwörtern als Teilklasse der Adverbien, Helbig/Buscha (1975: 447 f.) von Modalwörtern, die ausdrücklich keine Adverbien seien. Lang (1979) nennt sie Satzadverbiale, Clément/Thümmel (1975: 48 ff.) entscheiden sich für Modalpartikeln, und der Duden (1973: 307 ff.) zählt sie zu den Modaladverbien. Der Versuch einer terminologischen Klärung ist an dieser Stelle hoffnungslos, er kann nur im Rahmen einer Gesamtanalyse des Bereichs der Partikeln und Adverbien erfolgen. Einigkeit besteht aber darüber, daß diese Ausdrücke als Konstituenten zum Satz treten und ihre Aufgabe darin besteht, Sachverhalte entweder zu modalisieren oder sie zu bewerten.

Semantisch entsprechen dem die Hauptklassen in 14a und 14b.

(14) a. **vielleicht, möglicherweise, vermutlich, wahrscheinlich, hoffentlich, sicher(lich), zweifellos, wirklich, angeblich, bekanntlich, offenbar**
      b. **leider, klugerweise, leichtsinnigerweise, richtigerweise, erstaunlicherweise, bedauerlicherweise, ausnahmsweise, unnötigerweise, erfahrungsgemäß, wunschgemäß, naturgemäß**

Mit einem Adverb wie **möglicherweise** oder **zweifellos** in **Helga bleibt möglicherweise/zweifellos** sagt der Sprecher etwas über die Gültigkeit des von **Helga bleibt** bezeichneten Sachverhaltes aus. Es wird nicht einfach behauptet, daß er ein Sachverhalt in der realen Welt sei, sondern die Geltung wird ausdrücklich thematisiert.

Mit **leider, klugerweise** und den anderen Adverbien in 14b wird dagegen nicht die Geltung eines Sachverhaltes thematisiert, vielmehr gibt der Sprecher eine Bewertung dieses Sachverhaltes zum Besten. Das Zutreffen des Sachverhaltes in der realen Welt wird vorausgesetzt, diese Adverbien sind faktiv (Lang 1979: 201). Ihre Charakterisierung als ›Modaladverbien‹ meint also nicht Modalität im üblichen Sinne. Die Bildung syntaktischer Subklassen gemäß 14a,b ist nicht möglich (dazu Clément/Thümmel 1975: 50 ff.; Bartsch 1972; 21 ff.; **Aufgabe 60**).

Der Extremfall eines modalen Adverbs, mit dem etwas über die Geltung von Sachverhalten ausgesagt wird, ist **nicht**. In vielen grammatischen Analysen wird **nicht** jedoch nicht in der Reihe der modalen Adverbien gesehen. Man etabliert vielmehr einen statusmäßig unklaren Bereich oder gar eine grammatische Kategorie ›Negation‹ und handelt dort die sprachlichen Mittel ab, mit denen ein Satz negiert werden kann (Admoni 1970: 154; Stickel 1970: 33 ff., Jung 1973: 107 ff.; vgl.

auch Harweg 1979a). Diese Mittel sind je nach Abgrenzung mehr oder weniger heterogen, sie reichen von den Adverbien wie **nicht, niemals, nirgends** über das ›Satzwort‹ **nein,** den Artikel **kein,** die Präfixe **un, ver** bis zu Wörtern, deren Funktion als ›Negationsträger‹ erst deutlich wird, wenn man sie neben geeignete andere Wörter hält wie **ohne** vs. **mit, zweifeln** vs.**glauben** oder **mißfallen** vs. **gefallen.**

Der Begriff Negation ist, wenn er auf der Basis derart vielfältiger sprachlicher Mittel eingeführt wird, jedenfalls kein syntaktischer Begriff, und es ist auch nicht klar, ob er als semantischer einheitlich gefaßt werden kann. Die einfachste semantische Explikation faßt ›Negation‹ als relationalen Begriff und besagt, daß ein Satz f_1 die Negation eines Satzes f_2 ist genau dann, wenn f_1 und f_2 immer verschiedenen Wahrheitswert haben. f_1 ist wahr, wenn f_2 falsch ist und umgekehrt. Andere Ansätze fassen ›Negation‹ allgemeiner und außersprachlich, beispielsweise über einen Begriff wie ›negative Tatsache‹ oder ›negativer Sachverhalt‹ (zur Übersicht Heidolph 1970; Kürschner 1983: 9 ff.). Ein solcher Begriff ist schwer verständlich. Was ist das für ein Sachverhalt, der von **Karl schläft nicht** bezeichnet wird? Wird er uns über den von **Karl schläft** bezeichneten Sachverhalt zugänglich oder eher über den vom ›Gegenteil‹ **Karl ist wach** bezeichneten? Vorgeschlagen wurde weiter eine pragmatisch-kommunikative Explikation von Negation. Etwas negieren heißt dann, jemandes Annahmen über einen Sachverhalt zurückzuweisen oder zu korrigieren. Dies wiederum ließe sich psychologisch-kognitiv deuten, indem man das Negieren bezieht auf das Löschen, Blockieren oder Korrigieren von Wissen im Kopf der Diskursteilnehmer. Wie allgemein man werden muß und welche Ebene die bestgeeignete für einen einheitlichen Begriff von Negation ist, muß hier offenbleiben. Statt dessen konzentrieren wir das Interesse etwas genauer auf **nicht,** das einzige ›reine Negationswort‹ im Deutschen (Duden 1973: 595). Auf der Basis des Verständnisses von **nicht** lassen sich dann allgemeinere Aussagen darüber machen, was unter Negation zu verstehen ist.

Nicht kann im einfachen Hauptsatz in allen Positionen auftreten, in denen auf den Satz bezogene Adverbien auftreten können (15a–d), nicht jedoch in Spitzenstellung

(15) a. **Helga liest den Spiegel**
   b. **Helga liest nicht den Spiegel**
   c. **Helga liest den Spiegel nicht**
   d. **Nicht Helga liest den Spiegel**
   e. **Helga liest den Spiegl nicht heute**

(16) a. *****Nicht liest Helga den Spiegel**
   b. **Nie liest Helga den Spiegel**

bei Inversion von Subjekt und finitem Verb (16a; zum Stellungsverhalten weiter Helbig 1971; Ulvestad 1975). Auch weitere Eigenschaften teilt **nicht** mit Adverbien, etwa die Möglichkeit eines Bezugs auf ganz verschiedene Konstituenten. Man empfindet seit jeher den Unterschied zwischen 15b,c einerseits und 15d,e andererseits als einen des unterschiedlichen Bezuges von **nicht.** In den beiden letzten Sätzen bezieht sich **nicht** offenbar nicht auf ›den ganzen Satz‹, sondern auf bestimmte unmittelbare Konstituenten von Sätzen (Satzglieder), nämlich **Helga** in 15d und **heute** in 15e. Man spricht hier von Satzgliednegation oder allgemeiner Sondernegation im Gegensatz zur Satznegation in 15b,c. **Nicht** verhält sich schließlich insofern wie Adverbien, als es außer mit seiner ›eigentlichen‹ Bedeutung als Negator auch zur Abtönung verwendbar ist. Das kommt besonders häufig in Fragesätzen vor (**Willst du nicht hier bleiben?**), aber auch in bestimmten Formen von Aussagesätzen (**Was hat Karl nicht alles versucht**). Befürworter einer Sonderrolle von **nicht** gegenüber den Adverbien berufen sich gern darauf, daß **nicht** viele Idiosynkrasien bezüglich der Kombinierbarkeit mit anderen Adverbien hat (Stickel 1970: 15 ff.; Bartsch 1972: 38 ff.). Aber die Kokkurrenzbedingungen sind für die Adverbien generell kompliziert und erst teilweise bekannt. Viele Adverbien und keineswegs nur **nicht** weisen in dieser Beziehung Restriktionen auf.

Ein ausgearbeiteter Vorschlag zur Syntax und Semantik der Negation liegt von Lieb vor (1983a,b). **Nicht** wird folgendermaßen behandelt.

(17) a. **Der Mann ist gekommen**
     b. **Der Mann ist nicht gekommen**
     c. **Nicht der Mann ist gekommen**

Die Bedeutungen der Sätze in 17 haben bestimmte Teile gemeinsam, in anderen unterscheiden sie sich, und zwar eben in denen, die vom jeweiligen Vorkommen oder Nicht-Vorkommen von **nicht** beeinflußt sind. Diese Teile der Bedeutungen lassen sich wie in 18 wiedergeben (1983a/ 18 ff.). Der Unterschied zwischen der

(18) a. Wenn x_1 das Individuum ist, auf das sich der Sprecher mit
     der Mann bezieht, dann ist x_1 gekommen
     b. Wenn x_1 das Individuum ist, auf das sich der Sprecher mit
     der Mann bezieht, dann ist x_1 nicht gekommen.
     c. Wenn x_1 gekommen ist, dann ist x_1 nicht das Individuum, auf das
     sich der Sprecher mit **der Mann** bezieht.

›Satznegation‹ 17b und der ›Satzgliednegation‹ 17c besteht nach 18 darin, daß Vor- und Nachsatz der Implikation vertauscht sind und daß jeweils der Nachsatz negiert ist. ›Negiert‹ ist dabei zu verstehen als logische Negation. In 17b kommt es darauf an, daß **nicht** bezogen ist auf **ist gekommen**. In 17c dagegen ist **nicht** bezogen auf **der Mann**. Dennoch wäre es falsch, davon zu sprechen, daß im ersten Fall **ist gekommen** und im zweiten Fall **der Mann** negiert sei. Negiert werden können nicht Verben oder Nomina, sondern nur Sätze. Der negierte Satz ist in beiden Fällen **der Mann ist gekommen**, er gibt die sogenannte Bereichskonstituente für die Negation ab. Der Satz ist aber verneint bezüglich unterschiedlicher Teile, in 17b bezüglich **ist gekommen**, in 17c bezüglich **der Mann**. Diese Teile werden Bezugskonstituenten genannt. Mit dem Begriff der Bezugskonstituente knüpft Lieb an den Begriff Skopus an, wie er etwa von Altmann (1976) bei der Analyse der Gradpartikeln und von Lang (1979) für die ›Satzadverbiale‹ verwendet wird.

Bereichskonstituente und Bezugskonstituente ergeben sich aus der jeweiligen syntaktischen Konstellation: die Bereichskonstituente ergibt sich nicht aufgrund der Hierarchie allein, sondern auch aufgrund anderer syntaktischer Kriterien wie der Reihenfolge und der Intonation. Satzverneinung und Satzgliedverneinung sind darin gleich, daß es eine Bereichs- und eine Bezugskonstituente für das jeweilige

(19) a.

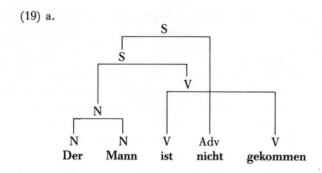

b.

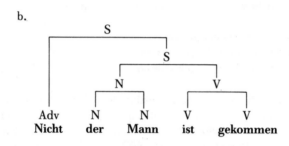

Negationswort gibt. Dieses Faktum macht die syntaktische Einheitlichkeit aller ›Negationswörter‹ aus: ›Negation‹ ist ein syntaktischer Begriff, und zwar eine syntaktische Relation, die besteht zwischen dem Negationswort einerseits und der Bereichs- und Bezugskonstituente andererseits. Die Negationswörter werden ihrerseits zu einer grammatischen Kategorie, einer Paradigmenkategorie, zusammengefaßt (1983b: 5). Eine solche Kategorie NEG schließt nun aber die Zugehörigkeit der entsprechenden Wörter zu anderen Kategorien nicht aus. Während in früheren Ansätzen die Frage gestellt wurde »Ist **nicht** ein Adverb, **kein** ein Artikel oder sind sie beide Negationswörter?« sind in diesem System beliebige Kreuzklassifikationen zugelassen. Das Negationswort **nicht** kann Adverb sein, **kein** kann Artikel sein usw. Die Variabilität bei der Kategorienfestlegung zahlt sich an dieser Stelle erneut aus. Man kann die semantische Einheitlichkeit der Negationswörter in der Syntax wiederfinden, man braucht aber dennoch nicht eine Kategorie für die Negationswörter zu fordern, die diese Wörter willkürlich aus anderen Kategorien herausreißt (**Aufgabe 61**).

6.3 Adjektive als Adverbiale zum Verb

Ausdrücke wie **laut** und **sorgfältig** in 1 bezeichnet man meist entweder als adverbiale Adjektive oder als adjektivische Adverbien. **Laut** in 1a bezieht sich auf den

(1) a. **Paula schreit laut**
    b. **Hans verwischt sorgfältigt alle Spuren**

Vorgang des Schreiens selbst, es teilt uns eine Eigenschaft dieses Vorgangs mit und bezieht sich nicht etwa auf den gesamten Sachverhalt »Paula schreit«. Einen grammatischen Test für die Unterscheidung zu satzbezogenen Adverbialen liefern Kopulasätze wie 2a. Die Kopula **sein**, das semantisch ›leere‹ Verb, kann nicht von verbbe-

    (2) a. **Hans ist Lehrer**
         b. ***Hans ist sorgfältig Lehrer**
         c. **Hans ist gern Lehrer**

zogenen Adverbialen modifiziert werden. Deshalb ist 2b ungrammatisch. 2c ist dagegen grammatisch, weil **gern** Satzadverbial zu **Hans ist Lehrer** ist.

Das Nebeneinander der Bezeichnungen adverbiales Adjektiv und adjektivisches Adverb verweist uns zunächst auf das Problem der Kategorienfestlegung: handelt es sich bei den verbbezogenen Adverbialen um Adjektive oder um Adverbien? Befürworter einer Zuweisung zu den Adverbien (Erben 1980: 177f.; Helbig/Busca 1975: 21, 303f.; Admoni 1970: 198f.; weiterführend Starke 1977) machen vor allem Dreierlei geltend. (1) **Laut** und **sorgfältig** können im allgemeinen die Positionen einnehmen, die auch Adverbien wie **hier** und **niemals** einnehmen können. (2) Sie sind auf das Verb begzogen und schon deshalb als Adverbien zu bezeichnen, und (3) sie sind wie die Adverbien unflektiert.

Wir schließen uns dieser Position nicht an, sondern plädieren für eine Zuweisung zu den Adjektiven und wollen nur noch von adverbialen Adjektiven sprechen. Zu den drei genannten Argumenten: (1) adverbiale Adjektive haben viele Stellungsmöglichkeiten mit Adverbien gemeinsam, viele andere aber nicht, beispielsweise die in 2. Auf weitere syntaktische Besonderheiten wird weiter unten eingegangen. (2) Adverbiale Adjektive sind auf das Verb bezogen, das ist unstrittig. Nennt man sie deshalb Adverbien, so müssen die Adverbien anders benannt werden, denn sie sind gerade nicht auf das Verb bezogen (dazu 6.1). (3) Die Zuweisung zu den Adverbien aufgrund von Unflektiertheit beruht auf einem systematischen Irrtum. Adverbien sind einelementige (›uneigentliche‹) Paradigmen, die wir deshalb als nichtflektierbar bezeichnet haben (2.1). Nichtflektierbar und unflektiert ist nicht dasselbe. Die Kurzform des Adjektivs, wie sie in prädikativer und adverbialer Position erscheint, ist nicht markiert in Hinsicht auf Genus, Numerus und Kasus und deshalb unflektiert. Das Paradigma, dem sie angehört, ist aber keineswegs nichtflektierbar. Wer dieses Kriterium zum ausschlaggebenden für eine Zuweisung zu den Adverbien macht, müßte jedenfalls auch das prädikative Adjektiv zu den Adverbien zählen (so im Prinzip in Droescher 1974). Das beseitigt zwar nicht die Verwechslung von nichtflektierbar und unflektiert, ist bezüglich des einmal gemachten Fehlers aber konsequent.

Auch aus der Sicht einer traditionellen Kategorienlehre hätte die Klassifikation als Adverbien unerwünschte Konsequenzen. Fast alle Adjektive können adverbial verwendet werden. Würde man sie in dieser Verwendung als Adverbien klassifizieren, wären die Adjektive Homonyme einer Teilklasse der Adverbien. Die Kategorie Adjektiv würde nur Elemente enthalten, zu denen es auch ein homonymes Adverb gäbe (Grundzüge: 621). Eine der vier lexikalischen Hauptkategorien hätte ihre Eigenständigkeit verloren.

Adjektive bezeichnen Eigenschaften. Berücksichtigen wir zunächst nur ihren attributiven und prädikativen Gebrauch (das kluge Kind vs. Das Kind ist klug), dann bezeichnen Adjektive Eigenschaften von etwas, das mit einem Nomen benennbar ist. Die Syntax beider Verwendungsweisen des Adjektivs ist gänzlich verschieden, die semantische Leistung aber offensichtlich nicht. Insbesondere ist der Begriff von Eigenschaft, den man zur Explikation von Adjektivbedeutungen braucht, ziemlich homogen. Weil das Adjektiv in attributiver und prädikativer Position Eigenschaften ›desselben Dinges‹ bezeichnet, besteht kaum ein Zweifel daran, daß es sich in beiden Positionen auch um ›dasselbe Wort‹ handelt. Insbesondere deshalb wurden attributives und prädikatives Adjektiv in transformationellen Grammatiken aufeinander bezogen, d. h. als nur oberflächensyntaktische Varianten derselben zugrundeliegenden Repräsentation angesehen (Motsch 1971; Edmondson 1982: 89 ff.).

Sind die verbbezogenen Adverbiale ebenfalls Adjektive, dann bezeichnen Adjektive Eigenschaften von etwas, das nominal *und* verbal benannt werden kann, d. h. der zu explizierende Begriff von Eigenschaft wird abstrakter. Das ist an sich nicht wünschenswert und sollte nur in Kauf genommen werden, wenn es unausweichlich ist.

Das deutlichste Anzeichen dafür, daß die von Adjektiven bezeichneten Eigenschaften sowohl nominal als auch verbal Benennbares charakterisieren, ist wohl die dichte morphologische Beziehung zwischen Substantiv und Verb. Es gibt im Deutschen keine zwei Kategorien, die morphologisch so eng und differenziert aufeinander bezogen sind wie Substantiv und Verb. Die meisten Verben haben mehrere Nominalisierungen, und aus vielen Substantiven lassen sich umgekehrt Verben ableiten (zur Übersicht Fleischer 1975: 198 f.; Ulmer-Ehrich (1977: 5) versteht unter einer Nominalisierung ohne Zögern ein ›derverbatives Nomen‹). Zu einem Satz wie **Karl befragt den Minister** können wir einen Nominalausdruck **Karls Befragung des Ministers** bilden, dessen Kern die Nominalisierung des Verbs ist und der die Ergänzungen des Verbs als Attribute enthält. Zwischen beiden Ausdrücken gibt es formale Analogien und eine enge semantische Beziehung (7.3.1). Soll nur der vom Verb bezeichnete Vorgang genauer charakterisiert werden, dann schreibt man ihm eine Eigenschaft zu mit Hilfe eines adverbialen Adjektivs: **Karl befragt den Minister sorgfältig**. Eben dieses Adjektiv wird auch verwendet, wenn das ›Verbalabstraktum‹ im Nominal näher zu bestimmen ist, man erhält **Karls sorgfältige Befragung des Ministers**. Der Zusammenhang zwischen adverbialem und attributivem Adjektiv ist noch um einiges enger und regelmäßiger als der zwischen Verb und Nominalisierung. Es ist damit zwar nicht ›bewiesen‹, daß beide Ausdrücke zur selben Kategorie (Adjektiv) gehören, es ist aber gezeigt, daß die von **sorgfältig** bezeichnete Eigenschaft systematisch sowohl nominal als auch verbal Benennbarem zugeschrieben werden kann (dazu grundsätzlicher Kaznelson 1974: 180 ff.).

(3) a.   b.

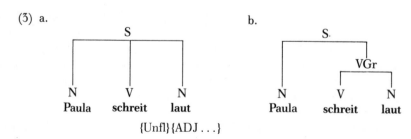

Für einen Satz wie 1a können wir damit die Struktur in 3a ansetzen. **Laut** ist die Kurzform des Adjektivs (unflektiert), die dem Verb (Prädikat) nebengeordnet ist. Die Bezeichnung als Adverbial erinnert daran, daß diese Konstituente nicht vom Verb regiert wird. Das adverbiale Adjektiv ist hier eine freie Konstituente im Sinne einer Angabe **(Aufgabe 62)**.

Auch eine weitere Ergänzung im Satz ändert an der hierarchischen Zuordnung des adverbialen Adjektivs nichts, als Konstituentenstruktur ergibt sich:

(4)

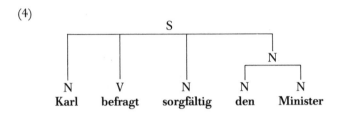

Diese Struktur zeigt noch deutlicher als 3a eine vielleicht als unschön empfundene Konsequenz unserer Argumentation. Wenn das adverbiale Adjektiv dem Verb nebengeordnet ist, dann ist es automatisch auch den Ergänzungen nebengeordnet. Was aber hat das Adverbial mit Subjekt und Objekt zu tun? Sollte man die Nebenordnung zu ihnen nicht vermeiden und etwa einen Knoten Verbalgruppe einführen (3b), der die Nebenordnung auf das Verb beschränkt?

Mit einem zusätzlichen Knoten Verbalgruppe würden die Strukturen in 3a und 4 ihre Angemessenheit einbüßen, denn das adverbiale Adjektiv ist sehr wohl auch auf die Ergänzungen bezogen (Rath 1972; Bartsch 1972: 140ff.; Eichinger 1979). Betrachten wir folgende Sätze mit dem Adverbial in Spitzenstellung.

(5) a. **Laut ruft Anetta ihren Sohn**
    b. **Präzise beantwortet Paula die Frage**

(6) a. **Krank liegt Karl im Bett**
    b. **Jung heiratet Paula ihren Fritz**

(7) a. **Blank putzt Hans seine Zähne**
    b. **Rot färbt Egon seine Haare**

Das Adverbial bezieht sich in 5 auf das Prädikat, in 6 auch auf das Subjekt und in 7 auch auf das Objekt. Mit ›bezieht sich‹ ist dabei zunächst nur eine nicht näher gekennzeichnete semantische Beziehung gemeint. Aber wodurch kommt sie zustande? Gibt es irgendwelche syntaktischen Unterschiede zwischen 5, 6 und 7?

Am einfachsten wäre es, man könnte die Adjektive entsprechend subklassifizieren. Obwohl einige insbesondere morphologisch charakterisierbaren Adjektivklassen eher zum einen als zum anderen Bezug neigen, ist das Verfahren prinzipiell unangemessen. Denn die meisten Adjektive können auf mehrere, wenn nicht auf jede der drei Weisen bezogen sein.

(8) a. **Der Graf kalauerte frech im Bundestag herum**
   b. **Frech schaut Karl ihm ins Gesicht**
   c. **Der Präsident formulierte seine Antwort frech**

Wenn überhaupt ein eindeutiger Bezug erkennbar ist, dann dürfte **frech** in 8a auf das Prädikat, in 8b auf das Subjekt und in 8c auf das Objekt bezogen sein.

Ebensowenig wie eine kategoriale ist eine strukturell-hierarchische Unterscheidung der Fälle möglich. Es wäre reine Willkür und nichts weiter als eine Abbildung semantischer Verhältnisse in die Syntax, wollte man etwa **frech** in 8b der Subjekts- und in 8c der Objektskonstituente zuschlagen.

Eine syntaktische Trennung ist möglich aufgrund des Stellungsverhaltens. Im Subjekt-Prädikat-Objekt-Satz kann das verbbezogene Adjektiv u. a. an der Spitze, nach dem Finitum und am Satzende stehen (9), je eine dieser Positionen ist bei Subjektbezug (10) und bei Objektbezug (11) ausgeschlossen. Allerdings ist die

(9) a. **Präzise beantwortet Paula die Frage**
   b. **Paula beantwortet präzise die Frage**
   c. **Paula beantwortet die Frage präzise**

(10) a. **Krank liegt Karl im Bett**
    b. **Karl liegt krank im Bett**
    c. ***Karl liegt im Bett krank**

(11) a. **Blank putzt Hans seine Zähne**
    b.***Hans putzt blank seine Zähne**
    c. **Hans putzt seine Zähne blank**

Kennzeichnung der entsprechenden Sätze mit einem Asterisk erläuterungsbedürftig. Der Satz 11b etwa ist nicht einfach ungrammatisch, vielmehr ist er nur eingeschränkt bezüglich des Bezuges von **blank**. Das Adverbial läßt sich in dieser Position nicht auf das Objekt beziehen. Da es aber semantisch am besten zum Objekt paßt, ist der Satz nicht akzeptabel. Es wäre also unangemessen, Stellungsbeschränkungen für bestimmte adverbiale Adjektive anzugeben.

Daß das adverbiale Adjektiv außer auf das Prädikat auch auf Subjekt und Objekt bezogen sein kann, ist an sich nicht erstaunlich, können doch die von Adjektiven bezeichneten Eigenschaften ganz generell Eigenschaften sowohl von nominal als auch von verbal Bennenbarem sein. Diese Feststellung sagt allerdings noch nichts über die Art des jeweiligen Bezuges. Wir wollen die spezifische Leistung des adverbialen Adjektivs bei Subjekt- und Objektbezug näher kennzeichnen, indem wir sie mit anderen Konstruktionen vergleichen, und zwar einerseits mit dem prädikativen Adjektiv und andererseits mit der sogenannten Verbpartikel.

Den Unterschied zum attributiven Adjektiv kennzeichnen Helbig/Buscha (1975: 496) damit, daß das adverbiale (sie nennen es ›prädikatives Attribut‹) »keine dauernde Eigenschaft des Subjekts bzw. Objekts, sondern eine – durch die Beziehung auf die Aktzeit des Verbs – zeitlich beschränkte Eigenschaft« benenne.

12b wird in der Regel nicht im Sinne von 12a gelesen. Viel näher liegt eine Lesung, die besagt, der Mann auf der Straße habe für einen Moment nichts sehen

(12) a. **Ein blinder Mann stand auf der Straße**
     b. **Ein Mann stand blind auf der Straße**

können. Möglich ist auch eine Lesung mit **blind** in einer abgeleiteten Bedeutung. Das attributive Adjektiv ist nun aber nicht auf die Bezeichnung ›dauernder Eigenschaften‹ beschränkt, sondern in dieser Hinsicht unrestringiert. Deshalb sind Sätze wie 13a möglich und weitgehend synonym mit 13b. Beschränkt auf ›temporäre

(13) a. **Das weinende/kranke Kind lag im Bett**
     b. **Das Kind lag weinend/krank im Bett**

(14) a. **Der morsche/alte Baum wurde gefällt**
     b. **Der Baum wurde alt/morsch gefällt**

Eigenschaften‹ ist dagegen das adverbiale Adjektiv, es stellt eine gegenüber der attributiven semantisch markierte Art der Verwendung dar. Deshalb sind die Sätze in 14b schwer interpretierbar.

Die Beschränkung auf temporäre Eigenschaften entspricht der Syntax des adverbialen Adjektivs. Als Adverbial bleibt es stets auch bezogen auf das Verb. Bei Subjektbezug bezeichnet es nicht einfach eine Eigenschaft des vom Verb bezeichneten Vorganges oder Zustandes, wohl aber bezeichnet es eine Eigenschaft, deren zeitliche Ausdehnung an diesen Vorgang oder Zustand gebunden ist (Eichinger 1979: 88 f.).

Ganz ähnlich liegen die Verhältnisse auf den ersten Blick beim objektbezogenen Adjektiv. 15a ist mit seiner temporären Eigenschaft weitgehend synonym zu 15b, 16a mit seiner dauernden Eigenschaft ist nicht synonym mit 16b. Ist das Verb

(15) a. **Karl ißt am liebsten rohe Mohrrüben**
     b. **Karl ißt Mohrrüben am liebsten roh**

(16) a. **Paul ißt am liebsten holländische Tomaten**
     b. **Paul ißt Tomaten am liebsten holländisch**

›kausativ‹, d. h. ist der vom Verb bezeichnete Vorgang derart, daß er das vom Objekt Bezeichnete affiziert und ihm also Eigenschaften beibringt, die es vorher nicht hatte, so sind es eben diese Eigenschaften, die vom objektbezogenen Adjektiv bezeichnet werden.

(17) a. **Helga streicht ihr Fahrrad grün**
     b. **Ödipus schlägt seinen Vater tot**
     c. **Karl kocht die Kartoffeln weich**

Objektbezogene Adjektive bezeichnen hier nicht temporäre, sondern dauernde Eigenschaften, der Fall liegt strukturell und semantisch gänzlich anders als bei Subjektbezogenheit. Das Adjektiv rückt eng an das Verb heran und wird schließlich zum morphologischen Bestandteil des Verbs. Für die Beispiele in 17 ist noch zweifelhaft, ob wir Verben wie **grünstreichen, totschlagen** oder **weichkochen** ansetzen sollen. Dagegen scheinen etwa **krankschreiben** und **gesundbeten** zweifelsfrei eine Einheit zu sein. Das Adjektiv erhält mehr und mehr den Status einer trennbaren Verbpartikel, **krankschreiben** und **gesundbeten** sind analog gebaut zu **abgeben** und **aufhängen** (18). Zwar muß das Adjektiv nicht beim Verb stehen, aber es bildet

(18)

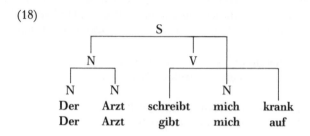

immer zusammen mit dem Verbstamm eine Form (bei Distanzstellung eine Wort-formzerlegung). Ein vergleichbares Verhalten des subjektbezogenen Adjektivs scheint – wenn überhaupt – nur bei ganz wenigen Verben vorzukommen (**Das geht mir nahe; Sie kommt frei;** Plank 1984a: 78; dort auch weitere semantische Typen insbesondere objektbezogener Adjektive).

Wir sind bei der Besprechung des adverbialen Adjektivs vom Standardfall eines Bezugs auf das Verb ausgegangen (**Paula schreit laut**) und haben von da aus die Erweiterung auf Subjekt- und Objektbezug entwickelt. Auch der umgekehrte Weg ist möglich. Plank (1984a) sieht das prädikative Adjektiv im Kopulasatz (19a) als Grundlage des subjektbezogenen und das Adjektiv bei Verben mit doppeltem Akku-sativ (19b) als Grundlage des objektbezogenen Adverbials an. Der Vorteil dieser

(19) a. **Der Kanzler ist/wird/bleibt liberal**
　　 b. **Meier nennt/heißt/schimpft/findet Mair affektiert**

Sicht ist, daß der Subjekt- bzw. Objektbezug des adverbialen Adjektivs als ganz ›natürlich‹ erscheint. Denn er liegt ja auch schon in 19a,b vor. Der Nachteil ist, daß der Bezug auf das Verb als abgeleitet oder markiert angesehen werden muß. Sind aber nicht Sätze wie **Hans schläft gut** und **Paula schreibt langsam** gerade die ein-fachsten dieses Konstruktionstyps? (**Aufgabe 63 und 64**).

7. Attribute

Die primäre Leistung der Attribute besteht darin, das von einem Substantiv Bezeichnete ›näher zu bestimmen‹. Wie diese Bestimmung im Einzelnen aussieht, hängt von der Form des Attributs und seiner strukturellen Einbettung ab. Syntaktisch ist das Attribut dem Bezugssubstantiv oder Kern der Attributkonstruktion nebengeordnet. Die gesamte Konstruktion wird der Kategorie Nominalgruppe (NGr) zugeordnet. Als Kern von Attributkonstruktionen tauchen neben Substantiven vor allem Pronomina auf.

Wir behandeln die gängigsten Typen des Attributs, unter ihnen als einzigen attributiven Nebensatz den Relativsatz. Die anderen Attributsätze werden bei Besprechung ihrer Grundfunktion miterwähnt (10.1.3; 10.2.2).

7.1 Relativpronomen und Relativsatz

Im fortlaufenden Text wird im allgemeinen fortlaufend über dieselben Dinge geredet. Die Sätze in 1a als Teil eines Textes zeigen das rein äußerlich daran, daß der

(1) a. **Paula ging gestern zu einem Notar. Den hatte sie noch nie gesehen**
    b. **Paula ging gestern zu einem Notar, den sie noch nie gesehen hatte**

zweite Satz die substantivischen Nominale des ersten als phorische Pronomina wieder aufnimmt. **Den** bezieht sich auf dasselbe Individuum wie **einem Notar**, sein Genus und sein Numerus sind dadurch festgelegt: es muß eine Form des Mask Sg gewählt werden. Der Kasus des Pronomens richtet sich dagegen nach seiner syntaktischen Funktion. **Den** ist Akk, weil es direktes Objekt zu **gesehen** ist.

Dieselbe grammatische Beschreibung trifft auf das Relativpronomen **den** in 1b zu. Es fungiert als direktes Objekt im Relativsatz, gewinnt aber grammatisches Geschlecht und Numerus durch Bezug auf das vorausgehende Substantiv. Wie das Demonstrativum ist es phorisch.

Auch die Bedeutung von 1a und 1b sind weitgehend identisch, der Unterschied ist rein syntaktischer Art. Aus der Folge von Hauptsätzen in 1a wird in 1b ein Gefüge aus Haupt- und Nebensatz. Im Relativsatz rückt das finite Verb ans Ende, der Satz hat grammatisch die Funktion eines Attributs zum Kernsubstantiv des übergeordneten Nominals (**Notar**).

Das Relativpronomen ist natürlich nicht auf die Funktion eines direkten Objekts beschränkt, sondern kann als Ergänzung in allen Kasus auftreten. 2 gibt für jeden Kasus ein Beispiel.

(2) a. **Wir schließen einen Vertrag, der allen nützt**
    b. **Wir schließen einen Vertrag, dessen ihr euch häufig bedienen werdet**

   c. Wir schließen einen Vertrag, dem alle trauen
   d. Wir schließen einen Vertrag, den auch die Schweiz unterstützt

3 zeigt am Beispiel 2c, wie der Relativsatz syntaktisch in das übergeordnete Nominal integriert ist. Das Relativpronomen (RELP) wird hinsichtlich Kasus regiert

(3)

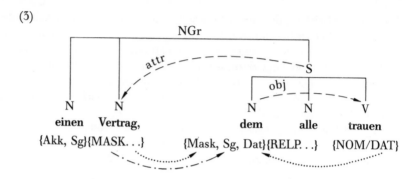

vom Verb im Relativsatz (**trauen** nimmt ein Dativobjekt), hinsichtlich Genus vom Kernsubstantiv der NGr (**Vertrag** ist ein Maskulinum). Außerdem kongruiert es mit dem Kernsubstantiv im Numerus. Wie ein grammatisches Gelenk verbindet das Relativpronomen Kernsubstantiv und eingebetteten Satz (**Aufgabe 65**).

Anders ist der Satz angeschlossen, wenn das Relativpronomen Attribut ist. Wir gehen wieder aus von der Satzfolge mit Demonstrativum. **Dessen** in 4a ist Genitiv-

(4) a. **Wir schließen einen Vertrag. Dessen Vorteile sind unbestreitbar**
   b. **Wir schließen einen Vertrag, dessen Vorteile unbestreitbar sind**

attribut zu **Vorteile, dessen Vorteile** ist insgesamt so strukturiert wie **Karls Auto** oder **des Mannes Spielzeug** (vorausgestellter oder sächsischer Genitiv, 7.3.1). An der attributiven Funktion ändert sich auch in 4b nichts, d.h. das Relativpronomen **dessen** ist nach wie vor Attribut zu **Vorteile**. Der relative Anschluß hat nun folgende Gestalt.

(5)

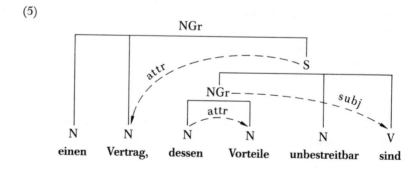

Die NGr **dessen Vorteile** ist Subjekt des Relativsatzes, das Subjekt ist seinerseits aufgebaut aus Kern und Attribut. Der Relativsatz bleibt als Ganzer Attribut zum

Kern der übergeordneten NGr, also zu **Vertrag**. Das Gegeneinander der beiden Attributbeziehungen gibt der Konstruktion etwas Vexierhaftes. Aus der Sicht der übergeordneten NGr sprechen wir von einem Vertrag, der im Relativsatz näher charakterisiert wird. Im Relativsatz selbst sprechen wir von den Vorteilen, die Vorteile des Vertrages sind: was ›von oben gesehen‹ Kern ist **(Vertrag)**, ist ›von unten gesehen‹ Attribut **(dessen)**.

Betrachten wir nun etwas genauer das semantische Verhältnis von Relativsatz und Kernsubstantiv. 6 und 7 zeigen, daß dieses Verhältnis in einem wichtigen Punkt uneinheitlich ist.

(6) a. **Die Pädagogik ist eine Disziplin, die der Menschheit immer Segen gebracht hat**

    b. **Diejenigen Bäume, die morsch sind, werden gefällt**

    c. **Jeder Linguist, der was auf sich hält, geht zweimal jährlich zum Friseur**

(7) a. **Seine Eltern, die wohlhabende Leute sind, ließen ihn verkommen**

    b. **Du, der du immer Glück gehabt hast, solltest dich da heraushalten**

    c. **Die Sonne, die jetzt eigentlich sieben Stunden täglich scheinen sollte, ist überhaupt nicht zu sehen**

Die Relativsätze in 6 werden *restriktiv* genannt, weil die NGr mit Relativsatz extensional eingeschränkt ist gegenüber der ohne Relativsatz. In 6c etwa kann **jeder Linguist** sich auf jedes Element der Menge der Linguisten beziehen, **jeder Linguist, der was auf sich hält** aber nur auf jedes Element einer Teilmenge der Linguisten, denn nicht alle Linguisten halten etwas auf sich. Die Relativsätze in 7 werden *nichtrestriktiv* oder appositiv genannt, weil der Relativsatz nichts an der Extension der NGr, in der er enthalten ist, ändert. **Seine Eltern, die wohlhabende Leute sind** in 7a etwa bezieht sich auf dieselben Personen wie **seine Eltern** allein. Beide Arten von Relativsätzen geben uns eine ›nähere Bestimmung‹ des modifizierten Nominals. Bei den restriktiven betrifft diese Bestimmung aber den Umfang der bezeichneten Klasse, bei den nichtrestriktiven nicht. Erstere tragen zur Identifizierung des Bezeichneten bei, letztere nicht.

Viele Relativsätze können in Isolierung sowohl restriktiv als auch nichtrestriktiv gelesen werden. Wenn jemand sagt »Die Kirche, die wir gestern noch besucht haben, ist abgebrannt«, und dem Adressaten ist bekannt, um welche Kirche es sich handelt, dann ist die Lesung nichtrestriktiv. Wird die Kirche erst durch den Relativsatz identifiziert, dann ist restriktiv gelesen worden. Häufig wird der nichtrestriktive Relativsatz durch eine Pause vom Kern getrennt oder durch eine Partikel bzw. ein Adverb abgetönt **(Die Kirche, die wir ja/übrigens/zufälligerweise . . . gestern noch besucht haben, ist abgebrannt)**. Es sind noch eine Reihe weiterer Formkriterien bekannt, mit deren Hilfe sich beide Gruppen unterscheiden lassen (Motsch 1965; Becker 1978). Dennoch bleibt es dabei, daß der größte Teil der Relativsätze sowohl restriktiv als auch nichtrestriktiv gelesen werden kann. **(Aufgabe 66)**.

Nun zunächst zu den Relativpronomina selbst. Über welche Formen des Relativpronomens verfügt das Deutsche, welchen Platz nehmen sie im System der Pronomina ein? (Schema 2, 5.4.1).

Das häufigste Relativpronomen ist **der**. Es wird im Sg nach Genus (**der, die, das**) und Kasus flektiert, im Pl nur nach Kasus. Historisch geht es auf das Demonstrativum **der** zurück, noch heute haben beide Pronomina dieselben Formen im Paradigma. Vom bestimmten Artikel unterscheiden sie sich im Gen Sg (**des, der, des** beim Artikel vs. **dessen, deren, dessen** bei den Pronomina). Die Abweichung der Pronominalformen von den Artikelformen schließt Verwechslungen und syntaktische Mehrdeutigkeiten aus, wie sie sonst besonders bei der Verwendung des Relativpronomens als Genitivattribut auftreten würden (**Aufgabe 67**).

Der relative Anschluß kann auch mit **welcher** realisiert werden. **Welcher** flektiert wie **der** im Sg hinsichtlich Kasus und Genus, im Pl nur hinsichtlich Kasus. Als Relativpronomen gilt es »jedoch als schwerfällig und stilistisch unschön und wird allenfalls gebraucht, um bei einer Häufung von Relativsätzen zu variieren oder um das Zusammentreffen des Relativpronomens **der, die, das** mit dem Artikel zu vermeiden« (Duden 1984: 332). Auffälligstes Merkmal im Flexionsparadigma ist das Fehlen des Genitivs. Der Grund dafür ist, daß das Fragepronomen **welcher** adnominal, also in der Position des Artikels, verwendet werden kann und dann mit dem Substantiv im Kasus kongruiert. In **Welchen Weges erinnerst du dich?** oder **Welcher deiner Schandtaten schämst du dich am meisten?** beispielsweise sind **welchen** oder **welcher** Genitive, weil die NGr, in der sie vorkommen, Genitivobjekte sind. Versucht man nun, einen relativen Anschluß entsprechend 5 mit Formen von welcher zu konstruieren, so erhält man Ausdrücke wie 8.

> (8) a.* das Haus, welchen Schornstein Karl gebaut hat
> b.* die Bauern, welcher Dörfer zerstört sind

Welchen Schornstein und **welcher Dörfer** können nicht als Attributkonstruktionen mit Relativpronomen gelesen werden wie **dessen Schornstein** und **deren Dörfer**. Vielmehr kann beim Substantiv nur das Fragepronomen stehen, weil Verwechslungen sonst an der Tagesordnung wären. Die Aussage der Grammatiken, das Fragepronomen **welcher** werde formgleich als Relativpronomen verwendet, trifft also nicht zu (Helbig/Buscha 1975: 232; Jung 1973: 548f.)

Das dritte Relativpronomen ist **wer/was**. Wir gehen noch einmal auf **wer/was** im Zusammenhang der Fragepronomina (10.1.1) ein und beschränken uns an dieser Stelle darauf zu zeigen, wie das Paradigma des Relativpronomens aufgebaut ist.

Meist wird angenommen, daß im Paradigma von **wer/was** das Mask mit dem Fem und der Sg mit dem Pl zusammenfallen. Außerdem fehle der Dat des Neut (Duden 1984: 334). Helbig/Buscha (1975: 220f.) gehen noch weiter und meinen, **wer** und **was** seien überhaupt nicht Formen desselben Paradigmas. Der Unterschied zwischen ihnen sei nicht einer des Genus, sondern er sei semantischer Art. **Wer** sei

(9) Duden →	Mask/Fem	Neut
Helbig/Buscha →	Person	Nicht-Person
Nom	wer	was
Gen	wessen	wessen
Dat	wem	–
Akk	wen	was

beschränkt auf die Bezeichnung von Personen, **was** auf die von Nicht-Personen (dazu auch Ross 1979). Die Flexion von **wer/was** sähe so aus:

Unserer Auffassung nach hat das Relativpronomen **wer/was** nur Formen des Mask und des Neut, wobei es im Neut Formen für alle Kasus gibt, also auch einen Dat. Das Fem fehlt ganz. Es ergibt sich:

(10)	Mask	Neut
Nom	**wer**	**was**
Gen	**wessen**	**wessen**
Dat	**wem**	**wem**
Akk	**wen**	**was**

Nicht jeder Relativsatz kann mit **wer/was** eingeleitet werden, seine Verwendung ist auf ganz bestimmte Kontexte beschränkt. Es kann etwa stehen, wenn das Bezugsnomen eine Form der Demonstrativums **der** ist und der Relativsatz dem Bezugsnomen vorausgeht wie in 11a. Dieser Satz ist eine alternative Formulierung zu 11b mit

> (11) a. **Wer das tut, den haun wir auf den Hut**
> b. **Denjenigen, der das tut, haun wir auf den Hut**

dem kataphorischen Demonstrativum **derjenige** und dem folgenden, nun aber mit **der** oder **welcher** eingeleiteten Relativsatz. Sätze dieser Art werden verwendet, wenn das gemeinte Individuum nicht ohne weiteres nominal benennbar ist, sondern nur durch sein Involviertsein in einen Sachverhalt identifiziert ist. Derjenige, den wir auf den Hut hauen, ist nicht dadurch identifiziert, daß er Bäcker ist oder Karl heißt, sondern dadurch, daß ›er das tut‹.

Der Sachverhalt wird von einem (Relativ-)Satz bezeichnet und mit Hilfe eines Demonstrativums als Bezugsnomen im übergeordneten Satz verankert. Auf diese Weise können auch dort Sätze als Ergänzungen eingeführt werden, wo im Stellenplan des Verbs keine vorgesehen sind.

12 bringt je ein Beispiel für die Fromen von **wer** in allen Kasus, 13 je eines für die Formen von **was**.

> (12) a. Nom   **Wer zuerst kommt, der gewinnt**
> b. Gen   **Wessen du dich bedienst, dem geht es schlecht**
> c. Dat   **Wem er vertraut, dem hilft er auch**
> d. Akk   **Wen ich zuerst treffe, der wird gefragt**

> (13) a. Nom   **Was gut ist, das darf auch teuer sein**
> b. Gen   **Wessen man sich rühmt, das vergißt man nicht**
> c. Dat   **Wem man hier entsagen muß, das bekommt man drüben auch nicht**
> d. Akk   **Was wir lieben, das behalten wir**

Wir meinen nun, daß 13c mit **wem** als Dat Neut nicht ungrammatisch ist. Sätze dieser Art kommen selten vor, weil das Dativobjekt meist ein ›persönliches‹ Objekt ist, auf das nicht mit einer Form des Neutrums Bezug genommen wird (8.2.2).

Daß die Formen von **wer** Mask und nicht Mask/Fem sind, erkennt man, wenn man in 12 als Bezugsnomen Formen des Fem setzt. Es ergeben sich durchweg ungrammatische Sätze wie *__Wer zuerst kommt, die gewinnt__. Damit ist 10 als Paradigma des Relativpronomens **wer/was** gerechtfertigt (**Aufgabe 68a, b**).

In der bisher besprochenen Form ist der Relativsatz Bestandteil einer NGr mit substantivischem oder pronominalen Kern, auf den er als Attribut bezogen ist. Es gibt nun eine ganze Reihe von Formen des relativen Ausschlusses ohne Bezugsnominal. Ist kein Bezugsnominal vorhanden, so fragt sich natürlich, ob der Relativsatz als Attribut anzusehen ist, oder ob er nicht eine andere syntaktische Funktion hat. Schwierigkeiten macht insbesondere die Abgrenzung von den indirekten Fragesätzen, die ja Ergänzungen oder Adverbiale sind (10.1.3).

Beginnen wir mit dem Anschluß durch **wer/was**. In einem Satz wie 12a kann das Bezugsnomen **der** weggelassen werden, wir erhalten 14a. Führen wir dieselbe Operation auf den anderen Sätzen aus 12 durch, so erhalten wir bis auf 14b ebenfalls grammatische Sätze. 14b ist offenbar ungrammatisch, weil Relativpronomen (**wes-**

(14) a. **Wer zuerst kommt, gewinnt**
 b.*__Wessen du dich bedienst, geht es schlecht__
 c. **Wem er vertraut, hilft er auch**
 d. **Wen ich zuerst treffe, frage ich**

sen) und Bezugsnominal (**dem**) nicht im Kasus übereinstimmen. Stimmen beide im Kasus überein, dann haben sie dieselbe syntaktische Funktion in ihrem jeweiligen Satz. So ist in 12a **wer** Subjekt des Relativsatzes, **der** Subjekt des Hauptsatzes. Unter dieser speziellen Voraussetzung ist es möglich, das Bezugsnominal zu streichen und damit einen nichtbezogenen oder ›freien‹ Relativsatz wie in 14 zu erzeugen. Dieser ist ›eigentlich‹ noch immer Attribut, denn das Bezugsnominal ist über die Bedingung der Kasusidentität latent vorhanden (**Aufgabe 68c**).

Eine andere Form des Anschlusses mit **was** illustriert 15b.

(15) a. **Der Bundestag erhöht die Branntweinsteuer. Das nützt niemandem.**
 b. **Der Bundestag erhöht die Branntweinsteuer, was niemandem nützt.**

Was bezieht sich wie das Demonstrativum **das** in 15a nicht auf ein Nominal, sondern auf den ganzen Hauptsatz. Das Pronomen des Neutrums kann den Sachverhalt bezeichnen, der auch vom Hauptsatz bezeichnet wird. **Was** hat damit das für Relativpronomina typische phorische Element, es ist in dieser Verwendung kein Fragepronomen. Allerdings kann der Relativsatz auch nicht mehr als Attributsatz angesehen werden, denn er bezieht sich nicht auf ein Nominal, auch nicht auf ein ›getilgtes‹ wie in 14. Das Relativpronomen hat in solchen Sätzen gewisse Ähnlichkeiten mit einer subordinierenden Konjunktion, der Relativsatz gerät in die Nähe konjunktionaler Nebensätze.

Ganz deutlich tritt dieser Effekt beim Relativpronomen in PrGr auf. Überhaupt werden formale wie semantische Vielfalt der Relativsätze stark erweitert durch das Vorkommen des Relativums in PrGr.

Ist die PrGr im Relativsatz Objekt oder Adverbial, so gibt es für den relativen Anschluß keine Beschränkungen. Wie zu erwarten, bestimmt die Präposition den Kasus des Pronomens, Numerus und Genus sind abhängig vom Bezugsnominal:

(16) a. **der Beschluß, aufgrund dessen Renate befördert wird**
b. **die Windpocken, unter denen Paul leidet**
c. **der Brief, über den sich Karl freut**

Im Schriftdeutsch kaum anzutreffen ist das Relativpronomen in attributiven PrGr (17). Im Gegensatz zum Genitivattribut wie in 5 wirken die Ausdrücke in 17 ziem-

(17) a. **Meiers, über denen die Wohnung er bewohnt**
b. **die Stadt, von der der Bürgermeister ein Kommunist ist**

lich linkisch. Der Grund dürfte sein, daß das Präpositionalattribut anders als das Genitivattribut dem Kern in aller Regel folgt (7.4.2). Seine Vorausstellung im Relativsatz führt außerdem dazu, daß Pronomen und Artikel unmittelbar aufeinander folgen (**denen die; der der** in 17). Auch das dürfte den Drang zu dieser Konstruktion beeinträchtigen.

Präpositionen sind relationale Ausdrücke mit teilweise ganz konkreter Bedeutung (7.4.1). In 18a etwa signalisiert **in** eine temporale Beziehung, und zwar die der

(18) a. **der Moment, in dem das passiert**
b. **der Moment, wenn das passiert**

(19) a. **der Moment, nach dem das passiert ist**
b. **der Moment, nachdem das passiert ist**

Gleichzeitigkeit. Diese Beziehung kann auch mit der temporalen Konjunktion **wenn** ausgedrückt werden, so daß 18b dasselbe bedeutet wie 18a. Konjunktionaler Nebensatz und Relativsatz liegen so eng beieinander, daß der relative Anschluß manchmal selbst zur Konjunktion wird (19). Die Konjunktion **nachdem** enthält als morphologische Bestandteile die Präposition (den ›Inhaltsträger‹) und das Pronomen, das noch als Bestandteil der Konjunktion seine phorische Funktion behält. Es gibt zahlreiche andere, insbesondere kausale Konjunktionen mit einer ähnlichen morphologischen Struktur, die alle zeigen, wie eng Relativsatz und konjunktionaler Nebensatz verwandt sein können (**deswegen, weshalb, deshalb, weswegen**).

Eine besondere Rolle spielt in diesem Zusammenhang das Wörtchen **wo**. **Wo** ist zunächst ein Frageadverb zur Markierung der Leerstelle für Lokalbestimmungen wie in **Wo wohnst du? In der Stadt.** Ganz ähnlich wie **wenn** in 18 kann **wo** aber auch einen relativen Anschluß ersetzen:

(20) a. **die Stadt, in der ich wohne**
b. **die Stadt, wo ich wohne**

Da nun **wo** von Hause aus nicht wie **wenn** eine Konjunktion, sondern ein Adverb ist, zieht es nicht den Relativsatz in die Nähe eines konjunktionalen Nebensatzes, sondern wird selbst zu einer Art ›nichtflektierbarem Relativpronomen‹. In bestimmten Fällen, nämlich nach artikellos verwendeten Ortsnamen, kann der relative Anschluß sogar nur mit **wo** und nicht mit dem ›normalen‹ Relativpronomen hergestellt werden (**Berlin, wo ich arbeite** vs. ***Berlin, in dem ich arbeite**).

Der Kategorienname ›nichtflektierbares Relativpronomen‹ ist in sich widersprüchlich. Er bringt zwar zum Ausdruck, daß **wo** als nicht flektierbare Einheit einen relativen Anschluß herstellt, aber nach unserer generellen Vereinbarung gehören die Pronomina zu den Nomina, sind also flektierbar. Die angemessene Bezeichnung für Einheiten wie **wo** wäre *Relativadverb*.

Wo hat die Tendenz, als relativer Anschluß nicht nur bei lokalen, sondern auch bei anderen Inhaltsbeziehungen aufzutreten. Der Duden (1984: 677) erkennt den temporalen Anschluß mit **wo** entsprechend 21a bereits als grammatisch an. Alle anderen Beziehungen verwirft er zwar, es ist aber durchaus unklar, wo genau die Grenze für **wo** als Relativadverb verläuft.

Daß gerade **wo** in die Rolle eines ›universellen Relativadverbs‹ schlüpft, hängt sicherlich mit seiner lokalen Grundbedeutung zusammen. Wir wissen aus vielen

(21) a. **der Moment, wo das passiert**
 b. **ein Vorschlag, wo man nicht weiß, was aus ihm folgt**
 c. **eine Ehe, wo immer Krach ist**
 d.***die Aufsätze, wo Hans korrigiert hat**

anderen Zusammenhängen, daß das Lokale besonders häufig metaphorisiert wird und Grundstrukturen für viele andere Inhaltsbereiche abgibt. Die besondere Stellung von **wo** erweist sich auch daran, daß es als Bestandteil von sogenannten Pronominaladverbien (7.4.1) auftritt, mit denen ebenfalls relative Anschlüsse hergestellt werden können. Da es sich hier wieder um nichtflektierbare Einheiten handelt, zählen wir diese Klasse der Pronominaladverbien wie **wo** selbst zu den Relativadverbien. Der Mechanismus ist ersichtlich aus 22.

(22) a.
$$\text{der Hammer} \left\{ \begin{array}{l} \text{mit dem} \\ \text{womit} \end{array} \right\} \text{ich arbeite}$$

 b.
$$\text{das Haus} \left\{ \begin{array}{l} \text{in dem} \\ \text{worin} \end{array} \right\} \text{du wohnst}$$

Das Relativpronomen in einer PrGr wird ersetzt durch ein der Pr vorangestelltes **wo(r)**. Auch hier kann **wo** praktisch jedes Relativpronomen ersetzen, so daß der relative Anschluß mit einer nichtflektierbaren Einheit erfolgt. Die Relativadverbien **wofür, wodurch, wonach, wovon, woran** usw. bringen den Relativsatz wiederum ganz in die Nähe von konjunktional angeschlossenen Nebensätzen (**Aufgabe 69**).

Der Relativsatz ist in seiner Grundform Attribut, er bezieht sich auf ein Nomen. Da aber das phorische Element des relativen Anschlusses ebenso wie das Phorische allgemein nicht beschränkt ist auf Nominale, sondern auch auf Sätze bezogen sein kann, berührt sich der Relativsatz an verschiedenen Stellen mit Nebensätzen anderer Art. Damit wird die Eigenart des Relativsatzes als Attribut nicht in Frage gestellt. Daß er teilweise in die Nähe von Ergänzungs- und Adverbialsätzen gerät, zeigt aber, daß die Attribute nicht etwas gänzlich anderes als die Satzglieder sind. Auch andere Attributkonstruktionen werden dies zeigen.

7.2 Adjektivdeklination und adjektivisches Attribut

In Ausdrücken wie **gutes Bier, die neue Idee** und **ein bemerkenswerter Vorschlag** tritt das Adjektiv in deklinierter Form zum Substantiv, es ist Attribut. Während es in der Funktion eines Prädikatsnomens (**Else ist klug**, 3.3) und als Adverbial (**Karl atmet hastig**, 6.3) unflektiert in der Kurzform erscheint, ist es als Attribut niemals endungslos.

Innerhalb der Nominale weist die Flexion des Adjektivs zwei Besonderheiten auf. Einmal wird das Adjektiv nicht nur dekliniert, sondern auch kompariert. Die Bildung der Steigerungsformen – des Positiv, Komparativ und Superlativ – ist eine Art der Flexion, die es nur beim Adjektiv gibt.

Die zweite Besonderheit: Adjektive folgen nicht einem, sondern mehreren Deklinationsmustern, wobei die Wahl des Musters von der syntaktischen Umgebung abhängt.

Das Adjektiv bildet Formen in allen Kasus, in allen Genera sowie im Sg und Pl. Die auftretenden Kategorien sind sämtlich Einheitenkategorien, **schöne** in **der schöne Pullover** etwa erweist sich als Nom, Sg, Mask. Wie der Artikel kongruiert das attributive Adjektiv mit dem Substantiv in Numerus und Kasus, wie der Artikel wird es vom Substantiv im Genus regiert. Steht das Adjektiv ohne Artikel beim Substantiv, so dekliniert es stark (1). Steht es nach dem bestimmten Artikel oder einer vergleichbar deklinierenden Einheit, so dekliniert es schwach (2). Steht das Adjektiv nach dem unbestimmten Artikel oder einer vergleichbar deklinierenden Einheit, so dekliniert es gemischt (3).

(1) stark (**heißer Tee; heiße Milch; heißes Wasser**)

		Sg			Pl
		Mask	Fem	Neut	
Nom	heiß	er	e	es	e
Gen		en	er	en	er
Dat		em	er	em	en
Akk		en	e	es	e

(2) schwach (**der heiße Tee; die heiße Milch; das heiße Wasser**)

		Sg			Pl
		Mask	Fem	Neut	
Nom	heiß	e	e	e	en
Gen		en	en	en	en
Dat		en	en	en	en
Akk		en	e	e	en

223

(3) gemischt (**ein heißer Tee; eine heiße Milch; ein heißes Programm**)

	Mask	Sg Fem	Neut	Pl
Nom	**heiß** er	e	es	en
Gen	en	en	en	en
Dat	en	en	en	en
Akk	en	e	es	en

Die Redeweise von starker, schwacher und gemischter Deklination schließt an die bei den Substantiven an (5.1). Schwach oder nominal heißt ein Flexionsmuster, das die Endung (**e)n** verwendet, stark oder pronominal eines, das diese Endung nicht oder kaum verwendet. Trotz Ähnlichkeit im Terminologischen bleibt der Unterschied zur Substantivdeklination aber klar: während ein bestimmtes Substantiv entweder stark oder schwach oder gemischt dekliniert, bildet jedes Adjektiv alle diese Formen.

Wie kommt es zu einem derart differenzierten Flexionsverhalten, wie ist es insbesondere zu deuten, daß der Flexionstyp kontextabhängig gewählt wird?

Die meisten Grammatiken setzen wie oben drei Flexionstypen an (Duden 1984: 288 ff.; Erben 1980: 171 ff.; Helbig/Buscha 1975: 268 ff.). Andere Konzeptionen unterscheiden in der Sache lediglich eine starke und schwache Deklination und erklären die verbleibenden Formunterschiede je individuell (Grundzüge: 628 ff.; Wurzel 1970: 55 ff.; Jung 1973: 308 ff.). Gedeutet wird das Deklinationsverhalten weitgehend einheitlich. Die starke Deklination ist so gut wie identisch mit der des bestimmten Artikels. Da die Artikel zur formalen Differenzierung von Artikel-Substantiv-Verbindungen beitragen, muß das Adjektiv bei fehlendem Artikel dessen Funktion mitübernehmen und dekliniert stark. Fourquet (1973: 122 f.) verdinglicht und verallgemeinert diesen Gedanken mit der Rede vom wandernden Kasussystem: »Die Kasusanzeiger ... sind beweglich geworden: Sie gehen auf das Attribut über, wenn das vorangehende Wort fehlt, oder wenn es kein Suffix annimmt.«

Diese Erklärung ist rein struktureller Art. Sie läuft auf die These hinaus, daß in einem Nominal mit adjektivischem Attribut genau einer der Begleiter des Substantivs stark dekliniert. Ist ein stark deklinierender Artikel vorhanden, dann ist das Adjektiv schwach. Beim gemischt deklinierendem unbestimmtem Artikel dekliniert das Adjektiv ebenfalls gemischt (›komplementär‹). Es fügt sich mit dem geringstmöglichen Aufwand an eigener Formdifferenzierung in die Gesamtkonstruktion ein: wann immer möglich, überläßt es die Differenzierung dem Artikel (**Aufgabe 70**). Daß der Artikel Vorrang gegenüber dem Adjektiv besitzt, leuchtet ebenfalls ein. Häufig steht der Artikel ohne Adjektiv. Treten beide gemeinsam auf, dann steht der Artikel vor dem Adjektiv, er klammert zusammen mit dem Substantiv das Adjektiv und möglicherweise weitere Konstituenten ein. Die stärkere Formdifferenzierung des Artikels trägt daher zur Markierung der Nominalklammer bei. Der Nominalklammer kommt gerade im Zusammenhang mit dem oft genug weitläufigen und unübersichtlichen Bau der Nominalgruppe eine wichtige Orientierungsfunktion zu, zumal solche Konstruktionen auch noch ineinander eingebettet sein können (4b).

Trotz relativer Einigkeit der Grammatiken und der Stichhaltigkeit ihrer Erklä-

(4) a. **dem häufig weitläufigen und unübersichtlichen Bau**

b. **eines unglaublich fest an seinem traurigen**

Posten klebenden Senators

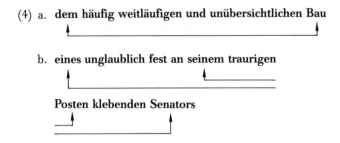

rung bleiben mindestens zwei Fragen offen. (1) Warum bildet das Adjektiv bei starker und gemischter Deklination den Gen Sg nicht auf **(e)s**? Wie **dieses Weines; eines Bieres** müßte es heißen **gutes Weines** und **kühles Bieres**, es heißt aber **guten Weines** und **kühlen Bieres**. Mehr noch: auch einige Pronomina und insbesondere **dieser** haben den Gen ohne **s**, neben **dieses Weines** gibt es **diesen Weines** (5.4.3). Das **(e)n** im Gen Sg der Adjektive ist deshalb nicht marginal oder zufällig. Es bedarf einer Erklärung. (2) Wenn die Adjektivdeklination dort differenziert, wo die Differenzierung im Nominal sonst fehlt, dürfte es keine gemischte Deklination geben. Wenn wir **ein Baum** und **ein Kind** nicht unterscheiden, warum unterscheiden wir dann **ein kleiner Baum** und **ein kleines Kind** durch Adjektivendungen?

Eine genaue Sichtung des Endungssystems der Adjektive durch Jósef Darski (1979) hat zu einer weiterführenden Formulierung der Regularitäten geführt, die die genannten Gesichtspunkte miterfassen kann. Darski nimmt zwei Deklinationstypen an, die er determinierend (Det) und indeterminierend (Idet) nennt. Sie haben für uns den Status von Einheitenkategorien.

(5) a. *Determinierend.* Kommen im Nominal, bestehend aus Adj + Subst, im Sg der Kasus und das Genus und im Pl nur der Kasus formal zum Ausdruck, so hat das Adjektiv im Nom Sg, im Akk Sg des Fem und im Akk Sg des Neut ein **e**, sonst immer ein **en**.

b. *Indeterminierend.* Kommen im Nominal, bestehend aus (Artikel) + Adj + Subst, im Sg der Kasus und das Genus und im Pl der Kasus nicht zum Ausdruck, so nimmt das Adjektiv die Suffixe der pronominalen Deklination (Muster: **dieser**[p]) an, wo es nötig ist.

Entscheidend ist, daß bei der Deutung der Adjektivendungen nicht nur der Artikel, sondern auch das nachfolgende Substantiv berücksichtigt wird. Darski führt hier Überlegungen von Admoni (1970: 142f.) weiter, der schon die gute Markierung des Gen Sg beim Substantiv dafür verantwortlich macht, daß das Adjektiv kein **(e)s** im Gen Sg hat. Die Unterscheidung von determinierendem und indeterminierendem Flexionstyp ist überzeugend, weil sie zeigt, wie das Adjektiv den Hauptmerkmalen der Nominalflexion des Deutschen angepaßt ist. In der Artikel-Substantiv-Verbindung wird ja besonders der Pl vom Sg unterschieden, im Sg selbst nach Genus und Kasus, im Pl nur nach Kasus. All dies findet sich hier wieder. Weiter hebt das Adjektiv den Nom Sg als unmarkierten Fall dadurch heraus, daß er niemals ein **n** hat, und der Akk wird im Sg des Fem und Neut an den Nom angeglichen (vgl. 5a). Beides gilt auch sonst für die Artikel-Substantiv-Verbindungen. Allgemein kann man sagen, daß das attributive Adjektiv die vorhandenen Tendenzen zur Formdifferenzierung beim Nominal verstärkt, nicht aber selbst wesentliches zur Formdifferenzierung beiträgt.

6 gibt die Struktur eines Ausdrucks mit adjektivischem Attribut in den bisher erörterten Einzelheiten wieder. Das Auftauchen der Kategorie Idet ist (wie das

(6)

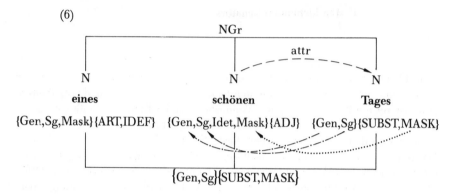

grammatische Geschlecht beim Adjektiv) einer Rektionsbeziehung geschuldet. Entsprechend 5 sind die Verhältnisse aber so kompliziert, daß sich die Abhängigkeit von Idet mit unseren einfachen Mitteln nicht darstellen läßt.

Die Bildung der *Komparationsformen* (Einheitenkategorien Pos, Komp, Sup) ist durch große Regelmäßigkeit gekennzeichnet. Dem Positivstamm wird **er** zur Bildung des Komparativstammes und **st** zur Bildung des Superlativstammes angehängt (7a). Häufig wird der Stammvokal im Komp und Sup umgelautet (7b). Es treten

(7)	Pos	Komp	Sup
a.	klein	kleiner	kleinst
b.	alt	älter	ältest
c.	edel	ed(e)ler	edelst
d.	eben	eb(e)ner	ebenst
e.	weiß	weißer	weißest

morphophonemische und graphemische Reduktionen und Expansionen auf, wie wir sie auch von anderen Flexionsmustern kennen. So kann bei **el-** und **er-**Auslaut im Positiv (Schwa) das **e** im Komp ausfallen (7c, d), in Abhängigkeit von Silbenzahl und Auslaut (**s, d, t, ß**) wird der Sup häufig auf **est** gebildet (7e, Ausnahme **größt**). Aus dem Rahmen fallen einige Adjektive mit Suppletivformen (**gut – besser – best; viel – mehr – meist**) und **hoch – höher, nah – näher** mit Veränderung des Stammauslautes. Die Formen des Komp und Sup können prinzipiell von allen Adjektiven gebildet werden. Etwaige Beschränkungen sind semantischer Art sowie solche des Gebrauchs, betreffen aber nicht den Formenbestand (s. u.).

Das Adjektiv bildet auf jeder der Komparationsstufen dieselben Formen wie oben für den Positiv besprochen. Die Kurzform des Pos und Komp sind formgleich mit dem Stamm (**klein** bzw. **kleiner**). Im Sup ist die Kurzform zusammengesetzt (**am kleinsten**).

Auch wesentliche syntaktische Kontexte haben die Formen der Komparationsstufen gemeinsam. Sie sind alle sowohl attributiv (8a) als prädikativ (8b) wie adverbial

(8) a. **Der alte/ältere/älteste Onkel von Heidemarie**
    b. **Der Onkel von Heidemarie ist schön/schöner/am schönsten**
    c. **Der Onkel von Heidemarie singt laut/lauter/am lautesten**

(8c) verwendbar. Daneben bestehen jeweils spezielle syntaktische Kontexte in den Vergleichssätzen wie die Bindung des Pos an **so wie** und des Komp an **als** (9.3).

Als Flexionsart steht die Komparation neben der Deklination und der Konjugation. Diese Einteilung wird manchmal als unbefriedigend empfunden. Die Komparation weist ganze drei Formen auf und ist beschränkt auf die Adjektive, also eine Teilklasse der deklinierbaren Paradigmen (die hier meist noch genannten Adverbien sind nicht systematisch komparierbar. Fälle wie **oft – öfter – am öftesten** oder **bald – eher – am ehesten** sind singuläre Analogiebildungen). Sollte man nicht besser von Wortbildung sprechen und jeweils ein eigenes Paradigma alt^P, älter^P, ältest^P ansetzen? Positiv, Komparativ und Superlativ wären dann Paradigmenkategorien, die ADJ subklassifizieren. Die Formbildung selbst spricht nicht von vornherein gegen Wortbildung. Das Komparativ- und das Superlativsuffix sind stammbildend und gehen dem Kasus/Numerussuffix voraus, ganz so wie viele Ableitungssuffixe (**lich, isch** in 9c, d).

(9) a. **dick – das dicke Buch; dicker – das dickere Buch**
    b. **dick – das dicke Buch; dickst – das dickste Buch**
    c. **grün – das grüne Buch; grünlich – das grünliche Buch**
    d. **genial – das geniale Buch; genialisch – das genialische Buch**

Wenn auch als Grenzfall, so sehen wir die Komparation doch als Flexion und nicht als Derivation an. Ausschlaggebend sind die große Regelmäßigkeit der Formbildung und ihrer Anwendbarkeit auf die Adjektive. Das ist typisch für Flexion. Ein formales Argument für Flexion ist, daß es keine morphologisch einfachen Komparative und Superlative gibt. Schließlich sind mit den Formen der einzelnen Stufen feste grammatische Bedeutungen verbunden (s. u.). Tendenzen zur Lexikalisierung gibt es kaum: die Bedeutung einer Komparationsform ergibt sich fast durchweg kompositionell (dazu weiter Bergenholtz/Mugdan 1979: 142f.; Plank 1980: 12; 254f.).

Was leistet das adjektivische Attribut, welchen Beitrag liefert es zur Bedeutung der Ngr? Nicht einmal sehr allgemeine Charakterisierungen wie ›eine NGr mit adjektivischem Attribut ist extensional eingeschränkt gegenüber einem Nominal ohne Attribut‹ treffen für alle Adjektive zu.

So sind die ›kranken Fische‹ auf einfache Weise eine Teilmenge der Fische (noch sind sie sogar eine echte Teilmenge davon), die ›geplanten Häuser‹ sind aber nicht im selben Sinne eine Teilmenge der Häuser. Auch ist ein ›freiwilliger Verzicht‹ ein Verzicht bestimmter Art, ein ›scheinbarer Verzicht‹ dagegen ist überhaupt keiner. Will man die Leistung des Attributs für den gesamten Adjektivwortschatz erfassen, so muß man ihn zunächst systematisch klassifizieren. Solche Klassifikationen können nach unterschiedlichen Kriterien vorgenommen werden, etwa nach dem syntaktischen Verhalten der Adjektive, ihrem Valenzverhalten, ihrer morphologischen Struktur oder nach explizit semantischen Gesichtspunkten (Leisi 41 ff.; Ballmer/ Brennenstuhl 1982; zur Übersicht Grundzüge: 602 ff.). Wir beschränken uns auf die Kennzeichnung markanter Klassen und geben jeweils Hinweise auf ihre strukturellen (morphosyntaktischen) Eigenschaften, soweit diese direkt auf die Semantik beziehbar sind.

1. *Absolute Adjektive* bezeichnen Eigenschaften im eigentlichen Sinne, d. h. ihre Extensionen sind Klassen von Objektiven. 10 nennt als Beispiele Farbadjektive, Formadjektive und als dritte Klasse deverbale in der Form des Part Perf von resultativen Verben. Wenn man jemanden tauft, dann ist er getauft; wenn man etwas

(10) a. **blau, hellblau, seidenmatt**
  b. **rund, gerade, eckig, viereckig, rechteckig, quadratisch**
  c. **getauft, immatrikuliert, beauftragt, entdeckt**

beantragt, dann ist dies beantragt. Das Adjektiv bezeichnet die Eigenschaft, die ein Objekt dadurch gewinnt, daß es auf bestimmte Weise in einen Vorgang involviert war. Ob das der Fall war und ob also das Ding die Eigenschaft tatsächlich hat, läßt sich prinzipiell ohne Schwierigkeiten entscheiden. Dasselbe gilt für die anderen Gruppen in 10. Im Prinzip steht fest, wann etwas rund, blau oder quadratisch ist, unabhängig davon, um was für ein Ding es sich handelt.

Die absoluten Adjektive in 10 sind attributiv und prädikativ verwendbar, die in 10c sind aber in der Grundbedeutung nur eingeschränkt graduierbar bzw. komparierbar. Man kann nur entweder verheiratet sein oder nicht verheiratet.

Farb- und Formadjektive sind in speziellen Kontexten komparierbar. Das Farbspektrum bildet ein Kontinuum, daher kann man ein Ding als blauer, ein anderes als grüner bezeichnen. Ebenso kontinuierlich ist der Übergang von oval zu rund, daher kann ein Ding in diesem Feld runder als ein anderes genannt werden. Wenn wir von eingeschränkter Graduierbarkeit sprechen, dann beziehen wir uns auf die Bedeutung.

Als Attribut schränkt das absolute Adjektiv die Extension der NGr ein. Schneidet man die Extension von **die Studenten** mit der von **verheiratet**, so erhält man die Extension von **die verheirateten Studenten**. Durchschnittsbildung ist die einfachste semantische Leistung eines Attributs überhaupt.

2. *Relative Adjektive* haben nicht eine Extension im üblichen Sinne. Ein hoher Turm muß vielleicht 30 Meter hoch sein, damit er so genannt werden kann, dagegen würden wir einen Stuhl schon hoch nennen, wenn seine Sitzfläche wenige Zentimeter höher als üblich ist. Was hoch oder niedrig ist, steht nicht ein für allemal

(11) **hoch, lang, schmal, dünn, tief, niedrig, groß, breit, klein, dick, eng, alt, neu, jung**

fest, sondern ist abhängig von den in Rede stehenden Objekten. Deshalb werden die Adjektive in 8 relativ genannt.

Der Ausdruck **x ist ein hoher Turm** besagt etwa dasselbe wie **x ist hoch für einen Turm**. Etwas ausführlicher kann er paraphrasiert werden mit »die Höhe von x ist größer als die eines durchschnittlich hohen Turmes«. Implizit enthält der Ausdruck einen Vergleich. Auf der einen Seite steht ein bestimmter Turm, auf der anderen Seite eine Art Durchschnittsturm, und beide werden in Hinsicht auf die Höhe miteinander verglichen. Wird die Höhe des Durchschnittsturms übertroffen, dann ist unser Turm hoch, wird sie nicht erreicht, so ist er niedrig. Die Bedeutung von **hoch** enthält damit zwei wesentliche Elemente. Einmal die sogenannte *Dimension* (»Höhe«). Sie gilt in der Regel für ein Paar von Adjektiven (**hoch – niedrig**) und grenzt jedes Paar von allen anderen ab. Zu den genannten gehören Dimensionen wie **Länge, Breite, Höhe, Alter, Dicke, Tiefe, Größe, Weite.** Die meisten räumlichen Dimensionen sind unmittelbar bezogen auf die Art und Weise, wie sich der Mensch im Raum orientiert und wie sein Körperbau auf diese Orientierung ausgerichtet ist. So orientiert sich **Höhe** an der Richtung, die durch den aufrechten Gang vorgegeben ist, **Breite** an einer Richtung senkrecht dazu. Die Abhängigkeit vom wahrnehmungsmäßigen Zugriff geht so weit, daß ein Ding je nach Lage verschieden benannt werden kann. Steht beispielsweise eine Stange als Maibaum auf der Wiese, dann sagen wir, sie sei hoch. Liegt sie dagegen in einer Holzhandlung auf einem Stapel mit anderen Stangen, dann sagen wir, sie sei lang (Bierwisch 1970; dazu weiter 7.4.1).

Das zweite Bedeutungselement ist die *Orientierung* auf einer (metrischen) Skala. **Hoch** signalisiert »Durchschnittshöhe wird überschritten«, **niedrig** signalisiert das Unterschreiten der Durchschnittshöhe. Der Punkt auf der Skala kann auch genauer oder sehr genau festgelegt werden. **Ein sehr hoher Turm** besagt, daß der Durchschnittswert erheblich überschritten wird. **Ein 30 Meter hoher Turm** gibt einen bestimmten Punkt auf der Skala an. Zur Syntax von relativen Adjektiven gehört es, daß sie sich mit Maßangaben in der jeweiligen Dimension verbinden. Messen in diesem Sinne ist der numerische (Größen-)Vergleich von Objekten in Hinsicht auf eine bestimmte Dimension.

Wie mit dem Positiv, so wird auch mit den Formen des Komp und Sup ein Vergleich angestellt, jedoch jeweils auf spezifische Weise. 12b vergleicht nicht die

(12) a. **Karls Haare sind kurz**
    b. **Karls Haare sind kürzer**
    c. **Karls Haare sind am kürzesten**

Länge von Karls Haaren mit einer Durchschnitts-, sondern mit einer ganz bestimmten Länge, etwa der Länge von Emils Haaren. Karls Haare unterschreiten diese Länge. Wichtig ist vor allem: **Karls Haare sind kürzer** impliziert nicht **Karls Haare sind kurz.** Der Komparativ teilt nichts darüber mit, wie sich Karls Haare zur Durchschnittslänge verhalten, er bezieht sie allein auf einen bestimmten Vergleichswert. Die Bezeichnung ›Steigerungsform‹ für den Komp legt eine falsche Vorstellung über dessen Bedeutung nahe.

Dasselbe gilt für die ›Höchststufe‹, den Sup. **Karls Haare sind am kürzesten** besagt nur, daß Karls Haare die geringste Länge innerhalb einer gegebenen Vergleichsgruppe haben. Wenn Karls Haare am kürzesten sind, können sie immer noch lang sein.

Relative Adjektive treten in der Regel paarweise auf, wobei die Elemente eines Paares das sogenannte konträre Gegenteil voneinander bedeuten. Damit ist gemeint: aus **x ist hoch** folgt **x ist nicht niedrig.** Aus **x ist nicht hoch** folgt aber nicht **x**

ist niedrig. Zwischen beiden gibt es eine Zone des Indifferenten, des weder Hohen noch Niedrigen.

Die Elemente eines Paares von relativen Adjektiven verhalten sich in vieler Hinsicht nicht symmetrisch. Als unmarkiert hat das jeweils »größer als« signalisierende, das sogenannte *positiv polarisierte* Adjektiv zu gelten (s. u.).

Keine Adjektivklasse ist ähnlich ausführlich semantisch analysiert worden wie die relativen. Über die Bedeutungselemente Dimension und Orientierung (d. h. komparatives Element auch im Positiv) ist man sich dabei ziemlich einig (Wunderlich 1973; Bartsch/Vennemann 1972). Schwierigkeiten bereitet nach wie vor eine genaue Bestimmung dessen, was hier ›Durchschnittswert der Höhe‹ genannt wurde. Die relativen Adjektive gewinnen – darin sind sie den Deiktika vergleichbar – einen Teil ihrer aktuellen Bedeutung aus dem Kontext, denn nur dem Kontext ist zu entnehmen, was jeweils als Durchschnittswert zu gelten hat. Wie aber die ›Errechnung‹ dieses Wertes zugleich psychologisch realistisch und linguistisch adäquat zu erfolgen hat, ist nicht abschließend geklärt (Pinkal 1980; **Aufgabe 71**).

3. *Qualitätsadjektive* (13) ähneln in mancher Beziehung den relativen, erweisen sich aber als Teilklasse der absoluten. Ein Satz wie **Karl ist gesund** besagt nicht, daß

(13) **gesund, ehrlich, gut, schön, klug, fleißig, fröhlich, höflich, krank, unehrlich, schlecht, häßlich, dumm, faul, traurig, unhöflich**

Karl hinsichtlich Gesundheit einen bestimmten Durchschnittswert übertrifft, sondern er besagt, daß Karl bezüglich Gesundheit einer bestimmten Norm entspricht. Ebenso bedeutet **Karl ist krank** nicht, daß Karl einen Durchschnittswert an Gesundheit unterschreitet, sondern daß Karl einer ›Negativnorm‹ entspricht. Bei Qualitätsadjektiven ist im Positiv nicht ein Vergleich mitgedacht, sondern das Adjektiv setzt bestimmte Normwerte, die nicht kontextabhängig wie die Durchschnittswerte bei den relativen Adjektiven sind.

Das Charakteristische der Qualitätsadjektive wird ganz deutlich am Verhältnis der Antonyme zueinander. **Karl ist nicht gesund** impliziert, daß Karl krank ist und **Karl ist nicht krank** impliziert, daß er gesund ist. Zwischen gesund und krank gibt es keine Zone des Indifferenten wie zwischen **lang** und **kurz**. Elemente eines solchen Paares besagen das sogenannte kontradiktorische Gegenteil voneinander, sie sind schärfer gegeneinander abgegrenzt als beim konträren Gegenteil. Das zeigt sich am Verhalten dieser Adjektive auf allen Ebenen, einschließlich der syntaktischen.

Paare von Qualitätsadjektiven haben nicht wie die relativen eine gemeinsame Dimension, sondern jedes hat eine eigene. So kann nicht nur das positiv, sondern auch das negativ polarisierte Adjektiv nominalisiert werden, und beide Nominalisierungen sind vollkommen gleichberechtigt (**Gesundheit – Krankheit; Ehrlichkeit – Unehrlichkeit**). Auch dort, wo das Adjektiv allein die Dimension meint, braucht man bei den relativen nur eines (**Wie alt?**; *****Wie jung?**), hier aber beide (**Wie gesund?; Wie krank?**). Mit dem Fehlen der gemeinsamen Dimension hängt zusammen, daß die Qualitätsadjektive keine Maßangaben nehmen (*****Karl ist 39 Grad krank**). Qualitätsadjektive bezeichnen Eigenschaften, die grundsätzlich nicht metrisierbar sind, sich also der Messung im üblichen Sinne entziehen. Woran das liegt, demonstriert 14.

(14) a. **Käthe ist eine schöne Frau**
      b. **Der Deister ist eine schöne Gegend**
      c. **Luise hat ein schönes Arbeitszimmer**
      d. **Das ist ja eine schöne Schweinerei**

Ist in allen Sätzen aus 14 dieselbe Dimension »Schönheit« gemeint? Zweifellos wird ein Jüngling durch andere Merkmale zu einer Schönheit als ein Auto oder eine Landschaft. Was »Schönheit« als Dimension meint, hängt vom Kontext ab. Selbst wenn man genau wüßte, wie man die Schönheit von Landschaften messen kann, wüßte man noch nicht, wie die von Autos oder Jünglingen zu messen wäre. Objekte, die ihrerseits alle schön sein können, sind untereinander bezüglich Schönheit unvergleichbar. Deshalb sind Sätze wie **Käthe ist genauso schön wie der Deister** eigentlich gar nicht zu verstehen, und deshalb ist die von **schön** bezeichnete Eigenschaft prinzipiell der Metrisierung entzogen.

Wir besprechen jetzt noch kurz drei Klassen morphologisch komplexer Adjektive, um zu zeigen, wie sowohl Semantik als auch syntaktisches Verhalten von Adjektiven mit ihrer Morphologie zusammenhängen können. Bei der Syntax geht es in erster Linie um das Stellungsverhalten. Viele der genannten Adjektive können nicht prädikativ stehen. Aber auch als Attribute zeigen sie meist ein markiertes Verhalten, wenn es um die Kombination mit anderen Adjektiven geht. Normalerweise können mehrere Adjektive in beliebiger Reihenfolge bei einem Stubstantiv stehen (**der alte vertrocknete Baum – der vertrocknete alte Baum**), wobei solche Konstruktionen als **und** -Koordinationen zu lesen sind (**der alte und vertrocknete Baum**). Wir werden gleich sehen, daß die Verhältnisse nicht immer so einfach liegen (dazu Heidolph 1961; Motsch 1971: 126 ff.; Erben 1980: 287 f.).

4. *Denominale Adjektive* auf **lich** und **isch**, wobei von den ersteren vornehmlich solche mit Personenbezeichnungen und Abstrakta als Basis zu berücksichtigen sind (15a), während letztere Fremdsubstantive als Basis haben (15b; Fleischer 1975: 289 f.; Gawełko 1982).

(15) a. **ärztlich, hausfraulich, brüderlich, wissenschaftlich, beruflich, kunstgeschichtlich, kirchlich**
      b. **linguistisch, semantisch, mikroskopisch, produktionstechnisch, sozioökonomisch**

Solche Adjektive sind relational, sie stellen eine Beziehung zwischen Kernsubstantiv und Basissubstantiv her. Ein ärztliches Gutachten ist das Gutachten eines Arztes, eine semantische Theorie ist eine Theorie über (die) Semantik. Als Attribute leisten diese Adjektive also etwas ähnliches wie Genitiv- und Präpositionalattribute. Bedingung ihres Auftretens mit anderen Adjektiven ist, daß sie dem Kernsubstantiv unmittelbar vorausgehen. Möglich ist etwa eine **eine ausgezeichnete semantische Analyse**, nicht aber *eine semantische ausgezeichnete Analyse. Dies dürfte zusammenhängen mit ihrer Beschränkung auf die attributive Position. So gibt es **ein ärztliches Gutachten**, aber *Das Gutachten ist ärztlich ist ungrammatisch.

Längst nicht alle denominalen Adjektive auf **lich** und **isch** sind so beschränkt, und die Beschränkung gilt auch nicht für alle Kernsubstantive. Beide syntaktischen Besonderheiten dürften aber darauf beruhen, daß diese Adjektive nicht einfach Eigenschaften bezeichnen, sondern das Kernsubstantiv in Beziehung setzen zu einem anderen Substantivstamm.

5. *Deadverbale Adjektive* auf **ig** wie in 16 sind ebenfalls auf die attributive Verwendung beschränkt (**Die heutige Sitzung – *die Sitzung ist heutig**). Hier ist die Be-

(16) **heutig, hiesig, dortig, einstig, sonstig, wohlig, nachherig**

schränkung wohl unmittelbar mit dem Verhalten der Adverbien zu begründen. Die meisten der Basisadverbien können in Kopulasätzen und in Sätzen mit bestimmten kopulaähnlichen Verben prädikativ stehen (**Die Sitzung ist heute; Die Sitzung findet heute statt; Karl ist hier; Karl befindet sich hier**). Das Adverb nähert sich also dem Adjektiv auf zwei Weisen an, einmal durch Eindringen in Adjektivkontexte (prädikativ) und einmal durch Ableitung eines deklinierbaren Adjektivs auf **ig** (attributiv) Diesem **ig**-Adjektiv fehlt die Kurzform im Paradigma, sie wird ersetzt durch das Adverb. Man muß sich klarmachen, daß es die in 16 aufgeführten Kurzformen nicht gibt, denn diese Adjektive kommen nur mit Deklinationsendung vor.

6. *Deadverbale Adjektive*, die implizit abgeleitet sind, dem Adverb gegenüber also kein spezifisches Adjektivsuffix aufweisen. Die entsprechenden Adverbien sind ih-

(17) **angeblich, vermutlich, mutmaßlich, augenscheinlich, vermeintlich**

rerseits deverbal und modal im engeren Sinne. Der Sachverhalt, auf den sie sich beziehen, wird nicht als tatsächlich zutreffend behauptet (**Karl ist angeblich der Mörder**). Die Modalisierung bleibt auch bei attributiver Verwendung erhalten. Der angebliche Mörder ist wahrscheinlich keiner, der mutmaßliche Mörder ist möglicherweise keiner. Die Adjektive in 17 sind nur attributiv verwendbar. Ihre Kombinationsmöglichkeiten mit weiteren Attributen sind stark eingeschränkt, vgl. **der angebliche brutale Mörder** und **der brutale angebliche Mörder**. Beide Ausdrücke werden als in sich widersprüchlich empfunden und der zweite gar als abweichend. Mit **der brutale Mörder** wird das Mördersein der in Rede stehenden Person präsupponiert. Explizit geht es nicht darum, daß x ein Mörder ist, sondern zu welcher Art von Mörder er zu rechnen ist. Die Präsupposition »x ist ein Mörder« kann nun bei dem zweiten Attribut **angeblich** nicht aufrechterhalten werden, zu dessen Bedeutung ja eben die Modalisierung von »x ist ein Mörder« gehört. Der Widerspruch wird offenbar besonders deutlich empfunden, wenn die Präsupposition erst gesetzt und dann wieder aufgehoben wird.

Schon die wenigen Beispiele zeigen, wie vielfältig das ist, was mit dem adjektivischen Attribut ausgedrückt werden kann. Man hat nun versucht, diese Vielfalt zu erfassen, indem man das Adjektivattribut als syntaktisch kompakte Konstruktion systematisch auf eine Reihe anderer, syntaktisch expliziter Konstruktionen mit derselben Bedeutung bezog. Am naheliegendsten ist der Bezug auf den Relativsatz. Die beiden Ausdrücke in 18a bedeuten ziemlich genau dasselbe. Die Parallelität beider Konstruktionen geht bis in Einzelheiten weiter. 18b etwa zeigt, daß das adjektivische Attribut wie der Relativsatz auch nichtrestriktiv sein kann, und mit 19 wird illustriert, wie das Adjektiv seine Valenzeigenschaften auch als Attribut behält (Dativobjekt in 19a, Maßangabe in 19b; **Aufgabe 72**).

Freilich lassen sich längst nicht alle attributiven Adjektive in dieser Weise auf

(18) a. **die Bäume, die morsch sind** vs. **die morschen Bäume**

     b. **seine Eltern, die reich sind** vs. **seine reichen Eltern**

(19) a. **der Vorschlag, der allen gleichgültig ist** vs. **der allen gleichgültige Vorschlag**

     b. **der Turm, der dreißig Meter hoch ist** vs. **der dreißig Meter hohe Turm**

Relativsätze beziehen, schon weil viele nicht prädikativ stehen können. Und auch umgekehrt läßt sich nicht jeder Relativsatz mit prädikativem Adjektiv in ein attributives umwandeln, schon weil viele Adjektive nur prädikativ stehen können. Häufig ergibt sich bei der Umwandlung auch eine Veränderung der Bedeutung wie in **mein Freund, der alt ist** vs. **mein alter Freund** oder **ein Jäger, der leidenschaftlich ist** vs. **ein leidenschaftlicher Jäger** (Zusammenstellung zahlreicher Besipiele Duden 1984: 270 ff.).

Statt auf den Relativsatz mit prädikativem Adjektiv bezieht man das adjektivische Attribut in solchen Fällen auf andere Konstruktionen, **ein leidenschaftlicher Jäger** etwa auf **jemand, der leidenschaftlich jagt**; **ein starker Raucher** auf **jemand, der stark raucht**. Ziel solcher Analysen ist es, das Adjektivattribut als abgeleitete Konstruktion zu erweisen, die in jedem Einzelfall rein strukturell auf einer ›ausführlichen‹ Konstruktion ›beruht‹. Dabei wird von der ausführlichen Konstruktion insbesondere verlangt, daß sie einen Satz enthält. Nennt man die Regel zur Umwandlung der einen Konstruktion in die andere eine Transformation, dann ist damit gesagt, daß das adjektivische Attribut generell per Transformation aus einem Attributsatz hergeleitet werden kann (Motsch 1967; Grundzüge: 835 ff.).

Transformationen kennt unsere Grammatik nicht. Ist eine Konstruktion wie das Adjektivattribut einmal etabliert, so entwickelt sie gegenüber allen anderen Konstruktionen ein Eigenleben. Die rein syntaktische Beziehung zwischen Konstruktionen etwa im Sinne einer reinen Ökonomisierung des Ausdrucks gibt es in natürlichen Sprachen nicht. Wir sprechen weitere Aspekte dieser Frage beim Genitivattribut und beim Präpositionalattribut an.

7.3 Substantivische Attribute

Ein Substantiv kann substantivische Nominale als Attribut nehmen. Für das Deutsche setzt man meist zwei Formen des substantivischen Attributs an, nämlich das Genitivattribut (**das Land des Lächeln**) und die Apposition (**Goethe, ein hessischer Dichter; drei Zentner Kohlen**). Genitivattribut und Apposition sind historisch teilweise verwandt und treten synchron teilweise in Konkurrenz zueinander. Ihre Grammatik ist aber so verschieden, daß wir sie in getrennten Abschnitten besprechen.

7.3.1 Das Genitivattribut

Das Attribut ist die Domäne des Genitivs. Während seine Bedeutung als Objektkasus zurückgegangen ist, kann von einem Funktionsverlust als Attribut trotz der Konkurrenz präpositionaler Attribute nicht die Rede sein.

Jedes Substantiv kann ein Genitivattribut zu sich nehmen: es gehört zu den syntaktischen Eigenschaften der Substantive, daß sie den Genitiv regieren. Das Attribut ist daher dem regierenden Substantiv, dem Kern der Attributkonstruktion, in der der Konstituentenstruktur nebengeordnet (**Aufgabe 73**).

(1)

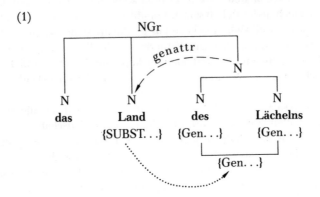

Das Genitivattribut ist auf das nächststehende nebengeordnete Substantiv bezogen. Es gibt keinerlei Unklarheiten darüber, welches das Bezugssubstantiv für ein Genitivattribut ist. Dies dürfte einer der Gründe dafür sein, daß im Deutschen Attributkonstruktionen von erheblicher Komplexität vorkommen, die aber dennoch kaum Verständnisschwierigkeiten bereiten.

(2)

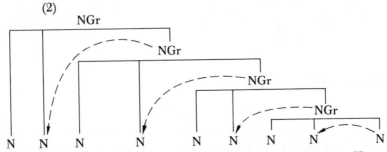

In 2 ist die Attributrelation viermal auf strukturell gleiche Weise realisiert: Die NGr als übergeordnete Konstituente enthält eine gleichstrukturierte Nominalgruppe, diese wieder eine, usw. Konstruktionen dieser Art werden – je nachdem wie die in Rede stehende Erscheinung genau expliziert wird – als selbsteinbettend, *endozentrisch* (Gegenbegriff *exozentrisch*) oder auch *rekursiv* bezeichnet (Bloomfield 1935: 194f.; Wall 1973: 9ff.) Das charakteristische und theoretisch interessante

Merkmal solcher Konstruktionen ist die prinzipiell unbegrenzte Hinzufügbarkeit eines Ausdrucks einer bestimmten Struktur. In unserem Beispiel ist damit eine unbegrenzte Einbettungstiefe des Genitivattributs verbunden. Rekursivität als Eigenschaft von natürlichen Sprachen spielt eine besondere Rolle für die Grammatiktheorie, weil man damit zeigen kann, daß die Zahl der Sätze trotz endlichen Vokabulars nicht endlich ist. Chomsky stellt gleich auf der ersten Seite seiner ›Aspekte der Syntaxtheorie‹ (1969) heraus, daß Rekursivität formaler Ausdruck des ›kreativen Aspekts‹ der Syntax natürlicher Sprachen sei. Hier beweise sich nicht nur die Richtigkeit von Humboldts dictum, die Sprache mache »unendlichen Gebrauch von endlichen Mitteln«, sondern man habe mit der Rekursivität auch verstanden, wie es zu diesem unendlichen Gebrauch eigentlich komme. Im Deutschen gibt es eine ganze Reihe endozentrischer Konstruktionen, aber bei kaum einer dürfte von dieser Eigenschaft ähnlich oft und ähnlich weitgehend Gebrauch gemacht werden wie beim Genitivattribut (**Aufgabe 74**).

Wenn es heißt, das Attribut habe die Aufgabe, ein Substantiv »zu charakterisieren, auszudeuten und genauer zu bestimmen« (Duden 1973: 540), was ist damit für das Genitivattribut gemeint?

Die Bedeutung der übergeordneten NGr ergibt sich wesentlich aus den Bedeutungen des Kernsubstantivs und des Attributs, und zwar sowohl hinsichtlich des Begriffsumfanges (der Extension) als auch des Begriffsinhaltes (der Intension). Betrachten wir zunächst den Begriffs*umfang*. Die Klasse der Autos ist größer als die Klasse der Autos der Stadtreinigung. Das Genitivattribut in 3a grenzt eine Teilklasse aus. Ebenso in 3b. Die ausgegrenzte Klasse enthält aber genau ein Element (**Auto**

(3) a. **Da drüben steht ein** *Auto*. **Das Auto gehört der Stadtreinigung.**
   Da drüben steht *ein Auto der Stadtreinigung.*

   b. **Da drüben fährt ein** *Auto*. **Das Auto gehört deiner Tochter.**
   Da drüber fährt das *Auto deiner Tochter.*

   c. **So ein Vorwurf trifft den** *Papst* **nicht. Der Papst ist das Oberhaupt der römischen Kirche.**
   So ein Vorwurf trifft den *Papst der römischen Kirche* **nicht.**

deiner Tochter). Extrem sind die Verhältnisse in 3c. **Papst** bezeichnet eine Klasse mit genau einem Element, **Papst der römischen Kirche** kann also hinsichtlich des Begriffsumfangs gegenüber **Papst** nicht eingeschränkt sein. Das Genitivattribut ist – bezogen auf die Funktion, die Mächtigkeit einer Klasse zu reduzieren – überflüssig. Es ergibt sich der seltene Fall eines Genitivattributs mit nichtrestriktiver Lesart.

Die NGr in 3c ist definit. **Papst** als Unikum kann ohne Vorerwähnung definit gebraucht werden, folglich auch **Papst der römischen Kirche**. **Auto der Stadtreinigung** bezeichnet eine Klasse von Autos. Dieser Ausdruck kann wie jedes einfache Substantiv definit gebraucht werden, wenn er vorerwähnt oder sonstwie kontextuell eingeführt wurde. Ist das nicht der Fall, erhalten wir den nichtdefiniten Gebrauch wie in 3a.

Der wichtigste Fall ist 3b, denn er zeigt, wie das Genitivattribut selbst die entscheidende Information dafür liefert, daß der Gesamtausdruck definit wird. Das Genitivattribut macht das Objekt, auf das referiert wird, identifizierbar. Aber wie kommt diese Leistung zustande? Es ist angenommen worden, daß die Definitheit des Gesamtausdrucks sich aus der Definitheit des Attributs herleiten läßt (**deiner Tochter** ist definit, Grundzüge: 289 f., 302 f.). Das ist mit Sicherheit nicht der Fall, denn der Ausdruck mit nichtdefinitem Attribut kann ebenfalls definit sein (**Da drüben fährt das Auto eines Landtagsabgeordneten**). Der Grund ist vielmehr ein spezieller Aspekt der semantischen Beziehung zwischen beiden Substantiven. Eine Person hat normalerweise genau ein Auto und ein Auto gehört normalerweise genau einer Person, so daß eine eineindeutige Zuordnung zwischen Personen und Autos möglich ist. Deshalb kann mit **Auto einer Person** genau ein Auto gemeint sein ebenso wie mit **Auto der Person**. Wird aber der ganze Ausdruck so verstanden, daß er genau ein Ding bezeichnet, dann ist er nur definit verwendbar. Das ist beim Genitivattribut nicht anders als bei anderen Attributen auch.

Zur Beschreibung des Begriffs*inhalts*, der mit dem Genitivattribut transportiert wird, verfügt die Grammatik seit jeher über eine Reihe spezieller Termini. Diese Termini bezeichnen inhaltliche Beziehungen zwischen Genitivattribut und Kernsubstantiv etwa derart, daß bei **Auto deiner Tochter** von einer Besitzrelation gesprochen wird. Wir geben die Einteilung von Blatz (1896: 358 ff.) wieder (andere ausführliche Darstellungen in Behaghel 1923: 498 ff.; Brinkmann 1971: 68 ff.; Helbig 1973).

1. *Definitionsgenitiv.* **Das Laster der Trunksucht**; **dies Kleinod einer Muschel**. Der Genitiv steht zum Bezugssubstantiv in einem ähnlichen Verhältnis wie die Bezeichnung der Art zur Bezeichnung der Gattung in Begriffsdefinitionen: **Die Trunksucht ist ein Laster** vs. **Die Linguistik ist eine Naturwissenschaft**. Beim Definitionsgenitiv ist kommunikativ meist der Genitiv selbst der bedeutsamere Teil, das Kernsubstantiv kann ausfallen: **Sie bekämpfen das Laster der Trunksucht** vs. **Sie bekämpfen die Trunksucht**.

2. *Genitivus auctoris, genitvus possessoris (possessivus)*, das ist der Genitiv des Erzeugers oder Besitzers einer Sache (**die Tochter reicher Eltern**; **das Auto deiner Schwester**). Der Possessivus wird in etwas verallgemeinerter Form (›Verfügung‹) häufig als der eigentliche Kernbereich des Genitivattributs angesehen. Daß er mit dem genitivus auctoris zusammengefaßt wird, ist eher die Ausnahme. Denn dieser steht semantisch dem genitivus subiectivus nahe (s. u.). Als eine besondere Ausprägung des Possessivus wird häufig auf die Teil-von-Relation verwiesen (**das Dach des Hauses**; **der Kopf des Angeklagten**).

3. *Eigenschaftsgenitiv (genitivus qualitatis).* **Ein Mann mittleren Alters**; **Geschöpfe edler Abkunft** (**Aufgabe 75b**).

4. *Partitivgenitiv (genitivus partitivus).* **Eine Schar Neugieriger; eine Gruppe französischer Schüler; 10 Tonnen japanischen Stahls**. Der Partitivus nennt eine Menge (**Neugierige; französische Schüler**) oder Substanz (**japanischer Stahl**), aus der das Kernsubstantiv einen Teil ausgliedert. Das Kernsubstantiv ist ein Mengensubstantiv (**Gruppe, Kilo**). Der Partitivus wird teilweise verdrängt von der engen Apposition (7.3.2).

Eine derartige semantische Charakterisierung der Genitivattribute ist rein beschreibend, sie erklärt nichts. Man weiß nicht einmal genau, wie vollständig und systematisch die gefundene Liste von Attributtypen ist, und deshalb ist es auch kein Wunder, daß fast jede Grammatik ihre eigene Einteilung der Genitive hat. Man kommt bei der systematischen Erfassung der Semantik des Genitivattributs ein gutes Stück voran, wenn man sich fragt, welche semantischen Eigenschaften von

Kernsubstantiv und Attribut dafür verantwortlich sind, daß eine bestimmte semantische Beziehung zwischen ihnen zustandekommt. Welche Substantive etwa treten als Kern und Attribut beim Possessivus auf? Welche Eigenschaften des vom Kern Bezeichneten können mit einem Qualitatis bezeichnet werden und welche nicht? (Teubert 1979; **Aufgabe 75**).

Aber was ist mit der Formseite? Können wir einer Attributkonstruktion ansehen, welcher semantische Typ vorliegt oder ist das grundsätzlich ausgeschlossen? Die bisher genannten Typen dürften im allgemeinen formal nicht voneinander trennbar sein, vielleicht mit Ausnahme einiger Teilbereiche des Partitivus. Dagegen werden zwei weitere Teilrelationen des Genitivattributs schon immer auf morphosyntaktische Fakten bezogen, nämlich der genitivus subiectivus und der genitivus obiectivus.

5. *Subjektsgenitiv.* Der *genitivus subiectivus* bezeichnet »bei Substantiven verbaler Natur... den tätigen Gegenstand. Dieser Genitiv heißt Subjektsgentiv, weil bei Umwandlung des regierenden Substantivs in ein Verb der Genitiv Subjekt wird« (Blatz 1896: 367). Blatz' Formulierung gibt gleichzeitig eine formorientierte (Bezug auf das grammatische Subjekt) und eine bedeutungsorientierte (»thätiger Gegenstand«) Bestimmung. Beides fällt häufig zusammen (**das Bellen der Meute** vs. **die Meute bellt; der Sieg der Nato** vs. **die Nato siegt**), aber das Subjekt ist keineswegs immer ein »thätiger Gegenstand« (**die Entstehung der Welt** vs. **die Welt entsteht; der Zahn meiner Tochter** vs. **meine Tochter zahnt**). Es ist also in der Tat so, daß der genitivus subiectivus auf das *grammatische* Subjekt des zugehörigen Verbs zu beziehen ist, unabhängig davon, ob das Subjekt ein Agens ist oder nicht.

6. *Objektsgenitiv.* Der *genitivus obiectivus* ist entsprechend auf das Objekt, und zwar in aller Regel auf das akkusativische Objekt des zugehörigen Verbs bezogen. Der Objektsgenitiv tritt deshalb vor allem bei Substantiven auf, die von transitiven Verben abgeleitet sind (**die Zerstörung Karthagos** vs. **jemand zerstört Karthago; der Verfasser dieser Zeilen** vs. **jemand verfaßt diese Zeilen**).

Als Subjektivus und Objektivus sind zwei Mitspieler des Verbs, von dem das Substantiv abgeleitet ist, mit demselben Kasus enkodiert, eben als Genitiv. Lassen sich Subjektivus und Objektivus dennoch nach allgemeinen Regeln unterscheiden? Allein möglich ist der Subjektivus dort, wo es kein direktes Objekt gibt, also bei Substantiven, die von einstelligen und solchen mehrstelligen Verben abgeleitet sind, die kein Akkusativobjekt nehmen (4a) und außerdem bei den meisten Ableitungen von Adjektiven (4b).

(4) a. **die Mündung der Mosel; die Wirkung dieser Maßnahme; die Hilfe des Roten Kreuzes; die Angst des Torwarts; die Sprache des Unmenschen**

b. **die Höhe des Turmes; die Süße der Sünde; die Gläubiger der Deutschen Bank; diese Frechheit des Ministers**

Eine Nichtunterscheidbarkeit von Subjektivus und Objektivus kann bei Ableitungen von transitiven Verben auftreten (Grundzüge 313):

(5) **Regierung, Leitung, Beobachtung, Begleitung, Bedauern, Verleumdung, Annahme, Gründung, Erfindung, Verabredung**

237

Insgesamt ist die Zahl der Mehrdeutigkeiten, die an dieser Stelle auftreten, jedoch ziemlich gering. Grundsätzlich scheint zu gelten, daß das direkte Objekt als Teil des Rhemas vorrangig als Genitivattribut in der bisher besprochenen Form erscheint, während für das Subjekt andere Möglichkeiten der Enkodierung bereitstehen.

Eine solche Möglichkeit ist die Verwendung eines zweiten Genitivattributs, des sogenannten *sächsischen Genitivs.* Als sächsischer Genitiv wird jedes dem Kernsubstantiv vorangestellte Genitivattribut bezeichnet, unabhängig von seiner Form (Blatz 1896: 180f.). Vorausgestellte Attribute aus Artikel + Substantiv (**des Königs Gefolge; des Winters Macht**) kamen früher besonders in ›gehobener Sprache‹, aber durchaus nicht selten vor. Inzwischen sind sie selten und mehr oder weniger beschränkt auf Spruchweisheiten (**Des Mannes Spielzeug ist sein Himmelreich**) und Sprachverlegenheiten im Journalistendeutsch (**des Kanzlers Absicht**). Häufig und ganz gebräuchlich ist dagegen der vorausgestellte Genitiv von artikellosen Eigennamen (**Albions Verrat; Frankreichs Außenpolitik**).

Bei Vorausstellung des Genitivs kann dem Kern ein weiterer Genitiv nachgestellt werden, wir erhalten Ausdrücke wie **Nowottnys Befragung des Kanzlers**. Hier ist nun keine Verwechslung von Subjektivus und Objektivus möglich: der sächsische Genitiv ist immer Subjektivus, wenn ein weiterer Genitiv folgt. Allerdings hat diese Konstruktion den Nachteil, daß sie nur definit gelesen werden kann. **Nowottnys Befragung des Kanzlers** heißt immer **die Befragung** und nicht **eine Befragung**. Der sächsische Genitiv tritt an die Stelle des Artikels beim Kern. Der indefinite Fall kann dann anders realisiert werden, nämlich als **eine Befragung des Kanzlers durch Nowottny**. In dieser Form kann die NGr ebenfalls auf das Verb **befragen** bzw. einen Satz mit diesem Verb bezogen werden, nämlich auf einen Satz im Passiv. Das Präpositionalobjekt mit **durch** entspricht der ›Agens-Phrase‹ im Passivsatz **Der Kanzler wird durch Nowottny befragt**. Erscheint eine **durch**-Phase neben einem Genitivattribut, so kann dieses Genitivattribut niemals ein Subjektivus, sondern immer nur ein Objektivus sein.

Man benötigt ein sprachliches Mittel wie das Präpositionalattribut mit **durch** auch deshalb, weil der sächsische Genitiv auf Eigennamen beschränkt ist. Will man den Satz **Sämtliche Journalisten befragen den Kanzler** nominalisieren und die Form **sämtlicher Journalisten Befragung des Kanzlers** vermeiden, so bleibt nur das Präpositionalattribut (**die Befragung des Kanzlers durch sämtliche Journalisten**).

Der Objektivus ist offenbar nicht generell auf das Objekt transitiver Verben zu beziehen. Wahrscheinlich besteht eine engere Verbindung zum Subjekt des Passivsatzes. Das würde bedeuten, daß sowohl Subjektivus als auch Objektivus einem grammatischen Subjekt entsprechen. Ersterer dem von Aktivsätzen, letzterer dem von Passivsätzen. Als Genitivattribut können dann die Mitspieler auftauchen, die beim Verb die Stelle des grammatischen Subjekts besetzen. Alle anderen erscheinen als Präpositionalattribute (s. aber **Aufgabe 76**).

Ob ein Genitivattribut als Subjektivus oder als Objektivus zu lesen ist, kann in zahlreichen Fällen aus den grammatischen Eigenschaften des zugrundeliegenden Verbs oder Adjektivs geschlossen werden, etwa aus der Valenz. Diese grammatischen Eigenschaften sind aber auch beziehbar auf die Nominalisierungstypen, die ein Verb oder Adjektiv zuläßt. Deshalb ist zu erwarten, daß die Nominalisierungstypen Rückschlüsse darauf zulassen, ob das Attribut Subjekivus oder Objektivus ist.

Eine große Gruppe von Verben etwa läßt die Ableitung von Substantiven auf **er** zu wie **Läufer, Schläfer, Geher, Trinker, Denker, Schreiber, Verfasser, Entdecker**. Man spricht hier von Agens-Nominalisierungen, weil ein solches Substantiv sich auf die Klasse der Individuen bezieht, die die entsprechende Tätigkeit vollziehen. Wird das Individuum genannt, so erscheint es im Subjekt: **Karl schläft**. Wird das Verb nominalisiert, so bezeichnet es eine Klasse, die das vom Subjekt Bezeichnete einschließt: **Karl ist ein Schläfer**. Bilden wir ein analoges Satzpaar mit einem transitiven Verb **(Karl schreibt diesen Brief** vs. **Karl ist der Schreiber dieses Briefes)**, dann stellen wir fest, daß das direkte Objekt als Genitivattribut erscheint. Das läßt sich für die Agensnominalisierungen verallgemeinern: ihr Genitivattribut ist niemals ein Subjektivus, weil die Agensnominalisierung semantisch das Subjekt des zugrundeliegenden Verbs inkorporiert. Nominalisierungen auf **er** können nur dann einen Subjektivus nehmen, wenn sie keine Agensnominalisierungen sind wie in **Karls Hopser/Schluchzer/Lacher**. Diese Substantive sind sämtlich nicht von transitiven Verben abgeleitet. Für Substantive auf **er** gilt daher: der Subjektivus tritt nur bei Ableitungen von intransitiven, der Objektivus nur bei Ableitungen von transitiven Verben auf. **(Aufgabe 77)**.

Wie bei anderen Attributkonstruktionen, so deutet auch beim Genitivattribut vieles darauf hin, daß es enge formale und semantische Beziehungen zwischen Nominalgruppen und Sätzen gibt. Den Grammatikern ist diese Bedeutung seit langem bewußt, das zeigen schon die ehrwürdigen Begriffe genitivus subiectivus und genitivus obiectivus. Es gibt keinen großen Bedeutungsunterschied zwischen **Karls Beförderung freut mich** und **Daß Karl befördert wird, freut mich**. Die erste Konstruktion ist kompakter als die zweite, liefert aber im gegebenen Kontext dieselbe Information.

6 zeigt, wie ähnlich sich NGr und Satz auch strukturell sein können. Die NGr mit zwei Genitivattributen enthält nicht nur den Satzgliedern analoge Konstituenten,

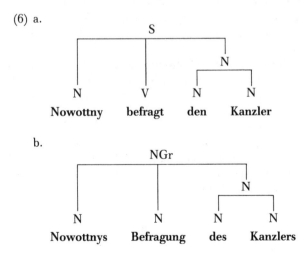

(6) a.

b.

sondern diese haben auch dieselbe Reihenfolge wie im Satz und sind hierarchisch in derselben Weise zueinander geordnet. Der einzige gravierende Unterschied scheint darin zu bestehen, daß die NGr kein finites Verb hat. Die NGr erscheint als ›Ersatz‹

für einen Satz nur dort, wo insbesondere die Tempus- und Modusinformation kontextuell gegeben ist. Im übrigen sind der Verwendung von NGr kaum Grenzen gesetzt. Nimmt man noch die Präpositionen dazu, dann lassen sich die meisten Nebensatztypen nominal paraphrasieren (**weil Nowottny den Kanzler befragt** vs. **wegen Nowottnys Befragung des Kanzlers**): dem ›Nominalstil‹ mit seinen kompakten und beliebig komplexen Begriffsauftürmungen sind Tür und Tor geöffnet.

Viele Grammatikkonzeptionen bringen die Analogien zwischen NGr und Satz durch besondere Mechanismen, durch bestimmte terminologische Festlegungen oder auch durch bestimmte methodische Prinzipien für die Festlegung syntaktischer Strukturen zum Ausdruck. Für transformationelle Grammatiken liegt die Annahme nahe, Nominalgruppen seien zumindest dann aus Sätzen abzuleiten, wenn ihr Kern ein deverbales oder deadjektivisches Substantiv ist (Lees 1960 für das Englische; Pusch 1972 für das Englische und Deutsche). Andererseits sind Nominalisierungen häufig lexikalisiert, sie entwickeln als Wörter ein grammatisches und semantisches Eigenleben. Der Bezug auf ein Verb oder Adjektiv ist zwar noch vorhanden, aber er ist nicht mehr strikt und als syntaktischer Zusammenhang (›Transformation‹) formulierbar. Beispielsweise sind **Duldung** und **Hebung** beide von transitiven Verben abgeleitet, verhalten sich aber als Substantive ganz verschieden. **Pauls Duldung dieses Vorfalles** ist grammatisch, **Pauls Hebung dieses Kartoffelsackes** ist ungrammatisch. Argumente dieser Art wurden von denen geltend gemacht, die eine transformationelle Herleitung von Nominalisierungen ablehnten und stattdessen eine ›lexikalische‹ Lösung befürworteten: die Nominalisierung sollte für sich (das heißt im Lexikon) und unabhängig von anderen Einheiten beschrieben werden (Chomsky 1970; für das Deutsche Esau 1973). Eine realistische Lösung für eine transformationelle Grammatik läuft wohl darauf hinaus, einen Teil der Nominalisierungen lexikalisch zu beschreiben und nur den an noch produktive Ableitungsmuster gebundenen Teil transformationell zu erfassen (Ullmer-Ehrich 1977).

Ein anderes Konzept zur Explizierung der Ähnlichkeiten zwischen Substantiv und Verb bzw. Nominalgruppe und Satz verfolgt die sogenannte $\overline{\text{X}}$-Syntax (sprich: x-bar-Syntax; Chomsky 1970; Jackendoff 1977; für das Deutsche Wunderlich 1984). Die Idee dabei ist folgende.

Substantiv und Verb sind sich ähnlich insofern sie Komplemente nehmen, d. h. andere Ausdrücke regieren (auch Adjektive haben diese Eigenschaft, und Wunderlich schreibt sie sogar Präpositionen zu). Die regierten Ausdrücke können in verschiedenem Maß vom Regens abhängig sein. Außerdem gibt es nichtregierte (freie) Ausdrücke. Wie die verschiedenen Grade von Abhängigkeit definiert sind, kann nicht erörtert werden. Es spielen dabei ähnliche Gesichtspunkte eine Rolle wie bei der Unterscheidung von Ergänzung und Angabe im Rahmen der Verbvalenz (8.2.1). Wichtig ist nur, daß man für Substantiv und Verb dieselben Grade von Abhängigkeit der Komplemente unterscheiden kann.

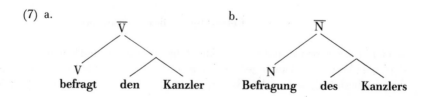

(7) a.
$\overline{\text{V}}$
V
befragt den **Kanzler**

b.
$\overline{\text{N}}$
N
Befragung des **Kanzlers**

Der Kategorienname für die Verben sei V, der für die Substantive sei N. Das am engsten an das Regens gebundene Komplement sei bei V das direkte Objekt, bei N der Objektivus. Die jeweils übergeordnete Kategorie erhält dann den Namen $\bar{N}$ bzw. $\bar{V}$ (daher der Name $\bar{X}$-Syntax), es ergibt sich 7.

Auf der nächsthöheren Stufe der Hierarchie hänge nun von V das Subjekt und von N der Subjektivus ab. Beide wären also weniger fest an den Kern gebunden als Objekt bzw. Objektivus. Die übergeordneten Kategorien erhalten die Namen $\bar{\bar{V}}$ und $\bar{\bar{N}}$, es ergibt sich 8.

(8) a.

b.

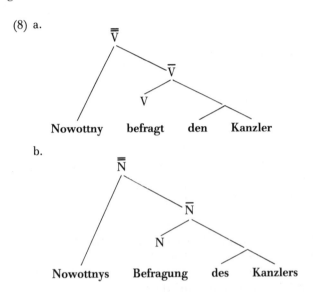

Die Parallelität im Aufbau von Satz und NGr ist durch die X-bar-Konvention besonders deutlich hervorgehoben. Dies ist ein typisches Beispiel dafür, wie man Eigenschaften der beschriebenen Sprache (hier die Parallelität im Aufbau von NGr und Satz im Deutschen) durch Eigenschaften der Beschreibungssprache hervortreten lassen kann. Die X-bar-Konvention macht unübersehbar, daß beide Strukturen in wesentlichen Punkten übereinstimmen. Der ›wesentliche Punkt‹ ist hier das Rektionsverhalten. 8a und 8b drücken aus und behaupten, daß die Rektionsverhältnisse im Satz ganz ähnlich liegen wie in einer NGr (genauer 7.4.2).

Soll man das Genitivattribut auf diese Weise beschreiben? Wozu überhaupt der Ausflug in die Grammatiktheorie? Die Frage nach einer Bewertung der X-bar-Konvention und vergleichbarer Festlegungen haben die Sprachwissenschaft in den vergangenen dreißig Jahren immer wieder bewegt, schon deshalb wäre es unangemessen, sie mit drei Sätzen abzutun. Es ergibt sich aber die Gelegenheit, den in dieser Grammatik bezüglich der Beschreibungssprache vertretenen Standpunkt noch einmal deutlich zu machen. Die X-bar-Konvention hebt einen Aspekt heraus, der bei der syntaktischen Beschreibung eine Rolle spielen muß, nämlich die Rektion. Die Rektion bestimmt dann, wie Kategoriennamen aussehen. Außerdem bestimmt sie wesentlich die Konstituentenhierarchie. Nach unserer Auffassung ist Rektion nur einer der Gesichtspunkte, die eine Einheit syntaktisch strukturieren (2.2.2). Zwar muß aus der vollständigen syntaktischen Beschreibung ersichtlich sein, wo Rektionsbeziehungen bestehen, aber das Bestehen einer Rektionsbeziehung zwischen zwei Konstituenten ist weder notwendige noch hinreichende Bedingung dafür, daß diese zusammen eine höhere Konstituente bilden.

Die X-bar-Konvention will eine bestimmte Eigenschaft der Objektsprache direkt spiegeln. Indem sie ein gemeinsames Format für Sätze und Nominalgruppen festlegt, muß sie ein für allemal bei der Behauptung bleiben, beide Kategorien seien in besagter Hinsicht identisch strukturiert. Die syntaktische Interpretation der Fakten wird umso stärker von der Beschreibungssprache vorgeprägt, je restringierter diese ist. Was als ›wesentliche‹ und was als ›unwesentliche‹ Eigenschaft einer Konstruktion anzusehen ist, wird bei einer stark restringierten Beschreibungssprache erfahrungsgemäß häufig durch diese vorgegeben. Es besteht die Gefahr, daß das Beschreibungsformat den Blick auf die Fakten kanalisiert.

7.3.2 Enge Apposition

Es besteht keine Einigkeit darüber, was unter ›Apposition‹ zu verstehen ist, zudem gibt es in diesem Bereich eine Reihe ungefestigter, im Umbruch befindlicher Konstruktionen. Viel häufiger als sonst ist es schwierig, eine klare Grenze zwischen grammatischen und ungrammatischen Ausdrücken zu ziehen.

Der Begriff Apposition ist uns schon bei den Relativsätzen und beim adjektivischen Attribut begegnet. Der Relativsatz in 1a wird appositiv genannt, weil er – im

(1) a. **Oberbürgermeister Eichel, der mit den Grünen koaliert, hat noch auf Jahre eine sichere Mehrheit**
    b. **Ein Oberbürgermeister, der mit den Grünen koaliert, hat noch auf Jahre eine sichere Mehrheit**

Gegensatz zu dem in 1b – keinen Einfluß auf die Extension der übergeordneten NGr hat, **Oberbürgermeister Eichel** wird hinsichtlich des Begriffsumfanges vom Relativsatz nicht verändert.

Eben dies hat wohl als Kern des traditionellen Begriffs von Apposition zu gelten. Danach ist die Apposition eine ›Beifügung‹ zu einem substantivischen Nominal, die den Begriffsumfang dieses Nominals nicht verändert. Zu unterscheiden ist die Apposition von der Parenthese. Beide leisten teilweise dasselbe, die Parenthese ist aber ein ›eingeschobener Hauptsatz‹ (2a), während die Apposition ein Relativsatz oder

(2) a. **Ronald – er ist der berühmte Kammersänger –**
    b. **Ronald – der berühmte Kammersänger –**
    c. **Ronald, der berühmte Kammersänger,**   **tritt in Berlin auf**
    d. **Ronald der berühmte Kammersänger**
    e. **Der berühmte Kammersänger Ronald**

ein Nominal ist. In 2b und 2c etwa ist die NGr **der berühmte Kammersänger** Apposition zu **Ronald**. Auch 2d und e gelten als Apposition, nur ist hier nicht mehr ohne weiteres klar, welcher Ausdruck appositiv und welcher der Kern ist. Neben der grammatischen besteht damit auch eine begriffliche Schwierigkeit. Üblicherweise verwendet man ›Apposition‹ als Bezeichnung für eine (asymmetrische) syntaktische Relation. Die Formulierung ›X ist Apposition zu Y‹ besagt, daß X die Apposition und Y der Kern ist, auf den X bezogen ist. Sind Kern und Apposition nicht zu unterscheiden, dann ist diese Redeweise hinfällig und muß ersetzt werden durch ›X ist Apposition zu Y und Y ist Apposition zu X‹ Dieser Fall tritt häufig ein (s. u.).

Die Appositionsbeziehung wird weiter danach differenziert, wie eng die beteiligten Nominale aneinandergerückt sind. 2b, c bezeichnet man als *lockere Apposition*, 2d, e als *enge Apposition*. Was eng und locker hier genau besagen, ist nicht ganz geklärt. Nach Helbig/Buscha (1975: 538ff.) kongruiert die lockere Apposition mit dem Bezugssubstantiv im Kasus und wird durch Satzzeichen abgetrennt. Die Abtrennung erfolgt im Gesprochenen durch Pause und Neuansatz eines Intonationsbogens (Raabe 1979: 278ff.). Die Übereinstimmung im Kasus ist als Abgrenzungskriterium jedenfalls ungeeignet, denn sie kommt häufig genug auch bei der engen Apposition vor.

Wir beschäftigen uns im folgenden ausschließlich mit der engen Apposition (s. aber **Aufgabe 78**). Es geht dabei nicht um den Versuch einer Begriffsklärung. Uns interessiert die Grammatik einer Klasse von Ausdrücken, die in der Regel als Apposition und manchmal als enge Apposition bezeichnet werden, uns interessiert aber nicht, ob diese Ausdrücke zu Recht oder zu Unrecht so genannt werden. Ausgeschlossen bleiben Verbindungen mit **als** und **wie** (**Manfred als erster Soldat dieses Landes; eine Frau wie Katharina**; dazu 9.3; zum Begriff der Apposition ausführlich Raabe 1979).

Die Einheiten mit enger Apposition lassen sich systematisch in zwei Gruppen einteilen, nämlich in solche, die einen Eigennamen enthalten (**mein Freund Paul**) und solche, die eine Maßangabe enthalten (**ein Liter Bier**). Historisch haben sie nichts miteinander zu tun.

Der einfachste Fall einer Apposition mit Eigenname liegt vor bei der Zuordnung eines ›Titels‹ wie in 3a.

(3) a.

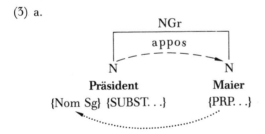

b. **Onkel Karl; Tante Dorothea; Schlosser Hans-Dietrich; Mutter Courage; Martin Frankenstein**

In 3b sind einige Beispiele für diesen Konstruktionstyp aufgeführt. Als Titel in diesem Sinne kann fast jedes Substantiv fungieren, am häufigsten sind Berufsbezeichnungen, Verwandtschaftsbeziehungen und Vornamen. Das Appositionsverhältnis beruht auf einer Rektionsbeziehung: das Kernsubstantiv regiert den Titel in Hinsicht auf Kasus (Nom) und Numerus (Sg). Das grammatische Verhalten der NGr nach außen wird bestimmt vom Kern (**Präsident Maiers Wiederwahl; das**

Examen Martin Frankensteins), d. h. der Titel behält die Form des Nom Sg bei, auch wenn der Kern flektiert wird. Dies ist das normale Verhalten eines regierten Attributes, etwa auch des Genitiv- oder des Präpositionalattributes, so daß man 3 ohne weiteres als eine Attributkonstruktion ansehen kann.

Schon weniger klar liegen die Verhältnisse, wenn beim ersten Substantiv ein Artikel steht, wie in **der Schlosser Hans-Dietrich; das Land Hessen; die Linguistin Senta; der Monat Dezember.** Jung (1973: 84) meint, daß mal das eine und mal das andere Nominal Apposition sei, »je nachdem, ob der Name oder die Gattungsbezeichnung näher bestimmt wird.« Der Duden (1984: 595) enthält sich jeder Stellungnahme und für Motsch (1966: 109) »läge [es] nahe«, solche Ausdrücke entsprechend 3a zu behandeln. Da aber das Verhalten der NGr nach außen gerade nicht wie in 3a vom Eigennamen bestimmt wird, ist diese Lösung ausgeschlossen: **der Antrag des Landes Hessen** vs. *der Antrag das Land Hessens** und auch *der Antrag des Landes Hessens**. Grammatisch sind die Ausdrücke nur, wenn der Eigenname im Nom steht. Der Eigenname wird vom Kern hinsichtlich Kasus regiert, er ist Apposition (4).

(4)

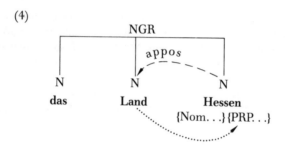

Auch 4 ist eine ›normale‹ Attributkonstruktion mit dem Attribut als abhängiger Größe, nur sind die Abhängigkeitsverhältnisse umgekehrt wie in 3. Das mag erstaunen, wo doch Ausdrücke gemäß 3 und 4 ganz ähnliche Bedeutungen haben können **(Schlosser Hans-Dietrich** vs. **der Schlosser Hans-Dietrich)** und der ganze Formunterschied darin besteht, daß 4 einen Artikel enthält, wo 3 keinen hat. Ein ›Umkippen‹ der Abhängigkeitsverhältnisse ist aber gerade charakteristisch für die enge Apposition. Das von ihr ausgedrückte semantische Verhältnis ist derart, daß es vielfach schwerfällt, eines der beteiligten Nominale als das semantisch gewichtigere auszumachen, als den Kern, der vom anderen ›modifiziert‹ wird. Das Verhältnis ist variabel bis hin zur Gleichberechtigung, die sich grammatisch als Übereinstimmung im Kasus geltend macht. Stellen wir das Substantiv mit Artikel dem Eigennamen nach, so müssen beide Nominale denselben Kasus haben:

(5) a. **Dies ist Helmut das Finanzgenie**
b. **ein Vorschlag Helmuts des Finanzgenies**
c. **Wir vertrauen Helmut dem Finanzgenie**
d. **Wir verjagen Helmut das Finanzgenie**

Wie ist diese Konstruktion syntaktisch zu deuten? Fast alle Grammatiken erklären den Eigennamen zum Kern und das zweite Nominal zur Apposition. Dieses Nominal gilt ihnen als ›Beiname‹ und wird eingeführt mit Beispielen wie **Karl der Große** (Duden 1984: 593), **Nathan der Weise** (Helbig/Buscha 1975: 538) oder **Trabant 601** (Jung 1973: 84, gemeint ist der leistungsstärkste Kleinwagen der Welt). Das mag die häufigste Verwendung dieser Konstruktion sein, die einzige ist es nicht. In einem Satz wie **Was Hänschen der Assistent nicht lernt, lernt Hans der Professor nimmermehr** sind beide Ausdrücke semantisch gleichgewichtig.

Das entscheidende Argument ist aber syntaktisch. Strukturell sind die beiden Ausdrücke nicht über eine Rektionsbeziehung verbunden, sondern über die Beziehung der Kasusidentität. Sie bewirkt hier, daß jedes der beiden Nominale für sich in der Lage ist, die syntaktische Funktion der ganzen NGr zu übernehmen. Man kann in 5 jeweils eines der Nominale streichen, ohne daß sich funktional etwas ändert oder die Ausdrücke gar ungrammatisch werden.

Identität im Kasus nebengeordneter Nominale gilt als typisches Kennzeichen für Koordination. Bei koordinierten Einheiten ist es aber generell nicht möglich, eine von ihnen als Kern und die andere als ›Attribut‹ auszuzeichnen. Damit ist die Grenze markiert, bis zu der Appositionen noch dem üblichen Begriff von Attribut entsprechen. Attribute sind stets abhängig, sie sind über eine Kongruenz- und/oder eine Rektionsbeziehung an einen Kern gebunden. Eben dies ist in 5 nicht der Fall.

Nun zu den Konstruktionen mit Maßangaben (**ein Liter Bier; zehn Zentner Kartoffeln**). Unter einer Maßangabe verstehen wir einen Ausdruck aus mindestens einem Numerale und einem Substantiv (**ein Liter; zehn Zentner**). Mit dem Numerale wird eine Anzahl festgelegt, mit dem Substantiv eine Maßeinheit. Die Maßeinheit gibt Auskunft darüber, in welcher Form das Gemessene oder Gezählte in Erscheinung tritt: über einen Aggregatzustand, über eine Dimension oder einfach über eine Form. Neben den ›echten Maßeinheiten‹ wie **Pfund, Kilometer** und **Hektoliter** kommen hier Appellativa (**drei Bäume Kirschen; zwei Bücher Unsinn**) und Eigennamen vor (**ein Hertz; ein Lübke**). Stoffsubstantive scheinen auf die zweite Position beschränkt zu sein, in der sie als Artangabe fungieren (**Bier; Benzin**). Sie bezeichnen Substanzen. Artikellos können auch Appellative im Plural stehen, auch sie kommen als Artangaben vor (**zehn Ladungen Autos; sechs Hektar Kirschbäume**). Das semantische Verhältnis von Maßangabe und Artangabe ist ziemlich einheitlich: die Artangabe spezifiziert eine Substanz (den Inhalt), die Maßangabe eine Anzahl und eine Erscheinungsform (die Form). Nominalgruppen aus Maßangabe und Artangabe bezeichnen Mengen von ›komplexen Dingen‹ mit sprachlich jeweils explizitem Bezug auf den Inhalts- und auf den Formaspekt. Wie aber ist das grammatische Verhältnis von Maß und Art genau geregelt? Regiert die Form den Inhalt oder der Inhalt die Form? Wir finden die Auffassung, daß die Maßangabe von der Artangabe abhängig sei (Grundzüge: 308 f.), daß das Abhängigkeitsverhältnis umgekehrt bestehe (Helbig/Buscha 1975: 527 f.; Jung 1973: 84) und daß Koordination vorliege (Erben 1980: 152; s.a. Raabe 1979: 117 ff. für die enge Apposition allgemein). Unserer Auffassung nach gibt es keine generelle Lösung, vielmehr läßt die Konstruktion mehrere Möglichkeiten zu. Welche im Einzelfall aus welchen Gründen zum Zuge kommt, ist nicht immer, aber doch in den meisten Fällen eindeutig entscheidbar.

Historisch geht die Artangabe auf einen genitivus partitivus, also ein Attribut zurück (**eine Flasche Weins**). Da nun die Artangabe häufig aus einem unbegleiteten Substantiv besteht, kann der Genitiv nur an diesem Substantiv markiert sein. Der

Genitiv ist im allgemeinen gut markiert beim Maskulinum und Neutrum im Singular, er ist nicht markiert beim Femininum und generell im Plural. Er war auch im Mhd. an diesen Formen nicht markiert. Ausdrücken wie **ein Löffel Suppe; drei Pfund Äpfel** war äußerlich der Genitiv von **Suppe** und **Äpfel** nicht anzusehen. Diese Formen wurden umgedeutet (›reanalysiert‹) als Formen des Nominativ (manchmal werden sie auch als kasuslos oder unflektiert angesehen, was im Augenblick aber ohne Belang ist). Die umgedeuteten Genitive wurden zum Ausgangspunkt der heutigen Form von Artangaben (Paul 1979: 294 ff.): auch im Sg des Mask und Neut, wo der Genitiv markiert ist, setzte man ihn nicht mehr, und es entstanden Ausdrücke wie **eine Flasche Wein; ein Kasten Bier**.

Allerdings verändert dieser Vorgang noch nichts an der Abhängigkeit der Artangabe von der Maßeinheit. Die Artangabe steht jetzt nicht mehr im Genitiv, sondern generell im Nominativ. **Eine Flasche Wein** hat dieselbe Struktur wie **das Land Hessen** in 4, die Artangabe bleibt die regierte Größe. Aber diese Größe ist formal vereinheitlicht, sie tritt nun generell als Substantiv ohne Kasusendung auf. Rein strukturell bedeutet dies eine Aufwertung gegenüber der uneinheitlichen Form des Partitivus. Die Artangabe bleibt zwar formal abhängig, gewinnt aber durch das einheitliche Formcharakteristikum strukturell an Gewicht.

Der Übergang vom Partitivus zur endungslosen Form des Nominativ trägt auch zur Herausbildung eines grammatischen Charakteristikums der Stoffsubstantive bei. Stehen Stoffsubstantive für sich, d. h. referiert man mit ihnen ohne Begleitung durch einen Artikel oder ein Adjektiv auf eine Substanz, dann sind sie endungslos (genauer dazu 5.3.2). Diese Regularität fordert das Wegfallen der Genitivendung. Damit behaupten wir, daß Ausdrücke wie **ein Kasten Biers; eine Flasche Weins** im gegenwärtigen Deutsch nicht nur selten und ›gespreizt‹ sind, sondern veraltet im Sinne von nicht mehr grammatisch.

Der Übergang zur endungslosen Form wurde möglich, weil der Genitiv bei den Substantiven häufig nicht markiert ist. Er begann daher bei Artangaben, die nur aus einem Substantiv bestehen. Ist das Substantiv von einem Artikel oder Adjektiv begleitet, dann ist der Genitiv meist markiert. Der Partitivus bleibt dann grammatisch (6).

(6) a. **eine Flasche guten Weines**
   b. **ein Konvoi britischer Schiffe**
   c. **fünf Tonnen dieser Butter**
   d. **zwanzig Prozent deines Einkommens**

Aber auch der Nominativ ist nicht ausgeschlossen. Besteht die Artangabe aus Adjektiv + Substantiv, dann ist der Nominativ gebräuchlicher als der Partitivus. Besteht sie aus Artikel + Substantiv, dann ist der Nominativ nur unter bestimmten Bedingungen zugelassen, auf die wir nicht näher eingehen. Meist wird hier das

(7) a. **eine Flasche guter Wein**
   b. **ein Konvoi britische Schiffe**
   c. **fünf Tonnen diese Butter**
   d. *__zwanzig Prozent dein Einkommen__

Präpositionalattribut mit **von** verwendet (**zwanzig Prozent von deinem Einkommen**).

Es liegt nahe, die Artangaben in 7 syntaktisch ebenso zu deuten wie die Artangaben ohne Adjektiv oder Artikel. In 7a etwa wäre **guter Wein** hinsichtlich des Kasus regiert von **Flasche**. Diese Deutung ist richtig, wenn der Nom von **guter Wein** immer steht, gleichgültig, in welchem Kasus **Flasche** erscheint. 8 zeigt, daß es sich

(8) a. **Eine Flasche guter Wein kostet zwei Mark**
 b. **Wegen einer Flasche guter Wein geht Karl meilenweit**
 c. **Wir sitzen zusammen bei einer Flasche guter Wein**
 d. **Karl trinkt eine Flasche guter Wein**

in der Tat so verhält. Steht **guter Wein** im Nom, so ist es ein regiertes Nominal, egal, ob man es Attribut oder Apposition nennt.

Nicht alle Sprecher freilich halten sämtliche Sätze in 8 für grammatisch. Über jeden Zweifel erhaben ist nur 8a, der Fall also, wo Maßangabe und Artangabe im Kasus übereinstimmen. Werden die anderen Sätze akzeptabler, wenn hier ebenfalls Kasusidentität hergestellt wird?

(9) a. **Eine Flasche guter Wein kostet zwei Mark**
 b. **Wegen einer Flasche guten Weines geht Karl meilenweit**
 c. **Wir sitzen zusammen bei einer Flasche gutem Wein**
 d. **Karl trinkt eine Flasche guten Wein**

Die Sätze b, c und d sind jetzt vollkommen grammatisch. Bei zusammengesetzten Artangaben dieses Typs liegt Kasusidentität mit der Maßangabe vor, und es kann kein Zweifel daran bestehen, daß beide Nominale nebengeordnet sind. Die NGr **einer Flasche gutem Wein** aus 9c etwa hat die Struktur 10. Das Hinzufügen eines Adjektivs zur Artangabe bewirkt, daß die Artangabe der Maßangabe nebengeordnet

(10)

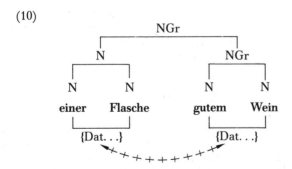

werden kann. Aber damit nicht genug. Neben den mit 8 und 9 demonstrierten Möglichkeiten kann die Artangabe vielfach auch im Akkusativ stehen:

(11) a. **Eine Flasche guten Wein kostet zwei Mark**
 b. **Wegen einer Flasche guten Wein geht Karl meilenweit**
 c. **Wir sitzen zusammen bei einer Flasche guten Wein**

d. **Karl trinkt eine Flasche guten Wein**

Wiederum werden die Beispiele b und c vielen Sprechern zweifelhaft erscheinen, aber einfach ungrammatisch sind sie nicht. Sie demonstrieren zumindest, daß bei der Kasuszuweisung zu Artangaben große Unsicherheiten bestehen. Die alte, mit dem Partitivus gegebene grammatische Abhängigkeit der Artangabe ist verlorengegangen, ohne daß gegenwärtig zu erkennen wäre, welche der möglichen Alternativen (Nominativ, Kasusidentität, Akkusativ, Präpositionalattribut) sich durchsetzen wird. Es ist nicht einmal sicher, daß eine von ihnen die Oberhand behält. Sehr gut denkbar ist, daß dieser Typ von enger Apposition in mehrere semantisch differente Subtypen zerfällt, wobei jeder dieser Subtypen ›seine‹ Konstruktion unter den verfügbaren formalen Möglichkeiten findet (weiteres Material in Teubert 1979: 114 ff.; s. a. Eisenberg 1985; **Aufgabe 79**).

Die in diesem Abschnitt unter der Bezeichnung ›enge Apposition‹ zusammengefaßten Konstruktionen haben die Gemeinsamkeit, daß sehr geringe grammatische Veränderungen an einer der Konstituenten zu einer Veränderung der grammatischen Abhängigkeitsverhältnisse führen können. Zwar läßt sich für eine flektierende Sprache wie das Deutsche in jedem Einzelfall angeben, in welcher Richtung eine Abhängigkeit besteht oder ob Koordination vorliegt, es läßt sich aber nicht in jedem Einzelfall entscheiden, ob ein Ausdruck grammatisch ist oder nicht. Die enge Apposition steht im Schnittpunkt mehrerer Konstruktionen, viele Ausdrücke sind syntaktisch mehrfach interpretierbar. Es zeigt sich hier, daß die Kasusdifferenzierungen des Deutschen (mit Ausnahme des Genitiv) innerhalb der NGr funktionslos geworden sind.

7.4 Präpositionale Attribute

Als präpositionales Attribut bezeichnen wir eine Präpositionalgruppe (PrGr), die Attribut zu einem Substantiv oder Pronomen ist: **Axel von Ansbach; Zucker aus Kuba**. Wir behandeln diese Konstruktion in zwei Schritten. Abschnitt 7.4.1 thematisiert die Grammatik der PrGr unabhängig von der Funktion als Attribut, ihre interne Struktur und die wichtigsten Eigenschaften der Präpositionen. Abschnitt 7.4.2 bespricht das Präpositionalattribut selbst.

7.4.1 Präposition und Präpositionalgruppe

Die Konstituentenkategorie Präposition umfaßt nichtflektierbare Einheiten, die zusammen mit einem Substantiv oder Pronomen auftreten. Präposition und Nominal bilden zusammen eine Präpositionalgruppe, wobei zwischen beiden eine ausgeprägte syntagmatische Beziehung besteht: die Präposition regiert das Nominal in Hinsicht auf den Kasus (1). Ein Teil von ihnen regiert genau einen Kasus (GEN,

> (1) a. **durch den Oberrhein**
> b. **mit einem Freund**
> c. **wegen solcher Vorteile**
> d. **trotz Geld**

(2)

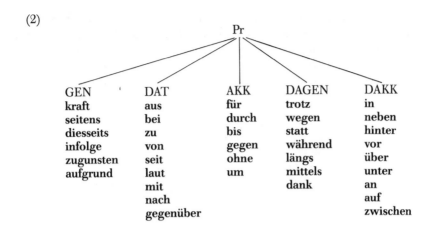

GEN	DAT	AKK	DAGEN	DAKK
kraft	aus	für	trotz	in
seitens	bei	durch	wegen	neben
diesseits	zu	bis	statt	hinter
infolge	von	gegen	während	vor
zugunsten	seit	ohne	längs	über
aufgrund	laut	um	mittels	unter
	mit		dank	an
	nach			auf
	gegenüber			zwischen

DAT, AKK), andere regieren zwei Kasus. Besonders verbreitet sind die Kombinationen Dativ/Genitiv (DAGEN) und Dativ/Akkusativ (DAKK). Alle drei Kasus regiert **entlang**. Ob auch der Nominativ als von Präpositionen regierter Kasus zu gelten hat (1d), muß besonders besprochen werden **(Aufgabe 80a)**. Manchmal werden auch **als** und **wie** zu den Präpositionen gezählt, sie gelten dann als ›Präpositionen ohne Kasusforderung‹ **(Aufgabe 80b)**. Einige Präpositionen können außer substantivischem Nominalen auch Adjektive **(Ich halte das für gut)** oder Adverbien **(Er kommt von dort)** und insbesondere andere PrGr **(Sie läuft bis nach Ulm)** nehmen **(Aufgabe 80c)**. Die Struktur einer einfachen PrGr ist die in 3.

(3)

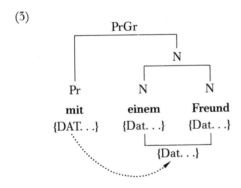

Neben der Form 3 gibt es PrGr mit nachgestellter Präposition wie in **die Straße entlang; dem Kino gegenüber**. Man spricht dann auch von Postpositionen (zur Übersicht Helbig/Busch 1975: 363 ff.; ausführlicher Wunderlich 1984).

PrGr kommen in dreierlei syntaktischer Funktion vor, nämlich als Adverbial, als Ergänzung (Objekt) und als Attribut. Als Adverbial sind sie meist einem Satz nebengeordnet, sie situieren den vom Satz bezeichneten Sachverhalt. Die Präposition

(4)

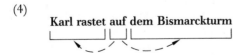

selbst ist relational. In 4 bezeichnet **auf** eine Relation zwischen dem Sachverhalt »Karl rastet« und dem Bismarckturm. Die Bedeutung der Präposition in dieser Verwendung ist konkret. Sie ist eine lexikalische Bedeutung im üblichen Sinne.

Anders bei den präpositionalen Objekten. Hier ist die PrGr dem Prädikat nebengeordnet, sie wird vom Prädikat regiert. Die enge syntaktische Beziehung zwischen

(5)
  a. **Inge hofft auf bessere Zeiten**
  b. **Karl wartet auf Godot**
  c. **Paul pfeift auf den Fingern**
  d. **Helga pfeift auf Dieters Ratschläge**
  e. **Wir beziehen uns auf Ihr Schreiben von letzter Woche**
  f. **Wir verweisen auf die einschlägigen Regelungen**

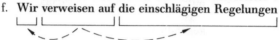

Verb und PrGr zeigt sich daran, daß viele Verben eine ganz bestimmte Präposition mit einem ganz bestimmten Kasus fordern. Das Heranrücken der PrGr an das Verb gibt der Präposition syntaktisch und semantisch einen anderen Status als im Adverbial. Die an das Verb fixierte Präposition verliert vielfach ihren eigenständig relationalen Charakter. Sie ist nicht mehr Träger der übergeordneten Relation im Satz, sondern sie bildet zusammen mit dem Verb eine komplexe Relation zwischen den Nominalen im Subjekt und im Objekt (**hoffen auf; warten auf; pfeifen auf** . . .). Wie in Subjekt-Prädikat-Objekt-Sätzen üblich, steht das Prädikat als Träger der übergeordneten Relation im Zentrum. Die Präposition hat ihren Einfluß auf diese Relation und differenziert sie im einzelnen aus (**sich freuen auf – über – mit – an**), bleibt aber syntaktisch und semantisch an das Verb gebunden.

In der dritten Funktion, dem präpositionalen Attribut, tauchen beide Arten von Bezügen auf. Eine PrGr wie in 6a ähnelt eher einem Objekt, die in 6b ähnelt eher einem Adverbial. Es wäre aber falsch, wollte man die präpositionalen Attribute

(6) a.
  Helgas Hoffnung auf bessere Zeiten

  b.
  Karls Rast auf dem Bismarckturm

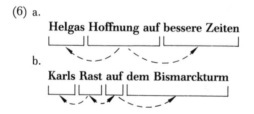

einfach unterteilen in die objektähnlichen und in die adverbialähnlichen und annehmen, man hätte damit das Wesentliche der Attributkonstruktion erfaßt. Bei allen Analogien hat das präpositionale Attribut seine durchaus eigenständige Grammatik (7.3.2).

Wir haben bisher umstandslos von jeweils einer Präposition **in, vor, über** usw. gesprochen, nun aber gesehen, daß diese Präpositionen wegen der funktionalen Vielfalt der PrGr unterschiedliche Bedeutungen und unterschiedliche semantische Bezüge haben können. Ist es überhaupt angemessen, etwa von einer einzigen Präposition **auf** zu sprechen oder sollte man nicht besser zwei Präpositionen auf_1 und auf² unterscheiden? Und selbst wenn es gute Gründe gibt, bei einer Präposition **auf** zu bleiben: hat sie eine oder mehrere Bedeutungen, und wie verhalten sich diese Bedeutungen gegebenenfalls zueinander?

Den Kernbestand an Präpositionen bildet eine relativ kleine und in sich geschlossene Gruppe von Ausdrücken mit meist lokaler Bedeutung (Blatz 1900: 605f.). Historisch gehen diese Präpositionen auf Adverbien zurück. Sie haben das Adverb **vorn** und die Präposition **vor** gemeinsam die adverbiale Wurzel **forna** des Ahd. In den meisten Fällen entwickelte sich aus dem Adverb sowohl eine Präposition als auch eine gleichlautende Verbpartikel, so daß wir etwa nebeneinander haben **Sie sitzt vor der Versammlung** (Präposition) und **Sie sitzt der Versammlung vor** (Verbpartikel).

Die lokalen Bedeutungen von Präpositionen sind sowohl in Grammatiken (Brinkmann 1971: 152ff.; Helbig/Buscha 1975: 370ff.) als auch speziellen Arbeiten (Moilanen 1979; Desportes 1982) ausführlich dargestellt worden. Es kristallisieren sich zwei Hauptgruppen heraus.

(7) a. **in; an; bei**
   zu; nach; von; aus
   durch

   b. **auf; über – unter**
   vor – hinter; diesseits – jenseits
   neben; links – rechts

Die Bedeutung der Präpositionen in 7a erfaßt man einfach und elegant mit Hilfe topologischer Begriffe (Wunderlich 1982) wie dem des Raumgebietes, der Begrenzung (dem Rand) des Raumgebietes und der Umgebung des Raumgebietes (das ist wieder ein Raumgebiet). Ist ein Raumgebiet R bezeichnet durch **das Kongreßzentrum** und ein Objekt x_1 durch **der Bus**, dann bedeuten: **der Bus im Kongreßzentrum** »x_1 befindet sich ganz innerhalb von R«; **der Bus am Kongreßzentrum** »x_1 befindet sich am äußeren Rand von R (Kontakt)«; **der Bus beim Kongreßzentrum** »x_1 befindet sich in der Umgebung von R (kein Kontakt)«; **der Bus zum Kongreßzentrum** »x_1 befindet sich zu einer bestimmten Zeit nach der (kontextuell gegebenen) Bezugszeit an R«; **der Bus vom Kongreßzentrum** »x_1 hat sich zu einer bestimmten Zeit vor der Bezugszeit an R befunden«; **der Bus aus dem Kongreßzentrum** »x_1 hat sich zu einer bestimmten Zeit vor der Bezugszeit in R befunden«; **der Bus durch das Kongreßzentrum**: dieser Ausdruck besagt, daß x_1 zunächst nicht in R, dann in R und danach wieder nicht in R ist. Der Punkt, an dem x_1 R betritt, darf dabei nicht identisch oder benachbart sein dem Punkt, an dem x_1 R verläßt.

Nicht erfaßt wurde bisher **nach**, das ebenso wie **zu** nur in Richtungsangaben vorkommt. **Nach** ist beschränkt auf Ortsnamen und kann daneben mit lokalen Adverbien verwendet werden (**nach hinten/unten**). Im übrigen unterscheiden sich lokale und direktionale Bedeutung der Präpositionen hinsichtlich der Parameter des

(8) a. **der Bus nach Hamburg**
   b. **der Bus zur Ostsee**
   c. *__der Bus nach der Ostsee__
   d. *__der Bus zu Hamburg__

Räumlichen nicht. So hat **an** in **der Bus an der Ostsee** dieselbe räumliche Bedeutung wie in **der Bus an die Ostsee**. Der Unterschied besteht nur im Zeitlichen: **der Bus an die Ostsee** besagt, daß die von **der Bus an der Ostsee** bezeichnete Position zu einem Zeitpunkt nach einer gegebenen Bezugszeit erreicht wird (Schröder 1978; Wunderlich 1982: 15).

Die Präpositionen in 7b sind unmittelbar auf die Morphologie des menschlichen Körpers zu beziehen. Der Mensch orientiert sich im Raum entlang bestimmter Koordinaten, die teils absolut (Schwerkraft), teils relativ (Deixis) festliegen. Drei Ebenen spielen die entscheidende Rolle. Die erste ist die Grundebene, gegeben mit der Erdoberfläche und definiert als die Ebene orthogonal zur Richtung des freien Falls. Der menschliche Körper ist hinsichtlich dieser Ebene asymmetrisch gebaut. Der Mensch steht auf der Erde, er berührt sie notwendigerweise. **Auf** steht für dieses Grundverhältnis isoliert neben **über** und **unter**, die beide eine Berührung des Bezugsobjekts ausschließen. Die Lampe über dem Tisch berührt letzteren ebensowenig wie die Füße unter dem Tisch. Nur die Flasche auf dem Tisch wird vom Tisch in Richtung der Fallinie unterstützt. Weil die Menschen den Kopf oben tragen (sollten), ist die Richtung entgegen der Schwerkraft nicht nur verbal besonders differenziert (**auf** und **über** gegenüber **unter**), sondern sie gibt auch für den abgeleiteten Gebrauch die positive Orientierung ab. Der Mensch freut sich auf und über etwas, aber er leidet unter etwas.

Auch die zweite Bezugsebene ist eine Asymmetrieebene bezüglich des Körperbaus. Man gewinnt sie als Schnittebene, die den Körper in eine vordere und eine hintere Hälfte teilt. Senkrecht zu dieser Ebene nach vorn liegt die Hauptorientierungs- und Bewegungsrichtung, auf die der gesamte Körperbau mit seinen Wahrnehmungs- und Bewegungsorganen ausgerichtet ist. Weil diese Bezugsebene an den Körper selbst gebunden ist, sind die zugehörigen Präpositionen deiktisch. **Vor mir** und **hinter mir** sind keine absoluten, sondern auf die jeweilige Stellung des Sprechers bezogene Richtungsangaben. Im allgemeinen Fall bedeutet x_1 **vor** x_2 (**der Baum vor der Mauer**), daß x_1 sich zwischen dem Sprecher und x_2 befindet. Bei x_1 **hinter** x_2 befindet sich x_2 zwischen dem Sprecher und x_1. Ist x_2 eine Grenze irgendwelcher Art, so ist dies auch die Bedeutung von **diesseits/jenseits**, allerdings ohne Orientierung auf eine Bezugsebene.

Nicht nur der Mensch hat eine Vorder- und eine Rückseite, sondern ebenso alle mit der Fähigkeit zur Bewegung und Richtungswahrnehmung begabten Lebewesen, außerdem viele Dinge wie Autos, Schränke, Häuser und Bücher, die der Mensch richtungsgebunden und unter Bezug auf seine eigene Vor- und Rückorientierung benutzt. Auch bezüglich dieser Dinge kann die Bezugsebene für **vor** und **hinter** aufgespannt sein, der Orientierungsmodus ist der einer ›analogen Deixis‹. **Der Baum vor dem Haus** kann dann zwei Positionen des Baumes meinen, nämlich einmal an der Vorderseite des Hauses und zum zweiten zwischen dem Haus und dem Sprecher (**Aufgabe 81**).

Interessant ist die an **vor** gebundene Zeitmetaphorik. Das Fußballspiel vor einer Woche liegt in der Vergangenheit. Wir können in die Vergangenheit hineinsehen, deshalb liegt sie ›vor‹ uns. Aber auch die Zukunft liegt ›vor‹ uns, denn wir schreiten mit der Zeit ›voran‹, blicken ›vorwärts‹ und lassen damit plötzlich das Vergangene, das eben noch ›vor‹ uns lag, ›hinter‹ uns. In dieser doppelten, scheinbar widersprüchlichen Zeitbedeutung von **vor** drückt sich aus, daß sowohl das Vergangene als das Zukünftige die Orientierungsrichtung abgeben kann. Das Vergangene können wir sehen und nicht erreichen, das Zukünftige können wir erreichen und nicht sehen.

Die dritte Bezugsebene erhalten wir als Schnittebene im Sinne des Schwabenstreichs. Sie ist rein äußerlich eine Symmetrieebene. Sprachlich spiegelt sich das wider im Gegenüber von **rechts** und **links** sowie in der Bedeutung von **neben,** in der der Unterschied zwischen **rechts** und **links** neutralisiert ist. **Rechts** und **links** können ebenso wie **vor** und **hinter** deiktisch und in analoger Deixis verwendet werden. Ob sich die Tatsache, daß der menschliche Körper nur äußerlich symmetrisch aufgebaut ist, in der Grammatik von **rechts** und **links** zeigt, ist nicht bekannt, wenn wir einmal absehen vom bekannten etymologisch-morphologischen Zusammenhang **rechts-recht-richtig.**

Verglichen mit den lokalen ist der Bestand an temporalen Präpositionen gering. Temporale Relationen bestehen nicht zwischen Dingen, sondern zwischen Sachverhalten. Deshalb ist die eigentliche Domäne für zeitrelationale Ausdrücke der Satzverknüpfer, die Konjunktion, und nicht die Präposition (10.2.1). Die meisten Präpositionen mit temporaler Bedeutung sind offensichtlich Übertragungen aus dem Räumlichen. Davon auszunehmen sind lediglich **während** und **seit** (sowie mit Einschränkungen **bis**). Diese drei sind jedoch alle auch Konjunktionen (**Aufgabe 82**).

Neben der räumlichen und zeitlichen gibt es bei vielen der alten Präpositionen weitere Bedeutungen, wie die kausalen in 9 oder die noch ›abstrakteren‹ in 10. Man

(9) a. **Karl ist müde vom vielen Laufen**
    b. **Helga tut das aus Furcht**
    c. **Renate ist sprachlos vor Erstaunen**
    d. **Joseph bildet sich etwas ein auf seine Herkunft**
    e. **Franz ist zermürbt durch langes Warten**

(10) a. **die Vierzehnte von Brahms**
    b. **Renate hilft mir aus den Schwierigkeiten**
    c. **Der Frieden kommt vor der Freiheit**
    d. **Sie wohnt auf dem Lande**
    e. **Ich habe Karl durch dich kennengelernt**

nimmt nun meistens an, daß es sich bei 7, 9 und 10 um unterschiedliche Bedeutungen derselben Präpositionen und nicht etwa um verschiedene Präpositionen handelt. Festzustehen scheint auch, daß diese Bedeutungen nicht gänzlich unabhängig voneinander sind. Wie aber hängen sie genau zusammen? Bezieht man die verschiedenen Bedeutungen systematisch auf die lokale als Grundbedeutung, so spricht man von einer lokalistischen Bedeutungskonzeption (Anderson 1971; Bartels 1980). Aber auch andere einheitliche Sichtweisen sind möglich. Eroms (1981: 142ff.) schlägt eine semantische Merkmalsanalyse für die Präpositionen des Deutschen vor, die das Einigende der Bedeutungen nicht im Bezug auf die lokale Bedeutung sieht. Das Gemeinsame, so wird argumentiert, zeige sich erst, wenn man die Beschreibungen auf einer Stufe hoher Abstraktion beschreibe. Die lokalistische Position geht oft einher mit der These, die lokale Beziehung sei das, was Präpositionen ›eigentlich‹ bezeichneten. Man kommt auf diese Weise zu einem engen Begriff von Präposition und schließt viele Einheiten von dieser Kategorie aus, die nicht ins lokalistische Bild passen. Das betrifft insbesondere eine Reihe morphologisch komplexer Einheiten, die synchron-systematisch ohne Zweifel zu den Präpositionen gehören, die aber nichts mit einer lokalen Bedeutung zu tun haben.

Versteht man unter Präpositionen nichtflektierbare Einheiten, die ein substantivisches Nominal bezüglich Kasus regieren, dann hat das Deutsche gegenwärtig ungefähr 200 Präpositionen (Schweisthal 1971: 43 ff.). Man muß annehmen, daß zumindest einige der Mechanismen, die zur Bildung dieser Präpositionen geführt haben, produktiv sind. Der Bestand dürfte sich deshalb weiter erhöhen (Beneš 1974; Eisenberg 1979; **Aufgabe 83**).

Neben deverbalen (**betreffend, entsprechend**) spielen dabei desubstantivische Ableitungen die Hauptrolle. Präpositionen wie **dank, kraft; anhand, anstatt; anfangs, angesichts** und **zuzüglich, anläßlich** sind nicht auf eine lokale Grundbedeutung beziehbar. Ihre Bedeutungen lassen sich nur erfassen, wenn auch die Bedeutungen der in ihnen enthaltenen Verb- und Substantivstämme berücksichtigt werden.

Aber auch für die alte, morphologisch einfache Schicht wird die These von der Bedeutungseinheitlichkeit zweifelhaft – sei sie nun lokalistisch fundiert oder nicht. Denn die bisher betrachteten Bedeutungen sind sämtlich noch relativ anschaulich verglichen mit denen, die typischerweise in Präpositionalobjekten auftauchen. 11 bringt noch einmal einige Beispiele.

(11) a. **Iwan lebt von den Zinsen**
     b. **Karls neuer Zahn besteht aus Silber**
     c. **Der Staat beschützt mich vor den Terroristen**
     d. **Hans konzentriert sich auf die Oberstimme**
     e. **Helmut ersetzt Denken durch Grinsen**

Die Bedeutung der Präpositionen ist so wenig fixiert, daß man sie den Kasusmorphemen gleichstellen möchte. Präpositionen sind dann ›Funktionselemente‹ und werden nicht mehr als lexikalische Einheiten mit eigener Bedeutung, sondern nur noch als ›Präpositionalkasus‹ wahrgenommen (dazu auch 3.2; 8.2.1). Diese im eigentlichen Sinne semantisch leeren Präpositionen haben andererseits die konkretesten Bedeutungen (die lokalen).

Dennoch wollen wir auch bezüglich der alten Schicht weiter davon sprechen, daß es jeweils *eine* Präposition gibt, die aber in PrGr unterschiedlicher Funktion ganz Unterschiedliches leisten kann. Syntaktisch läßt es sich nicht rechtfertigen, etwa von **aus**$_1$ in **Anne kommt aus Köln** und **aus**$_2$ in **Das Hemd ist aus Seide** zu sprechen. Syntaktisch tut die Präposition in beiden Fällen dasselbe, indem sie als unmittelbare Konstituente einer PrGr ein Nominal im Dativ regiert. Verschieden sind nicht die Präpositionen, sondern die Funktion der PrGr. Was die Funktion der PrGr ist, ergibt sich im allgemeinen nicht aus ihrer internen Struktur, sondern aus der syntaktischen Umgebung. Die Annahme von zwei Präpositionen wäre abermals eine Vermischung von syntaktischer Kategorie und syntaktischer Funktion. Denn sie könnte nicht anders gedeutet werden als »**aus**$_1$ ist die Präposition des Adverbials und **aus**$_2$ ist die Präposition des Objekts«.

Sollte man aber nicht die Präpositionen der älteren und der jüngeren Schicht syntaktisch voneinander trennen, d. h. Teilkategorien von Pr etablieren, die dieser Schichtung entsprechen? Die älteren kommen in PrGr als Adverbial, Objekt und Attribut, die jüngeren nur in Adverbialen und Attributen vor. Dieser Unterschied gibt selbst kein Klassifikationskriterium ab, weil er nicht die interne Struktur der PrGr betrifft. Er sollte uns aber veranlassen, nach weiteren Unterschieden zwischen den Präpositionen beider Schichten zu suchen. Zweierlei kommt in Betracht.

Das eine sind die *Verschmelzungen*. Verschmelzungen sind Einheiten mit einem präpositionalen Anteil und einem Artikelanteil, wobei es nicht immer möglich ist, beide Anteile morphologisch voneinander zu trennen. Eine Verschmelzung läßt in der Regel erkennen, welchen Kasus und welches Genus die verschmolzene Artikelform hatte. Die folgende Aufzählung des Gesamtbestandes an Verschmelzungen macht Genus und Kasus der verschmolzenen Formen zum Ordnungskriterium (Vater 1979: 40; zum kategorialen Status der Verschmelzungen Eisenberg u. a. 1975: 138 f.).

(12) a. Mask oder Neut, Dat
     am, beim, hinterm, überm, unterm, im, vom, vorm, zum
   b. Mask, Akk
     hintern, übern, untern
   c. Neut, Akk
     ans, aufs, durchs, fürs, hinters, ins, übers, ums, unters, vors
   d. Fem, Dat
     zur

So gut wie alle lokalen Präpositionen der alten Schicht bilden Verschmelzungen. Da sie sich sämtlich nur mit dem Dat und dem Akk verbinden, verschmelzen nur Artikelformen in diesen beiden Kasus. Verschmelzungen mit dem Gen gibt es nicht. Im übrigen sind phonetische Bedingungen ausschlaggebend dafür, ob eine Verschmelzung zustandekommt. So haben wir **am, im** und **vom** als Dativverschmelzungen, zu denen es keine Akkusative gibt. Die Akkusativformen müßten **an, in** und **von** lauten, diese Formen sind aber schon von den einfachen Präpositionen besetzt.

Nicht alle Verschmelzungen sind gleich gut systematisch verankert, nicht alle sind gleich fest und in denselben Kontexten verwendbar. Ein Teil kommt nur im Gesprochenen vor **(hintern, vorn, durchs)**. Bezieht man aber das Gesprochene ausdrücklich ein, gibt es außer den Formen in 12 eine große Zahl weiterer Kandidaten **(Er geht inne Schule; Sie fliegt übern** (Dat Pl) **Alpen)**. Andere wie **am, im, vom** und **zur** sind auch im Schriftdeutsch zugelassen, ja sogar unvermeidlich, und es fragt sich, ob sie nicht gegenüber den analytischen Formen eine spezielle Bedeutung haben (Hartmann 1978). Festzustehen scheint, daß Verschmelzungen stets die sog. nichtspezifische Lesart des Artikels haben können.

(13) a. **Sie arbeitet in dem Garten**
   b. **Sie arbeitet im Garten**

Mit 13b kann durchaus gemeint sein, daß sie immer gern im Garten arbeitet, egal in welchem. Dies wäre die nichtspezifische Lesart, die 13a wegen des bestimmten Artikels nicht hat. Verschmelzungen verhalten sich hier ähnlich dem unbestimmten

255

Artikel, obwohl man meist annimmt, daß sie einen Bestandteil des bestimmten Artikels enthalten. Jedoch unterscheiden sich bestimmter und unbestimmter Artikel im Dat und Akk des Sg hinsichtlich des Auslauts nicht. **Am** kann daher ebensogut aus **an dem** wie aus **an einem** entstanden gedacht werden, **zur** aus **zu der** wie aus **zu einer** usw. Dies könnte sehr wohl der Grund dafür sein, daß der semantische Unterschied zwischen bestimmtem und unbestimmtem Artikel bei den Verschmelzungen teilweise neutralisiert ist (Ausnahme: **ins** ≙ **in das**).

Der zweite Punkt, in dem jüngere und ältere Präpositionen sich unterschiedlich verhalten, ist die Bildung von Proformen. Eine spezifische Art der Pronominalisierung von PrGr besteht in der Verbindung von Präposition + Pronomen:

(14) a. **über dem Tisch – über ihm, über dem, über diesem, über jenem**

     b. **zugunsten deines Bruders – zugunsten seiner, zugunsten dessen, zugunsten dieses, zugunsten jenes**

Obwohl die jüngeren Präpositionen sich vornehmlich mit Formen des Demonstrativums **der** verbinden (**infolge dessen; trotz dessen** . . .). funktioniert diese Art der Pronominalisierung für PrGr mit älteren und jüngeren Präpositionen prinzipiell auf dieselbe Weise. Nicht so die zweite Form der Proformbildung für PrGr. Statt **über ihm** kann auch gesetzt werden **darüber**, statt **zugunsten dessen** aber nicht ***dazugunsten**.

Zusammensetzungen aus den Adverbien **hier** und **da** + Präposition (**hiermit, davon**) nennt man *Pronominaladverbien*. Zu dieser Gruppe gehören außerdem Bildungen aus **wo** + Pr (**womit, wozu, wovon** . . .), die sowohl als Frageadverbien (10.1.1) wie als Relativa (7.1) vorkommen. Manchmal werden auch Zusammensetzungen aus einer Form des Demonstrativums + Pr (**deswegen, demgegenüber, dementsprechend, demzufolge**) zu dem Pronominaladverbien gezählt (Grundzüge: 406f., 446f.), andere Grammatiken bezeichnen diese Einheiten als Konjunktionaladverbien, weil sie sich funktional stark den Konjunktionen annähern (Helbig/Buscha 1975: 306f.). Die zuletztgenannten Beispiele zeigen, daß auch jüngere Präpositionen an Zusammensetzungen beteiligt sind, die als Proformen dienen. Von den jüngeren gibt es aber keine Zusammensetzungen mit **hier** oder **da**. Allein auf diese Einheiten kommt es im Augenblick an.

Die Funktion von Ausdrücken wie **hierzu, hiermit, darauf, davon** usw. ist sowohl syntaktisch als auch semantisch prinzipiell die von PrGr mit denselben Präpositionen (Helbig 1974; Rüttenauer 1978). Pronominaladverbien können wie die entsprechenden PrGr als Attribute (15a), als Adverbiale (15b) und als Objekte (15c) verwendet werden. Wie die Pronomina, so können auch die Pronominaladverbien

(15) a. **die Antwort hierauf; das Haus davor**

     b. **Otto schläft daneben; Karlchen spielt dahinter**

     c. **Helga denkt daran; Renate leidet darunter**

selbständig oder phorisch verwendet werden (5.4.1). Die phorische Verwendung ergibt sich schon aus dem Vorhandensein der deiktischen Adverbien **hier** und **da**. Ein Satz wie **Karlchen spielt dahinter** kann mit einer Zeiggeste geäußert werden. Ein Antezedens irgendeiner Art gibt es dann nicht, der Gebrauch von **dahinter** ist

(16) a.

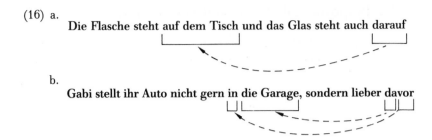

Die Flasche steht auf dem Tisch und das Glas steht auch darauf

b.

Gabi stellt ihr Auto nicht gern in die Garage, sondern lieber davor

selbständig. Beim phorischen Gebrauch kann sowohl die gesamte PrGr als Antezedens dienen (16a) als auch das Nominal allein, wobei die im Pronominaladverb enthaltene Präposition im Kontrast zu einer anderen stehen kann (16b). Pronominaladverbien sind nur sehr selten personenbezogen (Erben 1980: 236). Ein Satz wie **Renate leidet darunter** meint in der Regel, daß Renate unter etwas und nicht unter jemandem leidet.

Eine besondere Form der phorischen Verwendung von Pronominaladverbien ist die als Korrelat zur Ergänzungssätzen wie in **Wir warten darauf, daß die Steuern gesenkt werden** (Genaueres Holmlander 1979; 10.1.3). Diese Verwendung zeigt noch einmal, daß Pronominaladverbien auch in der Funktion von Objekten stehen, und das ist wichtig für die Deutung des Terminus Pronominaladverb selbst. Wir hatten gesagt, daß Pronominaladverbien als Proformen für PrGr dieselben Funktionen erfüllen wie die PrGr. Kategorial sind sie eine Teilklasse der Adverbien. Der Terminus Pronominaladverb ist dann zu lesen als »Adverb, das die spezielle Funktion einer Proform hat«. Er ist ausdrücklich nicht zu lesen als »Proform in adverbialer Funktion« (Rüttenauer 1978: 3; Grundzüge: 446f.). Pronominaladverbien kommen nicht nur in adverbialer Funktion vor, sondern auch als Objekte und als Attribute.

Wir haben damit Verhaltensunterschiede zwischen zwei Klassen von Präpositionen festgestellt, die näherungsweise deckungsgleich sind mit der historisch älteren und der historisch jüngeren Schicht. Es handelt sich dabei jedoch nicht um syntaktische Verhaltensunterschiede. Verschmelzungen und Pronominaladverbien sind selbst keine Präpositionen, sondern morphologische Derivate davon. Daß zwei Ausdrucksklassen verschiedene Derivate haben, kann Ausdruck ihrer syntaktischen Verschiedenheit sein, ist aber als Kriterium für eine syntaktische Klassenbildung nicht hinreichend.

Die funktionale Vielfalt der PrGr bringt die Präpositionen einerseits in die Nähe der obliquen Kasus und läßt sie als Funktionselemente erscheinen. Andererseits unterliegen die PrGr als Adverbiale und als Attribute keiner Rektionsbindung, sie sind hier freie Konstituenten. Dieses von Rektionsbindungen freie Vorkommen der PrGr ist eine Voraussetzung dafür, daß sich der Bestand an Präpositionen so vermehren konnte, wie es im Deutschen geschehen ist. Dies wiederum macht die Präpositionen zu einer offenen Klasse und hat dazu geführt, daß sie sogar als eine der vier lexikalischen Hauptkategorien des Deutschen angesehen werden (Wunderlich 1984).

7.4.2 Präpositionalattribut und Substantivvalenz

Als Attribut ist die PrGr einem Substantiv oder Pronomen, dem Kern der Attributkonstruktion, nebengeordnet. Das Präpositionalattribut folgt fast immer dem Kern.

(1)

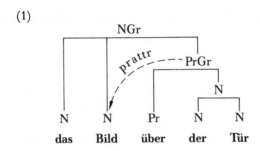

Vorausstellungen wie **über der Tür das Bild** sind selten und nur mit Kontrastakzent möglich (Duden 1984: 726; Sommerfeldt/Schreiber 1983a: 22).

Jede PrGr kann als Attribut verwendet werden. Möglich sind sowohl Präpositionen mit konkreter Bedeutung **(der Spatz auf dem Dach; das Bild über der Tür)** als auch solche, deren Bedeutung abstrakt ist, wie in vielen Präpositionalobjekten **(das Warten auf Paul; die Freude über Helga**; genauer 7.4.1). Das präpositionale Attribut ist die einzige syntaktische Funktion der PrGr, in der sie mit jeder Präposition und die Präposition mit jeder ihrer Bedeutungen auftreten kann.

Im präpositionalen Attribut wird ein Nominalausdruck zum Kernsubstantiv in Beziehung gesetzt. Träger dieser Beziehung ist die Präposition, sie macht die jeweils gemeinte Beziehung lexikalisch explizit. Die über zweihundert verfügbaren Präpositionen sichern dem präpositionalen Attribut erhebliche semantische Reichweite. Sie geht insbesondere weit über die des Genitivattributs hinaus. Das spiegelt sich auch in der Syntax. Während das Genitivattribut sich auf das ihm nächststehende nebengeordnete Substantiv bezieht, ist das Präpositionalattribut in dieser

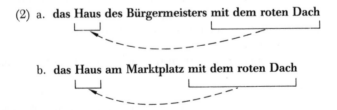

Hinsicht frei. Sowohl in 2a als in 2b ist **Haus** der Kern zur PrGr **mit dem roten Dach.** Ein Präpositionalattribut kann also sowohl ein Genitivattribut als auch ein anderes Präpositionalattribut ›überbrücken‹ und sich auf ein weiter entferntes Substantiv beziehen. Damit wird es möglich, auch mehrere und prinzipiell unbegrenzt viele Attribute zum selben Substantiv zu haben. Beim Genitiv ist ihre Zahl auf zwei begrenzt, nämlich ein vorgestelltes und ein nachgestelltes.

Zwei aufeinanderfolgende Präpositionalattribute sind natürlich nicht immer auf dasselbe Substantiv bezogen, sondern es kann auch Subordination vorliegen. Kon-

(3) a. **die Brücke über den Kanal in Buchholz**
    b. **das Festhalten an dieser Bindung für das ganze Leben**
    c. **die Familie deines Bruders in Amerika**

struktionen dieser Art sind syntaktisch doppeldeutig. Ihnen werden zwei Konstituentenstrukturen zugewiesen, weil sich syntaktisch nicht entscheiden läßt, ob das zuletzt auftretende Attribut dem vorausgehenden neben- oder untergeordnet ist. So kann 3a gelesen werden als »*die Brücke* über den Kanal, *die* sich in Buchholz befindet« und als »die Brücke über *den Kanal, der* sich in Buchholz befindet«. Entsprechende Lesarten haben 3b und 3c (**Aufgabe 84**).

Im Vergleich zum Genitivattribut erweitert also das Präpositionalattribut die Ausdrucksmöglichkeiten der Nominalgruppe auf zwei Weisen. Einmal quantitativ, weil an die Stelle der einen Konstruktionsbedeutung des Genitiv eine große Zahl von Präpositionen tritt, die teilweise noch mehrere Kasus regieren. Zum anderen qualitativ, weil das Präpositionalattribut auch auf entfernter stehende Substantive bezogen sein kann. Erst dadurch wird es auch möglich, mehr als zwei Mitspieler zu einem Kern zu realisieren und von der Stelligkeit des Substantivs zu sprechen, so wie man von der Stelligkeit des Adjektivs oder Verbs spricht.

Bedeutet das, daß Substantive Valenz haben? Sind Genitivattribute und Präpositionalattribute in ähnlicher Weise an Substantive gebunden wie Ergänzungen an Verben und Adjektive? Jedes Substantiv regiert den Genitiv, und es ist möglich, für große Klassen von deverbalen und deadjektivischen Substantiven Genitivattribute auf Aktantenfunktionen der zugrundeliegenden Verben und Adjektive zu beziehen (genitivus subiectivus vs. genitivus obiectivus). Valenz im eigentlich Sinne liegt beim Genitivattribut aber nicht vor. Die Verb- und Adjektivvalenz macht sich gerade daran fest, daß die Einheit eine bestimmte Stellenzahl hat und für jede der Stellen Ausdrücke einer bestimmten Form zugelassen sind. Ein Substantiv kann dagegen ohne Genitivattribut ebenso wie mit einem oder zwei Genitivattributen auftreten. Selbst bei einfachen Appellativa können zwei Genitive stehen. Ausdrücke wie **Karls Rosen dieser Sorte** oder **Helgas Bücher dieses Autors** sind vielleicht selten, ungrammatisch sind sie nicht. Wenn beim Genitivattribut von Valenz gesprochen wird, dann ist jedenfalls nicht ein syntaktischer Valenzbegriff im Sinne von Kap. 3.2 gemeint. Über das Genitivattribut kommt man nicht zu einer syntaktischen Subklassifizierung der Substantive.

Viele Präpositionalattribute kommen dem Verhalten valenzgebundener Einheiten aber scheinbar ziemlich nahe. Das gilt vor allem wieder für Attribute bei Substantiven, die von Adjektiven und Verben abgeleitet sind. Ganz allgemein gilt, daß ein Präpositionalobjekt bei einem Adjektiv oder Verb sich in derselben Form als Präpositionalattribut beim abgeleiteten Substantiv wiederfindet. Auch nominale Ergänzungen wie das Subjekt und das direkte Objekt können vielfach systematisch auf Präpositionalattribute bezogen werden. Im einzelnen gilt folgendes (Droop 1977: 69ff.; s. a. 7.3.1).

1. *Genitivobjekt.* Ein als Genitivobjekt enkodierter Aktant taucht beim Substantiv als Präpositionalobjekt auf, niemals als Genitivattribut. Ein Teil der Verben mit Genitivobjekt kann auch ein Präpositionalobjekt nehmen. Das Attribut beim deverbalen Substantiv hat dann die Form dieses Präpositionalobjekts:

(4) a. **sich erinnern an – die Erinnerung an**
    b. **sich schämen über – die Scham über**
    c. **spotten über – der Spott über**
    d. **sich besinnen auf – die Besinnung auf**

Nominalisierungen von Verben, die nur ein Genitivobjekt zulassen, nehmen zur Enkodierung des entsprechenden Aktanten ebenfalls ein Attribut mit einer bestimmten Präposition. Die Wahl der Präposition ist jedoch uneinheitlich. So haben wir **bedürfen** mit den Nominalisierungen **Bedürfnis nach** und **Bedarf an/nach/von**. Zu **gedenken** gibt es die Nominalisierung **Gedanke an**, deren Präposition aber mit Sicherheit auf **denken an** zurückgeht.

2. *Dativobjekt.* Hier liegen die Verhältnisse ähnlich. Ein Teil der Verben mit Dativobjekt kann auch ein Präpositionalobjekt nehmen und gibt damit die Form des Attributes vor (5a). Ein größerer Teil läßt für den entsprechenden Aktanten kein Präpositionalobjekt zu (5b). Die Wahl der Präposition bei den zugehörigen Nominalisierungen ist wieder uneinheitlich (**Dank an; Gehorsam gegenüber; Hilfe für**).

(5) a. **schreiben an; vertrauen auf; zustimmen zu; beitreten zu**
    b. **danken, drohen, gehorchen, gratulieren, helfen, raten, kündigen, mißtrauen**

3. *Akkusativobjekt.* Einem Akkusativobjekt entspricht in den meisten Fällen ein genitivus obiectivus. Er kann fast immer durch ein Präpositionalobjekt mit **von** ersetzt werden (**die Berufung von einem Psycholinguisten; die Verhaftung von fünf Polizisten; der Verkauf von französischen Autos**). Ein Präpositionalattribut mit **von** entspricht in der Regel einem direkten Objekt, wenn das Substantiv von einem transitiven Verb abgeleitet ist.

Auch einige transitive Verben nehmen neben dem akkusativischen ein präpositionales Objekt. In solchen Fällen taucht dieselbe Präposition im Attribut auf (6a). Bei

(6) a. **verlangen nach; rufen nach; suchen nach**
    b. **fürchten, lieben, hassen, wünschen**

einigen Verben schließlich findet sich der Aktant des direkten Objekts immer als Präpositionalattribut. Diese Verben bezeichnen Gemütszustände (6b) und sind bezüglich der semantischen Restriktion des Subjekts mit denen in 6a verwandt.

4. *Subjekt.* Der Aktant des Subjekts kann in Präpositionalattributen mit **von** und mit **durch** enkodiert sein. Bei Ableitungen von transitiven Verben ist die **von**-Phrase dem Objekt vorbehalten, der Subjektaktant erscheint im Attribut mit **durch** (**der Verkauf von älteren Schulgebäuden durch die Stadt; der Bau von zwei Stahlwerken durch ein deutsch-britisches Konsortium**). Bei Ableitungen von allen anderen Verben kann der Subjektaktant als **von**-Phrase erscheinen (**die Nörgelei von Emma; die Hilfe von Karl; der Rat von Paula**). **Von** und **durch** im präpositionalen Attribut sind also ganz systematisch auf grammatische Subjekte bezogen: **durch** auf das grammatische Subjekt von transitiven Verben im Aktivsatz, **von** auf alle anderen Subjekte (nämlich die der intransitiven und die der transitiven im Passivsatz). Als Präpositionalattribut erscheint auch das Subjekt bei Verben wie **begeistern** (**Aufgabe 85**).

5. *Präpositionalobjekte* werden natürlich systematisch auf Präpositionalattribute übertragen. Eine formale Übereinstimmung von Objekt und Attribut ist zumindest überall dort gegeben, wo die Nominalisierung einem produktiven Ableitungsmuster folgt. Ist das Substantiv lexikalisiert und hat es eine andere Bedeutung als nach dem Ableitungsmuster zu erwarten wäre, dann kommt es vor, daß ein zum Objekt formgleiches Attribut nicht existiert. So haben wir **jemanden zu etwas bewegen** aber nicht **die Bewegung zu etwas** und wir haben **auf etwas weisen** aber nicht **die Weisung auf etwas**. Fälle dieser Art sind relativ selten und verlangen eine je besondere Erklärung.

Dasselbe gilt für andere in dieser Übersicht nicht aufgeführte Zusammenhänge zwischen verbaler und substantivischer Valenz. Es gibt zahlreiche Subregularitäten und viele singuläre Fälle. Nominalisierungen sind zwar einerseits Derivate und als solche semantisch und syntaktisch an ihre Basiseinheiten gebunden, sie sind aber andererseits Substantive in eigenem Recht und können sich jederzeit mehr oder weniger weit von der Basis entfernen.

Der Begriff der Substantivvalenz bei abgeleiteten Substantiven füllt sich weiter, wenn man auch die anderen Formen von Verbergänzungen berücksichtigt. Die folgenden Beispiele zeigen, daß alle Ergänzungen in gleicher Form als Attribute vorkommen. Ausgenommen sind allein die reinen Kasus.

(7) a. daß-Satz
    der Ärger, daß Fritz krank ist; die Behauptung, daß das stimmt

   b. ob-Satz
    die Unsicherheit, ob Inge kommt; ein Hinweis, ob etwas passiert ist

   c. wie-Satz
    die Frage, wie das gehen soll; der Vorschlag, wie du dich kämmst

   d. zu-Infinitiv
    die Hoffnung zu gewinnen; der Versuch, den Zugang freizuhalten

Ob eine Nominalisierung ein Attribut bestimmter Form zuläßt, hängt ab von den Valenzeigenschaften des Basisverbs und vom Nominalisierungstyp. Nominalisierungen auf **ung** verhalten sich anders als solche auf **er, heit, tum** usw. (dazu auch **Aufgabe 77**). Im übrigen können die Substantive wie die Verben nach den Komplementen entsprechend 7 subklassifiziert werden: ***Die Hoffnung, ob Inge kommt ist** ebenso ungrammatisch wie ***Wir hoffen, ob Inge kommt**. Die sich ergebende Klassifikation der Substantive ist tatsächlich eine syntaktische.

Bei den Präpositionalattributen ist das nicht der Fall. Die Präpositionalattribute liefern uns keine syntaktische Subklassifizierung der Substantive, sondern nur eine semantische. Sie verhalten sich in dieser Beziehung wie die Genitivattribute. Wenn wir davon sprechen, daß eine bestimmte Präposition an ein Substantiv ›gebunden‹ ist, dann ist damit nicht eine syntaktische Bindung wie beim Präpositionalobjekt gemeint. Betrachten wir ein Beispiel.

In **die Hoffnung auf Frieden** ist **auf** die an **Hoffnung** gebundene Präposition, in **Wir hoffen auf Frieden** ist **auf** an das Verb **hoffen** gebunden. Die Valenzbindung von **auf** + Dat an das Verb besagt, daß es eine bestimmte Klasse von Verben gibt, die ein Präpositionalobjekt dieser Form nimmt. Präpositionalobjekte anderer Form sind bei diesem Verb ausgeschlossen, sie führen zu ungrammatischen Sätzen. Der Satz **Wir hoffen im Frieden** etwa ist ungrammatisch, wenn **im Frieden** Objekt sein soll. Möglich ist er nur mit **im Frieden** als Adverbial. Beide Sätze haben in der Regel verschiedene Konstituentenstruktur (8a, b).

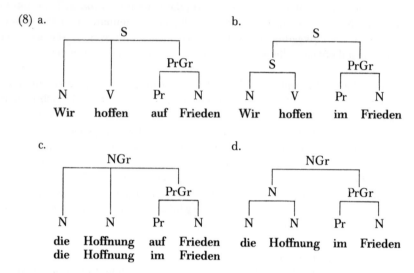

Beim Präpositionalattribut gibt es einen solchen Unterschied nicht. Die PrGr **auf Frieden** ist dem Kernsubstantiv ebenso nebengeordnet wie **im Frieden**. Die Struktur 8d ist aus syntaktischen Gründen ausgeschlossen: **im Frieden** ist wie **auf Frieden** Attribut zu **Hoffnung** und nicht zu **die Hoffnung**. Wir haben einen vergleichbaren Fall schon beim Genitivattribut diskutiert und auch dort festgestellt, daß Strukturen wie 8d nicht in Frage kommen (7.3.1, **Aufgabe 72**). Zwischen **die Hoffnung auf Frieden** und **die Hoffnung im Frieden** besteht kein Unterschied in der Wohlgeformtheit, beide sind wohlgeformt. Das Präpositionalattribut wird im ersten Falle entsprechend einer Aktantenfunktion beim Verb **hoffen** interpretiert, im zweiten Falle nicht. Dies ist ein semantischer und nicht ein syntaktischer Unterschied.

Der Valenzbegriff drängt sich beim Substantiv auf, weil viele Substantive von Verben und Adjektiven abgeleitet sind und als Ableitungen die Aktantenfunktionen der Basis teilweise behalten und auf gleiche Weise enkodieren. Damit ist jedoch keine eigenständige Substantivvalenz begründet. Zwischen einem Substantiv (Kern) und seinen Begleitern besteht die Attributbeziehung, das ist eine ziemlich allgemeine Rektionsbeziehung. Zwischen einem Verb und seinen Ergänzungen besteht die Valenzbeziehung. Das ist eine Rektionsbeziehung sehr spezieller Art. Das Spezifische der Attributbeziehung gegenüber der Ergänzung zeigt sich nicht sofort, wenn man deverbale Substantive betrachtet. Es zeigt sich eher bei den nicht abgeleiteten, den ›eigentlichen‹ Substantiven. Ihnen wollen wir uns jetzt zuwenden.

(9) a. **das Geld des Staates – das Geld gehört dem Staat**
     b. **der Brief an die Regierung – der Brief ist gerichtet an die Regierung**
     c. **der Bus über die Alpen – der Bus fährt über die Alpen**

    d. **der Weg zum Glück** – **der Weg führt zum Glück**
    e. **das Fahrrad für Klaus** – **das Fahrrad ist gedacht für Klaus**

(10) a. **die Schädigung des Staates** – **jemand schädigt den Staat**
      b. **der Glaube an die Regierung** – **jemand glaubt an die Regierung**
      c. **die Fahrt über die Alpen** – **jemand fährt über die Alpen**
      d. **die Erziehung zum Glück** – **jemand erzieht zum Glück**
      e. **die Entscheidung für Klaus** – **jemand entscheidet für Klaus**

9 enthält einige Attribute zu (synchron) nichtdeverbalen Substantiven und dazu jeweils einen Satz, der die Attributbeziehung ›ausbuchstabiert‹. Das Ausbuchstabieren besteht im Hinzufügen eines Verbs, das den Inhalt der Attributbeziehung möglichst genau wiedergibt.

10 enthält Attribute mit deverbalen Substantiven als Kern. Bezieht man sie ebenfalls auf Sätze, so muß man nicht nach einem Verb suchen. Das Verb ist als Basis der Nominalisierung gegeben. Der Kern der Attributkonstruktion ist ein Ausdruck, der eine Relation bezeichnet. Von den Entitäten, die er in Beziehung setzt, ist die eine im Attribut genannt. Weitere können in weiteren Attributen genannt sein oder kontextuell gegeben sein.

Die Attributkonstruktionen in 9 setzen zwei Nominale so zueinander in Beziehung, daß ihr semantisches Verhältnis nur ganz allgemein festgelegt ist. Hinweise geben die Präpositionen und der Kasus in der PrGr, im übrigen ist alles offen. Unser ›Ausbuchstabieren‹ ist ein Versuch, die gemeinte Beziehung zu finden. Dabei müßte gelten: wenn ein Genitivattribut oder ein Präpositionalattribut richtig ausbuchstabiert wird, dann kann man aus der Form des Paraphrasesatzes auf die Syntax des Attributs schließen (Steinitz 1969: 107 ff.; Droop 1977: 88 ff.; Grundzüge: 287 ff.). Ist beispielsweise **Der Brief ist gerichtet an die Regierung** die richtige Paraphrase zu **der Brief an die Regierung**, dann weiß man, daß **an die Regierung** ein Attribut vom Typ Ergänzung ist, denn **an die Regierung** ist Ergänzung im Paraphrasesatz.

Ist ein solcher Bezug systematisch möglich? Beide Konstruktionen beeinflussen sich gegenseitig und weisen in weiten Bereichen formale und semantische Ähnlichkeiten auf. Das heißt aber nicht, daß Attribute reduzierte Sätze sind. Die Ausdrücke in 9 können das bedeuten, was wir ihnen mit dem Ausbuchstabieren zuschreiben, sie können aber auch etwas anderes bedeuten. **Brief an die Regierung** würde nur dann dasselbe bedeuten wie **Brief, der an die Regierung gerichtet ist**, wenn das Verb **richten** semantisch leer wäre. Ein Brief kann an irgendjemanden gerichtet sein, sagen wir an Karl May, und in einem speziellen Kontext dennoch ›Brief an die Regierung‹ genannt werden. Dasselbe gilt für das Genitivattribut. Wenn jemand von **Karls Fuge** spricht, dann kann damit ein Musikstück von Johann S. Bach gemeint sein, das Karl sich zu seinem 80. Geburtstag beim NDR bestellt hat. Diese Beziehung zwischen Karl und ›seiner‹ Fuge fängt auch die abstrakteste Kennzeichnung des Possessivus als ›Verfügung‹ oder dergleichen nicht ein. Und schon gar nicht hat die Grammatik von **Karls Fuge** notwendig etwas mit der Grammatik von **Die Fuge gehört Karl** zu tun. Das Besondere an der Leistung des Attributs besteht darin, daß es außer gewissen standardisierten auch ganz spezielle und an den Kontext gebundene Relationen bezeichnen kann, Relationen, für die vielfach *gerade kein* Verb zur Verfügung steht.

Genitivattribute und Präpositionalattribute geben keine Kriterien für eine syntaktische Subklassifizierung der Substantive ab. Die Valenzgrammatiker des Substantivs tragen dem Rechnung, indem sie ›Valenz‹ hier von vornherein semantisch fassen (Sommerfeld/Schreiber 1983a; Teubert 1979; anders jedoch Engel 1977: 98 ff.). Aber sie sind darin nicht konsequent. Sie kennzeichnen Ausdrücke, die ihren Valenzkriterien nicht entsprechen, als ungrammatisch, so als wären sie syntaktisch nicht wohlgeformt. Hier eine kleine Auswahl solcher Ausdrücke **Der Mann nach Frankfurt; das Haus am Morgen** (Droop 1977: 96, 98), **Vaters Schreibtisch des Direktors** (Engel 1977: 132); **der Mann wegen des Staubsaugers; Quarz am Nachmittag** (Steinitz 1969: 116); **das Laster von der Trunksucht** (Teubert 1979: 26). Unserer Auffassung nach sind diese Ausdrücke grammatisch und ohne Schwierigkeiten interpretierbar. Das Spezifische an der Attributrelation ist, daß sie semantisch wenig festgelegt ist. Was immer wir an nominal benennbaren Entitäten auf wie verwickelte und abseitige Weise zueinander in Beziehung setzen: wir werden eine Attributkonstruktion finden, die auf die Beziehung ›paßt‹, und sei es, daß wir sagen, »der Baum bezüglich meiner Großmutter«.

8. Subjekte und Objekte

Die Grammatik der Verbergänzungen wurde in ihren Grundzügen im Zusammenhang mit dem Begriff der Valenz besprochen (Kap. 3), ohne daß aber die Besonderheiten der einzelnen Ergänzungen zur Sprache gekommen wären. Das vorliegende Kapitel behandelt die Ergänzungen für sich und stellt ihre Besonderheiten heraus. 8.1 thematisiert den Inhalt des Begriffs Subjekt als *das* Beispiel für eine syntaktische Bestimmungsrelation. 8.2 erörtert zunächst die notorisch schwierige Abgrenzung von Objekten und Adverbialen. Danach wird je ein Fall von besonders enger und lockerer Bindung zwischen Verb und Objekt besprochen (Funktionsverbgefüge bzw. Dativobjekte). Den Schluß bildet ein Abschnitt zu Grundfragen der Satzgliedstellung (8.3).

8.1 Das Subjekt

Fast jeder Satz des Deutschen enthält einen Ausdruck, den man ohne Umschweife als sein Subjekt bezeichnen wird. In **Dieses Bild hängt schief** besteht die Subjektbeziehung zwischen **dieses Bild** und **hängt**. Sie ist explizierbar damit, daß das betreffende Nominal im Nominativ steht und mit dem Prädikat formal korrespondiert. Eine Explikation dieser Art liefert das syntaktische oder grammatische Subjekt, »Subjekt« ist eine syntaktische Bestimmungsrelation.

Außer vom grammatischen wird in Grammatiken auch vom semantischen, logischen oder psychologischen Subjekt gesprochen. Diese Begriffe werden meist in eine komplizierte Beziehung gebracht zum grammatischen Subjekt. Die langandauernde Debatte, was sinnvoll unter ›Subjekt‹ zu verstehen sei, kreist dabei vor allem um zwei Fragen. (1) Wenn viele Sätze des Deutschen Ausdrücke enthalten, die sich von der Form her einheitlich als Subjekt kennzeichnen lassen, dann sollte man annehmen, daß alle diese syntaktischen Subjekte auch funktional etwas Gemeinsames haben, sei es etwas Pragmatisches, Semantisches oder gar Psychisch-Mentales. Denn schließlich kann ihre formale Einheitlichkeit kein Zufall sein (8.1.1). (2) Wie weit ist der übliche syntaktische Subjektbegriff überhaupt ein einheitlicher Begriff? Ist es beispielsweise sinnvoll, nominale Subjekte und Satzsubjekte unter diesem Begriff zusammenzufassen? Sind die syntaktischen Unterschiede nicht größer als die Gemeinsamkeiten (8.1.2).

8.1.1 Semantisches, psychologisches und logisches Subjekt

Den zweiten Teil seiner ›Ausführlichen deutschen Grammatik‹ beginnt Karl Friedrich Becker (1843) mit den Sätzen: »Man nennt den in Worten ausgedrückten Gedanken einen **Satz**. Jeder Gedanke ist ein Akt des menschlichen Geistes, durch welchen der Begriff einer **Thätigkeit** (das Prädikat) mit dem Begriff des **Seins** (dem

Subjekte) zu einer Einheit verbunden, und die **Thätigkeit** als eine Thätigkeit des **Seins** angeschauet wird, z. B. ›Der Baum blühet‹, ›Der Hund ist toll‹.«

Subjekt und Prädikat sind für Becker etwas Psychisches, dem etwas Sprachliches entspricht. Wie ist dieses Verhältnis von Psychischem und Sprachlichem geregelt? Läßt sich das, was unter einem psychologischen Subjekt verstanden wird, grammatisch fassen? Einigen Aufschluß darüber gibt die Erklärung von Paul (1919: 12): »Ein Satz besteht daher mindestens aus zwei Gliedern. Diese verhalten sich nicht gleich. Das eine vertritt die Vorstellung . . ., die zuerst in der Seele des Sprechenden vorhanden ist, das andere die daran neu angeknüpfte. Die erstere bezeichnen wir als das psychologische Subjekt, die letztere als das psychologische Prädikat. Diese brauchen nicht mit dem grammatischen Subj. oder Präd. identisch zu sein. . . . So sind in den Sätzen **mich friert . . . mir graut, aller guten Dinge sind drei** die verschiedenen Kasusformen . . . die psychologischen Subjekte. Weiterhin brauchen . . . die grammatischen Subjekte oder Prädikate nicht psychologische Subjekte oder Prädikate zu sein.«

Psychologisches und grammatisches Subjekt müssen also insbesondere dann nicht zusammenfallen, wenn kein grammatisches Subjekt vorhanden ist. Und sie fallen dann nicht zusammen, wenn das grammatische Subjekt keine lexikalische Bedeutung hat wie beim unpersönlichen **es (Es hagelt)** (5.4.2).

Im Verhältnis von psychologischem und grammatischem Subjekt wird von Becker ebenso wie von Paul ein unabhängiger Begriff von psychologischem Subjekt gesetzt, und es wird dann untersucht, was ihm grammatisch entspricht. Ganz ähnlich verfährt man mit dem, was das logische Subjekt genannt wird. Sütterlin (1923: 300) kommentiert »Man hat früher aber nicht nur ein sprachliches (grammatisches) und ein psychologisches Subjekt und Prädikat unterschieden, sondern auch noch ein *logisches*, und darunter den natürlichen Träger der Verbalhandlung verstanden, auch in einem passiven Satze.« Danach wäre in **Die Partie wurde vom Herausforderer verloren** die von-Phrase das logische Subjekt, eine Auffassung, die sich genau so auch bei Chomsky findet (1969: 97). Das logische Subjekt in diesem Sinne wird häufig auch als semantisches Subjekt oder Agens bezeichnet und ebenso wie das psychologische in Opposition zum grammatischen Subjekt eingeführt. Mit dem logischen Subjekt ist aber in der Regel ein sprachlicher Ausdruck gemeint und nicht eine psychische Entität. So bezeichnet Blatz (1896: 13) als logisches Subjekt »einen obliquen Kasus . . ., der . . . durch leichte Umgestaltung des Satzes in das grammatische Subjekt verwandelt werden kann«, z. B. die Dative in **Mir ist traurig zumute; Dem König ist nicht wohl**. Das ist durchaus verträglich mit dem Ansatz von Paul, der ja nicht diese Ausdrücke, sondern die von ihnen vertretenen Vorstellungen ›psychologisches Subjekt‹ nennt.

Die zitierten älteren Grammatiken bemühen sich, den Subjektbegriff auch dort verwendbar zu machen, wo es kein grammatisches (syntaktisches) Subjekt gibt. Man wollte an der überkommenen Zweiteilung des Satzes in Subjekt und Prädikat festhalten und führte deshalb neben dem grammatischen ein logisches und ein psychologisches Subjekt ein. Weniger explizit war der Versuch, eine einheitliche semantische oder funktionale Deutung für das grammatische Subjekt zu geben. Diese für die Syntax eigentlich interessante Frage wurde differenziert erst in jüngster Zeit bearbeitet. In ihrer Arbeit über das Subjekt im Deutschen, auf die wir uns im folgenden beziehen, diskutiert Reis mehrere Möglichkeiten (Reis 1982).

1. Das Subjekt ist Thema.

(1) a. **Wir sitzen hier alle in** *Hörsaal A. Der* **ist viel zu groß und schlecht geheizt.**

b. *Wir sitzen hier alle in Hörsaal A. Das* **bekommt uns gar nicht gut.**

c. *Wir* sitzen hier *alle* in Hörsaal A. *Jeder* versucht, **was aufzuschreiben.**

Es kommt auf die Thema-Rhema-Struktur (4.5) des jeweils zweiten Satzes der Texte in 1 an. Das Thema wurde, zusammen mit der Bezugseinheit im vorausgehenden Satz, gekennzeichnet. Die drei Sätze haben unterschiedliche Thema-Rhema-Struktur, in allen fallen jedoch Thema und Subjekt zusammen. Haben wir also mit dem Thema eine Explikation des traditionellen Begriffs ›Satzgegenstand‹ vor uns, hat Thema-Rhema etwas mit Subjekt-Prädikat zu tun? Auszählungen haben ergeben, daß in größenordnungsmäßig 60% der geäußerten Aussagesätze des Deutschen Thema und Subjekt zusammenfallen (Engel 1972), daß also kein anderer Mitspieler annähernd so häufig wie das Subjekt zum Thema gemacht wird. Doch sagt schon diese Zahl, daß man ›Subjekt‹ keinesfalls mit Hilfe von ›Thema‹ definieren kann.

(2) a. **Wir sitzen hier alle in** *Hörsaal A. Diesen Hörsaal* **hätte man etwas besser heizen können.**

b. *Wir* **sitzen hier alle in** Hörsaal A. *Uns* **wurde nämlich von der Verwaltung kein anderer Raum zur Verfügung gestellt.**

2 zeigt, daß man unseren Ausgangssatz auch ohne weiteres so fortsetzen kann, daß nicht das Subjekt, sondern ein Objekt zum Thema wird.

Gegen eine Gleichsetzung von Subjekt mit Thema oder Topik sprechen auch Topikalisierungsprozesse. So sind die Objekte **diesen Hörsaal** und **uns** in 2 durch Spitzenstellung topikalisiert. Eine Topikalisierungsprozeß bewirkt, daß ein Satzglied besonders hervorgehoben wird, etwa dadurch, daß der Satz eine markierte Reihenfolge erhält. Dieses hervorgehobene Satzglied ist in der Regel nicht das Subjekt (Huber/Kummer 1974: 96 ff.). Auch wenn Topik und Thema nicht überall und nach allen Auffassungen dasselbe sind, geben die Topikalisierungsprozesse Hinweise darauf, daß das statistisch signifikante Zusammenfallen von Subjekt und Thema im Deutschen auf der Spitzenstellung des Subjekts in der unmarkierten Satzgliedfolge des Hauptsatzes beruht. Eine definierende Größe für ›Subjekt‹ ist das Thema nicht **(Aufgabe 86).**

2. Das Subjekt ist das referentielle Nominal (5.2). In Sätzen wie 3a–c kommen jeweils zwei Nominale vor, von denen eines referentiell ist **(Karl, dein Onkel, Alexanders Freund).** Sätze mit referentiellem Nominal kann man nicht sinnvoll äußern, ohne die Existenz des Denotats zu präsupponieren. Wenn Alexander keinen Freund hat, dann wird 3c nicht einfach falsch, sondern der Satz wird sinnlos.

(3) a. **Karl wird Maurer**

b. **Dein Onkel baut eine Brücke**

c. **Alexanders Freund geht noch zur Schule**

Nach Keenan (1976: 317 f.) ist Referentialität als typisches Merkmal von Subjekt-Nominalen anzusehen. Zumindest dann, wenn ein Satz referentielle und nichtreferentielle Nominale als Mitspieler des Verbs enthält, sollte das Subjekt referentiell sein. Die folgenden Sätze zeigen, daß jede Hypothese dieser Art für das Deutsche unzutreffend ist.

(4) a. **Die Bundesregierung bürgt für die AEG**
    b. **Ein Minister ist nicht notwendig ein Falschmünzer**
    c. **Ihm fehlt eine Tracht Prügel**
    d. **Ihn besucht niemand**

In 4a sind beide Nominale referentiell, in 4b ist es keines, also auch das Subjekt nicht, und in 4c, d ist jeweils nur das Objekt referentiell. Es ist daher aussichtslos, den Begriff der Referentialität zur Grundlage des Subjektbegriffes zu machen (**Aufgabe 87**).

3. Das Subjekt ist agentiv. Die These vom Subjekt als dem Agens, dem Handelnden oder ›Täter‹ wird im allgemeinen nur noch in sehr relativierter Form vertreten mit Formulierungen wie das Subjekt »nennt gemeinhin die *Ansatzstelle* oder *-größe*, den *Träger* des Geschehens oder Seins« (Erben 1980: 139). Einerseits gibt es große Gruppen von Verben, deren Subjektstelle auch im Normalfall nicht von einem Agens besetzt ist, wie die Impersonalia (**es donnert, es spukt**) oder bestimmte Zustandsverben (**Berlin liegt auf dem Territorium der Ostzone**), und es gibt Verben, die schon von ihrer Syntax her jede Agentivität des Subjekts bezüglich ihrer eigenen Bedeutung ausschließen. So hat **Karl** in **Karl scheint zu arbeiten** bezüglich **scheint** nichts von einem Agens, obwohl es ein agensfähiges Substantiv ist. Andererseits gibt es auch Verben, bei denen das Subjekt jedenfalls nicht mehr von einem Agens hat als andere Mitspieler (**Dieser Neubau ärgert mich; Karl gefällt mir**).

Auch wenn Subjekt und Agens nicht gleichgesetzt werden können, gibt es doch Anhaltspunkte für eine inhärente Agensbezogenheit des Subjekts.

(5) a. **Viele große Firmen schädigen wissentlich den Staat**
    b. **Der Staat wird wissentlich von vielen großen Firmen geschädigt**

Das tätigkeitsbezogene Adverbial **wissentlich** bezieht sich in 5a nur auf das Subjekt, nicht aber auf den Aktanten, der als Objekt erscheint. In 5b erscheint dieser Aktant als Subjekt und kann, so die Hypothese, deshalb als Bezug für **wissentlich** dienen. 5b hat daher zwei Bedeutungen: sowohl dem Staat als auch den großen Firmen kann das Wissen über eine Schädigung unterstellt sein. Wie gewichtig solche Fakten als Anzeichen für eine inhärente Agensbezogenheit des Subjekts sind, muß vorläufig dahingestellt bleiben (Reis 1982: 181 ff.).

Damit sind die Möglichkeiten, nach einem nichtsyntaktischen Korrelat zum grammatischen Subjekt zu suchen, zwar noch nicht erschöpft. Keenan (1976) nennt in seinem Versuch, einen für alle Sprachen gültigen Subjektbegriff zu ermitteln, mindestens zwei weitere ›subjekttypische‹ Eigenschaften, die für das Deutsche in Betracht gezogen werden könnten (**Aufgabe 88**). Aber auch diese und alle weiteren bekannten Versuche führen nicht zum Ziel. Der Schluß ist unvermeidlich, daß das grammatische Subjekt kein einheitliches, außersyntaktisches Korrelat hat.

Aus dieser Erkenntnis sind ganz unterschiedliche Konsequenzen gezogen worden. In der zitierten Arbeit von Keenan wird statt mit einem nun mit vielen ›subjekttypischen‹ Kriterien gleichzeitig operiert. Keenan geht es um einen universell gültigen Subjektbegriff, seine Liste bildet aber auch die Grundlage für die Bestimmung dessen, was unter ›Subjekt‹ in den Sätzen einer Einzelsprache zu verstehen sei. Die Idee ist, für jedes Nominal in einem Satz anzugeben, wieviele der subjekttypischen Eigenschaften es hat. Das Nominal ist umso ›subjekthafter‹, je mehr dieser Eigenschaften es besitzt, statt vom Subjekt wird zunächst nur von der Subjekthaftigkeit eines Ausdrucks gesprochen. **Den Studenten** in 6a bezeichnet etwas Belebtes und ist Agens. Mit diesen Eigenschaften ist es eher das Subjekt als **den Semesterferien**. Aus

(6) a. **Den Studenten graut vor den Semesterferien**
    b. **Die Studenten haben Angst vor den Semesterferien**

gleichen Gründen ist **die Studenten** auch Subjekt von 6b, nicht aber **Angst** oder **den Semesterferien**. **Die Studenten** in 6b hat darüber hinaus das für das Deutsche typische Subjektmerkmal, daß es im Nominativ steht und ist damit jedenfalls ›subjekthafter‹ als **den Studenten** in 6a.

Für Keenan sind nicht allein syntaktische Gesichtspunkte ausschlaggebend. Wie die alten Grammatiken findet er mit seinem Ansatz in jedem Satz ein Subjekt, in dem er eines finden will. Dieses Vorgehen mag seinen Sinn für die Universalienforschung haben, um die es Keenan zuerst geht. Es ist aber nicht zu sehen, wie man so etwas über die Funktion des grammatischen Subjekts einer Einzelsprache herausfinden kann.

Ein anderer Denkansatz findet sich in der berühmten Abhandlung von Charles Fillmore (1968) über Kasustheorie. Fillmore zieht die Konsequenz aus der Tatsache, daß ein oberflächensyntaktisch bestimmter Subjektbegriff schon deshalb kein einheitliches semantisches Korrelat haben kann, weil die Aktantenfunktionen für die Verben einer Sprache sehr vielfältig sind. Wenn man die vom deutschen Verbwortschatz geforderten und zugelassenen Mitspieler semantisch charakterisiert mit Begriffen wie Agens, Instrumental, Lokativ usw. und sich die Verteilung dieser semantischen Rollen (Fillmore nennt sie Tiefenkasus, heute spricht man meist von thematischen Relationen) auf die Verben ansieht, dann stellt man fest, daß keiner der Tiefenkasus bei allen Verben auftritt. Wir haben das oben für das Agens angedeutet, es gilt aber ebenso für alle anderen Aktantenfunktionen. Man stellt weiter fest, daß keinem der Tiefenkasus immer dieselbe Oberflächenform entspricht und daß umgekehrt auch keine der oberflächensyntaktisch definierten Ergänzungen stets die gleiche semantische Funktion hat, das Subjekt ebensowenig wie die verschiedenen Objekte. Was an Tiefenkasus bei einem Verb notwendig und möglich ist, hängt von der Verbbedeutung ab. Wer die Verbbedeutung kennt, weiß daher auch, welche Bedeutung i. S. von Tiefenkasus die Mitspieler des Verbs haben. Das einzige, was zum Verstehen des Komplexes aus Verb und Mitspielern dann noch erforderlich ist, ist die Identifikation der einzelnen Tiefenkasus, etwa dadurch, daß der eine als Nominativ und der andere als Dativ realisiert ist. Nehmen wir als Beispiel das Verb **helfen** in seiner zweistelligen Version wie in **Wir helfen dir**. Die semantischen Rollen der Mitspieler liegen aufgrund der Verbbedeutung als Agentiv und Benefaktiv (dem Kasus dessen, zu dessen Nutzen etwas geschieht) fest. Die sprachliche

Form muß es nun möglich machen, die Rollen (1) zu unterscheiden und (2) zu identifizieren. Unterschieden werden sie mit der Form des Nominativ und des Dativ. Identifiziert werden sie mit Hilfe einer allgemeinen Regularität, die besagt, daß, wenn ein Verb einen Agentiv und einen Benefaktiv nimmt, das Agens als Nominativ (Subjekt) und der Benefaktiv als Dativ (indirektes Objekt) realisiert wird. Entscheidend ist, daß Regeln dieser Art die Form von Konditionalen haben. Es wird nicht mehr gesagt, das Subjekt sei ein Agentiv, sondern es wird gesagt, daß, wenn ein Agentiv da ist, dieser als Subjekt realisiert wird. Ist kein Agentiv da, aber ein Instrumentalis, so wird der Instrumentalis als Subjekt realisiert. Fillmore bringt die Tiefenkasus in eine Ordnung, die er Kasushierarchie nennt. Ranghöchster Kasus ist der Agentiv, gefolgt vom Instrumental, Dativ, Faktitiv, Lokativ und Objektiv sowie weiteren Kasus, zu denen auch der erwähnte Benefaktiv gehört. Es wird also behauptet, daß das Subjekt die Realisierung des jeweils ranghöchsten Tiefenkasus sei. Damit liegt ein Ansatz zur systematischen Erfassung der verschiedenen semantischen Rollen des Subjekts vor, der gleichzeitig erklärt, wie eine Sprache mit wenigen Oberflächenkasus in der Lage ist, die zahlreichen semantischen Rollen der Mitspieler des Verbs einwandfrei zu identifizieren (**Aufgabe 89**).

Das Konzept der Kasusgrammatik ist in einer umfangreichen Literatur kritisiert, weiterentwickelt und von Fillmore selbst in einer jüngeren Arbeit teilweise neu formuliert worden (1977). Es hat sich gezeigt, daß die Regeln der Kasushierarche trotz ihrer nur vermittelten Bindung an syntaktische Relationen noch immer zu starr sind. Das heißt aber nicht unbedingt, daß sie vollends aufgegeben werden müssen. Dazu ein Beispiel.

Viele Verben haben mehrere Valenzmuster, so daß dieselben Aktantenfunktionen auf unterschiedliche Weise syntaktisch realisiert sind (3.2.2; 4,5). Fillmore (1968: 32) bringt das Beispiel 7 und Reis (1982: 179 f.) fügt dem solche wie 8 und 9 aus dem Deutschen hinzu.

(7) a **Your speech impressed us with its brevity**
   b. **The brevity of your speech impressed us**

(8) a. **Dein Getue ärgert mich**
   b. **Du ärgerst mich mit deinem Getue**

(9) a. **Wir schlossen die Vorführung mit einer Polka ab**
   b. **Eine Polka schloß die Vorführung ab**
   c. **Die Vorführung schloß mit einer Polka ab**

9a enthält einen Agentiv, einen Objektiv und einen Instrumental und ist ebenso wie 9b mit der Kasushierarchie vereinbar. In 9c ist jedoch der Objektiv und nicht, wie es die Kasushierarchie fordert, der Instrumental grammatisches Subjekt.

Reis beobachtet nun, daß nicht nur **abschließen** Valenzmuster entsprechend 9 hat, sondern ebenso andere ›Zeitverben‹ wie **beginnen, anfangen, (sich) fortsetzen**. Die in 9c festgestellte Abweichung von der Kasushierarchie wäre damit systematischer Art, sie würde für eine ganze Gruppe von semantisch verwandten Verben gelten. Man hätte neben den Hierarchieregeln für einen Kernbereich von Verben weitere Regeln anzusetzen, mit denen die Varianten erfaßt werden, soweit sie für bestimmte

270

Klassen systematisch gebildet sind. Seine Grenze findet ein Verfahren dieser Art beispielsweise an formalen und insbesondere morphologischen Gegebenheiten. So gilt das angedeutete Muster der ›Zeitverben‹ beispielsweise nicht für **beschließen** und **eröffnen**. Beide sind aufgrund ihrer Morphologie (**be, er**) transitiv und haben daher das Valenzmuster aus 9c nicht.

Es sind also offenbar mehrere Faktoren an der Verteilung der semantischen Rollen auf die syntaktischen Funktionen beteiligt. Auch wenn sich das Gewicht der Hierarchieregeln dabei schwer abschätzen läßt: das Operieren der Kasusgrammatik mit bedingten Regeln ist ein entscheidender Fortschritt. Damit wird verstehbar, wie eine Enkodierung der semantischen Rollen zugleich systematisch und der Bedeutung des einzelnen Verbs angepaßt erfolgen kann.

8.1.2 Grammatisches Subjekt

Wir wenden uns der zweiten am Beginn des Kapitels aufgeworfenen Frage zu: Welche sprachlichen Einheiten sind mögliche Subjekte, wie weit soll der Subjektbegriff gefaßt werden? Bisher ist ja so geredet worden, als ginge es nur um Nominativ-Nominale in Sätzen mit Vollverben. Im Kapitel über Verbvalenz haben wir andererseits ohne Umschweife auch von Subjektsätzen und -infinitiven sowie vom Subjekt bei Kopulaverben und Modalverben gesprochen. Problematisch in Hinsicht auf den Umfang des Subjektbegriffs sind neben den Subjektsätzen vor allem die Gleichsetzungsnominative in Kopulasätzen und verwandten Konstruktionen, weil sie nicht immer von Subjekten zu unterscheiden sind. Reis (1982) argumentiert, daß man keinen Subjektbegriff verwenden sollte, der mehr umfaßt als Nominale im Nominativ. Ein ›weiter‹ Subjektbegriff sei überflüssig und fasse Ausdrücke zusammen, die wenig Gemeinsames hätten.

Für eine Grammatik, die wesentliche Merkmale der Satzstruktur aus dem Valenzverhalten von Verben ableitet, ist ganz intuitiv das Gemeinsame aller Subjekte bei einem Verb, daß sie dieselbe Stelle besetzen, eben die Subjektstelle. Im Deutschen ist das die Stelle, die mit einem Nominativ besetzt werden kann und die die formale Korrespondenz zwischen Subjekt und Prädikat steuert. Auf letztere kommen wir etwas später zu sprechen. Das Kriterium der Besetzbarkeit mit einem Nominativ-Nominal stößt häufig auf den Einwand, daß es subjektlose Sätze und also Verben und Adjektive gibt, die kein Subjekt nehmen. Wir fassen sie noch einmal zusammen. Außerdem gibt es viele passivische Sätze, die kein grammati-

> (1) a. **Ihm schwindelt/graut**
> b. **Ihr ist komisch/schlecht/unheimlich/kalt/warm**
> c. **Ihn dürstet/hungert/friert**

sches Subjekt haben, systematisch z. B. solche mit Verben, die ein Dativ-Objekt nehmen wie in **Ihm wird geholfen/vertraut/verziehen**.

Dem ist entgegenzuhalten, daß es kein einziges Verb im Deutschen gibt, das nicht ein grammatisches Subjekt nehmen *kann* und daß auch jedes Verb im Passiv ein grammatisches Subjekt nimmt. Das ist eine Eigenschaft, die das Subjekt von allen anderen Mitspielern unterscheidet.

Soll man nun als grammatisches Subjekt ausschließlich Nominale im Nominativ zulassen und damit etwa Sätze ausschließen? Reis' Argument »bei Infinitivbildungen gibt es keine Fälle ausgelassener ›Subjekt‹-Sätze im Bereich der Komplementkonstruktionen« (1982: 194) bezieht sich auf Sätze wie **Die Stadt beschloß, diesen Baum zu fällen**. Der **zu**-Infinitiv gewinnt den Subjektaktanten aus dem übergeordneten Satz, hier vom Subjekt **die Stadt**, denn es ist die Stadt, die den Baum fällen wird. Wir nennen **die Stadt** ein ›indirektes Subjekt‹ zum Infinitiv. Im Beispiel wäre also das (direkte) Subjekt zu **beschloß** gleichzeitig indirektes Subjekt zu **fällen**, und Reis stellt fest, daß ein Satz in Subjektposition nicht indirektes Subjekt zu einem solchen Infinitiv sein könne, sondern lediglich ein Nominal im Nominativ. Dem Subjektsatz fehlt demnach eine wichtige Subjektfunktion, die das nominativische Nominal hat. Zur Überprüfung der These beschränken wir uns auf **daß**-Sätze, suchen also nach Infinitivkomplementen, die sich auf **daß**-Sätze als Subjekte beziehen (2).

(2) a. **Daß du nichts tust,** $\left\{ \begin{array}{l} \textbf{beginnt} \\ \textbf{fängt an} \end{array} \right\}$ **mich zu ärgern**

b. **Daß er alt wird, trägt dazu bei, ihn unsicher zu machen**

c. **Daß sie befördert wird, führt dazu, die anderen neidisch zu machen**

d. **Daß du zu Hause bleibst, hilft nicht, die Startbahn zu verhindern**

e. **Daß du sprichst, verdient, erwähnt zu werden**

f. **Daß du ihm herausgeholfen hast, verlangt, belohnt zu werden**

g. **Daß wir das Heil in der Abwehr suchen, verspricht, ein voller Erfolg zu werden**

Auch wenn **daß**-Sätze als indirekte Subjekte in manchen Punkten ein anderes Verhalten zeigen als Nominative (11.2.1), haben beide Konstruktionen doch das entscheidende Merkmal gemeinsam.

Ein anderer Bereich, in dem Reis »klare Anzeichen dafür [sieht], daß ›Subjekt‹-Sätze nicht wie Nominativ-NPs als Bezugs-NPs fungieren« (1982: 194), ist die sogenannte Subjekt-Prädikat-Kongruenz, der wir uns jetzt zuwenden wollen (Dal 1969; Findreng 1976). Wir haben den Begriff Kongruenz in diesem Zusammenhang vermieden und allgemeiner von formaler Korrespondenz zwischen Subjekt und Prädikat gesprochen. Betrachten wir zunächst die Grundregularität.

Die Grundregularität wird meist beschrieben mit einer Formulierung wie »Subjekt und finites Verb kongruieren in Hinsicht auf Person und Numerus«. Die Person-Kongruenz kann demonstriert werden mit 3a, die Numeruskongruenz mit 3b.

(3) a. **ich gehe**
     du gehst
     er geht
   b. **ich gehe**
     wir gehen

Das Paradigma des Personalpronomens **ich**^{P} enthält 24 Formen, wenn man von der Aufspaltung der 3. Ps Sg **(er/sie/es)** absieht. Diese 24 Formen sind kategorisiert nach Person (je acht 1., 2., 3. Ps), Numerus (je 12 Sg/Pl) und Kasus. Jede Form des Personalpronomens ist mit Einheitenkategorien entsprechend Person und Numerus zu beschreiben. Das gleiche gilt für die finiten Verbformen. Jede dieser Formen wird u. a. in Hinsicht auf Person und Numerus beschrieben. Beim Zusammentreffen von Personalpronomen und finiter Verbform wie in 3 liegt nach unserer Explikation (2.2.2) Kongruenz vor. Man muß sich dabei vor Augen halten, daß die grammatischen Kategorien von Personalpronomen und Verb wohl kongruieren, nicht aber identisch sind, auch wenn sie die gleichen Namen tragen. Die Gleichbenennung der Kategorien ist nichts anderes als grammatische Gewohnheit, die eben die Subjekt-Prädikat-Kongruenz zum Ausdruck bringt. Das Wissen um die Kongruenz ist der Grund für die Gleichbenennung, und es ist falsch, die Gleichbenennung als ›Ursache‹ für die Kongruenz zu berufen, wie das geschieht mit Formulierungen wie »Im Satz stimmen Subjekt und Finitum hinsichtlich der grammatischen Person überein« (Duden 1984: 646). Damit wird der Eindruck erweckt, als handele es sich nicht um kongruierende, sondern um identische Kategorien.

Bei den meisten Subjekten im Deutschen liegt nun keine Kongruenz mit dem finiten Verb vor, sondern Rektion. Kongruenz in Hinsicht auf Person ist bei Personalpronomina im Subjekt gegeben, sonst aber nicht. Insbesondere ist sie nicht bei substantivischen Nominalen gegeben, d. h. in einem Satz wie **Der Mann steht am Tor** liegt keine Kongruenz hinsichtlich Person vor. Das Paradigma **der Mann**[P] wird in Kasus und Numerus flektiert, nicht hinsichtlich Person, es gibt weder eine 1. noch eine 2. Person zu **der Mann**. Die formale Abhängigkeit zwischen Subjekt und finitem Verb in der Person ist als Rektionsbeziehung zu fassen: ein substantivisches Subjekt fordert für das Verb die 3. Person, eine Paradigmenkategorie regiert eine Einheitenkategorie. In Hinsicht auf den Numerus liegt dagegen bei substantivischen Subjekten Kongruenz mit dem finiten Verb vor, denn das Substantiv flektiert im Numerus.

Natürlich ist die Wahl er 3. Ps hier kein Zufall. Sie beruht darauf, daß man sich auf solche Subjekte mit Pronomina der 3. Ps bezieht **(der Mann – er)**. Das syntaktische System wird durch die Wahl der 3. Ps für das finite Verb durchsichtig und ökonomisch, jede andere Wahl würde zu erheblichen Komplikationen führen. Das ändert aber nichts daran, daß das Reden von Kongruenz oder gar Übereinstimmung in der Person für substantivische Subjekte den Sachverhalt nicht trifft.

Noch einen Schritt weiter müssen wir bei Subjektausdrücken gehen, die keine Nominale sind. Sie kongruieren mit dem finiten Verb weder in der Person noch im Numerus. Sätze und **zu**-Infinitive haben keinen Plural. Die Formbeziehung zum finiten Verb kann wiederum nur eine Rektionsbeziehung sein. Nichtnominale Subjekte fordern beim Verb den Sg wie in **Daß er froh ist, gefällt uns**. Auch diese Wahl ist nicht zufällig, denn der Sg ist gegenüber dem Pl unmarkiert, und man bezieht sich auf Sätze grundsätzlich mit singularischen Pronomina wie **dies, es, das, was**. Es wird die 3. Ps Sg als die ›unmarkierte Verbform‹ gewählt (4.2).

Auf zwei Punkte kommt es besonders an. (1) Die sogenannte Subjekt-Prädikat-Kongruenz ist im Deutschen in den allermeisten Fällen nicht eine reine Kongruenzbeziehung, sondern teilweise oder ganz eine Rektionsbeziehung. (2) Das Verhalten der Subjektsätze fügt sich logisch in das System der formalen Korrespondenz zwischen Subjekt und Prädikat ein. Der Übergang von den Personalpronomina zu den substantivischen Nominalen ist qualitativ vergleichbar (analog) dem Übergang von den substantivischen Nominalen zu den Sätzen. Jedesmal wird eine Kongruenzbeziehung ersetzt durch eine Rektionsbeziehung.

Für mit **und** koordinierte nominale Subjekte gilt nun im allgemeinen, daß sie beim Verb den Plural fordern, auch wenn sie selbst im Singular stehen (**Aufgabe 90**):

(4) a. **Hansens Absage und Fritzens fehlende**

    Entschuldigung $\left\{ \begin{array}{l} \text{*ärgert} \\ \text{ärgern} \end{array} \right\}$ **mich sehr**

   b. **Der Zeitpunkt von Hansens Ankunft und die Dauer seines**

    Aufenthaltes $\left\{ \begin{array}{l} \text{*müßte} \\ \text{müßten} \end{array} \right\}$ **doch zu ermitteln sein**

Formt man diese Subjekte in (Subjekt-)Sätze um, so ist aber für das Verb nicht mehr der Plural, sondern der Singular gefordert.

(5) a. **Daß Hans nicht kommt und Fritz sich nicht dafür**

    entschuldigt, $\left\{ \begin{array}{l} \text{ärgert} \\ \text{*ärgern} \end{array} \right\}$ **mich sehr**

   b. **Wann Hans kommt und wie lange er bleibt,** $\left\{ \begin{array}{l} \text{müßte} \\ \text{*müßten} \end{array} \right\}$ **doch zu**

    ermitteln sein

Reis zieht aus diesem Unterschied den Schluß (1982: 195) »die betreffenden Satztypen enthalten für den Sprecher keine Bezugs-NP für Kongruenz. Dies zeigt, daß die Kongruenzregel tatsächlich Nominativ-bezüglich ist; eine ›Subjekt‹-bezügliche Formulierung und die damit verbundene Gleichstellung von Nominativ-NPs und den betreffenden Gliedsätzen als ›Subjekte‹ sind nicht gerechtfertigt.«

Es trifft zu, daß Numerus-Kongruenz nur bei nominativischen Nominalen vorliegt. Sätze sind nicht hinsichtlich Numerus markiert, auch dann nicht, wenn sie koordiniert sind. Es wäre ein schwerer Verstoß gegen den im syntaktischen System verankerten Unterschied zwischen Nominal und Satz, wenn man koordinierten Sätzen wie in 6 die Kategorie Plural zuweisen müßte. Der Singular des Verbs ist zu erwartender und logischer Ausdruck der Tatsache, daß das Subjekt satzwertig ist, nicht aber Ausdruck dafür, daß die Sätze nicht als Subjekte anzusehen sind. Auch das weitere syntaktische Verhalten koordinierter Subjektsätze zeigt, daß man im Verb nur den Singular erwarten darf. So bezieht man sich auf die Subjekte von 4 mit einem pluralischen Pronomen (z. B. **sie**), auf die Subjekte in 5 aber mit einem singularischen (z. B. **es**).

Was den Umfang betrifft, plädieren wir also für einen weiten, am Valenzkonzept orientierten Subjektbegriff. Sollen wir aber auch jede Konstituente, die die Eigenschaften eines grammatischen Subjekts hat, als Subjekt bezeichnen? Das Problem wird virulent bei Sätzen mit Gleichsetzungsnominativen. Bei den Kopulaverben und einigen Vollverben wie **heißen** und **scheinen**, die sehr spezielle syntaktische Eigenschaften haben, können zwei Nominative stehen, die beide grammatisch als Subjekt in Frage kommen. Wir beschränken uns auf die Betrachtung einiger Kopulasätze vom Typ **Der Baum ist eine Fichte**, dessen Nominale wir als Subjekt und Prädikatsnomen bezeichnen. Ist diese Benennung willkürlich oder läßt sich entscheiden, welches Nominal Subjekt und welches Prädikatsnomen ist? Es zeigt sich nämlich, daß nicht nur beide Nominale im Nominativ stehen, sondern daß beide im Regelfall auch im Numerus übereinstimmen und also beide mit dem Verb im Numerus kongruieren (6).

(6) a. Der Wal ist $\left\{ \begin{array}{l} \text{ein Säugetier} \\ \text{*Säugetiere} \end{array} \right\}$

    b. Wale sind $\left\{ \begin{array}{l} \text{*ein Säugetier} \\ \text{Säugetiere} \end{array} \right\}$

Daneben finden sich allerdings zahlreiche Fälle, in denen sehr wohl zu entscheiden ist, welche Kontituente Subjekt und welche Prädikatsnomen ist. So kommen in 7 nur **du** bzw. **ich** als Subjekte in Frage (Personkongruenz), in 8 nur **das** bzw. **wer**

(7) a. Du $\left\{ \begin{array}{l} \text{bist} \\ \text{*ist} \end{array} \right\}$ der Täter

    b. Ich $\left\{ \begin{array}{l} \text{bin} \\ \text{*bist} \end{array} \right\}$ der Täter

(8) a. Das $\left\{ \begin{array}{l} \text{*ist} \\ \text{sind} \end{array} \right\}$ Tatsachen

    b. Wer $\left\{ \begin{array}{l} \text{*ist} \\ \text{sind} \end{array} \right\}$ die Leute?

(Numeruskongruenz). Und auch in 6 lassen sich die Nominale syntaktisch unterscheiden, etwa durch einen Stellungstest mit **nicht** (**Ein Säugetier ist der Wal nicht** vs. ***Der Wal ist ein Säugetier nicht**). Aber wird damit gerade der Unterschied zwischen Subjekt und Prädikatsnomen angezeigt? Und gibt es nicht doch Fälle, in denen überhaupt kein syntaktischer Unterschied zwischen den Nominalen besteht, etwa in ›echten‹ Gleichsetzungssätzen mit zwei referentiell identischen nominalen wie in **Mein Bruder ist der Kaiser von China**? (Genauer dazu Wiese 1984). Es ist nicht ausgemacht, daß die vielfach unternommenen Versuche zur Unterscheidung von Subjekt und Prädikatsnomen wirklich erfolgreich sind. Denn sie laufen meist darauf hinaus, nicht durchweg tragfähige syntaktische Gesichtspunkte oder eben wieder außersyntaktische wie Thema-Rhema-Struktur, Referentialität der Nominale oder semantische Relationen zwischen den Nominalen (Klasseninklusion) als definierende Größen für ›Subjekt‹ heranzuziehen (**Aufgabe 91**; Zur Übersicht Findreng 1976: 348ff.).

Bei der Nichtunterscheidbarkeit von Subjekt und Prädikatsnomen handelt es sich um einen Fall von syntaktischer Mehrdeutigkeit besonderer Art, dessen einzelne charakteristische Merkmale aber auch sonst im Deutschen vorkommen. Betrachten wir dazu 9.

(9) a. **Der Präsident des VfB Stuttgart ist der Kultusminister von Baden-Württemberg**

    b. **Die Industrie fördert die Wissenschaft**

    c. **Die Frau friert**

9b ist eines der Beispiele, in denen Nominativ und Akkusativ (Subjekt und direktes Objekt) nicht unterschieden werden können. Es bleibt – wie in der Realität – unklar, wer hier wen fördert. Allerdings gibt es nur jeweils eine Subjekt-Objekt-Kombination. Ist **die Industrie** Subjekt, dann kann **die Wissenschaft** nur Objekt sein und umgekehrt. Ähnlich liegen die Verhältnisse in 9a. Sieht man **der Kultusminister von Baden-Württemberg** als Subjekt an, dann kann **der Präsident des VfB Stuttgart** nur Prädikatsnomen sein und umgekehrt.

Der Unterschied zwischen 9a und 9b besteht darin, daß 9b bei den beiden unterschiedlichen Subjekt-Objekt-Konstellationen verschiedene Bedeutungen hat, 9a dagegen hat bei beiden Konstellationen dieselbe Bedeutung. Aber auch damit steht dieser Satztyp nicht allein. In 9c kann **die Frau** ebenfalls Subjekt oder Objekt sein (analog zu **ich friere** und **mich friert**) und der Satz bedeutet in beiden Fällen dasselbe. 9a ist daher in seiner relationalen Strukturiertheit weder singulär noch fällt er theoretisch aus dem Rahmen. Die Nichtunterscheidbarkeit von Subjekt und Prädikatsnomen führt zu syntaktischer Mehrdeutigkeit, ist aber kein Anlaß, den Subjektbegriff aufzugeben.

8.2 Zur Grammatik der Objekte

Unter den von einem Verb oder prädikativen Adjektiv regierten Ausdrücken kann in der Regel einer als Subjekt ausgemacht werden. Alle übrigen werden Objekte genannt.

Wenn ein Ausdruck einer bestimmten Form als Objekt auftritt, dann bedeutet das nicht, daß jeder Ausdruck dieser Form auch Objekt ist. Objekt ist er nur dann, wenn er valenzmäßig an das Verb gebunden ist. Wir werden in den drei folgenden Abschnitten die wichtigsten Fälle dieser Art besprechen. 8.2.1 und 8.2.2 erörtern syntaktische Funktionen der Präpositionalgruppen, 8.2.3 befaßt sich mit den sogenannten freien Dativen. Insgesamt geht es um die weitere Ausfaltung des Valenzbegriffes. Jeder der untersuchten Bereiche zeigt spezifische Besonderheiten gegenüber den ›normalen‹ Objekten, jeder von ihnen zeigt deshalb auch, wo ein syntaktischer Valenzbegriff seine Grenzen hat.

8.2.1 Präpositionalgruppen als Objekte und Adverbiale

Präpositionalgruppen können vom Verb regiert sein (1a), sie können aber auch vom Verb unabhängig sein (1b). Ist die PrGr an das Verb gebunden, dann hat sie die

(1) a. **Sonja hängt an ihrer Puppe**
    b. **Ilse frühstückt in der Küche**

Funktion eines Objekts mit der Struktur in 2a, ist sie nicht an das Verb gebunden, dann ist sie Adverbial und in der Regel auf einen Satz bezogen (2b). Die Frage, ob und unter welchen Bedingungen PrGr als Adverbial auf das Verb bezogen sind, erörtern wir nicht. Bezugspunkt für die weitere Diskussion sind allein die Funktionen entsprechend 2.

(2) a.

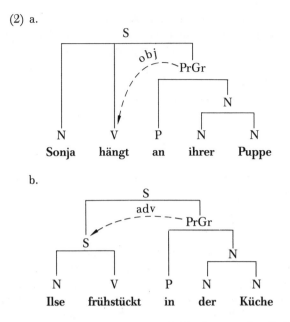

b.

In älteren Grammatiken werden beide Funktionen der PrGr teilweise gar nicht unterschieden (Sütterlin 1923: 346f.; aber auch Schmidt 1973: 168f.), teilweise trennt man sie rein semantisch (Blatz 1896: 19f.; aber auch Admoni 1970: 266) und faßt etwa Orts-, Zeit- und Kausalangaben als adverbiale Bestimmungen oder Umstandsbestimmungen zusammen. Diese werden den Präpositionalobjekten mit einer ›inhaltsleeren‹ Präposition gegenübergestellt. 2a enthielte ein Präpositionalobjekt, 2b eine adverbiale Bestimmung des Ortes.

Diese zweite Sichtweise ist wohl der historischen Perspektive geschuldet, der unsere Großväter Grammatiker verpflichtet waren. »Die älteste Schicht der Präpositionen geht zurück auf Ortsadverbia ... Stand noch ein Kasus daneben, so war dieser eigentlich vom Verbum abhängig, das Adv. diente nur zu genauerer Bestimmung des im allgemeinen schon durch den Kasus bezeichneten Raumverhältnisses. Von hier aus ... ging [das Adverb] eine engere Verbindung mit dem Kasus ein und wurde so zur Präp.« (Paul 1920: 3). Wenn der Vorgang sich so abgespielt hat, dann liegt es aus historischer Sicht nahe, die entstehenden PrGr als Ortsangaben einheitlich zu behandeln und die aus und neben den Ortsangaben sich entwickelnden Zeit- und Kausalangaben zur so etablierten Klasse von Adverbialen zu rechnen.

Das Zitat von Paul enthält jedoch auch einen Hinweis in eine andere Richtung. Es heißt, daß der Kasus »vom Verbum abhängig« war. Nehmen wir an, daß damit ein Rektionsverhältnis gemeint ist, dann heißt das, daß etwa ein lokativer Dativ nicht bei jedem Verb stehen konnte. Er war valenzgebunden. Die neu entstehende PrGr stand damit von vornherein im Spannungsfeld zwischen den syntaktischen Funktionen ihrer Bestandteile. Sie konnte einerseits in der Position des Adverbs auftreten und war Adverbial, andererseits stand sie an der Stelle des reinen Kasus und war dort Objekt. In beiden Fällen hätte sie lokale Bedeutung, so daß auch für die historisch frühe Form der PrGr eine rein semantische Unterscheidung von Objekt und Adverbial nicht möglich wäre.

Tatsächlich ist es noch niemandem gelungen, die Objekt- und Adverbialfunktion der PrGr durchgängig zu trennen. Ist damit die Unterscheidbarkeit der Funktionen selbst in Frage gestellt? Die Diskussion über die Abgrenzung von Objekten und Adverbialen wurde zeitweise so geführt, als ginge es dabei um eine Überlebensfrage des Valenzgedankens überhaupt. Helbig/Schenkel (1975: 24 f.) sprechen von einer nötigen Voraussetzung für einen ›klaren Valenzbegriff‹, eine ganz dem Thema gewidmete Monografie will versuchen, den Valenzbegriff »vollständig zu klären und einheitlich zu fassen« mit Hilfe von »klaren Abgrenzungskriterien und überzeugenden Analyseverfahren, die es erlauben, eindeutig zwischen valenzgebundenen und nicht valenzgebundenen Satzgliedern zu unterscheiden« (Heuer 1977: 1). Für Seyfert (1976: 43) ist die Frage gar »Der neuralgische Punkt einer jeden Grammatik, die auf der Valenz des Verbs aufgebaut wird.«

Aus den Abgrenzungsproblemen wurde auch umgekehrt geschlossen, daß ein syntaktischer Valenzbegriff nichts taugt und Valenz ›eigentlich‹ etwas Semantisches oder Pragmatisches sei. Formulierungen wie »daß rein ausdruckssyntaktische Valenzbegriffe . . . Unzulänglichkeiten und Widersprüchlichkeiten aufweisen (Eroms 1981: 388) tun, als seien die Mängel notwendig mit jedem syntaktisch fundierten Valenzbegegriff verbunden. Mit einem semantischen Valenzbegriff beschreibt man Bedeutungen von Einheiten, mit einem syntaktischen ihre Form. Das ist der ganze Unterschied. Verkennt die Behauptung, ein syntaktischer Valenzbegriff sei schon deshalb zu verwerfen, weil er nicht in jedem Einzelfall zu entscheiden erlaube, ob eine PrGr Adverbial oder Objekt sei, nicht ein Problem syntaktischer Analysen im Allgemeinen? Keine syntaktische Kategorie oder Relation kann eindeutig von jeder anderen abgegrenzt werden. Möglich ist eine scharfe Abgrenzung überhaupt nur dort, wo die Grammatik nicht eine gegebene Sprache beschreibt, sondern wo sie selbst eine Sprache ›definiert‹, wie das formale Grammatiken tun. Manche Adjektive kommen den Artikeln nahe, manche Vollverben den Modalverben, es gibt Präpositionalgruppen, die den Präpositionen nahekommen, und die jeweils umgekehrten Fälle gibt es ebenfalls. Kann man deshalb behaupten, es gäbe weder Artikel noch Modalverben oder Präpositionen als syntaktische Kategorien? Nur wer die Frage bejaht und das gesamte Kategoriengebäude in Frage stellt, kann mit den genannten Abgrenzungsproblemen die Möglichkeit eines syntaktischen Valenzbegriffes in Frage stellen. Tut er es aber, dann befindet er sich in der Lage des Mannes, der einen Mulatten trifft und den Schluß zieht, es gäbe weder Schwarze noch Weiße.

Wir wollen nun zuerst die Gründe nennen, die dafür geltend gemacht worden sind, daß eine PrGr Objekt ist. Danach behandeln wir einige der Vorschläge zur Abgrenzung von Objekten und Adverbialen (zur Übersicht Brinker 1972: 158 ff.; Engelen 1975a: 61 ff., 110 ff.; Biere 1976).

Als Präpositionalobjekt wird traditionell eine PrGr angesehen, deren Präposition *keine festumrissene Bedeutung* hat. Die Präposition ist zwar nicht einfach bedeutungslos, ihre Bedeutung ist aber eher der flexivischer als der lexikalischer Einheiten vergleichbar. Deshalb spricht man hier auch vom Präpositionalkasus. Die Präpositionen sind Funktionselemente, sie leisten letztlich dasselbe wie Kasusmorpheme:

(3) a. **Helmut glaubt an Helga**
    b. **Karla verliebt sich in Karl**

c. Joseph leidet unter Jolante
d. Hans verläßt sich auf Harald

Die These von der Bedeutungslosigkeit gibt kein syntaktisches Kriterium zur Abgrenzung der Präpositionalobjekte ab. Aber auch als semantische Bedingung ist sie weder notwendig noch hinreichend für Präpositionalobjekte (s. u.). Und schließlich ist – auch unabhängig von lokalistischen Bedeutungskonzeptionen – bezweifelt worden, daß überhaupt Bedeutungslosigkeit vorliegt (**Aufgabe 92**).

Ein formbezogenes Kriterium ist, daß in Präpositionalobjekten nur *Präpositionen der alten Schicht* vorkommen können, nicht aber die jüngeren, morphologisch komplexen wie **infolge, entsprechend, zuzüglich, aufgrund**. Allerdings ergibt sich hier nur eine notwendige, nicht aber hinreichende Bedingung für Präpositionalobjekte, denn die alten Präpositionen können auch in Adverbialen stehen. Und syntaktisch ist das Kriterium nur dann, wenn alte und neue Präpositionen syntaktisch unterschieden werden können. Wir haben diese Möglichkeit verneint (7.4.1).

Eine andere Bedingung ist der *Bezug auf Pronominaladverbien*. Verben mit Präpositionalobjekt besetzen die Objektstelle auch mit einem Pronominaladverb, und der Inhalt dieser Konstituente kann durch ein entsprechendes Pronomen erfragt werden.

(4) a. **glauben an etwas – glauben daran – glauben woran?**
b. **bestehen auf etwas – bestehen darauf – bestehen worauf?**
c. **bitten um etwas – bitten darum – bitten worum?**
d. **leidan unter etwas – leiden darunter – leiden worunter?**

Das Pronominaladverb nimmt die Präposition der PrGr auf, für die sie steht. Das Pronominaladverb kann als Proform dann stehen, wenn das Verb eine bestimmte Präposition fordert, und insofern ist seine Verwendbarkeit eine notwendige Bedingung für bestimmte Präpositionalobjekte. Freilich nicht für alle, denn nicht alle Präpositionalobjekte in unserem Sinne sind nur mit einer oder einer geringen Zahl von Präpositionen realisierbar (s. u.). Das Umgekehrte gilt ebenfalls nicht immer. Nicht jedes Pronominaladverb besetzt eine Objektstelle: (**Johanna tanzt am liebsten auf Parkett – Johanna tanzt am liebsten darauf**). **Auf dem Parkett** ist hier nicht Objekt.

In engem Zusammenhang mit dem vorigen steht das Kriterium *Kommutierbarkeit*. Ein Objekt liegt zweifelsfrei dann vor, wenn bei einem Verb genau eine Präposition stehen kann (**warten auf**) und alle anderen zu ungrammatischen Ausdrücken führen. Dieser Fall kommt relativ selten vor. Können mehrere Präpositionen stehen, so ist die Bedingung dennoch manchmal streng erfüllt. In Fällen wie **bestehen auf – aus** liegt nämlich nicht ein Verb mit zwei Präpositionen vor, sondern es gibt zwei Verben **bestehen**, die jeweils eine verschiedene Präposition fordern (Heringer 1968). Das Kriterium kann in seiner Anwendbarkeit möglicherweise erweitert werden. Ebenso wie ein Verb flexibel in der Kasuswahl sein kann, kann es auch flexibel in der Wahl der Präposition sein (**sprechen mit – zu – von – über**). Die Bedingungen, unter denen hier von Rektion gesprochen werden kann, müssen dann genauer angegeben werden.

Auf die Parallelität von nominalem und präpositionalem Objekt hebt die Bedingung der *Austauschbarkeit* ab. Eine PrGr ist dann Objekt, wenn der von ihr bezeichnete Aktant auch als nominales Objekt enkodiert sein kann (Erben 1980: 147 ff.; Matzel 1976).

(5) a. **jemandem schreiben – an jemanden schreiben**
   b. **jemandem etwas sagen – zu jemandem etwas sagen**
   c. **jemanden rufen – nach jemandem rufen**
   d. **sich jemandes erinnern – sich an jemanden erinnern**

Diese Bedingung kann in einer relativ geringen Zahl von Fällen als notwendiges und hinreichendes Merkmal für den Status einer PrGr als Objekt gelten (**Aufgabe 93**). Allerdings ist nicht immer leicht zu entscheiden, ob tatsächlich ›derselbe Aktant‹ enkodiert ist. Beispielsweise dürfte in **Helga schämt sich seiner** und **Helga schämt sich wegen ihm** nicht derselbe Aktant gemeint sein.

Das letzte Kriterium schließlich ist die *Obligatorik*. Eine PrGr ist dann Objekt, wenn ihr Weglassen den Satz ungrammatisch macht. So eindeutig syntaktisch dieses Kriterium ist, so ungeklärt und umstritten sind die Folgerungen, die aus seiner konsequenten Anwendung für den Valenzbegriff zu ziehen sind. Denn während alle bisher genannten Kriterien bis zu einem gewissen Grade mit dem semantischen Kriterium ›Präposition hat keine konkrete Bedeutung‹ in Einklang zu bringen waren, ist dies nun ganz bestimmt nicht mehr möglich. Es gibt zahlreiche nicht tilgbare PrGr mit unterschiedlichen Bedeutungen wie den folgenden.

(6)   Ort (lokal)

   a. Er $\left\{ \begin{array}{l} \text{befindet sich} \\ \text{lebt} \\ \text{wohnt} \end{array} \right\}$ **in München**

   b. **Die Zeitung steckt hinterm Spiegel**
   c. **Der Bleistift liegt neben dem Radiergummi**

(7)   Ort (direktional)
   a. **Er steckt das Geld in die Hosentasche**
   b. **Sie stellte das Auto vor die Tür**
   c. **Helga stieg auf einen hohen Baum**

(8)   Zeit
   a. **Die Sitzung dauert bis acht Uhr**
   b. **Diese Leistung weist ins 21. Jahrhundert**

(9)   Grund
   a. **Der Brand entstand aus Unachtsamkeit**
   b. **Das kommt vom vielen Saufen**

(10)   Instrument
   a. **Johanna umgibt sich mit einflußreichen Leuten**
   b. **Karl operiert mit schlechten Argumenten**
   c. **Hans überhäuft Anetta mit Frechheiten**

Die Verbbedeutung ist in solchen Fällen so spezialisiert, daß eine semantisch konkrete Ergänzung der jeweiligen Art verlangt ist. **Sich befinden** etwa bezeichnet eine Relation zwischen einem Individuum und einem Ort, **entstehen** eine Relation zwischen einem Sachverhalt (es läßt Subjektsätze zu) und seinem Grund.

Auch wenn man für einzelne Beispiele darüber streiten kann, ob die PrGr wirklich obligatorisch ist (vgl. z. B. 9a mit **Da ist ein Brand entstanden**), muß zugestanden werden, daß Präpositionen in jeder nur denkbaren Bedeutung in obligatorischen PrGr vorkommen können, sogar in ihrer konkretesten, der lokalen Bedeutung. Von Nichtkommutierbarkeit kann keine Rede sein, denn ein ganzes Bündel von Präpositionen kann hier auftreten. Außerdem kann die Stelle durch Adverbien und entsprechende Nebensätze besetzt werden (**Karl befindet sich hier; Karl befindet sich, wo der Pfeffer wächst**).

Ist es angesichts dieser Vielfalt überhaupt möglich, die Besetzbarkeit der betreffenden Stelle syntaktisch zu spezifizieren oder kommt man nur semantisch weiter, etwa indem man feststellt, hier müsse eine Ortsangabe stehen? Meistens nimmt man dies an und rechnet die PrGr in 6 und 7 nicht zu den Objekten, sondern zu einer Zwitterrelation, die man mit entsprechenden Hybridbezeichnungen wie ›notwendige Adverbialbestimmung‹ (Helbig/Schenkel 1975: 41f.) oder ›Umstandsergänzung‹ (Duden 1966: 480ff.) versieht. Es ist sogar erwogen worden, das Kriterium Obligatorik zur Unterscheidung von Ergänzungen und Angaben ganz fallen zu lassen und Ergänzungen nur noch morphologisch zu spezifizieren (Andresen 1973). Die Folge sind wieder ›obligatorische Angaben‹, die morphologisch frei sein können. Auch Andresen zählt das Beispiel **wohnen** zu dieser Gruppe. Tatsächlich ist die PrGr jedoch weder in **wohnen** noch in einem der anderen Verben aus 6 und 7 frei. **Wohnen** fordert immer dann, wenn eine Präposition mehrere Kasus zuläßt, den Dativ. ***Ich wohne in die Schweiz** ist ungrammatisch und darin drückt sich eine Rektionseigenschaft von **wohnen** aus. Auch wenn beide Kasus möglich sind, ist das nichts Besonderes. Warum sollte es erlaubt sein, das Verhältnis von 12a und 12b als

(11) a. **Ich stecke die Zeitung hinter den Spiegel**
b. **Die Zeitung steckt hinter dem Spiegel**

(12) a. **Ich koche die Milch**
b. **Die Milch kocht**

systematisch aufeinander bezogene Valenzmuster anzusehen (›Intransitivierung‹, 3.2), nicht aber das von 11a und 11b? In der Weigerung, obligatorische PrGr generell als Objekte anzusehen, drückt sich eine Anhänglichkeit an die alte, semantisch fundierte Unterscheidung von Objekt und Adverbial aus. Ein Präpositionalobjekt ist nach unserer Auffassung gekennzeichnet durch Präposition und Kasus. Wenn Eroms (1981: 324) meint »Die immer noch vorhandene Kasusmorphologie der durch Präpositionen angeschlossenen Nomina wird auf den Status von bedeutungslosen Morphemen herabgedrückt, deren Funktion nicht mehr angebbar ist«, so trifft dies gerade auf die kritischen Fälle nicht zu: Kommutierbarkeit der Präposition geht einher mit Fixiertheit des Kasus. Wir plädieren dafür, nicht weglaßbare PrGr zu den Objekten zu zählen, auch wenn nicht im einzelnen geklärt ist, auf welche Weise die entsprechende Stelle beim Verb syntaktisch am besten zu charakterisieren ist.

Zwei Teilrelationen der syntaktischen Relation Präpositionalobjekt wurden bis jetzt besprochen. Einmal das Präpositionalobjekt im traditionellen Verständnis mit verbregierter Präposition. Es kann obligatorisch oder fakultativ sein und mit Hilfe einer Reihe syntaktischer Tests relativ gut abgegrenzt werden. Zum anderen die obligatorischen PrGr mit nicht festliegender, aber auch keineswegs beliebiger Präposition. Das Verb regiert hier den Kasus des Nominals in der PrGr. Gibt es nun fakultative Objekte des zuletztgenannten Typs? Gibt es etwa bei einer lokalen oder temporalen, weglaßbaren PrGr wie in 13b, 14b, 15b die Möglichkeit zu entscheiden, ob sie Objekt (wie die PrGr in a) oder Adverbial sind? Dazu die Positionen von Autoren der Valenzwörterbücher.

(13) a. **Helga besteht auf ihrem Recht**
      b. **Karl schläft auf dem Sofa**

(14) a. **Tausende starben am Hunger**
      b. **Tausende starben am Euphrat**

(15) a. **Karl fragt nach Turnschuhen**
      b. **Egon fragt erst nach bestandener Prüfung**

Das Mannheimer Valenzlexikon (Engel/Schumacher 1976) beruft sich besonders auf Überlegungen von Ulrich Engel. »Angaben sind Glieder, die von allen Elementen einer Wortklasse abhängen können. Ergänzungen sind Glieder, die nur von bestimmten Elementen einer Wortklasse abhängen (können). Oder: Ergänzungen sind subklassenspezifische Glieder.« (Engel 1977: 100). Damit ist gesagt: ob eine bestimmte PrGr Angabe oder Ergänzung ist, hängt davon ab, ob sie bei jedem Verb stehen kann. Eine stimmte PrGr kann daher nicht beim einen Verb Ergänzung und beim anderen Angabe sein, sondern sie ist immer entweder das eine oder das andere. Nun hat aber das ganze Abgrenzungsproblem zur Voraussetzung, daß ein bestimmter Ausdruck mal die eine und mal die andere Funktion hat. Engel gibt als Beispiel **Sonja kauft Töpfe auf dem Markt**, mit **auf dem Markt** als Angabe. An anderer Stelle (1977: 172) bezeichnet er **am Starnberger See** als Ergänzung in **Kappus wohnt am Starnberger See**. Folglich ist **auf dem Markt** Ergänzung in **Kappus wohnt auf dem Markt** und **am Starnberger See** ist Angabe in **Sonja kauft Töpfe am Starnberger See**. Das Kriterium Subklassenspezifik ist hinfällig.

Aber nehmen wir einmal an, es gäbe die Mehrfachfunktionalität nicht, sondern jede Einheit könnte genau einer Funktion zugewiesen werden. Worauf liefe der Vorschlag dann hinaus? Man müßte die betreffende PrGr zu jedem Verb setzen und feststellen, ob ein grammatischer Satz entsteht. Engels Vorschlag läuft auf ein reines Distributionskriterium zur Unterscheidung von Ergänzungen und Angaben hinaus. Die distributionelle Methode ihrerseits führt bei konsequenter Anwendung aber immer zu einem Punkt, an dem man nicht mehr weiß, ob die gebildeten Ausdrücke ungrammatisch sind oder ›nur‹ semantisch ausgeschlossen, weil ›unsinnig‹ oder ›nicht verstehbar‹. Anders ausgedrückt: es gibt nur sehr kleine Klassen von Einheiten in einer Sprache, die zweifelsfrei identische Distribution haben, die in genau denselben Umgebungen vorkommen können.

Weil es auch für die meisten PrGr mit räumlicher Bedeutung Vorkommensbeschränkungen irgendwelcher Art gibt, sind sie nach Engels Ansatz Ergänzungen. Es ergibt sich ein Begriff von Ergänzung, der weit in den Bereich des traditionellen Adverbials hineinreicht. Dem ganz entgegengesetzt ist die Explikation von Helbig und Schenkel, die in der Einleitung zu ihrem Valenzwörterbuch gegeben wird.

Helbig/Schenkel (1975: 35 ff.) trennen Ergänzungen und Angaben mit einem Paraphrasetest. 14b ist paraphrasierbar mit **Sie starben, als sie am Euphrat waren,** 15b ist paraphrasierbar mit **Egon fragt erst, nachdem er die Prüfung bestanden hat.** Die jeweiligen Sätze in a sind so nicht paraphrasierbar, sie enthalten also Ergänzungen. Die Sätze in b enthalten die PrGr als Angaben. Der Test setzt an die Stelle der Angabe einen zweiten Satz, der idealiter semantisch dasselbe leistet wie die Angabe.

Der Test leuchtet ein, weil er die semantische Leistung der Angaben nachvollzieht, und er läßt sich erfolgreich anwenden zur Trennung der obligatorischen von den übrigen Orts-, Zeit- und Kausalbestimmungen. Dazu braucht man ihn freilich nicht, denn das Kriterium ›Obligatorik‹ ist für sich ausreichend. Zur generellen Trennung von Ergänzungen und Angaben taugt der Test nicht. Denn jeder Satz mit einer nicht-obligatorischen Orts-, Zeit- oder Kausalbestimmung kann irgendwie mit zwei Sätzen paraphrasiert werden, unabhängig davon, ob die PrGr Ergänzung oder Angabe ist. Tendenziell führt der Test dazu, den Bereich der Angaben weit zu fassen und Orts-, Zeit- und Kausalbestimmungen nur dann als Ergänzungen auszuweisen, wenn sie bei einer bestimmten Verbbedeutung obligatorisch sind. Eine wirkliche Einschränkung für die Angaben ergäbe sich erst, wenn die genaue Form der Paraphrase festgelegt und nicht einfach auf »entsprechende Sätze« verwiesen würde (Helbig/Schenkel 1975: 37). Wo aber eine Paraphrase genau spezifiziert wird wie mit Eroms' **geschehen**-Test (**Karl spielt im Garten – Karl spielt. Das geschieht im Garten.** Eroms 1981: 42 ff.), da ergibt sich nicht ein syntaktischer, sondern ein semantischer Valenzbegriff.

Das Leipziger und das Mannheimer Valenzwörterbuch unterscheiden sich bei den Einträgen für die einzelnen Verben keineswegs so sehr, wie man nach den unterschiedlichen Valenzbegriffen erwarten sollte. Keine der Autorengruppen hält sich in der praktischen Arbeit genau an das, was sie theoretisch fordert. Offenbar weiß man in den meisten Fällen ganz gut, welche PrGr valenzgebunden sind und welche nicht. Und keinesfalls kann das Faktum bezweifelt werden, daß es einerseits syntaktisch an das Verb gebundene und andererseits vom Verb unabhängige PrGr gibt (**Aufgabe 94**).

8.2.2 Dativobjekt und freier Dativ

Die obliquen Kasus Gen, Dat und Akk haben wir bisher kennengelernt in je bestimmten syntaktischen Funktionen, und zwar den Gen als Attribut und Objekt, den Dat und den Akk als Objekt, sowie alle drei als Kasus von präpositional gebundenen Nominalen. Gibt es nun weitere syntaktische Funktionen dieser Kasus und ist es insbesondere möglich, sie als Adverbiale ›frei‹ zu verwenden? Die Frage läßt sich nicht für alle drei gemeinsam beantworten. Jeder von ihnen hat noch andere als die eben genannten Funktionen.

(1) Genitiv
 a. **Da kamen fröhliche Demonstranten des Weges**
 b. **Eines Tages hatte Otto genug**
 c. **Seines Erachtens hatte Paul ganz recht**

(2) Dativ
 a. **Ihr seid mir schöne Republikaner**
 b. **Karl wusch seiner Schwester das Auto**
 c. **Du warst dem Richter wohl zu frech**

(3) Akkusativ
 a. **Wir schliefen den ganzen Tag**
 b. **Sie gingen den halben Weg zu Fuß**

Der folgende Abschnitt behandelt allein den Dativ. Beim Dat ist sowohl die Zahl der in Frage kommenden Konstruktionen als auch die Häufigkeit ihrer Verwendung am größten. Und für keinen anderen Kasus sind die ›freien‹ Verwendungen ähnlich ausführlich untersucht worden wie für den Dativ. Was aber ist ein freier Dativ, was unterscheidet ihn von den Objekten?

Ein typisches Dativverb wie das dreistellige **überreichen** nimmt neben dem Subjekt ein dativisches (persönliches) und ein akkusativisches (unpersönliches) Objekt. Dabei sind die Satzglieder nicht an eine bestimmte Reihenfolge gebunden, sondern können mehrere Positionen im Satz einnehmen. Einige davon gibt 4 wieder (Genaueres 8.3).

(4) a. **Der Meier überreicht dem Schulze das Bundesverdienstkreuz**
 b. **Der Meier überreicht das Bundesverdienstkreuz dem Schulze**
 c. **Das Bundesverdienstkreuz überreicht der Meier dem Schulze**

Jedem der Sätze kann nun ein weiterer Dat hinzugefügt werden, beispielsweise das Pronomen **mir**. Wir erhalten statt 4a **Der Meier überreicht mir dem Schulze das Bundesverdienstkreuz**. Dieses **mir** kann im Hauptsatz nur nach dem finiten Verb stehen. Alle anderen Positionen sind ausgeschlossen (z.B. **Der Meier überreicht dem Schulze mir das Bundesverdienstkreuz*). Beide Dative verhalten sich also syntaktisch verschieden und sind zumindest nicht Objekte im selben Sinne. So wie **mir** verhalten sich noch **dir, uns** und **euch**. Die Dative des Personalpronomens der 1. und 2. Ps sind in dieser besonderen syntaktischen Funktion nicht an bestimmte Verben gebunden. Der Dativ ist frei, er ist eine Angabe und stets einem Satz nebengeordnet.

Man nennt das Dativnominal in dieser Funktion *ethischen Dativ*. Becker (1843: 234f.) charakterisiert seine Leistung so: »Eine Beziehung auf ein Empfinden und Begehren drückt insbesondere derjenige Dativ aus, welcher auf eine ganz unbestimmte Weise eine gemütliche Teilnahme der sprechenden oder angesprochenen Person an dem Ausgesagten bezeichnet, z.B. **Ich lobe mir das Landleben. Es sind Euch gar trotzige Kameraden.**« Mit dem Ethicus bringt der Sprecher sich selbst oder den Adressaten auf einer kommunikativ-pragmatischen Ebene ins Spiel. Seine Leistung ist zu Recht mit der von Abtönungspartikeln verglichen worden (**Du bist** mir ein Schwätzer – Du bist vielleicht ein Schwätzer – Du bist mir vielleicht ein Schwätzer; Wegener 1985: 51; zum Ethicus Abraham 1971; **Aufgabe 95**).

Auch in den folgenden Sätzen haben die Dativnominale nicht dieselbe syntaktische Funktion. Streicht man nämlich **zu** bzw. **genug**, dann werden solche Sätze

(5) a. **Du schreibst ihnen der Oma zu selten**
    b. **Ich spende ihm wohl der Partei zu wenig?**
    c. **Karl folgt ihm den Aufforderungen der Polizei nicht schnell genug**

ungrammatisch (***Du schreibst ihnen der Oma selten**). Die spezifische Funktion von **mir** in 5a ist an das Vorkommen von **zu** oder **genug** gebunden: das Dativnominal wird von **zu** + Adj bzw. Adj. + **genug** regiert.

Man spricht hier vom Dativ des Beurteilers oder *dativus iudicantis*. Er kann dort stehen, wo ein unflektiertes Adjektiv durch **zu** oder **genug** modifiziert wird, also beim adjektivischen Prädiaktsnomen (6a) und beim adjektivischen Adverbial (6b).

(6) a.

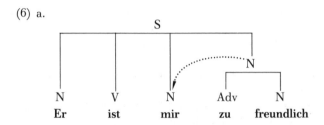

    b.

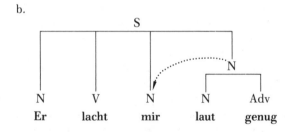

Der Judicantis kann prinzipiell dieselben Positionen einnehmen wie ein dativisches Objekt. Auch in der Konstituentenhierarchie nimmt er dieselbe Stellung ein wie die Ergänzungen. Dennoch ist er keine Ergänzung (Brinkmann 1971: 109; Jung 1973: 207), denn er ist nicht im Stellenplan des Adjektivs oder Verbs verankert. Auch der Analyse des Judicantis als satzmodifizierend (Wegener 1985: 54f.) stimmen wir nicht zu, weil er eindeutig an die Kookkurrenz mit einem Satzglied gebunden ist.

Den Judicantis findet Blatz (1896: 425f.) auch in Sätzen wie **Nun hieß er jedem klug und schön**. Die engere Fassung erlaubt es aber, den Judicantis syntaktisch abzugrenzen und ihm eine einheitliche Leistung zuzuschreiben. Das Dativnominal bezeichnet eine Person, die für eine skalierbare Größe (Adjektiv) einen Normwert setzt. Das vom Subjekt Bezeichnete entspricht diesem Normwert nicht, weil es ihn überschreitet (**zu**) oder es entspricht ihm, weil es ihn erreicht (**genug**).

Als *Ergänzung* hat der Dativ keine einheitliche semantische Funktion. Man kann aber eine Reihe von syntaktischen Teilrelationen der Dativergänzung unterscheiden, so daß sich relativ homogene semantische Beziehungen zwischen Verb und Dativnominal ergeben. Wir gehen die Verben geordnet nach der Stellenzahl durch.

Eine kleine Gruppe von einstelligen Verben und Adjektiven nehmen den Dativ (7). Der vom Satz **Mir graut** bezeichnete Sachverhalt besagt, daß die vom Dativno-

(7) **mir schwindelt/graut/graust/ist angst/ist übel/ist wohl/ist schlecht**

minal bezeichnete Person sich in einem psychisch-physischen Zustand bestimmter Art befindet. Alle vorkommenden Verben und Adjektive können auch zweistellig mit **es** als grammatischem Subjekt auftreten (**Es graut mir**; zu den psychischen Verben auch **Aufgabe 85**).

Die Zahl der zweistelligen Verben mit Subjekt und Dativergänzung ist schon ziemlich umfangreich. Folgende Teilklassen sind syntaktisch und semantisch unterscheidbar.

1. ›Betroffenheit‹. Das Verb bezeichnet eine Beziehung derart, daß das vom Subjekt Bezeichnete das vom Dativ Bezeichnete in bestimmter Weise betrifft. Die Dativergänzung kann obligatorisch (8a) oder fakultativ (8b) sein.

(8) a. **einfallen, entgehen, gebühren, gehören, liegen, obliegen, vorschweben, zustehen**

b. **auffallen, behagen, bekommen, einleuchten, fehlen, glücken, imponieren, gefallen, gelingen, nützen, schmecken, wohltun**

Die Kennzeichnung des Dativs mit einem Begriff wie Betroffenheit ist sicher unbefriedigend, schon weil sie zu allgemein ist. Auch Dativverben anderer Klassen ebenso wie Verben mit anderen Ergänzungen signalisieren Betroffenheit eines der Aktanten. Brinkmann (1971: 444) charakterisiert eine ähnliche Gruppe von Verben so »Die Verben . . . bezeichnen Geschehen, urteilen über den Erfolg und den Nutzen für den Menschen. Sie sind im allgemeinen auf die Berichtsform (3. Person) beschränkt, weil das Subjekt außerpersönlich ist.« In den Grundzügen (344) heißt es zu einer vergleichbaren Gruppe »Das Verb beschreibt den Eintritt dieses Ereignisses, setzt es aber zugleich in Relation zu der Person, die das Dativobjekt bezeichnet. Diese Relation besagt allgemein, daß das Ereignis zu denjenigen gehört, die die betreffende Person wünscht, fürchtet, positiv oder negativ bewertet und an denen sie in dieser oder jener Weise interessiert ist.«

Solche Beschreibungen lassen immerhin auch gewisse Rückschlüsse auf die Syntax zu. Die Verben in 8 verbinden sich häufig mit Satz- oder infinitivischen Subjekten (›Geschehnis‹, ›Ereignis‹). Allgemein gibt es keine Präferenz für ein persönliches, sondern für ein unpersönliches Subjekt (Duden 1984: 611f.). Daraus ergibt sich ein weiteres syntaktisches Charakteristikum dieser Verben: sie bilden alle keines der für Dativverben möglichen Passive, weder das subjektlose Passiv (9) noch das **bekommen**-Passiv (10, dazu auch 4.5).

(9) a. **Dieser Vorschlag gefällt ihm**

b.***Ihm wird von diesem Vorschlag gefallen**

(10) a. **Der Ausbruch gelingt ihr nicht**
    b.*Sie bekommt nicht von dem Ausbruch gelungen

2. ›Verantwortlichkeit‹. Eine ähnliche Leistung (Bezeichnung des Betroffenen) hat der Dativ bei Verben, die manchmal ergativische Verben genannt werden (Wegener 1985: 200ff., zum Begriff ›Ergativ‹ **Aufgabe 4**).

(11) a. **Die Möbel verbrennen ihm**
    b. **Die Hose zerreißt ihm**
    c. **Das Glas zerbricht ihm**
    d. **Das Eis schmilzt ihm**
    e. **Das Bier kippt ihm um**

Die Konstruktion mit Dativ ist systematisch bezogen auf transitive Verben (**Er verbrennt die Möbel; Er zerreißt die Hose**). Das direkte Objekt des transitiven Verbs wird Subjekt beim Dativverb, das Subjekt des transitiven Verbs wird zur Dativergänzung. Beide Konstruktionen haben unterschiedliche Bedeutung. Während das Subjekt beim transitiven Verb als Agens fungiert, bezeichnet der Dativ wiederum nur den ›Betroffenen‹, der mit dem in Rede stehenden Sachverhalt direkt gar nichts zu tun zu haben braucht. Zwischen ihm und dem vom Subjekt Bezeichneten besteht eine semantische Beziehung der Zugehörigkeit, die manchmal näher als ›Verantwortlichkeit‹ charakterisiert wird (Rosengren 1975). Das Nominal »im Dativ bezeichnet eine Person, der der zugrunde gegangene oder geschädigte Gegenstand anvertraut war« (Grundzüge: 369). Die Dativergänzung in dieser Bedeutung kommt auch außerhalb des beschriebenen Diathesenverhältnisses vor, läßt sich dann aber meist auf Sätze mit **lassen** beziehen (**Ihm kocht die Milch über** vs. **Er läßt die Milch überkochen**). Ein Passiv ist in der Regel möglich.

3. Symmetrie. Die Verben und Adjektive in 12 haben Valenzeigenschaften, die

(12) **ähneln, entsprechen, gleichen, begegnen, ähnlich (sein), gleich (sein), benachbart (sein),**

unmittelbar mit dem semantischen Merkmal Symmetrie zusammenhängen. So existiert für sie alle neben dem Valenzmuster mit Nominativ und Dativ eine reflexive Version mit zwei koordinierten Nominativen (**Der Sohn gleicht dem Vater** vs. **Der Sohn und der Vater gleichen sich** (3.2.2; 9.2).

4. ›Zuwendung‹. Die größte Gruppe der zweistelligen Dativverben wird in der Regel mit persönlichem und sogar agentivischem Subjekt verwendet (13). Das Dativobjekt gilt ebenfalls als »mindestens im weiteren Sinne« von Personenbezeichnungen besetzt (Duden 1984: 608).

(13) a. **danken, drohen, dienen, fluchen, folgen, gehorchen, gratulieren, helfen, trauen, zürnen**
    b. **absagen, auflauern, ausweichen, nachblicken, nachfahren, zuwinken, zuraten**

Dieser Dativ gilt als der eigentliche Kernbereich des Dativobjekts bei Zweistellig-keit. Die inhaltsbezogene Grammatik leitet hier die Beschreibung als ›Zuwend-größe‹ ab (Glinz 1965: 165; Duden 1966: 475). Brinkmann (1971: 445) bewest das entsprechende Satzmuster mit »Der Mensch verwirklicht sein Wesen als Person im Miteinander... So ist der Dativ der gegebene Kasus für zwischenmenschliche Begegnung«. Unzulässig wäre es allerdings, den Dativ an eine Bedeutung dieser Art zu binden und Sätze wie **Karl folgt dem Rat; Karl gehorcht den Sachzwängen; Ich weiche dem Panzer aus; Ich blicke dem Flugzeug nach** als irgendwie abgeleitet, metaphorisch oder ähnlich zu verstehen.

Die Verben in 13 zeigen keine der syntaktischen und semantischen Besonderhei-ten, die für die vorhergenannten Gruppen genannt wurden. Wir sehen sie als den unmarkierten Fall des Dativobjekts bei zweistelligen Verben an.

Wie genau kann man das Dativobjekt semantisch einheitlich charakterisieren? »Die Schwierigkeit zusammenfassender semantischer Charakterisierungen be-steht... weniger darin, einen allgemeinen Begriff zu finden, dem sich alle einzel-nen Fälle unterordnen, als darin, mit diesem zugleich auch alle nicht zugehörigen Fälle auszuschließen«. Und weiter heißt es an derselben Stelle der Grundzüge (341), »daß Verben, die als einziges Objekt nur unbelebte Gegenstände zulassen, nicht den Dativ regieren können«. Man könnte eine derart allgemeine Charakteri-sierung für uninteressant, weil so gut wie leer ansehen. Sie erlaubt aber beispiels-weise die Vermutung, daß die Stelle des Dativobjekts nicht mit einem Objektsatz oder einer Infinitivgruppe besetzt werden kann. Tatsächlich unterscheidet sich das Dativobjekt darin grundsätzlich vom akkusativischen. Im übrigen kann aber so gut wie jede der ›spezifischen Leistungen‹ des Dativs auch durch den Akkusativ erbracht werden **(Aufgabe 96)**.

Die größte Gruppe der dreistelligen Dativverben sind die Verben des Gebens und Nehmens im weitesten Sinne. Sie nehmen außer dem Dativobjekt meist ein Akku-sativobjekt (14). Präpositionalobjekte sind weniger häufig **(Er verhilft mir zu etwas;**

> (14) a. **geben, nehmen, kaufen, verkaufen, schicken, schenken, überlassen, übertragen, entziehen, bringen, holen, stehlen, besorgen**
>
> b. **sagen, antworten, beichten, mitteilen, berichten, bescheinigen, erklären, entlocken, erlauben, verbieten, ersparen, erzählen, verdanken, versprechen**

Er berichtet mir über etwas). Eine grobe syntaktische und semantische Subklassifi-zierung ergibt sich danach, ob als direktes Objekt ein **daß**-Satz zugelassen ist (14b) oder nicht (14a). Zu den Verben mit **daß**-Objekt gehören in erster Linie die ›kom-munikativen Verben‹, aber nicht nur sie. Häufig hat das Verb mit **daß**-Satz eine abgeleitete Bedeutung. So bedeutet **nachtragen** in **Er trägt ihr die Bücher nach** etwas anderes als in **Er trägt ihr nach, daß sie zu Hause geblieben ist**. Ähnlich bei **abkaufen, mitgeben, anhängen, hinwerfen, eingeben**.

Wie bei einigen zweistelligen, so besteht bei den dreistelligen Verben eine Präfe-renz für persönliche Subjekte und Dativobjekte. Der Akkusativ ist nicht so be-schränkt oder, wie bei den Verben in 14b, sogar auf ›Unbelebtes‹ oder Abstraktes eingeschränkt. Die Interpretation des Dativ als Zuwendgröße liegt bei den dreistelligen Verben vielleicht noch näher als bei den zweistelligen. Das vom Akkusativobjekt Bezeichnete faßt man meist als die Entität auf, auf die sich der vom Verb bezeichnete Vorgang direkt richtet, während das vom Dativobjekt Bezeichnete das davon weniger direkt Betroffene ist. Aus diesem Unterschied zwischen den Objekten bei dreistelligen Verben leitet sich auch die Redeweise vom direkten und indirekten Objekt ab. Die semantische Funktion einer bestimmten Ergänzung wird im allgemeinen umso einheitlicher, je höher die Stelligkeit des Verbs ist, so daß das Dativobjekt bei dreistelligen Verben eine einheitlichere Funktion haben dürfte als bei zweistelligen. Substantiell beschränkt in der angedeuteten Weise ist das Dativobjekt aber auch hier nicht. Es gibt genügend Verben, bei denen das Reden vom ›persönlichen Dativ‹ wenig besagt **(Er opfert der Wissenschaft sein persönliches Glück; Sie widmet dem Schwimmen all ihre Zeit; Er überträgt seiner Bank alle Vollmachten; Sie verwehrt der Bundespost, das Kabel anzuschließen).**

Das Reden von der Dativergänzung als dem indirekten Objekt kann noch anders verstanden werden. Ein Dativobjekt hat – bei aller internen Differenzierung – global gesehen andere syntaktische und semantische Eigenschaften als die anderen Ergänzungen. So korrespondiert es nicht formal mit dem Verb wie das Subjekt, so kann es bei Nominalisierung nicht formgleich als Attribut erscheinen wie das Präpositionalobjekt (**Sie wartet auf dich** vs. **Ihr Warten auf dich**; 7.4.2). Anders als das Subjekt ist das Dativobjekt meist fakultativ, anders als das Präpositionalobjekt ist es synthetisch enkodiert. Zum direkten Objekt sind die Unterschiede ebenfalls gravierend. So kann das indirekte Objekt nicht als Satz realisiert sein, es kann nicht als Subjekt eines **werden**-Passiv erscheinen, es folgt anderen Stellungsregeln als das direkte Objekt, und es ist insbesondere vielfach vom direkten Objekt ›abhängig‹. Damit ist gemeint, daß bei zahlreichen Verben ein indirektes Objekt nur dann stehen kann, wenn ein direktes Objekt vorhanden ist. So haben wir **Er bringt/besorgt/beweist /gibt/sagt/erlaubt jemandem etwas** und können **jemandem** streichen, nicht aber **etwas**. Allerdings gilt das nicht immer. Vielfach sind beide Objekte obligatorisch, manchmal ist auch das direkte Objekt vom indirekten abhängig in diesem Sinne **(Aufgabe 97)**.

Das unterschiedliche Verhalten der Ergänzungen ist mit der Metapher einer ›unterschiedlichen Nähe zum Verb‹ anschaulich gemacht und in der Konstituentenhierarchie repräsentiert worden. Man nimmt etwa an, das direkte Objekt sei dem Verb am nächsten (nebengeordnet), das indirekte sei einer Konstituente aus Verb

(15)

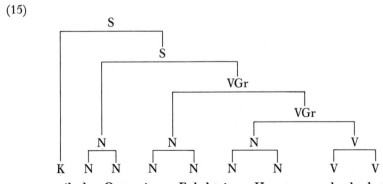

weil der Opa seinem Enkel einen Hamster geschenkt hat

und direktem Objekt (›Verbalgruppe‹) nebengeordnet. Dazwischen oder auch dem direkten gleichgestellt sei das Präpositionalobjekt und am weitesten entfernt schließlich das Subjekt (Abraham 1983: 9ff.; Wegener 1985: 136ff.). Ein Beispiel gibt 15.

Man kann aus den syntaktischen und semantischen Unterschieden zwischen den Mitspielern des Verbs keine ›lineare Skala‹ bezüglich der Nähe zum Verb konstruieren. Die jeweils geltend gemachten Argumente sind uneinheitlich. Einerseits heißt es, das Dativobjekt sei weiter weg vom Verb als das akkusativische, weil ersteres meist fakultativ sei, andererseits heißt es auch, das präpositionale Objekt sei weiter entfernt, weil es oft dem Adverbial nahe sei. Es ist nicht zu sehen, was beides miteinander zu tun hat. Das Subjekt schließlich soll am weitesten weg sein. Dafür werden etwa Reihenfolgeargumente geltend gemacht. Da das Subjekt meist obligatorisch und syntagmatisch besonders eng an das Verb gebunden ist (Kongruenz und Rektion), müßte es aber nach den früher genannten Kriterien zuerst mit dem Verb zu einer Konstituente zusammengefaßt werden. Warum sollen Kasusunterschiede überhaupt als Hierarchieunterschiede erscheinen? Die Konstituentenhierarchie stellt nach unserer Konzeption nicht Verschiedenheiten, sondern Gemeinsamkeiten der Ergänzungen heraus, nämlich die Gemeinsamkeit der Valenzbindung an das Verb.

Die bisher besprochenen Dativtypen konnten mit ziemlich klaren Kriterien als Angaben oder Ergänzungen eingeordnet werden. Kritisch ist die Unterscheidbarkeit von freien und valenzgebundenen Dativen vor allem für zwei Dativtypen, nämlich den dativus commodi/incommodi (den Dativ des Nutznießers/Geschädigten, 16) und den dativus possessivus oder Pertinenzdativ (pertinere = »sich erstrecken«) wie in 17. Die Probleme liegen für beide Fälle unterschiedlich. Die Bezeichnung *dativus*

(16) a. **Er putzt seiner Tochter die Schuhe**
b. **Er fängt seiner Freundin einen Hecht**
c. **Sie vermittelt ihren Kunden Kredite**
d. **Sie lehnt ihm den Antrag ab**

(17) a. **Sie trat ihm auf den Fuß**
b. **Er brach sich den Arm**
c. **Man nahm ihm die Kinder weg**

commodi meint etwas Semantisches, etwa eine Aktantenfunktion im Sinne eines Tiefenkasus (›Benefaktiv‹, 8.1.2). Die Abgrenzung des Commodi von den Dativobjekten und seine Zuweisung zu den Adverbialen würde bedeuten, daß die entsprechenden Dative sich syntaktisch anders verhalten als Dativobjekte. Wir sehen einmal ab von der Schwierigkeit, überhaupt zu entscheiden, wann ein Commodi vorliegt. Bei Verben wie **kaufen, androhen, überlassen** und sogar **geben** und **nehmen** kann man sehr wohl auch von einem Nutznießer oder Geschädigten sprechen. Dennoch werden die Dative bei diesen Verben meistens umstandslos als Objekte angesehen auch dann, wenn der Commodi zu den Angaben gezählt wird.

Daß der Commodi Objekt und nicht Adverbial ist, zeigt sich einmal am Verhalten bezüglich des Passiv. 18b und c sind so gebildet, wie wir es von Sätzen mit Dativergänzung erwarten. Insbesondere c ist schlagend, weil hier der Dat des Aktivsatzes

(18) a. **Er putzt seiner Tochter die Schuhe**
  b. **Seiner Tochter werden von ihm die Schuhe geputzt**
  c. **Seine Tochter bekommt von ihm die Schuhe geputzt**

als Subjekt des **bekommen**-Passiv auftaucht. Bei der Passivdiathese ist generell die syntaktische Funktion von Ergänzungen gegenüber der Aktivdiathese geändert, nicht aber der Status einer Konstituente als Ergänzung bzw. Adverbial (4.5). Außerdem trägt der Commodi wie jedes andere Dativobjekt zur Subklassifizierung der Verben bei. Viele Verben lassen keine Dativergänzung und damit auch keinen Commodi zu (19a; einige ganz beliebig ausgewählte Verben, die keinen Dativ nehmen, in 19b). ›Commodi‹ meint nichts anderes als die semantische Rolle eines bestimm-

(19) a *Sie versteht dem Bibliothekar dieses Buch
  b. **vertragen, umziehen, erschüttern, verreisen, begreifen, entbehren, vermeiden, betreten**

ten Teils der Dativobjekte. Warum wird er dann vielfach als ›freier Dativ‹ angesehen und zu den Angaben gezählt?

Die Grundzüge (368) machen geltend, vom Commodi werde »nicht wie im Fall der nicht notwendigen Dativobjekte eine in der Verbbedeutung latent angelegte Valenzstelle aktualisiert«. Das ist – wie der Begriff des Commodi selbst – eine rein semantische Einlassung, die überdies bezweifelt werden darf. Denn natürlich liegt es letztlich an der Bedeutung der Verben in 19, daß sie keinen Dativ zulassen, während die in 16 eine Bedeutung haben, die den Dativ möglich macht.

Helbig/Buscha (1975: 259f.; 492f.) stellen fest, der Commodi könne ersetzt werden durch eine PrGr mit **für**. Abgesehen davon, daß der Status solcher Ersetzungen generell hinsichtlich der Unterscheidung von Objekten und freien Satzgliedern ungeklärt ist, gilt, daß (1) auch viele als Dativobjekte anerkannte Nominale ›ersetzbar‹ sind (**Sie kauft ihm/für ihn einen Lolli**) und (2) nur der Commodi, nicht aber der Incommodi so abgrenzbar ist (**Sie lehnt für ihn den Antrag ab** bedeutet etwas anderes als **Sie lehnt ihm den Antrag ab**). Helbig/Buscha bringen als zweites Argument den Hinweis, der Dativ in **Sie schreibt ihm einen Brief** stehe für unterschiedliche Rollen (»für ihn« und »an ihn«). Auch das ist aber nichts Außergewöhnliches. Der Akkusativ in **Sie schreibt ihm einen Brief** würde als Tiefenkasus wohl einem Faktitiv entsprechen, der Akk in **Sie schreibt ihm nichts Neues** aber eher einem Objektiv.

Helbig/Schenkel (1975: 39; s.a. Helbig 1981) wollen den Commodi vom Dativobjekt durch einen Paraphrasetest trennen (**Er wäscht seinem Vater das Auto** vs. **Er wäscht das Auto. Das Waschen geschieht für seinen Vater**). An anderer Stelle (8.2.1) wurde gezeigt, warum ein solcher Test nicht zur Unterscheidung von Angaben und fakultativen Objekten taugt. **Verkaufen** nimmt nach Helbig/Schenkel ein Dativobjekt, aber die Paraphrase ist hier genauso möglich: **Er verkauft der Genossenschaft seine Kartoffeln** vs. **Er verkauft seine Kartoffeln. Der Verkauf geschieht an die Genossenschaft.**

Dem wahren Grund für das Unbehagen am Commodi als Objekt gibt wohl Engel Ausdruck (1977: 166; s.a. Engel/Schumacher 1976: 61), wenn er einerseits feststellt, dieser Dativ (er nennt ihn Sympathicus) sei Ergänzung, dann aber fortfährt

»Trotzdem bringt es Nachteile mit sich, den Dativus sympathicus unbesehen zu den E_5 [Dativobjekten] zu rechnen, weil dann die Klasse der ›Dativverben‹ extrem ausgeweitet würde und letztlich praktisch alle Vollverben umfassen würde, die ein absichtliches Tun ausdrücken können«. Es scheint so, als gäbe es eine Abneigung mancher Grammatiker dagegen, die Dativverben als eine den Nominativverben (Subjekt) und Akkusativverben (direktes Objekt) vergleichbar große Klasse anzuerkennen. Warum die Abneigung gerade den Dativ trifft, bleibt aber verborgen.

Der *Pertinenzdativ* ist nach den beim Commodi genannten Kriterien ebenfalls Objekt: zu Sätzen mit Pertinenzdativ kann ein regelmäßiges Passiv gebildet werden **(Karl-Heinz tritt dem Paul vors Schienbein** vs. **Der Paul bekommt von Karl-Heinz vors Schienbein getreten)** und natürlich kann der Pertinenzdativ nicht bei solchen Verben stehen, die keinen Dativ nehmen. Die Kennzeichnung eines Dativnominals als Pertinenzdativ ist wieder eine rein semantische. Wann liegt Pertinenz vor? Wenn es sich um ein Unveräußerliches handelt wie Körperteile oder Verwandte **(Er putzt sich die Zähne; Man nimmt ihnen den Vater)**, wenn es sich um ein für jeden Einzelnen einmaliges Besitzstück handelt **(Man kündigt ihm die Wohnung; Man entzieht ihm die Führerschein)**, oder soll der Pertinenzbegriff weiter gefaßt werden, so daß er in die Näge des Commodi gerät **(Karl putzt ihm die Schuhe)**? Die Frage läßt sich mit gleich guten Gründen ganz unterschiedlich beantworten.

Syntaktisch wird der Pertinenzdativ öfter als der Commodi den Ergänzungen zugerechnet (Polenz 1969; Grundzüge: 333; Duden 1984: 591, 630; Wegener 1985: 120 f.). Wegen seiner teilweise engen semantischen Beziehung zum Genitivattribut wird er von Transformationsgrammatikern manchmal mit einer ›Dativtransformation‹ auf Attribute bezogen (Isacenko 1965; dazu auch Polenz 1969; Wegener 1985: 122 ff.; Engel 1977: 168 f.).

Von den besprochenen Dativtypen der traditionellen Grammatik erweisen sich nur der Ethicus und der Judicantis nicht als Ergänzungen im üblichen Sinne. Viele Dativergänzungen sind fakultativ, und viele können als ›dritter Mitspieler‹ erst dann auftreten, wenn ein Subjekt und ein weiteres Objekt vorhanden sind. An ihrem Status als Ergänzungen ändert das nichts.

8.2.3 Funktionsverbgefüge

Auf den ersten Blick haben die Sätze in 1 zweistellige Verben mit Subjekt und präpositionalem Objekt **(kommen, stehen, geraten)**. Die in 2 haben dreistellige

(1) a. **Paulas Argumente kommen nicht zur Geltung**
   b. **Der Intercityverkehr nach Berlin steht wieder mal zur Diskussion**
   c. **Unbequeme Versprechungen geraten leicht in Vergessenheit**

(2) a. **Kollege von Stichling bringt ein neuen Analyseverfahren zur Anwendung**
   b. **Professor Piscator setzt seine Gegner ins Unrecht**
   c. **Minister Mentitus stellt ehrliche Absichten unter Strafe**

Verben mit Subjekt, direktem und präpositionalem Objekt. Alle Verben haben eine lokale bzw. direktionale Grundbedeutung, sind hier aber offenbar in einer abgeleiteten Bedeutung verwendet. Weil die abgeleitete Bedeutung mit einem charakteristischen syntaktischen Verhalten zusammengeht, faßt man die Verben unter einer besonderen Bezeichnung zusammen und nennt sie *Funktionsverben* (Polenz 1963). Sollte sich ›Funktionsverb‹ (FV) als grammatische Kategorie erweisen, so wäre sie als Paradigmenkategorie neben den Vollverben, Kopulaverben und Modalverben anzusiedeln (Schema 2 aus 3.1).

Zu den Charakteristika der Funktionsverben gehört eine besonders enge Bindung an die PrGr (**zur Geltung kommen; zur Anwendung bringen**). Funktionsverb und PrGr bilden gemeinsam ein sogenanntes *Funktionsverbgefüge* (FVG). Der Status dieses Begriffs ist viel unklarer als der des Funktionsverbs selbst. ›Funktionsverbgefüge‹ ist mit Sicherheit keine grammatische Kategorie. Es ist nicht einmal klar, ob Ausdrücke wie **kommen zur Geltung** in 1a für sich eine Konstituente bilden. Mit ›Funktionsverbgefüge‹ wird am ehesten die besondere syntaktische Beziehung zwischen PrGr und FV zum Ausdruck gebracht. Wir kommen darauf zurück.

Die Konstruktion mit Funktionsverb ist syntaktisch und semantisch zwischen mehreren anderen Konstruktionen angesiedelt. Sie hat ihre eigenen Merkmale, läßt sich aber nicht mit einem einzigen Merkmal von allen anderen Konstruktionen abgrenzen. Das Abgrenzunjsproblem wird hier zunächst umgangen durch Konzentration auf den Kernbereich der FVG, zu dem nach einhelliger Meinung in der Literatur die Ausdrücke aus FV + PrGr gehören (zur Übersicht Helbig 1979). Nicht behandelt werden die manchmal zu den FVG gerechneten Ausdrücke entsprechend 3, also Fügungen mit Kopulaverben (**in Aufregung sein**), mit **haben** + PrGr (**zur**

(3) a. **Die Partei ist in Aufregung**
    b. **Karl hat zwanzig Dollar zur Verfügung**
    c. **Karl bekommt Kenntnis von diesem Vorfall**
    d. **Karl unterliegt einem Irrtum**

Verfügung haben), mit FV + Nominal im Akk (**Kenntnis bekommen**) oder Dat (**einem Irrtum unterliegen**).

Die mit Abstand häufigsten Funktionsverben sind **kommen** und **bringen**, gefolgt von den anderen in 4 genannten. Als Präpositionen kommen fast ausschließlich **in** und **zu** vor, in ganz wenigen Fällen außerdem **an, auf, unter, außer**.

(4) **kommen, bringen, stehen, geraten, setzen, stellen, halten, nehmen**

Zur Ermittlung erster allgemeiner Charakteristika vergleichen wir ein FVG (5c) mit einem präpositionalen Objekt (5b) und einem präpositionalen Adverbial (5a).

(5) a. Johanna spielt auf dem Balkon
    b. Sonja verweist auf ihren Antrag
    c. Gabi kommt in Schwung

Mit dem präpositionalen Adverbial wird der von **Johanna spielt** bezeichnete Sachverhalt lokal situiert. Der vom Nominal (**dem Balkon**) bezeichnete Ort steht in einer explizit genannten Beziehung (auf) zum Sachverhalt. Historisch hat das Adverbial als Quelle sowohl für das Objekt als auch für das FVG zu gelten. Synchronsystematisch ist die Verwendung der PrGr im Adverbial wenn nicht als deren ›Hauptfunktion‹ (Grundzüge: 370), so doch als relativ unrestringiert gegenüber den beiden anderen anzusehen. Als Adverbial ist die PrGr unabhängig vom Verb, sie kann mit jeder Präposition gebildet werden.

Das präpositionale Objekt ist demgegenüber beschränkt durch Bindung der Pr an das Verb. Das Verb fordert eine bestimmte Präposition, beide zusammen erst setzen die Nominale (Sonja; ihren Antrag) semantisch zueinander in Beziehung. Mit der Bindung der Pr an das Verb geht beim typischen Präpositionalobjekt ein Abstraktionsprozeß einher: die Pr verliert ihre lokale Bedeutung. Das präpositionale Objekt kann daher bei Verben jeder Art stehen, nicht nur bei solchen mit einer ›lokalen‹ Bedeutung. Im Extremfall wird die Bindung zwischen Verb und Präposition eng bis zur Inkorporierung der Pr als Verbpartikel (anziehen, aufgeben, einholen).

Beim Funktionsverbgefüge nun bindet sich die Präposition nicht ans Verb, sondern an das Nominal der PrGr. Die entstehende Einheit (in Schwung) ist enger als

(6) **infrage, zutage, zuwege,. zustande, zustatten, instand, imstande**

bei der üblichen PrGr mit ihrer Rektionsbindung, sie kann bis zur Lexikalisierung führen. Die PrGr insgesamt tritt dann in eine syntaktische (und semantische) Beziehung zum Verb und bildet das Funktionsverbgefüge. Damit wären die FVG sowohl von den Adverbialen als auch von den Objekten unterschieden, nur müßte die bisher ganz auf Intuition gestützte Redeweise von ›enger Bindung‹ zwischen Pr und Nominal sowie zwischen PrGr und Verb bei den FVG präzisiert werden. Wir sehen uns zuerst die PrGr näher an. Als Materialgrundlage dienen die über 400 FVG, die in Herrlitz 1973 (161 ff.) für die 8 häufigsten FV zusammengestellt sind.

Die PrGr in FVG hat eine pivot-Struktur mit der Pr als festem und dem Nominal als beweglichem Teil. Die Position der Pr wird zu über 90 Prozent von in oder zu besetzt. Das typische Nominal ist ein deverbales nomen actionis. FVG und Basisverb sind dann semantisch eng verwandt.

(7) a. **zum Abschluß bringen – abschließen**
     b. **in Begeisterung bringen – begeistern**
     c. **zum Ausbruch kommen – ausbrechen**
     d. **in Schwingung kommen – schwingen**
     e. **unter Anklage stehen – angeklagt werden**
     f. **zur Wahl stellen – gewählt werden**
     g. **in Versuchung geraten – versucht werden**
     h. **in Verbindung setzen – verbinden**
     i. **zur Diskussion stellen – diskutieren**

Ein solcher Bezug von FVG auf einfache Verben ist aber nur zum Teil möglich. Fast ebenso häufig sind Fälle wie 8, für die der Bezug nicht oder nicht direkt besteht.

(8) a. **zur Deckung bringen; ins Elend bringen; in Form bringen; zum Stillstand bringen; zur Sprache bringen**

b. vor Augen kommen; in Betracht kommen; zu Ende kommen; in Harnisch kommen; in Verruf kommen

c. in Armut geraten; in Verzug geraten; in Wut geraten; in Stimmung geraten

d. in Aussicht stehen; in Kraft setzen; ins Unrecht setzen; ins Werk setzen

In der Literatur wird dennoch besonders das enge Verhältnis von FVG und einfachen Verben betont. So heißt es bei Engelen (1968: 289), daß »der Inhalt des entsprechenden Vollverbs durch den nominalen Teil [des FVG] weitgehend aufgehoben« sei. Auch Heringer (1968: 26ff.) macht das nomen actionis zum konstituierenden Bestandteil von FVG, ist sich aber bewußt, daß »nicht alle Nomina actionis deverbal gebildet sein« müssen. Noch in den Grundzügen (433) werden FVG als ›Streckformen‹ aus PrGr und Funktionsverb definiert, »die mit Vollverben bei weitgehener (nicht notwendig vollständiger) Synonymie alternieren können.«

Diese Übergeneralisierung eines teilweise bestehenden Zusammenhangs hat außerlinguistische Gründe. Die FVG sind ein Zankapfel zwischen Sprachkritik und Sprachwissenschaft. Bevor sie einer eigentlich grammatischen Analyse unterworfen werden konnten (Heringer 1968; Engelen 1968), mußten sie erst einmal der vorschnellen Bewertung durch eine Sprachkritik entzogen werden, die in ihnen nicht viel mehr als Ausdruck inhaltsleerer Aufblähung sehen konnte. Sämtliche einschlägigen Vokabeln vom seelenlosen Bürokratentum bis zum Verlust an Sinnlichkeit im technischen Zeitalter sind in diesem Zusammenhang gefallen. Polenz' (1963) Apologie der FVG konzentrierte sich daher zunächst auf die Durchdringung des Zusammenhangs zwischen FVG (›Nominalstil‹) und Verben. Das Ergebnis war (natürlich), daß beide keineswegs dasselbe leisten (s. u.). Dennoch war der Blick erst einmal besonders auf das Verhältnis zum einfachen Verb gerichtet.

So beschränkt die Zahl der vorkommenden Präpositionen ist, so schwer dürfte es sein, die in FVG vorkommenden Substantive aufzuzählen oder durch Formkriterien abzugrenzen. Charakteristisch ist zumindest nicht nur der Typ des Substantivs selbst, sondern sein Verhalten in der PrGr. Einschränkungen bestehen für die Attribute. Adjektivische Attribute sind teilweise möglich (**in helle Aufregung bringen; zum sofortigen Abdruck kommen**), werden aber immer unmöglicher, je weiter die PrGr lexikalisiert ist (**?Karl bringt sich in gute Form; ??Diese Lösung kommt nicht in engeren Betracht; *Karl stellt die Übereinkunft in dringende Frage**). Ein Genitivattribut kommt nur unter sehr speziellen Bedingungen vor (**Aufgabe 98**).

Noch beschränkter als bei den Attributen sind die Substantive bei der Artikelwahl. Der Artikel liegt in der Regel fest: entweder er taucht in Form einer Verschmelzung auf (**zur Entscheidung kommen; ins Gerede bringen**) oder er ist unmöglich (**in Verzug kommen; zu Fall bringen**). Der Negationsartikel **kein** ist in der Regel ausgeschlossen, die Negation wird mit **nicht** vollzogen (**Karl bringt Emma nicht in Aufregung; *Karl bringt Emma in keine Aufregung**). Die Artikelfixierung dürfte ihren Grund in der Nichtreferentialität der Nominale in FVG haben (Grundzüge: 441; 5.2). Bestätigt wird diese Vermutung dadurch, daß die PrGr in FVG nicht auf die übliche Weise pronominalisierbar und erfragbar sind (9).

(9) a. **Helga bringt ihre Überzeugung zum Ausdruck**

b.*Helga bringt ihre Überzeugung dazu
c.*Wozu bringt Helga ihre Überzeugung?

Systematisch anders verhalten sich wieder die in **Aufgabe 98** besprochenen Fälle. Wann wird eine Verschmelzung gesetzt, wann eine einfache Präposition? Man hat angenommen, der Artikel in Form einer Verschmelzung werde immer dann gesetzt, wenn die Verschmelzung möglich sei. Ausnahmen deuten auf Lexikalisierung der PrGr hin (Heringer 1968: 57f.; Eisenberg 1980: 96f.).

Die Annahme erweist sich als richtig für PrGr mit **zu**. Bei **zu** kann der Dat für Substantive aller drei Genera markiert werden, d.h. in allen PrGr mit **zu** und Substantiv im Sg kann eine Verschmelzung auftauchen (**zum Abschluß; zur Anwendung; zum Erliegen**). Von den bei Herrlitz aufgeführten 160 FVG mit **zu** enthalten alle bis auf 18 eine Verschmelzung. Von diesen 18 sind 9 lexikalisiert und werden zusammengeschrieben (**zutage, zustatten** ...). In den restlichen 9 kommen vor zu **Gebote, zu Bewußtsein, zu Ende, zu Fall, zu Gehör, zu Papier, zu Protokoll**. Die Gründe für das Ausbleiben von Verschmelzungen sind hier uneinheitlich und können nicht im einzelnen besprochen werden. Als Schluß ist aber zulässig: bei FVG mit **zu** steht im Regelfall eine Verschmelzung oder die PrGr ist lexikalisiert.

Komplizierter aber aufschlußreich für die Struktur der PrGr ist das Verhalten von **in**. In kann sowohl den Dat als auch den Akk regieren. Den Ausschlag für die Kasuswahl gibt das Funktionsverb. **Kommen, bringen, geraten, setzen, stellen** und **nehmen** verlangen den Akk, **stehen** und **halten** verlangen den Dat. Die Akkusativverben können eine Verschmelzung nur bei Substantiven im Neutrum haben (**ins Belieben stellen**), die Dativverben nur bei Substantiven im Mask (**im Widerspruch stehen**) oder Neut (**im Belieben stehen**). Wir haben also nur für das Neut die Möglichkeit, beide Kasus zu markieren, und diese Möglichkeit wird auch durchgehend genutzt. Einzige Ausnahme ist **in Erstaunen**. Bei femininen Substantiven kann keine Verschmelzung stehen, sie stehen durchweg ohne Artikel. Die PrGr hat dann weder eine Kasusmarkierung noch einen Artikel, aber dafür taucht sie bei allen Funktionsverben in derselben Gestalt auf (**in Beziehung bringen/kommen/setzen /stehen/geraten/halten**). Damit kommt es zur Reihenbildung mit der PrGr als fester und dem Funktionsverb als variabler Größe. Während man meist von ›Reihenbildung‹ und damit ›Produktivität‹ von FVG spricht, weil ein FV eine Vielzahl von PrGr zu sich nimmt, zeigt sich hier, daß auch in umgekehrter Richtung von einem Ansatz zur Reihenbildung zu sprechen ist. Daß die Reihenbildung in dieser Richtung strukturell wirksam wird, erweisen die maskulinen Substantive bei **in**. Bei ihnen kann der Dat, nicht aber der Akk durch eine Verschmelzung markiert werden. Auf die Markierung des Dat wird aber fast durchweg verzichtet, so daß auch für die Maskulina die PrGr bei allen Verben in derselben Gestalt erscheint (**in Einklang kommen/bringen/stehen**). Kann die Verschmelzung überhaupt realisiert werden (**im Kontakt halten; im Zusammenhang stehen**), so ist sie stilistisch weniger hoch bewertet als die einheitliche Form mit **in**.

Heringer verweist darauf (1968: 39f.), daß der weitaus größte Teil der Substantive in FVG Abstrakta sind, die generell, also auch außerhalb von FVG, mit und ohne Artikel stehen können. Nur aus diesem Grunde besteht in FVG überhaupt die Möglichkeit, zwischen Verschmelzung und einfacher Präposition zu wählen. Auch bei Wahl der einfachen Präposition bleibt die PrGr insgesamt grammatisch. Das Fehlen des Artikels kann nicht als Anzeichen für Lexikalisierung genommen werden. Lexikalisiert wird vornehmlich in den Fällen, wo das Substantiv an sich einen Artikel fordert und ein Zusammenrücken nicht phonetisch ausgeschlossen ist (vgl. die Beispiele in 6).

Die Artikelwahl in FVG ist regelgeleitet, sie kann nicht nach semantischen Gesichtspunkten erfolgen. Dasselbe gilt für die Numeruswahl. Als Numerus des Substantivs liegt fast immer der Sg fest. Pluralformen sind entweder Formen von Pluraliatantum (**in Schulden kommen**) oder sie kommutieren mit Formen des Sg, sind also semantisch gewählt (**zu Kräften kommen; in Schwingungen geraten**).

Die PrGr in FVG enthalten nichtreferentielle Nominale, deren Artikel und Numerus festliegen. Zusammen mit der Beschränkung auf die Präpositionen **in** und **zu** spricht dies dafür, daß die Formkonstanz der PrGr ein wichtiges Merkmal für den Aufbau der FVG ist: **in** und **zu** bilden Reihen mit den Nominalen, die FV bilden Reihen mit den PrGr, aber auch umgekehrt bilden die PrGr Reihen mit den FV. FVG sind also nicht Lexikalisierungen (Günther/Pape 1976; Duden 1984: 539), sondern produktive Muster (Heringer 1968: 99f.; Herrlitz 1973: 18f). Ihr Aufbau ist stark restringiert, weicht aber nicht von grammatischen Regularitäten ab. Lexikalisierungen kommen vor, jedoch kann von einer allgemeinen Tendenz der FVG zur Lexikalisierung (Helbig 1979: 279) nicht die Rede sein. Das würde ja auch bedeuten, daß die Produktivität dieser Konstruktion verlorenginge (**Aufgabe 99**).

Wie ist nun ein FVG in die Satzstruktur integriert? Für 11 werden neben semanti-

(10)

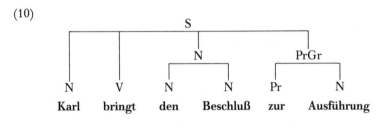

(11)

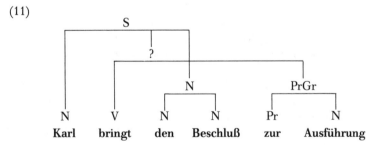

schen (FV und PrGr bilden »eine semantische Einheit« (Helbig 1979: 274)) vor allem zwei Argumente genannt: (1) das FVG hat als Ganzes Valenz und (2) das FVG bildet eine Satzklammer analog zu der aus Verbstamm und Verbpartikel (trennbares Präfix).

Zu (1). Es gibt keine ausreichenden Gründe für 11. **Bringen** sollte als dreistellig analysiert werden mit akkusativischem und präpositionalem Objekt. Helbig (1979:

27 ff.) illustriert den Charakter der FVG als Valenzträger aber mit Beispielen anderer Art, z. B. mit **Sie gerät in Abhängigkeit von ihren Eltern**. Ist **von ihren Eltern** hier Attribut zu **Abhängigkeit** oder ist es Ergänzung? Die Grundzüge (441) sprechen von einer Zwitterstellung zwischen beiden Funktionen. Entschließt man sich, **von ihren Eltern** nicht als Attribut anzusehen, so läge jedenfalls 11 näher als 10, denn mit dem FV **geraten** hat **von ihren Eltern** nichts zu tun **(Aufgabe 100)**.

Im Valenzwörterbuch von Helbig/Schenkel (1975) werden die PrGr in FVG als präpositionale Ergänzungen analysiert, es ergäbe sich in unserem Ansatz Struktur 10. Diese Analyse ist kritisert worden, weil sie nicht die besondere, enge Bindung zwischen FV und PrGR in FVG berücksichtige (Günther/Pape 1976). Die Kritik besteht zurecht, schließt aber nicht 10 aus. Bei dieser Struktur kann genau einer der Mitspieler des FV als Funktionsverbergänzung ausgezeichnet werden, alle anderen sind ›normale‹ Mitspieler. Diese Lösung trägt auch der immer wieder berufenen Ähnlichkeit zwischen Funktionsverben und Modalverben Rechnung. Während MV durch den Infinitiv als ›Modalverbergänzung‹ charakterisiert sind, sind es FV durch die PrGr als ›Funktionsverbergänzung‹.

Zu (2). Funktionsverb und PrGr wären jedenfalls für sich zu einer Konstituente zusammenzufassen, wenn sie eine Satzklammer bilden. Der Verbpartikel sehr nahe kommen lexikalisierte PrGr, die ja teilweise sogar mit dem FV zusammengeschrieben werden **(weil Karl alles infragestellt; damit ihm das zugutekommt)**. Aber auch nicht lexikalisierte PrGr haben einige Stellungseigenschaften mit der Verbpartikel gemeinsam. So stehen Partikel und Verbform im Nebensatz gemeinsam am Ende und können nicht durch Adverbien getrennt werden (12). FVG verhalten sich ähn-

(12) a. **weil Karl einschläft**
   b. **weil Karl jetzt einschläft**
   c. ***weil Karl ein jetzt schläft**

(13) a. **weil Josef in Verlegenheit kommt**
   b. **weil Josef jetzt in Verlegenheit kommt**
   c. ***weil Josef in Verlegenheit jetzt kommt**

(14) a. **weil Helga an ihren Vater schreibt**
   b. **weil Helga jetzt an ihren Vater schreibt**
   c. **weil Helga an ihren Vater jetzt schreibt**

lich (13), nicht jedoch Objekte (14). Ganz überzeugend ist diese Gemeinsamkeit der FVG mit den Partikelverben nicht, denn man kann über die Grammatikalität von 13c durchaus streiten. Aber selbst wenn 13c zweifelsfrei ungrammatisch ist, beweist das nur, daß die PrGr in FVG eine besonders enge Bindung an das Verb hat. Ihr syntaktisches Verhalten ist generell keineswegs das der Verbpartikel. So kann die PrGr im Hauptsatz in Spitzenstellung erscheinen (Herrlitz 1973: 13), nicht aber die Verbpartikel:

(15) a. **In Verlegenheit kommt Josef nicht**
   b.***Ein schläft Josef nicht**

Im Nebensatz mit doppeltem Infinitiv kann die PrGr des FVG unter den Bedingungen von 16 vor und nach der finiten Verbform stehen, die Verbpartikel aber nur beim Vollverbstamm.

(16) a. **weil er die These wird unter Beweis stellen müssen**
     b. **weil er die These unter Beweis wird stellen müssen**

(17) a. **weil er den Vorschlag wird ablehnen müssen**
     b. ***weil er den Vorschlag ab wird lehnen müssen**

Insgesamt verhält sich die PrGr in Funktionsverbgefügen syntaktisch anders als Verbpartikeln. Auch ihre semantische Funktion ist eine andere.

Was leisten die Funktionsverbgefüge, warum sind sie so zahlreich im Deutschen vertreten? Die FVG schließen lexikalische Lücken, sie erlauben besondere Thema-Rhema-Strukturen und sie ermöglichen bestimmte Passivumschreibungen. Ihre eigentliche Leistung besteht jedoch in der Signalisierung von Aktionsarten. »Es kann sich [bei den FVG] nicht nur um okkasionelle phraseologische Wortverbindungen handeln, denn immer wieder zeigen sich die gleichen Erscheinungen: Verben ganz bestimmter Art mit Richtungspräpositionen und nomina actionis in der Struktur des analytischen Vorgangsgefüges, und, vom Inhalt her gesehen, die abstrakte Umsetzung konkret-räumlicher Vorstellungen in zeitlicher Phasenabstufung.« (Polenz 1963: 260). Die Funktionsverben gewinnen ihre Bedeutung durch Abstraktion aus Positions- und Bewegungsverben so, daß sie noch zur Signalisierung von Aktionsarten in Opposition stehen. Der vom Vollverb (**entscheiden**) bezeichnete Vorgang ist im FVG ›zeitlich zerdehnt‹ (Polenz) in Aktionsart (FV) und den Vorgang ›an sich‹, der vom nomen actionis bezeichnet wird (**zur Entscheidung kommen/bringen/stehen**). Dieser aktionsartlich differenzierte Zugriff auf ein und denselben Vorgang führt zur Reihenbildung mit der PrGr als festem Element. Die Möglichkeit derselben Aktionsart für verschiedene Vorgänge führt zur Reihenbildung mit dem FV als festem Element.

Weil es wenig Konsens über ein Theorie der Aktionsarten für das Deutsche gibt, weichen auch die Vorschläge zur semantischen Beschreibung der Funktionsverben terminologisch und in der Sache stark voneinander ab (dazu besonders Heringer 1968a; Esau 1976; Müller-Pape 1980: 155ff.). Ein einfaches System von Aktionsarten, das zumindest die gängigsten Funktionsverben einleuchtend gruppiert, könnte etwa mit den semantischen Kategorien kausativ, inchoativ und durativ operieren (Steinitz 1977).

Kausative Funktionsverben wären **bringen, setzen, stellen, nehmen**. Wer ein Gesetz zur Abstimmung bringt, wird als Verursacher tätig. Er verursacht, daß etwas (das Gesetz) in einen neuen Zustand übergeht. Dieser Übergang in einen neuen Zustand kann auch ohne kausatives Element ausgedrückt werden, die Aktionsart ist dann inchoativ. Inchoative FV wären **kommen** und **geraten (Das Gesetz kommt zur Abstimmung)**. Das Inchoative ist mit dem Kausativen notwendig verbunden. Schließlich ist das Gesetz in einem neuen Zustand, die Aktionsart ist durativ mit den FV **stehen** und **halten (Das Gesetz steht zur Abstimmung)**. Das Durative ist seinerseits notwendig mit dem Inchoativen verbunden.

8.3 Zur Satzgliedfolge im einfachen Satz

Der vorliegende Abschnitt ist der einzige in dieser Grammatik, in dem Fragen der Wortordnung thematisiert werden. Wir wollen die Grundzüge der Topologie des einfachen Satzes besprechen, das Spezifische der Wortordnung von Haupt- und Nebensatz herausstellen und etwas näher auf die Anordnung nominaler Ergänzungen eingehen.

Nach Auffassung vieler Grammatiker gehören Wortstellungsregeln zum Kerngebiet einer Syntax des Deutschen. Behaghel widmet ihnen einen ganzen Band seiner vierbändigen Syntax (Behaghel 1932); Engel beklagt, dieses Thema werde »in vielen neueren Grammatiken noch immer stiefmütterlich behandelt« (1977: 190). Nach Ansicht von Etzensperger (1979: 142) ist »die Erforschung der deutschen Wortstellung lange ein Randgebiet« geblieben. In den Erzeugungsgrammatiken der neueren Linguistik spielen Wortordnungsregularitäten eine herausragende Rolle. Die Tiefenstruktur eines Satzes hat meist nicht dieselbe Wortstellung wie seine Oberfläche, so daß der Transformationsteil zahlreiche ›Umstellungsregeln‹ enthält (Bierwisch 1963). Mit der Unterscheidung von Oberflächen- und Tiefenstruktur war auch die ad infinitum diskutierte Frage aufgeworfen, welche Wortstellung die der Tiefenstruktur sei: Subjekt-Verb-Objekt oder Subjekt-Objekt-Verb (s. u.). Manchmal wurden Tiefenstrukturen auch als ungeordnet angenommen und dann nach bestimmten Prinzipien ›serialisiert‹ (Bartsch/Vennemann 1972). Keine dieser Konzeptionen scheint jedoch »mit der deutschen Wortstellung in einleuchtender Weise fertig« geworden zu sein (Stechow 1979: 328). Stechows Grammatik generiert die Sätze direkt (also ohne den Umweg über Tiefenstrukturen), seine Syntaxregeln müssen natürlich auch die richtige Wortstellung spezifizieren. Das ist für eine Sprache wie das Deutsche, in der viele Teile von Sätzen relativ frei beweglich sind, ziemlich aufwendig und nimmt einen erheblichen Teil der Grammatik in Anspruch.

Es ist nun nicht einfach ein Versäumnis, wenn andere Grammatiken wenig über Stellungsregularitäten enthalten. Ob solche Regularitäten beschrieben werden oder nicht, hängt nämlich in besonderem Maße von den Zielen ab, die eine Grammatik verfolgt. Eine Erzeugungsgrammatik, die alle und nur die Sätze einer Sprache generieren soll, muß die möglichen Wortfolgen spezifizieren. Sie unterscheidet sich darin in nichts von einer normativen Grammatik, die mitteilen möchte, was richtig oder falsch ist. Auch sie muß zumindest versuchen, die möglichen Wortfolgen zu erfassen (Duden 1984: 715 ff.). Andere Grammatiken (darunter die vorliegende) haben dieses Ziel nicht. Uns interessiert weniger, welche Folgen von Wortformen grammatisch sind und welche nicht, sondern welche Struktur die Sätze haben. Grammatikalität ist dabei vorausgesetzt. Wenn wir grammatische mit ungrammatischen Wortfolgen vergleichen, dann zu analytischen Zwecken.

Die Reihenfolge syntaktischer Grundformen ist eines der drei syntaktischen Mittel. Reihenfolge, morphologische Markierung und Intonation sind die Mittel, mit deren Hilfe sprachliche Einheiten auf der syntaktischen Ebene strukturiert werden (2.2.1). Unter ihnen spielt die Reihenfolge insofern eine Sonderrolle, als sie jeder syntaktischen Einheit (die ja eine Folge von syntaktischen Grundformen ist) inhärent ist. Morphologische Markierung und Intonation in der für syntaktische Beschreibungen relevanten Form müssen erst ermittelt werden. Sie gehen dann mit ihren Merkmalen direkt in die syntaktische Struktur ein. Die Reihenfolge der syntaktischen Grundformen ist dagegen gegeben, und es ist höchst unklar, ob und auf welche Weise sie in die syntaktische Struktur eingeht.

Ein weit entwickelter und besonders auch auf das Deutsche angewendeter Vorschlag dazu liegt in der Wortstellungstheorie von Vennemann vor, die Überlegungen von Behaghel aufnimmt und weiterführt. Behaghel hatte in der Einleitung zu seiner Wortstellungslehre »verschiedene Mächte« (1932: 4) ausgemacht, die für die Wortstellungsregeln des Deutschen verantwortlich sind. Besonders die erste und die dritte dieser heute in der Literatur als ›Behaghelsche Gesetze‹ (Vennemann 1973: 268ff.) bekannten Mächte sind für die Konstruktion eines Zusammenhangs zwischen Wortstellung und syntaktischer Struktur von Bedeutung. Das erste Gesetz besagt, »daß das geistig eng Zusammengehörige auch eng zusammengestellt wird« (Behaghel 1932: 4). Damit wird eine direkte Beziehung zwischen Wortstellung und semantischer Struktur postuliert. Ebenso im dritten Gesetz, das besagt, »daß das unterscheidende Glied dem unterschiedenen vorausgeht« (Behaghel 1932: 5). Das dritte Gesetz darf als Sepzialfall des ersten angesehen werden, denn das unterscheidende Glied gehört mit dem unterschiedenen ›geistig eng zusammen‹, etwa das Adjektiv mit dem Substantiv (**großes Kind**) oder das Adverb mit dem Adjektiv (**sehr großes Kind**).

Das unterscheidende Glied nennt Vennemann auf der semantischen Ebene einen Operator, das unterschiedene einen Operanden. Die entsprechenden Bezeichnungen auf der syntaktischen Ebene sind Spezifikator und Spezifikat. Ziel der Wortstellungstheorie sind nun typologische Aussagen darüber, ob in einer Sprache der Spezifikator dem Spezifikat vorausgeht (sogenannte XV-Sprachen) oder ob er ihm folgt (sogenannte VX-Sprachen). Konsistente Sprachen des einen oder anderen Typs weisen sämtliche Spezifikator/Spezifikat-Paare in der einen bzw. der anderen Richtung auf. Eine konsistente XV-Sprache ist etwa das Koreanische, eine relativ konsistente VX-Sprache ist das Englische, das Deutsche liegt dazwischen und entwickelt sich in Richtung auf das Englische (Vennemann 1974; 1982a; zur Kritik Reis 1974a; Klein 1975).

Uns interessiert hier weder die Haltbarkeit des typologischen noch die des historischen Teils von Vennemanns Theorie, sondern uns interessieren die Rückschlüsse, die er aus Wortstellungsregularitäten auf syntaktische Strukturen zieht.

Mit der Verwendung des Begriffspaars Spezifikator/Spezifikat wird die Konnexion (das unmittelbare Aufeinanderfolgen) von Ausdrücken zum entscheidenden Faktor der Strukturbildung. Da genau ein Ausdruck unmittelbar auf einen anderen folgen kann, steuert die Theorie von vornherein auf die Paarbildung von Ausdrücken zu. Soll nun das Wortstellungsverhalten mit der Syntax (d.h. den syntaktischen Strukturen der Ausdrücke) einer Sprache zu tun haben, so geht das nicht direkter und eleganter als durch das Postulat, Spezifikator und Spezifikat bildeten jeweils gemeinsam eine Konstituente. Das Ergebnis sind binäre Konstituentenhierarchien wie in 1, die das Verb als innerstes Spezifikat ausweisen und Ergänzungen sowie Angaben sukzessive an das Verb binden (Vennemann 1977: 286ff.; 1982a).

Wir würden die Hierarchie in 1 nicht als angemessen für den betreffenden Satz anerkennen, schon weil das Subjekt darin strukturell entfernter vom Verb ist als die Adverbiale, und weil die Adverbiale nicht einem Satz nebengeordnet sind. Auch mit vielen anderen sonst akzeptierten Kriterien der Konstituentenbildung kommt die

(1)

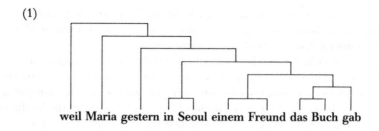

weil Maria gestern in Seoul einem Freund das Buch gab

Spezifikator/Spezifikat-Hierarchie in Konflikt (Lenerz 1977: 75 ff.; 8.2.2). Die Hierarchie in 1 spezifiziert nicht die Form des Satzes im Deutschen, sondern sie ist zu verstehen als Teil einer Aussage im Rahmen einer Wortstellungstheorie.

Die Wortstellung liefert nicht direkt Kriterien dafür, welche syntaktische Struktur ein Ausdruck hat, sondern nur indirekt: betrachtet man das Stellungsverhalten eines Audrucks insgesamt, so erhält man seine Distribution. Die Distribution ihrerseits kann dann Aufschluß über die Kategorie geben, zu der ein Ausdruck gehört. Entscheidend ist hier aber nicht die Position des Ausdrucks in einer ganz bestimmten Einheit, sondern sein gesamtes Stellungsverhalten.

Für das Deutsche kann man sogar noch einen Schritt weitergehen. Die Wortstellung spielt nicht nur keine Rolle bei der Zuweisung von Strukturen, sie ist offenbar auch nicht entscheidend für die Zuweisung von syntaktischen Funktionen bei gegebener Struktur. Während etwa im Englischen die Position eines Nominals darüber Auskunft gibt, ob es als Subjekt oder Objekt fungiert, sind uns kaum derartige Fälle aus dem Deutschen bekannt. Bei näherem Hinsehen haben sich fast immer morphologische Markierung und Intonation als ausreichend erwiesen.

So ist die im Zusammenhang mit der Wortstellung des Deutschen meistgestellte Frage nicht, was der Wortstellung über die Struktur zu entnehmen ist, sondern was unterschiedliche Wortstellungen bei gleicher Struktur bewirken. Bevor wir auf diese Frage eingehen, besprechen wir kurz die Grundzüge der Satzgliedstellung im Deutschen mit der üblicherweise dabei verwendeten Terminologie.

Als Fixpunkt und Charakteristikum der drei Hauptstellungstypen wählt man meist die Position des finiten Verbs. Die Erststellung des finiten Verbs führt zum Stellungstyp *Stirnsatz*, der hauptsächlich in Ja/Nein-Fragen, Imperativsätzen und uneingeleiteten Konditionalsätzen vorkommt (2)

(2) a. **Holt Paul Milch?**
    b. **Hol Milch**
    c. **Holt Paul Milch, dann geh ich zum Bäcker**

Steht das Finitum in Zweitstellung, so spricht man von einem *Kernsatz* (Duden 1984: 716). Die Grundzüge (704 f.) sprechen von Grundstellung. Beide Bezeichnungen zeigen, daß dieser Stellungstyp als der den anderen gegenüber unmarkierte gilt. Er kommt vor in Hauptsätzen, in mit Fragewörtern eingeleiteten Fragesätzen und in uneingeleiteten Ergänzungssätzen nach nichtfaktiven Verben (3).

(3) a. **Paul holt Milch**
    b. **Wer holt Milch?**

c. Emma meint, Paul hole Milch

Das finite Verb kann schließlich am Satzende stehen und einen *Spannsatz* bilden. Dies ist der häufigste Stellungstyp für Nebensätze, gleich ob sie konjunktional eingeleitet sind, ob es sich um einen indirekten Fragesatz handelt oder um einen

(4) a. **Emma denkt, daß Paul Milch holt**
    b. **Emma weiß, was Paul holt**
    c. **Paul ist der Mann, der Milch holt**

Relativsatz. In vielen Arbeiten der generativen Schule wird die Endstellung als unmarkiert angesehen: tiefenstrukturell sollen alle Stellungstypen auf die Nebensatzstellung zurückgehen (Bach 1962; Bierwisch 1963; Esau 1973a; zu den selbständigen Sätzen mit Verbendstellung Weuster 1983).

Zur weiteren Kennzeichnung der Stellungsmöglichkeiten von Satzgliedern bedient man sich einer auf Drach (1963) zurückgehenden Feldterminologie. Diese Terminologie ist insbesondere auf den Kernsatz als den Grundstellungstyp zugeschnitten. Enthält ein Kernsatz eine zusammengesetzte Verbform (5a), eine Wort-

(5) a. **Paul** *hat* **die Milch** *geholt,* **die Emma bestellt hat**
    b. **Paul** *holt* **die Milch** *ab,* **die Emma bestellt hat**
    c. **Paul** *hat* **die Milch** *abgeholt,* **die Emma bestellt hat**

formzerlegung mit Verbpartikel (5b) oder beides (5c), und wird dem zweiten Bestandteil noch ein Ausdruck nachgestellt (hier ein Relativsatz), so teilt das Verb den Satz in drei Teile. Diese drei Teile heißen *Vorfeld, Mittelfeld* und *Nachfeld.* Die Bestandteile des Verbs rahmen das Mittelfeld ein, sie bilden gemeinsam die Verbal- oder Satzklammer (im Gegensatz zur Nominalklammer innerhalb des Nomens, 5.2; zur Verallgemeinerung des Begriffes Satzklammer Admoni 1970: 295f.). Die Verbalklammer gilt als *das* Charakteristikum des deutschen Satzbaus. Viele formale Grammatiken schlagen sich mit ihr herum, weil es hier unweigerlich zu diskontinuierlichen Konstituenten kommt. Die Grundzüge sprechen von einem »Widerspruch zwischen Hierarchie und Reihenfolge« (703; 138ff.). Nur wenige grammatische Erscheinungen haben auch eine vergleichbar reiche Metaphorik evoziert wie die Verbalklammer. Außer von Feldern und Klammern ist vom Spannungsprinzip die Rede, von Entzweiung des Verbs, von strenger Ordnung im Satz, von einer Rahmenkonstruktion, von Ausklammerung und sogar von Lockerung (Schmidt 1973: 267), Durchbrechung (Engel 1970) oder Sprengung (Jung 1973: 105f.) des Rahmens.

Eine Stellungssyntax für den deutschen Satz kann nun etwa darin bestehen, daß man genauer beschreibt, Ausdrücke in welcher syntaktischen Funktion das Vorfeld, Mittelfeld und Nachfeld besetzen und in welcher Reihenfolge sie auftauchen. Während dies für das Vorfeld und Nachfeld noch in relativ übersichtlicher Form möglich ist (**Aufgabe 101**), sind die Möglichkeiten im Mittelfeld vielfältig. Man zerkleinert das Mittelfeld deshalb in Teilfelder und versucht, syntaktisch-semantische Kriterien dafür zu finden, welche Satzglieder in den Teilfeldern stehen können (Engel 1972a; 1977: 190ff.; Duden 1984: 721ff.). Aber welche sind es? Die erste Schwierigkeit

(6) a. **Paul hat das Buch gestern wahrscheinlich eigenhändig**
   zurückgegeben
   b. **Paul hat gestern wahrscheinlich das Buch eigenhändig**
   zurückgegeben
   c. **Paul hat wahrscheinlich gestern eigenhändig das Buch**
   zurückgegeben
   d. **Paul hat gestern eigenhändig das Buch wahrscheinlich**
   zurückgegeben
   e. **Paul hat eigenhändig gestern wahrscheinlich das Buch**
   zurückgegeben

dabei sind Grammatikalitätsurteile. Soll man etwa bestimmte Ausdrücke in 6 als ungrammatisch bezeichnen oder sind sie alle grammatisch? Welche Rolle spielt dabei die Intonation? Ist 6a tatsächlich die ›Normalfrage‹ (Duden 1984: 732) und welche Wirkung ist mit der Umstellung der Adverbiale und Objekte verbunden? Fragen dieser Art werden angesichts der großen Zahl möglicher Satzglieder im Mittelfeld sehr schnell unübersichtlich. Wir demonstrieren Möglichkeiten zu ihrer Beantwortung anhand der Abfolge von dativischem und akkusativischem Objekt im Mittelfeld bei dreistelligen Verben. Dieser Bereich ist einerseits genauer untersucht worden und ist andererseits noch ziemlich übersichtlich. Denn bei den Objekten hat man es jedenfalls mit syntaktisch verschiedenen Satzgliedern zu tun, was etwa für die Adverbiale in 6 möglicherweise schon nicht mehr durchweg gilt.

Vorwegzubemerken ist noch, daß der Begriff Mittelfeld entsprechend 5 nur auf Sitrn- und Kernsätze anwendbar ist, nicht jedoch auf Spannsätze und damit insbesondere nicht auf die meisten Nebensätze. Da aber die im Mittelfeld geltenden Stellungsregularitäten auch für das Feld zwischen Konjunktion und finitem Verb im Nebensatz gültig sind, werden diese Felder manchmal unter einer Bezeichnung zusammengefaßt (›Hauptfeld‹ in den Grundzügen: 705 f.).

Bei dreistelligen Verben mit Dativ- und Akkusativobjekt kann im Mittelfeld jedes Objekt dem anderen vorausgehen.

(7) a. **Emma hat dem Opa das Auto geliehen**
   b. **Emma hat das Auto dem Opa geliehen**

In den Grammatiken gelten entweder beide Abfolgen als gleichberechtigt und gleichgut möglich (Helbig/Buscha 1975: 513; Erben 1980: 274) oder die Abfolge datobj-akkobj gilt als grundlegend (Grundzüge: 705; Duden 1984: 721).

Nirgendwo wird die Ansicht vertreten, die Folge akkobj-datobj sei die unmarkierte. Einigkeit besteht auch darüber, daß mit einer Umstellung der Objekte keine Bedeutungsänderung verbunden ist.

Beide Ansichten über die Satzgliedfolge sind gut begründbar, und zwar mit Argumenten, die einander nicht widersprechen. Beide beziehen sich dann nicht auf dieselbe Eigenschaft von Sätzen. Will man genau eine Abfolge vor allen anderen auszeichnen, so kann damit die unmarkierte Abfolge gemeint sein. Mehrere unmarkierte Abfolgen kann es nach dem üblichen Markiertheitsbegriff nicht geben. Mehrere Abfolgen können jedoch in einem bestimmten Sinne ›normal‹ sein und sich dadurch von anderen, ›unnormalen‹ Abfolgen unterscheiden.

Ein so verstandener Begriff von normaler Wortstellung wird in Höhle 1982 expliziert. Als Kriterium für die Normalität eines Satzes gilt Höhle die Zahl seiner möglichen Foki (ein Fokus entspricht im wesentlich dem, was in 4.5 Rhema genannt wurde). Je mehr mögliche Rhemata ein Satz hat, desto normaler ist er. Denn je mehr mögliche Rhemata er hat, in desto mehr Kontexten kann er stehen. Der Satz mit der maximalen Zahl von Rhemata ist kontaxtuell am wenigsten restringiert und insofern normal. Haben zwei Sätze dieselbe Zahl möglicher Rhemata, so sind sie gleich normal bzw. unnormal.

Im Deutschen hängt die Thema-Rhema-Struktur eines Satzes mindestens von seiner Wortstellung und seiner Intonation ab. Von der Intonation wird im folgenden nur der Satzakzent (Hauptakzent) berücksichtigt. Der betonte Ausdruck wird durch Kursivdruck gekennzeichnet.

Weil die Thema-Rhema-Struktur eines Satzes von seiner Wortstellung und seiner Intonation abhängt, macht es nicht viel Sinn, von einer normalen Wortstellung für sich zu reden. Vielmehr hat man von einer normalen Wortstellung bei einem bestimmten Satzakzent zu sprechen.

Um festzustellen, ob die Wortstellung eines Satzes S_1 normal ist, sucht man also die Akzentzuweisung, bei der S_1 die größte Zahl möglicher Rhemata hat. Gibt es keinen Satz S_2 mit anderer Wortstellung als S_1, der bei irgendeiner Akzentzuweisung eine größere Zahl von Rhemata hat als S_1, so ist die Wortstellung von S_1 normal gegenüber der von S_2.

Für die Sätze 7a, b wird die jeweils größte Zahl von möglichen Rhemata erreicht, wenn das zuletzt stehende Objekt betont ist (8). Wir ermitteln nun für 8a die Zahl

(8) a. **Emma hat dem Opa das *Auto* geliehen**
     b. **Emma hat das Auto dem *Opa* geliehen**

der möglichen Rhemata. 9a–e enthalten Fragen, auf die mit 8a geantwortet werden kann. Zu jeder Frage ist das sich ergebende Rhema genannt (Höhle 1982: 91 f.).

(9) a. **Was hat Emma dem Opa geliehen?**
     das Auto
   b. **Was hat Emma hinsichtlich des Opa gemacht?**
     das Auto + geliehen
   c. **Was hat Emma gemacht?**
     dem Opa + das Auto + geliehen
   d. **Was hat der Opa erlebt?**
     Emma + das Auto + geliehen
   e. **Was ist geschehen?**
     Emma + dem Opa + das Auto + geliehen

8a hat bei der gegebenen Betonung fünf mögliche Rhemata. Ermittelt man ihre Zahl bei anderen Betonungen, etwa **Emma hat dem *Opa* das Auto geliehen**, so erhält man immer weniger als fünf. Dagegen ist die Zahl der möglichen Rhemata für 8b ebenfalls fünf (aus Platzgründen wird das nicht gezeigt), und wiederum ist dies die maximale Zahl, die bei der Wortstellung von 8b erreicht werden kann. Da es keine Wortstellung gibt, bei der mehr als fünf mögliche Rhemata auftreten, haben 8a und 8b beide normale Wortstellung (Höhle 1982: 120ff.): unter dem Gesichtspunkt von Thema und Rhema sind sie kontextuell gleich unrestringiert. Alle anderen Wortstellungen erweisen sich als in diesem Sinne nicht normal.

Wir kommen zur Unterscheidung von markierter und unmarkierter Abfolge. Obwohl beide Wortfolgen normal sind, verhalten sie sich syntaktisch nicht gleich. Nach Lenerz (1977: 26ff.) sind vor allem ihre möglichen Satzakzente verschieden, und daraus läßt sich ein Kriterium zur Bestimmung der unmarkierten Folge gewinnen.

Bei der Abfolge datobj-akkobj kann jedes der Objekte Träger des Satzakzentes sein (10), bei der Abfolge akkobj-datobj nur das Dativobjekt (11). Stimmt man

(10) a. **Emma hat dem Opa das *Auto* geliehen**
    b. **Emma hat dem *Opa* das Auto geliehen**

(11) a. **Emma hat das Auto dem *Opa* geliehen**
    b. ***Emma hat das *Auto* dem Opa geliehen**

diesen Grammatikalitätsurteilen zu, dann erweist sich die Reihenfolge datobj-akkobj als unmarkiert. Ihr Auftreten ist an weniger grammatische Bedingungen gebunden als die Reihenfolge akkobj-datobj.

Mit der verschiedenen Akzentplazierung sind unterschiedliche Thema-Rhema-Strukturen verbunden. Dabei interessieren jetzt nicht die möglichen Rhemata, sondern nur das am stärksten rhematisierte Satzglied. Das ist jeweils das mit dem Satzakzent. Bei unmarkierter Reihenfolge können das beide Objekte sein, bei markierter nur das Dativobjekt. Dieses Faktum bringen wir nun in Zusammenhang mit dem bisher noch nicht erwähnten zweiten Behaghelschen Gesetz. Dies Gesetz stellt fest, »daß das Wichtigere später steht als das Unwichtige, dasjenige, was zuletzt noch im Ohr klingen soll« (Behaghel 1932: 4). Setzt man das Wichtige mit dem Neuen, das Unwichtige mit dem Bekannten gleich, dann steht nach Behaghel das am stärksten rhematische Satzglied zum Schluß. Bei unmarkierter Abfolge kann also das Reihenfolgekriterium für Rhematisierung durch den Akzent außer Kraft gesetzt werden, bei markierter Abfolge nicht.

Lenerz zeigt weiter, daß sich unmarkierte und markierte Abfolge außer bei der Akzentzuweisung auch hinsichtlich der Artikelwahl unterscheiden (1977: 50ff.). Bei unmarkierter Abfolge kann jede Kombination aus bestimmtem und unbestimmtem Artikel stehen (und zwar bei jeder Akzentzuweisung). Insbesondere kann auch das zuerst stehende Objekt den unbestimmten Artikel haben (12b). Eben dies ist bei

(12) a. **Emma hat dem Greis ein Auto geliehen**
    b. **Emma hat einem Greis das Auto geliehen**

(13) a. **Emma hat das Auto einem Greis geliehen**
    b. ***Emma hat ein Auto dem Greis geliehen**

markierter Reihenfolge ausgeschlossen (13b). Bei markierter Reihenfolge muß das Akkusativobjekt den bestimmten Artikel haben.

Mit dieser ›Artikelbedingung‹ sind eine Reihe von Unklarheiten verbunden. Nicht ganz klar ist vor allem, ob es sich dabei um eine syntaktische oder eine semantische Bedingung handelt. Lenerz spricht von Definitheit als semantischem oder jedenfalls nicht oberflächensyntaktischem Merkmal (1977: 54, 55 ff.). Wenn in Sätzen wie 13b aber tatsächlich der bestimmte Artikel im Akkusativobjekt ausgeschlossen ist, kann dies als syntaktisches Faktum angesehen werden.

Die Artikelbedingung kann ebenso wie die Akzentbedingung auf die Thema-Rhema-Struktur bezogen werden. Bei ›natürlicher‹ Rhematisierung ist das rhematisierte Satzglied nichtdefinit, das thematische als vorerwähntes definit. Das spätere Objekt kann daher bei markierter und unmarkierter Reihenfolge den unbestimmten Artikel haben, das frühere nur bei unmarkierter Reihenfolge. Dieser Zusammenhang ist nicht zwingend, denn natürlich kann auch ein definites Nominal Rhema und ein nichtdefinites Thema sein. Dennoch ist keineswegs ausgeschlossen, daß die Definitheitsbedingung als strukturelle Fixierung der natürlichen Rhematisierungsverhältnisse gedeutet werden kann.

Damit ist zumindest angedeutet, welchen Effekt die Umstellung von Satzgliedern hat. Die Umstellung affiziert die Thema-Rhema-Struktur, sie bewirkt etwas auf der pragmatischen Ebene. Bei Fixierung der Thema-Rhema-Struktur wirken im Deutschen offenbar alle syntaktischen Mittel zusammen. Von Bedeutung sind die Reihenfolge, die Intonation und – wie am Beispiel der Definitheitsbedingung gezeigt – möglicherweise die morphologische Markierung ebenfalls.

Auch wenn auf diese Weise die Funktion von Satzgliedumstellungen zureichend charakterisiert wäre, ist noch nicht geklärt, warum das Deutsche eine ganz bestimmte Satzgliedfolge als unmarkiert auszeichnet. Warum sollte das dativische vor dem akkusativischen Objekt stehen und nicht umgekehrt? Die Frage läßt sich erweitern durch Einbeziehen der übrigen Ergänzungen. Als unmarkierte Abfolge der vier häufigsten Formen von Ergänzungen ergibt sich 14 (Lenerz 1977: 65 ff., 97 ff.;

(14) subj-datobj-akkobj-probj

(15) a. **weil Lotte dem Opa die Aktentasche ins Büro bringt**
　　 b. **weil Karl der Tante zum Geburtstag gratuliert**
　　 c. **weil Ernst den Wilfried zum Minister befördert**
　　 d. **weil Helga dem Egon das Geld gibt**
　　 e. **weil Martin dem Franz hilft**
　　 f. **weil Paul die Renate einlädt**
　　 g. **weil Franz über Karla lacht**
　　 h. **weil dem Helmut vor dem Lesen graut**

Duden 1984: 721 f.). Sie ist zu verstehen als relative Anordnung der Ergänzungen bei unmarkierter Reihenfolge. Egal wie viele und welche der Ergänzungen ein Verb nimmt, ihre unmarkierte Abfolge ist durch 14 festgelegt. Einige Beispiele dazu sind in 15 aufgeführt.

Während die Thema-Rhema-Struktur eines Satzes und damit die Wahl einer bestimmten Reihenfolge der Satzglieder kontextbedingt ist, muß das Kriterium für die Deutung der unmarkierten Reihenfolge kontextunabhängig sein. Es muß sich auf Eigenschaften beziehen, die die Satzglieder unabhängig vom Kontext haben. Die wohl überzeugendste Deutung knüpft an die semantische Leistung der Ergänzungen an und beruft sich wieder auf das zweite Behaghelsche Gesetz, jetzt aber in einer anderen Auslegung. »Daß das Wichtigere später steht als das Unwichtige« kann auch absolut genommen werden. Nicht mehr die kontextabhängige Unterscheidung von alter und neuer Information, sondern die Bedeutung der Satzglieder selbst ist dann gemeint. Nehmen wir die allgemeinen Darlegungen zur Markiertheit syntaktischer Kategorien wieder auf (2.1), so hat der Nominativ im Deutschen allen anderen Kasus gegenüber als unmarkiert zu gelten. Das nominativische Nominal im Subjekt bezeichnet häufiger als jedes andere ein belebtes Wesen, dem im vom Satz bezeichneten Sachverhalt die Rolle des Agens zukommt (›prototypische Sprechereigenschaft‹). Dem Nom am nächsten kommt von den anderen Kasus der Dativ. Die meisten Dativobjekte bezeichnen Belebtes, wenn nicht Menschliches (8.2.2). Das Verhältnis von Akkusativ- und Präpositionalobjekt müßte in diesem Zusammenhang genauer erörtert werden. Wir begnügen uns mit dem Hinweis, daß das Präpositionalobjekt als aus Orts- und Zeitadverbialen entstandene Ergänzung häufig abstrakter ist als das direkte Objekt und deshalb diesem gegenüber als markiert angesehen werden kann. Die Ergänzungen wären entlang einer ›Belebtheits- oder Agentivitätsskala‹ aufgereiht (Wegener 1984: 290ff.).

Ob die Belebtheitsskala allein bestimmende Größe für die unmarkierte Abfolge der Satzglieder im Deutschen ist, oder ob neben ihr noch andere Parameter zu berücksichtigen sind, lassen wir offen. Die Belebtheitsskala paßt jedenfalls in das Markiertheitskonzept und wird auch sonst in der Universalienforschung und Sprachtypologie zur Erklärung ganz unterschiedlicher Erscheinungen herangezogen (Fillmore 1968; 1977; Comrie 1978). Besondere Plausibilität erhält die These weiter durch das Verhalten einiger Klassen von Verben mit speziellen syntaktischen und semantischen Eigenschaften. So haben die psychischen Verben (7.4.2) typischerweise ein belebtes Akkusativobjekt. Deshalb kann bei ihnen das Akkusativobjekt besonders leicht vorgestellt werden. Möglicherweise ist die Abfolge akkobj-subj bei diesen Verben sogar unmarkiert gegenüber der Abfolge subj-akkobj (**Den Normalbürger freut dieses Ergebnis** vs. **Dieses Ergebnis freut den Normalbürger**).

Wenn die Belebtheitsskala tatsächlich eine Rolle für die Satzgliedfolge spielt, dann ist das auch bedeutsam für die Frage, ob einer bestimmten syntaktischen Funktion eine bestimmte semantische entspricht (3.2.2; 8.1; 8.2.2.). Zwar bleibt es dabei, daß nicht jedes Subjekt ein Agens und nicht jedes Akkusativobjekt ein Patiens ist usw. Und es gibt viele Verben, für die diese semantischen Kategorien oder Tiefenkasus gar keine Rolle spielen. Dennoch scheint die unmarkierte Satzgliedfolge darauf hinzuweisen, daß die einzelnen Ergänzungen wenn nicht absolut, so doch im Verhältnis zueinander semantische Präferenzen haben, die auch syntaktisch wirksam werden (**Aufgabe 102**).

9. Koordination

Bei der syntaktischen Beschreibung der Sätze in 1 kennzeichnet man Ausdrücke wie **die Belgier und die Italiener** oder **den Belgiern und den Italienern** mit Hilfe des

(1) a. **Die Belgier und die Italiener tun am meisten für Europa**
    b. **Frau Thatcher mißtraut besonders den Belgiern und den Italienern**

Begriffs Koordination. Genauer sagt man, daß etwa in 1a die Nominale **die Belgier** und **die Italiener** mit Hilfe von **und** koordiniert und damit *Konjunkte* von **und** seien. **Und** selbst wird entsprechend eine koordinierende Konjunktion genannt.

Unter Koordination in diesem Sinne ist offenbar eine syntaktische Relation zu verstehen. Sowohl **die Belgier** als auch **die Italiener** in 1a ist konjunktional gebunden und zwar an dieselbe Konjunktion. Diese gemeinsame Bindung an **und** führt dazu, daß die Nominale einander koordiniert sind.

Koordinierte Nominale stehen im selben Kasus, d. h. mindestens eine der möglichen Kasuszuweisungen ist ihnen gemeinsam. In 1a fungieren sie als Subjekt (Nom), in 1b als indirektes Objekt (Dat). Werden Verben koordiniert, dann stimmen auch sie in gewissen Kategorien überein, nämlich mindestens in Person und Numerus **(Inge klopft und tritt ein; Wir redeten und redeten)**.

Wie weit man den Begriff Koordination faßt, hängt zunächst davon ab, was zu den koordinierenden Konjunktionen gezählt wird. In der Literatur spricht man von Koordination immer bei **und** und **oder**, häufig auch bei **aber** und **sondern**, selten bei **als** und **wie** (s. u.).

Sieht man von der koordinierenden Konjunktion ab und macht die kategoriale oder funktionale Identität von Ausdrücken zum Kriterium, so kommen noch eine ganze Reihe weiterer Konstruktionen für Koordination in Betracht. Kategorienidentität ist beispielsweise gegeben bei Verben mit doppeltem Akkusativ wie **nennen, heißen, schelten** (Gleichsetzungsakkusativ), sie liegt vor bei Kopulaverben (Gleichsetzungsnominativ), bei der engen Apposition und schließlich der sogenannten Asyndese. Asyndetische Konstruktionen enthalten konjunktionslos aufgereihte Elemente wie in 2 ($\sigma v v \delta \acute{\varepsilon} \omega \triangleq$ »verbinde«). Die Asyndese gilt meist als ein Sonderfall der Koordination mit **und** (Lang 1977: 73 f.). Das ist besonders für die aufgereihten

(2) a. **eine neue, großartige, weiterführende Idee**
    b. **Alles rettet, rennt, flüchtet**
    c. **Gekommen waren Opas, Tanten, Cousinen, Schwäger**

Adjektivattribute problematisch. Die **verkommene französische Gastronomie** ist weder dasselbe wie die **französische verkommene Gastronomie** noch dasselbe wie die **verkommene und französische Gastronomie** (Erben 1980: 287; 7.2). Falls hier Asyndese vorliegt, ist jedenfalls unklar, was sie mit **und**-Koordination zu tun hat.

Auch für andere der genannten Konstruktionen wird immer wieder auf die Nähe zur Koordination verwiesen, so für die enge Apposition (Erben 1980: 172) und die Vergleichssätze (Wunderlich 1973: 645). Wieviel die Konstruktionen formal und semantisch gemeinsam haben und welche Rolle Kategorienidentität überhaupt in der Grammatik des Deutschen spielt, ist aber noch nicht im Zusammenhang untersucht. Im folgenden geht es vor allem um die Konjunktionen und nicht um die Füllung des Begriffes Koordination. Nach einer allgemeinen Charakterisierung der koordinierenden und subordinierenden Konjunktionen (9.1) greifen wir mit **und** (9.2) und **als** (9.3) die beiden vielseitigsten zur genaueren Besprechung heraus.

9.1 Koordinierende und subordinierende Konjunktionen

Bei großzügiger Zählung finden wir im Deutschen zwischen siebzig und achtzig Konjunktionen (Erben 1980: 189). Der Umfang dieser kleinsten Konstituentenkategorie ist ziemlich konstant. Produktive Wortbildungsmechanismen wie bei den Präpositionen gibt es nicht, Zuwachs erhält die Klasse allenfalls durch Übergang von Elementen aus anderen Kategorien, etwa von den Adverbien (s. u.).

Die Konjunktionen gehören wie die Adverbien und Präpositionen zu den nicht flektierbaren Einheiten (6.1). Der Kategorienname Konjunktion (K) verweist darauf, daß diese Einheiten Ausdrücke bestimmter Form miteinander verbinden. Als syntaktische Hauptklassen werden koordinierende (KOR) von subordinierenden (SUB) Konjunktionen getrennt. KOR und SUB sind in unserem System Paradigmenkategorien.

Die Unterscheidung von koordinierenden und subordinierenden Konjunktionen beruft sich auf das unterschiedliche Verhalten bei der Verbindung von Sätzen. Eine koordinierende Konjunktion verbindet Sätze gleicher Form (Hauptsätze mit Hauptsätzen, Nebensätze mit Nebensätzen) während eine subordinierende Nebensätze an

(1) a.

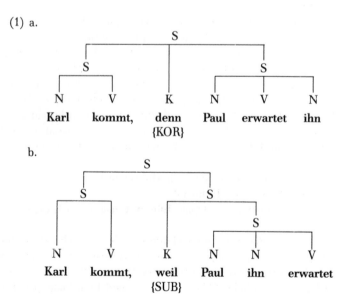

b.

Hauptsätze anschließen kann, was man eben als Subordination des Nebensatzes bezeichnet. In diesem Sinne unterscheiden sich etwa die bedeutungsverwandten kausalen Konjunktionen **denn** und **weil**. Mit **denn** sind Haupt- oder Nebensätze verbindbar (1a), mit **weil** wird ein Nebensatz angeschlossen (1b; **Aufgabe 103**).

Sowohl koordinierende als auch subordinierende Konjunktionen lassen sich syntaktisch weiter subklassifizieren. Dabei entstehen sehr kleine Klassen. Insbesondere jede der koordinierenden Konjunktionen scheint ein individuelles syntaktisches Verhalten zu haben (zu den Einzelheiten 9.2–10.2).

1. *Subordinierende Konjunktionen.* Nach der äußeren Gestalt kann man bei den subordinierenden Konjunktionen einfache (2a) und zusammengesetzte unterscheiden. Den zusammengesetzten geben wir den Status von Wortformen. Wir weisen ihre Bestandteile nicht selbst wieder syntaktischen Kategorien zu, **so daß, je desto** usw. sind nur als Ganze Konjunktionen. Bei einigen zusammengesetzten folgen die Bestandteile stets unmittelbar aufeinander (2b), andere können oder müssen diskontinuierlich sein (2c).

(2) a. **daß, ob, als, nachdem, seit, seitdem, sobald, bis, bevor, ehe, während, obwohl, obgleich, wiewohl, wenn, falls, sofern, da, weil, damit, soweit, indem, zu**

b. **so daß, ohne daß, als daß, auch wenn, als wenn, als ob**

c. **je desto, je umso**

Die weitere syntaktische Subklassifizierung der subordinierenden Konjunktionen hat zu berücksichtigen, mit welchen Kategorien sie sich verbinden. Die meisten fordern einen Nebensatz entsprechend 1b: die Konjunktion regiert einen Satz bestimmter Art. Sie ist diesem Satz nebengeordnet und hat innerhalb dieses Satzes ausdrücklich nicht den Status eines Satzgliedes. Eine kleine Gruppe von subordinierenden Konjunktionen fordert nicht Sätze, sondern Infinitivkonstruktionen (**um, ohne, anstatt**; 11.2.1; 11.3).

Der zweite Hauptgesichtspunkt zur Subklassifizierung ist die syntaktische Funktion der von den Konjunktionen eingeleiteten Nebensätze. Grundsätzlich leiten **daß** und **ob** Konstituenten in Subjekt- und Objektfunktion ein, alle anderen solche in adverbialer Funktion. Viele von ihnen können außerdem Attribute einleiten, insbesondere natürlich bei Nominalisierungen (**die Vermutung, daß Karl schläft; Der Moment, wenn Helga reinkommt**; 7.1; 7.4.2).

Konjunktionen bei Adverbialsätzen bezeichnen Relationen zwischen Sachverhalten. Eine semantische Klassifizierung könnte etwa unterscheiden zwischen temporalen (**als, nachdem, bis**), konditionalen (**wenn, falls, sofern**), finalen (**damit**), kausalen (**da, weil**), konzessiven (**obwohl, obgleich, wiewohl**), konsekutiven (**so daß**), instrumentalen (**indem**), vergleichenden (**wie, als daß, je desto**) und ›inhaltsleeren‹ (**daß, ob, zu**; 10.2).

Ganz ähnlich wie Präpositionen eine PrGr, so leiten subordinierende Konjunktionen einen Nebensatz ein. Beide Kategorien zeigen ein in vieler Hinsicht analoges Verhalten. Eine vergleichbar verwandte Kategorie gibt es für die koordinierenden Konjunktionen nicht. Die koordinierenden leisten das allein, was sich die subordinierenden Konjunktionen mit den Präpositionen teilen.

Präpositionen regieren Nominale, subordinierende Konjunktionen regieren

Sätze. Die sich erergebenden Konstituentenstrukturen sind weitgehend parallel aufgebaut:

(3) a.

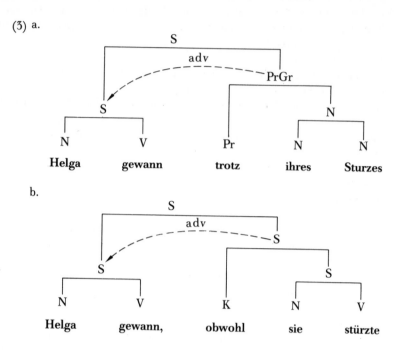

b.

PrGr und konjunktional eingeleitete Sätze haben als Objekte und Adverbiale gemeinsame syntaktische Funktionen. Semantisch sind Präpositionen zweistellig relational ebenso wie Konjunktionen. Jede der beiden Kategorien ist dabei auf bestimmte Inhaltsbereiche spezialisiert. So gehören die Lokalbeziehungen zur Domäne der Präposition, weil räumliche Entitäten mit Nominalausdrücken bezeichnet werden (7.4.1). Räumliche Konjunktionen gibt es nicht. Sachverhalte müssen dagegen zeitlich situiert werden, deswegen gibt es zahlreiche temporale Konjunktionen. Wegen des ausgiebigen Gebrauchs, den das Deutsche von Nominalisierungen macht, können viele semantische Beziehungen sowohl mit Konjunktionen als auch mit Präpositionen ausgedrückt werden. Einige temporale fungieren sowohl als Präpositionen wie als Konjunktionen (**seit, bis, während** 10.2.1) oder aber die Ausdrücke beider Kategorien sind morphologisch voneinander abgeleitet (**nach – nachdem; seit – seitdem; vor – bevor**; mit anderem semantischen Hintergrund auch **mit – damit; statt – anstatt; in – indem; ohne – ohne daß** usw.; **Aufgabe 104**).

2. *Koordinierende Konjunktionen* sind einfach (4a) oder zusammengesetzt (4b). Die zusammengesetzten treten immer diskontinuierlich auf.

(4) a. **und, oder, aber, sondern, denn, als, wie**
 b. **entweder oder, weder noch, sowohl als, so wie, zwar aber**

Gemeinsam ist den koordinierenden Konjunktionen die syntaktische Zweistelligkeit. Meist wird darunter verstanden, daß die Konjunktion zwei kategorial identische Konstituenten nebenordnet. ›Koordinierend‹ wird dann als ›nebenordnend‹ verdeutscht oder einfach synonym damit verwendet (Jung 1973: 14f.; Duden 1984: 373).

Fast keine der koordinierenden Konjunktionen läßt sich aber auf diese Weise angemessen beschreiben. Koordination ist eine syntaktische Relation, die nicht unbedingt an Nebenordnung gebunden ist. Auch müssen die Konjunkte koordinierender Konjunktionen nicht Konstituenten sein. In **Else findet einen Schlüssel, aber Renate hundert Mark** ist **Renate aber hundert Mark** das zweite Konjunkt von **aber**, es ist jedoch nach unseren Kriterien keinesfalls eine Konstituente (Näheres 9.2).

Koordinierende Konjunktionen verbinden Ausdrücke sehr unterschiedlicher Form miteinander, sie sind syntaktisch viel variabler als subordinierende. Den weitesten Anwendungsbereich haben **und** und **oder**. Sämtliche Konstituentenkategorien einschließlich der Konjunktionen selbst können von ihnen koordiniert werden, dazu eine große Zahl weiterer Kategorien sowie Einheiten, die nicht Konstituenten sind (**Aufgabe 105a**). Eine syntaktische Besonderheit von **und** und **oder** ist die Möglichkeit zur unbegrenzten Wiederholung der Koordination. Ausdrücke wie **Ulla oder Fritz oder Karin** können so nur mit **und** und **oder** gebildet werden, nicht aber mit **denn, sondern** oder **aber**, die jeweils nur genau einmal vorkommen und damit genau ein Paar von Konjunkten koordinieren können.

Am eingeschränktesten in seinem Vorkommen ist **denn**, das nur Hauptsätze verbindet. **Aber** tritt mit allen Formen von Sätzen auf, mit Infinitivgruppen (**Sie versucht reich zu werden, aber ehrlich zu bleiben**), Adverbien (**immer, aber heute auch**), Verben (**Er will essen, aber nicht bezahlen**) und vielen Formen von Nominalen. Eingeschränkt ist **aber** auf systematische Weise durch das Nebeneinander mit der zweiten adversativen Konjunktion, nämlich **sondern**. Beide können manchmal füreinander ersetzt werden, schließen sich vielfach aber auch gegenseitig aus (**Aufgabe 105b**).

Eine gewisse Sonderrolle unter den koordinierenden Konjunktionen spielen **als** und **wie**. Beide werden in Vergleichssätzen verwendet. **Wie** bzw. **so wie** bezeichnet eine Ähnlichkeitsbeziehung zwischen den Vergleichsgrößen (5a, b), oder es zeigt an, daß die Vergleichsgrößen eine bestimmte Eigenschaft gemeinsam haben (5c).

(5) a. **Kurt arbeitet wie ein Profi**
    b. **Sie hilft mir wie einem Bruder**
    c. **Niki fährt so schnell wie Walter**

(6) a. **Du als der Präsident darfst das doch**
    b. **Ich rate ihm das als Freund**
    c. **Niki fährt schneller als Walter**

Als bezeichnet die Identitäts- oder Subsumptionsbeziehung (6a, b). Bei **als** in Vergleichssätzen geht es darum, in welchem Maß die Vergleichsgrößen eine bestimmte Eigenschaft haben.

Für **als** und **wie** gibt es besondere Abgrenzungsprobleme. Nicht nur, daß es auch eine subordinierende Konjunktion **als** (7a) und ein Frageadverb **wie** gibt. Beide verhalten sich in mancher Beziehung darüber hinaus ähnlich wie Präpositionen (dazu weiter 9.3; zur Abgrenzung von den Adverbien **Aufgabe 106**).

(7) a. **Alle gratulierten, als Johanna zur Schule kam**
   b. **Wir sind gespannt, wie sie die Lehrerin findet**

9.2 Grundzüge der Koordination mit **und**

Und ist die gebräuchlichste Konjunktion und gehört darüber hinaus zu den am häufigsten verwendeten Formen des Deutschen überhaupt (Wängler 1963: 50; Meier 1964: 52). Auch die Zahl der möglichen syntaktischen Kontexte ist für **und** größer als für jede andere koordinierende Konjunktion.

Auf der Bedeutungsseite weist man **und** ebenfalls meist eine Sonderstellung unter den Konjunktionen zu, vor allem wenn die Bedeutung wahrheitswertfunktional gefaßt wird. Dem natürlichsprachlichen **und** wird ein logisches Äquivalent »und« ($\wedge$) zugeordnet, das zwei aussagenlogische Sätze a und b zu einem Satz a $\wedge$ b verbindet. Der Satz a $\wedge$ b ist genau dann wahr, wenn sowohl a als auch b wahr ist, sonst ist er falsch. Steht a für **Heiner lügt** und b für **Helmut grinst**, so ist der Satz **Heiner lügt und Helmut grinst** wahr, wenn beides der Fall ist. Auf dieser Basis lassen sich dann weitere Satzverknüpfer definieren. Beispielsweise ist **Wenn Heiner lügt, dann grinst Helmut** (a $\supset$ b) immer wahr, außer wenn Heiner lügt und Helmut trotzdem nicht grinst (a $\wedge \sim$ b mit $\sim$ als Zeichen für die Negation). Die Implikation $\supset$ kann man also mit Hilfe von $\wedge$ und $\sim$ definieren, und dasselbe ist auch für andere Satzverknüpfer wie $\vee$ (**oder**) möglich. Prinzipiell könnte man auch andersherum verfahren und etwa $\wedge$ mit Hilfe von $\supset$ und $\sim$ definieren. Die meisten Logikbücher nehmen jedoch **und** als Ausgangspunkt ihrer Überlegungen zur Semantik der Satzverknüpfer (Allwood/Anderson/Dal 1973: 29 ff.). Dies wird in der Regel nicht weiter begründet, es entspricht einfach unserer Intuition, daß **und** von allen Konjunktionen die primitivste Bedeutung hat.

Mit der wahrheitswertfunktionalen Explikation läßt sich die Leistung von **und** nur teilweise verstehen. Beispielsweise läßt sich **und** nicht von **weil** unterscheiden. Der Satz a $\leftarrow$ b (**Heiner lügt, weil Helmut grinst**) ist nur dann wahr, wenn a $\wedge$ b wahr ist, und er ist dann falsch, wenn a $\wedge$ b falsch ist. Offenbar verwenden wir **weil**, wenn wir außer der Wahrheit von a und b eine spezielle semantische Beziehung zwischen ihnen behaupten, derart, daß b als der Grund für das Eintreten von a anzusehen ist. Dieses Bedeutungselement hat **und** nicht. Wenn wir aber nur mitteilen wollen, daß zwei Sätze wahr sind (zwei Sachverhalte zutreffen), warum äußern wir dann nicht einfach die beiden Sätze als Behauptungen? Warum verbinden wir sie noch mit **und**? Besteht nicht doch in der Regel eine spezifische inhaltliche Beziehung zwischen den Sätzen bzw. den mit **und** verknüpften Konjunkten?

Der Frage ist im einzelnen Ewald Lang (1977) nachgegangen. Auch Lang macht die Bedeutung von **und** (neben der von **oder**) zur Grundlage der Bedeutungen anderer Konjunktionen wie **aber, sondern, denn** (1977: 72 f.). Die Bedeutung von **und** selbst wird mit Hilfe des Begriffes der ›gemeinsamen Einordnungsinstanz‹ der Konjunkte expliziert. Zum Verstehen eines Ausdrucks mit **und** gehöre es, daß man die Konjunkte integriere und auf eine gemeinsame Größe beziehe. Als eine solche Größe kann man sich etwa bei koordinierten Nominalen wie in 1 einen geeigneten Oberbegriff vorstellen. Bei der semantischen Analyse (gedacht als kognitiver Pro-

(1) a. Helga und Elise
    b. Helga und Karl
    c. Helga und meine andere Schwester
    d. Helga und die Frauenbewegung
    e. Helga und mein Rucksack

zeß) verstehe man das Auftauchen von **und** als Anweisung, nach einem solchen Oberbegriff zu suchen. Was also **Helga** aktuell bedeutet, sei in 1a etwas anderes als in 1b und 1c, weil jeweils eine andere ›gemeinsame Einordnungsinstanz‹ gefunden werde. In 1c etwa ist der Oberbegriff (»meine Schwestern«) explizit gemacht durch das zweite Konjunkt, in anderen Fällen sind der Phantasie kaum Grenzen gesetzt. In 1e kann Helga mein Dackel sein, aber ebensogut die Angelrute oder meine kleine Tochter.

Lang möchte auf diese Weise klären, warum die Konjunkte von **und** in der Regel zugleich semantisch ähnlich und ›kontrastfähig‹ sind, wie genau sich ihre Bedeutungen gegenseitig beeinflussen, warum bestimmte Ausdrücke besser koordiniert werden können als andere und warum wir mit bestimmten Koordinationen bestimmte Effekte erzielen (1977: 31; so im Tucholsky-Zitat **Nach Berlin besuchen wir noch Persien, Europa und Heidelberg** oder der Frage an Palästina-Ankömmlinge in den 30er Jahren **Kommen Sie aus Deutschland oder aus Überzeugung?**).

Eine derartige Sicht des Verstehensproblems hat allerdings nichts Spezielles mit den koordinierenden Konjunktionen zu tun. Jede Konstruktion kann derart befragt und gedeutet werden. Der Versuch einer die Koordination pragmatisch-kognitiv erklärenden Theorie lag aber wohl besonders nahe, weil diese Konstruktion entgegen dem ersten Anschein so außerordentliche Schwierigkeiten bei der grammatischen Analyse macht (Lang 1977: 15 f.).

Betrachten wir nämlich Sätze mit **und**-Koordination, so drängt sich sofort der Eindruck eines gemeinsamen Strukturmerkmals auf: **und** steht zwischen gramma-

(2) a. Helga nimmt alles mit, was vor und neben dem Schrank steht
    b. Karl schält und kocht Kartoffeln
    c. Renate hat eine linke und eine liberale Tageszeitung abonniert
    d. Egon geht mit Karl und Else ins Kino
    e. Franz lädt Emma und Paul ein
    f. Helmut staunt, daß Hans abwäscht und Anetta nichts tut
    g. Hans wäscht ab und Anetta tut nichts

tisch ganz oder weitgehend identischen Konjunkten und bildet mit ihnen zusammen einen Ausdruck derselben Kategorie wie die Konjunkte.

In 2a steht **vor und neben** dort, wo auch **vor** oder **neben** allein stehen könnte, in 2b stehen zwei Verben dort, wo auch jedes von ihnen stehen könnte usw., bis hin zu

(3) a.   b.   c.

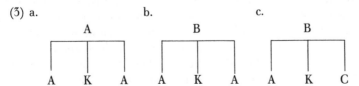

315

2g, wo zwei Sätze mit **und** verbunden sind, von denen jeder für sich stehen könnte. In all diesen Fällen liegt nichts näher als eine Konstituentenstruktur der Form 3a. Klar ist, daß wir außer mit 3a auch mit 3b rechnen müssen, etwa wenn wir die Nomina **Emma** und **Paul** zur NGr **Emma und Paul** zusammenfügen. Dagegen entspricht 3c schon weniger unserer Intuition über zu erwartende Strukturen, denn das Spezifische scheint gerade die kategoriale Identität der Konjunkte zu sein. Insgesamt sollte die Koordination mit **und** den Bedingungen in 4a genügen.

(4) Koordination mit **und**
   a. 1. beide Konjunkte sind Konstituenten
      2. beide Konjunkte sind kategorial identisch
      3. beide Konjunkte bilden zusammen mit **und** wieder eine Konstituente
   b. Wenn S_1 und S_2 grammatische Sätze sind und S_1 von S_2 nur dadurch unterschieden ist, daß in S_1 dort X erscheint, wo in S_2 Y erscheint (d.h., $S_1 = ..X..$ und $S_2 = ..Y..$) und X und Y Bestandteile desselben Typs in S_1 bzw. S_2 sind, dann ist S_3 ein Satz, wobei S_3 das Ergebnis der Ersetzung von X durch X + **and** + Y in S_1 (d.h., $S_3 = ..X +$ **and** $+ Y..$) ist.

Mit diesen Annahmen befinden wir uns in guter Gesellschaft. 4b gibt die Formulierung für die Bildung von **und**-Koordinationen aus Chomsky 1973: 43 (Original 1957) wieder. Chomsky würde etwa den Satz 2b aus den beiden Sätzen **Karl schält Kartoffeln** und **Karl kocht Kartoffeln** ableiten, also zwei Sätze zu einem mit einer **und**-Koordination zusammenfassen. Der Grundgedanke ist, daß Sätze mit einem Vorkommen von **und** als Zusammenfassung zweier Sätze aufzufassen sind. Der Mechanismus zur Verkürzung selber wird Koordinationsreduktion genannt und im Rahmen einer transformationellen Grammatik formuliert. Chomskys Formulierung enthält direkt unsere Bedingungen 1 und 2 aus 4a. Bedingung 3 ist nicht enthalten, wohl weil sie als selbstverständlich gilt.

Die Grammatik von **und** bzw. engl. **and**, wie sie seit Beginn der sechziger Jahre betrieben wurde, ist immer wieder eine Auseinandersetzung mit der Frage gewesen, wie weit 4b durchgehalten werden kann, wie weit Koordination eine in diesem Sinne grammatisch einheitliche Erscheinung ist. Folgende Schwierigkeiten sind dabei aufgetreten (zur Übersicht Thümmel 1970; Wiese 1980).

1. Konjunkte als Konstituenten. Entsprechend 4b kann man einen Satz mit **und**-Koordinationen nur dann bilden, wenn man zwei geeignete Sätze samt ihren Konstituentenstrukturen hat. Die Ausgangssätze müssen syntaktisch analysiert sein, die Grammatik von **und** setzt die Grammatik des einfachen Satzes voraus, sie ist eine Art Grammatik ›zweiter Stufe‹ (Lang 1977: 14f., 36ff.). Nur wenn wir wissen, ob ein Ausdruck in einem einfachen Satz eine Konstituente ist und welchen Kategorien er angehört, können wir nach 4b verfahren und eine Koordination mit **und** bilden. Andererseits heißt es bei Chomsky auch »tatsächlich liefert sie [d.i. die Regel 4b] eines der besten Kriterien dafür, wie Bestandteile zu bestimmen sind« (1973: 45). Das Verhalten der Ausdrücke bei Koordination soll also Kriterium dafür sein, ob sie Konstituente sind oder nicht. Das ist ein direkter Widerspruch zu der Annahme, Koordination setze diese Kenntnis voraus. In der Literatur werden tatsächlich beide

Positionen immer wieder vertreten, und mit beiden lassen sich je unterschiedliche Strukturen rechtfertigen. Bleiben wir unseren Prinzipien zur Etablierung von Konstituenten treu, dann sind mit Sicherheit nicht alle Konjunkte von **und** Konstituenten (5).

(5) a. **der große und der kleine Klaus**

b. **Hans kocht Kartoffeln und Franz Bohnensuppe**

Ausdrücke wie **der kleine** oder **Franz Bohnensuppe** würden wir nicht als Konstituenten gelten lassen.

2. Mehrfachkoordination. Wie soll man Ausdrücke mit mehr als zwei Konjunkten behandeln? Nach 4 würde sich 6a ergeben. Bei dieser Struktur würden jeweils zwei

(6) a.   b.

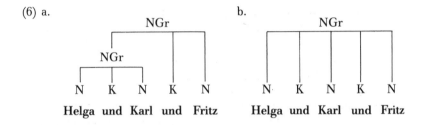

Konjunkte zusammen mit **und** eine Konstituente bilden (Bedingung 3 aus 4a). Außerdem wäre die Koordination mit **und** eine endozentrische Konstruktion, die Struktur wäre im üblichen Sinne rekursiv (7.3.1). Dennoch wird 6a in der Literatur fast durchweg als ›überstrukturiert‹ verworfen und durch 6b ersetzt (Gleitman 1965). In der Tat gibt es keinerlei syntaktische (oder auch semantische) Rechtfertigung für 6a gegenüber der einfacheren Struktur 6b. Damit ist auch Bedingung 3 hinfällig: nicht immer bilden zwei Konjunkte zusammen mit **und** eine Konstituente.

3. Identität der Konstituenten. Offensichtlich ist auch dies keine notwendige Bedingung, schon weil die Konjunkte nicht immer Konstituenten sind. Aber auch wenn wir davon absehen und die Konjunkte selbst betrachten, liegt nicht durchweg Identität vor. Was ›Identität‹ in diesem Zusammenhang genau bedeuten sollte, ist ganz unklar. Müssen die Konjunkte syntaktisch völlig identisch sein oder nur in Hinsicht auf bestimmte ›Hauptkategorien‹? Kommt es nicht vielmehr auf semantische Kompatibilität im Sinne der Überlegungen von Lang an? Oder sind überhaupt nicht die Kategorien, sondern eher die syntaktische Funktion der Konjunkte bzw. ihrer Teile ausschlaggebend? Wir beschränken uns auf einige Beispiele, die zeigen, daß nicht einmal identische Konstituentenkategorien für die Konjunkte gefordert sind.

(7) a. **Hans und wer sonst noch Lust hat, soll mitkommen**

b. **Johanna arbeitet diszipliniert und mit großem Erfolg**

c. **Paul versprach, den Briefkasten zu leeren und daß das Haus regelmäßig gereinigt würde**

d. **Aus fertigungstechnischen und Kostengründen wird der Fachbereich Germanistik geschlossen**

In 7a sind **Hans** und **wer sonst noch Lust hat** kategorial verschieden, können aber dieselbe syntaktische Funktion (als Subjekt) haben. Entsprechendes gilt für 7b, c. In 7d sind nicht einmal beide Konjunkte Wortformen (**fertigungstechnischen** und **Kosten-**). Eine Durchsicht relevanter Fälle zeigt, daß kein Identitätsbegriff angemessen ist, der allein kategoriale oder allein funktionale Gesichtspunkte berücksichtigt (Brettschneider 1978: 118 ff.; dort Beispiele wie 7).

4. Phrasenkoordination. 4b will Sätze mit *und*-Koordination ›zurückführen‹ auf mit **und** verbundene Sätze. Diese Reduktion ist als ein syntaktischer, d. h. formbezogener Prozeß möglich in Fällen wie 8. Die beiden grammatisch identischen Sätze

(8) a. **Emma nimmt Valium und Paula Librium**
    b. **Emma nimmt Valium und Paula nimmt Librium**

(9) a. **Heiner und Helmut belügen das Parlament**
    b. **Heiner belügt das Parlament und Helmut belügt das Parlament**

(10) a. **Alfred und Josef ähneln sich**
     b. **Alfred ähnelt Josef und Josef ähnelt Alfred**

können durch einen Tilgungsprozeß ›reduziert‹ werden auf 8a. 8a enthält nichts, was nicht auch in 8b enthalten wäre. Anders in 9. Auch 9b enthält grammatisch identische Sätze, beim Übergang zu 9a muß aber der Numerus des Verbs geändert werden. 9a enthält als Bestandteil keinen der Sätze aus 9b. Noch stärker ist die Abweichung bei symmetrischen Prädikaten wie in 10. Außer dem Numerus des Verbs ändert sich auch die syntaktische Funktion der Mitspieler. Außerdem enthält 10a das Reflexivpronomen.

Bei den symmetrischen Prädikaten kann also keine Koordinationsreduktion im Sinne von 4b vorgenommen werden. 4b muß daher aufgegeben oder weniger restriktiv formuliert werden. Die zweite Möglichkeit bestand für die transformationelle Grammatik nicht. Man wollte nämlich einen Satz wie 10a grammatisch genauso beschreiben wie etwa den Satz **Diese beiden Knaben ähneln sich** und diesen wiederum wie **Diese Knaben ähneln sich**. Alle diese Sätze haben ja im Prinzip dieselbe Oberflächenform. Aus welchen **und**-Koordinationen sollte aber der zuletzt genannte Satz abgeleitet werden? Offenbar ist ein syntaktischer Bezug eines Pluralnominals auf koordinierte Singularnominale nur willkürlich möglich. Dennoch wurde versucht, auch Sätze wie **Diese Knaben ähneln sich** auf **und**-Koordinationen zurückzuführen und damit 4b zu retten (Thümmel 1968). Im allgemeinen ging man nicht diesen Weg, sondern gab die Rückführung von 10a auf mit **und** verbundene Sätze auf. Die Folge war eine Unterscheidung zweier Grundformen von Koordination. *Satzkoordination* meint, daß Rückführung auf mit **und** verbundene Sätze möglich ist (8a auf 8b). *Phrasenkoordination* meint, daß eine solche Rückführung nicht möglich ist, wie bei 10a. In solchen Fällen werden die Konjunkte direkt (das heißt für den Transformationsgrammatiker in der Tiefenstruktur) miteinander verbunden (Lakoff/Peters 1969).

Wie nun Phrasen- und Satzkoordination im Einzelfall voneinander abzugrenzen sind, ist höchst umstritten (Lang 1977: 284 f.; Wiese 1978: 76 ff.). Für 9a beispielsweise ist beides geltend gemacht worden. 9a enthält keinen der Sätze aus 9b, insofern liegt Satzkoordination im strengen Sinne nicht vor. Und die Bedeutung? 9a kann gelesen werden als »Helmut und Heiner belügen gemeinsam das Parlament« und bezeichnet dann einen Sachverhalt wie bei Sätzen mit symmetrischem Prädikat. Er kann auch gelesen werden als »Sowohl Helmut als auch Heiner belügt das Parlament«, dann bezeichnet er zwei Sachverhalte. Manchmal ist dieses semantische Kriterium dafür geltend gemacht worden, daß Sätze wie 9a zwei ›syntaktische‹ Strukturen hätten.

Für uns kommt nur eine oberflächensyntaktische Unterscheidung von Phrasen- und Satzkoordination in Frage. Wir treffen folgende Vereinbarung.

(11) Kann aus einem Satz mit **und**-Koordination eines der Konjunkte samt **und** gestrichen werden, so daß ein grammatischer Satz übrigbleibt, dann liegt Satzkoordination vor. Sonst Phrasenkoordination.

Wir werden uns bei der Zuweisung von Konstituentenstrukturen auf diese Unterscheidung stützen. Beginnen wir mit der Phrasenkoordination (12).

(12) a. **Helga und Renate ähneln/gleichen/begegnen/treffen sich**
　　　b. **Karl und Kurt sind ähnlich/gleich/benachbart/verwandt**
　　　c. **Heiner und Helmut belügen das Parlament**
　　　d. **Es sind Katrin und Marie**

In keinem der Sätze läßt sich **und** mit einem seiner Konjunkte streichen, so daß ein grammatischer Satz entsteht. Denn die einzelnen Konjunkte stehen im Singular, während das Verb im Plural steht. Die Regeln der Numeruskorrespondenz zwischen Subjekt und Prädikat sind nur bei **und**-Koordination erfüllt, nicht jedoch für die einzelnen Konjunkte.

Wollen wir für **Helga und Renate treffen sich** davon sprechen, daß Subjekt und Prädikat im Numerus kongruieren, so müssen wir ein Subjekt **Helga und Renate** ansetzen. Das Subjekt soll eine Konstituente sein, wir erhalten als Konstituentenstruktur 13. Diese Struktur läßt sich für die symmetrischen Prädikate (12a, b) auch

(13)

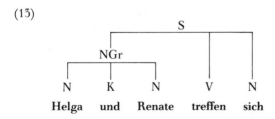

mit Rektionsargumenten rechtfertigen. **Treffen** ist zweistellig mit drei syntaktischen Varianten:

(14) a. **Helga trifft Renate**
　　　b. **Helga und Renate treffen sich**
　　　c. **Die Mädchen treffen sich**

Bei singularischem Subjekt muß ein akkusativisches Objekt stehen. Bei pluralischem Subjekt kann bei symmetrischer Lesart nur das Reflexivpronomen als zweite Ergänzung stehen. Dasselbe trifft bei und-Koordination im Subjekt zu. Für die Valenz der symmetrischen Prädikate spielen also Formmerkmale des Subjekts eine Rolle, die bei anderen Verben keine Rolle spielen, nämlich der Numerus sowie die Frage, ob **und**-Koordination vorliegt oder nicht.

Aufgrund syntaktischer Kriterien ergibt sich eine Konstituentenstruktur wie 13 auch für 12c, d. Das Subjekt in 12c ist **Heiner und Helmut**, das in 12d ist **Katrin und Marie**. Die Entscheidung stützt sich hier allein auf die Numeruskongruenz zwischen Subjekt und Prädikat. Rektionsgesichtspunkte spielen keine Rolle, weil **lügen** und **sein** nicht symmetrisch sind.

Für die symmetrischen Prädikate ist die Struktur in 13 auch von der Semantik her sofort einleuchtend. Es ist jeweils von nur einem Sachverhalt die Rede. Dagegen können mit 12c (= 9b) zwei verschiedene Sachverhalte gemeint sein. Dennoch hat der Satz nur eine Form und daher nur eine syntaktische Struktur. Die Zuweisung mehrerer Strukturen aufgrund semantischer Kriterien führt zu Schwierigkeiten ganz allgemeiner Art. In Sätzen wie **Karl hat Paul und Fritz eingestellt; Karl spielt mit Paul und Fritz** liegt nicht Phrasenkoordination vor. Dennoch kann jeweils ebensogut ein einziger Sachverhalt gemeint sein wie mehrere. Die Form eines Satzes gibt darüber normalerweise gar keine Auskunft. Sogar bei Sätzen mit symmetrischem Prädikat können mehrere Sachverhalte gemeint sein. **Helga und Renate treffen sich mit Luise** bedeutet nicht unbedingt, daß es ein gemeinsames Treffen mit Luise gibt. Es wäre sicherlich verfehlt, daraus auf mehrere syntaktische Strukturen dieses Satzes zu schließen.

Im Deutschen bilden phrasenkoordinierte Konjunkte immer gemeinsam das Subjekt. Andere Mitspieler kommen für Phrasenkoordination nicht in Frage, weil das Verb nur mit dem Subjekt hinsichtlich Numerus korrespondiert. **Und** ist eine ›Numeruskonjunktion‹, es kann bei der Koordination von Nominalen ›mengenbildend‹ verwendet werden wie der Plural. Deswegen tauchen phrasenkoordinierte Nominale als syntaktische Alternative zu Pluralnominalen im Subjekt auf.

Wir kommen zur Satzkoordination (wesentliche Überlegungen zur Oberflächensyntax solcher Konstruktionen in Wiese 1978). Für koordinierte Hauptsätze ergeben sich problemlos Strukturen, die dem Format 3a entsprechen: keiner der Teilsätze hat hier eine syntaktische Funktion innerhalb des anderen. Beide sind nur über den

(15)

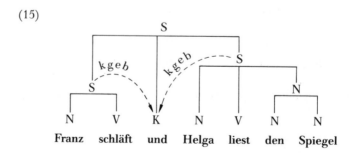

gemeinsamen Bezug auf **und** miteinander verknüpft. In allen anderen Fällen von Satzkoordination besteht eine funktionale Unabhängigkeit dieser Art nicht. Betrachten wir zunächst Konjunkte mit Satzgliedfunktion.

Für Sätze wie **Karl kocht Tee und Kaffee** setzt man meist eine Struktur mit komplexem Objekt (16a) oder, ›oberflächennäher‹, eine mit zwei Objekten an (16b).

(16) a.

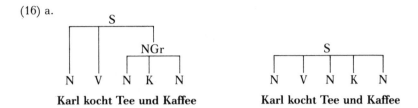

Karl kocht Tee und Kaffee   Karl kocht Tee und Kaffee

Für beide Strukturen gibt es im Einzelfall gute Argumente. Da jede von ihnen ein spezifisches Konzept für Satzkoordination repräsentiert, läßt sich eine Bewertung erst vornehmen, wenn man diese Konzepte auf alle möglichen Formen von Satzkoordination anwendet. Dabei ergeben sich für beide Strukturen erhebliche Schwierigkeiten **(Aufgabe 107)** Als Alternative wird 17 vorgeschlagen. Diese Struktur erscheint

(17)

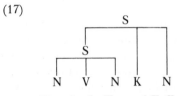

Hans kocht Tee und Kaffee

scheint zunächst jeder Intuition über die Funktion von **und** zu widersprechen. Erst bei näherer Kennzeichnung ihrer Charakteristika zeigen sich Einfachheit und Allgemeingültigkeit des zugrundeliegenden Konzepts von Satzkoordination.

In 17 erscheint **Hans kocht Tee** als Konstituente (nämlich als Satz). Das ist weder in 16a noch 16b der Fall. Eine der Satzgliedfunktionen – im Beispiel das akkusativische Objekt – wird nun wieder aufgenommen, dem Satz wird eine entsprechende Konstituente nebengeordnet. Jedes Satzglied kommt für eine solche Nebenordnung in Frage. In 18a ist es das Prädikat, in 18b ein Adverbial, in 18c das Subjekt (in 18c

    (18) a. **Hans kocht und bringt Tee**
           b. **Hans kocht mühevoll und umständlich Tee**
           c. **Hans oder Karl kocht Tee**

wird statt **und** ein **oder** gewählt, weil **und** im Subjekt zu Phrasenkoordination führt).

Betrachten wir die syntaktischen Relationen in 17. **Tee** ist akkusativisches Objekt zu **kocht**, es steht in direkter syntaktischer Relation zum Prädikat. **Kaffee** ist ebenfalls akkusativisches Objekt zu **kocht**, aber in indirekter Relation. Wie meistens bei indirekten syntaktischen Relationen, sind die in Relation stehenden Konstituenten einander nicht nebengeordnet.

Beide Konjunkte sind außerdem auf **und** bezogen. Das auf **und** folgende **Kaffee** ist direkt an die Konjunktion gebunden, das zweite Konjunkt **Tee** ist indirekt gebunden. 19 veranschaulicht die relationalen Verhältnisse.

(19)

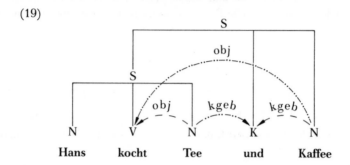

Beide Konjunkte sind auf dieselben Konstituenten bezogen, aber jeweils gerade in unterschiedlicher Weise was Direktheit bzw. Indirektheit betrifft. Dies scheint das allgemeine strukturelle Charakteristikum für Satzkoordination zu sein. **Und** fügt einem für sich grammatischen Ausdruck durch Nebenordnung ein Konjunkt hinzu, in dem ganz bestimmte syntaktische Funktionen wieder aufgenommen werden **(Aufgabe 108; 109).**

Unser Vorschlag zur Behandlung der Satzkoordination basiert auf einem einheitlichen, für alle Fälle dieser Art gültigen Kriterium der Strukturzuweisung. Das Kriterium ist vollständig oberflächenorientiert. Außerdem bleiben die für die übrige Grammatik entwickelten Kriterien der Strukturzuweisung in Kraft. Um die Konsequenzen des Vorschlags zu zeigen, betrachten wir zum Schluß einen heiklen Fall.

Daß-Sätze als Konjunkte in Objektfunktion werden wie in 20 behandelt. Diese Struktur genügt den formulierten Anforderungen.

(20)

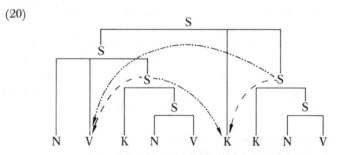

Läßt man nun **daß** im zweiten Konjunkt weg, ergibt sich 21. Es ist nur noch ein komplexes Objekt vorhanden und es fragt sich, ob ein so geringer substantieller Unterschied wie das Vorhandensein bzw. Nichtvorhandensein von **daß** mit einem derart gewichtigen Unterschied in der Satzstruktur einhergehen kann.

Der Strukturunterschied zwischen 20 und 21 beruht darauf, daß die Konstituente **Egon bleibt** kein mögliches Objekt ist. Zum Objekt gehört die Konjunktion **daß**

(21)

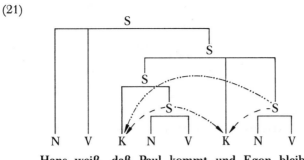

Hans weiß, daß Paul kommt und Egon bleibt

dazu. **Daß Egon bleibt** kann daher in der Position eines (indirekt bezogenen) Objektes auftauchen wie in 20, nicht aber **Egon bleibt** allein. Dieser Ausdruck muß zunächst an die Konjunktion gebunden werden, wie es in 21 vorgesehen ist. Gliche man 21 stärker an 20 an, so würde man die bestehenden relationalen Verhältnisse verwischen.

9.3 Koordination und Vergleichssätze mit **als**

Als und **wie** haben als koordinierende Konjunktionen vergleichbare, einander ergänzende Funktion (zur Einordnung 9.1). Zwei syntaktische Kontexte spielen dabei die Hauptrolle. In 1 verbinden **wie** und **als** Nominale mit Nominalen (**Herrn Meier – unseren Chef**). In 2 sind sie an das Vorkommen von Adjektiven gebunden, und

(1) a. **Wir verehren Herrn Meier wie unseren Chef**
    b. **Wir verehren Herrn Meier als unseren Chef**

(2) a. **Karl ist stolz wie ein Spanier**
    b. **Karl ist stolzer als ein Spanier**

zwar **wie** (meist **so wie**) an den Positiv und **als** an den Komparativ. Wir besprechen in diesem Abschnitt beide Vorkommen, beschränken uns aber aus Raumgründen weitgehend auf **als**.

Wie in 1b zwei Akkusative, so verbindet **als** auch Nominale in allen anderen Kasus, seien sie nun selbst Ergänzungen oder seien sie Bestandteile von PrGr (**Die Kinder hängen an Herrn Schulze als einem lieben Menschen**). Wir setzen Struktur 3 an.

Die beiden kasusidentischen Nominale fungieren gemeinsam als Objekt, Koordination heißt hier – anders als im Regelfall bei **und, oder, aber** – Nebenordnung der Konjunkte. Ein weiterer syntaktischer Unterschied besteht in der Möglichkeit zur Distanzstellung der Konjunkte. Bei Subjektfunktion sind vier Positionen möglich. Offenbar hat **als** + Nominal stellungsmäßig ähnliche Möglichkeiten wie Adverbiale. Sogar die Voranstellung des ›zweiten Konjunkts‹ vor das erste ist möglich (4d).

Die syntaktische Beziehung der durch **als** verbundenen Nominale gilt manchmal als besondere Form des Attributs (Duden 1984: 376) oder – unter Berufung auf die

(3)

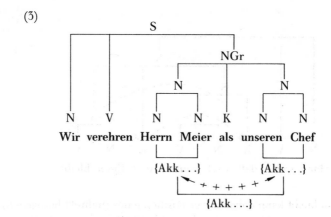

(4) a. **Herr Schulze als erfahrener Lehrer weiß sowas**
   b. **Herr Schulze weiß als erfahrener Lehrer sowas**
   c. **Herr Schulze weiß sowas als erfahrener Lehrer**
   d. **Als erfahrener Lehrer weiß Herr Schulze sowas**

Kasusidentität – als Form der engen Apposition (Jung 1973: 86f; Erben 1980: 201).
Wie man hier verfährt, ist eine terminologische Frage. Semantisch besteht zwischen
den Nominalen ein Subsumtionsverhältnis. 4 besagt, daß Herr Schulze ein erfahrener Lehrer ist. Als Sonderfall der Subsumtion tritt wie üblich die Identitätsbeziehung auf **(Herr Schulze als der Präsident unserer Republik)**.

Außer Bestandteil einer NGr kann **als** + Nominal auch Ergänzung sein (Heringer
1970: 124ff.; zur Unterscheidung beider Konstruktionen Kolde 1971. Unsere Beispiele sind teilweise dieser Arbeit entnommen).

(5) a. **Bismarck gilt als großer Staatsmann**
   b. **Sein alter Lehrer dient ihm als Vorbild**
   c. **Sie bezeichnet ihn als einen ausgezeichneten Pianisten**

Die **als**-Phrase enthält hier ein Nominal im Kasus einer der anderen Ergänzungen. In 5a, b steht sie im Nom, in 5c im Akk. Zwischen den Nominalen im selben
Kasus besteht semantisch wieder das Verhältnis von Subsumtion bzw. Identität,
allerdings nicht als vorausgesetztes Verhältnis wie in 4, sondern vermittelt über die
vom Verb bezeichnete Beziehung. 5c besagt nicht, daß er ein ausgezeichneter Pianist
ist, sondern nur, daß er als solcher bezeichnet wird. Auf ähnliche Weise modal sind
die in 5a, b auftretenden Relationen »gelten« und »dienen«. Syntaktisch und semantisch liegt hier etwas ähnliches vor wie bei Verben mit doppeltem Akkusativ, sofern
deren zweiter ein Gleichsetzungsakkusativ ist **(Ich nenne dich ein Genie)**.
Auf Schwierigkeiten stößt man bei der Zuweisung von Konstituentenstrukturen.

Lösung 6a nimmt **dienen** als dreistellig. Probleme gibt es dann bei der Konstituente **als Vorbild**, weil **als** nicht mehr koordinierend wäre. Außerdem bleibt die
Kasusidentität von **Helga** und **Vorbild** unberücksichtigt.

Bei den Strukturen 6b und 6c bleibt **als** koordinierend. 6b hat den Nachteil, daß
dienen zu einem zweistelligen Verb gemacht werden muß. **Gelten** in 5a würde bei

(6) a.

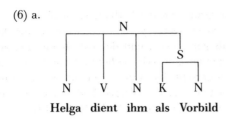

Helga dient ihm als Vorbild

b.

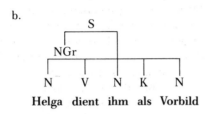

Helga dient ihm als Vorbild

c.

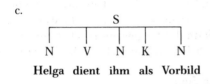

Helga dient ihm als Vorbild

d.

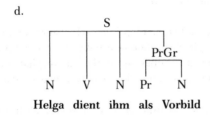

Helga dient ihm als Vorbild

dieser Lösung einstellig, was es sicher nicht ist. In 6c taucht **als Vorbild** nicht als Konstituente auf. Wir hätten also Mitspieler, die nicht Konstituenten sind.

Bleibt der Versuch, **als** zu den Präpositionen zu rechnen. Es ergibt sich 6d mit dem Präpositionalobjekt **als Vorbild**. Auch diese Lösung läßt die Kasusidentität mit dem Subjekt unberücksichtigt, gravierender aber ist, daß wir mit **als** eine Präposition »ohne Kasusforderung« (Helbig/Buscha 1975: 371) hätten. Daß Präpositionen oblique Kasus regieren, stand bisher außer Frage und war als ihr wichtigstes syntaktisches Merkmal angesehen worden (7.4.1).

Während die Grammatiken **als** beim Komparativ durchweg zu den Konjunktionen zählen, besteht bezüglich **als** + Nominal Uneinigkeit. Neben Helbig/Buscha plädiert auch Erben (1980: 201) für Präposition. Jung (1973: 387), die Grundzüge (701) und der Duden (1984: 378) sind für Konjunktion, Admoni (1970: 138) schlägt die Hybridkategorie ›präpositionale Konjunktion‹ vor (dazu weiter Kolde 1971: 186f.; Eroms 1981: 134f.). Wir bleiben bei der Zuweisung von **als** (und **wie**) zu den koordinierenden Konjunktionen. **Als** steht wie Präpositionen mit Nominalen, und es könnte durchaus sein, daß daher die Struktur der PrGr strukturierend auf die

Konstruktion **als** + Nominal wirkt. Grundlage des Verhaltens von **als** bleibt aber die Koordination kasusgleicher oder sonstwie kategorial identischer Ausdrücke. Das haben alle Verwendungen von **als** gemeinsam und das hat **als** mit den anderen koordinierenden Konjunktionen gemeinsam. Wir plädieren daher für Struktur 6a. Daß **als** nicht nebenordnend ist, unterscheidet es nicht von anderen koordinierenden Konjunktionen. Wir wenden uns jetzt den Vergleichssätzen zu und werden sehen, daß **als** auch hier nicht immer nebenordnend ist **(Aufgabe 110)**.

Man vergleicht zwei Dinge durch Wägen hinsichtlich einer bestimmten Eigenschaft. Haben zwei Dinge keine Eigenschaften gemeinsam, so sind sie nicht vergleichbar. Dieser Tiefsinn kommt aber nicht zum Tragen, weil wir gewöhnlich in der Lage sind, für zwei Dinge einen gemeinsamen Bezugspunkt, ein gemeinsames Merkmal ihres Gebrauchs, ihrer Funktion, ihrer Herkunft oder unserer Erfahrung mit ihnen zu finden. Beim Vergleich spielt offenbar etwas Ähnliches eine Rolle wie die ›gemeinsame Einordnungsinstanz‹ bei Koordination mit **und**. Die gemeinsame Eigenschaft zweier Dinge ist Bedingung der Möglichkeit des Vergleichs, sein qualitatives Fundament. Der Vergleich selbst mit dem quantitativen Moment des Abwägens fragt, in welchem Maß einem Ding eine Eigenschaft zukommt. Ein ausgezeichneter Punkt beim Wägen ist der Gleichgewichtszustand. Er wird auch sprachlich ausgezeichnet. Eine besondere Form des Vergleichssatzes teilt mit, ob zwei Dinge eine Eigenschaft im selben Maße haben (7a) oder nicht (7b). Die dazu verwendete

(7) a. **Paul ist so alt wie Emil**
    b. **Paul ist nicht so alt wie Emil**

Konjunktion **so wie** rahmt den zentral stehenden Eigenschaftsterm ein. Die kasusgleichen Konjunkte stehen als Vergleichsgrößen symmetrisch dazu am Anfang und Ende des Satzes. Man ist versucht, im Aufbau des einfachen Vergleichssatzes vom Typ 7a einen Reflex seiner Bedeutung zu sehen. Es läge etwas wie ein konstruktiver Ikonismus vor.

Bei Ungleichgewicht (7b) kann weiter differenziert werden danach, welche der Vergleichsgrößen die Eigenschaft in höherem Maße hat. Die dazu verwendete Konjunktion ist **als** (8). Sie ist hier an das Vorkommen des Komparativ gebunden,

(8) a. **Paul ist älter als Emil**
    b. **Emil ist älter als Paul**

während der semantisch ausgezeichnete Fall 7 den Positiv (die unmarkierte Form der Komparation) verlangt. Auch die dritte ›Steigerungsform‹ des Adjektivs kommt in Vergleichssätzen vor **(Paul ist am ältesten von uns)** und besagt, daß einem Ding die betreffende Eigenschaft in höherem Maße zukommt als allen anderen Dingen aus einer bestimmten Menge.

Über die Bedeutung der Komparationsformen und besonders des Komparativ liegen relativ ausführliche Analysen vor, ebenso über die semantische Struktur von Vergleichssätzen (Wunderlich 1973; Bartsch/Vennemann 1972; 7.2). Ausgesprochen spärlich sind dagegen Aussagen über die syntaktische Struktur (Oberflächenstruktur) von Sätzen mit Komparativ + **als**. Die Grammatiken weisen **als** beim Komp schlicht den Konjunktionen zu. Allenfalls werden Sonderbezeichnungen erfunden wie Gliedkonjunktion (Grundzüge: 701) oder Satzteilkonjunktion (Duden 1984: 376). Über die Struktur von Vergleichssätzen ist dem nichts zu entnehmen. Daß sogar Vorschläge für Satzgliedanalysen fehlen, muß ebenfalls als Anzeichen für ein noch unzureichendes Verständnis dieser Konstruktion genommen werden.

Charakteristisch für solche Sätze ist die funktional begründete Formübereinstimmung der Konjunkte von **als (Aufgabe 111).** Dadurch werden die Vergleichsgrößen als solche markiert und der Bezug der Konjunkte aufeinander gesichert. Ändert man etwa den Kasus des zweiten Konjunkts, so ändert man seinen Bezug im Satz (9).

(9)

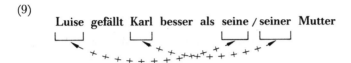

Die Formübereinstimmung der Konjunkte weist **als** in diesen Kontexten eindeutig als koordinierende Konjunktion aus. Soweit bisher zu sehen, gleicht das Verhalten von **als** überhaupt dem der koordinierenden Konjunktionen bei Satzkoordination. Man könnte daher eine Übernahme der für **und** vorgeschlagenen Konstituentenstrukturen erwägen. Es ergäbe sich etwa 10. **Als** hätte wie **und** zwei Konjunkte,

(10)

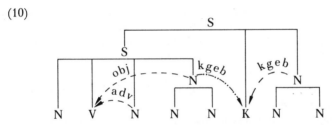

von denen das eine direkt **(einen Karpfen)** und das andere indirekt **(eine Brasse)** an die Konjunktion gebunden wäre.

10 wird den Eigenheiten von **als** gegenüber **und** aber nicht gerecht. Diese Eigenheiten bestehen nicht so sehr darin, daß **als** andere Konjunkte nimmt. **Und** koordiniert beispielsweise Verben **(Karl fängt und ißt leicht einen Karpfen), als** nicht **(*Karl fängt leichter als ißt einen Karpfen).** Gewichtiger ist, daß das zweite Konjunkt von **als** syntagmatisch nicht nur auf das erste, sondern auf ein weiteres Satzglied bezogen ist, nämlich das Adjektiv im Komparativ. Der Komp fordert **als** in einem ähnlichen Sinne wie bestimmte Verben Präpositionen fordern. Ganz entsprechend fordert der Pos **wie** oder **so wie.** Das Adjektiv entfaltet in Vergleichssätzen mit dem Pos und Komp Rektionseigenschaften besonderer Art und zusätzlich zu denen, die bezogen sind auf die üblichen Ergänzungen. Der Superlativ hat besondere Rektionseigenschaften nicht. Die Vergleichsgröße nach dem Superlativ ist nicht mit einer speziellen Konjunktion angebunden. Sie erscheint meist als PrGr **(Karl ist am schönsten von allen)** oder als Adverb **(Karl ist morgens am schönsten).**

In Vergleichssätzen mit dem Pos und dem Komp ist die Konjunktion an das Adjektiv gebunden. 10 ist für den Vergleichssatz unangemessen, weil die Rektionsbeziehung zwischen dem Adjektiv und **als** nicht in der Hierarchie berücksichtigt wird. Als Alternative bietet sich 11 an. In 11 sind beide Konjunkte direkt an die

(11)

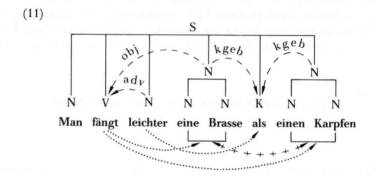

Konjunktion gebunden und das zweite Konjunkt (**einen Karpfen**) ist dem Verb (**fängt**) nebengeordnet, es wird direkt vom Verb regiert. In diesen Unterschieden zu 10 manifestiert sich eine engere syntaktische Bindung von **als** und seinem zweiten Konjunkt an den Rest des Satzes als das bei **und** der Fall ist. Streicht man **und** mit dem zweiten Konjunkt, so bleibt ein in jeder Hinsicht vollständiger Satz übrig (im Beispiel **Man fängt leicht eine Brasse**). Streicht man **als** und das zweite Konjunkt, so bleibt auch ein grammatischer Satz übrig (**Man fängt leichter eine Brasse**), dieser Satz enthält mit dem Komp aber eine offene Stelle. Das Nichtvorhandensein der **als**-Phrase wirkt, wie nichtbesetzte fakultative Objektstellen immer wirken: es bleibt ein Satz zurück, der ›kognitiv unvollständig‹ ist, dessen fehlende Ergänzung aus dem Kontext ermittelt werden muß.

11 bringt gegenüber 10 ein syntaktisches Charakteristikum von Vergleichssätzen zum Ausdruck: in Vergleichssätzen besteht ein besonders dichtes syntagmatisches Gefüge zwischen den Satzgliedern, so daß einige Satzglieder auf mehrere andere syntagmatisch bezogen sind. Das führt zu flachen Strukturen, wenn man die Konstituentenhierarchie auf die syntagmatischen Relationen gründet. Obwohl 11 die syntagmatischen Verhältnisse jedenfalls richtiger spiegelt als 10, wird diese Struktur nicht besonders verteidigt. Ihre Konsequenzen konnten bisher nicht in den Einzelheiten durchdacht werden (**Aufgabe 112**).

Nun zu den Vergleichssätzen mit Satzkomplementen. In 12a, b ist das jeweils zweite Konjunkt scheinbar ein normaler Nebensatz. Warum sollte in dieser Position

(12) a. **Ulrike läuft schneller als Hans fährt**
     b. **Renate schreibt schneller ein Buch als Ralf eine Zeitung liest**

aber ein Nebensatz stehen? **Als** beim Komp wurde bisher als koordinierende Konjunktion bezeichnet, nun soll sie im selben Typ von Konstruktion subordinierend sein. Es ist daher zu fragen, ob es sich bei den zweiten Konjunkten (**Hans fährt** bzw. **Ralf eine Zeitung liest**) tatsächlich um ›normale‹ Nebensätze handelt. Gegen eine Kategorisierung als Satz sprechen zunächst semantische Gründe. Wäre das zweite

Konjunkt ein Satz, dann wären die Vergleichsgrößen Sachverhalte. In 12a etwa würden die Sachverhalte »Ulrike läuft« und »Hans fährt« miteinander verglichen (so auch Wunderlich 1973: 647f.). Wahrscheinlich ist es aber richtiger, 12a als Vergleich zwischen Vorgängen anzusehen, nämlich den Vorgängen »Ulrikes Laufen« und »Hansens Fahren«. Vorgänge können eine Geschwindigkeit haben, Sachverhalte wohl kaum. Syntaktisch entspricht dem, daß in **Ulrike läuft schnell** nach unserer Analyse (6.3) das adverbiale Adjektiv ausdrücklich nicht den Satz **Ulrike läuft** modifiziert, sondern nur das Verb.

Vergleichen wir nun 12a mit 13. Hält man 13a überhaupt für grammatisch, dann nur bei einer Lesung »Die Geschwindigkeit von Ulrikes Laufen übersteigt die Vor-

(13) a. **Ulrike läuft schneller als Hans vorsichtig fährt**
    b. **Ulrike läuft schneller, weil Hans vorsichtig fährt**

sichtigkeit von Karls Fahren«. Der ›Nebensatz‹ **Hans vorsichtig fährt** in 13a besagt also nicht, daß Hans vorsichtig fährt. Es bleibt offen, ob Hans vorsichtig oder unvorsichtig fährt. Angesprochen ist nur die Dimension »Vorsichtigkeit«, nicht aber eine bestimmte Polarisierung. Das ist anders im Nebensatz von 13b, der in der Tat besagt, daß Hans vorsichtig fährt.

Der **als**-Satz hat nicht die übliche Semantik von Nebensätzen. Er ist hinsichtlich der Stelle des verbbezogenen Adverbials offen, und zwar rückbezogen auf den Komp. **Schneller** in 12a steht in indirekter adverbialer Beziehung zum Verb im **als**-Satz, also zu **fährt**. Wie immer man dieses Faktum im einzelnen behandelt: **als**-Sätze beim Komparativ sind keine in sich abgeschlossenen Nebensätze. Die Schrift spiegelt dieses Faktum durch das fehlende Komma.

Noch deutlicher wird die Nichtabgeschlossenheit der **als**-Sätze, wenn ihr Verb einen **daß**-Satz oder **ob**-Satz als Ergänzung nimmt. **Annehmen** in 14a nimmt obliga-

(14) a. **Arnim kocht besser als Dieter annimmt**
    b. **Paula antwortet schneller als Manfred fragt**
    c. **Johanna ist frecher als mir gefällt**

torisch ein direktes Objekt, meist einen **daß**-Satz (*Dieter nimmt an). Im **als**-Satz kann das Objekt jedoch fehlen. Dasselbe gilt für den **ob**-Satz in 14b und in 14c sogar für den Subjektsatz (**daß**-Satz) zu **gefallen**. Das zweite Konjunkt enthält die zugehörige Vergleichsgröße unvollständig. Sie muß aus dem Gesamtsatz rekonstruiert werden, für 14a etwa als »Dieters Annahme über Arnims Kochen«. Ob der fehlende Objektsatz auch syntaktisch als indirektes Objekt rekonstruiert werden kann und sollte, muß offenbleiben.

Wir haben nur einen kleinen Teil der Vergleichssätze thematisiert und auch diesen nur mit vorläufigem Resultat. Eine genauere Untersuchung hätte wohl als erste die Frage zu klären, welche Form das zweite Konjunkt von **als** haben kann und wie es syntaktisch auf den Rest des Satzes bezogen ist.

10. Adverbial- und Ergänzungssätze

In diesem Kapitel besprechen wir die Haupttypen der Nebensätze mit Satzgliedstatus, das sind Nebensätze in der Funktion von Adverbialen und Ergänzungen.

Ein Adverbialsatz ist mit einer Konjunktion an den übergeordneten Satz angeschlossen (1a). Beide Sätze bezeichnen für sich Sachverhalte. Diese Sachverhalte

(1) a. **Michel schläft fest, obwohl sein Haus brennt**
    b. **Paula hofft, daß die Bauerwartungslandpreise fallen**
    c. **Alle, die er an Hecken und Zäunen findet, lädt Karl ein**

werden durch die Konjunktion (**obwohl**) zueinander in Beziehung gesetzt. Der Adverbialsatz ist von der Valenz des Verbs im übergeordneten Satz unabhängig.

Der Ergänzungssatz ist valenzgebunden, er ist Subjekt oder Objekt (1b) zum Verb im übergeordneten Satz. Der Ergänzungssatz bezeichnet einen Sachverhalt, der Bestandteil des vom Gesamtsatz bezeichneten Sachverhalts ist.

Die dritte Hauptfunktion von Nebensätzen ist die attributive, ihr Prototyp ist der Relativsatz (1c; 7.1). Attributsätze kommen im vorliegenden Kapitel im Zusammenhang von Abgrenzungs- und Übergangsfragen erneut zur Sprache.

10.1 Ergänzungssätze

10.1.1 Fragewörter und Konjunktionen im Ergänzungssatz

In Hinsicht auf die Verbvalenz sind drei Typen von Ergänzungssätzen zu unterscheiden, die **daß**-Sätze, die **ob**-Sätze und die mit Fragewörtern eingeleiteten sog. **w**-Sätze. Der **daß**-Satz in 1a und der **wie**-Satz in 1b besetzten die Position des direkten Objekts, der **ob**-Satz in 1c gesetzt die Position des Subjekts. Der **wie**-Satz steht hier

(1) a. **Paula bemerkt, daß sie verfolgt wird**
    b. **Er fragt, wie du das machst**
    c. **Ob das Wetter so bleibt, interessiert mich nicht**

stellvertretend für die große Gruppe der **w**-Sätze. Alle drei Typen können sowohl in Subjekt- als auch in Objektposition auftreten.

Die für die Valenz relevante Einteilung der Ergänzungssätze macht sich am Einleitwort fest. Zwei der drei Typen sind von subordinierenden Konjunktionen eingeleitet. Die Konjunktionen haben keine Satzgliedfunktion im Nebensatz, sie binden den Satz an das übergeordnete Verb (2a). Dagegen ist das Fragewort Satzglied im Nebensatz (Adverbial zum Verb in 2b). Dieser syntaktische Unterschied scheint dafür zu sprechen, die **daß**- und **ob**-Sätze einerseits den **w**-Sätzen andererseits gegenüberzustellen. Dem widerspricht aber, daß die **ob**-Sätze mit den **w**-Sätzen

(2) a.

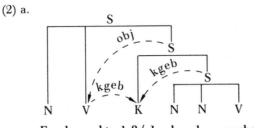

Er bemerkt, daß/ob du das machst

b.

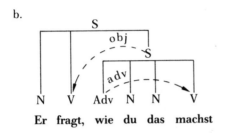

Er fragt, wie du das machst

semantische Gemeinsamkeiten haben derart, daß sie häufig als indirekte Fragesätze zusammengefaßt werden. Bevor wir dem Begriff des indirekten Fragesatzes weiter nachgehen, verschaffen wir uns einen Überblick über Umfang und grammatischen Status der Fragewörter.

Vom Paradigmenaufbau her sind die flektierenden von den nicht flektierbaren Fragewörtern zu unterscheiden. Die flektierenden **welcher** und **wer/was** sind eng mit den entsprechenden Relativpronomina verwandt. Wir begnügen uns an dieser Stelle mit der Herausstellung des Unterschieds zu den Relativpronomina und verweisen im übrigen auf Abschnitt 7.1.

Welcher und **wer/was** sind Pronomina der Subkategorie Fragepronomen (Markierungskategorie INTP; Schema 2, 5.4.1). **Welcher** flektiert pronominal mit Formen in allen Kasus im Sg und Pl. Eine Genusdifferenzierung gibt es nur im Sg. Das Fragepronomen **welcher** und das Relativpronomen **welcher** stimmen in allen Formen überein, unterscheiden sich aber dadurch, daß das Relativpronomen weder im Sg noch im Pl einen Genitiv hat. Dieser Defekt des Relativpronomens ist syntaktisch begründet. Das Fragepronomen **welcher** hat den Gen im Sg und Pl und zwar sowohl in adnominaler Position (3) als auch wenn es für sich als Satzglied steht (4).

(3) a. **Welchen (welches) Vorwurfs muß sich Rainer erwehren?**
    b. **Welcher Fragen nimmst du dich zuerst an?**

(4) a. **Welchen (welches) erinnerst du dich am besten?**
    b. **Welcher hat er sich vergewissert?**

Auch wenn Sätze wie 4a wegen der Synkretismen im Paradigma von **welcher** ohne Kontext schwer verarbeitbar sind, können sie nicht als ungrammatisch gelten. Zum Wechsel von **welchen/welches** im Mask und Neut Sg Duden 1984: 332.

Welcher gehört zu den Pronomina, die auch als Artikel verwendbar sind (**welcher**

331

Bäcker). **Wer/was** ist so nicht verwendbar (***wer Bäcker**). Darüber hinaus bestehen grundsätzliche Unterschiede im Paradigmenaufbau, wobei es ziemlich schwierig ist, überhaupt Aussagen über das Paradigma von **wer/was** als Fragepronomen zu machen. Das Relativpronomen **wer/was** hat Formen in allen Kasus des Mask und Neut im Sg. Man kann die grammatischen Merkmale des Relativpronomens im Zweifelsfall an denen des Bezugswortes ablesen. Das Relativpronomen stimmt mit dem Bezugswort in Kasus und Numerus überein. **Was** in 5 ist eine Form des Neut Sg, denn **das** in 5 ist eine Form des Neut Sg.

(5) a. **Was du dir wünschst, das bekommst du auch**
$$\left\{\begin{array}{l}\textbf{Einen Regenschirm}\\ \textbf{Die Beförderung zum Oberpostrat}\\ \textbf{Das grüne Fahrrad}\\ \textbf{Die Windpocken}\end{array}\right.$$
b. **Was wünschst du dir?**

Man könnte versuchen, eine entsprechende Prozedur für Fragepronomina auf der Basis von Frage-Antwort-Paaren wie in 5b durchzuführen. **Was** in 5b wäre sowohl Mask als Fem als Neut und sowohl Sg als Pl, weil die Antworten so kategorisiert sind. Diese Prozedur setzt allerdings voraus, daß das Verhältnis von Frage und Antwort hier syntaktisch geregelt ist. Da das keineswegs der Fall ist (Conrad 1978: 27ff.), wäre ein Test geeigneter, bei dem zwischen den aufeinander bezogenen Ausdrücken keine Satzgrenze verläuft. Statt 5b wählt man 6, einen Fragesatz mit rechts herausgestellter möglicher Antwort.

(6)   **Was wünschst du dir,** $\left\{\begin{array}{l}\textbf{einen Regenschirm}\\ \textbf{die Beförderung zum Oberpostrat}\\ \textbf{das grüne Fahrrad}\\ \textbf{die Windpocken}\end{array}\right\}$ **?**

Man kann diese Form des Fragesatzes als Kontamination aus Entscheidungs- und Ergänzungsfragesatz ansehen (›Hybridfragesatz‹; zum Begrifflichen weiter 10.1.2). **Was wünscht du dir, einen Regenschirm?** enthält zunächst einen Ergänzungsfragesatz. Da dann aber ein Ausdruck nachgeschoben wird, der die durch **was** markierte offene Stelle der Ergänzungsfrage schließt, ist der Satz nur wie eine Entscheidungsfrage beantwortbar.

Die Hybridfrage liefert im vorliegenden Fall allerdings kein anderes Ergebnis als das aus 5b bekannte: **was** kann bezogen sein auf Nominale in allen Genera und beiden Numeri.

Dasselbe gilt für **wer** (7). Auch **wer** ist als Fragepronomen nicht auf ein bestimmtes Genus oder einen bestimmten Numerus festgelegt. Da man zeigen kann, daß

(7)
Wer hat das gemacht, $\left\{\begin{array}{l}\textbf{der Libero}\\ \textbf{die Hintermannschaft}\\ \textbf{unser Sorgenkind}\\ \textbf{die Töchter Egalias}\end{array}\right\}$ **?**

dies für die anderen Kasus von **wer** und von **was** ebenfalls gilt, muß der Schluß gezogen werden, daß **wer** und **was** sich nicht im Genus unterscheiden. Die verbreitete Auffassung, **was** sei eine Form des Neut, **wer** eine des Mask/Fem, ist zutreffend nur für das Relativpronomen. Als Fragepronomia sind **wer** und **was** weder durch das grammatische Geschlecht noch durch eine andere der für die Pronomina relevanten Kategorisierungen getrennt. Der Unterschied zwischen beiden ist rein semantischer Natur. **Wer** bezeichnet Belebtes (wenn nicht Menschliches), **was** bezeichnet den Rest. **Was** ist gegenüber **wer** semantisch unmarkiert.

Als Fragepronomina gehören **wer** und **was** nicht in dasselbe Paradigma, vielmehr muß ein Paradigma **wer**^{P} neben einem Paradigma **was**^{P} angesetzt werden. Beide Paradigmen flektieren hinsichtlich Kasus, sie flektieren nicht hinsichtlich Genus und Numerus (8; **Aufgabe 113a**).

(8)

	wer^P	**was**^{P}
Nom	wer	was
Gen	wessen	wessen
Dat	wem	wem
Akk	wen	was

Ein weiteres Fragepronomen ist **was für einer**. Da **für** hier nicht die Merkmale einer Präposition hat, müssen die Formen dieses zusammengesetzten Pronomens als Wendungen gelten. **Was für einer** dekliniert pronominal. Im Plural werden Formen von **welcher** verwendet (**was für welche**).

Vom Fragepronomen **was für einer** ist der Frageartikel **was für ein** zu unterscheiden, der – wie Artikel immer – nur adnominal steht (**was für ein Glück**). **Was für ein** dekliniert wie der unbestimmte Artikel. Die Formen des Plural lauten sämtlich **was für** (zu **wieviel Aufgabe 113b**).

Alle anderen Fragewörter sind nicht deklinierbar und werden meist als Teilklasse der Adverbien angesehen (Frageadverbien). Das bedeutet aber nicht, daß sie sich einheitlich verhalten. Die folgende Übersicht nimmt die morphologische Struktur der Frageadverbien als Ordnungskriterium.

(9) **wann, warum, weshalb, wie, wieso, wo**

Die Zuweisung dieser Einheiten zu den Adverbien rechtfertigt sich aus ganz verschiedenen Aspekten ihres Verhaltens. Neben Nichtflektierbarkeit sind die möglichen Positionen im einfachen Hauptsatz zu nennen. **Wann** beispielsweise kann dort stehen, wo das temporale Adverb **morgen** stehen kann.

(10) a. **Wann/Morgen trifft Luise den Herrn Direktor(?)**
b. **Luise trifft wann/morgen den Herrn Direktor(?)**
c. **Luise trifft den Herrn Direktor wann/morgen(?)**

Weiter gibt es zu jedem Frageadverb ein nicht interrogatives Adverb als Gegenstück (›Demonstrativadverb‹). Beide kommen in denselben syntaktischen Funktionen vor. Die Paarbildung wird in den meisten Fällen auch am Wortkörper selbst dadurch deutlich, daß sich die Einheiten nur im Anlaut durch den Wechsel von **w** und **d** unterscheiden (**wann – dann; weshalb – deshalb;** anders aber **wie – so; wo – da**).

Auch funktional verhalten sich die Frageadverbien wie die ›echten‹ Adverbien. Als deren Charakteristikum wurde in 6.1 genannt, daß sie als Satzadverbiale fungieren, einem Satz nebengeordnet sind. Diese Funktion können Frageadverbien ebenfalls haben. In 10a etwa ist **wann** dem Satz **Trifft Luise den Herrn Direktor?** nebengeordnet. Im übrigen zeigt sich an den möglichen syntaktischen Funktionen aber am deutlichsten das differenzierte Verhalten der Frageadverbien. Jedes der Adverbien ist auf bestimmte Inhaltsbereiche festgelegt und tritt deshalb in den Funktionen auf, in denen die diesen Inhaltsbereichen zugeordneten Ausdrücke in Aussagesätzen auftreten. Vergleichen wir dazu **warum** und **wie.**

(11)

Warum tut Paula das, $\left\{ \begin{array}{l} \text{wegen Helga} \\ \text{weil sie Angst hat} \\ \text{damit Paul sich freut} \\ \text{um den Frieden zu sichern} \end{array} \right\}$?

Bilden wir die Aussagesätze zu den Fragesätzen in 11, beispielsweise **Paula tut das wegen Helga,** so sind die Kausalangaben immer Satzadverbiale. **Warum** ist daher auf die Funktion eines Satzadverbials beschränkt.

Anders **wie.** In 12 ist die rechts herausgestellte Antwort im zugehörigen Aussagesatz entweder Satzadverbial (das Instrumental **indem** . . .) oder Adverbial zum Verb

(12) **Wie arbeitet Paula,** $\left\{ \begin{array}{l} \text{indem sie die Bücher vollschmiert} \\ \text{gründlich} \end{array} \right\}$?

(**gründlich**). Außerdem kann **wie** in ›attributiver‹ Funktion zum Adjektiv auftreten (**Wie gründlich arbeitet Paula?; Wie alt ist Fritz?**). Insgesamt ist **wie** funktional viel variabler als **warum.** Beide gehören daher unterschiedlichen Subkategorien von Adverbien an.

Die größte morphologisch einheitliche Klasse unter den Frageadverbien sind die Pronominaladverbien aus **wo(r)** + Präposition (13). Ihr nicht interrogatives Gegen-

(13) **woran, worauf, woraus, wobei, wodurch, wofür, wogegen, worin, womit, wonach, woneben, worüber, worum, worunter, wovon, wovor, wozu, wozwischen**

stück ist das Pronominaladverb mit **da** und **hier** (**daran, hieran;** 7.4.1). Die Pronominaladverbien können mit den alten, morphologisch einfachen Präpositionen gebildet werden. Unter diachronem Aspekt gehören in diese Reihe auch **woher** und **wohin.** Sie sind mit Lokaladverbien gebildet, die heute nicht mehr frei vorkommen (auch die Präpositionen haben sich ja aus Lokaladverbien entwickelt). **Woher** und **wohin** stehen teilweise in Konkurrenz mit den regelhaft gebildeten Adverbien in 13. So haben wir **Sie fährt nach Bremen – Wohin fährt sie? – *Wonach fährt sie?.** Im allgemeinen haben die Pronominaladverbien auf **wo** aber dieselben Funktionen wie die entsprechenden PrGr (Adverbial (14a), Objekt (14b) und Attribut (14c)).

(14) a. **Woran sitzt Paula, am Schreibtisch?**
    b. **Woran arbeitet Ulrike, an ihrer Biografie?**
    c. **Der Glaube woran ging verloren, an bessere Zeiten?**

Als letzte ist die kleine Gruppe der Frageadverbien zu nennen, die aus einer Form von **wer/was** und einer morphologisch komplexen Präposition (oder Postposition) gebildet sind (15). Viele Einheiten dieser Art sind noch nicht voll lexikalisiert.

(15) **weshalb, weswegen, wemzufolge, wemgegenüber, wementsprechend**

Funktional sind sie mehr oder weniger beschränkt als Satzadverbiale. Da sie häufig auf Adverbialsätze bezogen sind, werden sie auch Konjunktionaladverbien genannt (**Weshalb tut Paula das, weil sie Angst hat?** s. a. 7.4.1).

10.1.2 Konjunktionalsatz vs. indirekter Fragesatz

Im vorausgehenden Abschnitt wurde eine Klassifizierung der Ergänzungssätze in **daß**-, **ob**- und **w**-Sätze vorgenommen. Sie rechtfertigt sich damit, daß diese drei Formen von Nebensätzen für die valenzmäßige Subkategorisierung der Verben ausschlaggebend sind. Diese Einteilung der Komplementsätze ist der Valenzgrammatik ganz geläufig. Sowohl das Mannheimer als auch das Leipziger Valenzwörterbuch klassifiziert die Verben unter Berücksichtigung der drei Klassen von Ergänzungssätzen (Engel/Schumacher 1976; Helbig/Schenkel 1975).

In den meisten Grammatiken und einem großen Teil der übrigen Literatur zu den Ergänzungssätzen wird jedoch anders klassifiziert. Die am häufigsten verwendeten Begriffe dabei sind Konjunktionalsatz und indirekter Fragesatz. Werden diese Begriffe syntaktisch gefaßt, so steht damit die Form der Ergänzungssätze allein als Klassifikationskriterium im Mittelpunkt, die Bindung an das Matrixverb bleibt unberücksichtigt. Zudem überschneiden sich die beiden Teilklassen: zu den Konjunktionalsätzen gehören die **daß**- und **ob**-Sätze, zu den indirekten Fragesätzen die **ob**- und **w**-Sätze. Vielfach wird dies einfach nicht berücksichtigt, nicht bemerkt oder zumindest nicht thematisiert. Die Klassifikation verfehlt dann ihren Zweck, sie ist widersprüchlich (Jung 1973: 25, 384; Duden 1984: 165, 667; ausführlich dazu Helbig 1974; Zint-Dyhr 1981: 16ff.).

Unstimmigkeiten entstehen auch, wenn syntaktische und semantische Kriterien gleichzeitig verwendet werden. ›Konjunktionalsatz‹ als formorientierter Begriff ist gegen den Kriterienverschnitt gefeit, ›indirekter Fragesatz‹ aber nicht.

Der Begriff indirekter Fragesatz ist an den des direkten Fragesatzes gebunden. Beide machen nur gemeinsam Sinn. Insbesondere muß es möglich sein, zu einem indirekten Fragesatz auf systematische Weise einen direkten Fragesatz zu finden.

Die direkten Fragesätze gliedert man unter syntaktischem und semantischem Aspekt gewöhnlich in die Hauptgruppen der Entscheidungs- oder **Ja/Nein**-Fragesätze und die Ergänzungs- oder **w**-Fragesätze. Mit einer Entscheidungsfrage verlangt der Sprecher Auskunft über einen Wahrheitswert. Er will wissen, ob der vom Fragesatz bezeichnete Sachverhalt zutrifft oder nicht. Mit einer Ergänzungsfrage verlangt der Sprecher die Füllung einer Lücke. Die Lücke ist im Fragesatz selbst durch das **w**-Wort markiert. Die in 10.1.1 besprochene syntaktische Differenzierung der **w**-Wörter dient der genauen Kennzeichnung der Lücke. Ob nach einer Eigenschaft, einer Lokalangabe, einer Person, einem Instrument usw. gefragt wird, ergibt sich aus dem Fragewort **(Aufgabe 114)**.

Auch bei den indirekten Fragesätzen tauchen diese beiden Typen auf. Die Entscheidungsfrage ist als **ob**-Satz realisiert (1), die Ergänzungsfrage wie bei den direkten Fragesätzen als **w**-Satz (2). Die Analogie zwischen direkten und indirekten

(1) a. **Ilse überprüft, ob Herbert Staub gewischt hat**
   b. **Hat Herbert Staub gewischt?**

(2) a. **Ilse überprüft, wie Herbert Staub gewischt hat**
   b. **Wie hat Herbert Staub gewischt?**

Fragesätzen ist also in diesem Punkt gegeben. Nicht gegeben ist sie auf der semantischen und pragmatischen Seite. Wenn man sich fragt, was **ob**- und abhängige **w**-Sätze eigentlich mit den Fragen als einer bestimmten Art des sprachlichen Handelns zu tun haben, kommt man schnell in Schwierigkeiten.

In den Grundzügen (823) heißt es »Nach Verben des Fragens erfolgt die Einleitung durch **ob** (indirekte Entscheidungsfrage) oder durch w-Wörter (indirekte Ergänzungsfrage)«. Soll das heißen, daß indirekte Fragesätze nach Verben des Fragens stehen? Das wäre eine plausible Explikation für indirekter Fragesatz. Eine Reihe von Grammatiken legen die Vermutung nahe, daß es sich so verhält. Brinkmann spricht von ›Auskunftsätzen‹ (1971: 658ff.), Erben sieht »natürlich die umformende Rückführung auf einen unabhängigen Fragesatz« als möglich an (1980: 211).

Man versucht also, das Gemeinsame der indirekten Fragesätze irgendwie beim Fragen zu finden: sie stehen bei Verben des Fragens, dienen als Auskunftsätze. Aber auch der weiteste Begriff von Frage ist hier unzureichend. Indirekte Fragesätze stehen ebensogut bei Verben des Fragens wie bei Verben des Mitteilens, sie stehen bei Verben des Wissenwollens ebenso wie bei Verben des Wissens, bei Verben des Wahrnehmens und Sich-Erinnerns ebenso wie bei Verben des Vergessens. Wohin eine gewaltsame Beschränkung auf Frageverben führt, zeigt die Grammatik von Jung. Es heißt dort (1973: 23) »Das regierende Verb zu einer **ob**-Frage ist entweder verneint oder hat wenigstens den Charakter der Unsicherheit: **Ich weiß nicht, ob er kommt.** (Aber: **Ich weiß, daß er kommt.**) **Es ist zweifelhaft, ob wir ihn treffen.** (Aber: **Es ist sicher, es ist nicht zweifelhaft, daß wir ihn treffen.**)« Jungs Aussage, es heiße **nicht wissen, ob** aber **wissen, daß** kann nur meinen, daß **wissen ob** ungrammatisch ist. Weil das regierende Verb den ›Charakter der Unsicherheit‹ haben müsse, stellt Jung die Fakten auf den Kopf: **wissen ob** wird für ungrammatisch erklärt, während das tatsächlich ungrammatische **zweifeln ob** als grammatisch gilt (s. u., **Aufgabe 115a**). Auch Helbig meint, **wissen** verbinde sich nicht mit **ob**. **Der Lehrer weiß, ob der Schüler in Berlin gewesen ist** sei ungrammatisch (1974a: 195). Ein irgendwie semantisch verstandener Begriff von indirektem Fragesatz behält hier die Oberhand über die Fakten.

Es gibt – insbesondere für das Englische – eine ganze Reihe weitere und zum Teil ziemlich elaborierte Versuche, ein gemeinsames semantisches Merkmal für die Verben mit indirekten Fragesätzen zu finden. Keiner der Vorschläge kann als wirklich überzeugend angesehen werden. Entweder das jeweils genannte Kriterium trifft nicht auf alle Verben mit indirektem Fragesatz zu, oder es trifft nicht nur auf sie zu (zur Übersicht Hölker 1981: 215 ff.).

Wie man die indirekten Fragesätze auf der pragmatischen Ebene auf das Fragen beziehen kann, zeigt Wunderlich (1976). Ausgangspunkt ist für ihn die Fragesituation. Das ist eine Situation, in der jemand etwas erfahren will, weil er sich im Zustande »der Unklarheit, der Unsicherheit, des Nichtwissens« befindet (1976: 181). Eine Fragesituation wird bewältigt oder gelöst durch eine Fragehandlung, und zum Vollzug einer (verbalen) Fragehandlung kann man Sätze verwenden, die indirekte Fragesätze enthalten. Auf welche Weise solche Sätze zur Bewältigung der Fragesituation beitragen, möchte Wunderlich herausfinden, indem er sämtliche Verben sammelt und klassifiziert, die indirekte Fragesätze nehmen. Er nimmt an, daß die übergeordneten Sätze und insbesondere die Verben »im näheren oder weiteren sämtlich etwas mit Fragesituationen zu tun haben« (1976: 187). Sechs Klassen findet Wunderlich heraus. (1) Frageäußerungen und Fragehaltungen (fragen; um Auskunft bitten), (2) Zustände des Nichtwissens (nicht wissen; vergessen), (3) Zustände des Wissens (wissen; sich im Klaren sein), (4) kognitive Prozesse (einschließlich Wahrnehmungsprozesse) (überlegen; nachdenken), (5) Antwortäußerungen und Lösungen der Frage (mitteilen, antworten) und (6) Indifferenzen (egal sein; sich nicht scheren um).

Mit ein wenig Phantasie läßt sich für jede dieser sechs Gruppen von Ausdrücken herausfinden, was sie mit Fragesituationen zu tun haben, wie sie zur Bewältigung solcher Situationen verwendbar sind. Ein gemeinsames semantisches Element bei den Verben mit indirekten Fragesätzen gibt es danach nicht. Ihren gemeinsamen Bezug finden sie erst auf der pragmatischen Ebene.

Man kann an Wunderlichs Vorschlag vieles aussetzen. Große Gruppen von Verben fehlen ganz. So vermerkt Wunderlich ausdrücklich, daß immer sowohl ein ob-Satz als auch ein w-Satz möglich ist. Viele Verben nehmen aber nur w-Sätze (bedauern, staunen, übelnehmen, übersehen, hinnehmen, s. u.). Was haben sie mit Fragesituationen zu tun? Weiter gibt es viele Verben, die gut in eine seiner sechs Klassen passen, aber trotzdem keinen indirekten Fragesatz zulassen, z. B. die ›kognitiven Verben‹ denken und erwarten oder die für das Antworten oft verwendeten versichern und gestehen. Und warum schließlich sollte man gerade diese sechs Klassen ansetzen? Es gibt dafür allenfalls Plausibilitätsargumente.

Dennoch ist Wunderlich zuzustimmen. Die indirekten Fragesätze haben Gemeinsamkeiten allenfalls auf der pragmatischen Ebene, nicht dagegen auf der semantischen und schon gar nicht auf der syntaktischen. Es gibt kein ihnen allen und nur ihnen gemeinsames semantisches Merkmal. Die indirekten Fragesätze sollten daher nicht zu einer semantischen Kategorie zusammengefaßt werden. Grammatiken, die ihre syntaktischen Kategorien semantisch begründen, sollten die indirekten Fragesätze daher auch nicht zu einer syntaktischen Kategorie machen (Abraham 1971; Hölker 1981: 421 f.; Zaefferer 1984: 27 f.). Grammatiken, die ihre syntaktischen Kategorien syntaktisch begründen, sollten das schon gar nicht tun. Eine syntaktische Kategorie indirekter Fragesatz ließe sich weder mit dem Verhalten dieser Sätze selber rechtfertigen, noch mit einem syntaktischen Bezug auf die direkten Fragesätze. Sogar wenn ein solcher Bezug herstellbar wäre, ergäbe sich daraus keine Rechtfertigungsmöglichkeit. Denn auch die direkten Fragesätze bilden keine syntaktische Kategorie. Es gibt nicht *ein* syntaktisches Merkmal, das sie alle gemeinsam haben, auch nicht die sogenannte Frageintonation (Grundzüge: 885 ff.; Klein 1982).

Die Frage nach der semantischen Gemeinsamkeit der indirekten Fragesätze ist für das Deutsche wenn nicht falsch, so doch willkürlich gestellt. Denn sie berücksichtigt nicht, wie der Bereich, aus dem sie mit den indirekten Fragesätzen eine Klasse von Ausdrücken auszeichnet, insgesamt strukturiert ist. Welche Klassen von Verben können eigentlich unterschieden werden, wenn man die Besetzbarkeit der Objektstelle mit **daß-**, **ob-** und **w**-Sätzen berücksichtigt? Welche Kombinationen dieser Objektkomplemente sind möglich?

Nach der an umfangreichem Material durchgeführten Untersuchung von Zint-Dyhr (1981) sind vier Klassen zu unterscheiden.

1. Verben, die **ob-** und **w**-Sätze als Objekte nehmen, aber keine **daß**-Sätze. Dazu gehören:

(3) **fragen, erforschen, erwägen, erproben, schätzen, überlegen, vergleichen, vorfühlen, zuschauen**

Es handelt sich hier um Frageverben im weiteren Sinne. Die vom Subjekt bezeichnete Person ist aktiv an der Bewältigung einer Fragesituation beteiligt, sie möchte etwas wissen. Was sie wissen möchte, steht im indirekten Fragesatz. Die Frage der Faktizität stellt sich bei diesen Verben nicht, weil sie keine **daß**-Sätze nehmen.

2. Verben, die nur **daß**-Sätze nehmen, aber keine indirekten Fragesätze. Zu dieser großen Gruppe gehören:

(4) **abstreiten, androhen, antworten, beantragen, behaupten, bestreiten, folgern, glauben, hoffen, vermuten, versichern, zusagen**

Bei diesen Verben geht es nicht um Informationsbeschaffung durch die vom Subjekt bezeichnete Person. Die vom Verb bezeichnete Beziehung zwischen einer Person und einem Sachverhalt ist im übrigen nicht eingeschränkt, sie ist aber derart, daß der Sprecher keine Stellungnahme zur Wahrheit des Komplementsatzes abgibt. Verben, die nur **daß**-Sätze nehmen, sind nicht faktiv.

3. Verben, die **daß-** und **w**-Sätze zulassen, **ob**-Sätze aber nicht:

(5) **akzeptieren, sich ärgern, beachten, bedauern, begreifen, begründen, beklagen, dulden, klagen, leugnen, staunen, verstehen, vorwerfen**

Diese Verben bezeichnen eine Attitüde der vom Subjekt bezeichneten Person bezüglich des vom Objekt bezeichneten Sachverhaltes. Gegenüber der vorigen Gruppe gibt es zwei Unterschiede. Einmal kann der Sachverhalt unvollständig spezifiert sein, er kann die vom **w**-Wort markierte Lücke haben. Zweitens bekennt sich der Sprecher zur Wahrheit des Sachverhaltes. Die Verben aus der dritten Gruppe sind faktiv.

4. Verben, die **daß-**, **ob-** und **w**-Sätze nehmen können.

(6) **andeuten, befehlen, berichten, beweisen, erläutern, erzählen, sagen, verraten, wissen, ahnen, bemerken, hören, sehen, raten, vergessen**

Die Verben in 6 haben viel mit denen in 5 gemeinsam. Ein Unterschied ist die Möglichkeit des ob-Satzes. Mit **Alex sieht, ob Matthias lacht** wird nicht eine Beziehung zwischen Alex und dem Sachverhalt »Matthias lacht« hergestellt, sondern zwischen Alex und einem Paar von Sachverhalten (»Matthias lacht« und »Matthias lacht nicht«). Es bleibt offen, welcher dieser Sachverhalte tatsächlich gesehen wurde. Der Satz kann paraphrasiert werden mit »Alex sieht eines von beiden: daß Matthias lacht oder daß Matthias nicht lacht«.

Unsere Charakterisierung der vier Verbklassen mit Objektsätzen bespricht weder Zweifelsfälle noch Doppelgänger oder Ausnahmen (Einiges dazu in 4.4 sowie **Aufgabe 115**). Dennoch dürfte deutlich werden, warum die Frage nach der semantischen Gemeinsamkeit der Verben mit indirekten Fragesätzen so nicht gestellt werden sollte.

(7)	Objekt	Prototyp	Faktizität
1.	**ob, w**	**fragen**	irrelevant
2.	**daß**	**glauben**	nicht-faktiv
3.	**daß, w**	**verstehen**	faktiv
4.	**daß, ob, w**	**sagen, wissen**	fakiv

Die indirekten Fragesätze sind eine Klasse von Komplementsätzen neben den **daß**-Sätzen. Wer nach dem Gemeinsamen der Verben mit indirekten Fragesätzen fragt, kann mit demselben Recht nach den Gemeinsamkeiten der Verben mit **daß**-Sätzen fragen. Man wird auf beide Fragen keine Antwort finden derart, daß die gefundenen Merkmale auf alle und nur die Verben der einen oder anderen Gruppe zutreffen. Denn es gibt viele Verben, die sowohl **daß**-Sätze als auch indirekte Fragesätze nehmen. Die indirekten Fragesätze sind keine homogene Klasse unter den Komplementsätzen. Weder bilden sie selbst eine grammatische Kategorie, noch konstituieren sie als Komplemente eine homogene Klasse von Verben.

Statt der Frage nach den Gemeinsamkeiten von Verben mit indirekten Fragesätzen kann man anhand von 7 folgende Fragen sinnvoll stellen und beantworten:

1. Was haben die Verben gemeinsam, die nur indirekte Fragesätze als Komplemente nehmen? Sie sind Frageverben und haben mit Faktizität nichts zu tun (Gruppe 1 in 7).
2. Was haben die Verben gemeinsam, die keine indirekten Fragesätze als Komplemente nehmen? Sie sind nicht-faktiv (Gruppe 2 in 7).
3. Was haben die Verben gemeinsam, die sowohl indirekte Fragesätze als auch **daß**-Sätze als Komplemente nehmen? Sie sind faktiv (Gruppe 3, 4 in 7). Natürlich kann man nun die Frage nach den **daß**-Sätzen und indirekten Fragesätzen auch noch stellen:
4. Was haben die Verben gemeinsam, die **daß**-Komplemente nehmen können? Für sie ist Faktizität ein relevantes Klassifikationskriterium (Gruppe 2, 3, 4 in 7).
5. Was haben die Verben gemeinsam, die indirekte Fragesätze nehmen können? Sie sind nicht nicht-faktiv (Gruppe 1, 2, 4 in 7).

Die letzte Frage ist die am meisten gestellte, aber von allen fünf hat sie die am schlechtesten verstehbare Antwort. Die Eigenschaft nicht nicht-faktiv zu sein interessiert uns nicht, wir können mit ihr nichts anfangen. Deshalb brauchen uns auch die indirekten Fragesätze als Klasse von Ausdrücken nicht zu interessieren.

Den Begriff indirekter Fragesatz verwenden wir weiter als praktisches Kürzel für die mit **ob** und Fragewörtern eingeleiteten Nebensätze, nicht aber im Sinne einer grammatischen Kategorie.

10.1.3 Indirekter Fragesatz und Relativsatz. Zum Problem der Korrelate

Ausdrücke wie **welcher, wer, wenn, was** sind sowohl Formen von Relativpronomina als von Fragepronomina. Dasselbe gilt für einige Adverbien. So gehören **wo** und **wie** zu den Relativadverbien wie zu den Frageadverbien (7.1; 10.1.1). Eine Einteilung der Nebensätze nach dem Einleitewort wird also viele Nebensätze doppelt klassifizieren, nämlich als Relativsätze und als indirekte **w**-Fragesätze (Jung 1973: 21 ff., Duden 1984: 667).

Die Mehrfachkategorisierung von Einheiten ist an sich nichts Besonderes, sie begegnet uns auf Schritt und Tritt. Beispielsweise sind viele Formen von Nominalen als Nom und als Akk kategorisiert. Erst aus dem Kontext wird dann klar, ob die entsprechende Konstituente als das eine, das andere oder beides zu lesen ist. Ebenso bei den Nebensätzen.

(1) a. **was Emma haben will**
    b. **Karl besorgt das, was Emma haben will**
    c. **Karl fragt, was Emma haben will**

Das Pronomen **was** in 1b hat ein Bezugswort im Matrixsatz **(das, was)**. Es ist Relativpronomen und der Nebensatz ist Relativsatz, funktional ein Attribut. Dagegen ist der Nebensatz in 1c indirekter Fragesatz, funktional ein Objekt. Das Pronomen **was** ist Fragepronomen.

Es ist nun keineswegs immer möglich, Relativsatz und indirekten Fragesatz derart einfach funktional zu unterscheiden. Der prototypische Relativsatz ist zwar Attribut. Er ist Bestandteil einer NGr mit einem Substantiv oder Pronomen als Kern **(das** in 1b). Fehlt aber das Kernnominal, dann übernimmt der Relativsatz die Funktion, die vorher die NGr hatte. In **Karl besorgt, was Emma haben will** fungiert der ›freie‹ (d.h. bezugswortlose) Relativsatz als Objekt. Dieser Satz hat dieselbe Konstituen-

(2)

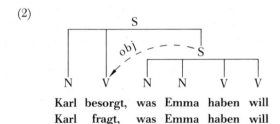

Karl besorgt, was Emma haben will
Karl fragt, was Emma haben will

tenstruktur wie 1c, und es ist nicht mehr damit getan, einmal von Objekt und das andere mal von Attribut zu sprechen. Beide Nebensätze sind Objekte.

Die Unterscheidung von Relativsatz und indirektem Fragesatz ist hier nur über die Valenz des Matrixverbs möglich. **Besorgen** nimmt keine indirekten Fragesätze als Komplemente (*Karl besorgt, wann/warum/wo ... **Emma schläft**), deshalb kann **was** hier nur Relativpronomen und der Nebensatz ein Relativsatz sein. Umgekehrt kann bei **fragen** in 1c nur ein indirekter Fragesatz stehen. Der Satz ***Karl fragt das, was Emma haben will** ist ungrammatisch, weil **fragen** die entsprechende Objektstelle nur beschränkt mit akkusativischen Nominalen besetzt. Eine Lesung des **was**-Satzes als Relativsatz ist deshalb ausgeschlossen.

In zahlreichen Fällen verfängt aber auch die Berücksichtigung der Verbvalenz nicht mehr. Ein Beispiel ist 3a. **Wissen** nimmt indirekte Fragesätze, deshalb kann

(3) a. **Ulla weiß, was Egon vermutet**
   b. **Ulla weiß das, was Egon vermutet**
   c. **Ulla weiß, was es ist, das Egon vermutet**

der **was**-Satz jedenfalls als indirekter Fragesatz gelesen werden. Aber auch ein Relativsatz ist möglich. 3b zeigt, daß ein **das** als Bezugswort eingeschoben werden kann, der **was**-Satz in 3a also auch als freier Relativsatz zu lesen ist.

3a ist ein Fall von syntaktischer Mehrdeutigkeit. Jeder der beiden syntaktischen Deutungen des Objektsatzes entspricht dabei eine eigene Bedeutung. Nehmen wir an, Egon vermutet, daß Eintracht Frankfurt gewonnen hat. Dann besagt die Relativsatz-Lesung von 3a, daß Ulla eben diesen Sachverhalt nicht vermutet, sondern weiß. Mit **weiß** und **vermutet** wird eine je unterschiedliche Beziehung zwischen einem Individuum und einem bestimmten Sachverhalt hergestellt.

Anders bei der Deutung als indirekter Fragesatz. Hier gilt die Paraphrase 3c. Nehmen wir an, man unterhält sich über Egon und seine Vermutungen. Alle Welt weiß, daß Egon etwas Bestimmtes vermutet, aber niemand weiß, was es ist. Ulla jedoch weiß es, das ist die Aussage von 3c. Bei diesem Satz interessiert nicht, welches der Inhalt von Karls Vermutung ist. Mitgeteilt wird nur, daß Ulla Kenntnis davon hat, worauf sich Karls Vermutung erstreckt.

Der semantische Unterschied zwischen beiden Lesungen ist so bedeutend, daß Sprachphilosophen vor der Gefahr einer Verwechslung ausdrücklich warnen. Entsprechende Passagen aus Wittgensteins Philosophischen Untersuchungen kommentiert Savigny folgendermaßen (1974: 33): »Ein sehr typischer Fehler schließlich, der nicht nur hier eine böse Rolle spielt, ist die Verwechslung von Wortfragen mit Relativsätzen ... Fragesätze sind Nebensätze in den Sätzen ... **ich definiere, was ein Spiel ist; ich begreife, was ein Spiel ist; ich erkläre, was ein Spiel ist; ich gebe ein Beispiel dafür, was ein Spiel ist.** Wer Relativsatz und indirekten Fragesatz verwechselt, liest unbewußt: ...**ich definiere das, was ein Spiel ausmacht; ich erfasse das, was ein Spiel ausmacht; ich beschreibe das, was ein Spiel ausmacht; ich gebe ein Beispiel dafür, was ein Spiel ausmacht.** Und »das« ist natürlich das Wesen des Spiels.«

Im Kontext dieses Absatzes wird der Frage nachgegangen, ob Wörter bestimmte, feststehende Bedeutungen haben. Die Frage wird von Wittgenstein verneint, und gleichzeitig weist er uns darauf hin, wodurch wir immer wieder zu der gegenteiligen, falschen Annahme verleitet werden. Ein Grund sei die Verwechslung von indirekten Fragesätzen und Relativsätzen. Der Relativsatz als Attribut stehe bei einem Nominalausdruck **(das)**. Das unbewußte Einschieben eines solchen Nominalausdrucks führe zu dem Denkfehler, es müsse etwas geben, das diesem Nominalausdruck semantisch entspricht: er müsse eine Bedeutung haben und damit müsse auch der Ausdruck **Spiel** bzw. **ein Spiel**, um den es dabei geht, eine bestimmte Bedeutung haben.

Die Argumentation ist nicht stichhaltig, denn wir haben gesehen, daß die entsprechenden Nebensätze entweder nur als indirekte Fragesätze oder nur als Relativsätze oder aber – bei bestimmten Verben – als beides aufgefaßt werden können. Die von Wittgenstein genannten gehören alle zu dieser letzten Gruppe und insofern ist keine Verwechslung möglich: der Nebensatz kann tatsächlich immer als Relativsatz gelesen werden. Trotzdem wird zu Recht auf den Bedeutungsunterschied hingewiesen. Es ist semantisch nicht dasselbe, ob wir den Nebensatz als Relativsatz oder indirekten Fragesatz lesen.

In der Grammatik ist das Problem seit langem bekannt (Blatz 1896: 942ff.), eine systematische Lösung gab es aber bis vor kurzem nicht. Entweder wurden nur sehr allgemeine Bestimmungen für beide Arten von Sätzen gegeben (Helbig 1974: 198), oder die Trennung der Typen gelang nicht vollständig (Abraham 1969), oder es wurden nur bestimmte Einzelfälle betrachtet (Eisenberg 1980), oder aber der Unterschied wurde als letztlich zweitrangig angesehen (Wunderlich 1976: 242f.). Eine Lösung scheint Zaefferers Vorschlag zu bringen (1984: 54ff.). Wir folgen Zaefferers Grundgedanken, nicht aber den Einzelheiten seiner Analyse. Zu unterschiedlich ist unser Kategoriensystem von seinem.

Gegeben ist ein Satz mit einem Nebensatz, wobei dieser Nebensatz von seiner Form her sowohl Relativsatz als auch indirekter Fragesatz sein kann. Unter welchen Bedingungen ist er dann als Relativsatz zu lesen, unter welchen als indirekter Fragesatz und unter welchen als beides? Nur als Relativsatz lesbar ist er dann, wenn das Matrixverb keine indirekten Fragesätze zuläßt (1b, wiederholt als 4a). Nur als

(4) a. **Karl besorgt, was Emma haben will**
    b. **Karl fragt, was Emma haben will**
    c. **Karl weiß, was Emma haben will**

indirekter Fragesatz lesbar ist er in 4b (= 1c) und doppeldeutig ist 4c. Wir müssen also die Fälle 4b und 4c voneinander trennen. Dazu müssen wir wissen, unter welchen Bedingungen ein freier Relativsatz stehen kann (4c) und unter welchen nicht.

Ein freier Relativsatz kann offenbar dann stehen, wenn Bezugswort und Relativpronomen im Kasus übereinstimmen. So kann **den, den** in 5a durch **wen** ersetzt werden, und es entsteht der freie Relativsatz in 5b (Blatz 1896: 866ff.; 7.1).

(5) a. **Karl fürchtet den, den du schickst**
    b. **Karl fürchtet, wen du schickst**
    c. **Karl fürchtet den, dem du traust**
    d.***Karl fürchtet, wem du traust**

(6) a. Karl glaubt dem, dem du vertraust
    b. Karl glaubt, wem du vertraust
    c. Karl glaubt dem, den du schickst
    d.*Karl glaubt, wen du schickst

(7) a. Wer nach Berlin geht, der hat ein hartes Los
    b. Wer nach Berlin geht, hat ein hartes Los
    c. Wer nach Berlin geht, dem ist nicht zu helfen
    d.*Wer nach Berlin geht, ist nicht zu helfen

Auch die anderen Beispiele zeigen: stimmen Relativpronomen und Bezugswort im Kasus überein, so kann ein freier Relativsatz stehen (5a, b–7a, b), sonst nicht (5c, d–7c, d; siehe dazu aber Aufgabe 68c). Offenbar spielen beim freien Relativsatz die Valenzeigenschaften von Matrixverb und Konstituentenverb zusammen. Nur wenn beide ein akkusativisches Objekt zulassen, ist der freie Relativsatz wie in 5b möglich, nur wenn beide ein Dativobjekt zulassen, ist der freie Relativsatz wie in 6b möglich.
Man kann diesen Gedanken verallgemeinern. Besetzen Matrixverb und Konstituentenverb die Position einer bestimmten Ergänzung mit Ausdrücken derselben Form, so ist in dieser Position ein freier Relativsatz als Ergänzung möglich. Andernfalls ist er nicht möglich. Wir illustrieren die Regularität mit einigen weiteren Beispielen. **Wissen** und **glauben** nehmen beide **daß**-Sätze als Objekte, deshalb sind sowohl 8a als auch 8b grammatisch.

(8) a. Karl glaubt, was Emma weiß
    b. Karl weiß, was Emma glaubt

Fragen und **wissen** nehmen beide **ob**-Sätze als Objekte, deshalb sind 9a und 9b möglich.

(9) a. Emma fragt, was Karl weiß
    b. Emma weiß, was Karl fragt

Versprechen und **kaufen** nehmen beide ziemlich uneingeschränkt ein akkusativisches Nominal als direktes Objekt, deshalb sind 10a und 10b möglich.

(10) a. Emma verspricht dem Karl, was Paul sich kauft
     b. Emma kauft dem Karl, was Paul ihm verspricht

Kaufen nimmt uneingeschränkt ein akkusativisches Objekt, **fragen** aber nicht. Auch sonst haben beide Verben keine gemeinsame Form von Objekten. Deshalb ist 11a ungrammatisch. 11b ist zwar grammatisch, aber nur, weil **fragen** indirekte

(11) a.*Karl kauft, was Emma fragt
     b. Karl fragt, was Emma kauft

Fragesätze als Komplemente nimmt. Der **was**-Satz kann hier nicht als Relativsatz gelesen werden.

Wahrscheinlich ist das Problem der Unterscheidung von Relativsatz und indirektem Fragesatz auch deshalb so lange ungelöst geblieben, weil man in jedem Einzelfall angeben wollte, ob der Nebensatz das eine oder das andere ist (exklusives **oder**). Die Frage war so falsch gestellt. Viele Nebensätze sind sowohl das eine als das andere, und man kann angeben, wann dieser Fall vorliegt (**Aufgabe 116**).

Allerdings ist damit nur die Spitze eines Eisbergs sichtbar geworden und genauer untersucht. Das Unterscheidungsproblem von Relativsatz und indirektem Fragesatz entsteht ja, weil der an sich an einen nominalen Kern gebundene Relativsatz unter bestimmten Bedingungen ohne diesen Kern stehen kann. Funktional gerät er damit vom Attribut in den Bereich der Nebensätze mit Satzgliedfunktion.

Die funktionale Einordnung als Attribute vs. Satzglieder ist nun auch für viele andere Nebensätze schwierig. Das Problem zeigt sich in seinem ganzen Umfang erst, wenn man versucht, die sogenannten Bezugswörter oder Korrelate von Nebensätzen systematisch zu erfassen. Als Korrelate werden in der Literatur Ausdrücke unterschiedlicher Kategorie bezeichnet, die in phorischer Funktion mit Nebensätzen sowie Infinitiv- und Partizipialgruppen auftreten. Die wichtigsten Korrelate sind **es** (12a), Formen des Demonstrativums (12b), die Pronominaladverbien (12c, d) und bestimmte andere Adverbien wie **so** und **dann** (12e).

(12) a. **Wir bedauern es, daß Karl fehlt**
     b. **Sie trauert dem nach, daß Paul nicht bei der Polizei ist**
     c. **Er wartet darauf, daß es dunkel wird**
     d. **Er kommt deswegen, weil er mitfahren will**
     e. **Sie macht es so, wie Luise gesagt hat**

Wir behandeln die in den Einzelheiten ziemlich komplizierte Grammatik der Korrelate nicht ausführlich (dazu Dončeva 1982; Frings 1985), wollen aber wenigstens einen Hinweis darauf geben, wie man sich die Behandlung vorstellen kann.

Zwei extreme Lösungen sind denkbar. Die eine nimmt alle an ein Korrelat gebundenen Nebensätze als Attribute. Das Korrelat wäre jeweils der Kern dieser Konstruktion und würde die Konstituentenkategorie des Gesamtausdrucks liefern: der Gesamtausdruck hätte die Kategorie des Kerns (endozentrische Konstruktion). 12c etwa hätte die Struktur 13.

(13)

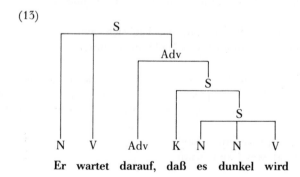

Er   wartet   darauf,   daß   es   dunkel   wird

Eine Position dieser Art wird in der Literatur kaum vertreten. Einen relativ weiten Begriff von Relativsatz hat aber die Duden-Grammatik (Duden 1984: 671 ff.). Bei Helbig/Buscha (1975: 572) heißt es »Alle Nebensätze sind Hinzufügungen zu einem Korrelat; sie können als Attributsätze im weitesten Sinne des Wortes angesehen werden.« Diese Auffassung ist sicher unhaltbar, schon weil es zahlreiche Konjunktionalsätze gibt, die ein Korrelat grundsätzlich ausschließen, etwa die **obwohl**-Sätze (10.2.1).

Im anderen Extrem würde man die Korrelate als weniger wichtige Hinzufügungen zu den Nebensätzen ansehen. Das entsprechende Satzglied hätte immer die Kategorie S, für 12c etwa ergäbe sich 14.

(14)

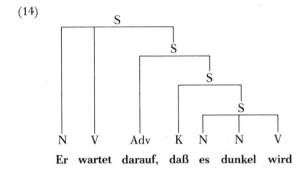

Auch diese Lösung ist mit Sicherheit nicht immer akzeptabel, schon weil in vielen Fällen das Korrelat obligatorisch ist. Beispielsweise ist die Position des Dativobjekts generell nicht mit **daß**-Sätzen besetzbar. Diese Restriktion läßt sich mit Hilfe eines Korrelats umgehen (12b). Das Korrelat hat in solchen Fällen den geforderten Kasus und nimmt den **daß**-Satz ›unter sich‹.

Welche der Lösungen gewählt wird, kann – solange das Verhältnis von Attributsätzen und Sätzen in Satzgliedfunktion nicht allgemein geklärt ist – nur von Fall zu Fall entschieden werden. Dabei spielen eine ganze Reihe von Gesichtspunkten eine Rolle, etwa die Obligatorik/Fakultativität des Korrelats, seine Stellungsmöglichkeiten, seine Flexionsmerkmale sowie die syntaktischen Alternativen für die Besetzung der entsprechenden Position (10.2.2).

10.2 Adverbialsätze

10.2.1 Kausale und temporale Konjunktionalsätze

Den Kernbereich der Adverbialsätze machen konjunktional eingeleitete Nebensätze aus. Die hier vorkommenden Konjunktionen haben lexikalische Bedeutung, sie bezeichnen eine zweistellige Relation zwischen den von Bezugssatz und Adverbialsatz bezeichneten Sachverhalten. Eine semantische Klassifikation könnte so aussehen:

(1)

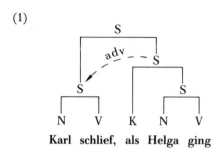

Karl schlief, als Helga ging

(2) temporale   als, bis, nachdem
    kausale   da, weil
    instrumentale   indem
    konzessive   obwohl, obgleich, wiewohl
    konditionale   wenn, falls, sofern
    finale   damit

Im Gegensatz dazu sind die Ergänzungssätze einleitenden **daß** und **ob** Struktur-elemente. Sie weisen einen Nebensatz als regiert aus und zeigen selbst nur an, ob der Nebensatz ein indirekter Fragesatz ist **(ob)** oder nicht **(daß)**. Der Terminus Inhaltssatz, der in vielen Grammatiken als Bezeichnung für die Ergänzungssätze üblich ist (Admoni 1970: 273; Brinkmann 1971: 637ff.; Duden 1984: 678ff.), meint eben dies: Inhaltssätze werden nicht durch ihr Einleitewort in eine bestimmte se-mantische Beziehung zu einem anderen Satz gebracht, sondern sie bezeichnen Sachverhalte, die innerhalb des übergeordneten Satzes ihre Rolle spielen. Die Funk-tion von **daß** und **ob** läßt sich vergleichen mit der von Kasussendungen bei nomina-len Ergänzungen, die Funktion der Konjunktionen mit lexikalischer Bedeutung ist eher vergleichbar der von nicht valenzgebundenen Präpositionen, zu denen viele von ihnen ja auch in enger semantischer Beziehung stehen (9.1). Den Adverbialsatz nennt man auch Verhältnissatz.

Ganz deutlich wird der Unterschied auch dort, wo beide Gruppen in derselben syntaktischen Position auftreten, nämlich in Attributsätzen.

(3) a. **Eine Entscheidung bevor du kommst wäre anfechtbar.**
    b. **Die Beseitigung des Hausmülls indem man ihn verbrennt bringt nur andere Probleme**
    c. **Eine Beförderung weil du der Chefin gefällst ist ausgeschlossen**

(4) a. **Die Entscheidung, daß du kommst, wäre anfechtbar**
    b. **Die Untersuchung, ob das Wasser sauber ist, dauert an**

3 enthält Sätze mit ›adverbialer‹ Konjunktion im Attributsatz. Solche Sätze sind selten, wenn überhaupt, treten sie bei nomina actionis auf (Blatz 1896: 1020f.). Denkbar wäre etwa eine Deutung dieser Konstruktionen als Ellipsen. Zu ihrer Vervollständigung gehört dann ein Relativsatz mit einem Funktionsverb, zu dem der Konjunktionalsatz Adverbial ist **(Eine Entscheidung, die getroffen wird, bevor du kommst, wäre anfechtbar)**.

Die Attributsätze in 4 dagegen sind valenzgebunden (7.4.2). Sie explizieren das vom Kernsubstantiv gemeinte. »Daß du kommst« ist Inhalt der Entscheidung (4a) und »ob das Wasser sauber ist oder nicht« ist Gegenstand der Untersuchung (4b). Auch diese Attributsätze sind im Vorkommen beschränkt und können nicht bei jedem Substantiv stehen. Ihre Beschränkung ist aber zumindest in einem Kernbereich eindeutig syntaktisch als Rektion faßbar.

Es gibt weitere syntaktische Unterschiede zwischen beiden Gruppen von subordinierenden Konjunktionen (SUB), die uns berechtigen, die Kategorie SUB aufzuspalten in die Teilkategorien ESUB (**daß, ob**) und ASUB (**weil, obwohl...**). Beide Kategorien sind wie SUB selbst Paradigmenkategorien.

Mit **daß** und **ob** eingeleitete Sätze können – wie Inhaltssätze allgemein – unter Beibehaltung der Spannsatzform als selbständige Sätze auftreten (5). Für Verhältnissätze ist das nicht möglich (6; Weuster 1983: 33 ff.; Reis 1985: 280 ff.). Die Sätze

(5) a. **Daß mir keiner den Hund beißt**
 b. **Daß Hans es immer wieder versucht**
 c. **Ob es diesmal klappt?**
 d. **Wie nett sie wieder spricht**
 e. **Wie man hier wohl am besten wegkommt?**
 f. **Wenn es doch Nacht würde**
 g. **Und wenn die Preußen kämen?**

(6) **Obwohl/*weil/*nachdem du das getan hast*

in 6 können zwar auch für sich auftreten, sie sind dann aber Teil nur textgrammatisch erfaßbarer Ellipsen. Der einzige Ausreißer ist **wenn**, das einerseits Adverbialsätze einleitet, sich aber andererseits wie ESUB verhält (5 f, g). **Wenn** ähnelt auch in anderer Hinsicht der ESUB-Konjunktion **daß**: Sätze mit diesen beiden Konjunktionen sind vielfach durch konjunktionslose Sätze ersetzbar, und zwar **daß** durch einen Kernsatz (7) und **wenn** durch einen Stirnsatz (8; Reis 1985: 282).

(7) a. **Egon vermutet, daß Paul seine Angel vergessen wird**
 b. **Egon vermutet, Paul werde seine Angel vergessen**

(8) a. **Wenn du pünktlich kommst, bist du als erster dran**
 b. **Kommst du pünktlich, bist du als erster dran**

Das Verhalten von **wenn** und seine Zugehörigkeit zu einer der Teilklassen von SUB bedarf also genauerer Analyse (10.2.2).

Wir wollen nun auf die Bedeutungen und syntaktischen Besonderheiten der einzelnen in 2 aufgeführten Konjunktionen zu sprechen kommen. Die meisten Grammatiken gehen in diesem Punkt so vor, daß sie nicht die einzelnen Konjunktionen, sondern die von ihnen bezeichneten semantischen Beziehungen zur Grundlage der Beschreibung machen. Man bekommt dann etwa Abschnitte über die Kausalrelation, die Temporalrelation usw. (Erben 1980: 202 ff.; Duden 1984: 691 ff.; Grundzüge: 785 ff.; anders aber: Helbig/Buscha 1975: 409 ff.), und es wird gefragt, mit welchen sprachlichen Mitteln die einzelnen Relationen realisiert werden können.

Unter systematischem Aspekt ist dieses Vorgehen problematisch. Einmal bleibt unklar, woher die zugrunde gelegte Klassifikation eigentlich kommt. Ist sie rein semantischer Art oder beruht sie nicht doch auf dem Bestand an Konjunktionen, die das Deutsche hat? Zum zweiten bleibt für viele Fälle unklar, woran es liegt, daß ein bestimmtes semantisches Verhältnis zwischen Adverbial und Bezugssatz besteht. Wenn es beispielsweise im Duden (1984: 693) heißt, ein Kausalverhältnis könne durch eine Partizipialkonstruktion realisiert werden (9a), so zeigen die Beispiele 9b–c, daß mit dieser Konstruktion auch andere semantische Verhältnisse ausgedrückt werden können.

(9) a. **Von seiner schauspielerischen Leistung überzeugt, ging er zum Theater**
b. **Zuhause angekommen, zog sie ihre Pantoffeln an**
c. **Den Rücken gekrümmt, wartete er auf den nächsten Biß**

Die Frage ist dann: ist die Signalisierung von Kausalität eine spezifische Leistung dieser Konstruktion? Hängt das kausale Verhältnis in 9a nicht allein am Inhalt der beteiligten Ausdrücke? Wenn letzteres zutrifft, liegt der Fall systematisch anders als bei Sätzen mit einer kausalen Konjunktion. Wir vermeiden solche Unklarheiten, wenn wir von den Konjunktionen selbst ausgehen. Nicht Kausalität allgemein ist dann das Thema, sondern das Verhalten und die Leistung bestimmter Konjunktionen.

Die konditionalen Konjunktionen **wenn, falls** und **sofern** bleiben in der folgenden Übersicht ausgespart. Sie werden in Kap. 10.2.2 besprochen.

weil. In 10 bezeichnet **weil** eine Relation zwischen zwei Sachverhalten derart, daß das Eintreten des einen als hinreichende Bedingung für das Eintreten des anderen

(10) **Karl bremst, weil ein Baum auf der Straße liegt**

behauptet wird. Sei a eine aussagenlogische Konstante, die für den vom Adverbialsatz bezeichneten Sachverhalt steht (»Ein Baum liegt auf der Straße«) und stehe b entsprechend für den vom Bezugssatz bezeichneten Sachverhalt (»Karl bremst«), dann behauptet der Sprecher mit 10, daß zwischen a und b ein Kausalitätsverhältnis besteht.

Der Konnektor $\rightarrow$ steht für die Bedeutung von **weil**. Mit ihr können nur Sachverhalte verknüpft werden, die zutreffen: die Wahrheitsbedingungen von $b \rightarrow a$ sind dieselben wie die von $a \wedge b$ (a und b). Der komplexe Sachverhalt trifft genau dann zu, wenn beide verknüpften Sachverhalte zutreffen. Darin besteht etwa ein Unterschied zwischen **weil** und **wenn**. Mit 11 ist weder gesagt, daß Karl bremst, noch ist gesagt, daß ein Baum auf der Straße liegt.

(11) **Karl bremst, wenn ein Baum auf der Straße liegt**

Die von **weil** bezeichnete Relation ist nicht symmetrisch. Wenn Karl bremst, weil ein Baum auf der Straße liegt, dann heißt das nicht, daß immer dann, wenn Karl bremst, ein Baum auf der Straße liegt. Karl wird tunlichst auch bei anderen Gelegenheiten bremsen. Mit b ist daher eine hinreichende Bedingung für das Eintreten von a genannt, nicht aber eine notwendige: wenn b → a gilt, dann gilt nicht notwendig a → b.

Steht der **weil**-Satz nach einem Objektsatz, so ist syntaktisch ein doppelter Bezug möglich. Mit 12a kann mit dem **weil**-Satz der Grund für Helgas Behauptung, aber

(12) a. **Helga behauptet, daß Luise kommt, weil sie Geburtstag hat**
     b. **Weil sie Geburtstag hat, behauptet Helga, daß Luise kommt**

auch für Luises Kommen gegeben sein. Für 12b ist die zweite Lesung von 12a nicht möglich (dazu weiter unter **da**).

Weil-Sätze können mit den Pronominaladverbien **darum, deshalb** und **deswegen** als Korrelate an den übergeordneten Satz angebunden sein. Die Anbindung kann sowohl bei vor- wie bei nachgestelltem Adverbialsatz erfolgen (13). Der Bezug von

(13) a. **Karl bremst deswegen, weil ein Baum auf der Straße liegt**
     b. **Weil ein Baum auf der Straße liegt, deshalb bremst Karl**

weil-Sätzen auf Pronominaladverbien ist ziemlich unbeschränkt möglich. Darin drückt sich das enge Verhältnis zwischen **weil**-Sätzen und kausalen PrGr mit **wegen** und **halber** aus (**um** als kausale Pr ist nicht mehr gebräuchlich. Wo es vorkommt, hat es eher finale Bedeutung). Zu den Proniminaladverbien gehören die morphologisch verwandten Frageadverbien **warum, weshalb, weswegen**, mit denen der Inhalt von **weil**-Sätzen erfragt werden kann.

Gründen wir unseren Kausalitätsbegriff zunächst auf den Begriff der Bedingung, dann können wir sagen, daß ein Kausalsatz umso eher als solcher akzeptiert wird, je offensichtlicher a unter den obwaltenden Umständen hinreichende Bedingung für b ist. Häufig beruht dann die Einsichtigkeit des Kausalitätsverhältnisses auf einem generell gültigen Bedingungsgefüge b' ⊃ a' derart, daß b' eine Verallgemeinerung von b und a' eine Verallgemeinerung von a ist. Für 10 etwa könnte man 14b anset-

(14) a. a' ⊂ b'
     b. »Man bremst, wenn etwas auf der Straße liegt!«

zen. In ähnlicher Weise kann man auch andere adverbialsatzeinleitende Konjunktionen auf die Implikation gründen. Manchmal werden die Konjunktionen direkt nach diesem Kriterium in zwei Hauptklassen eingeteilt: die temporalen einerseits und die konditionalen andererseit. Zu den konditionalen gehören dann die kausalen, konzessiven, konsekutiven, finalen und konditionalen i.e.S. (Grundzüge: 794ff.). Andere Einteilungen stellen die temporalen den kausalen gegenüber. Zu den Kausalen gehören dann die konditionalen, konzessiven, konsekutiven, finalen und kausalen i.e.S. (Jung 1973: 72ff.; Erben 1980: 205ff.). Einmal wird also die Konditionalität zum Grundbegriff gemacht, das andere Mal die Kausalität. Wir kommen in 10.2.2 auf dieses Problem zurück. Vorläufig nehmen wir die Konditionalität als grundlegend an.

da ist in verschiedener Hinsicht syntaktisch und semantisch gegenüber **weil** beschränkt. Syntaktische Beschränkungen zeigen sich etwa bei den Korrelaten (15, 16) und nach Fragesätzen selbständig verwendet wird. Die mit 16 und 17 demonstrier-

(15) a. **Karl kommt, weil er mit dir reden will**
   b. **Karl kommt deshalb, weil er mit dir reden will**

(16) a. **Karl kommt, da er mit dir reden will**
   b.*__Karl kommt deshalb, da er mit dir reden will__

(17) **Weshalb tust du das?** $\Big\{$ **Weil es mir gefällt**
   *Da es mir gefällt

ten Beschränkungen sind sicher nicht unabhängig voneinander, denn das Pronominaladverb (Korrelat) ist morphologisch mit dem Frageadverb verwandt (zu den syntaktischen Unterschieden weiter Thümmel 1979).

Der semantische Unterschied zwischen **da** und **weil** wird am deutlichsten bei den sogenannten replikativen Schlüssen. Vielfach kann **weil** ohne wesentliche Bedeutungsveränderung durch **da** ersetzt werden (18). Kehrt man aber das Kausalverhältnis um, so bekommt man nur für **da** einen interpretierbaren Satz (19a). Hier wird

(18) a. **Karl bremst, da ein Baum auf der Straße liegt**
   b. **Karl bremst, weil ein Baum auf der Straße liegt**

(19) a. **Da Karl bremst, liegt ein Baum auf der Straße**
   b. **Weil Karl bremst, liegt ein Baum auf der Straße**

aus der Folge (»Karl bremst«) auf die Ursache (»Ein Baum liegt auf der Straße«) zurückgeschlossen. Wegen der ›verkehrten‹ Schlußrichtung nennt man solche Schlüsse replikativ.

Mit **da** wird allgemein eine Folgerungsbeziehung zwischen Sachverhalten bezeichnet. In a < b (mit < als Bedeutung von **da**) wird das Zutreffen von b präsupponiert (d. h. b wird nicht ausdrücklich behauptet) und es wird behauptet, daß a eine Folgerung aus b sei. In a→b (mit→als Bedeutung für **weil**) kann ebenfalls ein Folgerungsverhältnis gemeint sein, es kann aber auch das viel direktere Verhältnis einer kausalen Verknüpfung gemeint sein dergestalt, daß **weil** aus zwei Sachverhalten einen zusammengesetzten, kausalen Sachverhalt aufbaut (Pasch 1982: 95 ff.; 112 ff.). Wird **weil** in replikativen Schlüssen verwendet wie in 19b, so ist dies besonders anzuzeigen. Möglich wäre etwa **Weil Karl bremst, muß wohl ein Baum auf der Straße liegen** (Aufgabe 117).

obwohl, auch **obgleich, obschon.** Zwischen diesen konzessiven Konjunktionen scheint es keine wesentlichen syntaktischen und semantischen, sondern nur Unterschiede im Gebrauch zu geben.

Der Begriff konzessiv weicht von den anderen zur Kennzeichnung von Adverbialsätzen verwendeten Begriffen ab. Er ist nicht relational. Mit **sie ist müde** in 20 wird

(20) **Helga arbeitet, obwohl sie müde ist**

auch nichts bezüglich **Helga arbeitet** konzediert. Vielmehr kann der Gesamtsatz verwendet werden, um etwas zu konzedieren (etwa einen entsprechenden Sprechakt zu realisieren: **Du hast es nicht geschafft, obwohl du dich bemüht hast**).

Wie der Kausalsatz ist der Konzessivsatz nur dann wahr, wenn beide Teilsätze wahr sind. Seine Besonderheit zeigt sich auf der Ebene der Präsuppositionen. Steht a für die Bedeutung von **Helga arbeitet** und b für die Bedeutung von **Sie ist müde**, dann wird bei der Äußerung von 20 präsupponiert, daß die Implikation 21 gilt. 21a kann gelesen werden wie 21b und möglicherweise verallgemeinert werden zu 21c.

(21) a. b ⊃ ~ a
     b. »Wenn sie müde ist, arbeitet Helga (normalerweise) nicht«
     c. »Wer müde ist, arbeitet normalerweise nicht«

Der Konzessivsatz stellt dann fest, daß zwischen zwei Sachverhalten ein Verhältnis besteht, wie es ›normalerweise‹ oder ›natürlicherweise‹ gerade nicht besteht. Dieses Element von Widerspruch oder Überraschung wird gelegentlich etwas irreführend als Verhältnis des unzureichenden Grundes charakterisiert (Erben 1980: 205).

Ist eine Präsupposition der Form 21 nicht sofort aus dem semantischen Verhältnis der Teilsätze ersichtlich, so wird sie vom Hörer konstruiert. In einem Satz wie **Karl ging zur Bank, obwohl er gerade seine Tante besucht hatte** besteht an sich keinerlei Widersprüchlichkeit zwischen den Teilsätzen. Der Hörer muß aber annehmen, daß Karls Gang zur Bank nach einem Besuch bei der Tante nicht erwartet worden war. Daran zeigt sich, daß **obwohl** eine konzessive Interpretation erzwingt.

Die konzessiven Konjunktionen sind historisch jung und gehen auf Verschmelzungen des konditionalen **ob** mit Gradpartikeln zurück (**und ob ich schon wanderte im finsteren Tal** . . . vs. **und obschon ich wanderte im finsteren Tal** . . . ; s. a. **wenngleich; wenn auch**). Mit den Konditionalen sind sie noch heute über die sogenannten Irrelevanzkonditionale verbunden (**Aufgabe 118**). Die konzessiven Konjunktionen sind – ebenso wie Adverbien zur Bezeichnung von Konzessivität (**nichtsdestoweniger, gleichwohl, dennoch**) – sämtlich morphologisch komplex. Auch die einzige konzessive Präposition **trotz** ist morphologisch komplex, so daß es keine regulär auf **da** und **hier** gebildeten Pronominaladverbien gibt. Als Korrelate zu Konzessivsätzen kommen aber beispielsweise **trotzdem** und **dessen ungeachtet** in Frage. Ein Bezug kann nur anaphorisch (22a) und nicht kataphorisch (22b) hergestellt werden.

(22) a. **Obwohl ich keine Zeit habe, besuche ich dich trotzdem**
     b.***Ich besuche dich trotzdem, obwohl ich keine Zeit habe**

indem. Diese Konjunktion wird teils als instrumental, teils als modal charakterisiert, denn »Im Nebensatz wird genauer erläutert, wie eine Handlung ausgeführt wird, die im Hauptsatz genannt ist« (Duden 1984: 708; s. a. Grundzüge: 811 f.). Die Charakterisierung als instrumental stellt die semantische Gemeinsamkeit von **indem** mit den kausalen, konzessiven und konditionalen Konjunktionen heraus: das semantische Verhältnis zwischen Nebensatz und Hauptsatz beruht auf einer Impli-

(23) a. **Emma erfreut Rainer, indem sie ihn einlädt**
     b. a. < b
     c. »Man erfreut jemanden, indem man ihn einlädt«

kation, in der der vom Nebensatz bezeichnete Sachverhalt die Rolle des Antezedens spielt (23). Mit dem **indem**-Satz behauptet der Sprecher, daß der vom Nebensatz

351

bezeichnete Sachverhalt hinreichende Bedingung für das Eintreten des vom Hauptsatz bezeichneten Sachverhalts ist und daß der erste intentional hinsichtlich des zweiten realisiert wird. Der Begriff des Instrumentalen ist von dem der Intentionalität nicht zu trennen.

Indem-Sätze haben keine festen Korrelate. Wir haben aber semantisch äquivalente Konstruktionen mit obligatorischem Korrelat (**damit, daß; dadurch, daß**). Sie weisen die instrumentalen Präpositionen **mit** und **durch** als morphologische Bestandteile der Pronominaladverbien auf.

damit. Die finale Konjunktion **damit** ist semantisch die Konverse zur instrumentalen **indem**. Bei **indem** liefert der Nebensatz das Mittel, der Hauptsatz den Zweck. Bei **damit** liefert der Nebensatz den Zweck, der Hauptsatz das Mittel (24).

> (24) a. **Emma erfreut Rainer, indem sie ihn einlädt**
> b. **Emma lädt Rainer ein, damit er sich freut**
> c. a ⊃ b
> d. »Man lädt jemanden ein, damit er sich freut«

Auch morphologisch ist die Verwandtschaft von Instrumentalsatz und Finalsatz ersichtlich. Die finale Konjunktion **damit** ist als Pronominaladverb Korrelat in Instrumentalsätzen (25).

> (25) a. **Daß Emma Rainer einlädt, damit erfreut sie ihn**
> b. **Emma lädt Rainer ein, damit sie ihn erfreut**

Ein Unterschied besteht darin, daß bei **indem** der den Zweck kennzeichnende Sachverhalt als bereits eingetreten und also zutreffend unterstellt ist, bei **damit** aber nicht. Hier wird nur mitgeteilt, daß etwas Bestimmtes geschieht, das das Eintreten des vom Nebensatz bezeichneten Sachverhalts bewirken soll. Syntaktische Folge davon ist, daß der finale Nebensatz im Konjunktiv stehen kann (**Emma lädt Rainer ein, damit er sich freue**; zur Finalität auch 11.3).

Wir kommen zu den temporalen Konjunktionen. Zur Beschreibung ihrer Bedeutung muß zumindest in einigen Fällen ein aktionsartlicher Gesichtspunkt berücksichtigt werden. Wir tun das durch die Unterscheidung von punktuellen und durativen Sachverhalten im Anschluß an die Bemerkungen über entsprechende Verben (4.3). Offen bleibt, welche anderen Aktionsarten für eine vollständige Analyse zu berücksichtigen wären (Lutzeier 1981: 6ff.). Während dies Beschränkungen sind, denen wir uns aus Raum- und Darstellungsgründen bewußt unterwerfen, ist eine andere systematisch begründet: wir berücksichtigen nur das Zeitverhältnis zwischen den Sachverhalten und nicht, wie dieses Zeitverhältnis durch Tempusformen realisiert ist. Welches Tempus bei einer bestimmten Konjunktion im Haupt- und im Nebensatz steht, ergibt sich aus der Bedeutung der Konjunktion. Die consecutio temporum (für das Deutsche Gelhaus 1974) ist weder Teil der Bedeutung von Konjunktionen noch gar Teil ihrer Syntax. Ein Satz wie **Karl stellt die Suppe auf den Tisch, als Paula nach Haus kommen wird** ist nicht ungrammatisch. Vielmehr vertragen sich die mit den Tempusformen gegebenen Zeitbezüge nicht mit dem von **als** signalisierten Zeitverhältnis. Deshalb ist der Satz nicht interpretierbar.

während signalisiert, daß die Aktzeiten der beiden Sachverhalte sich überlappen.

Sind beide Aktzeichen Zeitintervalle, dann liegt eine Überschneidung der Intervalle vor. 26a besagt, daß zumindest in einem Teil des Zeitraumes von Karls Wanderung Schnee fällt. In 26b ist die Aktzeit des **während**-Satzes ein Zeitpunkt, die des

(26) a. **Während Karl im Harz wanderte, schneite es**
b. **Während Karl seine Mütze verlor, schneite es**
c. **Während es schneite, verlor Karl seine Mütze**
d. **Während Karl seine Mütze wiederfand, blitzte es**

Hauptsatzes ein Zeitintervall. Für 26c liegen die Verhältnisse gerade umgekehrt. In beiden Fällen signalisiert **während**, daß der Zeitpunkt innerhalb des Zeitintervalls liegt. Sind beide Aktzeiten Zeitpunkte (26d), so teilt uns **während** mit, daß diese Zeitpunkte zusammenfallen.

als. Es ist manchmal angenommen worden, ein **während**-Satz dürfe keinen punktuellen Sachverhalt bezeichnen, vielmehr müsse dieser Sachverhalt ein gewisses Zeitintervall umfassen. 26b, d wären danach nicht akzeptabel. Eine solche Analyse kann insbesondere gut den Unterschied zwischen **während** und **als** erfassen: der Sachverhalt im **als**-Satz soll auf einen Zeitpunkt beschränkt sein (Gelhaus 1974: 57; Helbig/Buscha 1975: 410, 424). Einleuchtender ist Lutzeiers Vorschlag (1981: 8 ff.). Lutzeier bindet weder den **als**- noch den **während**-Satz an eine bestimmte Aktionsart. Daß der **als**-Satz nicht punktuell sein muß, zeigt 27a. 27a bedeutet – was das

(27) a. **Als Karl im Harz wanderte, schneite es**
b. **Als Karl seine Mütze verlor, schneite es**
c. **Als Karl seine Mütze verliert, schneit es**

Zeitverhältnis betrifft – dasselbe wie 26a. Der Unterschied zwischen **als** und **während** zeigt sich in 26b und 27b, also bei punktuellem Temporalsatz. Bei **während** muß die Aktzeit des Nebensatzes (der Zeitpunkt) von der Aktzeit des Hauptsatzes (dem Zeitintervall) ganz umgeben sein, er muß tatsächlich eingeschlossen sein. Das ist bei **als** nicht gefordert. 27b kann besagen, daß es in dem Moment zu schneien anfing, als Karl seine Mütze verlor.

Als signalisiert weiter, daß die Aktzeiten beider Sätze vor dem Sprechzeitpunkt liegen bzw. daß die entsprechenden Zeitintervalle vor der Sprechzeit beginnen. Das bedeutet aber nicht, daß **als** nur mit Vergangenheitstempora stehen kann. Das Tempus von 27c etwa wäre als historisches Präsens interpretierbar.

Im Gegensatz zu **während** hat **als** feste Korrelate, nämlich **da** und **damals**. Obwohl **damals** wie einige andere Korrelate zu temporalen Konjunktionalsätzen **da** und Teile der Konjunktion enthält (**wenn – dann; bevor – davor; nachdem – danach**) ist es natürlich nicht aus **da + m + als** entstanden, sondern aus **da + mal**.

wenn läßt sich am besten auf dem Hintergrund von **als** besprechen. Für vor dem Sprechzeitpunkt liegende Sachverhalte drückt **wenn** dieselben Zeitverhältnisse aus wie **als**. Im Unterschied zu **als** bezieht man sich mit **wenn** aber nicht auf ein ganz

(28) a. **Wenn Karl im Harz wanderte, schneite es**
b. **Wenn Karl im Harz wandert, wird es schneien**
c. **Wenn Karl im Harz wandert, schneit es**

bestimmtes Paar von Sachverhalten. Mit 28a ist auch bei rein temporaler Interpretation von **wenn** nichts darüber gesagt, wie oft beide Sachverhalte stattgefunden haben. Die häufig vorgenommene Kennzeichnung von **wenn** als iterativ gegenüber **als** ist nicht zutreffend (Neumann 1972: 60; Helbig/Buscha 1975: 425; Petkov 1979: 221). Man braucht deshalb auch nicht zwei verschiedene Bedeutungen für **wenn** anzusetzen je nachdem, ob die Sachverhalte nur vor oder nach dem Sprechzeitpunkt liegen können (28a, b) oder in dieser Hinsicht überhaupt nicht festgelegt sind (28c). Helbig/Buscha (1975: 425) etwa nehmen an, daß mit **wenn** bei Gegenwarts- und Zukunftsbezug ein einmaliges Geschehen gemeint sei, sonst ein wiederholtes. Das trifft nicht zu. Auch mit 28b, c ist nichts darüber gesagt, wie oft und ob überhaupt die Sachverhalte eintreten. Eben dies macht ja die Schwierigkeit aus, zwischen temporalem und konditionalem **wenn** zu unterscheiden. Wäre Temporalität an Einmaligkeit oder Faktizität gebunden, bestünde diese Schwierigkeit nicht. **Wenn** wäre dann allerdings auch nicht von einer temporalen zu einer konditionalen Konjunktion geworden.

bis signalisiert, daß der vom Hauptsatz bezeichnete Sachverhalt zutrifft und fortbesteht und daß er von einem mit dem **bis**-Satz gegebenen Zeitpunkt an möglicherweise nicht mehr zutrifft. Trotz dieser Bedeutung von **bis** ist der Hauptsatz nicht auf durative und der **bis**-Satz nicht auf punktuelle Sachverhalte beschränkt. Bei punktuellen Sachverhalten im Hauptsatz wird iterativ interpretiert (29a besagt, daß es immer wieder blitzte). Ist der **bis**-Satz durativ, dann besteht der vom Hauptsatz

(29) a. **Bis Karl im Harz wanderte, blitzte es**
 b. **Bis Karl im Harz gewandert hat, blitzt es**
 c. **Bis Karl aufwacht, blitzt es**

bezeichnete Sachverhalt bis zu irgendeinem Zeitpunkt innerhalb der Aktzeit (des Zeitintervalls) des Nebensatzes. 29a kann geäußert werden, auch wenn es noch während Karls Wanderung blitzt. Falsch wird er erst, wenn es nach Karls Heimkehr noch immer weiter wetterleuchtet. Ist im Nebensatz irgendetwas über Beginn oder Abschluß des Bestehens des Sachverhaltes gesagt, so wird dieser Zeitpunkt zum Bezug für **bis** (29b, c). 29b besagt also, daß es jedenfalls bis zum Ende von Karls Wanderung blitzen wird.

seit. Die Bedeutung von **seit** ist komplementär zu der von bis. Geht es bei **bis** um das mögliche Ende des Bestehens eines Sachverhalts, so bei **seit** um den Anfang des Bestehens eines Sachverhalts. Im Unterschied zu **bis** liegt bei **seit** der relevante Zeitpunkt immer vor der Sprechzeit.

Als Alternative zu **seit** tritt **seitdem** auf. Da dies auch die Form des zugehörigen Pronominaladverbs ist, können hier Konjunktion und Korrelat formgleich sein **(Seitdem Karl im Harz gewandert ist, seitdem blitzt es) (Aufgabe 119).**

10.2.2 Konditionalsätze

Mit einem Konditionalsatz wird behauptet, daß ein bestimmter Sachverhalt unter der Bedingung eintritt, daß ein bestimmter anderer Sachverhalt eintritt. Der Ausdruck, der den bedingenden Sachverhalt bezeichnet, wird das *Antezedens* des Konditionalsatzes genannt, der andere wird die *Konsequenz* oder das Konsequens (Stegmüller) oder das Sukzedens genannt. In der Konsequenz finden wir den bedingten Sachverhalt. Mit ›Antezedens‹ und ›Konsequenz‹ bezieht man sich eigentlich auf semantische Funktionen von Ausdrücken. Es hat sich aber eingebürgert, damit auch Teile von Konditionalsätzen selbst zu bezeichnen. In **Wenn Karl kommt, gehe ich** würde man **Wenn Karl kommt** das Antezedens und **gehe ich** die Konsequenz nennen. Diese Redeweise ist ungenau, aber sie ist bequem und führt auch nicht zu Schwierigkeiten, wenn man sich ihrer bewußt bleibt.

Das konditionale Verhältnis kann im Deutschen auf vielfältige Weise sprachlich realisiert werden, wir wollen aber nur Sätze des Typs 1a–c näher betrachten. Mit

(1) a. **Kommt Karl, gehe ich**
   b. **Angenommen Karl kommt, dann gehe ich**
   c. **Wenn Karl kommt, gehe ich**

(2) a. **Unter der Voraussetzung, daß Karl kommt, gehe ich**
   b. **Gesetzt den Fall, daß Karl kommt: dann gehe ich**
   c. **Bei Karls Ankunft gehe ich**
   d. **Es kann sein, daß Karl kommt. Ich gehe dann aber**
   e. **Karl kommt? Dann gehe ich**

›Konditionalsatz‹ haben wir zunächst ja nur eine sehr unbestimmte semantische Kennzeichnung einer Klasse von Sätzen gegeben. Da es uns hier im Kern um die Beschreibung eines bestimmten Typs von Adverbialsatz geht und nicht etwa um den Aufweis, wie vielfältig die Mittel zum Ausdruck von Konditionalität sind, stehen im Mittelpunkt die **wenn**-Sätze und die anderen adverbialen Konstruktionen aus 1. Jede so vorgenommene Abgrenzung ist aber erst einmal willkürlich. Man könnte die eine oder andere Konstruktion aus 2 mit gutem Recht ebenfalls zu den ›Konditionalsätzen im engeren Sinne‹ rechnen.

Die Konditionalsätze in 1 unterscheiden sich vor allem in der Form des Antezedens. Das Antezedens kann ein uneingeleiteter Stirnsatz (1a), eine Partizipialgruppe (1b) oder ein Konjunktionalsatz sein (1c).

Das Antezedens als uneingeleiteter Stirnsatz (finites Verb in Erstposition) kann dem Hauptsatz nachgestellt (3a) oder vorgestellt sein (3b, c). Ist es vorgestellt, so

(3) a. **Ich gehe, kommt Karl**
   b. **Kommt Karl, gehe ich**
   c. **Haust du meinen Emil, trete ich deinen Otto**

haben Antezedens und Konsequenz dieselbe Satzgliedfolge. Der Adverbialsatz ist vom Hauptsatz weder durch ein Einleitewort noch durch die Wortstellung zu unterscheiden (4).

Was Antezedens und was Konsequenz ist, läßt sich nur noch an der Abfolge der Sätze erkennen: besteht das Satzgefüge aus zwei Stirnsätzen, so ist der erste Adverbialsatz zum zweiten.

Bei vorangestelltem Antezedens können in diesem Typ von Konditionalsatz die Korrelate **dann** und **so** stehen (**Kommt Karl, dann/so gehe ich**). Das Korrelat ist auf

(4)

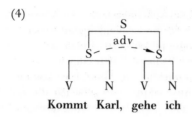

Kommt Karl, gehe ich

die Position zwischen den Teilsätzen beschränkt, es nimmt insbesondere nicht die Spitzenstellung im Satz ein (*Dann, kommt Karl, gehe ich). Wäre das möglich, so könnte man erwägen, **kommt Karl** als Attributsatz zu **dann** aufzufassen. Das würde bedeuten, dem Gesamtausdruck **dann, kommt Karl** die Kategorie von **dann**, also Adv, zuzuweisen (dazu 10.1.1). Da Spitzenstellung von **dann** unmöglich ist, sehen wir **kommt Karl dann** insgesamt als Adverbialsatz an und erhalten die Struktur 5.

(5)

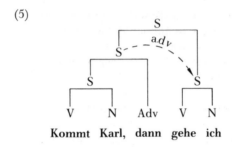

Kommt Karl, dann gehe ich

Im zweiten Typ von Konditionalsatz ist das Antezedens als Partizipialgruppe realisiert (6a).

(6) a. **Vorausgesetzt,**
    Gesetzt, } **Karl kommt, dann gehe ich**
    Angenommen,
   b. **Angenommen Karl kommt: dann gehe ich**
   c. **Angenommen Karl kommt. Ich gehe dann**

Die Partizipien sind Formen von Verben des Sagens und Denkens, die Kernsätze als Komplemente nehmen (**Wir nehmen an, Karl kommt**). Diese Verben sind uns als eine besondere Klasse schon einmal im Zusammenhang von Konjunktiv und indirekter Rede begegnet (4.4). Auch in der Partizipialgruppe bleibt der Kernsatz als Komplement erhalten. So ergibt sich der Satztyp in 6.

Einige Probleme macht dabei die Zuordnung von **dann**, das hier obligatorisch ist. Das Antezedens selbst kann als verkürzte Form eines Satzgefüges gelten, es hat noch zwei verbale Kerne. Die Grenze zwischen Antezedens und Konsequenz ist bei diesem Satztyp sowohl intonatorisch als durch die Interpunktion besonders deutlich markiert, es handelt sich um eine Übergangsform zwischen komplexem Satz und einer Folge von Sätzen. **Dann** ist daher nicht Korrelat im üblichen Sinne, sondern es ist für sich Adverbial zum Satz (7).

(7)

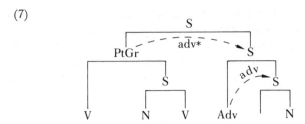

Angenommen Karl kommt, dann gehe ich

Als Besonderheit weist 7 eine provisorisch als adv* gekennzeichnete syntaktische Relation zwischen der PtGr und dem oberen S auf, wobei dieses S selbst die Proform **dann** als Adverbial enthält. Wie eine genauere Analyse der relationalen Verhältnisse auszusehen hätte, muß hier offen bleiben (dazu Fischer 1981: 81f.; 86f.).

Im dritten und häufigsten Typ von Konditionalsatz erscheint das Antezedens als Konjunktionalsatz mit **wenn, falls** oder **sofern**. Wir betrachten nur die **wenn**-Sätze mit dem fakultativen Korrelat **dann**. Auffällig an **dann** ist die Vielfalt seiner möglichen Positionen. Bei vorgestelltem Antezedens kann es am Satzanfang sowie zwischen den Teilsätzen stehen (8). Bei nachgestelltem (ausgeklammertem) **wenn**-Satz

(8) a. **Dann, wenn Karl kommt, werde ich Paul treffen**
   b. **Wenn Karl kommt, dann werde ich Paul treffen**

(9) a. **Dann werde ich Paul treffen, wenn Karl kommt**
   b. **Ich werde dann Paul treffen, wenn Karl kommt**
   c. **Ich werde Paul dann treffen, wenn Karl kommt**

(10) a. **Ich werde dann, wenn Karl kommt, Paul treffen**
    b. **Ich werde Karl dann, wenn Paul kommt, treffen**

kann **dann** auch im Mittelfeld dort stehen, wo Adverbien stehen können (9), und schließlich ist der **wenn**-Satz auch innerhalb der Satzklammer bei **dann** möglich (10). Wir schließen daraus, daß der **wenn**-Satz hier Attribut zu **dann** ist. Als Struktur für 8b etwa ergibt sich 11.

(11)

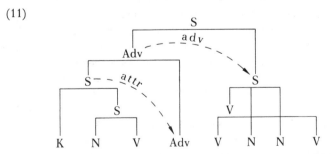

Wenn Karl kommt, dann werde ich Paul treffen

In den bisher besprochenen Beispielen war der **wenn**-Satz entweder selbst Adverbial (1c) oder er bildete mit **dann** zusammen eine Konstituente, die als Ganze Adverbial war (8–11). Anders liegen die Verhältnisse bei den sog. ergänzenden **wenn**-Sätzen (Fabricius-Hansen 1980; Metschkowa-Atanassowa 1983: 126ff.). An dieser Konstruktion läßt sich gut zeigen, wie eine an sich auf die Funktion eines Adverbials festgelegte Satzform in die Position von Ergänzungen gelangen kann.

(12) a. **Es ist erfreulich, daß/wenn du schläfst**
b. **Ich bin es leid, daß/wenn du nichts tust**
c. **Es ärgert Paula, daß/wenn Hans-Dietrich verreist**
d. **Paula vergißt es, daß/wenn Franz ihr was schenkt**

Der **wenn**-Satz steht mit unpersönlichem **es** als Korrelat sowohl bei Adjektiven (12a, b) als auch bei Verben (12c, d) in Subjektposition (12a, c) wie in Objektposition (12b, d). Der **wenn**-Satz kommt dort vor, wo auch ein **daß**-Satz stehen kann. Syntaktische Bedingung für sein Auftauchen ist **es** oder ein anderes Korrelat, das die Position der entsprechenden Ergänzung besetzen kann. Das Korrelat ist beim **wenn**-Satz obligatorisch, auch wenn es beim **daß**-Satz fakultativ (13) oder überhaupt nicht zugelassen ist (14).

(13) a. **Wir bedauern es, daß/wenn du nicht kommst**
b. **Wir bedauern, daß du nicht kommst**
c.* **Wir bedauern, wenn du nicht kommst**

(14) a. **Daß du nicht kommst, bedauern wir**
b.* **Wenn du nicht kommst, bedauern wir**
c.* **Daß du nicht kommst, bedauern wir es**
d. **Wenn du nicht kommst, bedauern wir es**

Auch beim vorausgestellten **wenn**-Satz muß **es** stehen, sogar dann, wenn es beim **daß**-Satz nicht stehen darf. Dieser Zwang zum Korrelat ist einsichtig: der **wenn**-Satz ist an sich kein Ergänzungssatz. Er kann in dieser Position nur als Attribut zu einem an dieser Stelle möglichen Ausdruck auftreten.

Von wenigen Ausnahmen abgesehen, sind die Verben und Adjektive mit ergänzenden **wenn**-Sätzen faktiv (Fabricius-Hansen 1980: 164f; 179f.). Nur bei faktiven Prädikaten kann der **wenn**-Satz seine spezifische Leistung entfalten. **Wir bedauern es, daß du nicht kommst** ist wahr, wenn du tatsächlich nicht kommst und wir dies tatsächlich bedauern. Dagegen ist die Wahrheit von **Wir bedauern es, wenn du nicht kommst** von der Wahrheit des **wenn**-Satzes unabhängig. Wie bei Konditionalsätzen allgemein, ist allein das Zutreffen des Bedingtseins der Konsequenz durch das Antezedens für die Wahrheit des Gesamtsatzes ausschlaggebend (s. u.).

Der Kollaps von adverbialer und Ergänzungsfunktion der **wenn**-Sätze tritt nun ein bei bestimmten polyvalenten Verben wie **trauern, sich freuen, sich ärgern**. In 15a kann der **wenn**-Satz ein ganz normaler Adverbialsatz sein, wobei **sich freuen** als einstellig verstanden wird. Es gibt aber auch eine zweistellige Version dieses Verbs **(sich freuen über)**. Bei der zweistelligen Version kann der **wenn**-Satz zusammen mit dem Korrelat **darüber** als Objekt auftreten (15b). Streicht man jetzt das Korrelat, so

(15) a. **Wir freuen uns, wenn du kommst**
　　 b. **Wir freuen uns darüber, wenn du kommst**
　　 c. **Wenn du kommst, freuen wir uns (darüber)**

erhält man 15a, wobei der **wenn**-Satz allein als Objekt fungiert. Dasselbe passiert beim **wenn**-Satz im Vorfeld (15c).

Man kann natürlich einfach behaupten, der **wenn**-Satz in 15a sei kein Objektsatz, weil er kein Korrelat habe. Eher zutreffend ist wohl die Auffassung, daß der Unterschied zwischen Objektsatz und Adverbialsatz für Sätze wie 15a nicht gemacht werden kann. Beide Funktionen fallen konstruktiv zusammen **(Aufgabe 120)**.

Wir kommen zur Semantik, wobei wir uns der Übersichtlichkeit halber auf die **wenn**-Sätze beschränken. Sowohl **wenn** als auch das Korrelat **dann** hat neben der konditionalen eine temporale Bedeutung. Der Übergang zur konditionalen ist bereits in der temporalen Bedeutung von **wenn** angelegt. In 10.2.1 hatten wir festgestellt, daß in Sätzen mit temporalem **wenn** nichts darüber ausgesagt wird, wie oft die von den Teilsätzen bezeichneten Sachverhalte eintreten oder eingetreten sind. Auch das rein temporale **wenn** in **Wenn die Kinder aus der Schule kommen, fahren wir ab** grenzt niemals ein ganz bestimmtes Paar von Sachverhalten aus. Es bleibt allgemein und damit der konditionalen Interpretation zugänglich.

Ob es überhaupt strukturelle Merkmale oder auch nur Umformungstests gibt, die zuverlässig anzeigen, ob ein **wenn**-Satz nur temporal oder nur konditional oder auf beide Arten zu lesen ist, bleibt in der Literatur umstritten. Es ist nicht einmal sicher, ob man für **wenn** synchron eindeutig zwischen einer temporalen und einer konditionalen Bedeutung unterscheiden sollte (Hartung 1964; Sitta 1969; **Aufgabe 121**). Während die ebenfalls aus einem Zeitadverbial hervorgegangene kausale Konjunktion **weil** (post hoc ergo propter hoc) synchron ihre temporale Bedeutung verloren hat, bleibt **wenn** semantisch weniger abstrakt und stärker auf das Zeitliche bezogen.

Aber auch die Unterscheidbarkeit von Konditionalität und Kausalität ist alles andere als offensichtlich. Und weil die Literatur dazu zum größeren Teil von Philosophen und Logikern und nur zum geringeren von Sprachwissenschaftlern stammt, ist nicht immer klar, ob das Interesse eines Autors vorrangig einem Begriff von Kausalität ›an sich‹ oder aber der Bedeutung eines natursprachlichen Ausdrucks wie **weil** gilt (Posch 1980). Sehen wir einmal von dieser Schwierigkeit ab, dann läßt sich das Problem – grob vereinfacht – folgendermaßen formulieren.

Wenn wir wissen, daß das Zutreffen eines Sachverhalts a hinreichende Bedingung für das Zutreffen eines Sachverhaltes b ist: wissen wir dann auch, daß a die Ursache für b ist? Kann man den Begriff der Ursache auf den der Bedingung reduzieren? Intuitiv verbinden wir mit dem Begriff der Ursache bzw. dem der Kausalität so etwas wie einen notwendigen inneren Zusammenhang zwischen zwei Sachverhalten. Ist a die Ursache für b, so führt a notwendig zu b und b ist ohne a nicht denkbar. Abhängig davon ist auch der Begriff der Erklärung. Wenn wir b beobachten und a als Ursache für b erkennen, dann haben wir b erst einmal erklärt. Wir wissen nämlich, warum es zu b gekommen ist.

Wiederum ganz intuitiv verbinden wir mit dem Begriff der Bedingung bzw. Konditionalität nicht unbedingt ein derart enges Verhältnis zwischen den aufeinander bezogenen Sachverhalten. Wenn ein Dreieck gleichseitig ist, dann ist es auch gleichwinklig. Das eine bedingt das andere, aber ist das eine auch die Ursache des anderen? Man wird sicher nicht so weit gehen wollen, das eine als durch das andere erklärbar anzusehen. Geläufig ist uns die Problematik auch aus gewissen Ansätzen der sogenannten empirischen Sozialwissenschaften. Wenn die Statistik besagt, Raucher gingen überwiegend am Herzinfarkt zugrunde, dann heißt das nicht, daß Rauchen die Ursache des Infarkts ist. Beides könnte ebensogut eine gemeinsame Ursache haben. Beispielsweise wäre es möglich, daß der sogenannte Infarkttyp zum Rauchen neigt. Im Hintergrund erhebt sich dann die Frage, ob wir überhaupt etwas anderes feststellen können als Bedingungen für das Eintreten von Sachverhalten. Wissen wir jemals, daß wir tatsächlich die Erklärung für einen beobachteten Sachverhalt gefunden haben? Ganze Wissenschaftlergenerationen haben das jedenfalls für ihre wissenschaftliche Arbeit verneint und sich mit dem ausdrücklich als schwächer angesehenen Begriff der Bedingung begnügt. »In der Natur gibt es keine Ursache und keine Wirkung« heißt es bei dem Physiker Ernst Mach (Die Mechanik und ihre Entwicklung. 1901: 513).

Wir verkürzen das Problem noch einmal und spitzen es auf die Bedeutung von Konditionalsätzen zu. Es lassen sich hier zwei Positionen danach unterscheiden, ob Konditionalität einen wie immer gearteten Begriff von Kausalität voraussetzt oder nicht, und diese Positionen werden deutlich an der Frage, welche Rolle die materiale Implikation ($\supset$) für die semantische Analyse von natursprachlichen Konditionalsätzen spielt.

Die materiale Implikation ist ein aussagenlogischer Verknüpfer. Die mit seiner Hilfe gebildete zusammengesetzte Aussage a $\supset$ b ist nur dann falsch, wenn a falsch ist und b wahr. Sonst ist sie wahr. Der Satz **Wenn es regnet, dann bleibe ich zu Hause** ist wahr, wenn ich wirklich zu Hause bleibe. Er ist auch dann wahr, wenn es nicht regnet und ich das Haus verlasse. Regnet es aber und ich verlasse das Haus, dann kann er nicht mehr als wahrer Satz geäußert werden.

Wie weit entspricht diese wahrheitswertfunktional definierte Implikation der Bedeutung von **wenn**? In vielen Fällen scheint die Wahrheitswertverteilung wie bei der materialen Implikation eine notwendige Bedingung für die Wahrheit des Konditionalsatzes zu sein, nicht aber eine hinreichende. Man erkenne das, so wird argumentiert, in Sätzen wie **Wenn Paris die Hauptstadt Frankreichs ist, dann ist es jetzt neun Uhr** oder **Wenn meine Großmutter Räder hat, dann ist Dioxin ungefährlich**. Nach den Regeln der materialen Implikation müßte der erste Satz zumindest dann wahr sein, wenn es neun Uhr ist. Der zweite müßte immer wahr sein, denn meine Großmutter hat niemals Räder.

Die Verfechter einer Nicht-Äquivalenz von $\supset$ und **wenn** meinen, derartige Sätze könnten nicht als wahr anerkannt werden, eben weil der ›innere Zusammenhang‹ zwischen Antezedens und Konsequenz fehle. **Wenn** bezeichne eine speziellere Relation als die wahrheitswertfunktional erfaßbare. Welche Eigenschaften diese Relation haben müßte und was genau unter dem ›inneren Zusammenhang‹ zwischen Antezedens und Konsequenz zu verstehen wäre, ist allerdings schwer zu sagen und Gegenstand weitläufiger Diskussion, der wir nicht nachgehen können (zur Übersicht Lauerbach 1979: 10ff.). Wir können aber wohl zweierlei festhalten. (1) Die Forderung nach einem inneren Zusammenhang ist schwächer als die Forderung nach einer Kausalbeziehung, und (2) die Forderung nach einem inneren Zusammenhang darf nicht an kontextlose Sätze herangetragen werden. Es sind ohne weiteres Situationen denkbar, in denen der Satz **Wenn Paris die Hauptstadt Frank-**

reichs ist, dann ist es jetzt neun Uhr seinen guten Sinn hat. Ist ein solcher Sinn aber nicht zu sehen, so wird der Hörer dennoch versuchen, dem Satz einen zu geben. Er wird unterstellen, daß der Satz für den Sprecher einen Sinn hat. Mit der Äußerung des Konditionalsatzes wird also nicht ein innerer Zusammenhang zwischen Antezedens und Konsequenz vorausgesetzt oder unterstellt, sondern er wird gerade behauptet. Der Sprecher teilt mit, daß für ihn – auf dem Hintergrund seines Wissens von der Welt – ein Bedingungsverhältnis zwischen Antezedens und Konsequenz besteht. Erschließt sich dem Hörer dieses Bedingungsverhältnis nicht, so hat er den Satz nicht verstanden. Ein unverstandener Satz ist aber nicht dasselbe wie ein falscher Satz. Die Frage nach dem Wahrheitswert von Konditionsalsätzen hat nichts zu tun mit der nach dem inneren Zusammenhang von Antezedens und Konsequenz. Erstere ist eine semantische, letztere eine nach der Situationsangemessenheit von Äußerungen (Fischer 1981; Aufgabe 122; zu den konjunktivischen Konditionalsätzen 4.4).

11. Infinitivkonstruktionen

11.1 Übersicht

Unter der Bezeichnung Infinitivkonstruktion fassen wir informell eine Reihe von Ausdrücken zusammen, in denen ein Infinitiv eines Vollverbs als Satzglied oder als Kern eines Satzgliedes auftritt. Funktional handelt es sich also um Ergänzungen oder Adverbiale.

Besteht das infinitivische Satzglied nur aus einer Verbform, so wird es der Kategorie V zugewiesen (1a). Enthält es selbst weitere Satzglieder, so ist es eine IGr (1b, s. a. 2.1).

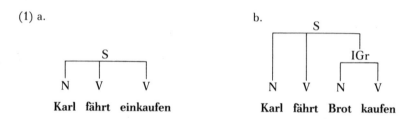

In 2 sind Ausdrücke zusammengestellt, die als Infinitivkonstruktionen in Frage kommen. Einige von ihnen enthalten den reinen Inf, für einige ist das Vorkommen

(2) a. **Egon kann fliegen**
b. **Egon geht schwimmen**
c. **Egon sieht ihn lesen**
d. **Egon läßt antreten**
e. **Egon glaubt zu schlafen**
f. **Egon scheint zu träumen**
g. **Egon freut es zu gewinnen**
h. **Egon ist zu schlagen**
i. **Egon hat zu folgen**
j. **Egon lebt, um zu arbeiten**

von **zu** charakteristisch, für 2j das Vorkommen von **um zu** (auch **ohne zu, anstatt zu**). Den Status dieser Ausdrücke besprechen wir genauer in 11.2.1 und 11.3.

Neben dem Inf enthalten die Sätze in 2 eine finite Verbform, eine Form also, die hinsichtlich Person und Numerus mit dem Subjekt korrespondiert. Die Infinitive tun das per definitionem nicht. Sie sind zwar Verben, aber es gibt zu ihnen kein Subjekt im Sinne der Person/Numeruskorrespondenz.

Dennoch finden die Infinitive ihren Subjektaktanten. In der Bedeutung von 2a spielt der Sachverhalt »Egon fliegt« eine Rolle. Der Satz besagt, daß Egon in der Lage ist, diesen Sachverhalt zu realisieren. Das grammatische Subjekt des Satzes korrespondiert hinsichtlich Person und Numerus mit dem Modalverb. Gleichzeitig liefert es aber den Aktanten für den Inf, den im Satz ohne Modalverb (**Karl fliegt**) das Subjekt liefert. Charakteristisch für Infinitivkonstruktionen ist, daß der Subjektaktant nicht als grammatisches Subjekt zu diesem Verb enkodiert ist. Die Objektaktanten wohl. Der Inf nimmt innerhalb einer Infinitivkonstruktion genau die Objekte, die das Verb auch sonst nimmt. Da das grammatische Subjekt fehlt, sprechen die Grammatiken manchmal vom logischen oder semantischen Subjekt zum Inf (8.1.1).

Läßt sich mit rein syntaktischen Mitteln angeben, welche Konstituente im Satz als Lieferant des Subjektaktanten zum Inf in Frage kommt, so nennen wir diese Konstituente ein indirektes Subjekt zum Inf. In 1b beispielsweise ist **Karl** indirektes Subjekt zu **kaufen**. Gleichzeitig ist Karl natürlich direktes Subjekt zu **fährt**.

Nun in einer kurzen Übersicht zu den weiteren Konstruktionen in 2. 2b enthält im Unterschied zu 2a die finite Form eines Vollverbs. In dieser Konstruktion kommt eine Reihe von Bewegungsverben vor (**kommen, gehen, fahren, laufen: Karl fährt Milch holen; Elisabeth kommt Karl abholen**). Die verbale Ergänzung bezeichnet bei den Bewegungsverben eine Art abstrakte Richtungsbestimmung, nämlich »einen Vorgang, eine Tätigkeit als intendierten Schlußzustand« der vom Subjekt bezeichneten Person (Moilanen 1985: 140). In vergleichbarer Weise objektbezogen sind Verben wie **holen, rufen, schicken** (**Käthe schickt Heiner Kastanien sammeln**). Auch sie sind Richtungsverben. Als einziges Verb mit positionaler Bedeutung findet sich in dieser Gruppe **bleiben**. Es handelt sich dabei nicht um das Kopulaverb, sondern um eine Version als Vollverb (**Käthe bleibt liegen**).

Semantisch kommt der Typ 2b einem finalen Adverbial nahe. Der Vergleich von **Karl fährt Milch holen** mit dem finalen Infinitiv **Karl fährt, um Milch zu holen** zeigt aber, daß nicht Finalität im engeren Sinne vorliegt. Finalität ist eine Relation zwischen voneinander getrennten Sachverhalten. Eine solche Trennung ist bei **Karl fährt Milch holen** nicht gegeben.

2c besagt, daß Egon den Sachverhalt »er liest« wahrnimmt. Der Subjektaktant findet sich im Akkusativ **ihn**. Die Konstruktion mit Akk und Inf (AcI) tritt insbesondere bei einer Gruppe von Wahrnehmungsverben auf (11.2.2).

Ein singuläres Verb ist **lassen** (2d). Es verhält sich anders als die Modalverben. Denn während für die Bedeutung von 2a der Sachverhalt »Egon fliegt« eine Rolle spielt, kommt »Egon tritt an« in der Bedeutung von 2d nicht vor. Es bleibt offen, wer antreten soll. Der Subjektaktant zum Inf könnte aber in einem Akk genannt sein (**Egon läßt die Nato antreten**), es entsteht ein AcI. **Lassen** ist aber kein AcI-Verb im selben Sinne wie **sehen**, schon weil bei **sehen** der Akk nicht wegfallen kann (11.2.2).

In 2e besetzt der **zu**-Infinitiv die Stelle des direkten Objekts zu **glaubt**. Diese Stelle kann auch von einem **daß**-Satz besetzt werden (**Egon glaubt, daß er schläft**). **Er** ist Anapher zu **Egon**, d.h. der Subjektaktant des Infinitiv findet sich im grammatischen Subjekt. Ganz ähnlich kommt der **zu**-Infinitiv in Subjektposition vor (2g, mit Korrelat **es**). Hier findet sich sein Subjektaktant im direkten Objekt. Zu einer besonderen Gruppe von Verben mit **zu**-Infinitiv als Objekt gehört **scheinen**. Die Typen 2e, f, g werden ausführlich in 11.2.1 besprochen.

2h und 2i faßt man meist unter der Bezeichnung modaler Infinitiv zusammen. 2h kann als eine besondere Form des Passiv mit den Lesungen »Es ist möglich/notwendig Karl zu schlagen« gedeutet werden (**sein**-Passiv, vgl. 4.5).

2i wäre dagegen die besondere Form eines ›modalen Aktivs‹ mit der Lesung »Es ist notwendig, daß Egon folgt« (zum Gebrauch der Konstruktion Gelhaus 1977: 118ff.). Als Mitspieler treten genau die des Vollverbs in der Aktivdiathese auf. Vieles spricht dafür, die Einheit **hat zu folgen** als eine Form von **folgen**[P] anzusehen. Ebenso wie mit mehreren Passivtypen hätten wir auch mit mehreren Aktivtypen zu rechnen.

2h und 2i sind keine Infinitivkonstruktionen wie die übrigen aus 2. Deuten wir 2h als einen Typ von Passiv und 2i als einen Typ von Aktiv, so haben wir **sein** und **haben** hier als Hilfsverben zu kategorisieren. Die Infinitive sind dann nicht Ergänzungen, sondern jeweils Teil der Verbform. 2i hat die Struktur 3, er besteht nur aus Subjekt und Prädikat.

(3)

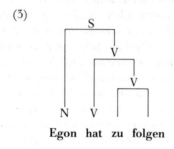

Egon hat zu folgen

In 2g schließlich ist der Inf mit **um zu** adverbiale Bestimmung. Er tritt in finaler Bedeutung zum Satz **Er lebt**. Entsprechend andere semantische Relationen signalisieren **ohne zu** und **anstatt zu** (11.3).

11.2 Ergänzungen

11.2.1 Infinitive mit zu

Der mit **zu** gebildete Infinitiv hat an der Subklassifizierung der Verben teil, er ist valenzgebunden. Er kann die Stelle des Subjekts (1a), des direkten Objekts (1b) und des Präpositionalobjekts (1c) besetzen. Als indirektes Objekt kommt er nicht vor.

(1) a. **Öffentlich zu sprechen liegt ihr**
    b. **Paula hofft, pünktlich zu kommen**
    c. **Karl wartet darauf, befördert zu werden**

Valenzungebunden als Adverbial findet sich der **zu**-Infinitiv nur in isolierten und stilistisch markierten Einzelfällen, die als Verkürzungen von **um zu**-Konstruktionen anzusehen sind (2). Als Attribut schließlich ist er vor allem bei Substantiven möglich, die von Verben und Adjektiven mit Infinitivkomplement abgeleitet sind (3). Die valenzmäßige Verwandtschaft von Nominalisierungen und ihren Basiseinheiten

(2) a. **Sie kommt zu helfen**
    b. **Er geht, Brötchen zu holen**

(3) a. **Paulas Hoffnung, pünktlich zu sein**
    b. **Karls Erwartung, befördert zu werden**

gilt also für Infinitivkomplemente in gleicher Weise wie für Satzkomplemente (7.4.2).

Wie soll man nun die Verbindung zu + Infinitiv analysieren, welcher Kategorie gehört insbesondere **zu** an? Wir kennen **zu** als Präposition. Erben (1980: 301) bezeichnet den **zu**-Infinitiv als präpositionalen Infinitiv, verwirft diese Bezeichnung aber sofort wieder, weil zu einer Präposition die Kasusrektion gehört. Da wir eben diesen Begriff von Präposition haben, kann **zu** beim Inf auch in unserem Kategoriensystem keine Präposition sein.

Verbreiteter ist die auf Glinz zurückgehende Bezeichnung von **zu** als Infinitivkonjunktion (Grundzüge: 701; Duden 1984: 376f.). Gemeinsamkeiten hat **zu** vor allem mit **daß**. Wie **daß**-Sätze sind **zu**-Infinitive Ergänzungen, und häufig können **daß**-Sätze durch **zu**-Infinitive ersetzt werden, ohne daß eine wesentliche Änderung der Bedeutung eintritt.

Für **zu** als Konjunktion könnten viele weitere Parallelen zwischen der Syntax von konjunktionalen Nebensätzen und der Syntax von Infinitivkomplementen geltendgemacht werden. Die Reihenfolge der Satzglieder ist – abgesehen vom fehlenden Subjekt – prinzipiell dieselbe wie im konjunktionalen Nebensatz (4).

(4) a. **Karl beschließt, daß er morgen der Behörde die Kündigung schickt**
    b. **Karl beschließt, morgen der Behörde die Kündigung zu schicken**

Die Objekte in der Infinitivgruppe sind ebenso gut und ebenso schlecht austauschbar wie im Nebensatz (9.3), auch die möglichen Positionen von Adverbialen sind dieselben. Beide zeichnen sich weiter durch Endstellung des Verbs aus. Die Parallelität ist in diesem Punkt strikt: wo im konjunktionalen Nebensatz das finite Verb steht, hat das Infinitivkomplement zu + Inf (5, 6). Die Stellung von zu signali-

(5) a. **Helmut hofft, daß er sich verbessert hat**
    b. **Helmut hofft, sich verbessert zu haben**

(6) a. **Annemarie glaubt, daß sie nicht zurücktreten darf**
    b. **Annemarie glaubt, nicht zurücktreten zu dürfen**

siert also, welche Verbform der finiten Form im Nebensatz entspricht. Was dem einen sein Finitum, ist dem anderen sein Infinitiv mit **zu**.

Eben dies spricht nun dagegen, daß **zu** eine Konjunktion ist. Da **zu** nicht wie die Konjunktionen am Satzanfang steht, sondern immer bei der dem Finitum entsprechenden Verbform, sehen wir es als Bestandteil der Verbform an. Ein Verb hat dann neben dem reinen Infinitiv (**schicken**) eine zweite Infinitivform (**zu schicken**) im Paradigma. Die Form **zu schicken** hat den Status einer syntaktischen Grundform, sie ist eine Wortform (2.1). Das bedeutet insbesondere, daß **zu** nicht für sich einer Konstituentenkategorie zugewiesen wird. **Zu schicken** ist nur als Ganzes Form eines Verbs.

Daß **zu** Bestandteil einer Verbform ist, zeigt sich schließlich an den Verben mit trennbarem Präfix. **Zu** erscheint zwischen Präfix und Wurzelmorphem (**abzuschik-ken, wegzugehen, anzudeuten**). Da Ausdrücke dieser Art schon wegen des Wortak-zents zweifelsfrei Wortformen sind, kann **zu** nicht Konjunktion sein. Als Konstituen-tenstruktur eines Satzes mit **zu**-Infinitivkomplement ergibt sich damit 7. Das Ma-

(7)

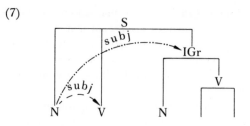

Karl beschließt, Englisch zu lernen

trixverb ist als zweistellig markert, wobei die zweite Stelle mit einem **zu**-Infinitivkomplement besetzt ist (NOM/ZINF). Das Subjekt zum Matrixverb ist indi-rektes Subjekt zum Inf. Andere Konstituenten kommen dafür im vorliegenden Beispiel nicht in Frage.

Neben den genannten Parallelen in der Syntax von Infinitivkomplementen und Satzkomplementen gibt es nun auch signifikante Unterschiede. So ist es möglich, Mitspieler und Adverbiale einer IGr nach links herauszustellen, so daß eine diskon-tinuierliche Konstituente entsteht (8, 9). Die IGr rahmt den Rest des Satzes ein, es

(8) a. **Auf die Mehrwertsteuer beabsichtigt Hans zu verzichten**
   b. **Diesen Unsinn beschließt Maria nicht länger mitzumachen**
   c. **Neuerer technischer Hilfsmittel vermochte er sich nicht zu bedienen**

(9)

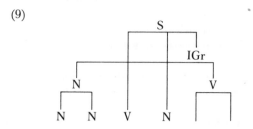

Drei Tore hoffte Franz zu schießen

entsteht eine ›Linksverschachtelung‹ (Kvam 1979). Ihre Funktion ist vornehmlich die Topikalisierung. Sie tritt in Hauptsätzen, mit starken Beschränkungen aber auch in Nebensätzen auf (10; dazu weiter Wunderlich 1980; Kvam 1980).

(10) a. **weil Hans auf die Mehrwertsteuer glaubt verzichten zu können**
    b. ***weil Hans auf die Mehrwertsteuer beabsichtigt zu verzichten**
    c. ***daß Maria diesen Unsinn beschließt nicht länger mitzumachen**

Die Topikalisierung einzelner Satzglieder von Komplementsätzen ist zwar ebenfalls möglich, aber sie erfolgt mit ganz anderen Mitteln als der Linksverschachtelung (11a–c). Aus Komplementsätzen sind nur Ausdrücke ganz bestimmter Form unter sehr speziellen Bedingungen herausstellbar (11c). Das Ergebnis sind soge-

> (11) a. **Hans glaubt, daß er auf die Mehrwertsteuer verzichten könne**
> b. ***Auf die Mehrwertsteuer glaubt Hans, daß er verzichten könne**
> c. **Was die Mehrwertsteuer betrifft, so glaubt Hans, daß er auf sie verzichten könne**
> d. **Auf diesem Gebiet glaube ich, daß man viel mehr tun kann**

nannte Satzverschränkungen: komplizierte und stark restringierte Konstruktionen, deren Grammatikalität vielfach zweifelhaft ist (Andersson/Kvam 1984).

Das unterschiedliche Verhalten von **zu**-Inf und Satzkomplement bezüglich Linksverschachtelung könnte den Grund haben, daß die IGr nicht nach links mit einer Konjunktion abgeschlossen ist. Die herausgestellte Konstituente braucht nicht – wie beim Komplementsatz – eine auf diese Weise markierte Konstituentengrenze zu überwinden. Für eine Deutung dieser Art spricht auch, daß etwa bei **um zu**-Infinitiven keine Linksverschachtelung möglich ist. Diese IGr sind nach links stets mit **um** abgeschlossen.

Eine der Hauptfragen für unsere weitere Besprechung der Grammatik von **zu**-Infinitiven ist, woher der Inf seinen Subjektaktanten gewinnt. Diese Frage wird in der neueren generativen Literatur als ›das Kontrollproblem‹ behandelt. Wir wollen uns zunächst ansehen, welche Verben überhaupt **zu**-Infinitive als Subjekte und als Objekte nehmen. Im Anschluß daran besprechen wir jeweils die Grundzüge des Kontrollproblems.

Der **zu**-Infinitiv kommt in Subjektposition vor bei Verben und Adjektiven, die physisch-psychische Zustände bezeichnen. Derjenige, von dessen Befindlichkeit die Rede ist, wird in der Objektkonstituente genannt. Das Objekt kann ein Dat (12) oder ein Akk sein (13). Die Subjektkonstituente bezeichnet das, was Anlaß für die

> (12) a. **Viel zu reden widerstrebt ihr**
> b. **gefallen, fehlen, imponieren, wehtun, behagen, bekommen, einfallen, liegen, glücken, genügen, schwerfallen, zustehen**

> (13) a. **Nichts zu verstehen ärgert mich**
> b. **begeistern, freuen, entrüsten, entwaffnen, erschrecken, erzürnen, ermutigen, knechten, beeindrucken, erheitern, quälen, belasten**

jeweilige Befindlichkeit gibt. Der Anlaß kann eine Person, aber auch ein Ding oder ein Sachverhalt sein. Die Aktantenkombination solcher Verben ist markiert, denn das Subjekt bezeichnet häufig etwas Unbelebtes oder Abstraktes, das Objekt eine Person (7.4.2; 8.2.2).

Die Konstituentenstruktur von 12a ist in 14 wiedergegeben. Als indirektes Subjekt von **zu reden** kommt nur das Dativobjekt in Frage. Da alle Verben in 12 und 13 ein typischerweise belebtes Objekt haben, erwarten wir generell Objektkontrolle.

Die Mehrzahl der Dativverben erfüllt die Erwartung. Zweifelhaft sind nur **gefal-**

(14)

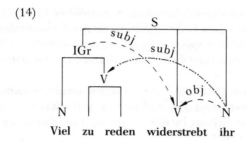

Viel zu reden widerstrebt ihr

len und **genügen**, eindeutig anders orientiert **imponieren** und **wehtun**. Der Satz
Energie zu verschwenden imponiert Harald meint nicht, daß Harald der Ver-
schwender ist. Der Subjektaktant zum Inf ist nicht genannt, der Satz wird generisch
gelesen als »Wenn jemand Energie verschwendet, imponiert das Harald«. Genauso
sind die meisten Akkusativverben aus 13 zu lesen. **So einen Quatsch zu reden,
erheitert mich** meint nicht unbedingt, daß ich selbst Quatsch rede.

Nicht alle **zu**-Infinitive bei Verben aus 12 und 13 sind notwendig objektkontrol-
liert, aber Objektkontrolle kann immer mit einfachen Mitteln erzwungen werden.
Schon die Nachstellung des **zu**-Infinitivs bewirkt in den meisten Fällen Objektkontrolle (15). Obligatorisch gegeben ist sie, wenn statt des Inf Präs ein Inf Pf genommen wird (16).

> (15) a. **Es erheitert mich, so einen Quatsch zu reden**
> b. **Es erschreckt ihn, Steuern zu hinterziehen**

> (16) a. **Es tut Karl weh, Steuern hinterzogen zu haben**
> b. **Es ärgert Paula, gelogen zu haben**

Die Kontrollverhältnisse in Sätzen mit **zu**-Infinitiv im Subjekt sind also nicht ein
für allemal mit dem Matrixverb festgelegt. Insbesondere beim vorausgestellten Inf
Präs Akt sind Abweichungen von der Objektkontrolle möglich. Diese Auffälligkeit
im Kontrollverhalten wird verständlich, wenn man sich weitere Charakteristika des
Subjekts bei psychischen Verben vergegenwärtigt.

Normalerweise besetzt der **zu**-Infinitiv die Position einer Ergänzung, die auch von
einem **daß**-Satz besetzt werden kann. Die Konstruktion mit **daß**-Satz bedeutet meist
auch dasselbe wie die mit **zu**-Infinitiven. Bei den psychischen Verben ist das anders.
Der **zu**-Infinitiv in Subjektposition ist hier nicht auf den **daß**-Satz, sondern auf den
wenn-Satz zu beziehen: 17a ist paraphrastisch zu 17c, nicht zu 17b. Der **wenn**-Satz

> (17) a. **Obst zu essen bekommt Paula**
> b. **Daß sie Obst ißt, bekommt Paula**
> c. **Wenn sie Obst ißt, bekommt das Paula**
> d. **Obst essen bekommt Paula**
> e. **Obstessen bekommt Paula**

ist an ein nominales Korrelat gebunden (**das** in 17c), anders kann er in der Subjektposition nicht auftreten. Denn eigentlich fungiert er ja als Adverbialsatz.

Die sogenannten ergänzenden **wenn**-Sätze treten vornehmlich bei faktiven Verben auf (10.2.2). Die Verben in 12 und 13 sind fast alle faktiv. Bei der Äußerung von 17b wird unterstellt, daß Paula wirklich Obst ißt. Beim **wenn**-Satz wird das nicht unterstellt. Er gibt uns die Möglichkeit, bei einem faktiven Verb ein nichtfaktives Komplement anzubringen.

Es scheint nun so zu sein, daß nur der **zu**-Inf des Präs Akt, also der **zu**-Inf des unmarkierten Tempus und Genus verbi, Paraphrase zum **wenn**-Satz ist. Das Präs als Tempus von zeitlosen, generell gültigen Aussagen paraphrasiert den **wenn**-Satz, der generisch zu lesen ist. Der **zu**-Inf des Pf etwa ist dagegen auf den **daß**-Satz zu beziehen, die IGr ist wie der **daß**-Satz faktiv zu lesen. 18a ist paraphrastisch zu 18b, nicht aber zu 18c.

(18) a. **Steuern hinterzogen zu haben, erschreckt Paula**
b. **Daß sie Steuern hinterzogen hat, erschreckt Paula**
c. **Wenn sie Steuern hinterzogen hat, erschreckt Paula**

Der **zu**-Inf des Präs spielt eine Sonderrolle auch insofern, als er eng bezogen ist auf den reinen Inf. Sätze der Form 17a sind verwandt mit denen der Form 17d, e. Semantisches Charakteristikum der reinen Infinitive ist, daß sie nicht der Objektkontrolle unterliegen. Vielfach unterscheiden sich gerade darin die Bedeutungen der Sätze mit **zu**-Infinitiv und reinem Infinitiv. In 19a ist das Steuerhinterziehen wohl eher auf Paula selbst zu beziehen als in 19b. Nur 19b ist Paraphrase zu 19c.

(19) a. **Steuern zu hinterziehen, erschreckt Paula**
b. **Steuern hinterziehen erschreckt Paula**
c. **Wenn jemand Steuern hinterzieht, erschreckt das Paula**

Der reine Inf in Subjektposition kann nur ein Inf Präs sein, das Pf etwa ist ausgeschlossen (***Steuern hinterzogen haben erschreckt Paula**). Der Grund dafür ist, daß der reine Inf in Subjektposition eine Nominalisierung ist. Man kann zeigen, daß das Subjekt in Sätzen wie 17d, e und 19b ein Nominal und nicht ein Verb ist (Eisenberg u. a. 1975: 112ff.). Der Inf Pf ist aber kaum nominalisierbar.

Obwohl systematisch ein Bedeutungsunterschied zwischen Sätzen mit **zu**-Inf und reinem Inf im Subjekt besteht, wird der erste offenbar durch den zweiten beeinflußt. Der **zu**-Inf wird teilweise der Objekt-Kontrolle entzogen. Das ist nur im Präs möglich. Denn nur im Präs tauchen beide Infinitive als Subjektkomplemente auf und nur im Präs sind sie beide paraphrastisch auf ergänzende **wenn**-Sätze bezogen.

Zweierlei halten wir fest. (1) **Zu**-Infinitive im Subjekt sind in der Regel vom Objekt des Matrixverbs kontrolliert. Unter besonderen Bedingungen wird diese Kontrolle außer Kraft gesetzt. (2) **Zu**-Infinitive im Subjekt sind in der Regel durch **daß**-Sätze paraphrasierbar, unter besonderen Bedingungen auch durch ergänzende **wenn**-Sätze. Die jeweils gemeinten ›besonderen Bedingungen‹ ergeben sich erst, wenn man die weitere Grammatik des Subjekts von psychischen Verben mitberücksichtigt (**Aufgabe 123**).

Wir wenden uns dem in der Literatur viel öfter behandelten **zu**-Inf in Objektposition zu. Auch er tritt meist alternativ zum **daß**-Satz auf, und es ist instruktiv, sich die Verbklassen anzusehen, bei denen nur ein **zu**-Inf bzw. nur ein **daß**-Satz stehen kann.

Nur ein Infinitivkomplement und kein **daß**-Satz steht bei einer Reihe von Verben
mit intentionaler Bedeutung (20). Die vom Subjekt bezeichnete Person will oder

(20) a. **Helga versucht zu laufen**
b. ***Helga versucht, daß sie läuft**
c. **beabsichtigen, sich weigern, zögern, wagen, versäumen**

will nicht die Handlung ausführen, die im Komplement genannt ist. Von der Bedeutung des Matrixverbs her ist es nicht möglich, im Komplement ein anderes Subjekt
zu haben als im Matrixsatz. Ein Satz wie ***Helga versucht, daß Egon läuft** ist mit der
Bedeutung von **versuchen** unverträglich, denn man kann nur versuchen, selbst
etwas zu tun (Ebert 1985: 2).

Nur **daß**-Sätze und keine Infinitivkomplemente nehmen andererseits bestimmte
Klassen von kognitiven Verben und verba sentiendi (21). Die vom Subjekt bezeich-

(21) a. **Helga sieht, daß sie gewinnt**
b. ***Helga sieht zu gewinnen**
c. **hören, fühlen, riechen, sehen, wissen**

nete Person richtet ihre Aufmerksamkeit auf Sachverhalte in der Welt. Das wahrnehmende, erkennende Subjekt nimmt Information von außen auf. Für die Bedeutung dieser Verben ist es unwichtig, ob die wahrnehmende Person selbst am wahrgenommenen Sachverhalt beteiligt ist oder nicht. Der **daß**-Satz läßt das offen. Diese
Verben sind faktiv (10.1.2).

Eine dritte Gruppe kann die Objektstelle sowohl mit **daß**-Satz als auch mit Infinitivkomplement besetzen (22). In der zweistelligen Version liegt bei ihnen Subjekt-

(22) a. **Renate nimmt an, daß sie die erste ist**
b. **Renate nimmt an, die erste zu sein**
c. **beschließen, hoffen, träumen, üben, glauben, vermuten,
wünschen, zweifeln**

kontrolle des Infinitivkomplements vor. 22b kann nur so gelesen werden, daß Renate annimmt, daß sie selbst die erste ist.

Auch bei den zweistelligen Verben muß aber nicht unbedingt Subjektkontrolle
gegeben sein. Beispiele sind **ablehnen** und **verachten**. **Karl verachtet es, die Universität zu betrügen** meint nicht nur Karls eigene Betrügereien. Erwartungsgemäß ist
das Infinitivkomplement hier mit einem ergänzenden **wenn**-Satz paraphrasierbar.

Wie ist nun die Kontrollbeziehung bei dreistelligen Verben geregelt, bei Verben
also, die außer dem Subjekt einen Mitspieler haben, der als indirektes Subjekt
fungieren kann? Wir betrachten zuerst die Gruppe der sogenannten direktiven
Verben. Das sind Verben mit einen akkusativischen (23) oder dativischen Objekt
(24) und einem Infinitivkomplement, das alternativ zu einem **daß**-Satz steht. Das
akkusativische oder dativische Objekt benennt das Agens für den im Infinitivkomplement bzw. **daß**-Satz benannten Sachverhalt. In den Beispielsätzen 23a, 24a liegt
Objektkontrolle vor.

Bei der Behandlung des Kontrollproblems hat man lange versucht, den zweistelli-

(23) a. Emma bittet Karl, sie mitzunehmen

    b. anregen, warnen, zwingen, hindern, beschwören, auffordern, überreden, beauftragen

(24) a. Emma befiehlt Karl, sie mitzunehmen

    b. raten, erlauben, empfehlen, verbieten, gestatten

gen Verben wie in 22 die dreistelligen wie in 23 als Regelfall gegenüberzustellen. Für **zu**-Infinitive im Objekt gilt dann: die Kontrolle des **zu**-Infinitivs hängt vom Matrixverb ab. Ist das Matrixverb zweistellig, dann liegt Subjektkontrolle vor. Ist es dreistellig, dann liegt Objektkontrolle vor.

Eine Regularität dieser Art wurde schon von Bech (1983: 31 ff.) als grundlegend für die Kontrollbeziehung im Deutschen angesehen. Sie findet sich dann – in der Formulierung dem jeweiligen Stand der Theorie entsprechend – in vielen Arbeiten der generativen Schule wieder. Die ursprüngliche Idee dabei ist eine Tilgungstransformation: ist das Subjekt des Komplementsatzes identisch mit dem Subjekt bzw. dem Objekt des Matrixverbs, so wird es getilgt und es entsteht das subjektlose Infinitivkomplement (›Equi-NP-Deletion‹). Vorausgesetzt wird dabei, daß das Matrixverb allein entscheidend für die Regelung der Kontrollbeziehung ist (Rosenbaum 1970 für das Englische; Huber/Kummer 1974: 161 ff.; Edmondson 1982: 161 ff. für das Deutsche; Chomsky 1984: 74 ff. für alle Sprachen; zur Übersicht Siebert-Ott 1983: 23 ff.).

Aus 25a und 26a ist nun ersichtlich, daß mit Subjektkontrolle und Objektkontrolle jedenfalls nicht einfach ein Bezug auf oberflächensyntaktisch definierte Satzgliedfunktionen gemeint sein kann. Das zeigt sich bei der Umformung ins Passiv. Bei den

(25) a. Emma bittet Karl, sie mitzunehmen

    b. Karl wird von Emma gebeten, sie mitzunehmen

(26) a. Emma befiehlt dem Karl, sie mitzunehmen

    b. Dem Karl wird von Emma befohlen, sie mitzunehmen

    c. Der Karl bekommt von Emma befohlen, sie mitzunehmen

Akkusativverben geht die Kontrolle auf das grammatische Subjekt über (25b). Bei den Dativverben ebenfalls, wenn ein **bekommen**- oder **kriegen**-Passiv gebildet wird (26c). Beim **werden**-Passiv bleibt die Kontrollfunktion des Dativobjekts erhalten (26b). Diese oberflächensyntaktische Variabilität der Kontrollbeziehungen überrascht nicht. Die Kontrollbeziehungen sind so geregelt, daß bei jeder Diathese der richtige Aktant für den **zu**-Inf gefunden wird.

Die Kontrollbeziehungen ändern sich aber auch, wenn im Komplement das Aktiv durch ein Passiv ersetzt wird. In 27b und 28b wird bevorzugt mit Subjektkontrolle

(27) a. Emma bittet Karl, sie mitzunehmen

    b. Emma bittet Karl, mitgenommen zu werden

    c. Karl wird von Emma gebeten, mitgenommen zu werden

(28) a. Emma befiehlt dem Karl, sie mitzunehmen

    b. **Emma befiehlt dem Karl, mitgenommen zu werden**
    c. **Der Karl bekommt von Emma befohlen, mitgenommen zu werden**

gelesen, aber auch die Lesung mit Objektkontrolle ist möglich. Deshalb spricht man hier von ›wechselnder Kontrolle‹. Setzt man Matrixverb und Infinitv ins Passiv, so entstehen massive Zuordnungsprobleme (27c, 28c). Man weiß nicht mehr recht, wie die Sätze zu verstehen sind.

Die Kontrollverhältnisse dürfen also nicht allein am Matrixverb festgemacht werden. Matrixverb und Infinitiv spielen auf zumindest teilweise systematisch explizierbare Art und Weise zusammen. Setzt man den Infinitiv ins Passiv, so hat er keinen obligatorischen Mitspieler mehr (27b, 28b). Damit ist es prinzipiell möglich, die Mitspieler des Matrixverbs beliebig auf die Aktantenfunktionen des Infinitivs zu verteilen. Man kann verschiedene Verteilungen mit ganz unterschiedlichen Mitteln erzwingen, beispielsweise durch anaphorische Pronomina. 29a läßt offen, ob Subjekt- oder Objektkontrolle vorliegt, 29b ist auf Subjektkontrolle festgelegt und 29c schließlich auf Objektkontrolle.

(29) a. **Emma bittet Karl, mitgenommen zu werden**
      b. **Emma bittet Karl, von ihm mitgenommen zu werden**
      c. **Emma bittet Karl, statt ihrer mitgenommen zu werden**

Daß das Passiv im Komplement die Kontrollverhältnisse so stark verändern kann, legt die Vermutung nahe, daß auch andere, dem Passiv semantisch nahestehende Konstruktionen diese Wirkung haben. Verwendet man im Komplement ein Modalverb der Gruppe um **dürfen** (MV2 nach 3.4, wobei allerdings nicht jedes dieser Modalverben zu jedem Matrixverb semantisch paßt) oder ein nicht passivfähiges Verb der Gruppe um **bekommen** (4.5), so stellt sich ebenfalls Umkehrung oder Spaltung der Kontrollbeziehung ein. Die ›Standardform‹ des Komplements (30a)

(30) a. **Emma bittet Karl, Egon die Auskunft zu geben**
      b. **Emma bittet Karl, Egon die Auskunft geben zu dürfen**
      c. **Emma bittet Karl, endlich die gewünschte Auskunft zu bekommen**

weist wieder Objektkontrolle auf, 30b, c dagegen zumindest als nächstliegend Subjektkontrolle.

Neben der großen Gruppe von dreistelligen Verben, die im ›Standardfall‹ (**zu**-Inf des Präs Akt) Objektkontrolle bewirken, steht eine kleine Gruppe, die Subjektkontrolle nach sich zieht (31). Alle diese Verben haben ein Dativobjekt, Akkusativob-

(31) a. **Egon schwört Paula, sie anzurufen**
      b. **ankündigen, drohen, geloben, versprechen, verraten**

jekte kommen nicht vor. Die Verben sind performativ. 31a besagt, daß Egon im Vollzug eines Sprechakts des Schwörens angekündigt hat, einen bestimmten Sachverhalt zu realisieren. Die Verben in 31 sind mit Infinitivkomplement durchweg nur sehr beschränkt im Passiv verwendbar (**?Der Paula wird von Egon geschworen, sie anzurufen**). Ein solcher Passivsatz enthält kein grammatisches Subjekt. Die Orientierung auf die **von**-Phrase bereitet bei den Subjektkontrollverben offenbar Schwierigkeiten (Höhle 1978: 19f.).

Veränderung der Kontrollbeziehung ist erwartungsgemäß durch das Passiv und semantisch verwandte Konstruktionen im Komplement möglich. In 32a kontrolliert

(32) a. **Egon schwört Paula, von ihr angerufen zu werden**
b. **Egon schwört Paula, von ihm angerufen zu werden**
c. **Egon schwört Paula, von Willi angerufen zu werden**

das Subjekt, in 32b das Objekt und in 32c liegt wechselnde Kontrolle vor (**Aufgabe 124; 125**).

Wir haben damit das Kontrollproblem in seinen Grundzügen besprochen, ohne es allerdings auch nur für eine bestimmte Verbklasse zum Abschluß zu bringen. Es bleibt unentschieden, ob und bis zu welchem Punkt das Kontrollproblem syntaktisch lösbar ist oder ob man nur bei Berücksichtigung semantischer oder pragmatischer (etwa sprechakttheoretischer) Gesichtspunkte weiterkommt (dazu vor allem Abraham 1983a). Sicher ist, daß viele Arbeiten zu sehr die Eigenschaften des Matrixverbs in den Mittelpunkt gerückt haben. Bei Ermittlung der Kontrollbeziehungen hat man neben dem Matrixverb auch die Verhältnisse im Komplement zu berücksichtigen (ein Ansatz dazu in Růžička 1983; 1983a).

Das Kontrollproblem stellt sich in der bisher diskutierten Form für Vollverben mit Infinitivkomplement. Es stellt sich anders für eine kleine, theoretisch viel beachtete Verbklasse mit charakteristischen Kontrolleigenschaften, der wir uns jetzt zuwenden wollen. Es handelt sich um **scheinen** sowie um **pflegen, drohen** und **versprechen** in einer modalen Bedeutung, wie sie in den Beispielen 33 gegeben ist. In

(33) a. **Karl scheint zu schlafen**
b. **Renate pflegt mit dem Taxi zur Schule zu fahren**
c. **Diese Wand droht einzustürzen**
d. **Der nächste Sommer verspricht schön zu werden**

dieser speziellen Bedeutung haben **pflegen, drohen** und **versprechen** eine mit **scheinen** weitgehend übereinstimmende Syntax. Nur diese interessiert jetzt.

Auf den ersten Blick haben wir normale Subjektkontrollverben vor uns. **Karl scheint zu schlafen** wäre zu analysieren wie **Karl wünscht zu schlafen**. Aber das Sprachgefühl sagt uns auch, daß der **zu**-Infinitiv enger an **scheinen** gebunden ist als an **wünschen**. Der Rechtschreibduden trägt dem Rechnung mit einer besonderen Kommaregelung: **zu**-Infinitive nach **scheinen, pflegen, drohen** und **versprechen** werden generell nicht durch Komma abgetrennt (Duden 1980: 41).

Die enge Bindung des Inf an das Verb erinnert an die Modalverben, nur regieren die Modalverben statt des **zu**-Inf den reinen Inf. Bestätigt wird die Verwandtschaft mit den MV durch ein charakteristisches Stellungsverhalten. Im konjunktionalen Nebensatz kann das Infinitivkomplement bei Vollverben ausgeklammert werden (34; die Transformationsgrammatik nennt dies Extraposition), bei Modalverben nicht, und ebensowenig bei der **scheinen**-Gruppe (35, 36).

(34) a. daß Karl endlich zu schlafen wünscht
b. Daß Karl wünscht, endlich zu schlafen

(35) a. daß Karl endlich schlafen will
b.*daß Karl will endlich schlafen

(36) a. daß Karl endlich zu schlafen scheint
b.*daß Karl scheint endlich zu schlafen

Unter Rückgriff auf den von Bech (1983: 60 ff.) eingeführten Begriff des Kohärenzfeldes spricht man in der Literatur bei 35 und 36 häufig von einer kohärenten Infinitivkonstruktion, bei 34 von einer inkohärenten. Allein das Kriterium der Kohärenz rechtfertigt es, die **scheinen**-Gruppe einer eigenen grammatischen Kategorie zuzuweisen. Wir wollen ihr den Kategoriennamen Halbmodalverben (HMV) geben. Die Paradigmenkategorie HMV wird auf einer Ebene mit den Kategorien Vollverb, Kopulaverb, Modalverb und Hilfsverb angesiedelt (3.1, Schema 1).

Welche Konstituentenstruktur hat nun ein Satz mit einem Halbmodal? Betrachten wir dazu das Verhältnis von **daß**-Satz und **zu**-Inf bei **scheinen** (nicht alle Halbmodale verhalten sich in diesem Punkt gleich).

(37) a. **Karl scheint zu schlafen**
b. **Es scheint, daß Karl schläft**
c.***Daß Karl schläft, scheint**

(38) a. **Es ärgert mich, daß Karl schläft**
b. **Daß Karl schläft, ärgert mich**

37b sieht ähnlich aus wie 38a. Der **daß**-Satz wäre pronominal an **es** gebunden und Teil des Subjekts. Man hat in der generativen Grammatik lange eine Analyse dieser Art angesetzt. 37a würde aus 37b abgeleitet, indem das Subjekt des Nebensatzes (**Karl**) in der Konstituentenstruktur ›angehoben‹ und damit zum Subjekt des Matrixsatzes wird (die entsprechende Transformation heißt Raising; Huber/Kummer 1974: 253 ff.).

Der **daß**-Satz bei **scheinen** ist aber offenbar nicht Teil des Subjekts. Er ist nicht wie üblich voranstellbar (37c), er kann **es** nicht verdrängen. Auch vom Funktionalen her entstehen Schwierigkeiten, wenn man 37a auf 37b bezieht. Üblicherweise besetzt der **zu**-Inf dieselbe Stelle wie der **daß**-Satz. Wenn der **zu**-Inf in 37a nicht Subjekt ist, wie kann dann der **daß**-Satz in 37b Teil des Subjekts sein? **Es** und der **daß**-Satz besetzen bei **scheinen** nicht gemeinsam die Subjektstelle, sondern sie besetzen verschiedene Stellen. **Scheinen** ist also ein dreistelliges Verb mit Subjekt, fakultativem Dativobjekt und **zu**- bzw. **daß**-Komplement (**Es scheint mir, daß Karl schläft**; Olson 1981: 117 ff.).

Entscheidend für die Konstituentenanalyse von 37a ist nun das folgende. Wir haben den **zu**-Infinitiv bisher stets als Komplement ohne grammatisches Subjekt angesehen. Alle Mitspieler des Verbs können vorhanden sein, das Subjekt muß aber fehlen. Den **zu**-Inf gibt es nur parallel zu Konstruktionen mit grammatischem Subjekt, nicht aber zu solchen ohne grammatisches Subjekt. Deshalb sind Ausdrücke

(39) a. **Karl wünscht, daß dem Mann geholfen wird**
     b. ***Karl wünscht, dem Mann geholfen zu werden**

(40) a. **Es scheint, daß dem Mann geholfen wird**
     b. **Es scheint dem Mann geholfen zu werden**

wie 39b ungrammatisch (der **daß**-Satz in 39a hat kein Subjekt, s.a. **Aufgabe 124b** oben). Bei **scheinen** ist eben dies möglich: der **zu**-Inf kann dort stehen, wo subjektlose Sätze stehen (vgl. auch **Es scheint ihn zu frieren; Es scheint getanzt zu werden**). Wir schließen daraus, daß der **zu**-Infinitiv bei den Halbmodalen nicht wie üblich als subjektloses Komplement anzusehen ist (Ebert 1975; Olson 1981: 138ff.). Das grammatische Subjekt des Matrixverbs (Halbmodals) ist gleichzeitig Subjekt zum Infinitiv. Wie bei den Modalverben ist die Subjektrelation gespalten: das grammatische Subjekt korrespondiert in Person und Numerus mit dem Halbmodal, wird aber gleichzeitig regiert vom **zu**-Inf. Der **zu**-Inf kann daher – wie der reine Inf bei den Modalverben – mit seinen Mitspielern keine Konstituente bilden. Er muß dem grammatischen Subjekt nebengeordnet sein. Es ergibt sich 41.

(41)

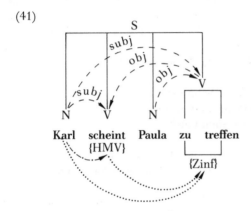

Daß der **zu**-Inf bei den Halbmodalen tatsächlich das Subjekt regiert, sieht man an Beispielen wie 42, 43. Nur wenn das Verb im Komplement ein unpersönliches **es** als

(42) a. **Es scheint zu regnen**
     b. **Es scheint zu schlafen**

(43) a. **Daß Emma hier war, scheint zu stimmen**
     b. ***Daß Emma hier war, scheint zu schlafen**

Subjekt nimmt, ist das **es** bei **scheinen** unpersönlich (42). Und nur wenn das Verb im Komplement einen **daß**-Satz zuläßt, wird der Satz mit **daß**-Subjekt grammatisch (43).

11.2.2 Der AcI

Eine kleine Gruppe von verba sentiendi verbindet sich mit einem Akkusativnominal und einem reinen Infinitiv als Ergänzung (1). Der AcI (accusativus cum infinitivo)

(1) a. **Helga sieht ihren Sohn rauchen**
   b. **sehen, hören, fühlen, spüren**

gehört zu den kohärenten Infinitivkonstruktionen. Ausklammerung ist nicht möglich (2).

(2) a. **daß Helga ihren Sohn rauchen sieht**
   b. ***daß Helga sieht ihren Sohn rauchen**

Außer den genannten verba sentiendi kommen als AcI-Verben noch **heißen, machen** und **lassen** in Betracht (s. u.; zu weiteren Kandidaten Reis 1976a: 9 f.).

Beschränken wir uns zunächst auf die Wahrnehmungsverben. In der einfachsten Version sind sie transitiv. Die Stelle des Objekts kann von einem Akkusativ und von einem **daß**-Satz besetzt werden. Zu ihren Besonderheiten gehört die Besetzbarkeit der Objektstelle durch einen **wie**-Satz. Der ergänzende **wie**-Satz signalisiert Gleichzeitigkeit der Wahrnehmung mit dem wahrgenommenen Sachverhalt. 3b besagt, daß Helga dabei ist, als ihr Sohn raucht, 3a besagt das nicht unbedingt. Der AcI ist

(3) a. **Helga sieht, daß ihr Sohn raucht**
   b. **Helga sieht, wie ihr Sohn raucht**
   c. **Helga sieht ihren Sohn rauchen**

paraphrastisch zum **wie**-Satz und nicht zum **daß**-Satz (Vater 1976; 10.1.2). Der AcI dient also zur Mitteilung unmittelbarer Wahrnehmungen der im Subjekt genannten Person.

Die Signalisierung von Gleichzeitigkeit schlägt sich formal nieder in der Beschränkung auf den Infinitiv des Präsens. Das Präs als unmarkiertes Tempus wird jeweils auf die vom Matrixverb bezeichnete Aktzeit bezogen (4). Da andere Zeitverhältnisse als Gleichzeitigkeit nicht in Frage kommen, sind andere Infinitive ausgeschlossen (5):

(4) **Helga sieht ihren Sohn rauchen. Sie hat ihn rauchen gesehen und wie wird ihn rauchen sehen**

(5) a. ***Helga sieht ihren Sohn geraucht haben**
   b. ***Helga hat ihren Sohn geraucht haben gesehen**
   c. ***Helga sieht ihren Sohn rauchen werden**

Der Subjektaktant des Inf steckt im Akk des AcI. Der Infinitiv selbst kann Objekte entsprechend seiner Valenz mit sich führen, so daß bei akkusativischem Objekt zwei Akkusative unmittelbar aufeinander folgen (6c). Der erste der beiden ist dann der Akk des AcI. 6d kann nur gelesen werden als »die Zigarren rauchen ihren Sohn«.

(6) a. Helga sieht ihren Sohn seinem Vater helfen
    b. Helga sieht ihren Sohn auf seine Freundin warten
    c. Helga sieht ihren Sohn Zigarren rauchen
    d. Helga sieht Zigarren ihren Sohn rauchen

(7) a. Helga sieht ihren Sohn schon Minister sein
    b. Helga sieht ihren Sohn ewig Linguist bleiben
    c. Helga sieht ihren Sohn dicker und dicker werden

Als Infinitive kommen prinzipiell auch alle Kopulaverben in Frage (7). Beschränkungen, die Reis (1976a: 10 f., 66) hier sieht, sind wohl kaum syntaktischer Art. Ein Satz wie **Helga sieht ihren Sohn klug sein** ist grammatisch, nur ist der Sachverhalt »Karl ist klug« nicht etwas, das der unmittelbaren Wahrnehmung im Sinne der Bedeutung des AcI zugänglich wäre.

Welche Konstituentenstruktur haben Sätze mit AcI? Die Struktur 8a macht den AcI insgesamt zu einer Konstituente. **Sehen** bleibt zweistellig, die Stelle des direkten

(8) a.

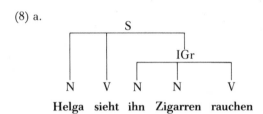

b.

Objekts ist durch den AcI besetzt. Das Verb im AcI bindet Mitspieler entsprechend seiner Valenz, nur ist die Subjektstelle durch einen Akk statt durch ein Nom besetzt und das Verb infinit (Eisenberg u.a. 1975: 122 ff.). Der AcI wäre von den Mitspielern her ein vollständiger Satz, von der Form her nicht. Eben dies spricht gegen 8a. Typisch für alle Infinitivkonstruktionen ist das Fehlen des direkten Subjekts. Von der Konstituentenhierarchie her stünde einer Interpretation von **ihn** als direktes Subjekt zu **rauchen** nichts im Wege. Das ist unverträglich auch mit den Rektionseigenschaften der beteiligten Verben. Der Akk **ihn** wird nicht von **rauchen** regiert, sondern vom Matrixverb, er ist direktes Objekt zu **sieht**, und muß diesem Verb nebengeordnet sein.

Es gibt eine Reihe eindeutiger Hinweise darauf, daß der Akk des AcI direktes Objekt zum Matrixverb und nicht etwa Bestandteil einer IGr ist. So kann der Akk durch einen **daß**-Satz ersetzt werden. In 9a tritt der **daß**-Satz an die Stelle des Akk,

(9) a. **Daß Karl heiratet, sehe ich schlimme Folgen haben**
    b. **Ich sehe Hans rauchen – Hans wird von mir rauchen gesehen**

wie das der Valenz von **sehen** entspricht. Die Möglichkeit eines solchen ›**daß** cI‹ zeigt, wie weitgehend die Funktion des direkten Objekts auch bei der Infinitivkonstruktion intakt bleibt. Der AcI bei den Wahrnehmungsverben dient nicht dazu, das direkte Objekt als Infinitivkonstruktion zu realisieren. Vielmehr bleibt das direkte Objekt des transitiven Verbs erhalten und der Inf kommt hinzu. **Ich sehe Hans rauchen** heißt immer auch **Ich sehe Hans**. Darüber hinaus wird dann noch mitgeteilt, was Hans tut.

Dasselbe läßt sich aus 9b schließen. Wird das Matrixverb ins Passiv gesetzt, dann erscheint der Akk als Nom, der Nom als **von**-Phrase. Das übliche Diathesenverhältnis bleibt auch bei Vorhandensein eines Inf erhalten, wir haben im Passiv einen NcI. Struktur 8a kommt nicht in Betracht.

Als Alternative kommt die Struktur in 8b in Frage, die so hierarchisiert, wie wir es von den Modalverben und den Halbmodalen wie **scheinen** (11.2.1) her kennen. Ein wichtiges Argument war dort, daß der Inf das Subjekt regiert, der Subjektkonstituente also nebengeordnet sein muß. Das ist beim AcI nicht der Fall, das Subjekt wird vom Matrixverb regiert. Die AcI-Verben sind echte Vollverben und schon deshalb ist es unwahrscheinlich, daß 8b als Konstituentenstruktur in Frage kommt.

Bleibt die Struktur in 10. Sie weist **sehen** mit AcI als dreistelliges Verb aus, das neben Subjekt und Objekt als weitere Ergänzung eine Infinitivkonstruktion mit

(10)

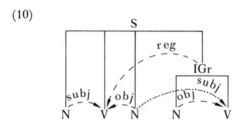

Helga sieht ihn Zigarren rauchen

reinem Infinitiv nimmt. Diese Struktur wird den formulierten Anforderungen gerecht, und sie ist sowohl unter funktionalen wie semantischen Gesichtspunkten problemlos. Man kann eine Reihe weiterer syntaktischer Argumente für sie anführen, etwa das Verhalten in Stellungtests. Der Inf mit seinen Mitspielern und der Akk können unabhängig voneinander bewegt werden (11). Dies spricht jedenfalls eher für als gegen eine IGr als Konstituente.

(11) a. **Zigarren rauchen sieht Helga ihn**
     b. **Ihn sieht Helga Zigarren rauchen**
     c. **daß ihn Helga Zigarren rauchen sieht**

Die Syntax des AcI ist damit nur im Ansatz dargestellt. Besonders wichtig gerade für die Frage der Konstituentengrenzen ist etwa Verhalten anaphorischer Pronomina und insbesondere der Reflexiva. Zu diesem Problemkreis liegen ausführliche Studien vor (Reis 1976a; Höhle 1978: 53ff., 167ff.; Grewendorf 1983). Diese Studien verfolgen aber explizit theoretische Fragestellungen. Da der AcI als Verbkomplement syntaktisch eine interessante Mittelposition zwischen verschiedenen anderen Komplementtypen hat, eignet er sich gut als Demonstrationsobjekt für subtile konstruktivistische Theoriebeweise und Gegenbeweise. Wir können darauf schon deshalb nicht eingehen, weil wir nur wenig über Reflexivierungsmechanismen ausgeführt haben (5.4.2). Auch wird der darstellungstechnische Aufwand unverhältnismäßig groß, wenn man Fragen von weitreichendem theoretischen Interesse zuspitzt auf das Verhalten weniger Einheiten und manchmal eines einzigen Verbs, nämlich **lassen**. Dieses Verb spielt in den genannten Untersuchungen eine herausragende Rolle. Wir haben die Besprechung des AcI von den Wahrnehmungsverben her aufgerollt und gesehen, wie diese Konstruktion zur Semantik der Wahrnehmungsverben paßt. **Lassen, machen** und **heißen** wie in (12) haben semantisch wenig damit zu tun, sie stehen den Modalverben viel näher. Wirklich gebräuchlich von ihnen ist

(12) a. **Sie läßt ihn gehen**
b. **Sie macht ihn zittern**
c. **Sie heißt uns beten**

auch nur das Chamäleon **lassen**, das mit einer großen Vielfalt von Komplementtypen und in zahlreichen Bedeutungsschattierungen vorkommt. Es bleibt in der Tat fragwürdig, wie gut die gemeinsame Behandlung von **lassen** und den verba sentiendi als AcI-Verben gerechtfertigt ist. Die vorhandenen syntaktischen Gemeinsamkeiten könnten auch zufällig sein, ein Sichüberschneiden von Bereichen, deren Zentren weit auseinanderliegen.

Wir begnügen uns im folgenden damit, die Hauptbedeutungen von **lassen** zu nennen und zu zeigen, wie sie an ein jeweils spezifisches syntaktisches Verhalten gebunden sind.

Wie bei den Modalverben wird die Bedeutung von **lassen** mit Hilfe des Begriffs des Handlungsziels beschrieben. In **Karl läßt mich arbeiten** ist von einem Handlungsziel (einem zu realisierenden Sachverhalt) »Ich arbeite« die Rede. Zu einem Handlungsziel gehört eine Obligation mit ihrer Quelle und mit ihrem Ziel. Das Besondere von **lassen** gegenüber den Modalverben ist, daß Quelle und Ziel im Satz explizit genannt sind. Bei den Modalverben wird nur entweder Quelle (MV1, Typ **wollen**) oder Ziel (MV2, Typ **dürfen**) der Obligation genannt.

In der einfachsten Version **Karl läßt mich** sind als Aktanten nur Quelle (Subjekt) und Ziel (direktes Objekt) der Obligation genannt. **Lassen** ist hier ein transitives Verb. Es bildet das Pf mit dem Partizip **(Karl hat mich gelassen)** und ist passivfähig **(Ich werde von Karl gelassen)**. Seine Bedeutung ist permissiv. Ausgesagt wird, daß ein Zustand, in dem die von Objekt bezeichnete Person sich befindet, bestehen bleiben kann. Der Begriff des Handlungsziels ist hier also schon zu stark. Es geht nicht um die Realisierung eines Sachverhaltes, sondern um sein Aufrechterhalten. Als Infinitive kommen bei dieser Version nur Verben mit einer statischen Bedeutung in Frage, bei denen der Subjektaktant nicht ein Agens im Sinne von Handelnder ist. So haben wir **Karl läßt mich warten/stehen/sitzen** mit dem entsprechenden Perfekt **Karl hat mich stehen gelassen** und dem Passiv **Ich werde von Karl stehen gelassen**. Sowie der Inf ein Agens verlangt, ändert sich das Verhalten von **lassen** (13).

(13) a. **Karl läßt mich arbeiten**
b.*Karl hat mich arbeiten gelassen

    c. **Karl hat mich arbeiten lassen**
    d. **?Ich werde von Karl arbeiten gelassen**

Das Pf mit dem Partizip ist jetzt ungrammatisch. Wie bei den Modalverben wird es mit dem Inf gebildet (13c). Das Passiv wird von den meisten Sprechern ebenfalls als ungrammatisch empfunden.

In 13a hat **lassen** zwei Bedeutungen, nämlich eine permissive wie vorher (»Karl läßt mich beim Arbeiten in Ruhe«) und eine direktive (»Karl veranlaßt mich zu arbeiten«). Für beide Bedeutungen bezeichnet das Subjekt die Quelle und das Objekt das Ziel der Obligation.

Anders als bei den Wahrnehmungsverben ist bei **lassen** der Akk nicht obligatorisch. So entstehen Sätze wie 14a, b. Sie können nur direktiv gelesen werden.

    (14) a. **Karl läßt antreten**
         b. **Paul läßt dir helfen**
         c. **Egon läßt die Vase fallen**
         d. **Hans läßt alles anbrennen**

Dasselbe gilt für 14c, d, die ein nicht agensfähiges Objekt zu **lassen** haben. Der Subjektaktant zum Inf kann in diesen Fällen als **von**-Phrase auftauchen, und dann sind wieder beide Bedeutungen möglich (**Karl läßt sein Auto von Emma reparieren**). Höhle (1978: 50ff.) beobachtet, daß für die Sätze mit nicht agensfähigem Objekt auch besondere Stellungsregularitäten gelten. Während ein Dativobjekt des Inf dem belebten Akkusativobjekt von **lassen** nachgestellt sein muß (15), muß es dem nicht agensfähigen Akkusativobjekt von **lassen** folgen (16). Die für die Satz-

    (15) a. **Karl läßt den Paul seiner Mutter helfen**
         b. ***Karl läßt seiner Mutter den Paul helfen**

    (16) a. **Karl läßt seinem Gläubiger einen Ziegel auf den Kopf fallen**
         b. ***Karl läßt einen Ziegel seinem Gläubiger auf den Kopf fallen**

gliedfolge auch sonst relevante Belebtheitsskala (8.3) behält hier die Oberhand über die von den syntaktischen Funktionen her natürlichste Satzgliedfolge.

Nur permissiv gelesen werden kann **lassen** in der Verwendung als obligatorisch reflexives Verb (17). Das Besondere ist, daß der Objektaktant des Inf in dieser

    (17) a. **Dieser Wein läßt sich trinken**
         b. **Ein solches Vorgehen läßt sich dem Parlament gegenüber**
           rechtfertigen

Konstruktion als grammatisches Subjekt von **lassen** auftritt. Wir erhalten deshalb eine subjektlose Konstruktion, wenn als Inf ein Verb ohne direktes Objekt genommen wird (18). Wie immer in solchen Fällen, kann auch hier **es** als grammatisches Subjekt einspringen (19). Da beim obligatorisch reflexiven **lassen** ein Objektaktant im Nom erscheint und ein Agens – wenn überhaupt – als **von**-Phrase (**Ein solches Vorgehen läßt sich von uns rechtfertigen**), wird diese Konstruktion unter generati-

(18) a. Darüber läßt sich reden
    b. Dem Manne läßt sich helfen

(19 a. Es läßt sich darüber reden
    b. Es läßt sich dem Manne helfen

vem Blickwinkel als eine besondere Form des Passiv angesehen (Reis 1976: 15 f.; Höhle 1978: 62 ff.).

11.3 Adverbiale

Adverbiale Funktion haben Infinitivgruppen mit **um zu, ohne zu** und **anstatt zu** (Alternative **statt zu**). Ihre syntaktische Analyse und eine erste Einordnung ins System der Komplement- und Adverbialkonstruktionen gewinnen wir am einfachsten durch Bezug auf die **zu**-Infinitive (11.2.1).

Zu haben wir als Bestandteil einer Verbform analysiert. **Zu arbeiten** ist insgesamt eine Infinitivform neben der Form des reinen Infinitiv **arbeiten**. Daraus folgt, daß **um zu, ohne zu** und **anstatt zu** keine Einheiten sind. **Zu** bildet nicht mit **um, ohne, anstatt** eine Einheit, sondern mit dem jeweiligen Infinitiv.

Um, ohne und **anstatt** ihrerseits sind subordinierende Konjunktionen besonderer Art. Die meisten subordinierenden Konjunktionen sind Einleitewörter von Nebensätzen (9.1.), diese drei sind Einleitewörter von Infinitivgruppen. Als Konstituentenstruktur für einen Satz mit adverbialer Infinitivkonstruktion ergibt sich 1.

(1)

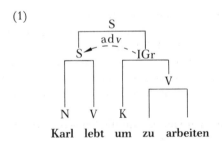

Um, ohne und anstatt sind als Konjunktionen jung. Am ältesten von ihnen ist **um**, das seit Beginn des 17. Jahrhunderts belegt ist. Alle drei haben sich durch syntaktische Reanalyse von Komplementstrukturen aus Präpositionen entwickelt (zur Entstehung Behaghel 1924: 335 ff.). Für **ohne** und **anstatt** ist die semantische Nähe zu den Präpositionen auch synchron gegeben, für **um** nur sehr beschränkt. **Um** hat das gegenwärtige Deutsch lediglich als lokale Präposition. Die finale Präposition **umbe**, von der die Konjunktion **um** sich herleitet, existiert nur noch in der Zusammensetzung mit **willen (um des lieben Friedens willen)**.

Daß Einheiten sowohl Präpositionen als auch Konjunktionen sind, ist nichts Außergewöhnliches. Besonders temporale Nebensätze werden von Konjunktionen eingeleitet, die auch Präpositionen sind (**bis, seit, während**) oder von Präpositionen abgeleitet sind (**nach – nachdem; vor – bevor** usw.; 10.2.2). Auch von daher gibt es also keine Bedenken zur Klassifizierung von **um, ohne** und **anstatt** als Konjunktionen.

Anders als bei den Ergänzungen sind die Kontrollbeziehungen bei adverbialen Infinitivgruppen ziemlich strikt und einheitlich geregelt (dazu ausführlich Leys 1971: 9ff., 23ff.). Der Subjektaktant des Inf findet sich fast stets im Subjekt des Matrixsatzes. Auch bei mehrstelligen Matrixverben mit agensfähigem Objekt ist Subjektkontrolle gegeben und zwar auch dann, wenn bei **zu**-Infinitiven Objektkontrolle vorliegt (2–4).

(2) a. **Karl bittet Emma, pünktlich zu sein**
    b. **Karl bittet Emma, um pünktlich zu sein**

(3) a. **Karl rät dem Paul, ihn kennenzulernen**
    b. **Karl rät dem Paul, ohne ihn kennenzulernen**

(4) a. **Karl veranlaßt Emma, Fritz abzuholen**
    b. **Karl veranlaßt Emma, anstatt Fritz abzuholen**

Ein Bezug auf das Objekt ist nur bei ganz wenigen Verben und nur bei **um zu** möglich. Immer wieder genannt werden Beispiele wie **Man brachte die Kinder aufs Land, um bei der Ernte zu helfen** oder **Der Vater schickte seinen Sohn, um den Streit zu schlichten.** Auch hier ist Objektkontrolle nicht zwingend, sondern sie ist nur neben Subjektkontrolle möglich. Der Duden (1984: 708) rät vom Gebrauch solcher Konstruktionen ab, »weil leicht Mißverständnisse aufgrund der doppelten Beziehbarkeit entstehen«.

Auch die Passivierung des Matrixverbs oder des Infinitivs, die wir beim **zu**-Infinitiv als probates Mittel zur Veränderung von Kontrollbeziehungen kennengelernt haben, greift hier kaum. Höhle (1976: 183ff.) hat festgestellt, daß eine **von**-Phrase mit agensfähigem Nominal nur dann den Subjektaktant zum Infinitiv liefert, wenn das grammatische Subjekt aus semantischen Gründen dafür nicht in Frage kommt. So kann 5b wie 5a nur mit »Bauer« als Subjektant zum Inf gelesen werden.

(5) a. **Der Bauer zündetet den Hof an, um die Versicherung kassieren zu können**
    b. **Der Hof wurde vom Bauern angezündet, um die Versicherung kassieren zu können**

Zweifel an der Grammatikalität solcher Sätze bleiben aber. Sind zwei agensfähige Nominale vorhanden, so wird mit Subjektkontrolle gelesen. Dies gilt auch für Subjekte in Passivsätzen (6b) und es gilt, obwohl das Subjekt im Passivsatz eigentlich wenig geeignet ist, den Subjektaktanten für ein Adverbial mit finaler Bedeutung zu

(6) a. **Emma lud den Paul ein, um glücklich zu werden**
    b. **Der Paul wurde von Emma eingeladen, um glücklich zu werden**

liefern. Der finale Infinitiv bei passivischen Sätzen ist aus semantischen Gründen fast durchweg schlecht interpretierbar.

Die relativ strikt syntaktische Regelung der Kontrollbeziehung bei den adverbialen Infinitivkonstruktionen überrascht nicht. Das Adverbial als verbunabhängiges Satzglied kann nicht von Verb zu Verb unterschiedlichen Deutungsregeln unterworfen sein. Als auf den Satz bezogen kann seine semantische Interpretation nur auf ein Satzglied bezogen sein, das unabhängig von der jeweils vorliegenden Satzform vorhanden ist – wie das für das Subjekt gilt. Der syntaktisch lockeren Bindung des Adverbials entspricht eine strikte Regelung der Kontrollbeziehung. Anderenfalls wäre die Konstruktion semantisch wenig stabil.

Der adverbiale Infinitiv ist ja auch nur dort entstanden, wo aus semantischen Gründen der Aktant für die Subjekte beider Verben derselbe war. Wir sind damit bei der Frage, warum es gerade diese drei Formen von infinitivischen Adverbialen gibt. Aus der großen Zahl der möglichen und von Konjunktionen bezeichneten semantischen Beziehungen zwischen Adverbial und Bezugssatz werden drei als Infinitivkonstruktion realisiert, alle anderen bleiben auf den Adverbialsatz angewiesen. Geschieht das, weil die drei semantische Gemeinsamkeiten haben oder ist es eher ein Zufall?

Betrachten wir die drei Konjunktionen im Vergleich. In einem Satz wie 7c werden zwei Sachverhalte miteinander verknüpft, nämlich »Elisabeth studiert Medizin« und

(7) a. **Karl lebt, um zu arbeiten**
   b. **Martin fährt nach Frankfurt, um zu angeln**
   c. **Elisabeth studiert Medizin, um Ärztin zu werden**

»Elisabeth will Ärztin werden«. Die Verknüpfung signalisiert, daß Elisabeth das erste mit dem Ziel tut, das zweite zu erreichen. Der Zweck ihres Tuns ist es, den im Adverbial genannten Sachverhalt zu realisieren. Dieser Sachverhalt kann unrealisiert sein, das gehört zur finalen Bedeutung von **um**. Der im Hauptsatz genannte Sachverhalt ist dagegen realisiert.

Zur Bedeutung von **um** gehört weiter eine spezielle Form von Präsupposition. 7c wird verstanden auf dem Hintergrund einer Implikation des Inhalts »Wenn man Ärztin werden will, studiert man Medizin«, aussagenlogisch b ⊃ a. Dabei gewinnt man b und a als Generalisierung der Bedeutungen des Adverbials bzw. des Bezugssatzes. Je offensichtlicher die Gültigkeit einer solchen Implikation ist, desto leichter ist ein Satz als Finalsatz zu interpretieren (ausführlich dazu 10.2.1).

(8) a. **Karl lebt, anstatt zu arbeiten**
   b. **Martin fährt nach Frankfurt, anstatt zu angeln**
   c. **Elisabeth beschäftigt eine Putzfrau, anstatt selber sauber zu machen**

Auch bei **anstatt** wird vom ersten Sachverhalt behauptet, er sei realisiert, während der zweite aber ausdrücklich als nicht realisiert hingestellt wird. Das semantische Verhältnis zwischen beiden ist derart, daß die Nichtrealisiertheit des zweiten abhängig von der Realisiertheit des ersten ist. Beide sind nicht unabhängig voneinander, sie schließen einander aus. Das Verständnis solcher Sätze basiert ebenfalls auf einer Präsupposition, die die Form einer Implikation hat. Sie besagt für 8c »Wenn man nicht selber sauber macht, muß man eine Putzfrau beschäftigen«, aussagenlogisch ~

b ⊃ a. Je offensichtlicher eine solche Implikation gilt, desto offensichtlicher wird die wertende, auf eine Verhaltensnorm weisende Bedeutung von **anstatt (Anstatt Sport zu treiben, schreibt Leo Bücher. Anstatt seine Dozentenpflichten wahrzunehmen, schreibt Jürgen freche Briefe).**

(9) a. **Karl lebt, ohne zu arbeiten**
    b. **Martin fährt nach Frankfurt, ohne zu angeln**
    c. **Elisabeth heiratet Karl, ohne ihn zu lieben**

Wie bei **anstatt**, so wird bei **ohne** behauptet, daß der vom Hauptsatz bezeichnete Sachverhalt zutrifft und der vom Adverbial bezeichnete nicht zutrifft. Die Bedeutung von **ohne** ist im übrigen konzessiv. 9c ist zu lesen als »Elisabeth heiratet Karl, obwohl sie ihn nicht liebt«. Wie der Konzessivsatz (10.2.1) enthält das Adverbial mit **ohne** ein Moment des Unerwarteten. Man sollte annehmen, daß Elisabeth sich angesichts ihrer Empfindungen Karl gegenüber anders verhält als sie es tut. Da der konzessiv angeschlossene Sachverhalt immer negiert ist, hat die präsupponierte Implikation die allgemeine Form ∼ b ⊃ ∼ a, für 9c etwa »Wenn man einen nicht liebt, heiratet man ihn nicht«. Je offensichtlicher eine derartige Implikation gilt, umso deutlicher tritt der konzessive Charakter des Adverbials mit **ohne** hervor.

Die semantische Gemeinsamkeit von Sätzen mit infinitivischem Adverbial besteht darin, daß jeweils ein als zutreffend behaupteter Sachverhalt auf einen zweiten bezogen wird, der entweder nicht zutrifft (**anstatt, ohne**) oder nicht notwendigerweise zutrifft (**um**). Die Sätze werden verstanden auf der Basis einer Präsupposition, die die Form einer Implikation hat. Antezedens und Konsequenz dieser Implikation ergeben sich aus Verallgemeinerungen der Teilsatzbedeutungen. Sätze mit **um**, **anstatt** und **ohne** sind hinsichtlich der Form ihrer Präsupposition klar voneinder unterschieden:

(10) **um**   :   b ⊃ a
      anstatt   :   ∼ b ⊃ a
      ohne   :   ∼ b ⊃ ∼ a

Bei den Sätzen mit adverbialem Infinitiv betreffen die beteiligten Sachverhalte dieselbe Person. Nach Auffassung des Sprechers gilt: Der erste Sachverhalt ist realisiert, damit der zweite realisierbar wird (**um**). Der erste Sachverhalt ist realisiert, obwohl der zweite realisiert werden sollte (**anstatt**). Der erste Sachverhalt ist realisiert und der zweite nicht, obwohl man eben dies hätte erwarten müssen (**ohne**).

Die adverbialen Infinitivkonstruktionen werden wie die ergänzenden theoretisch häufig auf vollständige Nebensätze bezogen. Während etwa die Grundzüge (794, 805) adverbiale Infinitive umstandslos als Abwandlungen oder Reduktionsformen von vollständigen Sätzen bezeichnen, nimmt man vielfach auch Unterschiede wahr. Besonders um bzw. **um zu** wird nicht einfach auf **damit** bezogen, nur weil beide eine finale Bedeutung haben. **Um** hat morphologisch nichts mit **damit** zu tun, warum sollten beide dasselbe bedeuten? Erben (1980: 207) stellt fest, **um** signalisiere Finalität »weniger eindeutig« als **damit**. Es gibt zahlreiche Verwendungen von **um**, bei denen statt Finalität nur ganz allgemein von Intentionalität gesprochen werden kann: die vom Subjekt bezeichnete Person verfolgt (intentional) die Realisierung des vom Adverbial bezeichneten Sachverhaltes. Intentionalität scheint bei **um** aber immer gegeben zu sein. 11 bringt einige Beispiele dieser Art, in denen durchweg die IGr nicht durch einen **damit**-Satz ersetzt werden kann (Leys 1971: 5 ff.).

> (11) a. **Karl kam herein, um das Zimmer gleich wieder zu verlassen**
> b. **Stinnes hatte genug Geld, um die ganze Reichsbahn aufzukaufen**
> c. **Elisabeth ist zu klug, um jetzt noch was zu sagen**

Ohne und **anstatt** sind direkter auf Adverbialsätze beziehbar, nämlich auf die mit **ohne daß** und **statt daß** eingeleiteten. Hier ist der konjunktionale Nebensatz als Alternative anscheinend immer möglich, nur wird er durch den Konjunktiv manchmal unverhältnismäßig aufwendig. Aufgrund der dargelegten Semantik (Nichtrealisiertheit des vom Adverbial bezeichneten Sachverhalts) kann im Nebensatz immer der Konjunktiv stehen (und zwar der Konj des Pqpf, 12). Steht nun der Hauptsatz im

> (12) a. **Karl verschwindet, ohne sich abzumelden**
> b. **Karl verschwindet, ohne daß er sich abmeldet**
> c. **Karl verschwindet, ohne daß er sich abgemeldet hätte**

Konj, so muß der Nebensatz ebenfalls im Konj stehen. Der einfachen Infinitivkonstruktion steht der umständliche Konjunktionalsatz gegenüber (13; **Aufgabe 126**).

> (13) a. **Karl verschwände, ohne sich abzumelden**
> b.*Karl verschwände, ohne daß er sich abmeldet**
> c. **Karl verschwände, ohne daß er sich abgemeldet hätte**

Eine andere als die erwartete Bedeutung hat die Adverbialkonstruktion mit **ohne** bzw. **ohne daß**, wenn der Hauptsatz verneint ist. Während 14a besagt, daß Martin angelt und nichts fängt, besagt 14b nicht, daß Martin nicht angelt und nichts fängt. Diese buchstäbliche Bedeutung von 14b ist ganz uninteressant, denn wer will schon

> (14) a. **Martin angelt, ohne etwas zu fangen**
> b. **Martin angelt nicht, ohne etwas zu fangen**

mitteilen, daß Martin nichts fängt, wo er doch gar nicht angelt? Stattdessen wird 14b im Sinne der Litotes interpretiert. Ähnlich wie **Martin ist nicht blöd** besagt, daß wir getrost seiner Klugheit trauen dürfen, besagt 14b, daß Martin ein ausgezeichneter Angler ist. Und dieses kommt der Wahrheit ziemlich nahe.

Aufgabenstellungen

1. (S. 74)

Nominale Ergänzungen

a) Im Text heißt es, daß im Deutschen Vollverben der Kategorie NOM/NOM nicht existieren. Für welche Verben kommt die Zuweisung zu dieser Kategorie aber infrage?

b) Nennen Sie Verben der Kategorien NOM/GEN, NOM/DAT, NOM/GEN/AKK, NOM/AKK/AKK.

c) Eine besondere Form nominaler Ergänzungen sind reflexive Pronomina, das sind Pronomina, die hinsichtlich Person und Numerus von einer anderen Ergänzung (meist dem Subjekt) regiert werden. Was könnte dafür sprechen, Konstituenten dieser Art nicht zu den Ergänzungen zu zählen? Berücksichtigen Sie bei Ihren Überlegungen drei Gruppen von Sätzen:

(I) a. **Karl ärgert sich**
b. **Paula zieht sich an**
c. **Josef rasiert sich**

(II) a. **Franz irrt sich**
b. **Renate ruht sich aus**
c. **Helga besieht sich den Schaden**

(III) a. **Johanna freut sich**
b. **Fritz schämt sich**
c. **Luise bemächtigt sich des Mikrofons**

2. (S. 77)

Valenzmuster

Geben Sie die möglichen Valenzmuster (Subjekt-Objekt-Kombinationen) an für **reden, sprechen** und **sagen**.

3. (S. 79)

Transitivierung – Kausativierung

a) Verben wie **kochen** verfügen über eine transitive Variante, in der sie eine Handlung bezeichnen **(Hans kocht Kartoffeln)**. Man nennt die Verben in dieser Version kausativ, weil das vom Subjekt Bezeichnete etwas hinsichtlich des vom Objekt Bezeichneten ›verursacht‹ (Nedjalkov 1976; Ballweg 1977). Die intransitive Version dieser Verben ist nicht kausativ **(Die Suppe kocht)**. Nennen Sie weitere Verben dieses Typs.

b) Zu dem starken Verb **liegen** gibt es ein schwaches Verb **legen**, das kausativ ist. Nennen Sie andere Verbpaare dieses Typs.

c) Was bewirken die Präfixe **be** und **ver** hinsichtlich der Verbvalenz?

4. (S. 81)

Ergativität

Der systematische Zusammenhang zwischen den verschiedenen Valenzmustern, die ein Verb haben kann, spielt eine wichtige Rolle bei sprachtypologischen Untersuchungen. Das Verhältnis der zweistelligen (›transitiven‹) zur einstelligen (›intransitiven‹) Version etwa konstituiert den Unterschied zwischen ergativischen und nominativischen Sprachen (Bechert 1982). Eine ergativische Sprache weist bei der einstelligen Version denselben Mitspieler auf wie als Objekt in der zweistelligen. Das Deutsche gilt als nominativisch. Eine nominativische Sprache weist bei der einstelligen Version denselben Mitspieler auf wie als Subjekt in der zweistelligen, zum Beispiel:

> (I) ergativisch
> > a. NOM – V – AKK
> > b. AKK – V

> (II) nominativisch
> > a. NOM – V – AKK
> > b. NOM – V

Bei dieser Explikation sind ›ergativisch‹ und ›nominativisch‹ rein syntaktische Begriffe. Das muß nicht so sein. Eine Schwierigkeit beim Gebrauch der Begriffe ›ergativisch‹ und ›nominativisch‹ besteht darin, ob mit ›derselbe Mitspieler‹ etwas Syntaktisches oder etwas Semantisches gemeint ist. Zeigen Sie, daß das Deutsche sowohl ›ergativische‹ als auch ›nominativische‹ Verben hat, und zwar sowohl bei syntaktischer wie bei semantischer Interpretation der Begriffe. Berücksichtigen Sie bei der zweistelligen Version auch Verben mit Dativobjekt.

5. (S. 85)

Reflexivität und Symmetrie

a) Zu den symmetrischen Verben gehören **ähneln, gleichen, einigen, treffen, verabreden**. Die drei letzten sind stets obligatorisch reflexiv, die beiden ersten sind es nur dann, wenn sie kein Dativ-Objekt haben:

> (I) a. **Hans ähnelt seinem Vater**
> > b. **Hans und sein Vater ähneln sich**
> > c.*** Hans und sein Vater ähneln**

Offenbar besteht ein systematischer Zusammenhang zwischen Reflexivität und Symmetrie. Versuchen Sie, diesen Zusammenhang zu explizieren, indem sie die folgenden Sätze betrachten.

> (II) a. **Hans sieht Emma**
> > b. **Hans sieht sich**
> > c. **Hans und Karl sehen sich**
> > d. **Hans und Karl sehen Emma**

b) Satz a ist nur symmetrisch, Satz d ist nur distributiv zu interpretieren (jeder wäscht sich selbst). Warum tendiert b in seiner Bedeutung eher zu a und c zu d?

    a. **Hans und Karl treffen sich**
    b. **Hans und Karl schlagen sich**
    c. **Hans und Karl waschen sich**
    d. **Hans und Karl freuen sich**

6. (S. 90)
Valenzunterschied und Bedeutungsunterschied
Suchen Sie nach Valenzunterschieden zwischen den Verben der folgenden Gruppen und zeigen Sie, welche Bedeutungsunterschiede ihnen entsprechen.

    a. **sagen – reden – sprechen – behaupten – feststellen**
    b. **(sich) wundern – staunen – (sich) ärgern – (sich) aufregen**
    c. **suchen – besuchen – aufsuchen – absuchen – ersuchen – untersuchen – versuchen**

7. (S. 91)
Zur Bedeutung von **sein**
a) In welcher semantischen Beziehung stehen das vom Subjekt und das vom Prädikatsnomen Bezeichnete in den folgenden Sätzen?

    a. **Karl ist Weltmeister im Speerwerfen**
    b. **Paul ist Hesse**
    c. **Die Sperber sind Raubvögel**
    d. **Milch ist eine Flüssigkeit**

b) Warum können wir sagen **Paul ist Schreiner** statt **Paul ist ein Schreiner?** Unter welchen Umständen kann der Artikel wegfallen?

8. (S. 93)
Adjektivvalenz
a) Nennen Sie Adjektive der Kategorien NOM/DAT (= nominativische und dativische Ergänzung), NOM/ÜBAKK (= nominativische und präpositionale Ergänzung **über** + Akk), NOM/INDAT, NOM/ZUDAT.
b) Nennen Sie Adjektive, die **daß-, ob-** und **wie-**Sätze als Subjekt nehmen. Nennen Sie auch solche, die nur **daß-**Sätze als Subjekte nehmen.
c) Die Zahl der Adjektive mit akkusativischer Ergänzung ist klein (**gewöhnt, leid, müde, überdrüssig, wert, zufrieden**); warum?

9. (S. 96)
lassen, brauchen, nicht brauchen als Modalverben
a) Versuchen Sie zu entscheiden, ob **lassen** eher als Modalverb, als Vollverb oder als beides anzusehen ist. Berücksichtigen Sie mindestens die folgenden Daten:

    a. **Karl läßt antreten**
    b. **Sie läßt uns grüßen**
    c. **Sie läßt ihn laufen**
    d. **Sie läßt ihn**
    e. **Er läßt sie kalt**
    f. **Sie will ihn erfrieren lassen**
    g. ***Sie läßt ihn erfrieren wollen**
    h. **Daß du kommst, läßt mich hoffen**

b) Führen Sie eine analoge Analyse für **nicht brauchen** durch. Wo liegt der Unterschied zu **lassen**? Warum führen wir **nicht brauchen** neben **brauchen** in der Liste der möglichen Modalverben auf? (Siehe weiter Jäger 1968; Brünner 1979; Kürschner 1983).

10. (S. 97)
wissen als Präteritopräsens
Das neuhochdeutsche **wissen** geht auf einen indogermanischen Stamm mit der Bedeutung »sehen« zurück (vgl. auch lateinisch **videre** und deutsch **weisen**, die dieselbe Wurzel haben). Könnte dieser Ursprung etwas damit zu tun haben, daß **wissen** zu den Präteritopräsentia gehört?

11. (S. 99)
Modalverben: inferentieller Gebrauch
a) Entscheiden Sie für die folgenden Sätze, ob eine inferentielle Interpretation besonders nahe liegt oder gar gefordert ist.

    (I) **Er will das tun. Er will das getan haben. Er wollte das tun. Er wollte das getan haben.**

    (II) **Er muß das tun. Er muß das getan haben. Er mußte das tun. Er mußte das getan haben. Er müßte das tun. Er müßte das getan haben.**

b) In der Literatur findet sich die These, daß bestimmte Formen von Modalverben bzw. Modalsätzen nur die inferentielle Lesart zulassen (dazu Calbert 1975: 14 ff.; Gerstenkorn 1976: 290 ff.). Überprüfen Sie folgende Konkretisierungen dieser These: (1) inferentieller Gebrauch liegt immer vor, wenn der Infinitiv ein Infinitiv des Perfekt ist (z. B. **Er muß geträumt haben**). (2) Inferentieller Gebrauch liegt immer vor, wenn das Modalverb im Konjunktiv Präteriti erscheint (z. B. **Er dürfte das tun**).

12. (S. 100)
Modalverben: Satzstrukturen
Man gebe die Subjekt-Prädikat-Objekt-Verhältnisse in folgenden Sätzen an.

    a. **Karl muß fünf Mark Bußgeld bezahlen**
    b. **Es muß nicht immer Beethoven sein**
    c. **Es muß uns interessieren, wer hier Chef wird**

    d. **Karl muß es teuer bezahlen, daß er sich gewehrt hat**

    e. **Das muß nicht heißen, daß du nach Hamburg ziehen sollst**

13. (S. 102)

Modalverben: Imperativ

Erklären Sie mithilfe der im Text eingeführten Begriffe Handlungsziel und Quelle der Obligation, warum der Imperativ bei MV2 semantisch ausgeschlossen ist.

14. (S. 108)

Konjugationsmuster

a) Machen Sie sich klar, daß eine finite Verbform immer eine Form des Präs oder des Prät ist.

b) Zeigen Sie, daß der Synkretismus zwischen 3. Ps Sg und 2. Ps Pl (**er geht – ihr geht**) systematisch weniger bedeutsam ist als der zwischen 1. und 3. Ps Pl.

15. (S. 108)

Konjugationsformen: phonetischer Einfluß

a) Warum wird in Formen wie **jätest, bürstest, tötest** ein e zwischen Stamm und Endung eingeschoben, nicht aber in **rätst, hältst, brätst, lädst**?

b) Machen Sie sich klar, wie es zu den verschiedenen Schreibungen von phonetisch [vajst] kommt, also zu **weist, weihst, weißt** (von **wissen**) und **weißt** (von **weißen**). Explizieren Sie den unterschiedlichen Status des ß in **weißt** und **küßt**.

16. (S. 109)

Das ›ideale Flexionsmuster‹

Ein ›semantisch ideales‹ Flexionsmuster für Verben könnte folgendermaßen aufgebaut sein (dazu auch Mayerthaler 1981: 37 f.): 1., 2., 3. Ps sind formal unterschieden, Sg und Pl ebenfalls. Der Pl ist gegenüber dem Sg merkmalhaltig, die 3. Ps ist markiert gegenüber der 2., die 2. gegenüber der 1. Entwerfen Sie ein Flexionsmuster, das diesen Ansprüchen genügt und vergleichen Sie es mit dem folgenden aus dem Lateinischen (Ind Präs Pass von **monere** »ermahnen«):

	Sg	Pl
1.	moneor	monemur
2.	moneris	monemini
3.	monetur	monentur

17. (S. 110)

Tempusbildung im Passiv

Stellen Sie analog zum Aktiv dar, wie die Tempusformen der schwachen Verben im Passiv gebildet werden. Verwenden Sie dabei zusätzlich Operation 5 als Bildung des Ablautes **werden** → **worden**.

18. (S. 114)

Formen des Perfekt

a) Bei einer Reihe von Bewegungsverben kann das Perfekt Aktiv sowohl mit **haben** als auch mit **sein** gebildet werden (**wandern, segeln, schwimmen, fliegen, fahren, tanzen, reiten, flattern**). Ist die Klasse dieser Verben einheitlich? Wie erklärt sich ihr Verhalten?

b) Helbig/Buscha (1975: 119f.) führen die folgenden Beispiele an, um zu zeigen, daß Verben wie **abbrechen** und **heilen** beide Arten des Perfekt bilden. Ist diese Ansicht gerechtfertigt?

> (I) a. **Er hat die Blume abgebrochen**
> b. **Die Blume ist abgebrochen**

> (II) a. **Der Arzt hat die Wunde geheilt**
> b. **Die Wunde ist geheilt**

c) Bei einigen Verben ist der Inf Präs formgleich mit dem Part Perf (z. B. **erfahren, ergeben, besehen**). Erklären Sie, wie es zu dieser Formgleichheit kommt.

19. (S. 116)
Zeitenfolge (consecutio temporum)

Im Satzgefüge aus Haupt- und Nebensatz müssen die Tempora der Teilsätze so aufeinander abgestimmt sein, daß das intendierte zeitliche Verhältnis auch erreicht wird (z. B. Gleichzeitigkeit in **Als Karl kam, saßen wir beim Mittagessen**). Feste Regeln für die Zeitenfolge gibt es im Deutschen nicht. Der Duden (1973: 89) meint aber, daß es bei Konditionalsätzen Restriktionen gäbe. Satz b sei ausgeschlossen, weil »das Geschehen im eingebetteten Satz gleichzeitige Bedingung für das Geschehen im Trägersatz« sei. Trifft die Erklärung zu?

> a. **Falls es regnet, bleiben wir zu Hause**
> b.***Falls es regnete, bleiben wir zu Hause**

20. (S. 117)
Zeitsystem

Stellen Sie für ein punktuelles Verb wie **finden** das Zeitsystem auf. Wo liegt der Unterschied zum Schema 7?

21. (S. 121)
Zeitbezüge

Veranschaulichen Sie die Zeitbezüge in den folgenden Sätzen und machen Sie sich die auftretenden Übereinstimmungen klar.

> a. **Morgen um diese Zeit regnet es**
> b. **Morgen um diese Zeit wird es regnen**
> c. **Morgen um diese Zeit hat es geregnet**
> d. **Morgen um diese Zeit wird es geregnet haben**

Probieren Sie auch die analogen Möglichkeiten mit **gestern um diese Zeit** durch.

22. (S. 123)

Konjunktivformen

In der Grammatik von Erben (1980: 101) werden u. a. folgende Aussagen über die Bildung des Konj Präs bei Präteritopräsentia und Hilfsverben gemacht: Der Konj Präs wird gebildet

– vereinzelt durch Umlaut (**muß – müsse**)
– durch Ablaut (**weiß – wisse; will – wolle**)
– durch Ablaut und Umlaut zugleich (**darf – dürfe; kann – könne; mag – möge**)
– durch regelmäßige Anwendung eines von zwei im Ind Präs auftretenden Suppletivstämmen (**ihr seid – ich sei**).

Geben Sie die tatsächliche Regularität an, die alle diese Aussagen ersetzt und auch sonst für die Bildung des Konj Präs gilt.

23. (S. 124)

Realis – Potentialis – Irrealis

Meist werden die konjunktivischen Konditionalsätze insgesamt als irreal bezeichnet. In den Grundzügen (532) etwa heißt es, der Konditionalsatz im Konj Präs sei irreal, weil die benannten Sachverhalte nur »vorgestellt, gedacht« seien. Helbig/Buscha (1975: 169) unterscheiden zwar Irrealis und Potentialis, bezeichnen aber den Satz **Wenn du kommst, fahren wir** als Realis, weil er »die Realisierbarkeit ... mit einem hohen Grad von Wahrscheinlichkeit« meine. **Wenn du kämest, führen wir** ist ein Potentialis wegen der »Realisierbarkeit ... mit einem geringen Grad von Wahrscheinlichkeit«. Machen Sie sich Gedanken über die Angemessenheit dieser Explikationen.

24. (S. 127)

Faktizität und KonjunktivI

a) Stellen Sie möglichst viele Verben des Sagens zusammen und überlegen Sie, welche von ihnen faktiv sind.

b) Wahrnehmungsverben (verba sentiendi) wie **hören, sehen, fühlen, bemerken** haben immer eine konkrete und eine abstraktere (›übertragene‹) Bedeutung. Welche der beiden führt zu Faktizität? Wie verhalten sie sich zum Gebrauch des KonjI?

25. (S. 129)

KonjI vs. KonjII: Austauschbarkeit

Bilden Sie die 12 Sätze, mit denen die Positionen der Schemata in 14, S. 129 zu besetzen sind. Verwenden Sie die Verben **vergessen** (faktiv), **glauben** (nicht-faktiv) und **berichten** (faktive und nicht-faktive Variante).

26. (S. 132)

Formen von **werden**

In Kap. 4.3 wurde vorgeschlagen, **werden** in bestimmten Kontexten als Modalverb anzusehen. Damit gäbe es sowohl ein Modalverb als ein Kopulaverb als ein Hilfsverb **werden**. Stellen Sie die Formen der 3. Ps Sg dieser drei Verben zusammen. (Als einen weitergehenden Vorschlag, **werden** als Modalverb anzusehen, Vater 1975; s. a. Wunderlich 1981).

27. (S. 134)
Zur Gültigkeit des Diathesenverhältnisses
a) Zeigen Sie, daß das in 4b beschriebene Verhältnis von Aktiv- und Passivsätzen auch für Subjekte und Objekte gilt, die **zu**-Infinitive, **wie**-Sätze und **ob**-Sätze sind.
b) Bilden Sie einige Passivsätze mit dreistelligen Verben wie **jemanden erinnern an, jemandem etwas verkaufen, etwas von jemandem annehmen** (im Passiv doppelte **von**-Phrase!) und machen Sie sich die Gültigkeit von 4b,c klar.

28. (S. 135)
Passivtransformation
Eine grammatische Transformation formt einen Satz mit seiner Struktur (›Phrase Marker‹) in einen anderen Satz mit seiner Struktur um. Versuchen Sie, informell zu beschreiben, wie der Aktivsatz **Der Teufel versucht den Herren** in sein Passiv umzuformen ist. Die Aufgabe wird erleichtert, wenn Sie zunächst die syntaktischen Strukturen beider Sätze hinschreiben.

29. (S. 138)
kriegen-Passiv
Für welche Verben kann ein **kriegen**-Passiv gebildet werden? Beschreiben Sie das formale Verhältnis des **kriegen**-Passivs zum Aktiv.

30. (S. 139)
Abgrenzung von Passivformen
Geben Sie eine grammatische Bestimmung der Form **verrückt** in den folgenden Ausdrücken.

        a. **Karl verrückt den Schrank**
        b. **Karl hat den Schrank verrückt**
        c. **Der Schrank ist verrückt worden**
        d. **Der Schrank wird verrückt**
        e. **Der Schrank ist verrückt**
        f. **Karl ist verrückt**
        g. **Karl wird verrückt**
        h. **Karl ist verrückt geworden**

31. (S. 141)
Verwendung des Passivs
a) Nach Brinker 1971 erscheinen folgende Anteile der Verbformen im Passiv: Trivialliteratur 1.2%, Dichtung 1.5%, wissenschaftliche Texte 6.7%, Zeitungstexte 9%, Gebrauchstexte (z.B. Kochbücher, Gebrauchsanweisungen) 10.5%. Spekulieren Sie über die Gründe für eine solche Verteilung.
b) Warum enthält der folgende Text nur agenslose Passive? Versuchen Sie, den Text ins Aktiv zu transformieren.
    »Eine in der südfranzösischen Stadt Romans neu eingerichtete Moschee, die noch in diesem Monat eingeweiht werden sollte, wurde in der Nacht zum Montag durch einen Sprengstoffanschlag völlig zerstört. In Romans wurde

erklärt, gegen die Renovierung der Moschee sei seit drei Monaten eine Unter-
grundkampagne geführt worden.«

c) Was könnte der Grund sein, wenn die Passivsätze in (a) statt der ›äquivalenten‹
Aktivsätze mit intransitiven Verben in (b) gewählt werden? Suchen Sie weitere
Beispiele dieser Art.

(I) a. **Das Fenster wird geöffnet**
 b. **Das Fenster geht auf**

(II) a. **Der Baum wurde umgestürzt**
 b. **Der Baum stürzte um**

32. (S. 143)
Passiv als markierte Kategorie
Ist es gerechtfertigt, das Passiv als markierte Kategorie gegenüber dem Aktiv anzusehen? Hat das Passiv Ihrer Meinung nach Eigenschaften, die als sekundäre Indika-
toren für Markiertheit gelten können?

33. (S. 144)
Zur Funktion von Kasus und Numerus
Machen Sie sich den Unterschied in der Funktion von Kasus und Numerus am
Beispiel des Genitiv klar. Suchen Sie Genitive in unterschiedlicher syntaktischer
Funktion im Sg und im Pl.

34. (S. 145)
Deklination von Eigennamen
Eigennamen im Sg (auch Mädchennamen!) deklinieren im allgemeinen nach Typ
1a. Welche davon abweichenden Formen gibt es für den Gen von Personennamen?

35. (S. 145)
Schwache Deklination
Was könnte der Grund dafür sein, daß die im Text genannten Gruppen von Fremd-
wörtern den Flexionstyp 2 und nicht etwa den Typ 1 wählen?

36. (S. 146)
Gemischte Deklination
Womit könnte es zusammenhängen, daß der Übergang von der schwachen zur
gemischten Deklination nur bei Substantiven auftritt, die keine Lebewesen bezeichnen?

37. (S. 148)
Kasus- und Numerusmorphem
Nach Mugdan (1977: 73) ist das Substantivparadigma im Deutschen morphema-
tisch folgendermaßen aufgebaut:

Form	Morphemstruktur
Nom Sg	Stamm
Gen Sg	Stamm + Gen
Dat Sg	Stamm + Dat
Akk Sg	Stamm + Akk
Nom Pl	Stamm + Pl
Gen Pl	Stamm + Pl
Dat Pl	Stamm + Pl + Dat
Akk Pl	Stamm + Pl + Akk

Mit welcher Art von Überlegung könnte man für diesen Morphemaufbau argumentieren? Insbesondere: warum gibt es kein Sg- und kein Nom-Morphem? Analysieren Sie die Paradigmen **Hund** und **Giraffe** nach dem Schema. Leuchtet Ihnen die gefundene Lösung ein?

38. (S. 153)
Zur Form von Artikel + Substantiv
a) Geben Sie die volle syntaktische Beschreibung der Ausdrücke **ein Kind, keine Frau, der Heide**.
b) Stellen Sie das zu 4 (s. Text) analoge Schema für **ein** + Substantiv auf.

39. (S. 157)
Zur Bedeutung des ›Nullartikels‹
Die Artikellosigkeit ist bei Substantiven wie **Baum/Wiese/Buch** (den Appellativa) i.a. beschränkt auf den Plural und hat dort weitgehend die Funktion des unbestimmten Artikels. Offenbar abweichend von dieser Regularität kommen Substantive artikellos vor in Ausdrücken wie **Notizbuch und Bleistift**. Warum ist hier Artikellosigkeit möglich? Was bedeuten Ausdrücke dieser Art?

40. (S. 157)
Zur Bedeutung definiter Kennzeichnungen
Von definiten Kennzeichnungen wurde festgestellt, daß sie sich auf ein bestimmtes Objekt oder eine bestimmte Menge von Objekten beziehen. Sind die markierten Teile der folgenden Ausdrücke definite Kennzeichnungen? (Beispiele nach Reis 1977: 125 f.).

     a. **Ich habe mein Studienbuch verloren.** *Der ehrliche Finder* **erhält eine Belohnung**

     b. *Die Studenten, die den Test nicht bestehen,* **müsssen den Kurs wiederholen**

     c. *Die Siegerin im olympischen 100-Meter-Lauf im nächsten Jahr* **wird aus der DDR kommen**

41. (S. 160)
›Genusschwankungen‹
Genusschwankungen kommen besonders häufig zwischen dem Maskulinum und

dem Neutrum vor. Das gilt für das Deutsche, besonders aber auch für die Genuszuweisung zu Fremdwörtern (zu den Anglizismen Carstensen 1980: 40f., 47f.). Was könnte der Grund dafür sein?

42. (S. 160)
Genuszuweisungen, Morphologie

a) Substantivische Anglizismen werden im Deutschen notwendig einem Genus zugeordnet, auch wenn das Englische Substantiv kein Genus kennt. Nach welchen Prinzipien wird die Genuszuweisung vorgenommen?
Beispiele: **Job, Boss, Jury, Boom, Container, Monster, Gangster, City, Pipeline, Story, Baby, Girl, Image, Lunch, Deal, Poster, Gully, Fitness, Appartment, Publicity, Attitude, Makeup, Teachin, Investment, Boiler, Knockout, Action, Bowling, Pullover.**

b) Vergleichen Sie die Substantivsuffixe **ling, ung** und **tum** hinsichtlich ihrer Bedeutung miteinander, indem Sie feststellen, zu welcher Art von Stämmen diese Suffixe treten. Läßt sich daraus das Genus der abgeleiteten Substantive erklären?

c) Die meisten Substantive auf **el** sind Maskulina. Wie kommt es dennoch relativ häufig zu Neutra wie **Bündel, Büschel, Krümel, Mädel?**

43. (S. 162)
Phonetisch determiniertes Genus

a) Geben Sie Beispiele und Gegenbeispiele für die Regel an, daß einsilbige Substantive, die auf Nasal + Konsonant auslauten, masculini generis sind. Geben Sie Erklärungen für die Gegenbeispiele. Läßt sich etwas über die Priorität von Regularitäten unterschiedlicher Art vermuten?

b) Versuchen Sie Regularitäten anzugeben für das Genus bei **Traum, Knall, Kur, Draht, Trick, Schluck, Pier, Knick, Tür, Drang, Spur, Druck, Knauf, Gier, Trotz.**

c) Morphologische Regeln zur Festlegung des Genus gelten sehr viel strikter als phonetische. Ist dies zu erwarten oder ist es eher überraschend?

44. (S. 166)
Genus von Personenbezeichnungen

a) Als Regelfall nimmt man an, daß bei Movierung das maskuline Substantiv den unmarkierten Fall darstellt und Basis für die Ableitung ist. Gleichzeitig wird es als übergeordneter Begriff verwendet. Überprüfen Sie die Reichweite dieser Hypothese an Bezeichnungen für traditionelle Frauenberufe, die heute auch von Männern ausgeübt werden (umfangreiches Material in Oksaar 1976).

b) Für zahlreiche Personenbezeichnungen gibt es neben der maskulinen Form eine abgeleitete feminine Form auf in. Die maskuline Form wird dabei sowohl sexusspezifisch als auch sexusunspezifisch zur Bezeichnung der übergeordneten Gattung verwendet. Zur Beseitigung der damit gegebenen Asymmetrien zwischen Genus und Sexus schlägt Pusch (1980) vor, die bisherige Regelung durch die folgende zu ersetzen:

	bisher		zukünftig	
	Sg	Pl	Sg	Pl
männlich	der Lehrer	die Lehrer	der Lehrer	die männlichen Lehrers
weiblich	die Lehrerin	die Lehrerin-nen	die Lehrer	die weiblichen Lehrers
geschlechts-neutral	der Lehrer	die Lehrer	das Lehrer	die Lehrers

Überlegen Sie, an welchen Stellen die neue Regelung bisher geltende morpho-syntaktische Regularitäten des Deutschen verändern würde.

45. (S. 169)
Kasusmarkierung von Stoffsubstantiven
Zeigen Sie, daß Stoffsubstantive auch nach einer entsprechenden Präposition die Genitiv-Markierung nicht haben können, wenn sie ohne determinierende Einheit stehen. Finden Sie auch ein Beispiel für den Akk?

46. (S. 171)
Stoffsubstantive in generischen Sätzen
Bei Kopulasätzen mit Gattungsnamen im Subjekt und Prädikatsnomen kann man u.a. auf folgende Weise zu generischen Sätzen kommen.

    a. **Ein Wal ist ein Fisch**
    b. **Der Wal ist ein Fisch**
    c. **Wale sind Fische**

Bilden Sie die entsprechenden Sätze mit einem Stoffsubstantiv im Subjekt, (1) wenn das Prädikatsnomen ein Gattungsname und (2) wenn das Prädikatsnomen ebenfalls ein Stoffsubstantiv ist.

47. (S. 173)
Eigenname vs. Gattungsname; Eigenname vs. Stoffname
Zeigen Sie, daß Substantive wie **Opel** und **Esso** sich sowohl wie Eigennamen als auch wie Gattungsnamen bzw. Stoffnamen verhalten.

48. (S. 176)
Abstrakta
a) Selbst bei einer Beschränkung auf Substantive gibt es eine ganze Reihe von Möglichkeiten, den Begriff des Abstraktums genauer zu fassen. Was könnte mit ›abstrakt‹ in den folgenden Beispielen jeweils gemeint sein?

    a. **Zerstörung, Verweigerung, Bekömmlichkeit, Erholsamkeit, Un-willen, Unkraut, Bäcker, Schiffer**
    b. **Pflanze, Möbel, Musikinstrument, Küchengerät, Säugetier**
    c. **Recht, Gewalt, Friede, Freude, Glück**

b) Versuchen Sie, einige Abstrakta auf die Klassen COM, MAS und PRP zu verteilen. Unter einem Abstraktum soll dabei ein Substantiv mit ungegenständlicher
Bedeutung verstanden werden.

49. (S. 182)
Personalpronomen
Warum ist es kommunikativ nicht sinnvoll, den Pl der 3. Ps des Personalpronomens
nach dem Genus zu differenzieren?

50. (S. 185)
es als obligatorisches Subjekt
Bei den in (3) aufgeführten Verben besteht offenbar ein Zusammenhang zwischen
dem Subjekt der einstelligen Version (z. B. **Alles fehlt**) und dem Präpositionalobjekt
der zweistelligen Version **(Es fehlt an allem)**. Was leistet die zweistellige Version
gegenüber der einstelligen?

51. (S. 187)
es als Bestandteil von Subjekt und Objekt
a) Zeigen Sie, daß **es** bei substantivischem Subjekt wie in Beispiel 20 (s. Text) nicht
alle grammatischen Merkmale eines Subjekts in diesen Sätzen hat.
b) Wie bei Verben, so tritt auch bei prädikativem Adjektiv ein kataphorisches **es** auf,
wenn der Subjektsatz nachgestellt wird (a). Tritt ein Adverbial an die Spitze des
Satzes, so kann **es** bei manchen Adjektiven wegfallen (c), bei anderen ist es
obligatorisch.

> a. **Es ist erkennbar, daß wir uns geirrt haben**
> b. **Bald ist es erkennbar, daß wir uns geirrt haben**
> c. **Bald ist erkennbar, daß wir uns geirrt haben**
> d. **Bald ist es langweilig, daß du immer gewinnst**
> e. **Bald ist langweilig, daß du immer gewinnst**

Mit welcher anderen syntaktischen Eigenschaft der Adjektive fällt die Obligatorik
von **es** zusammen?
c) Gibt es auch ein vorausweisendes **es** zum Objektsatz? Wo kann es stehen?

52. (S. 188)
Bach-Peters-Paradox
Die amerikanischen Linguisten Emmon Bach und Stanley Peters haben auf Sätze
der folgenden Art aufmerksam gemacht (Karttunen 1971):

> **Der Präsident, der es ablehnt, muß das Gesetz dennoch unterschrei-
> ben, das ihm vorgelegt wird**

Welche Schwierigkeit ergibt sich, wenn man **es** und **ihn** als phorisch ansieht und
also versucht, die jeweiligen Bezugsnominale aufzusuchen?

53. (S. 191)

solcher

a) In vielen Kontexten sind **dieser** und **solcher** austauschbar (**Diese/Solche mag ich nicht; Diese/Solche Behauptungen nützen niemandem**). Worin besteht der Bedeutungsunterschied?

b) Zeigen Sie, daß **dieser** und **solcher** sich syntaktisch unterschiedlich verhalten. Was drückt sich in diesem Unterschied aus?

54. (S. 192)

meiner

Stellen Sie das volle Forminventar von **meiner** zusammen und machen Sie sich anhand von Beispielen noch einmal klar, wovon der Gebrauch der einzelnen Formen abhängt. Beschränken Sie sich der Übersicht halber auf den Nominativ.

55. (S. 194)

Bedeutung von Quantoren

a) Suchen Sie nach Sätzen, in denen **jeder** und **alle** nicht austauschbar sind.

b) **Einige, manche, mehrere** bedeuten alle »wenige Elemente einer Menge«. Worin unterscheiden sich ihre Bedeutungen?

56. (S. 198)

Gradpartikel **sogar**

Beschreiben Sie die semantische Leistung der Gradpartikel **sogar** in den Sätzen

        a. **Wir haben sogar Helga gesehen**
        b. **Wir haben Helga sogar gesehen.**

57. (S. 201)

Zur Kombinierbarkeit von Adverbien (dazu Bartsch 1972: 218 ff.; Lang/Steinitz 1977; Lang 1979).

a) Zeigen Sie die Unterschiede im Verhältnis der Adverbien zueinander in folgenden Sätzen:

        a. **Karl bucht seinen Urlaub jetzt hier**
        b. **Karl bucht seinen Urlaub jetzt bald**
        c. **Karl bucht seinen Urlaub jetzt leider**

b) In welchen Positionen können doppelte Adverbien (wie in I a, c oben) stehen und in welchen nicht? Woran liegt die Beschränkung?

58. (S. 203)

Phorischer Gebrauch von Adverbien

a) Welche Bedeutungsunterschiede sind mit den Fortsetzungen a, b, c bei dem folgenden Satz verbunden?

Ich bin vor einem Jahr von Nijmegen nach Kleve umgezogen und

$\left\{ \begin{array}{l} \text{a. hier} \\ \text{b. dort} \\ \text{c. da} \end{array} \right\}$ will ich auch bleiben

b) Was läßt sich über den Zeitbezug von **inzwischen** sagen? Bedeutet **inzwischen** dasselbe wie **unterdessen?**

c) Wie kann es dazu kommen, daß **vorhin** deiktisch, **vorher** aber phorisch ist?

59. (S. 204)

Bedeutung von Temporaladverbien

a) Wie kommt es, daß die folgenden Sätze mit dem einen Adverb grammatisch, mit dem anderen ungrammatisch sind?

　　　a. **Nach dem Urlaub schlief er anfangs/*vorhin schlecht**
　　　b. **Wenn ich ihn treffe, frage ich ihn sofort/*demnächst nach dem Buch**

b) Besonders, ausführlich sind in der Literatur die Temporaladverbien **noch** und **schon** behandelt worden (Doherty 1973; König 1977b). Beschreiben Sie ihre Bedeutung in den folgenden Sätzen und machen Sie sich die Gemeinsamkeiten der temporalen und der nichttemporalen Bedeutung klar.

　　(I)　a. **Karl ist noch krank**
　　　　b. **Renate ist schon zu Hause**

　　(II)　a. **Göttingen liegt noch in Niedersachsen**
　　　　b. **Kassel liegt schon in Hessen**

60. (S. 205)

Adverbien auf **weise**

Das vielleicht produktivste Suffix zur Bildung von Adverbien ist **weise** (Fleischer 1975: 303f.).

a) Sind alle auf **weise** gebildeten Einheiten wie **klugerweise, zufälligerweise, auszugsweise** usw. als Adverbien anzusehen?

b) Unter den Adverbien auf **weise** finden sich faktive und nicht-faktive wie **möglicherweise, heimlicherweise, notwendigerweise.** An welcher syntaktischen Eigenschaft der zugrundeliegenden Adjektive läßt sich erkennen, daß die zuletzt genannten Adjektive nicht-faktiv sind?

61. (S. 208)

Negation

Die Negation mithilfe der verschiedenen Negationswörter soll eine semantisch einheitliche Erscheinung sein. Unter dieser Voraussetzung liegt es nahe, alle Negationen auf die mit dem ›reinen Negationsträger‹ **nicht** zu beziehen, d. h. **nicht** zur Grundlage jeder Negation zu machen. Bilden Sie analog zu 18 (s. Text) die entsprechenden Bedeutungsanteile für die Sätze **Der Mann ist nie gekommen** und **Nie-**

mand ist gekommen so, daß nur eine Negation mit **nicht** auftritt (Lieb 1983b: 14 ff.; 18 ff.).

62. (S. 211)
Adjektive und Adverbien
Mit der Kategorisierung der verbbezogenen Adverbiale als Adjektive schließen wir praktisch den Übergang vom Adjektiv zum Adverb im Sinne einer impliziten Ablei-tung aus. Nicht ausgeschlossen ist dagegen die explizite Ableitung von Adverbien aus Adjektiven (Aufgabe 60). Und auch umgekehrt können Adjektive sehr wohl aus Adverbien abgeleitet werden. Geben Sie Beispiele dafür!

63. (S. 214)
Adverbiale Adjektive: Subjekt- vs. Objektbezug
a) Nach den Ausführungen über die Semantik subjekt- und objektbezogener Adjek-tive kann man vermuten, daß bestimmte Adjektivklassen aufgrund ihrer mor-phologischen Struktur eher zum einen oder eher zum anderen Bezug neigen. Überlegen Sie, wie sich in dieser Beziehung die Adjektive auf **bar** und **lich** sowie die sogenannten Partizipien des Präsens verhalten.
b) Für bestimmte Fälle wurde eine Neigung des objektbezogenen Adjektivs zur Verbpartikel festgestellt. In den folgenden Sätzen sind die semantischen Bedin-gungen für diese Affinität erfüllt, das Adjektiv hat aber dennoch keine Tendenz zur Verbpartikel. Warum nicht?

    a. **Helga hängt das Bild schief auf**
    b. **Fritz parkt sein Auto unsichtbar**
    c. **Paul streicht die Bank rot an**

64. (S. 214)
Adjektive: syntaktische Funktion
Bestimmen Sie die syntaktische Funktion der Adjektive in den folgenden Sätzen:

    a. **Das kommende Jahr wird für keinen von uns bequem**
    b. **»Stehen Sie bequem« sagte Manfred zu Günther**
    c. **Egon blieb bequem sitzen**
    d. **Anetta macht es sich bequem**
    e. **Paul findet Emmas Haus bequem**
    f. **Else richtet ihre Wohnung bequem ein**

65. (S. 216)
Relativer Anschluß bei Personalpronomina
Beschreiben Sie den Aufbau des relativen Anschlusses, wenn das Kernnominal ein Personalpronomen ist.

66. (S. 217)
Restriktive vs. nichtrestriktive Relativsätze
a) Liegt das Bezeichnete eines Nominals eindeutig fest wie bei Eigennamen und Personalpronomina, so kann ein dem Nominal hinzugefügter Relativsatz im

allgemeinen nur nichtrestriktiv gelesen werden. Ordnen Sie unter diesem Gesichtspunkt die folgenden Pronomina danach, ob bei ihnen ein restriktiver, ein
nichtrestriktiver oder ein Relativsatz mit beiden Lesungen steht.

**aller, der, derjenige, dieser, einer, einiger, jeder, jemand, jener,
keiner, mancher, niemand, solcher, vieler**

b) Wie die folgenden Beispiele zeigen, wird ein Relativsatz beim substantivischen
Prädikatsnomen in Kopulasätzen stets restriktiv gelesen. Warum?

     a. **Der Peugeot ist das einzige französische Auto, das nicht sofort
rostet**
     b. **Karl ist ein junger Mann, der weiß, was er will**
     c. **?Karl ist Helgas Vater, der voriges Jahr den Nobelpreis bekommen
hat**

67. (S. 218)
dessen und **deren**
a) Zeigen Sie, wo Analyseschwierigkeiten auftreten würden, wenn das Relativpronomen **der**^{P} alle Formen mit dem Artikel **der**^{P} gemeinsam hätte.
b) In bestimmten Fällen steht der Gen **deren** in Konkurrenz mit der Form **derer**.
Wo werden beide Formen verwendet, wo nur die Form **deren**? (Eggers 1980)

68. (S. 220)
wer/was
a) Geben Sie die Konstituentenstruktur an von **Wer gewinnt, dem gratulieren wir**.
b) In Kontexten wie **das Mädchen, das** bzw. **das Beste, was** ist nicht immer klar,
wann **das** und wann **was** zu verwenden ist. Geben Sie Kriterien an (Duden 1984;
676 f.).
c) Geben Sie weitere Beispiele vom Typ *__Wessen du dich bedienst, geht es schlecht,__
aus denen ersichtlich ist, daß das Bezugsnominal nur bei Kasusidentität mit der
Form von **wer** wegfallen darf.
Warum kann in Sätzen wie **Was wir uns schwer erarbeiten, das ist uns besonders
teuer** das Bezugsnominal **das** weggelassen werden, obwohl es nicht mit **was** im
Kasus übereinstimmt?

69. (S. 222)
Relativpronomen in PrGr
a) Analysieren Sie die relativen Anschlüsse in den folgenden Sätzen:

     a. **Der Minister, von dem das Auto da drüben steht.**
     b. **Der Minister, von dessen Vorschlag wir begeistert sind**
     c. **Der Minister, von dem die Opposition nichts hält**

b) Die PrGr aus Pr und Relativpronomen kann häufig durch ein Relativadverb
wo(r) + Pr ersetzt werden (z. B. **an den** | **woran**). Wann ist eine Ersetzung

grundsätzlich ausgeschlossen? Auch der umgekehrte Fall ist möglich: häufig steht das Relativadverb dort, wo keine PrGr mit Relativpronomen stehen kann. Nennen Sie Fälle dieser Art. Bedenken Sie bei der Suche, daß das Relativadverb mit **wo** den Konjunktionen nahekommt.

70. (S. 224)

Adjektivflexion: Deklinationstypen und Zweifelsfälle

a) Nach welchen der folgenden ›Artikelwörter‹ dekliniert das Adjektiv stark, nach welchen schwach bzw. gemischt?

dieser, kein, mein, aller, jeder, jener, anderer, mancher, folgender, solcher, mehrerer, sämtlicher, vieler

b) Wie dekliniert das Adjektiv nach Numeralia?

c) Bei mehreren Adjektiven ohne Artikel vor einem Substantiv lassen viele Grammatiken für den Dat Sg des Mask und Neut zwei Möglichkeiten zu wie in **gutem ungarischen Wein** und **gutem ungarischem Wein**. Wie soll man die Fälle beurteilen?

d) Wie dekliniert das Adjektiv in Verbindungen aus Personalpronomen + Adj + Subst vom Typ **du blöder Kerl**? Warum gibt es für diesen Fall keinen Genitiv?

71. (S. 230)

Absolute und relative Adjektive

a) Absolute Adjektive haben wie Appellative als Extension Klassen von Objekten und können wie diese als Prädikatnomina stehen. Man könnte deshalb annehmen, Sätze wie a und b hätten dieselbe Bedeutung. Worin besteht aber der Unterschied?

    a. **Dieses Haus ist quadratisch**
    b. **Dieses Haus ist ein Quadrat**

b) Nennen Sie relative Adjektive, die in mehreren Paaren von Antonymen und folglich in mehreren Dimensionen vorkommen.

c) Zeigen Sie, daß bei antonymen Paaren von relativen Adjektiven das positiv polarisierte Adjektiv unmarkiert gegenüber dem negativ polarisierten ist (z.B. **lang** unmarkiert gegenüber **kurz**).

d) Sind **warm – kalt, hell – dunkel** und **laut – leise** relative Adjektive?

72. (S. 232)

Adjektivisches Attribut: Struktur

Geben Sie die Konstituentenstrukturen folgender Ausdrücke an:

    (I) a. **ein erstaunlich hohes Tempo**
         b. **der schnelle trickreiche Libero**
         c. **ein allem Neuen aufgeschlossener Vorgesetzter**
         d. **eine hundert Meter lange Ölspur**

b) Was ist an den folgenden Ausdrücken auffällig?

    (I) a. **der deutsche Sprachbau**
          b. **ein erhöhtes Spannungsverhältnis**
          c. **ein staatlicher Funktionsträger**

73. (S. 234)
Genitivattribut: Einbettung
Geben Sie weitere als die im Text genannten Gründe dafür an, daß das Genitivattribut wie in a und nicht wie in b eingebettet ist.

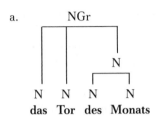
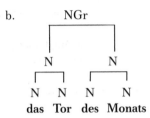

74. (S. 235)
Endozentrische Konstruktionen
Nach Bloomfield ist eine Konstruktion endozentrisch, wenn sie in derselben Umgebung vorkommt wie eine ihrer Konstituenten. Nennen Sie einige endozentrische Konstruktionen des Deutschen.

75. (S. 237)
Genitivattribut: Bedeutung
a) Für den genitivus qualitatis ist es typisch, daß das attribuierte Substantiv von einem Demonstrativum oder einer ›Qualitativangabe‹ begleitet ist (Teubert 1979: 154): **eine Katastrophe dieses Ausmaßes; ein Argument dieses Niveaus; eine Arbeit erheblichen Umfangs; ein Vollkornbrot bester Qualität; eine Maschine hoher Leistung.** Auf welche Weise schreibt ein Attribut dieser Art dem Kern eine Eigenschaft zu?
b) In den Grundzügen (309f.) wird die Bedeutung von **die Häuser dieser Stadt** expliziert als »die Häuser gehören zu dieser Stadt«. Die Bedeutung von **Brigittes Klasse** sei »Brigitte gehört zu der Klasse«. Die Relation »gehört zu« besteht also gerade in umgekehrter Richtung. Dennoch sind die jeweiligen Umkehrungen der Ausdrücke unmöglich (***die Stadt dieses Hauses; *Brigitte dieser Klasse**). Die Gründe dafür seien ›unklar‹. Was liegt vor?

76. (S. 238)
Genitivattribut und Präpositionalattribut mit **von**
Wo ein Genitivattribut stehen kann, ist in vielen Fällen auch ein Präpositionalattribut mit **von** möglich (**die Erfindung Edisons** vs. **die Erfindung von Edison**). Die Beziehung zwischen beiden Konstruktionen ist so eng, daß das **von**-Attribut häufig einfach als ›genitivisches Attribut‹ (Teubert 1979), ›analytischer Genitiv‹ (Pfeffer/ Lorentz 1979) oder ähnlich bezeichnet wird, obwohl es keinen Genitiv enthält.

Einigkeit besteht darüber, daß das **von**-Attribut eher im Gesprochenen als im Geschriebenen und eher in informellen als in formellen Redestilen verwendet wird (Raad 1978; Pfeffer/Lorentz 1979). Aber es gibt auch Fälle, wo die **von**-Konstruktion den Vorteil semantischer Eindeutigkeit hat und sogar solche, wo sie strukturell notwendig ist, weil der Genitiv nicht markiert ist. Suchen Sie nach Fällen dieser Art.

77. (S. 239)

Genitivattribut: Subjektivus vs. Objektivus

a) Überlegen Sie, ob ein Genitivattribut bei den Substantiven auf **e, ei, heit, keit, tum** als Subjektivus, als Objektivus oder als beides gelesen werden kann.

b) Welches sind die Bedingungen dafür, daß das Genitivattribut in Ausdrücken wie den folgenden als Subjektivus wie als Objektivus gelesen werden kann?

> **die Begleitung eines Freundes; der Besuch eines Verwandten; die Lieferung eines Computers; die Befragung des Kanzleramts**

c) Warum werden die Genitivattribute in den folgenden Ausdrücken als Subjektivus gelesen, obwohl die zugrundeliegenden Verben transitiv sind?

> a. **Karls Besprechung, Erfindung, Erwerbung, Sammlung**
> b. **Karls Aufgabenstellung, Berichterstattung, Bauausführung, Wasserverdrängung**

78. (S. 243)

Lockere Apposition

a) Während bei der engen Apposition Kasusidentität nur in ganz bestimmten Fällen auftritt, gilt sie bei der lockeren Apposition als der Normalfall:

> a. **der Wirtschaftsminister, ein unglaublicher Reaktionär**
> b. **des Wirtschaftsministers, eines unglaublichen Reaktionärs**
> c. **dem Wirtschaftsminister, einem unglaublichen Reaktionär**
> d. **den Wirtschaftsminister, einen unglaublichen Reaktionär**

Es ist deshalb schon längst erwogen worden, die lockere Apposition als einen Fall von Koordination anzusehen (Steinitz 1969: 231 ff.). Das wird hier auch von der Semantik her nahegelegt, denn bei der lockeren Apposition bezeichnen beide Nominale dasselbe Individuum. Überlegen Sie, bei welchen Formen der lockeren Apposition Kasusidentität nicht vorliegt (dazu Steinitz 1969: 207 ff.)

b) Ein besonderer Fall von lockerer Apposition ist die sogenannte Dativ-Apposition (Winter 1967 und insbesondere Gippert 1981. Dieser Arbeit sind auch die folgenden Beispiele entnommen.)

> a. **Solche Zwischenfälle sind in den Fußballarenen Argentiniens, dem Austragungsland der nächsten Fußballweltmeisterschaften, an der Tagesordnung**
> b. **Er wurde stellvertretender Chef des Hauptstabes der Kasernierten Volkspolizei, dem Vorläufer der Nationalen Volksarmee**

    c. Dies läßt sich am besten am Beispiel Brasiliens, dem größten Land des Subkontinents, zeigen

    d. »Ein Fräulein«, übermittelte der Botschafter ans AA, der Postanschrift von Draecker, »ist last but not least auch eine Frau«

Den Grammatiken gelten solche Dativ-Appositionen als Abweichungen von der Kongruenzregel und daher als falsch (Duden 1984: 660). Wie kommen sie in den vier Beispielen wohl zustande?

79. (S. 248)

Enge Apposition

a) Nominalgruppen aus Maßangabe und Artangabe können syntaktisch ganz verschieden aufgebaut sein. Unter bestimmten Bedingungen fallen mehrere dieser Möglichkeiten zusammen, ein Ausdruck ist dann mehrfach syntaktisch interpretierbar. Wie sind die beiden folgenden Ausdrücke syntaktisch zu deuten?

    a. **wegen zwei Kisten Erdbeerpflanzen**
    b. **wegen zweier Kisten Erdbeerpflanzen**

b) Viele Substantive in der Position der Maßangabe können sowohl im Sg und im Pl stehen (a), andere nur im Pl (b). Worin besteht der Bedeutungsunterschied und welche Substantive sind vom Sg ausgeschlossen? (dazu Plank 1981: 143 ff.).

    a. **drei Glas/Gläser Bier; zwei Blatt/Blätter Papier; zehn Faß/Fässer Wein; zwanzig Sack/Säcke Kartoffeln; zwei Kasten/Kästen Bier; hundert Schuß/Schüsse Munition**
    b. **zwei Flaschen Wein; drei Tassen Kaffee; fünf Dosen Erbsen; zwei Stangen Zigaretten; zwei Reihen Tomaten; drei Portionen Eis**

80. (S. 249)

Präpositionen, Rektion

a) Gibt es Präpositionen, die den Nominativ regieren? Dafürzusprechen scheinen Ausdrücke wie **infolge Todesfall; wegen Mangel an Kohlen; laut Gesetz; mittels Geld** (Eroms 1981: 134 f.). Liegt hier zweifelsfrei ein Nominativ vor?

b) Was spricht gegen die These, **als** und **wie** seien Präpositionen? (Eroms 1981: 135; Wunderlich 1984: 75 f.). Was ist die Alternative?

c) Stellen Sie die Präpositionen zusammen, die andere Präpositionen regieren.

81. (S. 252)

Präpositionen, lokale Bedeutung

a) Welche Lage haben die von x_1, x_2 bezeichneten Objekte in x_1 **gegenüber** x_2 (die **Bank gegenüber dem Museum; der Mann mir gegenüber**)?

b) Veranschaulichen Sie durch Lageskizzen die Bedeutungen von

    a. **der Baum vor mir**
    b. **der Baum vor der Mauer**
    c. **der Baum vor dem Haus**

82. (S. 253)

Präpositionen, temporale Bedeutung

a) Welchen Kasus regiert **bis**? **Bis** und **seit** haben teilweise komplementäre Bedeutung (**bis/seit Sonntag**). **Seit** hat aber ein spezielles Bedeutungselement, das **bis** nicht hat. Welches?
Was bedeutet **bis**? Warum verbindet sich **bis** gern mit einer zweiten Präposition?

b) **An** und **in** können beide temporale Bedeutung haben. Bei Helbig/Buscha (1975: 372) heißt es »Vor fem. Zeitangaben steht nicht **an**, sondern **in**«. Wie ist die Verteilung von **an** und **in** tatsächlich geregelt?

83. (S. 254)

Desubstantivische Präpositionen

Wie kommt es dazu, daß fast alle jüngeren Präpositionen den Genitiv regieren? Machen Sie sich den Mechanismus ihrer Entstehung klar an zwei Gruppen:

  a. **anhand, anstatt, aufgrund, infolge**
  b. **abzüglich, anläßlich, vorbehaltlich, zuzüglich**

84. (S. 259)

Präpositionales Attribut: Syntax und Abgrenzung

In welchen der folgenden Ausdrücke kommen Präpositionalattribute vor, und welches sind ihre Konstituentenstrukturen? (Beispiele nach Droop 1977: 10 ff.).

  a. **das Ministerium an der Uferstraße des Rheins**
  b. **das Ministerium für Verteidigung der Bundesrepublik**
  c. **das Ministerium in Bonn am Marktplatz**
  d. **das Ministerium am Marktplatz in Bonn**
  e. **das Ministerium zwei Kilometer vor Godesberg**
  f. **das Ministerium im Rücken, läßt es sich gut verhandeln**

85. (S. 260)

Valenz und präpositionales Attribut

a) Die folgenden Substantive sind Derivate transitiver Verben. Der Subjektaktant dieser Verben sollte deshalb beim Derivat als genitivus subiectivus oder als Präpositionalattribut mit **durch** erscheinen. Er erscheint aber als Attribut mit anderen Präpositionen. Was ist der Grund für dieses Verhalten? Finden Sie weitere grammatische Besonderheiten der Basisverben?

  Entsetzen über; Erstaunen über; Schrecken über; Ekel vor; Freude über; Begeisterung über; Langeweile über

b) Das Genitivobjekt eines Verbs erscheint bei der Nominalisierung niemals als genitivisches Attribut, sondern immer als präpositionales. Bei Adjektiven ist das anders: **Er ist des Lateinischen unkundig – der des Lateinischen Unkundige; Sie ist des Wartens überdrüssig – die des Wartens Überdrüssige.** Warum verhalten sich Adjektive hier anders als Verben?

86. (S. 267)

Stellung des Subjekts und Thema

Geben Sie alle Stellungsmöglichkeiten für das Subjekt an in dem Satz **Karl hat gestern den Zug verpaßt**. Geben Sie Text-(Dialog-)beispiele, die zeigen, daß das jeweils am Satzanfang stehende Satzglied Thema des Satzes sein kann. Zeigen Sie, daß das Subjekt auch dann nicht Thema sein muß, wenn es am Satzanfang steht.

87. (S. 268)

Referentielle Autonomie des Subjekts

Eine mit der Hypothese von der Referentialität des Subjekts verwandte Auffassung wird von Bátori vertreten. Bátori (1981: 119 ff.) stellt fest, daß ein Possessivum im Objekt sich auf das Subjekt beziehen kann (Ia, IIa), nicht aber umgekehrt.

> (I) a. **Der Schäfer hütet seine Schafe**
>   b. ***Ihr Schäfer hütet die Schafe**

> (II) a. **Der Besitzer muß seinen Wagen anmelden**
>   b. ***Sein Besitzer muß den Wagen anmelden**

Bátori nennt dies die referentielle Autonomie des Subjekts (im Verhältnis zu den übrigen Mitspielern des Verbs). Suchen Sie nach Beispielen, die zeigen, daß das Subjekt nicht unbedingt autonom in diesem Sinne ist.

88. (S. 268)

Universeller und einzelsprachlicher Subjektbegriff

Nach Keenan (1976: 313; 319) sind folgende Eigenschaften typisch für Subjekte:

a) Das Subjekt ist der einzige Mitspieler des Verbs, dessen Tilgung immer zu einem ungrammatischen Satz führt.

b) Das Subjekt ist ›normalerweise‹ das am weitesten links im Satz stehende Nominal. (Unter ›normalerweise‹ wollen wir verstehen »bei Normalbetonung«)

Zeigen Sie, daß beide Eigenschaften zwar charakteristisch für das Deutsche sind, aber keineswegs durchgängig gelten.

89. (S. 270)

Subjekt und Tiefenkasus

In Anlehnung an Fillmore (1968: 24 f.) kann man die in der Kasushierarchie aufgeführten Tiefenkasus so charakterisieren:

Agentiv (A), der (meist belebte) Ausführende der Handlung, die das Verb benennt;

Instrumental (I), die unbelebte Kraft oder das unbelebte Objekt, das ursächlichen Anteil hat an der Handlung oder dem Zustand, den das Verb benennt;

Dativ (D), das belebte Wesen, das beeinflußt wird durch den Zustand oder die Handlung, die das Verb benennt;

Faktitiv (F), das Ding oder Wesen, das hervorgeht aus der Handlung oder dem Zustand, den das Verb benennt;

Lokativ (L), der Ort oder die räumliche Orientiertheit des Zustands oder der Handlung, die das Verb benennt;

Objektiv (O), der semantisch neutralste Kasus, der allem zukommt, das von einem Substantiv benannt werden kann, dessen semantische Rolle festgelegt ist durch die Verbbedeutung selbst.

Bestimmen Sie die Tiefenkasus der in den folgenden Sätzen vorkommenden Nominale und stellen Sie fest, ob die jeweilige Subjektwahl der Kasushierarchie entspricht:

       a. Karl öffnete die Tür

       b. Die Tür wurde von Karl geöffnet

       c. Der Schlüssel öffnete die Tür

       d. Karl öffnete die Tür mit dem Schlüssel

       e. Karl benutzte den Schlüssel, um die Tür zu öffnen

       f. Karl pfiff auf dem Schlüssel ein Lied

       g. Karl steckte den Schlüssel in die Tür

       h. Der Schlüssel steckte in der Tür

       i. Karl glaubte, er werde gewinnen

       k. Wir überzeugten Karl, daß er gewinnen werde

       l. Für Karl war es offensichtlich, daß er gewinnen werde

90. (S. 274)
Numeruskongruenz bei Koordination

a) Geben Sie die Regeln für Numeruskongruenz zwischen Subjekt und finitem Verb unter Berücksichtigung der folgenden Sätze an. Begründen Sie das unterschiedliche Verhalten von **und** und **oder**. Weiteres Material Duden 1984: 647 ff.

   (I) a. **Hans und Karl fahren nach Berlin**

       b.***Hans und Karl fährt nach Berlin**

       c. **Hans und auch Karl fährt nach Berlin**

       d. **Hans oder Karl fährt nach Berlin**

       e. ***Hans oder Karl fahren nach Berlin**

  (II) a. ***Hans und Karl ist befreundet**

       b. **Hans und Karl sind befreundet**

  (III) a. **Sturm und Regen kann uns nichts anhaben**

       b. **Sturm und Regen können uns nichts anhaben**

  (IV) a. **Zu gewinnen und sich davonzumachen gelingt selten einem Spieler**

       b.***Zu gewinnen und sich davonzumachen gelingen selten einem Spieler**

b) Warum gerät man bei der Wahl der Verbform bei Satz a und b in Konflikte, bei c–e aber nicht?

       a. **?Entweder ich oder du gehe/gehst/geht ins Kino**

       b. **?Du und die Meiers fahrt/fahren zusammen**

c. Karl und ich gehen ins Kino
d. Wir und die Meiers fahren zusammen
e. Entweder Hans oder ich wäre angestellt worden

91. (S. 275)
Zur Unterscheidung von Subjekt und Prädikatsnomen
Welche Konstituente ist in den folgenden Ausdrücken das Subjekt?

a. **Mein Sohn wird Bäcker**
b. **Das sind Graugänse**
c. **Hochstapler, der er ist**

92. (S. 279)
Haben verbregierte Präpositionen generell Bedeutung?
Wenn verbregierte Präpositionen generell Bedeutung haben, dann sind diese Bedeutungen teilweise ziemlich abstrakt. Bei Lerot (1982: 277) wird vorgeschlagen, »eine Identitätsrelation zwischen der Bedeutung der regierten Präpositionen und einer Inhaltskomponente des regierenden Verbs herzustellen.« Semantisch einheitliche Klassen von Verben würden jeweils bestimmte Präpositionen fordern. Überlegen Sie, welches semantische Merkmal die Verben haben, die **auf** nehmen. Klären Sie die Frage auch für andere Präpositionen.

93. (S. 280)
Nominales vs. präpositionales Objekt
a) Nennen Sie Verben, bei denen ein bestimmter Aktant sowohl als nominales wie als präpositionales Objekt enkodiert sein kann.
b) Was halten Sie von der These, daß »viele Verben, die ursprünglich mit einem reinen Kasus verbunden wurden, ihre Valenz zugunsten des Präpositionalobjekts geändert« hätten? (Duden 1973: 498; dazu auch Schmidt 1973: 168 f.; Wegener 1985: 216 ff.).

94. (S. 283)
Präpositionales Objekt vs. Adverbial
a) Was haben Verben wie **arbeiten (an), fallen (auf), leiden (unter), liegen (an), zurückführen (auf)** hinsichtlich ihrer Valenz gemeinsam?
b) So gut wie alle Valenztheoretiker nehmen an, daß PrGr mit direktionaler Bedeutung generell valenzgebunden sind, während solche mit lokaler Bedeutung oft als Adverbiale fungieren. Woran zeigt sich die stärkere Bindung der direktionalen PrGr an das Verb?

95. (S. 285)
Dativus ethicus
a) Wie wird der Ethicus in Imperativsätzen realisiert?
b) Welche Positionen kann der Ethicus im konjunktionalen Nebensatz mit dreistelligem Verb einnehmen?
c) Geben Sie syntaktische Bedingungen dafür an, ob der Dat in den folgenden Sätzen als Ethicus gelesen werden kann.

a. Karl schläft dir vielleicht lange
b. Der glaubt mir noch immer dem Regierungssprecher
c. Es ist mir vielleicht heiß
d. Fall uns bloß nicht aus der Rolle
e. Fall uns bloß nicht in den Rücken

96. (S. 288)

Dativobjekt vs. Akkusativobjekt: Bedeutung

a) Nennen Sie Verben, bei denen eine bestimmte semantische Rolle sowohl als Dat wie auch als Akk realisiert sein kann. Sehen Sie Bedeutungsunterschiede?
b) Nennen Sie Verben mit Dativobjekt und solche mit Akkusativobjekt, die annähernd bedeutungsgleich sind und bei denen die semantische Rolle der Objekte annähernd übereinstimmt.

97. (S. 289)

Zur Valenz dreiwertiger Dativverben

a) Nennen Sie Verben, bei denen sowohl das direkte als das indirekte Objekt obligatorisch ist.
b) Nennen Sie Verben, bei denen das direkte Objekt nur bei Vorhandensein eines indirekten Objekts stehen kann, das indirekte Objekt aber auch für sich vorkommen kann.
c) Welche Valenzunterschiede gibt es zwischen **geben** und **nehmen** und wie wirken sie sich semantisch aus?

98. (S. 295)

Funktionsverbgefüge: Attribute

a) Ein adjektivisches Attribut in FVG steht häufig in Konkurrenz zu einem adjektivischen Adverbial (Heringer 1968a: 44 ff.). Warum sind in I beide Konstruktionen möglich, in II aber nicht?

(I) a. **Die Fehltage kommen zur vollständigen Anrechnung**
b. **Die Fehltage kommen vollständig zur Anrechnung**

(II) a. **Karl bringt Paul in große Aufregung**
b. **Karl bringt Paul groß in Aufregung**

b) Verhält sich das adjektivische Adverbial stellungsmäßig bei Sätzen mit FV genauso wie bei Sätzen mit Vollverben?
c) Warum ist das Genitivattribut in a nicht möglich, wohl aber in b?

a. ***Die Arbeit kommt zum Abdruck dieses Verlages**
b. **Es kommt zum Abdruck dieser Arbeit**

99. (S. 297)

Funktionsverbgefüge: Lexikalisierungen

In FVG kommen u. a. folgende lexikalisierte Präpositionalgruppen vor. Nennen Sie Formmerkmale dieser PrGr, die ihre Lexikalisierung anzeigen.

zuwege, zustatten, instand, infrage, zutage, zuhilfe

100. (S. 298)
Funktionsverbgefüge: Syntax
Was spricht dagegen, **von ihren Eltern** in **Sie gerät in Abhängigkeit von ihren Eltern**
als präpositionales Attribut anzusehen?

101. (S. 303)
Satzgliedstellung: Vorfeld und Nachfeld
a) Welche und wieviele Satzglieder können oder müssen im Vorfeld stehen?
b) Meist wird der Besetzung des Nachfeldes (›Ausklammerung‹) eine kommunika-
   tiv-pragmatische Funktion zugeschrieben derart, daß besonders umfangreiche,
   semantisch gewichtige oder rhematische Satzglieder ausgeklammert werden.
   Auch neuere Grammatiken sprechen davon, daß die Ausklammerung häufig
   möglich, niemals aber obligatorisch sei (Duden 1984: 720; ähnlich Admoni 1970:
   296f.). Andere Grammatiken unterscheiden dagegen zwischen grammatikali-
   sierter und pragmatischer Ausklammerung (Helbig/Buscha 1975: 501). Nennen
   Sie Satzglieder, die ausgeklammert werden müssen sowie solche, die bei normaler Wortstellung im Nachfeld stehen.

102. (S. 308)
Satzgliedstellung: Pronomina und Adverbiale
a) Die in 8.3 besprochenen Regularitäten der Abfolge von dativischem und akkusativischem Objekt gelten nicht, wenn die Objekte Personalpronomina sind. Wie
   ist die Abfolge dann geregelt?
b) Ist die Abfolge von zwei PrGr, deren eine ein lokales und deren andere ein
   temporales Adverbial ist, im Mittelfeld frei oder gibt es eine markierte Reihenfolge? Haben Sie eine Erklärung für die gefundene Regularität?

103. (S. 311)
Koordination und Subordination von Sätzen
a) In **Helga weiß, daß Paul sich freut, wenn Karl schreibt** verbindet **wenn** offenbar
   zwei Nebensätze miteinander. Ist **wenn** also koordinierend?
b) Eine koordinierende Konjunktion schließt einen Satz ›frei‹, d. h. ohne jede Valenzbindung, an einen anderen an. Soll man den angeschlossenen Satz deshalb
   als Adverbialsatz ansehen? Ist etwa der **denn**-Satz in **Egon wird blaß, denn er
   lügt** ein Adverbialsatz ebenso wie der **weil**-Satz in **Egon wird blaß, weil er lügt**?

104. (S. 312)
Subordinierende Konjunktionen
a) Gibt es lokale subordinierende Konjunktionen? Erben (1980: 204) nennt **wo,
   woher, wohin** (**Das Naturschutzgebiet beginnt, wo die Eichen stehen; Der Bach
   fließt, wohin viele Bäche dieser Landschaft fließen**).
b) Nennen Sie semantische Relationen, die sowohl mit Konjunktionen als auch mit
   Präpositionen bezeichnet werden können.

105. (S. 313)

Koordinierende Konjunktionen: **oder, aber, sondern**

a) Zeigen Sie anhand von Beispielen, welche Kategorien mit **oder** koordiniert werden können.

b) Gibt es einen Bedeutungsunterschied zwischen **entweder oder** und **oder?**

c) Über den semantischen Unterschied zwischen den adversativen Konjunktionen **aber** und **sondern** war lange Zeit nicht viel mehr bekannt, als daß **sondern** nur nach Sätzen mit einem Negationselement stehen kann:

> (I) a. **Karl ist nicht klug, aber/sondern gefräßig**
> b. **Karl ist klug, aber/*sondern gefräßig**

Worin besteht der Bedeutungsunterschied zwischen **aber** und **sondern?** Vergleichen Sie Sätze der folgenden Art:

> (II) a. **Karl säuft nicht, aber/sondern er trinkt**
> b. **Emma liest kein Buch, aber/sondern den Spiegel**
> c. **Emma und Karl werden kaum zusammenziehen, aber/sondern sich ab und zu treffen**
> d. **Das Barometer steigt nicht, aber/sondern es fällt**

Warum ist IId mit **aber** semantisch inakzeptabel, mit **sondern** jedoch nicht?

106. (S. 313)

Koordinierende Konjunktionen: Abgrenzung

Wie lassen sich koordinierende Konjunktionen syntaktisch von Adverbien wie **dennoch, trotzdem** abgrenzen? Nennen Sie Ausdrücke, die zu beiden Kategorien gehören.

107. (S. 321)

Satzkoordination: Konstituentenstrukturen

In 16 (s. Text) werden alternative Konstituentenstrukturen für Ausdrücke mit Satzkoordination vorgestellt. Charakteristikum für 16b: die Konjunkte bilden nicht mit **und** eine Konstituente und die Bestandteile des zweiten Konjunkts werden denen des ersten nebengeordnet. Beide Konzeptionen halten wir für verfehlt. Um ihre jeweiligen Konsequenzen zu zeigen, weise man verschiedenen Ausdrücken mit Satzkoordination die Strukturen nach beiden Konzeptionen zu. Besonders illustrativ sind Fälle wie **Hans kocht Tee und Egon Kaffee.**

108. (S. 322)

Satzkoordination: Satzglieder als Konjunkte

a) Geben Sie die Konstituentenstrukturen der folgenden Sätze an:

> a. **Hans kocht und bringt Tee**
> b. **Hans oder Egon kocht Tee**
> c. **Hans kocht Tee und Egon Kaffee**

b) Die Koordinationsreduktion im Rahmen einer transformationellen Grammatik beruht darauf, daß aus koordinierten Sätzen identische Teile gestrichen werden und der verbleibende Rest nach bestimmten Regeln neu strukturiert wird. Neben der Kategorienidentität spielt die sogenannte Richtungsbedingung eine Hauptrolle bei diesem Prozeß:

(I) a. Rückwärtstilgung

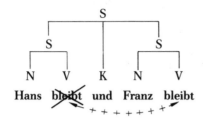

b. Vorwärtstilgung

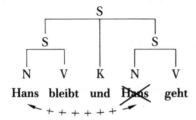

Man kann aus Ia die linke, aus Ib aber nur die recht identische Konstituente streichen, um einen grammatischen Satz zu erhalten. Streicht man die jeweils andere Konstituente, so erhält man die ungrammatischen Sätze *Hans bleibt oder Franz aus Ia bzw. *Bleibt oder Hans geht aus Ib.

Ein auf Satzglieder gerichteter Tilgungsprozeß dieser Art wird Gapping oder Lückenbildung genannt (für das Deutsche Ross 1970; Bátori 1975; Kohrt 1976). Dabei soll die mögliche Tilgungsrichtung von strukturellen Gegebenheiten abhängen: Stehen die identischen Konstituenten am linken Rand der übergeordneten Konstituente, so ist Vorwärtstilgung möglich (5b). Stehen sie am rechten Rand einer Konstituente, so ist Rückwärtstilgung möglich (Ia, vom falschen Numerus im Verb sehen wir einmal ab). Was jeweils getilgt werden kann, hinge danach von der Reihenfolge der Satzglieder in den nicht-reduzierten Sätzen ab. Deshalb hat Gapping eine Rolle für die sprachtypologische Frage gespielt, welches die ›grundlegende‹ Anordnung von Subjekt, Prädikat und Objekt für eine Sprache ist (dazu auch 8.3).

Überprüfen Sie an Hauptsätzen mit Subjekt, Prädikat und Objekt (II), ob und wie weit die Richtungsbedingung für das Deutsche gilt.

(II) **Hans liest ein Buch und Egon schreibt einen Artikel**

109. (S. 322)

Satzkoordination: nicht satzgliedwertige Konjunkte

Als Konjunkte von **und** können morphologische Einheiten bestimmter Funktion auftauchen (**be- und entladen; auf- und zumachen; sorgen- und schuldenfrei; Tier- und Pflanzenwelt; Spielerein- und -verkäufer**) sowie eine Vielzahl von syntaktischen Einheiten auch unterhalb der Satzgliedebene (Zusammenstellung in Brettschneider 1978: 134 ff.). Geben Sie die Konstituentenstrukturen der folgenden Ausdrücke an und machen sie sich die relationalen Verhältnisse klar.

> a. **ein fleißiger und erfolgreicher Student**
> b. **vor und neben der Garage**
> c. **der Einfluß Englands und Frankreichs**
> d. **dieser und kein anderer Kandidat**
> e. **die Freunde und Verwandten des jungen Paares**

110. (S. 326)

Koordination mit **als**: Kasusidentität

a) Warum kann in den folgenden Sätzen bei **als** sowohl ein Nom als auch ein Akk stehen?

> a. **Robert gibt sich als** { **reichen Engländer / reicher Engländer** } **aus**
>
> b. **Egon stellt sich als** { **erfahrenen Diplomaten / erfahrener Diplomat** } **dar**

b) Es gibt einen Fall, bei dem das Nominal bei **als** nicht den Kasus eines Bezugsnominals übernimmt, sondern unabhängig davon im Nom steht (Kolde 1971: 197 ff.):

> (I) **Der Chef beschließt**
> a. **die Anstellung meines Bruders als verantwortlicher Betriebsleiter**
> b. **die Anstellung meines Bruders als verantwortlichen Betriebsleiter**
> c. ***die Anstellung meines Bruders als des verantwortlichen Betriebsleiters**

Die **als**-Phrase könnte sich sowohl auf einen Akk als auf einen Gen beziehen. Der Akk ist in Ib realisiert, der Gen ist ausgeschlossen (Ic). Dafür ist der Nom möglich (Ia). Überlegen Sie, wovon die Kasuszuweisung hier abhängt, indem Sie I mit II vergleichen.

> (II) **Der Chef beschließt**
> a. ***die Bestrafung meines Bruders als verantwortlicher Betriebsleiter**
> b. ***die Bestrafung meines Bruders als verantwortlichen Betriebsleiter**
> c. **die Bestrafung meines Bruders als des verantwortlichen Betriebsleiters**

111. (S. 327)
Vergleichssätze, Konjunkte von **als**
Geben Sie möglichst viele Ausdrücke unterschiedlicher Form an, die als zweite
Konjunkte von **als** auftreten können. Steckt die zweite Vergleichsgröße immer voll-
ständig im zweiten Konjunkt?

112. (S. 328)
Vergleichssätze, Konstituentenstruktur
Wieso kann dem Satz **Ich kenne keinen freundlicheren Menschen als den Bürgermeister** nicht eine Konstituentenstruktur entsprechend 11 (s. Text) zugewiesen
werden?

113. (S. 333)
Fragepronomina
a) Zeigen Sie, daß das Fragepronomen **was** den Gentitiv **wessen** hat und daß diese
   Form weder hinsichtlich des Genus noch des Numerus markiert ist.
b) Wie ist **wieviel** kategorial einzuordnen? Wie wird es dekliniert?

114. (S. 336)
Typen von Fragesätzen
Neben den Entscheidungs- und Ergänzungsfragesätzen wird manchmal als dritter
Typ der sogenannte disjunktive oder alternative Fragesatz angesetzt (Conrad 1978:
124 ff.; Bäuerle 1979: 127 ff.).

> (I) a. **Kommt Karl am Montag? Ja/Nein**
>   b. **Wann kommt Karl? Am Montag**
>   c. **Kommt Karl am Montag oder Dienstag? Ja/Nein**
>   d. **Kommt Karl am Montag oder Dienstag? Am Montag**

Als disjunktive Frage gilt dabei nur der Fall Id, bei dem die Antwort nicht Ja/Nein
sein kann. Bei Interpretation des Fragesatzes wie in Ic liegt eine Entscheidungsfrage
vor. Kann man das mit einer disjunktiven Frage Erfragte auch mithilfe von Entschei-
dungs- und/oder Ergänzungsfragen herausbekommen?

115. (S. 339)
Satzkomplemente: Einzelfälle
a) Welche Formen von Sätzen nimmt **zweifeln** als Objekte?
b) Normalerweise besteht ein klarer Bedeutungsunterschied zwischen Sätzen mit
   daß-Komplement und solchen mit **ob**-Komplement (**Karla sieht, daß es brennt**
   vs. **Karla sieht, ob es brennt**). Wie verhält es sich damit bei Sätzen mit **vergessen**
   als Matrixverb?
c) Bei einigen Verben können **daß**- und **wie**-Komplemente annähernd dasselbe
   bedeuten (I), bei anderen keineswegs (II). Welche Verben verhalten sich wie
   sehen und was drückt sich in der näherungsweisen Synonymität von **daß**- und
   wie-Komplement aus?

(I) a. **Werner sieht, daß Renate nach Hause kommt**
b. **Werner sieht, wie Renate nach Hause kommt**

(II) a. **Werner weiß, daß Renate nach Hause kommt**
b. **Werner weiß, wie Renate nach Hause kommt**

116. (S. 344)
Relativsatz vs. indirekter Fragesatz
a) Ist der **w**-Satz in den folgenden Beispielen indirekter Fragesatz, Relativsatz oder beides?

(I) a. **Karl entdeckt, was Emma versteckt hat**
b. **Karl findet, was Emma versteckt hat**
c. **Karl findet heraus, was Emma versteckt hat**
d. **Karl überlegt, was Emma versteckt hat**

b) In unseren Beispielen war das **w**-Wort bisher immer Ergänzung im Nebensatz. Das ist nicht notwendig so. Beispielsweise kann **wo** Satzadverbial sein (Ia), **wie** kann Adverbial zum Verb sein (Ib).

(I) a. **Er studiert in Köln – wo er studiert**
b. **Er trinkt langsam – wie er trinkt**

Wo- und **wie**-Sätze können sowohl Relativsätze als auch indirekte Fragesätze sein. Man sollte also auch hier neben den eindeutigen Fällen den doppeldeutigen Fall finden können. Suchen Sie nach entsprechenden Beispielen.
c) Der Relativsatz fungiert im unmarkierten Fall als Attribut, der indirekte Fragesatz als Objekt. Im Text wurde gezeigt, daß der Relativsatz unter bestimmten Bedingungen auch als Objekt auftreten kann und daß es Fälle von Ambiguität gibt. Kann auch umgekehrt der indirekte Fragesatz als Attribut fungieren? Gibt es Fälle, in denen ein Attributsatz sowohl als Relativsatz wie als indirekter Fragesatz angesehen werden muß?

117. (S. 350)
Kausale Konjunktionen
a) Worin besteht der Unterschied zwischen **denn** und **da**?
b) Drückt **wegen** dasselbe semantische Verhältnis aus wie **weil**?

118. (S. 351)
Konzessive Konjunktionen und Irrelevanzkonditionale
Zu den Konzessivsätzen werden meist auch Sätze gerechnet, die mit **wenn auch, was auch (immer), wie auch (immer)** u.ä. eingeleitet sind (Grundzüge 807 f.; Duden 1984: 696). Beispiele:

a. **Wenn das Buch auch gut ist, ist es doch für mich wenig hilfreich**
b. **Was du auch einwendest, es wird uns nicht beeinflussen**

Solche Sätze werden andererseits als Irrelevanzkonditionale von den Konzessivsätzen getrennt (König/Eisenberg 1984: 315f.). Worin unterscheiden sie sich etwa von den **obwohl**-Sätzen?

119. (S. 354)
Temporale Konjunktionen
a) Beschreiben Sie die temporalen Bedeutungen von **bevor** und **nachdem**. Warum können diese Konjunktionen – anders als die bisher besprochenen – durch Attribute modifiziert werden wie in **kurz bevor, zwei Stunden nachdem**?
b) Beschreiben Sie die temporalen Bedeutungen von **solange** und **sowie**.

120. (S. 359)
Konditionalsätze: Syntax
a) Ermitteln Sie die Distribution des Korrelats **so** in Konditionalsätzen mit **wenn**.
b) Geben Sie die Konstituentenstrukturen der folgenden Sätze an und machen Sie sich die relationalen Verhältnisse klar.

> (I) a. **Deiner Gesundheit ist es unzuträglich, wenn du rauchst**
> b. **Dir verzeihe ich es, wenn du den Schlüssel verlierst**
> c. **Dir schenke ich es, wenn du willst**

121. (S. 359)
Temporales und konditionales **wenn**
Lassen sich Tests denken, mit denen temporales und konditionales **wenn** unterscheidbar werden?

122. (S. 361)
Konditionale Konjunktionen: **wenn, falls, sofern**
Auch wenn man die temporale Bedeutung von **wenn** ausschließt, sind **wenn, falls** und **sofern** nicht bedeutungsgleich. Worin unterscheiden sich die Bedeutungen?

123. (S. 369)
Zu-Infinitive in Subjektposition
a) Vergleichen Sie die unter a und b genannten Adjektive. Welche syntaktischen Unterschiede bestehen hinsichtlich der Subjektposition? Welche semantischen bestehen bei Sätzen mit **zu**-Infinitiv im Subjekt? (Genauer dazu Eisenberg 1976: 196ff.).

> a. **denkbar, vertretbar, möglich, durchführbar, notwendig, nötig**
> b. **frech, freundlich, gierig, ehrlich, gehässig, nett, väterlich**

b) Ziemlich umfangreiche Klassen von Verben nehmen **zu**-Komplemente sowohl in Subjekt- als auch in Objektposition. Eine der umfangreichsten dabei sind dreistellige mit **zu**-Inf als Subjekt, akkusativischem Objekt und **zu**-Inf in der Position des Präpositionalobjekts (a,b).

a. **Mit dir zu reden, hindert mich daran, selbständig zu arbeiten**

b. **abhalten von, ablenken zu, anregen zu, befreien von, beschützen vor, ermächtigen zu, erziehen zu, gewöhnen an, unterstützen bei, verführen zu**

Wie sehen die Kontrollverhältnisse aus? Sind die Verben faktiv?

124. (S. 373)
Zu-Infinitive in Objektposition

a) In Satz Ia kann der **daß**-Satz als Subjekt des Matrixverbs indirektes Subjekt des Inf sein. In Ib ist das ausgeschlossen. Hier muß mit Objektkontrolle gelesen werden, auch wenn das Objekt zu **helfen** wie im Beispiel gar nicht vorhanden ist. Worin besteht der entscheidende Unterschied zwischen a und b?

a. **Daß du zuhause bleibst, hilft nicht, die Startbahn zu verhindern**
b. **Daß du zuhause bleibst, hilft nicht, die Startbahn zu boykottieren**

b) Alle Theorien über Infinitivkonstruktionen nehmen an, daß den **zu**-Infinitiven das grammatische Subjekt fehlt. Damit ist gemeint, daß die **zu**-Infinitive eine enge strukturelle Beziehung zu Ausdrücken mit grammatischem Subjekt haben (etwa zu **daß**-Sätzen). Woraus rechtfertigt sich ein solcher Bezug syntaktisch? Warum kann man bei den **zu**-Infinitiven nicht einfach von einer besonderen Klasse subjektloser Ausdrücke sprechen? Immerhin gibt es doch auch sonst subjektlose Ausdrücke im Deutschen (**Hier wird getanzt; Ihm friert; Von Karl wird gelogen; Der Frau wurde von allen geholfen**).

125. (S. 373)
Zu-Infinitive bei verba dicendi

a) Sehen Sie einen Bedeutungsunterschied zwischen Ia und Ib?

(I) a. **Karl hat uns** $\left\{ \begin{array}{l} \textbf{mitgeteilt} \\ \textbf{geschrieben} \end{array} \right\}$ **, daß er pünktlich dagewesen ist**

    b. **Karl hat uns** $\left\{ \begin{array}{l} \textbf{mitgeteilt} \\ \textbf{geschrieben} \end{array} \right\}$ **, pünktlich dagewesen zu sein**

b) Zählen Sie verba dicendi mit dativischem Objekt auf. Welche Kontrolleigenschaften haben diese Verben?

126. (S. 385)

a) Manche **um zu**-Konstruktionen sehen so aus, als seien sie Paraphrasen von Konditionalsätzen. Der Duden (1984: 707f.) bringt Beispiele wie I, ähnlich gelagert ist II.

(I) a. **Ich würde einfach die Rolläden herunterlassen, um das Licht zu dämpfen**
    b. **Ich würde einfach die Rolläden herunterlassen, wenn ich das Licht dämpfen wollte**

(II) a. **Man kauft sich ein Auto, um darin zu fahren**
   b. **Man kauft sich ein Auto, wenn man darin fahren will**

Sind I, IIb tatsächlich Paraphrasen zu I, IIa, dann ist unsere Analyse der Infinitivkonstruktionen falsch. Sie besagte ja, der vom Hauptsatz bezeichnete Sachverhalt werde als zutreffend behauptet. In b ist der Hauptsatz aber Konsequenz eines konditionalen Gefüges und wird als solche nicht behauptet. Man muß daher zeigen können, daß b nicht Paraphrase zu a ist.

b) Die Grundbedeutung von **ohne** haben wir als konzessiv charakterisiert, sein Anwendungsbereich ist jedoch weiter. Wie könnte man die Bedeutung von **ohne** charakterisieren in Sätzen wie **Karl schreibt ein Buch, ohne es jemals zu vollenden; Helga redet, ohne etwas zu sagen**?

c) Auf dem Wege zur Infinitivkonjunktion ist **außer**. Wie unterscheidet sich **außer** aber noch von **um, ohne, anstatt**?

Lösungshinweise

1.

a) Die Kategorie NOM/NOM kann angesetzt werden für Kopulaverben: **Brutus ist/bleibt/wird ein ehrenwerter Mann** (3.3).

b) NOM/GEN: **bedürfen; gedenken; ermangeln**
NOM/DAT: **helfen; vertrauen; entsagen; schreiben; glauben; widersprechen**
NOM/GEN/AKK: **entheben; beschuldigen; entbinden; belehren; unterziehen**
NOM/AKK/AKK: **nennen; lehren; abfragen; kosten**

c) Die Verben in I werden partimreflexiv genannt, weil sie sowohl reflexiv als auch nicht-reflexiv verwendet werden können. Die in II nennt man fakultativ reflexiv, weil das reflexive Pronomen fakultativ ist. Die in III sind obligatorisch reflexiv (Erben 19: 216). Das reflexive Pronomen in II und III wird manchmal als Bestandteil der Verbform angesehen, weil hier keine substantivischen Nominale stehen können. Es würde damit nicht zu den Ergänzungen gezählt (Erben 19: 216; Engel 1978: 176 f.). Bei einem allein auf die Form bezogenen Valenzbegriff haben alle reflexiven Pronomina als Ergänzungen zu gelten (Heringer 1970: 198 f.). Zu den reflexiven Verben Stötzel 1970: 163 ff.; Buscha 1982. Zur Unterscheidung reflexives Pronomen vs. Reflexivpronomen 5.4.2.

2.

Zu den vorkommenden Valenzmustern gehören die folgenden:
reden: NOM; NOM/AKK; NOM/MIDAT; NOM/ÜBAKK
sprechen: NOM; NOM/ZUDAT; NOM/VODAT; NOM/ÜBAKK; DASS/AKK;
DASS/FÜAKK
sagen: NOM/AKK; NOM/DASS; NOM/OB; NOM/WIE; NOM/DAT/AKK;
NOM/DAT/DASS . . . ; NOM/ZUDAT/AKK . . .
Daß einige Ergänzungen fakultativ sind, wurde bei der Aufzählung nicht berücksichtigt. (Zur Semantik einiger verba dicendi Aufgabe 6).

3.

a) ›Transitivierung‹ ist möglich für **Das Auto fährt; Der Stock bricht durch; Der Wagen bremst; Der Strick zerreißt; Die Tür schließt; Das Klavier spielt.** Zu den zahlreichen Mechanismen von Transitivierung bzw. Intransivierung Erben 1972: 81 ff.

b) **saugen – säugen; fallen – fällen; schwimmen – schwemmen; sinken – senken; sitzen – setzen; fahren – führen** (Fleischer 1975: 319 f.).

c) Mit **be** werden transitive Verben gebildet, und zwar in erster Linie aus intransitiven (**bejammern, besiegen, bewachen**) oder aus Substantiven (**bebildern, beschallen, beglücken**). Mit **ver** werden Verben aus Verben abgeleitet, wobei sich meist keine Valenzänderung ergibt (**ändern – verändern; mischen – vermischen; lernen – verlernen;** aber **dampfen – verdampfen**). Bei der Ableitung von Verben aus Substantiven entstehen meist transitive Verben (**verglasen; verminen; verchromen**) (Fleischer 1975: 328 ff.)

4.

1. Syntaktisch und semantisch nominativisch: **Der Mann schreibt einen Brief – Der Mann schreibt.**
2. Syntaktisch nominativisch, semantisch ergativisch: **Der Junge bricht den Zweig – Der Zweig bricht.**
3. Syntaktisch ergativisch, semantisch nominativisch: **Es friert mich – Mich friert.**
4. Sytaktisch und semantisch ergativisch: **Dem Jungen bricht der Zweig – Der Zweig bricht.**

5.

a) Eine Relation R ist reflexiv, wenn jedes Element x der betrachteten Menge M in der Relation R zu sich selbst steht: xRx. In II b umfaßt die betrachtete Menge genau ein Element, nämlich Hans. In I c umfaßt sie zwei Elemente, nämlich Hans und Karl. In reflexiver oder distributiver Lesart bedeutet II c also »Hans sieht sich und Karl sieht sich«. Nun kann dieser Satz aber auch gewonnen werden, indem man die Reflexivität sozusagen auf die Gesamtmenge bezieht und den Satz analog zu II d liest (symmetrische Lesart). II c bedeutet dann »Hans und Karl sehen sich gegenseitig.«

b) Man schlägt eher andere als sich selbst, aber man wäscht eher sich selbst als andere. Obwohl sich daher jeweils eine der Interpretationen aufdrängt, können die Sätze b und e prinzipiell beide Lesarten haben.

6.

Wir könen aus Raumgründen nur einen kurzen Hinweis auf Valenz- und Bedeutungsunterschiede von jeweils zwei der genannten Verben geben.

a) **sagen – reden**

     a. **Er redet**
     b.*Er sagt
     c. **Er redet über Paul**
     d.*Er sagt über Paul
     e. *Er redet, daß Paul kommt
     f. **Er sagt, daß Paul kommt**

Das einwertige **reden** bezeichnet einen Zustand, in dem sich jemand befindet (a). Kommt der Inhalt des Redens zur Sprache, dann im Sinne des Themas, um das es geht (c). **Sagen** verlangt die Nennung des Inhalts, es ist einstellig nicht möglich (b). Im **daß**-Satz als direktem Objekt wird das Gesagte direkt inhaltlich wiedergegeben (f) (dazu weiter Dupuy-Engelhardt 1982; zu den englischen Äquivalenten ausführlich Dirven u. a. 1982).

b) Ist ein Präpositionalobjekt vorhanden, so ist **wundern** obligatorisch reflexiv (**sich wundern über**). **Sich wundern** und staunen sind syntaktisch und semantisch sehr ähnlich. Wahrscheinlich ist bei **staunen** eine einstellige neben einer zweistelligen Version anzusetzen, so daß **Karl staunt** einen Zustand meint, in dem sich Karl befindet. Dagegen dürfte bei **Karl wundert sich** ein Objekt mitverstanden sein, so daß der Satz zu lesen wäre »Karl wundert sich über etwas«.

Die nicht reflexive Variante von **wundern** nimmt ein akkusativisches Objekt und einen **daß**-Satz (neben dem Nom) als Subjekt. Hier besteht ein klarer syntaktischer und semantischer Unterschied zu **staunen**:

> a. **Daß sie schreibt, wundert mich**
> b.***Daß die schreibt, staunt mich**

c) **Suchen** nimmt alternativ ein akkusativisches und ein präpositionales Objekt (**suchen nach**). Der Bedeutungsunterschied dürfte ein aktionsartlicher sein derart, daß **nach etwas suchen** stärker auf das Andauern des Vorgangs verweist als **etwas suchen**. Von den Derivaten haben nur **absuchen** und **untersuchen** noch eine mit **suchen** eng verwandte Bedeutung. Sie sind auch die einzigen, die dasselbe Präpositionalobjekt wie **suchen** nehmen. Ein Bezug von **besuchen, aufsuchen, ersuchen** und **versuchen** auf **suchen** dürfte wenig erbringen.

7.

a)

> a. Beide Nominale bezeichnen dasselbe Individuum, der Kopulasatz drückt Identität aus. Das substantivische Prädikatsnomen wird deshalb manchmal hier (und darüber hinaus) Gleichsetzungsnominativ (Duden 1980: 574 f.) oder Gleichgröße (Glinz 1965: 161)
>
> b. Das Subjekt bezeichnet ein Element der vom Prädikatsnomen bezeichneten Menge.
> c. Mengeninklusion: die vom Subjekt bezeichnete Menge ist in der vom Prädikatsnomen bezeichneten enthalten.
> d. Subjekt und Prädikatsnomen bezeichnen hier nicht (Mengen von) Individuen, sondern Substanzen. Das logische Verhältnis ist wie in c.

b) Wir betrachten nur Sätze mit einem Personennamen als Subjekt und einem singularischen Prädikatsnomen. Das Subjekt bezeichnet dann ein Element der vom Prädikatsnomen bezeichneten Menge (die auch die Einermenge sein kann). Unter diesen Bedingungen ergibt sich:

> (I) a. **Karl ist Franzose / Schreiner / Aufsichtsratsvorsitzender**
> b. **Karl ist ein Lügner / ein Könner / ein Angeber**
> v. **Karl ist Lügner / Könner / Angeber**

In I a liegt die vom Prädikatsnomen bezeichnete Klasse objektiv fest, sie ist vom Umfang her nicht infrage zu stellen. Damit hat der Kopulasatz die Funktion, die Zugehörigkeit von Karl zu dieser Klasse festzustellen. In I b hat er eher die Funktion, Karl einer Klasse zuzuordnen und damit den Umfang dieser Klasse, der nicht in gleicher Weise festgelegt ist wie in I a, mit zu bestimmen. Im Vergleich zu I b ist die Klassenzugehörigkeit in I a fest oder ›unveräußerlich‹.

Allerdings ist dies nur einer von mehreren relevanten Faktoren, andere zeigen sich in II und III (dazu auch 8.1.2).

   (II) a. **Dieser Hund ist ein Doberaner**
          b.***Dieser Hund ist Doberaner**

   (III) a. **Sie ist eine Ausländerin**
          b. **Sie ist Ausländerin**
          c. **Es ist eine Ausländerin**
          d.***Es ist Ausländerin**

8.

a) NOM/DAT: **bewußt, geneigt, bekömmlich, dienlich, angeboren, lieb**
   NOM/ÜBAKK: **ärgerlich, entsetzt, enttäuscht, erleichtert, fröhlich**
   NOM/INDAT: **erfahren, geübt**
   NOM/ZUDAT: **entschlossen, frech, gehässig, nett, niederträchtig**

b) DASS; OB; WIE: **erkennbar, sichtbar, bekannt, erlaubt**
   nur DASS: **glaubhaft, fraglich, wahrscheinlich, notwendig**

c) Transitive Verben bezeichnen in der Regel Vorgänge oder Handlungen. Die semantische Rolle, die das akkusativische Objekt hier spielt, gibt es bei den Adjektiven nicht. Damit verknüpft sind weitere grammatische Eigenschaften: zu Kopulasätzen gibt es fast nie ein Passiv, Kopulasätze enthalten fast nie Ergänzungssätze in der Position nominaler Objekte. Beides ist bei Sätzen mit transitiven Verben häufig.
Akkusativische Ergänzungen kommen allerdings bei Adjektiven häufig vor als sogenannte Maßangaben wie in **Der Tisch ist einen Meter hoch** (7.3.2).

9.

a) Eine Ähnlichkeit zu MV2 zeigt Ih (**Daß du kommst, muß mich freuen**). Wie ein VV wird **lassen** gebraucht in Id, hier ist es auch passivfähig. Die übrigen Sätze haben mit dem AcI bei **lassen** zu tun. **Karl läßt antreten** ist nur scheinbar parallel strukturiert zu **Karl will/muß antreten. Lassen** nimmt hier fakultativ ein akk. Objekt (I b, dazu weiter 11.2.2.).

b) **Brauchen** und **nicht brauchen** nehmen den Infinitiv mit **zu** als Ergänzung in der Position des direkten Objekts. Ihre Entwicklung zum Modalverb bedeutet syntaktisch, daß das **zu** weggelassen werden kann. Der Gang ist also ein gänzlich anderer als bei **lassen**, die semantische Nähe zu den Modalverben ist größer. Für die Syntax von **brauchen** spielt die Negation eine besondere Rolle. So ist **Ich brauche zu schlafen** ungrammatisch, nicht aber **Ich brauche nicht zu schlafen** oder **Ich brauche nur zu schlafen**

10.

Die Umdeutung der Vergangenheitsform zur Präsensform bedeutet, daß »Ich habe p gesehen« zu »Ich weiß p« wird. Die historisch vorgängige Bedeutung von **wissen** ist also konkret: was man wahrgenommen hat, weiß man auch. Wir haben in Kap. 3.2.2 gesehen, daß **wissen** dieser Bedeutung auch im gegenwärtigen Deutsch noch nahe kommt. Zur Herausbildung der Bedeutung der Modalverben Bech 1951.

11.

a) Siehe unter b).

b) Beide Thesen treffen nicht zu. (1) etwa nicht für **dürfen** und **möchten** (**Er darf geträumt haben**) und auch nicht für die anderen Modalverben im allerdings schwer verständlichen Perfekt und Plusquamperfekt (**Er hat geträumt haben müssen**). (2) gilt schon in Konditionalsätzen der Form **Er dürfte das tun, wenn ich wollte** nicht mehr.

12.

Die Hinweise beschränke sich auf eine Auswahl:

a) **fünf Mark Bußgeld** ist Objekt zu **bezahlen**.

b) **Es** ist Subjekt. **Beethoven** ist Prädikatsnomen zu **sein**.

c) **Es . . . wer hier Chef wird** ist Subjekt.

d) **es . . . daß er sich gewehrt hat** ist Objekt zu **bezahlen**.

e) **daß du nach Hamburg ziehen sollst** ist Objekt zu **heißen**.

13.

Bei einem Imperativ wie **Laß das** oder **Komm her** ist die Quelle der Obligation der Sprecher und das Äußern des Imperativs ist das Setzen einer Obligation für das Handlungsziel. Mit dem Äußern eines Modalsatzes wird nicht eine Obligation gesetzt, sondern es wird mitgeteilt, daß eine Obligation besteht. Zudem ist der Sprecher nicht generell die Quelle der Obligation.

14.

a) Genaueres siehe 4.2.

b) Der Synkretismus zwischen 3 Ps Sg und 2. Ps Pl tritt nur im Flexionsmuster des Präsens auf und auch dort nicht in den Formen von **haben** und **sein** und auch nicht bei den Modalverben. Den Synkretismus zwischen 2. und 3. Pl finden wir dagegen immer und ohne jede Ausnahme vor.

15.

a) Das **e** erscheint dann nicht, wenn der Stammvokal umgelautet ist (nur starke Verben). In der 3. Ps Sg führt das dazu, daß **raten, halten, braten** phonetisch und orthografisch endungslos sind (**rät, hält, brät**), während bei **laden** natürlich die Endung im Geschriebenen erhalten bleibt (**lädt**).

b) In **weißt** von **weißen** ist das ß Teil des Stammes: es wäre auch in der erweiterten Form **weißest** vorhanden. Dagegen existiert die erweiterte Form von **wissen** nicht und von **küssen** lautet sie **küssest**.

Regeln der besprochenen Art kennzeichnen das gemeinsame Auftreten bzw. Nicht-Auftreten von Laut- oder Schriftsegmenten. Sie werden deshalb phonotaktische bzw. graphotaktische Regeln genannt.

16.

Das Schema könnte so aufgebaut sein:

	Sg	Pl
1. Stamm	–	y
2.	x 1	y x 1
3.	x 2	y x 2

mit x1 für 2. Ps, x2 für 3. Ps, y für Pl. Außerdem müßte x2 markiert (z. B. länger) gegenüber x1 sein. Das Beispiel aus dem Lateinischen zeigt einen Teil der geforderten Eigenschaften. 1., 2., 3. Ps sind formal unterschieden, es ist eine Pluralmarkierung (m/n) vorhanden. 1. und 2. Ps sind jedoch im Sg und Pl verschieden enkodiert und die 2. Ps ist formal mindestens so aufwendig wie die 3.

	Sg	Pl
1. mone	or	m ur
2.	ris	m ini
3.	tur	n tur

17.

Präs	B1	A42		werde gesucht
Prät	B21	A42		wurde gesucht
Fut1	B1	A42	B3	werde gesucht werden
Pf	C1	A42	B53	ist gesucht worden
Pqpf	C21	A42	B53	war gesucht worden
Fut2	B1	A42	B54 C3	wird gesucht worden sein

Streicht man das Partizip des Vollverbs (A42) heraus, so bleibt ein Schema übrig, das ganz analog dem der starken Verben im Aktiv ist.

18.

a) Einige der Verben sind sowohl transitiv als auch intransitiv. In der transitiven Version wird **haben** gewählt (**Er hat eine Kawasaki gefahren**). In der intransitiven wird **sein** gewählt. Tritt zum Satz eine Orts- oder Richtungsangabe, so ist nur **sein** wählbar (*Karl hat durch den Harz gewandert). Die unter diesen Bedingungen aktualisierte Bedeutung des Verbs bezieht sich auf einen Zustand, in den das vom Subjekt Bezeichnete sich bringt.

b) Der Fall liegt zumindest gänzlich anders als in a, weil die Diathesenverhältnisse unterschiedlich sind. Bei **heilen** etwa gibt es nur **Der Arzt hat die Wunde geheilt; Die Wunde ist geheilt.** Dagegen: **Karl hat eine Kawasaki gefahren. Karl ist gefahren. Die Kawasaki ist gefahren.**

c) Präfigierte Verben bilden das Part nicht mit **ge**. Deshalb kommt es bei starken Verben dann zur Formgleichheit, wenn das Part Pf denselben Stammvokal hat wie der Inf Präs. Beispielsweise fallen die Formen bei **erheben – erhoben** nicht zusammen.

19.

Gleichzeitigkeit ist nicht gefordert, denn ebensogut wie a kann man sagen »Falls es geregnet hat, bleiben wir zu Hause«. Die Zweifelhaftigkeit von b beruht darauf, daß das Prät eine Bezugszeit fordert.

20.
Der Unterschied besteht lediglich darin, daß das Zeitintervall bei **schneien** durch einen Zeitpunkt ersetzt werden muß. Am Beispiel des Prät (**Karl fand den Schlüssel, als wir ankamen**) sieht man, daß ein imperfektiver Aspekt nicht realisiert ist.

21.
Morgen um diese Zeit fungiert generell als Ausdruck für die Betrachtzeit. Es gilt also: ● = Sprechzeit, ---- = Aktzeit (die Zeit, in der es regnet), x = morgen um diese Zeit.

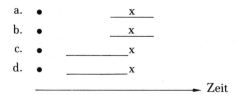

22.
Der Konj Präs wird gebildet mit dem Stamm des Inf Präs.

23.
Unter die Explikation der Grundzüge fallen auch die indikativischen Konditional-sätze. Sie wären sämtlich irreal. Bei Helbig/Buscha wird der klare semantische Unterschied zwischen Potentialis und Realis (nicht realisiert aber realisierbar vs. keine Aussage hinsichtlich Realisierbarkeit) verwischt zugunsten von größerer oder geringerer Wahrscheinlichkeit der Realisier - bar(!) - keit. Zwar kann der Sprecher mit dem Konj Prät seiner Skepsis gegenüber dem Eintreten der Sachverhalte Aus-druck verleihen, dies ist aber eine Folge des semantischen Unterschieds zwischen Realis und Potentialis und nicht dieser Unterschied selbst.

24.
a) Nicht-faktiv sind **behaupten, lügen, erklären, beschuldigen, vorwerfen, unter-stellen**. Eine faktive Variante haben **unterstreichen, hervorheben, mitteilen, be-richten, sagen**.
b) In dem Satz **Er hörte, daß Inge da sei** ist **hören** nicht-faktiv. Nur wenn der Indikativ steht (**Er hörte, daß Inge da war**), kann die sinnliche Wahrnehmung gemeint und das Verb faktiv sein.

25.

1 * **Karl vergißt, daß Egon komme, wenn du willst**
1a ***Karl vergißt, daß Egon komme**
2 **Karl berichtet, daß Egon komme, wenn du willst**
2a **Karl glaubt, daß Egon käme**

3 Karl berichtet, daß Egon komme, wenn du willst
3a Karl berichtet, daß Egon komme
4 Karl vergißt, daß Egon käme, wenn du willst
4a *Karl vergißt, daß Egon käme
5 Karl glaubt, daß Egon käme, wenn du willst
5a Karl glaubt, daß Egon käme
6 Karl berichtet, daß Egon käme, wenn du willst
6a Karl berichtet, daß Egon käme

26.

Werden als Modalverb existiert nach den Kriterien aus Kap. 3.3 nur im Präs Ind, Präs Konj und Prät Konj:

(I) Präs Ind **er wird**
Präs Konj **er werde**
Prät Konj **er würde**

Die Bedeutung wäre immer inferentiell.
Werden als Kopulaverb hat ein vollständiges Paradigma im Aktiv:

(II) Präs **er wird/werde Bäcker**
Prät **er wurde/würde Bäcker**
Pf **er ist/sei Bäcker geworden**
Pqpf **er war/wäre Bäcker geworden**
Fut1 **er wird/werde Bäcker werden**
Fut2 **er wird/werde Bäcker geworden sein**

Werden als Hilfsverb hat außer dem Infinitiv Präs und der Partizipialform **worden** nur die folgenden Formen:

(III) a. Präs (**er wird, er werde**). Die Formen werden verwendet zur Bildung des Fut im Akt sowie zur Bildung des Präs und Fut im Pass.
b. Prät (**er wurde, er würde**). Die Formen werden verwendet zur Bildung des Prät im Pass.

Zu den Formen von **würde** s. a. 4.4.

27.

a) Bilden sie etwa das Passiv zu folgenden Sätzen **Gabi beschließt, das Rauchen aufzugeben; Wie Rudolf Klavier spielt, hat uns begeistert; Josef fragt, ob er bleiben kann.**

b) die Anwort ergibt sich

28

Das erste Nomen im Nominativ (nennen wir es N^1_{nom})wird zum Dativ (N^1_{Dat}) der PrGr mit **von**. Diese PrGr steht im Passivsatz nach dem finiten Verb.

Das zweite Nomen im Akkusativ (N^2_{Akk}) tritt an den Satzanfang als Nomen im Nominativ (N^2_{Nom}). Das Vollverb des Aktivsatzes ($V_{3. PsSg}$) tritt als Partizip Perfekt an den Schluß des Passivsatzes (V_{PartPf}). Die Personalendung bildet mit **werden** das finite Verb. Insgesamt:

a. Der Teufel versucht den Herrn → Der Herr wird vom Teufel versucht

b. N^1_{Nom} $V_{3.PsSg}$ N^2_{Akk} → N^2_{Nom} **werd**+3.PsSg **von** N^1_{Dat} V_{PartPf}

c. 1   2   3   → $\left[\,_{Nom}^{3}\right]$ werd+3.PsSg von $\left[\,_{Dat}^{1}\right]$ $\left[\,_{PartPf}^{2}\right]$

In der Form c sind die Konstituenten mit den Ziffern identifiziert. Die Passivtransformation ist in ihrer einfachsten Form tatsächlich ähnlich wie in c formuliert worden (Huber/Kummer 1974: 224). Man kann sich eine Transformationsgrammatik als einen Regelapparat vorstellen, mit dem zuerst die primären Sätze (wie der Aktivsatz) mit ihren Strukturen beschrieben (oder ›erzeugt‹) werden. In einem zweiten Schritt werden aus diesen die sekundären Sätze (wie der Passivsatz) mit ihren Strukturen durch Transformationen abgeleitet.

29.

Das **kriegen**-Passiv kann gebildet werden von Verben, die ein Dat-Objekt und ein Akk-Objekt nehmen können oder müssen. Welche Verben darüber hinaus das **kriegen**-Passiv bilden, ist nicht ganz geklärt. Das Dat-Objekt wird im Passiv zum Subjekt (obligatorisch), das Akk-Objekt bleibt, was es ist, vgl. **Karl kriegt eine geklebt** vs. **Karl kriegt vorgelesen** (Höhle 1978: 44 ff.). Vergleichen Sie das **werden**-Passiv dieser Verben mit ihrem **kriegen**-Passiv.

30.

Verrücken gehört zu den Verben, die das Part Pf ohne **ge** bilden, daher die Vieldeutigkeit der Form **verrückt**. Satz d wird als Präs Pas interpretiert. Satz g als Kopulasatz. Die Trennung ist nur semantisch möglich. Satz e wird als Kurzform von c verstanden, Satz f wiederum als Kopulasatz, der von e nur semantisch zu trennen ist. h ist Pf von g und auch morphosyntaktisch verschieden vom Pf in c.

31.

b) Die Agenslosigkeit könnte bei den drei Passivformen unterschiedlich motiviert sein. Bei **eingeweiht werden** ist das Agens uninteressant, man kann es sich denken (Redundanz). Im nächsten Satz (**wurde ... zerstört**) ist das Agens von besonderem Interesse, aber unbekannt. Man beachte, daß die **durch**-Phrase nicht das Agens ist, denn sie kann genauso auch im Aktiv stehen. Im letzten Satz (**wurde erklärt**) könnte das Weglassen des Agens beabsichtigt sein, etwa deshalb, weil dadurch der Erklärung ein größeres Gewicht gegeben wird.

c) Die passivischen Sätze enthalten einen Hinweis auf ein Agens.

32.

Die allgemeinste Formel, auf die die Überlegungen des Abschnittes 4.5 gebracht werden können, lautet: Das Passiv signalisiert die Hervorhebung des Agens, das

Aktiv nicht. Insofern ist das Passiv als markiert anzusehen. Sekundäre Merkmale dafür sind etwa, daß das Passiv formal aufwendiger enkodiert ist als das Aktiv, daß es seltener gebraucht wird (Schoenthal 1976: 168 ff.), daß es kognitiv schwerer verarbeitbar ist (Olson/Filby 1972) und später gelernt wird (Oksaar 1977: 194 ff.).

33.
Beispiele

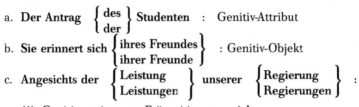

(1) Genitiv regiert von Präposition **angesichts**,
(2) Genitiv-Attribut

Die jeweilige syntaktische Funktion kann der Genitiv im Sg und im Pl erfüllen, die syntaktische Funktion hat also nichts mit dem Numerus, sondern nur etwas mit dem Kasus zu tun. Es ist wohl sinnvoll, von einer Bedeutung des Pl und von einer Bedeutung des Sg zu sprechen, es ist aber fraglich, ob man von einer Bedeutung ›des Genitiv‹ sprechen kann (weiter dazu 7.3.1).

34.
Bei Personennamen, die auf eine Spirans enden, wird der Gen mit **ens** gebildet (**Hansens, Fritzens, Schulzens,** vgl. zu **ens** auch den Kommentar zu Typ 3). Wichtiger ist, daß Personennamen auch im Gen endungslos sein können und damit wie Feminina deklinieren (Typ 4): wir haben sowohl **Arturo Uis Aufstieg** als auch **der Aufstieg des Arturo Ui** (5.3.2).

35.
Es handelt sich bei diesen Fremdwörtern um Personenbezeichnungen im weiteren Sinne, die alle masculini generis sind. Ihr Genus ist also semantisch motiviert, alle diese Substantive können auch als Basis zur Bildung von Feminina auf **in** dienen (**Demonstrant – Demonstrantin**). Der Deklinationstyp 2 ist für sie der natürliche, weil er als einziger nur für Maskulina gilt und darüber hinaus fast ausschließlich für solche Substantive, die Lebewesen bezeichnen.

36.
Es könnte damit zusammenhängen, daß der Typ 2 vornehmlich für Substantive gilt, die Lebewesen bezeichnen. Der Übergang der genannten Substantive zur gemischten Deklination trägt also zur semantischen Homogenisierung der Flexionstypen bei. Diese Bewegung auf der semantischen Ebene ist eng mit einem morphotaktischen Erfordernis verbunden. Wenn ein für Typ 2 charakteristisches Wort wie **Held** nach Typ 3 überginge und zu **Helden** (Nom Sg) würde, dann müßten wir als Femininum statt **Heldin** die Form **Heldenin** bilden. Die Folge **enin** klingt schlecht und wird vermieden (sog. Haplologie, Plank 1981: 149 ff.).

37.

Als Begründung kann die Markiertheit herangezogen werden. Die unmarkierten Kategorien Nom und Sg wären jeweils durch Endungslosigkeit charakterisiert (›konstruktioneller Ikonismus‹: je mehr Bedeutung, desto mehr Form).

Betrachten wir als Beispiel die Form des Dat von **Hund**[P]. Im Dat Sg (**dem Hund**) käme heraus **Hund + ∅**, im **Dat Pl** (**den Hunden**) käme heraus **Hund + e + n**. Zweierlei ist an dieser Analyse unschön. (1) man ist gezwungen, mit dem Nullmorphem ∅ zu arbeiten und (2) das sogenannte Dativ-Morphem sieht für den Sg anders aus als für den Pl (∅ vs. **n**).

38.

a) Beispiel **ein Kind**

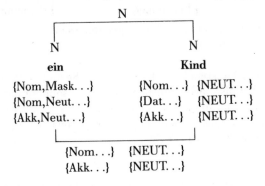

Man sieht, wie bestimmte für die Bestandteile mögliche syntaktische Interpretationen für den zusammengesetzten Ausdruck ausgeschaltet werden: jede der einfachen Einheiten ist syntaktisch dreideutig, die zusammengesetzte ist nur zweideutig.

Beachten sie bei **der Heide**, daß es sowohl ein Paradigma **Heide**[P] MASK als auch ein Paradigma **Heide**[P] FEM gibt.

b) Das Schema für **ein** + Substantiv kann so angegeben werden:

	Fem	Mask/Neut
Nom	eine Wiese	**ein Baum/Buch**
Akk		**einen Baum**
Gen	einer Wiese	**eines Buches/Baumes**
Dat		**einem Buch/Baum**

39.

Ausdrücke der genannten Art kommen mit und ohne Artikel vor in Sätzen wie I (Vater 1979: 69 ff.). Die artikellosen Aus-

(I) a. **Er nahm (das) Notizbuch und (den) Bleistift zur Hand**

     b. **Er ging, um (ein) Notizbuch und (einen) Bleistift zu besorgen**

c. (Der) Hund und (die) Katze sind Haustiere

drücke dürften in Analogie zum artikellosenPlural gebildet sein. I c zeigt, daß die **und**-Koordination zweier Singularnominale den Plural im Verb nach sich zieht, insofern sind **und**-Koordinationen ›pluralisch‹ (9.2). Sie sind damit hinsichtlich Definitheit unmarkiert und können – wie in I a und I b – bei entsprechendem Kontext definit gelesen werden. Lang (1977: 60) meint, Ausdrücke dieser Art seien immer definit: »Die trotz des fehlenden Artikels eindeutig definite Interpretation der koordinierten Konjunkte beruht darauf, daß durch die Konjunkte eine Menge in . . . hinsichtlich bestimmter Merkmale gleichartigen Bestandteilen *vollständig* aufgezählt wird.«

40.

Die Nominale bezeichnen nicht etwas, das notwendigerweise in der Welt existiert. Beim Gebrauch definiter Nominale wird häufig eine Existenzpräsupposition gemacht, notwendig ist sie aber nicht, auch wenn man von Einhörnern und Nibelungen, Erzengeln und gutherzigen Reichen absieht.

Die Nominale in den Beispielsätzen werden manchmal nichtreferentiell genannt, weil sie keinen ›Referenten‹ haben (Leys 1973; Reis 1977). Auch dieser Begriff von Referentialität meint nicht etwas, was zu den in Rede stehenden Ausdrücken selbst gehört.

41.

Semantisch ist das Femininum gegenüber dem Maskulinum und dem Neutrum markiert (s. u.). Für die Wahl des Femininum gibt es also häufiger semantische Gründe als für die Wahl des Neutrums oder des Maskulinums. Deshalb ist der Austausch zwischen Maskulinum und Neutrum besonders leicht (dazu auch Aufgabe 42 a und 43 b).

42.

a) Für die Genuszuweisung sind in erster Linie semantische und morphologische Gründe ausschlaggebend. Beides bedeutet, daß die Fremdwörter möglichst weitgehend analog zu eingesessenen deutschen Wörtern gesetzt werden (Köpcke 1982: 14 ff.; Gregor 1983). Wichtig und zu wenig berücksichtigt bei der Genuszuweisung sind die Markierungsverhältnisse. Der mit Abstand größte Teil der Anglizismen sind maskulin, an zweiter Stelle folgen die Neutra und an letzter die Feminina (Carstensen 1980: 41). Das Maskulinum wird also auch dann gewählt, wenn kein besonderer Grund für die Wahl eines anderen Genus vorliegt.

b) **ling**: meist Personenbezeichnung als Deverbative (**Lehrling, Mischling, Prüfling**) oder Deadjektiva (**Feigling, Schwächling**). Dies dürfte die Basis für das Maskulinum aller Substantive auf **ling** sein (**Grünling, Frühling, Rundling**).
   ung: es fällt auf, daß viele der das Femininum determinierenden Suffixe Abstrakta bilden. Die Substantive auf **ung** sind meist Verbalabstrakta.
   tum: Ableitungen auf **tum** sind meist desubstantivich, wobei der Stamm eine Personbezeichnung ist (**Baditentum, Soldatentum, Herzogtum**). **tum** bewirkt also meist einen Wechsel vom Maskulinum zum Neutrum. Der Grund ist möglicherweise, daß die Basis eine Personbezeichnung, das Ergebnis aber niemals eine Personenbezeichnung ist.

433

c) **el** kommt vor in Deverbativa (**Deckel, Griffel, Zügel**), zum anderen ist es ein Diminutivsuffix. Als solches zieht es das Neutrum nach sich.

43.

a) Von 87 Substantiven mit dieser Eigenschaft sind 75 MASK, 1 FEM und 11 NEUT. Beispiele: **Schrank, Hang, Rand, Mönch, Stunk, Fink, Rumpf, Stumpf, Pimpf, Hund, Schwung, Mund, Wind, Drang.** Gegenbeispiele: **Bank, Hemd, Wand, Ding, Kind, Rind.** Von diesen sind zumindest die drei zuletzt genannten einer semantischen Geuszuweisung unterworfen.

b) Substantive, die auf [kn], [dr] oder [tr] anlauten, sind Maskulina. Substantive, die auf Langvokal + [r] enden, sind Feminina. Die von Köpcke herausgefundenen Regularitäten sind in einem wichtigen Punkt zu relativieren. Die meisten der Regeln beziehen sich auf das Maskulinum, einige auf Maskulinum und Neutrum und nur zwei auf das Femininum (1982: 105f.). Auch hier zeigt sich wieder, daß ›normalerweise‹ das Maskulinum oder das Neutrum und nur unter ganz bestimmten Bedingungen das Femininum gewählt wird. Die positive Spezifizierung ist also möglicherweise nur für das Femininum aussagekräftig. Dadurch werden Köpckes Ergebnisse möglicherweise zweifelhaft.

c) Es ist zu erwarten, weil Ableitungssuffixe im Prinzip die grammatische Kategorisierung des Derivats festlegen. Dazu gehört bei den Substantiven auch das Genus.

44.

a) In den meisten Fällen wird – ganz unabhängig davon, ob die Bezeichnung für den traditionell von Frauen ausgeübten Beruf eine movierte Form ist oder nicht – für die nachdrängenden männlichen Kollegen eine gänzlich neue Bezeichnung erfunden (**Krankenschwester – Krankenpfleger; Fürsorgerin – Sozialarbeiter; Kindergärtnerin – Erzieher; Mannequin – Dressman**). In viellen Fällen ist das maskuline Substantiv auch hier bereits zur Gattungsbezeichnung geworden. Eine mögliche Ausnahme könnte der zu erwartende **Hebammer** sein. Oder hat sich **Geburtshelfer** schon durchgesetzt?

b) – das Neutrum würde mit einer Bedeutung, die es bisher nicht hat, systematisch im Feld der Personenbezeichnungen verankert. Die Bedeutung des Neutrums war bisher »weder Maskulinum noch Femininum« (z. B. **das Kind**). Sie wäre jetzt »sowohl Maskulinum als auch Femininum«.

– der Eingriff in die Regeln zur Pluralbildung wäre erheblich. Die bisher eher restriktive Verwendung des **s** würde erweitert. Der Zusammenhang von Flexionstyp und Genus würde enger. Das Neutrum, das bisher hier keine Pluralendung hat (**das Messer – die Messer**) würde – ähnlich dem Femininum – den Plural stärker am Substantiv markieren.

– die Paradigmen **Lehrer**[P] (MASK) und **Lehrer**[P] (FEM) hätten eine völlig neue Art von Plural. Der Paradigmenbegriff für das Substantiv müßte geändert werden.

– das Deutsche hätte in **die männlichen Lehrers** usw. eine offene Genusmarkierung, ähnlich der im Marengar. Das Adjektiv hätte einen ähnlichen Status wie das Hilfsverb in zusammengesetzten Verbformen.

45.
Zum Genitiv

    (I) a. **Wegen ungelieferten Erdöls fängt man keinen Krieg an**
          b.***Wegen Erdöls fängt man keinen Krieg an**
          c. **Wegen Erdöl fängt man keinen Krieg an**

Zum Akkusativ. Beispiele sind hier schwer zu finden, weil es kaum Stoffsubstantive gibt, die den Akk gegenüber dem Nom markieren. Das Substantiv **Ochse** ist in II aber ohne Zweifel als Stoffsubstantiv verwendet und kann die Regularität illustrieren.

    (II) a. **Karl ißt gern gebratenen Ochsen**
           b.***Karl ißt gern Ochsen**
           c. **Karl ißt gern Ochse**

46.

    (I) a. **Ein Stahl ist ein Halbfabrikat**
          b. **Der Stahl ist ein Halbfabrikat**
          c. **Stähle sind Halbfabrikate**
          d. **Stahl ist ein Halbfabrikat**
          e.*** Stahl ist Halbfabrikat**

    (II) a. **Ein Stahl ist ein Metall**
           b. **Der Stahl ist ein Metall – Der Wal ist ein Fisch**
           c. **Stähle sind Metalle**
           d. **Stahl ist ein Metall – Ein Wal ist ein Fisch**
           e. **Stahl ist Metall – Wale sind Fische**

Die Sätze a und c haben jeweils die Lesung »Sorte von Stahl«, die anderen betreffen direkt die Substanz Stahl. Die konstruktiven Entsprechungen zu Sätzen mit Gattungsnamen wurden in II vermerkt.

47.
Als Eigenname

    (I) a. **Opel/Esso macht wieder Gewinne**
          b. **Opels/Essos Preispolitik ist bedenklich**

Opel als Gattungsname

    (II) a. **Ein Opel ist ein Zweitakter**
          b.***Opel ist ein Zweitakter**
          c. **Da kommen drei grüne Opel**
          d. **Viele Opel haben keine Handbremse**

Esso als Stoffname

> (III) a. **Esso ist teuer**
> b.* **Essos Preis ist hoch**
> c. **Bitte fünfzig Liter Esso**
> d. **Ein Esso, so gut wie noch nie**

48.

a) Abstrakt sind die Substantive unter I a insofern, als sie abgeleitet sind. Nimmt man an, daß die Bedeutung eines Derivats zumindest unter bestimmten Bedingungen eine Funktion der Bedeutung seiner Bestandteile ist, dann ist die Bedeutung des Derivats ›relativ‹ abstrakt: **Zerstörung** ist abstrakter als **zerstören, Bäkker** ist abstrakter als **backen** (Sapir 1961: 91 ff.). Bei den sogenannten Verbalabstrakta (Verbderivaten) wird die Abstraktheit meist durch die Feststellung expliziert, im Abstraktum sei ein Satzinhalt aufgehoben (sogenannte Satzwörter, Erben 1980: 135 f.).

Die Substantive unter I b sind abstrakt in dem Sinne, daß sie zwar etwas Gegenständliches, nicht aber etwas Anschauliches bezeichnen. Das liegt daran, daß sie sehr hoch in der Begriffshierarchie stehen. Während etwa **Baum** noch anschaulich ist, gilt das für **Pflanze** nicht mehr.

Die Substantive unter I c bezeichnen Ungegenständliches. Dies ist wohl der allgemeinste Begriff von abstrakt überhaupt (zur Übersicht Tancré 1975: 35 ff.).

b) Betrachten wir die Substantive **Fest, Zorn** und **Hoffnung. Fest** ist zählbar und verhält sich wie ein Appellativum. **Zorn** kann im Sg artikellos stehen (**Zorn ist kein guter Ratgeber**), ist nicht zählbar und verhält sich auch sonst wie ein Stoffsubstantiv (Mayer 1981: 85 ff.). **Hoffnung** gehört zu beiden Kategorien. Es gibt Hoffnung ebenso wie viel Hoffnung und viele Hoffnungen usw. **Hoffnung** ist vonn seiner Bedeutung her sowohl zählbar (**eine Hoffnung, noch eine Hoffnung**) als auch nicht zählbar.

Ob es abstrakte Eigennamen gibt, sei dahingestellt. Infrage kommen solche wie **Justitia** oder **Fortuna**.

49.

Wenn man sich pronominal auf mehrere Entitäten bezieht, dann fallen in der Regel diese Entitäten nicht alle unter einen Ausdruck vom gleichen Genus. In einem Satz wie **Sie helfen uns** können unter **sie** ebenso wie unter **uns** Entitäten fallen, die mit Maskulina oder Feminina oder Neutra oder beliebigen Kombinationen davon bezeichnet werden. Eine Aufspaltung des Plurals nach dem Genus würde zu vielfachen Bezeichnungskonflikten und beim anaphorischen Gebrauch zu vielfachen Kongruenzkonflikten führen, die nur durch eine weitere Komplizierung des Paradigma (Frage: wie könnte das aussehen?) oder durch komplexere Syntax auszugleichen wären. Aus diesem Grund haben sämtliche Pronomina ebenso wie die mit ihnen verwandten Artikel keine Genusdifferenzierung im Plural (zu der scheinbaren Ausnahme **seine** vs **ihre** 5.4.2). Überlegen Sie auch, wie das Französische, das eine Genusdifferenzierung im Pl hat, das Problem löst.

50.

Ein einheitlicher Bedeutungsunterschied zwischen einstelliger und zweistelliger Version ist nicht erkennbar. Zwei Funktionen sind denkbar. (1) Durch ›Umwandlung‹ in ein Präpositionalobjekt wird der betreffende Mitspieler rhematisiert (s. u. Punkt 5). (2) Die betreffenden Mitspieler sind semantisch nicht typisch für das Subjekt (kein Agens). Möglicherweise kommt es unter diesen Umständen besonders leicht zu einer Verlagerung ins Objekt.

51.

c) Aus 20 b wird schon deutlich, daß **es** sich im Genus nicht nach dem substantivischen Nominal richtet. Auch im Numerus muß nicht Kongruenz vorliegen. In diesen Fällen kann **es** nicht mehr als phorisch im üblichen Sinne angesehen werden und kongruiert auch nicht mit dem Prädikat:

  a. **Es nähern sich dunkle Wolken**
  b. **Es grüßen die Kirmesburschen**
  c. **Es kamen viele Gäste**

Wir müssen zugestehen, daß diese Konstruktion syntaktisch unverstanden bleibt. Möglicherweise liegt eine Art konstruktiver Kontamination vor. Ein Satz wie **Sie blühen, die Blumen,** bei dem das Subjekt ›rechtsversetzt‹ ist und ein ›reguläres‹, phorisches Pronomen am Satzanfang zurückläßt (›Rechtsversetzung‹ oder right dislocation, Altmann 1981: 54 f.) wäre kontaminiert mit einem Satz wie **Es blüht** zu **Es blühen die Blumen** (dazu auch Pütz 1975: 13 f., 41 ff.).

b) Die Adjektive, die auch einen **zu**-Infinitiv als Subjekt zulassen (**Es ist langweilig, immer zu gewinnen**), verlangen **es** beim Satztyp I. Zu dieser Gruppe gehören **ärgerlich, entsetzlich, schädlich, erlaubt, begreiflich, fraglich, notwendig.** Wo kein **zu**-Infinitiv als Subjekt möglich ist, kann **es** wegfallen wie bei **sichtbar, bekannt, klar, ungewiß, sicher** (zu den Kopulasätzen auch Pütz 1975: 100 ff.; Latour 1981).

c) Das auf ein Objekt bezogene **es** kann niemals am Satzanfang, sondern nur nach dem finiten Verb stehen (im Mittelfeld):

  a. **Karl hat dich vergessen**
  b. **Karl hat es vergessen, daß du ihm geholfen hast**
  c. ***Es hat Karl vergessen, daß du ihm geholfen hast**
  d. ***Karl hat vergessen es, daß du ihm geholfen hast**

52.

Als Bezugsnominale erhält man:

  es ≙ **das Gesetz, das ihm vorgelegt wird**
  ihm ≙ **der Präsident, der es ablehnt**

Jedes der Nominale enthält das andere als Pronomen. Beim Versuch der Auflösung kommt es zu einem infiniten Regreß.

53.

a) **Solcher** bezieht sich auf eine Vergleichsgröße, es bedeutet »von dieser Art«
(Grundzüge: 672 ff.).

b)

      a. **Einen solchen/*Einen diesen mag ich nicht**

      b. **Solch einen/*Dies einen mag ich nicht**

Determination und Verweis sind bei **dieser** untrennbar. Mit **solcher** wird auf eine
Vergleichsgröße (Menge) verwiesen, über der dann quantifiziert werden kann
(**ein solcher, viele solche**). (Im Gesprochenen finden wir statt **solch einen** meist
so einen. Auch daran wird deutlich, daß **solch** einen Vergleich impliziert).

54.

Meiner bezeichnet eine Relation R zwischen a und b, wobei a eine Variable über
kommunikative Rollen (1., 2., 3. Ps) und b eine über Objekte ist. Für das Forminventar sind relevant die Person von a sowie der Numerus und das Genus von a und
b. Der von a und b unabhängige Kausus wird nicht berücksichtigt. M, F, N stehen für
Mask, Fem, Neut.

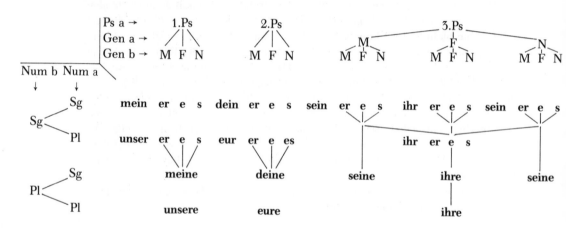

Beispiel: die durch ○ herausgehobene Form **eures** (auch **euers**) ist bezüglich a
bestimmt durch 2 Ps Pl: es ist von mehreren Adressaten die Rede. Bezüglich b ist sie
bestimmt durch NeutSg, d.h. es ist von einem Objekt die Rede, das von einem
Nominal im NeutSg bezeichnet werden kann. Die Bedingungen sind erfüllt in **Das
Fahrrad ist euers.**

55.

a) Der Austausch ist nicht möglich, wenn entweder nur die Gesamtmenge oder nur
die einzelnen Elemente einer Menge gemeint sein können: **Alle Studenten treffen sich – *Jeder Student trifft sich. Jede Minute läuft ein Auto vom Band – *Alle
Minuten läuft ein Auto vom Band.**

b) Die neutralste Bedeutung hat **einige** mit »wenige, aber nicht ein Element«. Bei **mehrere** wird ausdrücklich betont, daß es nicht ein Element ist. **Manche** signalisiert, daß die angesprochene Teilmenge über die Gesamtmenge ›verteilt‹ ist, **d. h.** manche ist wie **jeder** distributiv zu lesen. Der Sg **mancher** greift ›exemplarisch‹ ein Element heraus (Oomen 1977: 78 ff.).

56.
Satz a. Bei dem Satz ist vorausgesetzt, daß wir noch jemand außer Helga gesehen haben. Und es war wahrscheinlicher, daß wir diesen jemand sehen würden als daß wir Helga sehen würden. Mitgemeint sein kann auch, daß es Leute gegeben hat, die wir trotz allem nicht gesehen haben.
Satz b. Der Satz setzt voraus, daß wir Helga auch anders als visuell wahrgenommen haben, beispielsweise daß wir sie gehört haben. Und es war wahrscheinlicher, daß wir Helga hören würden als daß wir sie sehen würden. Mitgemeint sein kann auch, daß wir Helga trotz allem nur gesehen, aber nicht gesprochen, mitgebracht usw. haben.

57.
a) a. ist zu lesen als »Helga liest jetzt und hier die Zeitung«, d. h. die Adverbien sind beide dem Satz **Karl bucht seinen Urlaub** nebengeordnet.
b. **jetzt bald** hat nur gemeinsam eine Funktion als Adverbial.
c. **leider** ist Adverbial zu **Karl bucht jetzt seinen Urlaub**. **Jetzt** ist Adverbial zu **Karl bucht seinen Urlaub**.
Bei geeigneter Subklassifizierung der Adverbien könnte der Unterschied für die Konstituentenstrukturen folgendes bedeuten (mit △ für **Karl bucht seinen Urlaub**).

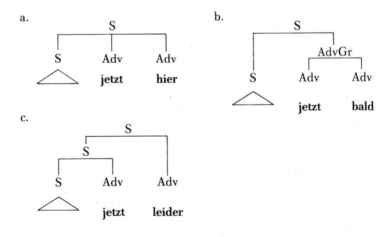

b) Doppelte Adverbien können nicht in Spitzenstellung auftreten, vgl. ***Jetzt hier bucht Karl seinen Urlaub** und ***Jetzt leider bucht Karl seinen Urlaub**. Geht das Adverb voraus, dann muß es bis zur Verarbeitung des Satzes gespeichert bleiben. Das geht einmal, aber offenbar nicht zweimal. Diese Deutung paßt dazu, daß Satz b grammatisch ist: **Jetzt bald bucht Karl seinen Urlaub**.

58.

a) a. Sprecher befindet sich in Kleve

b. Sprecher befindet sich nicht in Kleve

c. bezüglich a und b unmarkiert. Ehrich (1983: 210) nimmt dies als Hinweis darauf, daß nicht **hier** und nicht **dort**, wohl aber **da** neben der deiktischen eine rein phorische Verwendung hat. **Da** wäre das einzige rein phorische lokale Adverb.

b) **Inzwischen** bezeichnet einen Zeitpunkt innerhalb eines Zeitintervalls, das nach ›vorn‹ abgeschlossen ist:

> a. **Inzwischen war Karl nach Hause gekommen**
> b. **Inzwischen wird Egon die Kartoffeln schälen**

Im Gegensatz zu **unterdessen** ist **inzwischen** aspektuell festgelegt auf Pervektivität.

c) **Hin** hat die Bedeutung »weg von der origo (x) in Richtung auf ein angegebenes Ziel (□)«, **her** hat die Bedeutung »in Richtung auf die origo, weg von einem angegebenen Ziel«, vgl. **hinein – herein; hinaus – heraus; hinauf – herauf; hinunter – herunter.**

> (I) a. **hin**   X ———► □
> b. **her**   X ◄——— □

Bei den Temporaladverbien **vorher, nachher** ist nur das Bedeutungselement »weg von einem Ziel (Zeitpunkt)« erhalten, bei **vorhin** nur das deiktische Element:

> (II) a. **vorher**   ◄——— □
> b. **nachher**   □ ———►
> c. **vorhin**   ◄——— X

59.

a) Der von **Er schlief schlecht** bezeichnete Sachverhalt wird sowohl von **nach dem Urlaub** als auch von **vorhin** auf jeweils eine Bezugszeit orientiert. Solche Mehrfachbezüge sind grundsätzlich ausgeschlossen, auch wenn sie sich rein zeitlich nicht widersprechen. **Anfangs** gibt nicht eine Bezugszeit an, sondern eine genauere Bestimmung derselben.

b) I a besagt, daß Karl zur Sprechzeit krank ist und daß er in einem der Sprechzeit unmittelbar vorausgehenden Zeitintervall krank war. Die zweite Bedingung wird meist als Präsupposition von **noch** gefaßt. Für I b gilt entsprechend, daß der Sachverhalt für ein gewisses Zeitintervall nach der Sprechzeit zutrifft.

II a besagt, daß Göttingen in Niedersachsen liegt, aber daß es Städte gibt, die tiefer in diesem Land liegen. Göttingen liegt schon ziemlich nahe der Grenze. Man kann sich eine Ordnung unter niedersächsischen Städten danach vorstellen, wie dicht sie an der Grenze liegen. Diese Ordnung entspricht strukturell der zeitlichen Ordnung in I. Das Analogon zur Sprechzeit ist die Grenze selbst, der Übergang von ›noch Niedersachsen‹ zu ›schon Hessen‹.

60.

a) Adverbien sind nur die von Adjektiven abgeleiteten wie **bedauerlicherweise, zufälligerweise, klugerweise.** Die von Substantiven abgeleiteten wie **auszugsweise, andeutungsweise, quartalsweise, gebietsweise** sind Adjektive:

> a. **die auszugsweise/andeutungsweise Veröffentlichung**
> b.***ein bedauerlicherweise/zufälligerweiser Verlust**

b) Faktive Adjektive nehmen keine **wie**-Sätze als Subjekte:

> a. **Wie du aussiehst ist bedauerlich**
> b.***Wie du aussiehst ist möglich**

61.

Der Mann ist nie gekommen:
Wenn x_1 das Individuum ist, auf das sich der Sprecher mit **der Mann** bezieht, dann gilt für jede Zeit, die für den Sprecher bei **nie** infrage steht, daß x_1 nicht gekommen ist.
Niemand ist gekommen:
Worauf immer sich der Sprecher mit **niemand** bezieht: es ist nicht gekommen.
Analysen dieser Art setzen voraus, daß **nie** und **niemand** als Wörter dasselbe bedeuten wie **je** und **jemand** und daß sie erst auf satzsemantischer Ebene ihre Wirkung als Negatoren entfalten. Eine solche Gleichsetzung erlaubt es, etwa davon zu reden, daß der Sprecher sich mit **niemand** ›auf etwas bezieht‹. Dasselbe gilt für Ausdrücke wie das früher erwähnte **kein Buch**: Mit diesem Ausdruck kann sich der Sprecher auf dasselbe beziehen wie mit **ein Buch** (5.2). Diese Lösung ist sowohl der sprachlichen Form als auch unserer Intuition angemessen: **kein Buch** ist eben nicht gleichbedeutend mit **nichts**, sondern wird verstanden als bezogen auf **ein Buch** (zur Morphologie von Paaren wie **niemand – jemand – nirgend – irgend** und entsprechenden paradigmatischen Reihen Kürschner 1983: 95 ff.).

62.

Zu dieser Gruppe gehören vor allem modale Adverbien auf **lich** wie **wahrscheinlich, angeblich, eigentlich, mutmaßlich, tatsächlich, augenscheinlich.** Als Adjektive kommen sie nur attributiv vor. In einem Satz wie **Karl kommt wahrscheinlich** ist **wahrscheinlich** nicht adverbiales Adjektiv, sondern Adverb. Es tritt als Konstituente neben den Satz **Karl kommt.**
Natürlich gibt es daneben auch explizite Ableitungen von Adjektiven aus Adverbien. Von Bedeutung sind in erster Linie die auf **ig** (**morgig, dortig, vorherig, sofortig, alleinig.** Fleischer 1975: 262 f.).

63.

a) Die genannten Adjektivklassen sind deverbal und haben schon aus diesem Grunde eine Tendenz zum Subjekt- und Objektbezug. Eher subjektbezogen sind Partizipien wie **schreiend, kommend, bittend,** denn sie beziehen sich wie Verben auf Tätigkeiten. Eher objektbezogen sind die auf **bar** und **lich,** u.a. wegen ihres

›passivischen‹ Bedeutungsanteils (**Sie hängt das Bild sichtbar auf; Sie stellt den Zusammenhang begreiflich dar**).

b) Der Grund dürfte rein morphologisch sein. Ein Verb kann nicht zwei Partikeln haben (a, c). In b ist das Adjektiv zu komplex, um als Verbpartikel infrage zu kommen.

64.

a. Prädikatsnomen (Kopulasatz); b. adverbiales Adjektiv (prädikatbezogen); c. adverbiales Adjektiv (prädikat- oder subjektbezogen. Im zweiten Fall in der Bedeutung »Egon ist bequem«); d. Verbpartikel; e. Ergänzung (Verb mit doppeltem Akkusativ; aber auch andere Verben nehmen Adjektive als Ergänzungen, vgl. **Der Stuhl sieht bequem aus**; Helbig/Busca 1975: 481 ff.); f. adverbiales Adjektiv, objektbezogen.

65.

Beispiele:

    a. **Du, der du der Sohn Gottes bist**
    b. **Er, der einer der Vordenker der Nation ist**
    c. **Ich, dem alle Fälle davongeschwommen sind**

In a und b ist das Relativpronomen Subjekt. In diesem Fall wird das Personalpronomen der 1. und 2. Ps im Relativsatz wiederholt, und ist maßgeblich für die Personalendung (**bist** in a). Das Personalpronomen der 3. Ps wird nicht wiederholt (b), weil keine Abstimmungsprobleme bezüglich Ps auftreten.
Ist das Relativpronomen nicht Subjekt wie in c, so wird das Personalpronomen nicht wiederholt.

66.

a) restriktiv: **derjenige, jeder, jemand, keiner, niemand**
   nichtrestriktiv: **dieser, jener**
   doppeldeutig: **aller, der, einer, einiger, mancher, solcher, vieler**
b) Zum Satz I c: **Helgas Vater** ist definit, ein folgender Relativsatz kann also nur nichtrestriktiv gelesen werden. Andererseits sind im Prädikatsnomen nur restriktive Relativsätze zugelassen. Dieser Widerspruch macht den Satz I c uninterpretierbar.
   Im Subjekt des Kopulasatzes wird auf etwas bezuggenommen, über das mit dem Prädikatsnomen prädiziert wird (3.3). Die Prädikation ist Aufgabe des gesamten Prädikatsnomens. Ein restriktiver Relativsatz beschränkt die Extension des Prädikatsnomens und wirkt so an der Prädikation mit. Ein nichtrestriktiver (auch ›beschreibender‹ genannt) prädiziert selbst, d. h. es gibt dann zwei Prädikationen. Das ist mit der Struktur des Kopulasatzes unvereinbar.

67.

a) In zahlreichen Fällen würde das Relativpronomen im Genitiv auch als Artikel zum folgenden Substantiv gelesen werden können. Beispiele:

a. **der Staat, des Beamten** statt **der Staat, dessen Beamten**
b. **die Blume, der Blüte** statt **die Blume, deren Blüte**
c. **Die Frau, der Kinder** statt **die Frau, deren Kinder**

b) Als Objekt steht **derer** und deren (a), als Attribut nur **deren** (b).

a. **die Partei, derer/deren er sich bedient**
b. **die Partei, deren/*derer Führung dies veranlaßt hatte**

68.

a)

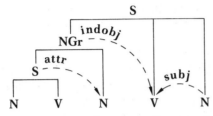

b) Nach Demonstrativ- und Indefinitpronomina wird fast durchweg **was** verwendet (**das, alles, manches, vieles, einiges, weniges, dasjenige**). Außerdem nach substantivierten Adjektiven (**das Kluge, das Entscheidende, das Beste**) es sei denn, das substantivierte Adjektiv bezeichnet etwas Individuelles (**das Kleine, das sie im Arm hielt**, Duden 1984: 677). Nach **nichts** und **etwas** kann sowohl **das** als auch **was** stehen, nach Substantiven steht im allgemeinen **das**.

c) Beispiele: ***Wem er vertraut, ist ein Glückspilz; *Wer als erster an der Straße steht, nehmen wir mit; *Wen Renate ansieht, bekommt ein Bonbon.** Der Satz **Was wir uns schwer erarbeiten, ist uns besonders teuer** ist grammatisch, weil **das** sowohl Nom als Akk sein kann. Phonetische Identität hebt also die Nichtübereinstimmung im Kasus auf.

69.

a) a. **von dem** ist Präpositionalattribut zu **Auto**
b. **dessen** ist Genitivattribut zu **Auto**, **von dessen Auto** ist Objekt zu **begeistert**
c. **von dem** ist Objekt zu **hält**

b) Eine Ersetzung der PrGr durch Relativadverb ist nicht möglich, wenn das Relativpronomen auf Personen referiert (**die Studenten, auf die es ankommt** vs ***die Studenten, worauf es ankommt**). Am unproblematischsten ist die Ersetzung dann, wenn das Relativpronomen eine Form des Neut Sg ist (**das Auto, mit dem** vs. **das Auto, womit**).

Das Relativadverb steht dann nicht für eine PrGr, wenn es sich auf den gesamten übergeordneten Satz bezieht wie in **Karl kommt nach Berlin, wofür wir ihm dankbar sind.** Als PrGr kommt hier allenfalls **für was** infrage. Wir hatten ja gesehen, daß auch **was** auf den ganzen übergeordneten Satz bezogen sein kann (Bsp. 15 b im Text).

70.

a) Klare Zuordnungen lassen sich nur für einen Teil der Ausdrücke angeben. So dekliniert das Adjektiv nach **kein, mein** immer gemischt (**mein kleiner Bruder**), nach **dieser, jeder, jener** schwach (**dieser guten Idee**). Sonst schwankt die Deklination aus unterschiedlichen Gründen. So können **manch, solch, viel** undekliniert auftreten und ziehen dann starke Adjektivformen nach sich (**manch großer Mann**); sind sie dekliniert, so ist das Adjektiv meist schwach (**mancher große Mann; manche großen Männer**). Im Pl kommen aber auch starke Formen vor (**manche große Männer**). Nach **aller** schwankt die Deklination sogar mit dem Genus. Während in **aller guter Wein** das Adjektiv stark ist, kann im Neut nur die schwache Form stehen (**alles gute Bier** vs. *****alles gutes Bier**). Dieses Verhalten zeigt sowohl die Zwischenstellung dieser Quantorausdrücke zwischen den Adjektiven, Artikeln und Pronomina (5.2) als auch die Flexibilität des Adjektivs hinsichtlich der Wahl des Flexionstyps (s. u.).

b) Ist das Numerale nicht deklinierbar, so erscheint das Adjektiv stark. Ist es dekliniert (**zweier, dreier**), so erscheint das Adjektiv meist ebenfalls stark (**zweier aufgeweckter Studenden**). Ausgeschlossen ist die schwache Form aber nicht (**zweier aufgeweckten Studenten**; Helbig/Buscha 1975: 271).

c) Die erstgenannte Lösung erhebt den Gesichtspunkt »genau eine starke Form unter den adnominalen Einheiten« zur Norm. Die zweitgenannte bringt einen ganz anderen Gesichtspunkt zur Geltung. Sie signalisiert, daß beim Auftauchen mehrerer adjektivischer Attribute diese gleichberechtigt neben dem Substantiv stehen. Wir werden weiter unten sehen, daß eine solche Gleichberechtigung nicht überall vorliegt. Es wäre dann logisch, in diesen Fällen die erste Lösung zu wählen, bei Gleichberechtigung die zweite. Eine Differenzierung nach diesem Kriterium gibt es aber offensichtlich nicht. Beide Formen stehen also unvermittelt nebeneinander.

d) Das Adjektiv dekliniert stark. Einen Genitiv gibt es nicht, weil das Pers Pron im Genitiv unweigerlich als Possessivum aufgefaßt würde (**deines blöden Kerles**). Die anderen Kasus gibt es sehr wohl (**dir blödem Kerl; dich blöden Kerl**).

71.

a) Das substantivische Nominal dient primär der Referenzfixierung, das adjektivische der Zuschreibung von Eigenschaften. **Ein Quadrat** signalisiert den Bezug auf ein beliebiges Element der Klasse der Quadrate. Quadrate sind Entitäten bestimmter Art, zu denen Häuser nicht gehören, deshalb ist Satz b semantisch abweichend. Die Eigenschaft quadratisch kann ein Ding haben, ohne daß es zu den Quadraten gehört. Differenzierungen dieser Art sind durchaus geläufig. Man darf jemandes Verhalten wohl ungestraft faschistisch nennen. Justitiabel ist dagegen die Bezeichnung Faschist.

b) **hoch – niedrig** (Dimension Höhe); **hoch – tief** (Dimension Tonhöhe); **tief – flach** (Dimension Tiefe). **Tief** kann also sowohl positiv polarisiert (Tiefe) als auch negativ polarisiert sein (Tonhöhe).
alt – jung (Dimension Lebensalter); **alt – neu** (Dimension Alter von Artefakten); **alt – frisch** (Dimension Alter von Verderblichem).

c) Immer dann, wenn auf die Dimension bezuggenommen wird, wird dazu das positiv polarisierte Adjektiv verwendet. Die Dimension selbst wird von der Nominalisierung dieses Adjektivs bezeichnet (**Höhe, Weite, Alter** und nicht **Niedrigkeit, Enge, Jugend** als Dimensionsbezeichnungen). Aber auch in vielen syntaktischen Kontexten zeigt sich der Unterschied:

    a. **Wie lang/*kurz ist der Film?**
    b. **Der Baum ist 30 Meter hoch/*niedrig**
    c. **Paula ist genauso alt/*jung wie Theo**

d) Sie sind absolut, zumindest haben sie eine absolute Bedeutung. Diese Adjektive beziehen sich direkt auf Sinnesqualitäten (Temperaturempfindlichkeit der Haut, Gesichtssinn, Gehör). Deshalb setzt die Empfindsamkeit des Menschen hier einen kontextunabhängigen Normalwert. Ganz deutlich wird das daran, daß diese Adjektive ein unpersönliches **es** als Subjekt in Kopulasätzen nehmen können (**Es ist warm**). Hier ist eine Vergleichsgröße sogar syntaktisch ausgeschlossen (zu **warm – kalt** genauer Eisenberg 1976: 158 ff.).

72.
a) Es handelt sich bei allen vier Ausdrücken um NGr, die aus vier Nomina bestehen.

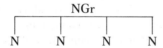

NGr
N   N   N   N

Unterschiede ergeben sich erst bei den niederen Konstituenten bzw. in der Markierungsstruktur. So unterscheiden sich a und b nur dadurch, daß in a die unflektierte Form eines Adjektivs auftaucht. Dadurch wird klar, daß **erstaunlich** sich nicht auf **Tempo**, sondern auf **hohes** bezieht.
b) Das Attribut ist semantisch jeweils auf den ersten Bestandteil des Kompositums zu beziehen, die Konstruktion sieht aber an sich einen Bezug auf den zweiten Bestandteil vor (Bergmann 1980).

73.
Weitere syntaktische Gesichtspunkte ergeben sich vor allem daraus, daß zu einem Substantiv mehrere Attribute treten können. Bei Struktur a können alle diese Attribute dem Kern nebengeordnet werden, bei Struktur b ergeben sich Komplikationen. Hier nur als Beispiel das adjektivische Attribut:

    a.

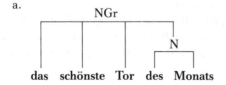

NGr
N
das schönste Tor des Monats

b.

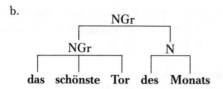

das schönste Tor des Monats

In b ist das Adjektivattribut strukturell näher beim Kern als das Genitivattribut. Dafür gibt es keine Rechtfertigung. Im übrigen wäre – wie stets – die Struktur b und nicht a besonders zu rechtfertigen, denn b ist die kompliziertere von beiden.

74.

Adjektivattribut: **der Baum – der alte Baum – der hohe alte Baum**
Relativsatz: **der Mann – der Mann, der das Auto gekauft hat – der Mann, der das Auto gekauft hat, das gestern vor unserem Haus stand**
Präpositionalattribut: **der Fußweg – der Fußweg durch den Wald – der Fußweg durch den Wald bei Gorleben**
Koordination: **Emma – Emma oder Luise – Emma oder Luise oder Wolfgang**

75.

a) Im Sinne unserer Analyse der Qualitätsadjektive (7.2) kann das attribuierte Substantiv zur Ermittlung einer ›Dimension‹ beitragen. Das Adjektiv bezeichnet Orientierung und Dimension. Ähnlich liegen die Verhältnisse hier.

b) Abgesehen von der Frage, ob in beiden Fällen tatsächlich dieselbe semantische Relation besteht, ist folgendes zu sagen. **Brigitte** als Eigenname bezieht sich auf genau ein Objekt, deshalb ist **Brigitte dieser Klasse** unmöglich. Sehr wohl möglich ist dagegen **die Brigitte dieser Klasse**. Ein Haus ist als Bestandteil einer Stadt nicht so markant, daß man sagt **die Stadt dieses Hauses**. In einer Beschreibung des antiken Pergamon kann man aber lesen »Die Stadt dieser jügeren Burg dehnte sich schnell nach zwei Richtungen aus«. Hier gehört die Stadt zur Burg und nicht umgekehrt.

76.

Der Gen Pl ist beim Substantiv nicht markiert, deshalb kann es nicht heißen **der Bau Häuser; *die Entwicklung Maschinen,* sondern nur **der Bau von Häusern; die Entwicklung von Maschinen**. Tritt ein Artikel oder ein Adjektiv zum Attribut, so ist der Gen möglich (**der Bau der Häuser; der Bau stabiler Häuser**). Besonders interessant sind Fälle wie **der Antrag Münchner Bürger** vs. **der Antrag vieler Bürger**. Der erste Ausdruck ist ungrammatisch, weil **Münchner** sowohl Nom als Gen sein kann, während in **vieler** der Gen markiert ist.
Eine zweite Gruppe von Beispielen findet sich bei den Stoffsubstantiven. Stoffsubstantive tragen, wenn sie allein auftreten, keine Kasusendung (5.3). Deshalb sind Ausdrücke wie ***die Lieferung Stahls; *die Verarbeitung Betons** ungrammatisch.

77.

a) Allgemeine Aussagen lassen sich nur soweit machen, wie ein Ableitungsverhältnis zu Verben und Adjektiven besteht. Bei e kommt der Objektivus vor in Ableitungen von transitiven Verben (**Einnahme, Ausgabe, Entnahme**). Bei Ableitungen von intransitiven Verben (**Lage, Klage**) und Adjektiven (**Güte, Breite, Blässe**) überwiegt der Subjektivus. Deverbativa auf **ei** haben den Subjektivus (**Blödelei, Faselei, Mogelei**). Sie Substantive auf **heit** und **keit** sind deadjektivisch (**Dummheit, Sauberkeit**). Den Subjektivus haben ebenfalls die Deverbativa und Deadjektiva auf **tum** (**Reichtum, Deutschtum, Wachstum, Irrtum**).

b) Die entsprechenden Verben müssen nicht nur transitiv sein, sondern sie müssen auch Substantive desselben semantischen Typs als Subjekt wie als Objekt nehmen.

c) In a handelt es sich um sogenannte Gegenstandsnominalisierungen. Das Substantiv bezeichnet nicht Handlungen, sondern deren Ergebnis. Ein agensfähiges Subjekt wie **Karl** legt diese Interpretation nahe, und umgekehrt kann bei dieser Interpretation ein Ausdruck wie **Karl** nur als Subjektivus verstanden werden. In b ist das Objekt Teil des Substantivs, die Objektstelle ist also besetzt. Deshalb die Interpretation des Genitivs als Subjektivus. Semantische Verträglichkeiten spielen natürlich auch hier eine Rolle.

78.

a) Kasusidentität kann dann nicht vorliegen, wenn die Apposition kein Nominal ist.

> a. *des Wirtschaftsministers, früher eines unglaublichen Reaktionärs
> b. des Wirtschaftsministers, früher ein unglaublicher Reaktionär
> c. der Wirtschaftsminister, früher ein unglaublicher Reaktionär

Der Ausdruck **früher ein unglaublicher Reaktionär** ist keine NGr, ihm kann deshalb auch nicht als Ganzem ein Kasus zugewiesen werden. In diesem Fall tritt als Kasus in der Apposition der Nom auf wie in b. Der Ausdruck a mit zwei Genitiven ist ungrammatisch. Es wäre also falsch, in c von Kasusidentität zwischen **der Wirtschaftsminister** und **ein unglaublicher Reaktionär** als einer syntagmatischen Beziehung zu sprechen. Das zweite Nominal steht nicht im Nom, weil das erste im Nom steht und umgekehrt, sondern es steht in Nom, weil es in der durch ein Adverb erweiterten Apposition immer im Nom steht.

b) In Beispiel a könnte statt des Genitivs **Argentiniens** auch **von Argentinien** stehen. Möglicherweise ist dies der ›Bezugsdativ‹. In b ist (wie immer bei Feminina) der Genitiv **der Kasernierten Volkspolizei** formgleich mit dem Dativ. In c könnte es statt **am Beispiel Brasiliens** auch heißen **an Brasilien**. Die Präposition **an** spielt mit Sicherheit eine Rolle. Im letzten Beispiel regiert das Verb (**übermitteln**) neben **an** + Akk auch den Dativ. Auch hier ist also wieder ›latent‹ ein Dativ vorhanden. In allen vier Beispielen kann die ›falsch gebildete‹ Apposition auf einen vorhandenen oder latenten Dativ bezogen werden. Gippert meint jedoch, daß der Dativ sich auch über Fälle dieser Art hinaus als Kasus der lockeren Apposition durchsetzen werde.

79.

a) **wegen zwei Kisten Erdbeerpflanzen: wegen** regiert den Dativ, **zwei Kisten** ist ein Dativ. **Erdbeerpflanzen** kann dann gelesen werden als Nominativ (keine Kasusendung der Artangabe), als Genitiv (dann ist es Partitivus) oder als Dativ (dann liegt Kasusidentität vor).

447

> **wegen zweier Kisten Erdbeerpflanzen: wegen** regiert den Genitiv, **zweier Kisten** ist ein Genitiv. **Erdbeerpflanzen** kann dann gelesen werden als Nominativ (keine Kasusendung der Artangabe) oder als Genitiv (dann ist es Partitivus oder es liegt Kasusidentität vor, d. h. der Genitiv der Artangabe kann in diesem Fall selbst doppelt gedeutet werden).

b) **Drei Glas Bier** ist gegenüber **drei Gläser Bier** eine Abstraktion. Gemeint ist damit eine reine Maßeinheit, die absieht von den konkret-physikalischen Eigenschaften des von **Glas** Bezeichneten (Ljungerud 1955: 109f.). Plank (1981: 142ff.) meint, daß die hier im Sg auftauchenden Substantive zu einer Kategorie ›Maßeinheit‹ zusammenzufassen sind. Ausgeschlossen von dieser Kategorie sind alle Substantive, die den Pl auf **en** bilden. Was der Pl auf **en** mit den Maßeinheiten zu tun hat, ist nicht restlos geklärt.

80.

a) Es handelt sich jedenfalls nicht um eine Rektionsbeziehung wie bei den übrigen Kasus. Fügt man nämlich einen Artikel oder ein anderes adsubstantivisches Element ein, dann werden die Ausdrücke im Nom ungrammatisch (****infolge ein Todesfall**; ****wegen der Mangel an Kohlen**). Wahrscheinlich liegt etwas Ähnliches vor, wie wir es schon bei der Endungslosigkeit der Stoffsubstantive beobachtet haben (5.3.2).

b) Die Alternative ist, **als** und **wie** als Konjunktionen anzusehen. Verbinden diese Konjunktionen Nominalausdrücke, so ist Kasusidentität zwischen den Nominalen gefordert. **Als** und **wie** verhalten sich in diesem Punkt wie **und** (Genaueres 9.3):

    a. Nom
    Nächste Woche werden Elke und Emil eingestellt
    Nächste Woche wird Elke als Assistentin eingestellt
    b. Gen
    Ich erinnere mich deiner und der guten alten Zeit
    Ich erinnere mich deiner als eines guten Freundes

Konstruieren Sie selber entsprechende Beispiele für den Dat und den Akk.

c) Beispiele: **seit über drei Wochen; bis nach Augsburg; Schäden an über zehn Prozent des Waldes; ein Preis von über 100 Mark; infolge von Witterungseinflüssen; gegenüber von mir; bis auf Franz; von unter der Brücke.** Das hier vorliegende Rektionsverhalten ist im Einzelnen noch nicht untersucht.

81.

a) Zwischen x_1 und x_2 liegt eine Fläche F (z. B. eine Straße, ein Teich, ein Fluß, ein Sportplatz). Verbindet man x_1 mit x_2 mit einer geraden Linie, so schneidet diese Linie die dem Objekt x_1 am nächsten liegende Begrenzung von F senkrecht (Moilanen (1979: 49ff.).

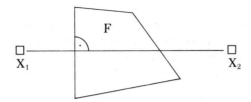

Bei Objekten mit einer Vorderseite und insbesondere Personen sind die Vorderseiten einander zugewandt.

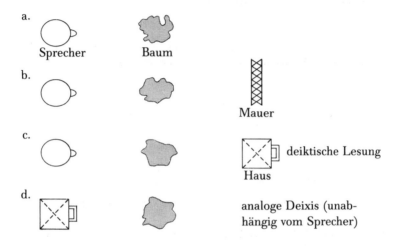

82.

a) **Bis** regiert den Akk (**bis nächste Woche, bis vorletzten Dienstag**). **Seit** ist stärker als **bis** auf die zeitliche Lesart fixiert und deiktisch. **Seit Dienstag** meint immer »von Dienstag an bis zur Sprechzeit«. **Bis** ist nicht notwendig deiktisch.

Bis verweist auf die Strecke (den Weg) zwischen einem kontextuell gesetzten Ausgangspunkt und dem mit der PrGr gegebenen Ziel (**Karl fährt in den Schwarzwald – Karl fährt bis in den Schwarzwald**). Deshalb ist **bis** dort ausgeschlossen, wo ausdrücklich nur ein bestimmter Punkt angesprochen wird (***bis am nächsten Sonntag**; ***bis im Bett**).

b) Ist eine Zeitspanne gemeint, so steht **in**, egal, wie lang diese Zeitspanne ist (**in einer Stunde; in der nächsten Woche; in der Nacht; im Morgengrauen**). **An** steht nur bei **Tag** und bei den Tageszeiten sowie bei Tagesangaben (**am Tag danach; am Morgen; am 28. August; am Mittwoch; an drei Tagen im Monat**). Dies deutet darauf hin, daß für unsere Zeitwahrnehmung der Tag eine herausragende Rolle spielt. Der Tag ist dabei nicht nur ein Zeitraum, sondern die Grundeinheit für Folgen von Zeitpunkten. Nur wenn diese besondere Bedeutung von **Tag** nicht gemeint ist, kann **in** stehen: **in den Tagen der Not** (Schröder 1977: 140 ff.).

449

83.

Der Genitiv war ursprünglich meistens ein Genitivattribut. Die Gruppe a ist wohl in zwei Schritten entstanden. Aus **an der Hand dieses Beispiels** wurde zunächst der Artikel gelöscht. Das war möglich, sobald **Hand** seine konkrete Bedeutung vorlor, es entstand **an Hand dieses Beispiels**. Danach rückten Präposition und Substantiv zusammen zu **anhand**.

In Gruppe b ist nicht ein allmähliches Zusammenrücken, sondern ein echter Wortbildungsprozeß wirksam. Aus **unter Abzug der Steuern** wird **abzüglich der Steuern**. Alle diese Präpositionen enthalten einen Verbalstamm (**ziehen, lassen, halten**), deshalb kommt **lich** hier zum Zuge. Dieses Suffix operiert vielfach auf Einheiten mit Verbalstämmen (**dienlich, vergeblich**).

84.

a ist eine ›normale‹ Attributkonstruktion. In b bezieht sich der Genitiv auf die gesamte NGr **Ministerium für Verteidigung**, die Struktur ist also:

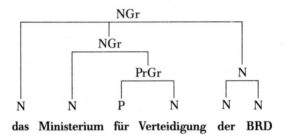

In c sind beide PrGr auf **Ministerium** bezogen, in d nur die erste. Von der Konstruktion her liegen Mehrdeutigkeiten vor, d. h. was tatsächlich gemeint ist, läßt sich nur semantisch entscheiden. In e handelt es sich um einen Fall von enger Apposition. Formal kann das festgemacht werden an der Maßangabe **zwei Kilometer** (7.3.2). In f ist **im Rücken** nicht Präpositionalattribut. Die PrGr und das Nominal rücken als Mitspieler eines Verbs zusammen, sie haben noch die Form der Ergänzung (**jemand hat das Ministerium im Rücken; das Gewehr im Anschlag; den Kopf in der Schlinge**). Funktional sind solche Ausdrücke Adverbiale. Man bezeichnet sie auch als absolute Akkusative (Duden 1984: 581).

85.

a) Bei diesen ›psychischen‹ Verben steht in Subjektposition häufig ein nicht agensfähiger Aktant, während die Objektposition »der psychisch am Vorgang beteiligten Person« vorbehalten ist (Lenerz 1977: 144). Die üblichen semantischen Merkmale von Subjekt und Objekt sind bei diesen Verben wegen ihrer besonderen Bedeutung vertauscht. Überall dort, wo sich eine grammatische Erscheinung am Agenscharakter des Subjekts festmachen läßt, fallen diese Verben auf. Insbesondere haben sie in der ›psychischen‹ Bedeutung kein Passiv.

b) Es dürfte mit der Attributfunktion des Adjektivs zusammenhängen. In **der des Lateinischen kundige Knabe** ist **des Lateinischen** noch immer Objekt. Die Nominalisierung des Adjektivs läuft über diese deklinierte Form. Dafür spricht auch, daß das Genitivattribut nur vorangestellt sein kann (***der Unkundige des**

Lateinischen). Man muß sogar fragen, ob es sich überhaupt schon um ein Attribut oder noch um ein Objekt handelt, denn entsprechende Konstruktionen gibt es auch mit dem Dativ (**der dem Teufel Verfallene**), dem Akkusativ (**die den Heiland Suchende**) und mit PrGr (**die auf Frieden Hoffende**). Bestimmte Nominalisierungen des Adjektivs bleiben grammatisch dichter bei der Basis als das bei Deverbativen möglich ist. Hier macht sich geltend, daß das Adjektiv selbst ein Nomen ist (dekliniert).

86.

Karl hat gestern den Zug verpaßt; Gestern hat Karl den Zug verpaßt; Den Zug hat Karl gestern verpaßt; Den Zug hat gestern Karl verpaßt. Wenn A sagt »Otto hat gestern den Zug verpaßt« und B antwortet »Nein, Karl hat gestern den Zug verpaßt«, dann ist **Karl** nicht das Thema des Satzes. Die formale Kennzeichnung erfolgt durch die Intonation (›Kontrastakzent‹ auf dem Subjekt).

87.

Beispiele: **Diesen Kreuzer hatte seine Mannschaft schon am Tage vorher verlassen. An den Ayatollah glauben nur noch seine Verwandten** und sogar: **Nur seine Verwandten glauben noch an den Ayatollah.**
Die Pronominalisierbarkeit eines Nominals hängt offenbar auch von der Reihenfolge der Satzglieder und der Thema-Rhema-Struktur ab.

88.

a) Gegenbeispiele: Verben, die kein Subjekt nehmen müssen (**Mich friert es – Mich friert**), passivische Sätze wie **Ihm wurde schlecht geraten**, vgl. auch 6.2.
b) Bei Verben, die typischerweise ein ›agensfähiges‹ (belebtes, menschliches) Objekt nehmen, ist die Spitzenstellung des Subjekts häufig nicht die unmarkierte Stellung, z.B. **Ihn traf der Schlag; Ihrer harrt ein schweres Los; Mir fehlen die richtigen Beziehungen; Mich wundert deine Frechheit.**

89.

a. A-O; b. O-A; c. I-O; d. A-O-I; e. A-I-O; f. A-I-F; g. A-O-L; h. O-L; i. D-A; k. A-D-A; l. D-A.
Abweichungen von der Kasushierarchie liegen vor in b (Passiv) und h (›Intransitivierung‹).

90.

a) Die Grundregel lautet, daß durch **und** koordinierte Nominale den Plural, durch **oder** koordinierte Nominale den Singular beim Verb fordern. I c ist grammatisch, weil **auch** die Interpretation nahelegt, daß Hans und Karl getrennt nach Berlin fahren. Diese Interpretation ist für I a ebenfalls möglich, erzwingt hier aber dennoch den Plural. II enthält ein symmetrisches Prädikat. III a ist eine sogenannte constructio ad sensum. Sie ist möglich bei ›formelhaften‹ (Duden 1984: 653) koordinierten Subjekten wie **Grund und Boden; Freund und Feind.** IV erfordert den Singular des Verbs, weil **zu**-Infinitive nicht bezüglich Numerus flektierbar sind.
b) **Ich** bezieht sich auf den Sprecher. Wenn **ich** mit einem anderen Nominal durch

und verbunden wird, dann schließt der entstehende Ausdruck den Sprecher ein, er könnte also durch **wir** pronominalisiert werden. In c steht daher die Personalform, die mit **wir** kongruiert, d, e sind grammatisch, weil die Verbformen, die von den einzelnen Nominalen gefordert werden, gleichlauten, z. B. **wir fahren, die Meiers fahren** (Eisenberg 1973).

91.

In a ist **mein Sohn** das Subjekt. **Bäcker** kann nicht Subjekt sein, weil es ohne determinierendes Element steht (Artikel, Pronomen). Das artikellose Vorkommen von Appellativa im Sg ist auf bestimmte syntaktische Funktionen beschränkt, zu denen das Prädikatsnomen gehört, nicht aber das Subjekt.

In b ist **Graugänse** Subjekt (Numeruskongruenz). Man kann Subjekt und Prädikatsnomen auch mit einem Stellungstest mit **nicht** unterscheiden (**Graugänse sind das nicht** vs. ***Das sind Graugänse nicht**). Allgemein scheint zu gelten: Ist das Subjekt referentiell, so kann **nicht** nur dem nachgestellten Subjekt folgen (**Bäcker wird Karl nicht**). Ist nur das Prädiaktsnomen referentiell, kann **nicht** nur bei nachgestelltem Prädiaktsnomen folgen (**Graugänse sind das nicht**). Sind beide nicht referentiell, kann **nicht** wiederum nur dem nachgestellten Subjekt folgen (**Säugetiere sind Graugänse nicht**).

In c ist **er** Subjekt. Man erkennt das an analog gebildeten Ausdrücken wie **Unschuldslamm, das du bist/*ist.**

92.

Bei **vertrauen auf, sich verlassen auf, spekulieren auf, sich vorbereiten auf, hoffen auf, sich konzentrieren auf, warten auf, hinwirken auf** liegt der vom Nominal bezeichnete Sachverhalt nach einer kontextuell gegebenen Bezugszeit. Er ist bezüglich der im Subjekt genannten Person prospektiv (wird erstrebt oder erwartet).

93.

a) Genitivobjekt und Präpositionalobjekt: **spotten über, sich entsinnen an, sich erfreuen an, sich erinnern an.** Dativobjekt und Präpositionalobjekt: **schreiben an, vertrauen auf, sagen zu.** Akkusativobjekt und Präpositionalobjekt: **rufen nach, anfangen mit, fliehen vor, schreiben an, bauen an, arbeiten an.**

b) Es ist zweifelhaft, daß dies die allgemeine Tendenz ist. Das Genitivobjekt geht zwar zurück. Das liegt aber in der Mehrheit der Fälle daran, daß die Verben mit dem Genitiv aus dem Gebrauch kommen. Zum Dativobjekt 8.2.2. Beim Akkusativ gibt es den Fall des systematischen Nebeneinander von Kasus- und Präpositionalobjekt mit aspektuellem Bedeutungsunterschied wie in **etwas schreiben** vs. **an etwas schreiben.** Das Präpositionalattribut erweitert seine Domäne dennoch. Aber nicht, indem es oblique Kasus ersetzt, sondern dadurch, daß neue Verben gebildet werden. Eine direkte Verdrängung gibt es bei den Attributen (7.4.2).

94.

a) Diese Verben haben jeweils ein Valenzmuster mit nichtkommutierbarer Präposition (**Die Wahl fällt auf Karl; Das liegt an Emil**) neben einer, in der dieselbe Präposition ein Adverbial einleitet (**Karl fällt auf die Nase**) oder ein Objekt mit kommutierbarer Präposition (**Egon liegt am Boden**).

b) So gut wie jeder Satz kann mit einer lokalen PrGr versehen werden, dagegen vertragen sich viele Verben nicht mit direktionalen. Die direktionale Bedeutung

(I) a. **Karl liest/schläft/entschließt sich/verhungert auf der Straße**
b. **Karl *liest/*schläft/*entschließt sich/verhungert auf die Straße**

ist gegenüber der lokalen semantisch markiert (7.4.1).
Die enge Bindung direktionaler Präpositionen zeigt sich auch daran, daß sie einen starken Hang haben, als Präfix Bestandteil des Verbs zu werden. Fälle wie II, wo aus einer Präposition mit Akk ein Präfixverb mit direktem Objekt wird,

(II) a. **Renate schreibt ihren Namen unter den Brief**
b. **Renate unterschreibt den Brief mit ihrem Namen**

sind ziemlich häufig. Aber auch bei direktionalen Präpositionen mit Dativ kommt der Übergang vor (**jemandem zuwinken, nachblicken, ausweichen, entgegengehen**). Häufig ist sogar dort das direktionale Element bei Dativverben unverkennbar, wo die Präposition an sich gar nicht direktional ist (**jemandem beispringen, beitreten, auffallen, nahegehen**).

95.

a) Es kommt nur die 1. Ps des Personalpronomens vor. Sie folgt unmittelbar dem finiten Verb.
b) Es scheinen generell zwei Positionen möglich zu sein, nämlich nach der Konjunktion und nach dem Subjekt, z. B.

a. **wenn mir der Meier dem Schulze das Bundesverdienstkreuz überreicht**
b. **wenn der Maier mir dem Schulze das Bundesverdienstkreuz überreicht**

c) Generell kann das dativische Pronomen der 1. und 2. Ps als Ethicus gelesen werden, wenn es dem finiten Verb unmittelbar folgt. Nimmt das Verb oder Adj kein Dativobjekt, dann ist als Ethicus zu lesen (a, d), wenn der Dat nicht ein Judicantis ist (s. u.). Nimmt das Verb oder Adj einen Dat, so ist die Lesung als Ethicus unwahrscheinlich, nicht aber ausgeschlossen (b, c). Es sei denn, das Dativobjekt ist obligatorisch (e).

96.

a) a. **mir (mich) dünkt/ekelt/graust/schwindelt/schmerzt/juckt . . .**
b. **er beißt/kratzt/sticht/kneift/schneidet mir (mich) ins Bein**
Abraham (1983: 198ff.) sieht in erster Linie stilistische Varianten. Wegener (1985: 166ff.) sieht für die Verben in a keine generellen Bedeutungsunterschiede, bei denen in b sieht sie einen höheren Grad an Intentionalität beim Subjekt und Intensität des Involviertseins beim Objekt der transitiven Variante. Bei Wegener weitere Verbgruppen dieser Art.
b) Neben Einzelfällen wie **gratulieren – beglückwünschen; helfen – unterstützen;**

imponieren – beeindrucken gibt es zu vielen Dativverben eine morphologische Ableitung mit direktem Objekt und präpositionalem Objekt (**jemandem etwas schenken** vs. **jemanden mit etwas beschenken**; ebenso **neiden – beneiden; liefern – beliefern; zahlen – bezahlen; kochen – bekochen**. Wegener (1985: 171 ff.) diskutiert für die **be**-Verben vor allem die Möglichkeit einer ›holistischen‹ (auf das Gaze gesichteten) Interpretation. Danach heißt etwa **jemanden bekochen** eher daß man ihn ›rundum‹ bekocht. **Jemandem kochen** hieße das nicht unbedingt.

97.

a) **jemandem etwas abgewinnen, abgewöhnen, aufnötigen, einschärfen, gönnen, überlassen.**

b) **danken: er dankt ihm – er dankt ihm etwas – *er dankt etwas;**
nachrufen: er ruft ihm nach – er ruft ihm etwas nach – *er ruft etwas nach;
ebenso **vorjammern, vorschwindeln, zuflüstern.**

c) Der Unterschied zeigt sich bei Besetzung von nur zwei Stellen: **er gibt etwas** hat eine spezielle Bedeutung (»er spendet etwas«). **Nehmen** hat eine derartige Variante nicht. **Er nimmt etwas** impliziert »für sich«. Der Dativ hat bei **nehmen** zwei Lesungen. **Er nimmt ihr etwas** kann heißen »von ihr« und »für sie«. Es dürfte schwer sein zu bestreiten, daß **nehmen** gegenüber **geben** unmarkiert ist. Denn so ist der Mensch.

98.

a) In II b kommt es zu semantischer Inkompatibilität, weil das Adjektiv sich nicht mit dem Basisverb verträgt:

    a. **Die Fehltage werden vollständig angerechnet**
    b. **Karl regt Paul groß auf**

b) Es verhält sich so wie in Sätzen mit präpositionalem Objekt, d. h. es kann am Satzanfang und nach dem Finitum stehen:

    a. **Vollständig kommen die Fehltage zur Anrechnung**
    b. **Die Fehltage kommen vollständig zur Anrechnung**
    c. ***Die Fehltage kommen zur Anrechnung vollständig**

c) In b ist das Attribut ein Objektivus (**Abdruck** ist Derivat eines transitiven Verbs). Derselbe Mitspieler ist in a als Subjekt enkodiert, daher kann das Genitivattribut nicht mehr als Objektivus gelesen werden. Die Konstruktion in Satz b ist eine der wenigen, in denen referentielle Nominale in FVG vorkommen können.

99.

Einige enthalten das obsolete Dativ-**e**. **Zustatten** enthält keine Substantivform des gegenwärtigen Deutsch. **Frage** ist ein Appellativum und müßte einen Artikel nehmen. **Zuhilfe** hat außer der Zusammenschreibung kein Merkmal, das Lexikalisierung anzeigt.

100.
Präpositionale Attribute können dem Kern in der Regel nicht vorausgehen (7.4.2).
Hier ist aber sogar Spitzenstellung möglich: **Von ihren Eltern gerät sie in Abhängigkeit.**

101.
a) In Stellungstypen mit Vorfeld muß genau ein Satzglied stehen. Infrage kommen sämtliche Ergänzungen und Adverbiale einschließlich der Sätze und Infinitivgruppen (zur Vorfeldbesetzung weiter Beneš 1971; Olszok 1983).
b) Ausgeklammert werden müssen pronominal gebundene Subjektsätze (I) sowie die meisten Objekt- und Adverbialsätze (II, III). Nur unter sehr speziellen Bedingungen können sie in der Klammer stehen (IV).

(I) a. **Es hat mich gefreut, daß du angerufen hast**
      b.***Es hat daß du angerufen hast mich gefreut**

(II) a. **Ich habe nicht zu hoffen gewagt, daß du anrufst**
      b.***Ich habe nicht daß du anrufst zu hoffen gewagt**

(III) a. **Ich wohne in Berlin, weil ich gern Hamburger esse**
      b.***Ich wohne weil ich gern Hamburger esse in Berlin**

(IV) **Karl hat darüber, ob er auswandern soll, viel nachgedacht**

Normal dürfte die Nachfeldstellung für Infinitivgruppen in Objekt- und Adverbialfunktion sein:

(V) a. **Karl hat versucht zu lügen**
      b. **Karl hat zu lügen versucht**
      a. **Paula ist gekommen, ohne etwas zu sagen**   (VI)
      b. **Paula ist ohne etwas zu sagen gekommen**

Zur Ausklammerung weiter Beneš 1968; Engel 1970.

102.
a) Ist eins der Objekte ein Pronomen, so wird es vorgestellt (insbesondere anaphorische Pronomina sind oft thematisch). Sind beide Objekte Pronomina, so geht das akkusativische dem dativischen voraus (zu einer möglichen Erklärung Wegener 1985: 253 f.).
b) Die Abfolge lokales-temporales Adverbail ist markiert (I; dazu weiter Lenerz 1977: 78 ff.). Möglicherweise hängt das damit zusammen, daß lokale eher als

(I) a. **Karl schläft seit drei Wochen in der Waschküche**
      b. **Karl schläft in der Waschküche seit drei Wochen**

temporale Adverbiale einem Übergang zum Objekt zuneigen (8.2.1). Das Präpositionalobjekt steht ja bei unmarkierter Abfolge am Ende des Mittelfeldes.

455

103.

a) **Wenn** ist subordinierend. Der zweite Nebensatz ist dem ersten untergeordnet. Nebensätze können einander koordinieren und subordiniert werden, Hauptsätze können nur koordiniert werden.

b) Koordinierende Konjunktionen schließen keine Adverbialsätze an. Der Adverbialsatz ist formal und semantisch eindeutig bezogen auf einen anderen Satz, er hat Satzgliedfunktion. Das äußert sich etwa darin, daß er für die Satzgliedtopologie eine bestimmte Rolle spielt. So kann ein Adverbialsatz das Vorfeld eines Satzes besetzen (**Weil er lügt, wird Egon blaß**). Koordinierte Sätze sind nicht derart zu einer Einheit integriert, sie stehen nebeneinander.

104.

a) Die Alternative wäre, Sätze mit **wo, wohin, woher** als indirekte Fragesätze anzusehen. Dafür spricht zweierlei: (1) **wo, woher, wohin** haben im Nebensatz Satzgliedstatus (sind Objekt bzw. Adverbial); (2) sie sind erfragbar (**Wo beginnt das Naturschutzgebiet?** weiter dazu 10.1.2).

b) Neben den im Text erwähnten temporalen Beziehungen sind zu nennen kausale (**wegen, aufgrund**), konzessive (**trotz**), instrumentale (**mit, durch, mittels**), finale (**zwecks**). Auch bei den ›inhaltsleeren‹ könnte man nach Parallelen suchen. ›Inhaltsleere‹ Präpositionen leiten Objekte ein, ›inhaltsleere‹ Konjunktionen kommen ebenfalls in erster Linie in Ergänzungen vor.

105.

a) Beispiele

Substantivische Nominale aller Art (**Edith oder Erich; die Braut von Emil oder das Motorrad von Inge**); Adjektive (**frei oder einsam; sein rotes oder grünes Hemd**); Artikel (**der oder die Arbeitslose**); Voll-, Kopula- und Modalverben (**Karl ist oder wird Minister** usw.); Adverbien (**heute oder morgen**); Präpositionen (**auf oder unter dem Tisch**); Konjunktionen (**weil oder obwohl er das tat**); alle Formen von Sätzen und Infinitivgruppen.

b) **Entweder oder** ist im unmarkierten Fall exklusiv zu lesen. Mit einem Satz wie **Entweder Inge oder Helga kann mitkommen** ist gemeint, daß nicht beide mitkommen können. Einfaches **oder** ist in dieser Hinsicht weniger festgelegt. **Inge oder Helga kann mitkommen** schließt nicht unbedingt aus, daß beide mitkommen können (sogenanntes inklusives **oder**) (Kohrt 1979).

c) Wie bei den meisten anderen koordinierenden Konjunktionen müssen die Konjunkte von **aber** und **sondern** semantisch kontrastfähige Elemente enthalten (dazu genauer 9.2). In Satz II a sind dies **saufen** vs. **trinken**, in II b **ein Buch** vs. **der Spiegel**, in II c **zusammenwohnen** vs. **sich treffen**.

Werden zwei Sätze mit **aber** verbunden, so wird die Gültigkeit des ersten durch den zweiten eingeschränkt. Trinken meint in II a bei **aber** eine milde Form des Saufens. Der Satz **Karl säuft nicht** bleibt zwar wahr, jedoch wird durch den Nachsatz klargestellt, daß auch ein anderer Satz wahr ist, der die Gültigkeit des ersten einschränkt (**Karl trinkt**). Mit **aber** wird also auf das Gemeinsame in den Bedeutungen der kontrastfähigen Elemente abgehoben.

Mit **sondern** wird nicht die Gültigkeit des ersten Konjunkts eingeschränkt, sondern es findet eine Korrektur statt. Der erste Satz ist daher ein Widerspruch. Der

Widerspruch muß offen durch ein Negationselement als solcher gekennzeichnet sein, deshalb steht **sondern** nur nach ›negativen Sätzen‹. Bei antonymen Bedeutungen wie in II d kann nur **sondern** stehen, weil hier nur eine Korrektur, nicht aber eine Einschränkung semantisch möglich ist.

Zu **sondern** und dem Verhältnis von **aber** und **sondern** Stickel 1970: 152 ff.; Pusch 1975; Asbach-Schnitker 1979.

106.
Adverbien in Spitzenstellung führen zur Inversion von Subjekt und finitem Verb:

    a. **Karl hat sich angestrengt, trotzdem hat er verloren**
    b.***Karl hat sich angestrengt, trotzdem er verloren hat**
    c. **Karl hat sich angestrengt, aber er hat verloren**
    d.***Karl hat sich angestrengt, aber hat er verloren**

Beide Verwendungsmöglichkeiten haben **doch, jedoch.** Auch hinsichtlich der Stellungsmöglichkeiten unterscheiden sich Konjunktionen und Adverbien. Konjunktionen stehen in der Regel nur am Satzanfang (Ausnahme: **aber**).

107.
Weist man Strukturen nach 16 a zu, so erhält man vielfach unerwünschte Konstituentenbildungen. Für einige davon stehen nicht einmal Kategoriennamen zur Verfügung. Beispiel:

(I)

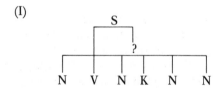

Hans kocht Tee und Egon Kaffe

Weist man Strukturen nach 16 b zu, so spricht man **und** jede konstituentenbildende Kraft ab. Die Folge sind hierarchisch unstrukturierte Gebilde, in denen weder der Begriff Konjunkt noch der Ausdruck ohne **und**-Koordination etwas mit der Konstituentenbildung zu tun hat. Beispiel:

(II)

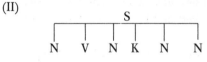

Hans kocht Tee und Egon Kaffee

II ist trotzdem noch angemessener als I, weil es – unter Berücksichtigung der Markierungsstruktur – die Rekonstruktion der relationalen Verhältnisse im Satz erlaubt. Diese Rekonstruktion wird allerdings unverhältnismäßig aufwendig. Unser Vorschlag für die Struktur des Satzes findet sich in Aufgabe 108 a.

108.

a)

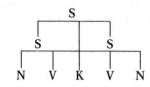

a. Hans kocht und bringt Tee

b. Hans oder Egon kocht Tee

c.

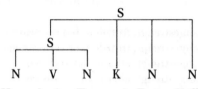

Hans kocht Tee und Egon Kaffee

b) Folgende grammatische Sätze lassen sich ableiten:

(I)
   a. Hans liest ein Buch und ~~Hans~~ schreibt einen Artikel

   b. Hans liest ein Buch und ~~Hans liest~~ einen Artikel

   c. Hans liest ~~einen Artikel~~ und Egon schreibt einen Artikel

   d. Hans ~~schreibt einen Artikel~~ und Egon schreibt einen Artikel

   e. Hans liest ein Buch und Egon ~~liest~~ einen Artikel

Die Sätze a bis d entsprechen der Richtungsbedingung. Für b und d ist sie allerdings so zu erweitern, daß auch mehrere Konstituenten nacheinander gestrichen werden können. Satz e ergibt sich nicht, denn das Verb steht nicht am Rand einer übergeordneten Konstituente. Das Verb ist in dieser Hinsicht ›neutral‹. In solchen Fällen ist Vorwärtstilgung eher möglich als Rückwärtstilgung. Vorwärtstilgung ist generell unrestringierter als Rückwärtstilgung, weil der Satz von links nach rechts geäußert bzw. wahrgenommen wird, das rechte Konjunkt also leichter ›vervollständigt‹ werden kann als das linke.

Für die Nebensätze im Deutschen ist die Richtungsbedingung kompliziert. Deshalb nur der Hinweis, daß das Verb sowohl vorwärts als auch rückwärts getilgt sein kann:

(II)
   a. weil Hans ein Buch liest und Egon einen Artikel ~~liest~~

   b. weil Hans ein Buch ~~liest~~ und Egon einen Artikel liest

Auch hier zeigt sich die geringere Restringiertheit der Vorwärtstilgung. Stimmen die Verbformen in beiden Sätzen hinsichtlich Person oder Numerus nicht überein, so ist dennoch Vorwärtstilgung möglich, nicht aber Rückwärtstilgung

(III)
   a. weil ich ein Buch lese und Egon einen Artikel liest

   b. weil ich ein Buch lese und Egon einen Artikel liest

(III; Reis 1974).

Mit Ausdrücken wie Gapping und Tilgung haben wir Redeweisen aus der transformationellen Grammatik übernommen. Es ging dabei um die möglichst komplikationslose Darstellung einiger Fakten. Damit ist ausdrücklich nicht impliziert, daß es Tilgungen usw. ›gibt‹. Sämtliche relevanten Begriffe lassen sich oberflächensyntaktisch rekonstruieren.

109.
Beispiel a.

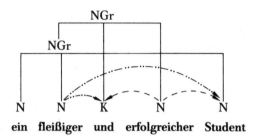

ein fleißiger und erfolgreicher Student

Das erste Konjunkt **fleißiger** ist direktes adjektivisches Attribut zu **Student** und indirekt konjunktional gebunden an **und**. Für das zweite Konjunkt **erfolgreicher** bestehen dieselben Relationen, aber umgekehrt bezüglich Direktheit/Indirektheit.

110.
a) Der Nom ist vom Subjekt, der Akk vom Reflexivum übernommen.

b) **Anstellung** und **Bestrafung** sind Nominalisierungen von Verben unterschiedlichen Typs. Insbesondere ist eine **als**-Phrase Ergänzung zu **anstellen** (**jemanden als etwas anstellen**), aber nicht zu **bestrafen**. Das hat einen semantischen Unterschied zur Folge. In II besteht zwischen **mein Bruder** und **verantwortlicher Betriebsleiter** ein einfaches Subsumtionsverhältnis, in I ist dieses Verhältnis modal. Mein Bruder ist nicht, sondern er wird erst durch die Anstellung Betriebsleiter.

Der Ausschluß des Genitivs in I c ist dadurch bedingt, daß das Genitivattribut bei der Nominalisierung von **anstellen** nur als Subjectivus oder Objectivus interpretierbar ist (7.3.1).

111.
Beispiele

(I) Ergänzungen

    a. **Hans schläft länger als Paul**

    b. **Emilie enthält sich des Rauchens konsequenter als des Trinkens**

    c. **Karl schreibt lieber an seine Tante als an seine Oma**

    d. **Wir wissen länger, daß Paula nach Münster geht als daß Willy Entwicklungshelfer wird**

    e. **Wir halten es für besser, die Knolle zu bezahlen als ein Fahrtenbuch zu riskieren**

(II) Adverbiale

    a. **Paula schläft im Heu besser als in ihrem Bett**
    b. **Sabine hört es lieber, wenn die Glocken läuten als wenn das Telefon klingelt**
    c. **Olga kommt öfter um sich zu beschweren als um zu arbeiten**

(III) Attribute

    a. **Manfreds Kanonen schießen schlechter als Erichs**
    b.***Die Kanonen von Manfred schießen schlechter als von Erich**
    c. **Die Kanonen von Manfred schießen schlechter als die von Erich**
    d. **Der große Klaus ist größer als der kleine**
    e. **Der große ist größer als der kleine Klaus**

Als einziges substantivisches Attribut scheint der sächsische Genitiv infrage zu kommen (III a). Bei den Präpositionalattributen (III b,c) muß der Kern im zweiten Konjunkt wieder aufgenommen werden (**die von Erich** in III c). In III a enthält das zweite Konjunkt die Vergleichsgröße nur unvollständig. (»Erichs Kanonen«). Vergleichbar auch III d und III e. Diese Beispiele zeigen, daß bei **als** mit ähnlichen richtungsabhängigen ›Lückenbildungen‹ zu rechnen ist wie bei **und** (Gapping, 9.3). Andere Fälle dieser Art:

    (IV) a. **Elisabeth redet lieber mit als zu den Studenten**
           b. **Ein Kamel kommt leichter durch ein Nadelöhr als ein Reicher in den Himmel**

112.
Der Komparativ ist hier nicht Satzglied, sondern Attribut. Will man **als** dem Komparativ nebenordnen, ergibt sich folgende Struktur:

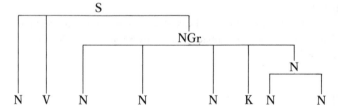

Ich kenne keinen freundlicheren Menschen als den Bürgermeister

Der Satz hätte ein komplexes Objekt mit zwei substantivischen Kernen. Daß diese Struktur nicht angemessen ist, zeigen jedoch Sätze wie **Ich kenne keinen freundlicheren Menschen als den Bürgermeister**. Das zweite Konjunkt (**der Bürgermeister**) muß hier jedenfalls dem kasusidentischen Subjekt nebengeordnet werden. Damit geht die Nebenordnung von **als** und dem Komparativ verloren.

113.

a.) Beispiel:

$$\text{Wessen haben sie sich bemächtigt,} \left\{ \begin{array}{l} \text{des Gazastreifens} \\ \text{der Macht} \\ \text{des Amtes} \\ \text{der Rathäuser} \end{array} \right\} ?$$

Offenbar tritt **wessen** als Genitiv des Fragepronomens **was** nur als Objekt auf und nicht als Attribut (**Wessen letzte Zeile ist jambisch?* Ross 1979).

b) **Wieviel** ist ein Fragepronomen, das auch als Artikel verwendbar ist (**wieviel Brot; wieviele Autos**). Seine Besonderheit ist, daß die deklinierten Formen fast durchweg durch die undeklinierte Form **wieviel** ersetzt werden können (**wievieler Wein – wieviel Wein; wieviele Autos – wieviel Autos**). Strenggenommen muß das undeklinierte **wieviel** zu den Frageadverbien gezählt werden (s. u.).

114.

Statt I d kommt man auch mit einer Entscheidungsfrage ans Ziel. Offenbar wird präsupponiert, daß Karl am Montag oder Dienstag kommt. Fragt man also »Kommt Karl am Montag?« und die Antwort ist »Nein«, dann kommt er am Dienstag. Möglich ist auch die Fragesatzform **Wann kommt Karl, am Montag oder Dienstag?** mit einer Ergänzungsfrage als Bestandteil. Auch die einfache Ergänzungsfrage führt natürlich zum Ziel. Jede Ergänzungsfrage kann offenbar – wie bei Robert Lembke – durch eine Folge von Entscheidungsfragen ersetzt werden. Kommen bei der Frage **Wann kommt Karl?** n Zeitpunkte als Antwort infrage, dann kann die Antwort mit maximal n-1 Entscheidungsfragen gefunden werden.

115.

a) **Zweifeln** ist ein umstrittenes Verb. **Zweifeln, daß** ist jedenfalls grammatisch, **zweifeln, wie** ist jedenfalls ungrammatisch. **Zweifeln, ob** ist ganz gebräuchlich, aber ebenfalls ungrammatisch. Es handelt sich bei **zweifeln, ob** um einen jener Grammatikfehler, die unmittelbar das Denken betreffen und zugleich einen schweren Eingriff in die Struktur des Lexikons darstellen. Der Satz **Karl zweifelt an Egons Zahlungsfähigkeit** kann paraphrasiert werden mit **Karl zweifelt, daß Egon zahlungsfähig ist,** nicht aber mit **ob** als Konjunktion. **Zweifeln ob** bringt dieses Verb in die Nähe von **fragen.** Hier dürfte auch der Grund für die Verbreitung von **zweifeln ob** liegen. **Zweifeln daß** betrifft einen Sachverhalt und thematisiert keine Alternativen. **Zweifeln ob** schließt die Alternative mit ein. Es läßt damit die Position des Sprechers bzw. des vom Subjekt Bezeichneten im Unklaren. **Zweifeln ob** ist denn auch besonders verbreitet in der Sprache des Journalismus.

Etabliert sich **zweifeln ob** im Deutschen, so haben wir damit ein Verb, das nur **daß**- und **ob**-Komplemente, nicht aber w-Komplemente nimmt. Solche Verben gibt es an sich im Deutschen nicht. Außerdem würde bei **zweifeln** der **daß**-Satz dasselbe bedeuten wie der **ob**-Satz. Auch das gibt es sonst nicht. An die Stelle des eigentlichen **zweifeln** treten gegenwärtig verstärkt **bezweifeln** und **anzweifeln.** Beide schließen auf jedenfall das **ob**-Komplement aus.

b) **Karl hat vergessen, daß Hans schläft** und **Karl hat vergessen, ob Hans schläft**
bedeuten für den Zustand von Karl dasselbe: er weiß eben nicht mehr, ob das
eine oder das andere der Fall ist. Für den Sprecher bedeuten die Sätze allerdings
etwas Unterschiedliches. Da **vergessen** faktiv ist, teilt er im ersten Fall mit, daß
Hans schläft. Im zweiten bleibt das offen (zu den Verben dieses Typs genauer
Zint-Dyhr 1981: 80 ff.).

c) Es handelt sich um Verben der Sinneswahrnehmung sowie einige verba dicendi
(**berichten, erzählen, ausführen, erwähnen, überliefern**). Sätze mit diesen Verben haben zwei Lesungen. **Werner sieht, wie Renate nach Hause kommt** kann
dasselbe heißen wie mit **daß**-Satz, es kann aber auch heißen »Werner sieht, auf
welche Weise Renate nach Hause kommt«. Bei dieser letzten Lesung wird **wie**
›normal‹ gelesen, also als Adverbial. Im ersten Fall kommt **wie** einer Konjunktion sehr nahe. Was **wie** im Gegensatz zu **daß** dann genau bedeutet, ist noch
nicht ganz geklärt. Vater (1976: 219 f.) meint, der **wie**-Satz betone stärker den
Vorgang in seinem Verlauf, der **daß**-Satz erfasse ihn als Ganzen. Beim **wie**-Satz
decke sich der Vorgang im Komplementsatz zeitlich mit dem Wahrnehmungs-
vorgang, den das Matrixverb bezeichnet. Dieser Unterschied könnte für **sehen,**
hören, beobachten gelten. Es ist aber unklar, was ihm bei verba dicendi entspricht (dazu auch Eggers 1972; Clément 1971).

116.
a) I a,c sind doppeldeutig, I b nur Relativsatz, I d nur indirekter Fragesatz.
b) Wir geben je ein Beispiel für **wo** und **wie**.

> (I) a. **Emma schläft, wo Karl arbeitet**
> b. **Emma überprüft, wo Karl arbeitet**
> c. **Emma erzählt, wo Karl arbeitet**

> (II) a. **Brigitte fährt Auto, wie Gerhard abwäscht**
> b. **Brigitte guckt zu, wie Gerhard abwäscht**
> c. **Brigitte liest, wie Gerhard abwäscht**

In I a, II a ist der Nebensatz Relativsatz, in b ist er indirekter Fragesatz und in c ist
er doppeldeutig (Zaefferer 1984: 60 f.).
c) In I ist der Attributsatz ein Relativsatz, in II ist er indirekter Fragesatz.

> (I) a. **Wir suchen die Halle, wo (in der) Karl arbeitet**

> (II) a. **die Frage, wo Karl arbeitet**
> b. **die Mitteilung, wo Karl arbeitet**
> c. **die Entscheidung, wo Karl arbeitet**

Ein indirekter Fragesatz steht insbesondere bei Nominalisierungen von Verben,
die indirekte Fragesätze nehmen, aber auch bei einer Reihe anderer Substantive
(7.4.2). Fälle von Doppeldeutigkeit scheint es bei den Attributsätzen nicht zu
geben. Auch wenn man das Matrixverb doppeldeutiger Sätze nominalisiert, er-

gibt sich keine doppeldeutige NGr (vgl. **Emma erzählt, wo Karl arbeitet** vs. **Emmas Erzählung, wo Karl arbeitet**). Möglicherweise findet man bei anderen Nominalisierungstypen Doppeldeutigkeiten. Die Frage wurde u.W. noch nicht genauer untersucht.

117.

a) **Denn** ist semantisch näher bei **da** als bei **weil**. Der Unterschied ist aber, daß das Zutreffen des Sachverhalts im **da**-Satz präsupponiert wird, während das Zutreffen des Sachverhalts im **denn**-Satz behauptet wird (zu **denn** ausführlich Lang 1977; Pasch 1982).

b) **Wegen** hat kausale Bedeutung in einem weiteren Sinne als **weil**. Eine PrGr mit **wegen** ist semantisch verträglich nicht nur mit **weil**-Sätzen, sondern auch mit konzessiven und finalen Konstruktionen:

    a. **Karl schreibt Paul wegen seines Besuches**

$$
\text{b.}\quad \textbf{Karl schreibt Paul}\quad \left\{ \begin{array}{l} \textbf{weil er ihn besuchen will} \\ \textbf{um ihn zu besuchen} \\ \textbf{damit er ihn besucht} \\ \textbf{obwohl er ihn besucht} \end{array} \right\}
$$

Entsprechende Kontexte vorausgesetzt, kann a anstelle sämtlicher Sätze in b geäußert werden.

118.

Konzessivsatzgefüge sind wahr, wenn sowohl der Adverbialsatz als auch der Bezugssatz wahr ist. Bei Irrelevanzkonditionalen muß nur der Bezugssatz wahr sein. Das hängt mit der Bedeutung des Adverbialsatzes zusammen: Der Satz **wenn das Buch auch gut ist** bezeichnet nicht einen Sachverhalt, sondern deren zwei (»Ob das Buch gut ist oder ob das Buch nicht gut ist«). Für die Wahrheit des Gesamtsatzes ist es gleichgültig, welche der Alternativen zutrifft. Bei Satz I b ist der Adverbialsatz sogar generisch, er enthält also unbestimmt viele Alternativen.

119.

a.) Mit **bevor** und **nachdem** wird ein Zeitpunkt (Nebensatz) zu einem Zeitintervall oder einem anderen Zeitpunkt (Hauptsatz) in die Beziehung der Nachzeitigkeit bzw. Vorzeitigkeit gesetzt. Da es sich dabei um ein reines Vorher-Nachher-Verhältnis handelt, kann der Zeitabstand quantifiziert werden. Entsprechend ihrer jeweiligen Bedeutung kann natürlich auch ein Teil der anderen temporalen Konjunktionen modifiziert werden, die auf einen Zeitpunkt gerichteten **bis** und **seit** etwa durch **genau, fast** und **kaum**.

b) Im **solange**-Satz wird das Zeitintervall spezifiziert, währenddessen der vom Hauptsatz bezeichnete Sachverhalt zutrifft. Im Unterschied zu **während** besteht der Sachverhalt im Hauptsatz mindestens bis zum selben Zeitpunkt wie der im Nebensatz.

Sowie bedeutet dasselbe wie **nachdem**, betont aber die unmittelbare Vorzeitigkeit. Modifizierung durch Attribute wie bei **nachdem** ist nicht möglich.

120.

a) **So** steht nur in Spitzenstellung in der Konsequenz bei vorgestelltem Antezedens. Wie dies mit seiner Grundbedeutung als Zeigewort (**Mache es so**) zusammenhängt, ist unklar. Die Verwendung von **so** als Korrelat in Konditionalgefügen hängt sicherlich mit seiner Rolle in Vergleichssätzen zusammen, in denen **so** in beiden Teilen des Vergleichs vorkommt (**So weit wir gegangen sind, so weit war kein Feuer zu sehen**). Erhalten ist eine solche Form in der Konjunktion **sofern**, die ja auch als Korrelat auftreten kann (**Sofern das gelingt, sofern bekommst du eine Belohnung**). Ähnlich auch **insofern**.

b) Satz I a,b sind doppeldeutig mit **es** als Korrelat zum **wenn**-Satz einerseits und **es** als ›echtem Objekt‹ andererseits. I c hat die erste Lesart nicht. Hier kann der **wenn**-Satz nur Adverbial sein.

121.

Hartung (1964) diskutiert einen Ersetzungstest: läßt sich **wenn** nur durch **falls** und **sofern**, aber nicht durch temporale Konjunktionen ersetzen, so ist es konditional. Bei ausschließlicher Ersetzbarkeit durch temporale Konjunktionen ist **wenn** temporal. Vielfach bleibt **wenn** also von vornherein auf beide Weise deutbar. Hartung meint allerdings, daß fast alle **wenn**-Sätze zumindest auch konditional interpretierbar sind (1964: 352). Fischer (1981: 105 ff.) kommt zu dem Schluß, daß es ausschließlich konditional interpretierbare aber nicht ausschließlich temporal interpretierbare **wenn**-Sätze gibt. Ausschließlich konditional gelesen wird, wenn das Zeitverhältnis der beiden Teilsätze nicht zu dem vom temporalen **wenn** geforderten Zeitverhältnis paßt wie in **Wenn sein Zug Verspätung hatte, wird er sein Flugzeug nicht mehr kriegen**. (dazu ausführlich Metschkowa-Atanassowa 1983: 15 ff.).

122.

(I) a. **Wenn Karl gewonnen hat, dann nur, weil es regnete**
    b. **Falls/Sofern Karl gewonnen hat, dann nur, weil es regnete**

(II) a. **Wenn/Falls Karl gewinnt, besuchen wir euch**
    b. **Sofern Karl gewinnt, besuchen wir euch**

I a kann auch geäußert werden, wenn der Sprecher weiß, daß es geregnet hat. I b kann unter dieser Bedingung nicht geäußert werden. II b besagt, daß wir euch nur dann besuchen, wenn Karl gewinnt. II a schließt nicht aus, daß wir euch auch dann besuchen, wenn Karl nicht gewinnt.

123.

a) Es zeigen sich ganz ähnliche Zusammenhänge, wie wir sie bei den im Text besprochenen Verben kennengelernt haben. **Frech, freundlich** usw. sind faktiv. Sie nehmen außer dem **daß**-Satz einen ergänzenden **wenn**-Satz. Das Adjektiv bezeichnet eine Eigenschaft des vom Komplement bezeichneten Vorgangs sowie des beteiligten Subjekts. **Karl einzuladen ist freundlich** meint auch, daß derjenige freundlich ist, der Karl einlädt.

Denkbar, möglich usw. sind nicht faktiv, ihre Bedeutung ist modal im engeren Sinne. Ein ergänzender **wenn**-Satz als Paraphrase zum **zu**-Inf ist nicht möglich.

b) Bezüglich des Subjektinfinitivs liegen die Verhältnisse, wie wir sie bereits kennen. Die Verben sind hinsichtlich der **daß**-Sätze im Subjekt faktiv, ergänzende **wenn**-Sätze sind möglich. Objektkontrolle ist eingeschränkt gegeben.

Hinsichtlich des Objektinfinitivs ist die Objektkontrolle strikt (wenn ein Objekt vorhanden ist). Nur ein Teil der Verben ist hinsichtlich des **daß**-Satzes im Objekt faktiv. Einige sind faktiv hinsichtlich des Nichtzutreffens des bezeichneten Sachverhaltes.

124.

a) **Verhindern** nimmt einen **daß**-Satz als Subjekt, **boykottieren** nicht. Für die Kontrollbeziehung spielen also auch die Valenzeigenschaften des Verbs im Infinitivkomplement eine Rolle. Weitere Beispiele dieser Art 8.1.2.

b) Von den subjektlosen Ausdrücken können gerade keine **zu**-Infinitive gebildet werden, sondern nur von solchen mit Subjekt:

> (I) a. **Karl nimmt an, daß er dabei ist**
> b. **Karl nimmt an, dabei zu sein**
> c. **Karl nimmt an, daß getanzt wird**
> d.***Karl nimmt an, getanzt zu werden**

I d ist ungrammatisch, weil das Infinitivkomplement eine subjektlose Konstruktion enthält. Derselbe Effekt läßt sich auch mit den anderen in der Aufgabenstellung genannten subjektlosen Konstruktionen erzielen (Höhle 1978: 123f.).

125.

a) Nach Ebert (1985: 7) sind die Sätze mit **daß**-Komplement rein berichtend, der Sprecher enthalte sich jeder Stellungnahme. Beim Infinitivkomplement sei dies nicht so. Einen Bedeutungsunterschied dieser Art zwischen **daß**- und Infinitivkomplement sieht Ebert nicht bei Verben wie **behaupten** und **vorgeben**. Möglicherweise schlägt hier erneut die Klassifikation der verba dicendi in solche mit und ohne faktive Lesart durch, wie wir sie schon bei der Bedeutung des Konjunktivs in Komplementsätzen festgestellt haben (4.4).

b) Verben wie **mitteilen, eröffnen, bestellen, klarmachen, gestehen, beichten, offenbaren, erzählen** haben im Standardfall fast durchweg wechselnde Kontrolle, wenn ein Dativobjekt vorhanden ist. Im übrigen ist die Kontrollbeziehung so wie bei den Verben mit Subjektkontrolle beeinflußbar.

Bei den verba dicendi kann die Person, über die geredet wird, in einer PrGr mit **von** oder **über** genannt werden (Siebert-Ott 1983: 75ff.). Ist das der Fall, dann kontrolliert das Nominal dieser PrGr (**Paul behauptet von Karl zu schwindeln**). Vielfach führt eine solche PrGr aber zu Sätzen am Rande der Grammatikalität (?**Karl teilte von Egon mit, der Sieger zu sein**).

126.

a) Wir zeigen das Nichtbestehen der Paraphraserelation für I. Fragt jemand: »Was würdest du tun, wenn dein Kind Masern hätte?« könnte man antworten »Ich würde einfach die Rolläden herunterlassen, um das Licht zu dämpfen«. Unmöglich wäre die Antwort »Ich würde einfach die Rolläden herunterlassen, wenn ich das Licht dämpfen wollte«. Das **würde** in I a zeigt also nicht eine Konditionalität im Satz an. Die Bedingung ist außerhalb gesetzt (»Wenn dein Kind Masern hätte«). Mit I a wird behauptet, daß man unter dieser Bedingung die Rolläden herunterlassen würde. In I b wird etwas gänzlich anderes behauptet.

b) Das Adverbial bezeichnet hier eine »Folge, die nicht eingetreten ist oder nicht eintreten soll« (Erben 1980: 208). In diesem Sinne sind **ohne**-Konstruktionen konsekutiv. Die konsekutive Bedeutung ist jedoch keine gänzlich andere als die konzessive insofern die ›nichteingetretene Folge‹ eine ist, die normalerweise nicht erwartet wird.

c) Der **zu**-Infinitiv nach **außer** kann durch einen nominalisierten Infinitiv ersetzt werden. Das zeigt die Nähe von **außer** zu den Präpositionen (**Karl wünschte sich nichts außer zu schlafen** vs. **Karl wünschte sich nichts außer Schlafen**).

Siglen

AQ	Anthropological Quarterly. Washington.
Beitrr	Beiträge zur Geschichte der deutschen Sprache und Literatur. Halle.
Beitrr (Tüb)	Beiträge zur Geschichte der deutschen Sprache und Literatur. Tübingen.
BNF	Beiträge zur Namensforschung. Heidelberg.
CPs	Cognitive Psychology. New York.
DaF	Deutsch als Fremsprache. Berlin.
Die Sprache	Die Sprache. Wien.
DRLAV	Documention et Recherche en linguistique Allemande Contemporaine – Vincennes. Paris
DS	Deutsche Sprache. München.
FL	Foundations of Language. Dordrecht.
Fol	Folia Linguistica. Den Haag.
GAGL	Groninger Arbeiten zur Germanistischen Linguistik. Groningen.
IRAL	International Review of Applied Linguistics in Language Teaching. Heidelberg.
JL	Journal of Linguistics. London.
KLAGE	Kölner linguistische Arbeiten. Germanistik. Köln.
LA	Linguistic Analysis. New York.
LAB	Linguistische Arbeitsberichte. Leipzig.
LAB (West)	Linguistische Arbeiten und Berichte. Berlin.
Language	Language. Baltimore.
LaP	Linguistics and Philosophy. Dordrecht.
LaSp	Language and Speech. New York.
LB	Linguistische Berichte. Opladen.
LeuvB	Leuvense Bijdragen. Löwen.
LI	Linguistic Inquiry. Cambridge (Mass.).
LiLi	Zeitschrift für Literaturwissenschaft und Linguistik. Göttingen.
Lingua	Lingua. Amsterdam.
Linguistics	Linguistics. London
Mspråk	Moderna Språk. Lund
Mu	Muttersprache. Wiesbaden.
PD	Praxis Deutsch. Velber.
PhiP	Philologica Pragensia. Prag.
PzL	Papiere zur Linguistik. Tübingen.
RLV	Revue des Langues Vivantes. Brüssel
SaS	Slovo a Slovesnost. Prag.
Spr.wiss.	Sprachwissenschaft. Heidelberg.
StL	Studium Linguistik. Kronberg.
STZ	Sprache im technischen Zeitalter. Stuttgart.
TCLP	Travaux du Cercle linguistique de Prague. Prag.
TLP	Travaux linguistiques de Prague. Prag.
WW	Wirkendes Wort. Düsseldorf.
ZDL	Zeitschrift für Dialektologie und Linguistik. Wiesbaden.
ZDPh	Zeitschrift für deutsche Philologie. Halle.
ZDSL	Zeitschrift für deutsche Sprache und Literatur. Seoul.
ZDS	Zeitschrift für deutsche Sprache. Berlin.

ZfS	Zeitschrift für Semiotik. Berlin.
ZGL	Zeitschrift für germanistische Linguistik. Berlin.
ZPSK	Zeitschrift für Phonetik, Sprachwissenschaft und Kommunikationsforschung. Berlin.
ZS	Zeitschrift für Sprachwissenschaft. Göttingen.

Literaturverzeichnis

Abraham, W. (1969): Verbklassifikation und das Komplement »Indirekter Fragesatz«. Die Sprache 15, S. 113–134

Abraham, W. (1971): Der ethische Dativ. In: Moser, H. (Hg.): Fragen der strukturellen Syntax und der strukturellen Grammatik. Düsseldorf. S. 112–134

Abraham, W. (Hg.) (1982): Satzglieder im Deutschen. Vorschläge zur syntaktischen, semantischen und pragmatischen Fundierung. Tübingen

Abraham, W. (1983): Der Dativ im Deutschen. In: Colloque du Centre de Recherches germaniques de l'université de Nancy II. Nancy. S. 2–101

Abraham, W. (1983a): The Control Relation in German. In: Abraham, W. (Hg.): On the Formal Syntax of the Westgermania. Amsterdam. S. 217–242

Abraham, W. (Hg.) (1985): Erklärende Syntax des Deutschen. Tübingen

Admoni, W. (1970): Der deutsche Sprachbau. München. 3. Aufl.

Admoni, W. (1973): Die Entwicklungstendenzen des deutschen Satzbaus von heute. München

Allwood, J./*Andersson*, L-G./ *Dahl*, Ö. (1973): Logik für Linguisten. Tübingen

Altmann, H. (1976): Die Gradpartikeln im Deutschen. Tübingen

Altmann, H. (1977): Wortstellungstypen des Deutschen und Kontrastakzent. In: Viethen, H./ Bald, W./Sprengel, D. (Hg.): Grammatik und interdisziplinäre Bereiche der Linguistik. Tübingen. S. 99–103

Altmann, H. (1981): Formen der ›Herausstellung‹ im Deutschen: Rechtsversetzung, Linksversetzung, freies Thema und verwandte Konstruktionen. Tübingen

Ammon, U. (1972): Zur sozialen Funktion der pronominalen Anrede im Deutschen. LiLi 7. S. 73–88

Anderson, J.M. (1971): The Grammar of Case. Towards a Localistic Theory. Cambridge

Andersson, S.-V./*Kvam*, S. (1984): Satzverschränkungen im heutigen Deutsch. Tübingen

Andresen, H. (1973): Ein methodischer Vorschlag zur Unterscheidung von Ergänzung und Angabe im Rahmen der Valenztheorie. DS 1. S. 49–63

Asbach-Schnitker, B. (1979): Die adversativen Konnektoren *aber, sondern* und *but* nach negierten Sätzen. In: Weydt, H. (Hg.) (1979). S. 457–468

Augst, G. (1975): Untersuchungen zum Morpheminventar der deutschen Gegenwartssprache. Tübingen

Augst, G. (1979): Neuere Forschungen zur Substantivflexion. ZGL 7. S. 220–232

Bach, E. (1962): The Order of Elements in a Transformational Grammar of German. Language 38. S. 263–269

Bäuerle, R. (1979): Temporale Deixis, temporale Frage. Zum propositionalen Gehalt deklarativer und interrogativer Sätze. Tübingen

Ballmer, T. (1978): The Instrumental Character of Natural Language. Habilschrift Ruhr-Universität Bochum.

Ballmer, T./*Brennenstuhl*, W. (1982): Zum Adverbial- und Adjektivwortschatz der deutschen Sprache. LB 78. S. 1–32

Ballweg, J. (1977): Semantische Grundlagen einer Theorie der deutschen kausativen Verben. Tübingen

Ballweg, J. (1984): Praesentia non sunt multiplicanda praeter necessitatem. In: Stickel, G. (Hg.) (1984). S. 243–261

Bartels, G. (1980): Probleme bei der semantischen Beschreibung deutscher Präpositionen. In: Linguistische Studien. Reihe A. Arbeitsberichte 65. S. 113–122

Bartsch, R. (1972): Adverbialsemantik. Die Konstitution logisch-semantischer Repräsentationen von Adverbialkonstruktionen. Frankfurt

Bartsch, R./*Vennemann*, T. (1972): Semantic Structures. A Study in the Relation between Semantics and Syntax. Frankfurt

Bátori, I. (1975): Ein transformationelles Modell für die Koordination im Deutschen. In: Bátori, I. u. a. 1975. S. 1–43

Bátori, I. u. a. (1975): Syntaktische und semantische Studien zur Koordination. Tübingen

Bátori, I. (1981): Die Grammatik aus der Sicht kognitiver Prozesse. Tübingen

Baufeld, C. (1980): Zur semantischen Beschreibung der Pluraliatantum im Deutschen. In: Linguistische Studien, Reihe A, Arbeitsbericht 65. S. 69–82

Baum, R. (1976): Dependenzgrammatik. Tübingen

Bausch, K.-H. (1975): Die situationsspezifische Variation der Modi in der indirekten Rede. DS 3. S. 332–344

Bausch, K.-H. (1979): Modalität und Konjunktivgebrauch in der gesprochenen deutschen Standardsprache. Teil 1. München

Bayer, H. (1975): Sprache als praktisches Bewußtsein. Düsseldorf

Bayer, K. (1979): Die Anredepronomina *Du* und *Sie*. Thesen zu einem semantischen Konflikt im Hochschulbereich. DS 7. S. 212–215

Bech, G. (1951): Grundzüge der Entwicklungsgeschichte der hochdeutschen Modalverba. Kopenhagen.

Bech, G. (1963): Zur Morphologie der deutschen Substantive. Lingua 12. S. 177–189

Bech, G. (1983): Studien über das deutsche Verbum infinitum. Tübingen. 2. Aufl. Original 1955/1957

Bechert, J. (1979): Ergativity and the Constitution of Grammatical Relations. In: Plank, F. (Hg.) (1977). S. 45–59

Bechert, J. (1982): Grammatische Kategorien: Affinität, Markiertheit und pragmatische Begründung. Beobachtungen am Kontinuum der Nominativ-/Ergativsprachen. In: Abraham, W. (Hg.) (1982). S. 41–58

Bechert, J. (1982a): Grammatical Gender in Europe: An Areal Study of a Linguistic Category. PzL 26. S. 23–34

Becker, K. F. (1843): Ausführliche deutsche Grammatik als Kommentar der Schulgrammatik. Zweiter Band. Frankfurt 1843. 2. Ausg.

Becker, R. (1978): Oberflächenstrukturelle Unterschiede zwischen restriktiven und nicht-restriktiven Relativsätzen im Deutschen. KLAGE 4.

Behaghel, O. (1923): Deutsche Syntax. Eine geschichtliche Darstellung. Bd. I. Heidelberg

Behaghel, O. (1924): Deutsche Syntax. Eine geschichtliche Darstellung. Bd. II. Heidelberg

Behaghel, O. (1932): Deutsche Syntax. Eine geschichtliche Darstellung. Bd. IV. Heidelberg

Beneš, E. (1967): Die funktionale Satzperspektive. DaF 1. S. 23–28

Beneš, E. (1968): Die Ausklammerung im Deutschen als grammatische Norm und als stilistischer Effekt. Mu 78. S. 285–298

Beneš, E. (1971): Die Besetzung der ersten Position im deutschen Aussagesatz. In: Fragen der strukturellen Syntax und kontrastiven Grammatik. Düsseldorf. S. 160–182

Beneš, E. (1974): Präpositionswertige Präpositionalwendungen. In: Engel, U./Grebe, P. (Hg.): Sprachsystem und Sprachgebrauch. Düsseldorf. Teil I. S. 33–52

Bense, E./*Eisenberg*, P./Haberland, H. (Hg.) (1976): Beschreibungsmethoden des amerikanischen Strukturalismus. München

Bergenholtz, H./*Mugdan*, J. (1979): Einführung in die Morphologie. Stuttgart

Berger, D. (1968): Interpunktionsfragen in der Sprachberatung. Die wissenschaftliche Reaktion 5. Mannheim. S. 30–43

Berger, D. (1976): Zur Abgrenzung der Eigennamen von den Appellativen. BNF 11. S. 376–387

Bergmann, R. (1980): Verregnete Feriengefahr und Deutsche Sprachwissenschaft. Zum Verhältnis von Substantivkompositum und Adjektivattribut. Spr.wiss. 5. S. 234–265

Bettelhäuser, H.-J. (1976): Studien zur Substantivflexion der deutschen Gegenwartssprache. Heidelberg

Bickes, G. (1984): Das Adjektiv im Deutschen. Untersuchungen zur Syntax und Semantik einer Wortart. Frankfurt

Biere, B. U. (1976): Ergänzungen und Angaben. In: Schumacher, H. (Hg.): Untersuchungen zur Verbvalenz. Tübingen. S. 129–173

Bierwisch, M. (1963): Grammatik des Deutschen Verbs. Berlin

Bierwisch, M. (1967): Syntactic features in morphology: General problems of so-called pronominal inflection in German. In: To honor Roman Jakobson. Den Haag, Bd. 1. S. 239–270

Bierwisch, M. (1970): Einige semantische Universalien in deutschen Adjektiven. In: Steger, H. (Hg.): Vorschläge für eine strukturelle Grammatik des Deutschen. Darmstadt. S. 239–270

Bierwisch, M. (1972): Zur Klassifizierung semantischer Merkmale. In: Kiefer, F. (Hg.): Semantik und generative Grammatik I. Frankfurt. S. 69–99

Bierwisch, M./*Heidolph*, K.E. (Hg.) (1971): Progress in Linguistics. Den Haag

Blatz, F. (1896): Neuhochdeutsche Grammatik mit Berücksichtigung der historischen Entwicklung der deutschen Sprache. Zweiter Band. Satzlehre (Syntax). Karlsruhe. 3. Aufl.

Bloomfield, L. (1935): Language. London. Britische Ausgabe

Boguslawski, A. (1981): Wissen, Wahrheit, Glauben: Zur semantischen Beschaffenheit des kognitiven Vokabulars. In: Bungarten, T. (Hg.) (1981). S. 54–85

Bondzio, W. (1973): Zur Syntax des Possessiv-Pronomens in der deutschen Gegenwartssprache. DaF 10. S. 84–94

Bosch, P. (1983): Agreement and Anaphora. A Study of the Rôles of Pronouns in Syntax and Discourse. New York

Braunmüller, K. (1977): Referenz und Pronominalisierung. Tübingen

Brennenstuhl, W. (1977): The Primary and Secondary Directional Meaning of *herunter* in German. LB 47. S. 28–54

Brettschneider, G. (1978): Koordination und syntaktische Komplexität. München

Brinker, K. (1969): Zur Funktion der Fügung *sein* + *zu* + Infinitiv. In: Duden-Beiträge 37. Mannheim. S. 23–34

Brinker, K. (1971): Das Passiv im heutigen Deutsch. München

Brinker, K. (1972): Konstituentenstrukturgrammatik und operationale Satzgliedanalyse. Frankfurt

Brinkmann, H. (1971): Die deutsche Sprache. Gestalt und Leistung. Düsseldorf. 2. Aufl.

Brünner, G. (1979): Modales ›nicht-brauchen‹ und ›nicht-müssen‹. LB 62. S. 81–93

Brünner, G./*Redder*, A. (1983): Studien zur Verwendung der Modalverben. Tübingen

Brugmann, K. (1889): Das Nominalgeschlecht in den indogermanischen Sprachen. Internationale Zeitschrift für Allgemeine Sprachwissenschaft 4. S. 100–109

Brugmann, K. (1891): Zur Frage der Entstehung des grammatischen Geschlechts. Beitr. 15. S. 523–531

Bühler, K. (1965): Sprachtheorie. Die Darstellungsfunktion der Sprache. Stuttgart. (Original 1934)

Bungarten, T. (1976): Präsentische Partizipalkonstruktionen in der deutschen Gegenwartssprache. Düsseldorf

Bungarten, Theo (Hg.) (1981): Wissenschaftssprache. Beiträge zur Methodologie, theoretischen Fundierung und Deskription. München

Buscha, J. (1982): Reflexive Formen, reflexive Konstruktionen und reflexive Verben. DaF 19. S. 167–174

Calbert, J.P. (1975): Toward the Semantics of Modality. In: Calbert/Vater (1975). S. 1–70

Calbert, J./*Vater*, H. (1975): Aspekte der Modalität. Tübingen

Carnap, R. (1966): Strukturbeschreibungen. Kursbuch 5. S. 69–73

Carstairs, A. (1983): Paradigm economy. JL 19. S. 115–128

Carstensen, B. (1980): Das Genus englischer Fremd- und Lehnwörter im Deutschen. In: Viereck, W. (Hg.) (1981). S. 37–75

Cherubim, D. (1975): Grammatische Kategorien. Das Verhältnis von ›traditioneller‹ und ›moderner‹ Sprachwissenschaft. Tübingen

Chomsky, N. (1969): Aspekte der Syntax-Theorie. Frankfurt. (Original 1965)

Chomsky, N. (1970): Remarks on Nominalization. In: Jacobson, R./Rosenbaum, P.S. (Hg.): Readings in Transformational Grammar. Waltham, Mass. 1970. S. 184–216

Chomsky, N. (1973): Strukturen der Syntax. Den Haag (Original 1957)

Chomsky, N. (1984): Lectures on Government and Binding. Dordrecht. 3. Aufl.

Clément, D. (1971): Satzeinbettungen nach Verben der Sinneswahrnehmung. In: Wunderlich, D. (Hg.): Probleme und Fortschritte der Transformationsgrammatik. München. S. 245–265

Clément, D. (1977): Läßt sich die herkömmliche unterscheidung zwischen koordination und subordination im rahmen der syntaktischen Beschreibung der deutschen standardsprache aufrechterhalten? DRLAV 15. S. 7–31

Clément, D. (Hg.) (1980): Empirische rechtfertigung von syntaxen. Köln

Clément, D./*Thümmel*, W. (1975): Grundzüge einer syntax der deutschen standardsprache. Frankfurt/Main

Cole, P./*Sadock*, J. (Hg.) (1977): Syntax and Semantics 8. Grammatical Relations. New York

Comrie, B. (1978): Ergativity. In: Lehmann, W.P. (Hg.): Syntactic Typology: Studies in the Phenomenology of Language. Austin. S. 329–394

Conrad, R. (1978): Studien zur Syntax und Semantik von Frage und Antwort. Berlin

Coulmas, F. (1982): Some remarks on Japanese deictics. In: Weissenborn, J./Klein, W. (Hg.) (1982). S. 209–221

Crößmann, H. (1973): Präposition oder Konjunktion? In: Linguistische Studien IV. Düsseldorf. S. 16–38

Dal, I. (1969): Über Kongruenz und Rektion im Deutschen. In: Engel, U./Grebe, P./Rupp, H. (Hg.): Festschrift für Hugo Moser zum 60. Geburtstag am 19. Juni 1969. Düsseldorf. S. 9–18

Darski, J. (1979): Die Adjektivdeklination im Deutschen. Spr.wiss. 4. S. 190–205

Desportes, Y. (1982): Das System der räumlichen Präpositionen im Deutschen. Heidelberg

Dik, S.C. (1978): Functional Grammar. Amsterdam

Dik, S.C. (1983): Basic principles of functional grammar. In: ders. (Hg.): Advances in Functional Grammar. Dordrecht. S. 3–28

Dirven, R./*Goossens*, L./*Putseys*, I./*Vorlat*, E. (1982): The Scene of Linguistic Action and its Perspectivization by *speak, talk, say* and *tell*. Amsterdam

Doherty, M. (1973): ›Noch‹ and ›schon‹ and their presuppositions. In: Kiefer, F./Ruwet, N. (Hg.): Generative Grammar in Europe. Dordrecht. S. 154–177

Donceva, K. (1982): Zum syntaktischen Status des d-Pronominaladverbs als Korrelat. DaF 19. S. 221–224

Donnellan, K. (1971): Reference and definite descriptions. In: Steinberg, D./Jakobovits, L. (Hg.): Semantics. Cambridge. S. 100–114

Dougherty, R.C. (1969): An interpretive theory of pronominal reference. FL 5. S. 488–519

Drach, E. (1963): Grundgedanken der deutschen Satzlehre. Darmstadt. 4. Aufl.

Droescher, W. (1974): Das deutsche Adverbialsystem. DaF 11. S. 279–285

Droop, H.G. (1977): Das präpositionale Attribut. Tübingen

Duden (1966): Grammatik der deutschen Gegenwartssprache. Mannheim. 2. Aufl.

Duden (1973): Grammatik der deutschen Gegenwartssprache. Mannheim. 3. Aufl.

Duden (1980): Rechtschreibung der deutschen Sprache und der Fremdwörter. Mannheim. 18. Aufl.

Duden (1984): Grammatik der deutschen Gegenwartssprache. Mannheim. 4. Aufl.

Dupny-Engelhardt, H. (1982): ›Reden, sagen, sprechen‹. Von den Distributions- zu den Bedeutungsunterschieden. In: Recherches linguistiques. Articles offerts à Marthe Philipp. Göppingen. S. 95–112

Ebert, K. (1985): Greek *va*-complements and German infinitives. In: Studies in Greek Linguistics. Proc. of the 3rd Annual Meeting of the Dep. of Ling., Univ. of Thessaloniki. Thessaloniki.

Ebert, R. (1975): Subject Raising, the Clause Squish and German *scheinen*-Constructions. In: Papers from the 11th Regional Meeting, Chicago Linguistic Society. Chicago. S. 177–187

Edmondson, J.A. (1980): Gradienz und die doppelte Infinitiv-Konstruktion. PzL 22. S. 59–82

Edmondson, J.A. (1982): Einführung in die Transformationssyntax des Deutschen. Tübingen

Eggers, H. (1972): Die Partikel *wie* als vielseitige Satzeinleitung. In: Linguistische Studien I. Düsseldorf. S. 159–182

Eggers, H. (1973): Modale Infinitivkonstruktionen des Typs *er ist zu loben*. In: Linguistische Studien IV. Düsseldorf. S. 39–45

Eggers, H. (1980): *Derer* oder *deren?* Zur Normenproblematik im Deutschen. Msprak 74. S. 133–138

Ehlich, K. (1982): Deiktische und phorische Prozeduren beim literarischen Erzählen. In: Lämmert, E. (Hg.): Erzählforschung. Stuttgart. S. 112–129

Ehlich, K. (1983): Deixis und Anapher. In: Rauh, G. (Hg.) (1983). S. 79–97

Ehlich, K./*Rehbein*, J. (1972): Einige Interrelationen von Modalverben. In: Wunderlich, D. (Hg.): Linguistische Pragmatik. Frankfurt/Main. S. 318–340

Ehrich, V. (1983): *Da* im System der lokalen Demonstrativadverbien des Deutschen. ZS 2. S. 197–219

Eichinger, L. (1979): Überlegungen zum Adverb. Spr.wiss. 4. S. 82–92

Eichler, W./*Bünting*, K.-D. (1976): Deutsche Grammatik. Form, Leistung und Gebrauch der deutschen Gegenwartssprache. Kronberg. 1. Aufl.

Eisenberg, P. (1973): Phonologische Identität als Kriterium für die Syntax. In: ten Cate, P./ Jordens, P. (Hg.): Linguistische Perspektiven. Tübingen. S. 108–113

Eisenberg, P. (1976): Oberflächenstruktur und logische Struktur. Untersuchungen zur Syntax und Semantik des deutschen Prädikatadjektivs. Tübingen

Eisenberg, P. (1979): Syntax und Semantik der denominalen Präpositionen des Deutschen. In: Weydt, H. (Hg.) (1979). S. 518–527

Eisenberg, P. (1980): Das Deutsche und die Universalien: wenn der Kasus zurückschlägt. LB 64. S. 63–67

Eisenberg, P. (1980a): Substantiv oder Eigenname? Über die Prinzipien unserer Regeln zur Groß- und Kleinschreibung. LB 72. S. 77–101

Eisenberg, P. (1985): Maß und Zahl. Zur syntaktischen Deutung einer ungefestigten Konstruktion im Deutschen. In: Ballmer, T./Posner, R. (Hg.): Nach-Chomskysche Linguistik. Berlin

Eisenberg, P./*Gusovius*, A. (1985): Bibliographie zur deutschen Grammatik 1965–1983. Tübingen

Eisenberg, P./*Hartmann*, D./*Klann*, G./*Lieb*, H.-H. (1975): Syntaktische Konstituentenstrukturen des Deutschen. LAB (West) 4. S. 61–165

Emonds, J. (1980): A Transformational Approach to English Syntax. New York

Engel, U. (1970): Studien zur Geschichte des Satzrahmens und seiner Durchbrechung. In: Studien zur Syntax des heutigen Deutsch. Düsseldorf. S. 45–61

Engel, U. (1972): Syntaktische Besonderheiten der deutschen Alltagssprache. In: Sprache der Gegenwart. Düsseldorf. S. 199–228

Engel, U. (1972a): Regeln zur ›Satzgliedfolge‹. Zur Stellung der Elemente im einfachen Verbalsatz. In: Linguistische Studien I. Düsseldorf. S. 17–75

Engel, U. (1977): Syntax der deutschen Gegenwartssprache. Berlin. 1. Aufl.

Engel, U./*Grebe*, P./*Rupp*, H. (Hg.) (1969): Festschrift für Hugo Moser zum 60. Geburtstag am 19. Juni 1969. Düsseldorf.

Engel, U./*Schumacher*, H. (1976): Kleines Valenzlexikon deutscher Verben. Tübingen

Engelen, B. (1968): Zum System der Funktionsverbgefüge. WW 18. S. 289–303

Engelen, B. (1975): Beobachtungen zur Kombinierbarkeit von verbspezifischen Infinitivsätzen mit Modalverben. In: Engel, U./Grebe, P. (Hg.): Sprachsystem und Sprachgebrauch. Düsseldorf. Teil 2. S. 144–153

Engelen, B. (1975a): Untersuchungen zu Satzbauplan und Wortfeld in der geschriebenen deutschen Sprache der Gegenwart. Bd. 1. München

Erben, J. (1978): Über ›Kopula‹-verben und ›verdeckte‹ (kopulalose) Ist-Prädikationen. In: Moser, H./Rupp, H./Steger, H. (Hg.): Deutsche Sprache: Geschichte und Gegenwart. Bern. S. 75–92

Erben, J. (1980): Deutsche Grammatik. Ein Abriß. München. 12. Aufl.

Eroms, H.-W. (1975): Subjektwahl und Konversen. In: Drachmann, G. (Hg.): Akten der 1. Salzburger Frühlingstagung für Linguistik. Tübingen. S. 319–333

Eroms, H.-W. (1981): Valenz, Kasus und Präpositionen. Untersuchungen zur Syntax und Semantik präpositionaler Konstruktionen in der deutschen Gegenwartssprache. Heidelberg

Ertel, S. (1969): Psychophonetik. Untersuchungen über Lautsymbolik und Motivation. Göttingen

Ertel, S. (1975): Gestaltpsychologische Denkmodelle für die Struktur der Sprache. In: Ertel, S./ Kemmler, L./Stadler, M. (Hg.): Gestalttheorie in der modernen Psychologie. Darmstadt. S. 94–107

Esau, H. (1973): Nominalization and Complementation in Modern German. Amsterdam

Esau, H. (1973a): The Order of Elements in the German Verb Constellation. Linguistics 98. S. 20–40

Esau, H. (1976): ›Funktionsvergefüge‹ revisited. FoL 9. S. 135–160

Etzensperger, J. (1979): Die Wortstellung der deutschen Gegenwartssprache als Forschungsobjekt. Berlin

Fabricius-Hansen, C. (1980): Sogenannte ergänzende *wenn*-Sätze. Ein Beispiel semantisch-syntaktischer Argumentation. In: Dyhr, M./Hyldgaard-Jensen, K./Olsen, J. (Hg.): Festschrift für Gunnar Bech. Kopenhagen. S. 160–188

473

Fillmore, Ch. (1968): The Case for Case. In: Bach, E./Harms, R. (Hg.): Universals in Linguistic Theory. New York. S. 1–88

Fillmore, Ch. (1972): Ansätze zu einer Theorie der Deixis. In: Kiefer, F. (Hg.): Semantik und generative Grammatik. Frankfurt, S. 147–174

Fillmore, Ch. (1975): Santa Cruz Lectures on Deixis. Bloomington (Indiana Univ. Linguistics Club)

Fillmore, Ch. (1977): The Case for Case Reopened. In: Cole, P./Sadock, J. (Hg.) (1977). S. 59–81. Deutsch in: Pleines, J. (Hg.) (1981). S. 15–43

Findreng, Adne (1976): Zur Kongruenz in Person und Numerus zwischen Subjekt und finitem Verb im modernen Deutsch. Oslo

Firbas, J. (1964): On Defining the Theme in Functional Sentence Analysis. In: TLP 1. S. 267–280

Fischer, B.-J. (1981): Satzstruktur und Satzbedeutung. Plädoyer für eine semantikfundierende Oberflächengrammatik; am Beispiel der Bedingungssätze des Deutschen. Tübingen

Flämig, W. (1971): Valenztheorie und Schulgrammatik. In: Helbig, G. (Hg.) (1971). S. 105–121

Flämig, W./*Haftka*, B./*Hartung*, W.D./*Heidolph*, K.E./*Lehmann*, D./*Pheby*, J. (1972): Skizze der deutschen Grammatik. Berlin

Fleischer, W. (1975): Wortbildung der deutschen Gegenwartssprache. Tübingen. 4. Aufl.

Fodor, I. (1959): The Origin of Grammatical Gender. Lingua 8. S. 1–41

Fónagy, J. (1963): Die Metaphern in der Phonetik. Den Haag

Fourquet, J. (1973): Prolegomena zu einer deutschen Grammatik. Düsseldorf. 4. Aufl.

Fourquet, J. (1973a): Zum Gebrauch des deutschen Konjunktivs. In: Linguistische Studien IV. Düsseldorf. S. 61–73

Frings, N. (1985): Über S̄. ZS (demn.)

Fritsche, J. (Hg.) (1981): Konnektivausdrücke, Konnektiveinheiten. Grundelemente der semantischen Struktur von Sätzen I. Hamburg

Gawelko, M. (1980): Über Oppositionen und distinktive Merkmale der deutschen Adjektive. WW 32. S. 81–87

Gebauer, H. (1978): Montague-Grammatik. Eine Einführung mit Anwendungen auf das Deutsche. Tübingen

Gelhaus, H. (1974): Untersuchungen zur Consecutio temporum im Deutschen. In: Gelhaus, H./Latzel, S. (1974). S. 1–127

Gelhaus, H. (1977): Der modale Infinitiv. Tübingen

Gelhaus, H./*Latzel*, S. (1974): Studien zum Tempusgebrauch im Deutschen. Mannheim

Gerstenkorn, Alfred (1976): Das »Modal«-System im heutigen Deutsch. München

Gippert, J. (1981): Zur Dativ-Apposition im Deutschen. Beitrr. (Tüb) 103. S. 31–62

Givón, T. (1976): Topic, Pronoun, and Grammatical Agreement. In: Li, Ch. (Hg.) (1976). S. 149–188

Givón, T. (1979): On Understanding Grammar. New York

Gleitman, L. (1965): Coordinating Conjunctions in English. Language 41. S. 260–293

Glinz, H. (1965): Die innere Form des Deutschen. Bern. 4. Aufl.

Greenberg, J.H. (1966): Some universals of grammar with particular reference to the order of meaningful elements. In: Greenberg, J.H. (Hg.): Universals of Language. Cambridge, Mass. S. 13–113. 2. Aufl.

Greenberg, J.H. (1978): How Does a Language Acquire Gender Markers? In: Greenberg (Hg.) (1978). S. 47–80

Greenberg, J. (Hg.) (1978): Universals of Language. Vol. 3: Word Structure. Stanford

Gregor, B. (1983): Genuszuordnung. Das Genus englischer Lehnwörter im Deutschen. Tübingen

Grewendorf, G. (1982): Zur Pragmatik der Tempora im Deutschen. DS 10. S. 213–236

Grewendorf, G. (1982a): Deixis und Anaphorik im deutschen Tempus. PzL 26. S. 47–83

Grewendorf, G. (1983): Reflexivierung in deutschen A.c.I.-Konstruktionen. Kein transformationsgrammatisches Dilemma mehr. In GAGL 23. S. 120–196

Grewendorf, G. (1984): Besitzt die deutsche Sprache ein Präsens? In: Stickel, G. (Hg.) (1984). S. 224–242

Grewendorf, G. (1984a): Reflexivierungsregeln im Deutschen. DS 11. S. 14–30

Grinder, J./*Postal*, P.M. (1971): Missing antecedents. LI 2. S. 269–312

Gross, H. (1974): Der Ausdruck des ›Verbalaspekts‹ in der deutschen Gegenwartssprache. Hamburg

Grundzüge: Grundzüge einer deutschen Grammatik. Von einem Autorenkollektiv unter Leitung von Karl-Erich Heidolph, Walter Flämig und Wolfgang Motsch. Berlin 1981

Günther, H./*Pape*, S. (1976): Funktionsverbgefüge als Problem der Beschreibung komplexer Verben in der Valenztheorie. In: Schumacher, H. (Hg.) (1976). S. 92–128

Haider, H. (1984): Mona Lisa lächelt stumm – Über das sogenannte deutsche ›Rezipientenpassiv‹. LB 89. S. 32–42

Haider, H. (1985): Über *sein* oder nicht *sein* zur Grammatik des Pronomens ›sich‹. In: Abraham, W. (Hg.) (1985). S. 221–252

Hajos, A. (1972): Wahrnehmungspsychologie. Stuttgart

Halle, M. (1970): Die Konjugation im Deutschen. In: Steger, H. (Hg.) (1970). S. 319–331

Hamp, E.P./*Householder*, F./*Austerlitz*, R. (Hrsg.) (1966): Readings in linguistics II. Chicago.

Hang, H.-G. (1976): Die Fragesignale der gesprochenen deutschen Standardsprache, dargestellt an Interviews zweier Rundfunkmagazine. Göppingen

Hartmann, D. (1977): Aussagesätze, Behauptungshandlungen und die kommunikativen Funktionen der Satzpartikeln *ja, nämlich* und *einfach*. In: Weydt, H. (Hg.) (1977). S. 101–114

Hartmann, D. (1978): Verschmelzungen als Varianten des bestimmten Artikels? In: Hartmann/Ludwig/Linke (Hg.) (1978). S. 68–81

Hartmann, D. (1980): Zur sprachlichen Form von Dispositionsbegriffen. LB 67. S. 23–29

Hartmann, D./*Linke*, H./*Ludwig*, O. (Hg.) (1978): Sprache in Gegenwart und Geschichte. Köln

Hartung, W. (1964): Die bedingenden Konjunktionen der deutschen Gegenwartssprache. Beitrr. 86. S. 350–387

Hartung, W. (1977): Zum Inhalt des Normbegriffs in der Linguistik. In: Normen in der sprachlichen Kommunikation. Berlin. S. 9–69

Harweg, R. (1971): Zum Verhältnis von Satz, Hauptsatz und Nebensatz. ZDL 38. S. 16–46

Harweg, R. (1973): Grundzahlwort und bestimmter Artikel. ZPSK 26. S. 312–327

Harweg, R. (1979): Pronomina und Textkonstitution. München. 2. Aufl.

Harweg, R. (1979a): Sind negative Behauptungssätze immer Verneinungen? ZGL 7. S. 279–303

Hawkins, J. (1978): Definiteness and Indefiniteness: a Study in Reference and Grammaticality Prediction. London

Heeschen, C. (1972): Grundfragen der Linguistik. Stuttgart

Heidolph, K.E. (1961): Verbindungen aus zwei Adjektiven und einem Substantiv im Deutschen. ZPSK 14. S. 131–142

Heidolph, K.E. (1970): Zur Bedeutung negativer Sätze. In: Bierwisch, M./Heidolph, K.E. (Hg.): Progress Linguistics. Den Haag. S. 86–101

Heim, I. (1979): Concealed Questions In: Bäuerle, R./Egli, U./Stechow, A. v. (Hg.): Semantics from Different Points of View. Berlin. S. 51–60

Helbig, G. (1971): Zum Problem der Stellung des Negationswortes ›nicht‹. DaF 8. S. 66-76

Helbig, G. (Hg.) (1971): Beiträge zur Valenztheorie. Den Haag

Helbig, G. (1973): Zu Problemen des Attributs in der deutschen Gegenwartssprache (2). DaF 10. S. 11–17

Helbig, G. (1973a): Die Funktion der substantivischen Kasus in der deutschen Gegenwartssprache. Halle

Helbig, G. (1974): Bemerkungen zu den Pronominaladverbien und zur Pronominalität. DaF 11. S. 270–279

Helbig, G. (1978): Zu den zustandsbezeichnenden Konstruktionen mit *sein* und *haben* im Deutschen. LAB 20. S. 37–46

Helbig, G. (1979): Probleme der Beschreibung von Funktionsverbgefügen im Deutschen. DaF 16. S. 273–286

Helbig, G. (1980): Bemerkungen zu den Relativsätzen (als Subklasse der deutschen Nebensätze): LAB 26. S. 86–96

Helbig, G. (1981): Die freien Dative im Deutschen. DaF 18. S. 321–332

Helbig, G./*Buscha*, J. (1975): Deutsche Grammatik. Ein Handbuch für den Ausländerunterricht. Leipzig. 3. Aufl.

Helbig, G./*Schenkel*, W. (1975): Wörterbuch zur Valenz und Distribution deutscher Verben. Leipzig. 3. Aufl.

Henkel, H. (1973): Zur Konjugation im Deutschen. In: Linguistische Studien III. Düsseldorf. Teil 1, S. 171–183

Heringer, H.J. (1967a): Wertigkeiten und nullwertige Verben im Deutschen. ZDS 23. S. 13–34

Heringer, H.J. (1968): Präpositionale Ergänzungsbestimmungen im Deutschen. ZDPh 86. S. 426–457

Heringer, H.J. (1968a): Die Opposition von *kommen* und *bringen* als Funktionsverben. Düsseldorf

Heringer, H.J. (1970): Theorie der deutschen Syntax. München. 1. Aufl.

Heringer, H.J. (1984): Neues von der Verbszene. In: Stickel, G. (Hg.) (1984). S. 34–64

Heringer, H.J./*Strecker*, B./*Wimmer*, R. (1980): Syntax. Fragen – Lösungen – Alternativen. München

Hermodsson, L. (1968): Die Deklinationsarten der deutschen Substantiva. Mspråk 62. S. 144–155

Herrlitz, W. (1973): Funktionsverbgefüge von Typ ›in Erfahrung bringen‹. Tübingen

Heuer, K. (1977): Untersuchungen zur Abgrenzung der obligatorischen und fakultativen Valenz des Verbs. Frankfurt

Hockett, Ch. (1947): Problems of Morphemic Analysis. Language 23. S. 321–343. Auch in Joos, M. (Hg.) (1957). S. 229–242

Hockett, C.F. (1976): Eine Bemerkung über ›Struktur‹. In: Bense, E. u.a. (Hg.) (1976). S. 299–302 Original 1948

Hockett, C.F. (1976a): Zwei Modelle für die grammatische Beschreibung. In: Bense, E. u.a. (Hg.) (1976). S. 303–331 Original 1954

Höhle, T. (1978): Lexikalistische Syntax: Die Aktiv-Passiv-Relation und andere Infinitkonstruktionen im Deutschen. Tübingen

Höhle, T. (1982): Explikation für ›normale Betonung‹ und ›normale Wortstellung‹. In: Abraham, W. (Hg.) (1982). S. 75–154

Hölker, K. (1981): Zur semantischen und pragmatischen Analyse von Interrogativen. Hamburg

Holmlander, J. (1979): Zur Distribution und Leistung des Pronominaladverbs. Stockholm

Horlitz, B. (1975): Nullwertigkeit und semantische Bestimmung von Witterungsverben am Beispiel von ›regnen‹. ZGL 3. S. 175–181

Hottenroth, P.-M. (1982): The system of local deixis in Spanish. In: Weissenborn, J./Klein, W. (Hg.) (1982). S. 133–153

Huber, W./*Kummer*, W. (1974): Transformationelle Syntax des Deutschen 1. München

Isacenko, A.V. (1971): Das syntaktische Verhältnis der Bezeichnungen von Körperteilen im Deutschen. In: Syntaktische Studien. Studia Grammatica V. S. 7–27

Jackendoff, R. (1972): Semantic Interpretation in Generative Grammar. Cambridge, Mass.

Jackendoff, R. (1977): X̄ Syntax. A Study of Phrase Structure. Cambridge, Mass.

Jacobs, R.A./*Rosenbaum*, P.S. (Hg.) (1970): Readings in English Transformational Grammar. Waltham, Mass.

Jacobson, R. (1960): Linguistics and Poetics. In: Sebeok, T.A. (Hg.) (1960): Style in Language. Cambridge, Mass. S. 350–377

Jacobson, R. (1966): Zur Struktur des russischen Verbums. In: Hamp, E.P. u.a. (Hg.) (1966). S. 22–30. Original 1932

Jacobson, R. (1966a): Beitrag zur allgemeinen Kasuslehre. In: Hamp, E.P.u.a. (Hg.) (1966). S. 51–89. Original 1936

Jäger, S. (1968): Ist *brauchen* mit *zu* nicht ›sprachgerecht‹? Mu 78. S. 330–333

Jäger, S. (1971): Der Konjunktiv in der deutschen Sprache der Gegenwart. München

Jäger, S. (1971a): Gebrauch und Leistung der Konjunktivs in der deutschen geschriebenen Hochsprache der Gegenwart. WW 21. S. 238–254

Jarvella,l R./*Klein*, W. (Hg.) (1982): Speech, Place, and Action. New York

Johnes, D. (1977): On Relational Constraints on Grammars. In: Cole, P./Sadock, J. (Hg.) (1977). S. 151–178

Joos, M. (1957): Readings in Linguistics. The Development of Descriptive Linguistics in America, 1925–56. Chicago

Jørgensen, P. (1953): Tysk grammatik I. Kopenhagen

Jørgensen, P. (1969): Zur Darstellung der deutschen Substantivflexion. Mspråk 63. S. 126–136

Jude, W.K. (1975): Deutsche Grammatik. Neufassung R.F. Schönhaar. Braunschweig. 16. Aufl.

Jung, W. (1973): Grammatik der deutschen Sprache. Leipzig. 5. Aufl.

Kann, H.-J. (1972): Beobachtungen zur Hauptsatzwortstellung in Nebensätzen. Mu 82. S. 375–380

Karttunen, L. (1971): Definite Descriptions with Crossing Coreference. FL 7. S. 157–182

Kaufmann, G. (1976): Die indirekte Rede und mit ihr konkurrierende Formen der Redeerwähnung. München

Kaznelson, S.D. (1974): Sprachtypologie und Sprachdenken. Berlin

Keenan, E. (1976): Towards a Universal Definition of ›Subject‹. In: Li, C. (Hg.): Subject and Topic. New York. S. 303–333

Keseling, G. (1979): Sprache als Abbild und Werkzeug. Köln

Keller, R. (1975): Wahrheit und kollektives Wissen. Düsseldorf

Klein, H.G. (1974): Tempus, Aspekt, Aktionsart. Tübingen

Klein, W. (1972): Parsing. Studien zur maschinellen Satzanalyse mit Abhängigkeitsgrammatiken und Transformationsgrammatiken. Frankfurt

Klein, W. (1975): Eine Theorie der Wortstellungsveränderung. Einige kritische Bemerkungen zu Vennemanns Theorie der Sprachentwicklung. LB 37. S. 46–57

Klein, Wolfgang (1978): Wo ist hier? LB 58. S. 18–40

Klein, Wolfgang (1979): Wegauskünfte. LiLi 33. S. 9–57

Klein, W. (1982): Local Deixis in Route Directions. In: Jarvella, R./Klein. W. (Hg.) (1982). S. 161–182

Klein, W. (1982a): Einige Bemerkungen zur Frageintonation. DS 10. S. 289–310

Klement, W. (1979): Namen und Namengebrauch. Mu 89. S. 227–241

König, E. (1977): Modalpartikeln in Fragesätzen. In: Weydt, H. (Hg.) (1977). S. 115–130

König, E. (1977a): Zur Syntax und Semantik der Modalpartikeln. In: Sprengel, D./Bald, W./ Viethen, H. (Hg.): Semantik und Pragmatik. Tübingen. S. 63–69

König, E. (1977b): Temporal and non-temporal uses of ›noch‹ and ›schon‹ in German. LaP 1. S. 173–198

König, E./*Eisenberg,* P. (1984): Zur Pragmatik von Konzessivsätzen. In: Stickel, G. (Hg.) (1984). S. 313–332

Köpcke, K.-M. (1982): Untersuchungen zum Genussystem der deutschen Gegenwartssprache. Tübingen

Köpcke, K.-M./*Zubin,* D.A. (1983): Die kognitive Organisation der Genuszuweisung zu den einsilbigen Nomen der deutschen Gegenwartssprache. ZGL 11. S. 166–182

Köpcke, K.-M/*Zubin,* D.A. (1984): Sechs Prinzipien für die Genuszuweisung im Deutschen: Ein Beitrag zur natürlichen Klassifikation. LB 93. S. 26–50

Kohler, K. (1977): Einführung in die Phonetik des Deutschen. Berlin

Kohrt, M. (1976): Koordinationsreduktion und Verbstellung in einer generativen Grammatik des Deutschen. Tübingen

Kohrt, M. (1979): *Entweder-oder* oder *oder*, oder? Oder nicht? Zu einigen Gebrauchsweisen einer deutschen Konjunktion. In: Vandeweghe, W./van de Velde, M. (Hg.): Bedeutung, Sprechakte und Texte. Tübingen. S. 63–74

Kohrt, M. (1979a): Verbstellung und ›doppelter Infinitiv‹ im Deutschen. LeuvB 68. S. 1–31

Kohz, A. (1982): Linguistische Aspekte des Anredeverhaltens. Untersuchungen am Deutschen und Schwedischen. Tübingen

Kolb, H. (1966): Das verkleidete Passiv; über Passiv-Umschreibungen im modernen Deutsch. StZ 19. S. 173–198

Kolde, G. (1971): Einige Bemerkungen zur Funktion, Syntax und Morphologie der mit ›als‹ eingeleiteten Nominalphrasen im Deutschen. Mu 81. S. 182–203

Kratzer, A. (1978): Semantik der Rede. Kontexttheorie – Modalwörter – Konditionalsätze. Königstein

Krivonosov, A. (1977): Deutsche Modalpartikeln im System der unflektierten Wortklassen. In: Weydt, H. (Hg.) (1977). S. 176–216

Kürschner, W. (1983): Studien zur Negation im Deutschen. Tübingen

Kutschera, F. v. (1972): Wissenschaftstheorie I. München

Kutschera, F. v. (1976): Intensionale Semantik. Berlin

Kvam, S. (1979): Diskontinuierliche Anordnung von eingebetteten Infinitivphrasen im Deutschen. Eine Diskussion der topologischen Einheiten Kohärenz und Inkohärenz. DS 7. S. 315–325

Kvam, S. (1980): Noch einmal diskontinuierliche Infinitivphrasen. Bemerkungen zu dem Aufsatz von Dieter Wunderlich. DS 8. S. 151–156

Lang, E. (1979): Zum Status der Satzadverbiale. SaS 40. S. 200–213

Lang, E./*Steinitz*, R. (1977): Können Satzadverbiale performativ gebraucht werden? Studia Grammatica 17. S. 51–80

Lakoff, G./*Peters*, St. (1969): Phrasal Conjunction and Symmetric Predicates. In: Reibel, D./ Shane, S. (Hg.): Modern Studies in English. Englewood Cliffs. S. 113–142

Lasnik, H. (1976): Remarks on coreference. LA 2. S. 1–22

Latour, B. (1981): Zur Fakultativität des Pronomens *es* als Korrelat satzförmiger Ergänzungen. Jahrbuch Deutsch als Fremdsprache 7. S. 240–253

Latzel, S. (1975): Perfekt und Präteritum in der deutschen Zeitungssprache. Mu 85. S. 38–49

Lauerbach, G. (1979): Form und Funktion englischer Konditionalsätze mit *if*. Tübingen

Lee, D. A. (1975): Modal ›Auxiliaries‹ in Generative Grammar. Some Pedagogical Implications. IRAL 13. S. 263–274

Lees, R. B. (1960): The Grammar of English Nominalizations. Den Haag

Lees, R. B./*Klima*, E. S. (1963): Rules for English pronominalization. Language 39. S. 17–28

Leisi, E. (1971): Der Wortinhalt. Seine Struktur im Deutschen und Englischen. Heidelberg. 4. Aufl.

Lenerz, J. (1977): Zur Abfolge nominaler Satzglieder im Deutschen. Tübingen

Lerot, J. (1982): Die verbregierten Präpositionen in Präpositionalobjekten. In: Abraham, W. (Hg.) (1982). S. 261–291

Leys, O. (1971): Die präpositionalen Infinitive im Deutschen. LeuvB 60. S. 1–56

Leys, O. (1973): Nicht-referentielle Nominalphrasen. DS 2. S. 1–15

Leys, O. (1973a): Das Reflexivpronomen. Eine Variante des Personalpronomens. In: Sitta, H./ Brinker, K. (Hg.): Studien zur Texttheorie und zur deutschen Grammatik. Düsseldorf. S. 223–242

Leys, O. (1979): Was ist ein Eigenname? Ein pragmatisch orientierter Standpunkt. LeuvB 68. S. 61–68

Lieb, H.-H. (1975): Oberflächensyntax. In: ders. (Hg.) (1975). S. 1–51

Lieb, H.-H. (1977): Outline of Integrational Linguistics. LAB (West) 9

Lieb, H.-H. (1977a): On the syntax on semantics of German modal verbs: A surface structure analysis. LACUS Forum 4. S. 560–575

Lieb, H.-H. (1977b): Abtönungspartikel als Funktion: eine Grundlagenstudie. In: Weydt, H. (Hg.) (1977). S. 155–175

Lieb, H.-H. (1980): Integrative Semantik. In: Lieb, H.-H. (Hg.) (1980). S. 86–105

Lieb, H.-H. (1980a): Segment und Intonation: Zur phonologischen Basis von Syntax und Morphologie. In: Lieb, H.-H. (Hg.) (1980). S. 134–150

Lieb, H.-H. (Hg.) (1980): Oberflächensyntax und Semantik. Tübingen

Lieb, H.-H. (1983a): Akzent und Negation im Deutschen – Umrisse einer einheitlichen Konzeption. Teil A. LB 84. S. 1–32

Lieb, H.-H. (1983b): Akzent und Negation im Deutschen – Umrisse einer einheitlichen Konzeption. Teil B. LB 85. S. 1–48

Lieb, H.-H. (1984): Integrational Linguistics. Volume I: General Outline. Amsterdam

Ljungerud, I. (1955): Zur Nominalflexion in der deutschen Literatursprache nach 1900. Lund

Ludwig, O. (1971): Ein Vorschlag für die semantische Analyse des Präsens. LB 14. S. 34–41

Ludwig, O. (1972): Thesen zu den Tempora im Deutschen. ZDPh 91. S. 58–81

Luelsdorff, Ph. A. (1980): Informal Remarks on *know* and *believe*. Trier (LAUT)

Lutzeier, P. (1981): Wahrheitsdefinitorische Überlegungen zur temporalen Lesart der Konjunktion *während*. LB 76. S. 1–24

Lyons, J. (1971): Einführung in die moderne Linguistik. München. 1. Aufl.

Maas, U. (1979): Grundkurs Sprachwissenschaft. Teil 1: Grammatiktheorie. Frankfurt 3. Aufl.

Marx-Moyse, J. (1982): *Es* als vorausweisendes Element eines Subjektsatzes. In: Dupny-Engelhardt, H. u. a. (Hg.): Recherches linguistiques. Göppingen. S. 219–235

Marx-Moyse, J. (1983): Untersuchungen zur deutschen Satzsyntax. *Es* als vorausweisendes Element eines Subjektsatzes. Wiesbaden

Marx-Moyse, J. (1985): Modaler Infinitiv in Verbindung mit einem Subjektsatz. ZS 4

Mathiot, M./*Garvin*, P. L. (1975): The Functions of Language – A Sociocultural View. AQ 48. S. 148–156

Matzel, K. (1976): Dativ und Präpositionalphrase. Spr.wiss. 1. S. 144–186

Mayer, R. (1981): Ontologische Aspekte der Nominalsemantik. Tübingen

Mayerthaler, W. (1981): Morphologische Natürlichkeit. Wiesbaden.

Meier, G. F. (1961): Das Zero-Problem in der Linguistik. Kritische Untersuchungen zur strukturalistischen Analyse der Relevanz sprachlicher Form. Berlin

Meier, H. (1964): Deutsche Sprachstatistik. Hildesheim

Mentrup, W. (1979): Die gemäßigte Kleinschreibung. Mannheim

Meßing, J. (1981): Die Funktionen der Sprache. Ein Problem der Entwicklung der Psycholinguistik. Köln

Metschkowa-Atanassowa, S. (1983): Temporale und konditionale *wenn*-Sätze. Untersuchungen zu ihrer Abgrenzung und Typologie. Düsseldorf

Moilanen, M. (1979): Statische lokative Präpositionen im heutigen Deutsch. Tübingen

Moilanen, M. (1983): Karl geht ins Freibad baden. In: Linguistische Studien. Reihe A. Arbeitsberichte 107. Berlin. S. 137–146

Moravia, A. (o. J.): Ich und er. München

Morris, C. (1973): Zeichen, Sprache und Verhalten. Düsseldorf

Motsch, W. (1966): Untersuchungen zur Apposition im Deutschen. In: Syntaktische Studien. Studia Grammatica V. Berlin. S. 87–132

Motsch, W. (1967): Können attributive Adjektive durch Transformationen erklärt werden? FoL 1. S. 23–48

Motsch, W. (1971): Syntax des deutschen Adjektivs. Berlin. 6. Aufl.

Mugdan, J. (1977): Flexionsmorphologie und Psycholinguistik. Tübingen

Murray, G. (1946): The beginnings of grammar. Greek studies. Oxford.

Nedjalkov, P. V. (1976): Kausativkonstruktionen. Tübingen

Nerius, D. (1975): Untersuchungen zu einer Reform der deutschen Orthografie. Berlin

Neumann, I. (1972): Temporale Subjunktionen. Syntaktisch-semantische Beziehungen im heutigen Deutsch. Mannheim

Oksaar, E. (1976): Berufsbezeichnungen im heutigen Deutsch. Düsseldorf

Oksaar, E. (1977): Spracherwerb im Vorschulalter. Stuttgart

Olson, D. *Filby*, N. (1972): On Comprehension of Active and Passive Sentences. CPs 3. S. 361–381

Olson, S. (1981): Problems of *seem/scheinen* Constructions and their Implications for the Theory of Predicate Sentential Complementation. Tübingen

Olszok, K. (1983): Infinite Formen im Vorfeld. In: Olszok, K./Weuster, E. (1983). S. 89–169

Olszok, K/*Weuster*, E. (1983): Zur Wortstellungsproblematik im Deutschen. Tübingen

Oomen, I. (1977): Determination bei generischen, definiten und indefiniten Beschreibungen im Deutschen. Tübingen

Pape-Müller, S. (1980): Textfunktionen des Passivs. Untersuchungen zur Verwendung von grammatisch-lexikalischen Passivformen. Tübingen

Parsons, T. (1970): An Analysis of Mass Terms and Amount Terms. FL 6. S. 362–388

Pasch, R. (1982): Untersuchungen zu den Gebrauchsbedingungen der deutschen Kausalkonjunktionen *da, denn* und *weil*. In: Untersuchungen zu Funktionswörtern. Linguistische Studien. Reihe A. Nr. 104. Berlin. S. 41–243

Paul, H. (1919): Deutsche Grammatik. Band III. Halle

Paul, H. (1975): Prinzipien der Sprachgeschichte. Tübingen. 9. Aufl. Original 1880

Pelletier, F. J. (1979): Non-Singular Reference: Some Preliminaries. In: ders. (Hg.) (1979): Mass Terms: Some Philosophical Problems. Dordrecht. S. 1–14

Perlmutter, D. (1980): Relational Grammar. In: Moravcsik, E. A./Wirth, J. R. (Hg.) (1980). S. 195–229

Petkov, P. (1979): Die Temporalleistung der Konjunktionen im Deutschen. In: Weydt, H. (Hg.) (1979). S. 215–222

Pfeffer, J. A. (1973): *Brauchen* als Vollverb, Hilfsmodal und Modalverb. WW 23. S. 89–93

Pfeffer, J. A./*Lorentz*, J. P. (1979): Der analytische Genitiv mit ›von‹ in Wort und Schrift. Mu 89. S. 53–70

Pinkal, M. (1980): Zur semantischen Analyse von Adjektiven. In: Ballweg, J./Glinz, H. (Hg.): Grammatik und Logik. Düsseldorf. S. 231–259

Plank, F. (1977): Markiertheitsumkehrung in der Syntax. PzL 17/18. S. 6–66

Plank, F. (Hg.) (1979): Ergativity. Towards a Theory of Grammatical Relations. New York

Plank, F. (1979a): Zur Affinität von *selbst* und *auch*. In: Weydt, H. (Hg.) (1979). S. 269–284

Plank, F. (1981): Morphologische (Ir-)Regularitäten. Aspekte der Wortstrukturtheorie. Tübingen

Plank, F. (1984): Zur Rechtfertigung der Numerierung der Person. In: Stickel, G. (Hg.) (1984). S. 195–205

Platz, B. (1977): Kritisches zur Kritik an der traditionellen Grammatik. WW 27. S. 104–120

Pleines, J. (1976): Handlung – Kausalität – Intention. Probleme der Beschreibung semantischer Relationen. Tübingen

Pleines, J. (Hg.) (1981): Beiträge zum Stand der Kasustheorie. Tübingen.

Polenz, P. v. (1963): Funktionsverben im heutigen Deutsch. Sprache in der rationalisierten Welt. Düsseldorf.

Polenz, P. v. (1969): Der Pertinenzdativ und seine Satzbaupläne. In: Engel, U./Grebe, P./Rupp, H. (Hg.) (1969). S. 146–171

Polenz, P. v. (1978): Syntax ohne satzsemantik? Nochmals zu präpostpositionen und präpositionalzusätzen. ZGL 6. S. 186–188

Polenz, P. v. (1981): Über die Jargonisierung von Wissenschaftssprache und wider die Deagentivierung. In: Bungarten, Th. (Hg.) (1981). S. 85–110

Porzig, W. (1973): Wesenhafte Bedeutungsbeziehungen. In: Schmidt, L. (Hg.): Wortfeldforschung. Darmstadt. S. 78–103

Posch, G. (Hg.) (1980): Kausalität. Neue Texte. Stuttgart

Projektgruppe Verbvalenz (Hg.) (1981): Konzeption eines Wörterbuchs deutscher Verben. Tübingen

Pusch, L. F. (1972): Die Substantivierung von Verben mit Satzkomplementen im Englischen und im Deutschen. Frankfurt

Pusch, L. F. (1975): Über den Unterschied zwischen *aber* und *sondern* oder die Kunst des Widersprechens. In: Bátori, I. u. a. (1975). S. 45–62

Pusch, L. F. (1980): Das Deutsche als Männersprache – Diagnose und Therapievorschläge. LB 69. S. 59–74

Quine, W. v. O. (1953): From a Logical Point of View. New York

Quine, W. v. O. (1960): Word and Object. Cambridge, Mass.

Raabe, H. (1979): Apposition. Untersuchungen zu Begriff und Struktur. Tübingen

Raad, A. v. (1978): Das substantivische Attribut. Genitivischer Anschluß oder Präpositionalverbindung mit ›von‹. In: Raad, A. v./Voorwinden, N. (Hg.): Studien zur Linguistik und Didaktik. Leiden. S. 179–214

Rath, R. (1971): Die Partizipialgruppe in der deutschen Gegenwartssprache. Düsseldorf

Rath, R. (1972): Adverbialisierte Adjektive im Deutschen. LB 20. S. 1–18

Rath, R. (1979): Neue Untersuchungen zu Partizipialkonstruktionen der deutschen Gegenwartssprache. Leuv B 68. S. 33–48

Rauh, G. (1983): Tenses as Deictic Categories. An Analysis of English and German Tenses. In: Rauh, G. (Hg.) (1983). S. 229–275

Rauh, G. (1983a): Aspects of Deixis. In: Rauh, G. (Hg.) (1983). S. 9–60

Rauh, G. (Hg.) (1983): Essays on Deixis. Tübingen

Raynaud, F. (1977): Noch einmal Modalverben. DS 5, S. 1–30

Redder, A. (1983): Zu *wollen* und *sollen*. In: Brüer, G./Redder. A.: Studien zur Verwendung der Modalverben. Tübingen

Reichenbach, H. (1947): Elements of Symbolic Logic. Toronto

Reis, M. (1974): Patching up with Counterparts. FL 12, 2. S. 493–503

Reis, M. (1974a): Syntaktische hauptsatz-privilegien und das problem der deutschen wortstellung. ZGL 2. S. 299–327

Reis, M. (1976): Zum grammatischen Status der Hilfsverben. Beitrr. (Tüb.) 98. S. 64–82

Reis, M. (1976a): Reflexivierung in deutschen A.c.I.-Konstruktionen. Ein transformationsgrammatisches Dilemma. PzL 9. S. 5–82

Reis, M. (1977): Präsuppositionen und Syntax. Tübingen

Reis, M. (1982): Zum Subjektbegriff im Deutschen. In: Abraham, W. (Hg.) (1982). S. 171–210

Reis, M. (1985): Satzeinleitende Strukturen im Deutschen. In: Abraham, W. (Hg.) (1985). S. 269–309

Reis, M./*Vater*, H. (1982): Beide. In: Brettschneider, G./Lehmann, C. (Hg.): Wege zur Universalienforschung. Tübingen. S. 365–391

Rettig, W. (1972): Sprachsystem und Sprachnorm in der deutschen Substantivflexion. Tübingen

Richter, H. (1982): Zur Systematik der Personalendungen des deutschen Verbs. In: Detering, K./Schmidt-Radefeld, J./Sucharowski, W. (Hg.): Sprache beschreiben und erklären. Tübingen. S. 179–188

Rohrer, C. (1971): Die Beziehung zwischen Disjunktion und Quantifizierung mit Existenzzeichen. In: Stechow, A. v. (Hg.): Beiträge zur generativen Grammatik. Braunschweig. S. 218–237

Rosenbaum, P.S. (1970): A Principle Governing Deletion in English Sentential Complementation. In: Jacobs, R.A./Rosenbaum, P.S. (Hg.) (1970). S. 20–29

Rosengren, I. (1975): Ein freier Dativ. In: Germanistische Streifzüge. Festschrift für Gustav Korlén. Stockholm. S. 209–221

Rosengren, I. (Hg.) (1981): Sprache und Pragmatik. Lunder Symposium 1980. Lund

Ross, J.R. (1970): Gapping and the Order of Constituents. In: Bierwisch, M./Heidolph, K.E. (Hg.): Progress in Linguistics. Den Haag. S. 249–259

Ross, J.R. (1972): Auxiliare als Hauptverben. In: Abraham, W./Binnick, R. (Hg.): Generative Semantik. Frankfurt/Main. S. 96–115

Ross, J.R. (1979): Wem der Kasus schlägt. LB 63. S. 26–32

Ross, J.R. (1980): Ikonismus in der Phraseologie. ZfS 2. S. 39–56

Royen, G. (1929): Die nominalen Klassifikationssysteme in den Sprachen der Erde. Mödling bei Wien

Rubinstein, S.L. (1973): Grundlagen der Allgemeinen Psychologie. Berlin. Original 1946

Rüttenauer, M. (1978): Vorkommen und Verwendung der adverbialen Proformen im Deutschen. Hamburg

Rüttenauer, M. (1979): Bemerkungen zur Kritik an älteren und modernen Grammatiktheorien. Spr.wiss. 4. S. 93–105

Russel, B. (1905): On Denoting. Mind 14. S. 479–493

Růžička, R. (1983): Autonomie und Interaktion von Syntax und Semantik. In: Studia Grammatica XXII. Berlin. S. 15–59

Růžička, R. (1983a): Remarks on Control. LI 14. S. 309–324

Saltveit, L. (1962): Studien zum deutschen Futur. Bergen

Saltveit, L. (1969): Das Verhältnis Tempus-Modus, Zeitinhalt-Modalität im Deutschen. In: Engel, U./Grebe, P./Rupp, H. (Hg.) (1969). S. 172–181

Saltveit, L. (1970): Synonymik und Homonymie im deutschen Tempussystem. In: Studien zur Syntax des heutigen Deutsch. Düsseldorf. S. 137–153

Saltveit, L. (1973): Präposition, Präfix und Partikel als funktionell verwandte Größen im deutschen Satz. In: Linguistische Studien IV. Düsseldorf. S. 173–195

Sapir. E. (1961): Die Sprache. München. Original 1921

Saussure, F. de (1931): Grundfragen der allgemeinen Sprachwissenschaft. Berlin. Original 1916

Savigny, E. v. (1969): Die Philosophie der normalen Sprache. Frankfurt

Savigny, E. v. (1974): Die Philosophie der normalen Sprache. Frankfurt. 2. Aufl.

Schachter, P. (1977): Reference-Related and Role-Related Properties of Subjects. In: Cole, P./Sadock, J. (Hg.) (1977). S. 279–306

Schmidt, W. (1973): Grundfragen der deutschen Grammatik. Eine Einführung in die funktionale Sprachlehre. Berlin

Schoenthal, G. (1976): Das Passiv in der deutschen Standardsprache. München

Schröder, J. (1977): Ansätze zu einer Semantik der Präpositionen. In: Helbig, G. (Hg.): Probleme der Bedeutung und Kombinierbarkeit im Deutschen. Leipzig. S. 116–147

Schröder, J. (1978): Zum Zusammenhang von Lokativität und Direktionalität bei einigen wichtigen deutschen Präpositionen. DaF 15. S. 9–15

Schweisthal, K.G. (1971): Präpositionen in der maschinellen Sprachbearbeitung. Bonn

Searle, J. (1971): Sprechakte. Frankfurt/Main

Seiler, H. (1970): Laut und Sinn: zur Struktur der deutschen Einsilber. In: Steger, H. (Hg.) (1970). S. 414–428

Seiler, H. (1983): Possession as an Operational Dimension of Language. Tübingen

Serébrennikow, B.A. (Hg.) (1973): Allgemeine Sprachwissenschaft. Bd. I: Existenzformen, Funktionen und Geschichte der Sprache. München

Seyfert, G. (1976): Zur Theorie der Verbgrammatik. Tübingen.

Siebert-Ott, G.M. (1983): Kontroll-Probleme in infiniten Komplementkonstruktionen. Tübingen

Sitta, H. (1969): Voraussetzungen und Redesituierung. Mu 79. S. 370–384

Sitta, H. (1984): Wortarten und Satzglieder in deutschen Grammatiken. Ein Überblick. Beiheft zu PD 68

Sgall, P. (1972): Topic, Focus and the Ordering of Elements of Semantic Representation. PhiP 15. S. 1–14

Sommerfeldt, K.E./*Schreiber*, H. (1983): Wörterbuch zur Valenz und Distribution deutscher Adjektive. Tübingen. 3. Aufl.

Sommerfeldt, K.E./*Schreiber*, H. (1983a): Wörterbuch zur Valenz und Distribution der Substantive. Tübingen. 2. Aufl.

Starke, G. (1973): Satzmodelle mit prädikativen Adjektiv im Deutschen. DaF 10. S. 138–147

Starke, G. (1977): Zur Abgrenzung und Subklassifizierung der Adjektive und Adverbien. In: Helbig, G. (Hg.): Beiträge zur Klassifizierung der Wortarten. Leipzig. S. 190–203

Stechow, A. von (1979): Deutsche Wortstellung und Montague Grammatik. In: Meisel, J./Pam, M. (Hg.): Linear Order and Generative Theory. Amsterdam. S. 317–490

Stechow, A. von (1980): Modalverben in einer Montague-Grammatik. In: Clément, D. (Hg.) (1980). S. 124–152

Steger, H. (Hg.) (1970): Vorschläge für eine strukturale Grammatik des Deutschen. Darmstadt

Steinitz, R. (1969): Adverbial-Syntax. Studia grammatica X. Berlin

Steinitz, R. (1974): Nominale Pro-formen. In: Kallmeyer, W./Klein, W./Netzer, K./Siebert, H. (Hg.): Lektürekolleg zur Textlinguistik II. Frankfurt/Main. S. 246–265

Steinitz, R. (1977): Zur Semantik und Syntax durativer, inchoativer und kausativer Verben. In: Linguistische Studien. Reihe A. Arbeitsbericht 35. S. 85–129

Steube, A. (1980): Temporale Bedeutung im Deutschen. Berlin

Stickel, G. (1970): Untersuchungen zur Negation im heutigen Deutsch. Braunschweig

Stickel, G. (Hg.) (1984): Pragmatik in der Grammatik. Düsseldorf

Stötzel, G. (1970): Ausdrucksseite und Inhaltsseite der Sprache. Methodenkritische Studien am Beispiel der deutschen Reflexivverben. München

Strawson, P.F. (1952): Introduction to Logical Theory. London

Strawson, P.F. (1959): Einzelding und logisches Subjekt. Stuttgart

Strawson, P.F. (1974): Logik und Linguistik. Aufsätze zur Sprachphilosophie. München

Sütterlin, L. (1923): Die deutsche Sprache der Gegenwart. Leipzig. 5. Aufl.

Tancré, I. (1975): Transformationelle Analyse von Abstraktkomposita. Tübingen

Tanz, C. (1971): Sound Symbolism in words relating to proximity and distance. LaSp 14. S. 266–276

Tesnière, L. (1980): Grundzüge der strukturalen Syntax. Stuttgart. Original 1959

Teubert, W. (1979): Valenz des Substantivs. Attributive Ergänzungen und Angaben. Düsseldorf

Thümmel, W. (1968): Deutsche *und*-Koordination und die rekursive Kapazität der Transformationsgrammatik. Lingua 20. S. 381–414

Thümmel, W. (1970): Formale Schwierigkeiten bei der Beschreibung von Satzverknüpfungen mit Hilfe von Konstituentenstrukturregeln. Mu 80. S. 145–155

Thümmel, W. (1979): Die syntaktischen verschiedenheiten der konjunktionen *da* und *weil* in der deutschen standardsprache. In: DRLAV 19. S. 1–18

Trömel-Plötz, S. (1979): »Männer sind eben so«: eine linguistische Beschreibung von Modalpartikeln aufgezeigt an der Analyse von dt. *eben* und engl. *just*. In: Weydt, H. (Hg.) (1979). S. 318–334

Trubetzkoy, N.S. (1939): Grundzüge der Phonologie. Prag

Ullmer-Ehrich, V. (1977): Zur Syntax und Semantik von Substantivierungen im Deutschen. Kronberg

Ullmer-Ehrich, V. (1979): Wohnraumbeschreibungen. LiLi 9 (33). S. 58–83

Ullmer-Ehrich, V. (1982): The Structure of Living Space Descriptions. In: Jarvella, R./Klein, W. (Hg.) (1982). S. 219–249

Ulvestad, B. (1970): Das Konjugationssystem der starken Verben im Deutschen. In: Steger, H. (Hg.) (1970). S. 332–348

Ulvestad, B. (1975): ›Nicht‹ im Vorfeld. In: Engel, U./Grebe, P. (Hg.): Sprachsystem und Sprachgebrauch. Düsseldorf. S. 373–392

Vater, H. (1975): *werden* als Modalverb. In: Calbert/Vater (1975). S. 71–148

Vater, H. (1976): *Wie*-Sätze. In: Braunmüller, K./Kürschner, W. (Hg.): Grammatik. Tübingen. S. 209–222

Vater, H. (1979): Das System der Artikelformen im gegenwärtigen Deutsch. Tübingen. 2. Aufl.

Vater. H. (1979a): Determinantien. Teil I: Abgrenzung, Syntax. KLAGE 6

Vater, H. (1984): Determinatien und Quantoren im Deutschen. ZS 3. S. 19–42

Veith, W.H. (1977): Zur Variation der deutschen Verbflexion. Mu 87. S. 149–158

Velde, M. van de (1974): Noch einmal zur Hauptsatzwortstellung im Nebensatz. Mu 84. S. 77–80

Vennemann, T. (1973): Warum gibt es syntax? ZGL 1. S. 257–283

Vennemann, T. (1974): Zur Theorie der Wortstellungsveränderung. In: Dinser, G. (Hg.): Zur Theorie der Sprachveränderung. Kronberg. S. 265–314

Vennemann, T. (1977): Konstituenz und Dependenz in einigen neueren Grammatiktheorien. Spr.wiss. 2. S. 259–301

Vennemann, T. (1980): Universalphonologie als partielle Sprachtheorie. In: Lieb, H.-H. (Hg.) (1980). S. 125–133

Vennemann, T. (1982): Remarks on Grammatical Relations. In: Ling. Soc. of Korea (Hg.) (1982): Linguistics in the Morning-Calm. Seoul

Vennemann, T. (1982a): Deutsche, englische und koreanische Wortstellungssyntax aus typologischer Sicht. ZdSL 17. S. 7–35

Viereck, W. (Hg.) (1981): Studien zum Einfluß der englischen Sprache auf das Deutsche. Tübingen

Vonderwülbecke, K. (1984): Beschreibung interpersonaler Beziehungen in der Grammatik. In: Stickel, G. (Hg.) (1984). S. 295–312

Wahrig, G. (1978): Wörterbuch der deutschen Sprache. München

Wall, R. (1973): Einführung in die Logik und Mathematik für Linguisten 2. Algebraische Grundlagen. Kronberg

Wandruszka, U. (1973): Zur Syntax der ›symmetrischen Prädikate‹. PzL 5. S. 1–31

Wängler, H.H. (1963): Rangwörterbuch deutsche Umgangssprache. Marburg

Warland, J.M. (1960): Subjekt oder Prädikatswort? Betrachtungen zur Syntax des Pronomens *Es*. Revue des Langues Vivantes 26. S. 46–72

Weber, H. (1978): Der bestimmte Artikel als All-Quantor. In: Hartmann, D./Linke, H./Ludwig, O. (Hg.): Sprache in Gegenwart und Geschichte. Köln.

Wegener, H. (1985): Der Dativ im heutigen Deutsch. Tübingen

Weinrich, H. (1971): Tempus – Besprochene und erzählte Welt. Stuttgart. 2. Aufl.

Weisgerber, L. (1962): Die sprachliche Gestaltung der Welt. Düsseldorf. 3. Aufl.

Weisgerber, L. (1963): Die Welt im ›Passiv‹. In: Die Wissenschaft von deutscher Sprache und Dichtung. Stuttgart. S. 25 ff.

Weisgerber, L. (1963a): Die vier Stufen der Erforschung der Sprachen. Düsseldorf

Weissenborn, J./Klein, W. (Hg.) (1982): Here and There. Cross-linguistic Studies on Deixis and Demonstration. Amsterdam

Welke, K. (1965): Untersuchungen zum System der Modalverben in der deutschen Sprache der Gegenwart. Berlin

Werner, O. (1975): Zum Genus im Deutschen. DS 3. S. 35–58

Weuster, E. (1983): Nicht-eingebettete Satztypen mit Verb-Endstellung im Deutschen. In: Olszok, K./Weuster, E. (1983). S. 7–87

Weydt, H. (1969): Abtönungspartikel. Bad Homburg

Weydt, H. (1977): Ungelöst und strittig. In: ders. (Hg.) (1977). S. 217–225

Weydt, H. (Hg.) (1977): Aspekte der Modalpartikeln. Studien zur deutschen Abtönung. Tübingen

Weydt, H. (Hg.) (1979): Die Partikeln der deutschen Sprache. Berlin

Whorf, B.L. (1963): Sprache Denken Wirklichkeit. Beiträge zur Metalinguistik und Sprachphilosophie. Hamburg

Wichter, S. (1978): Probleme des Modusbegriffs im Deutschen. Tübingen

Wienold, G. (1967): Genus und Semantik. Meisenheim am Glann.

Wiese, B. (1978): Die Koordinationsrelation im Deutschen. Magisterarbeit FB Germanistik, Freie Universität Berlin

Wiese, B. (1980): Grundprobleme der Koordination. Lingua 51. S. 17–44

Wiese, B. (1983): German past participles and sancta simplicitas. Linguistics 20

Wiese, B. (1983a): Anaphora by pronouns. Linguistics 21. S. 373–417

Wiese, B. (1984): Kongruenz zwischen Verb und Prädikativ – eine Ausnahme zur Subjekt-Verb-Kongruenz? Hektographiert. FB Germanistik, Freie Universität Berlin

Wimmer, R. (1973): Der Eigenname im Deutschen. Ein Beitrag zu seiner linguistischen Beschreibung. Tübingen

Wimmer, R. (1980): Die Bedeutung des Eigennamens. Semasia 5. S. 1–21

Winter, W. (1967): Vom Genitiv im heutigen Deutsch. ZDS 22. S. 21–35

Winter, W. (Hg.) (1984): Anredeverhalten. Tübingen

Wolff, R.A. (1981): German past participles and the simplicity metric. Linguistics 19. S. 3–13

Wunderlich, D. (1969): Bemerkungen zu den verba dicendi. Mu 79. S. 97–107

Wunderlich, D. (1970): Tempus und Zeitreferenz im Deutschen.

Wunderlich, D. (1971): Terminologie des Strukturbegriffs. In: Ihwe, J. (Hg.): Literaturwissenschaft und Linguistik I. Frankfurt

Wunderlich, D. (1973): Vergleichssätze. In: Kiefer/Ruwet (Hg.): Generative Grammar in Europe. Dordrecht. S. 629–672

Wunderlich, D. (1976): Fragesätze und Fragen. In: ders.: Studien zur Sprechakttheorie. Frankfurt/Main. S. 181–250

Wunderlich, D. (1980): Diskontinuierliche Infinitivphrasen im Deutschen. Anmerkungen zu einem Aufsatz von Sigmund Kwam. DS 8. S. 145–151

Wunderlich, D. (1981): Modalverben im Diskurs und im System. In: Rosengren, I. (Hg.) (1981). S. 11–53, 111–113

Wunderlich, D. (1982): Sprache und Raum. StL 12. S. 1–19 und 13, S. 37–59

Wunderlich, D. (1984): Zur Syntax der Präpositionalphrase im Deutschen. ZS 3. S. 65–99

Wunderlich, D./*Baumgärtner*, K. (1969): Ansatz zu einer Semantik des deutschen Tempussystems. In: Der Begriff Tempus – eine Ansichtssache? Düsseldorf. S. 23–49

Wurzel, W. (1970): Studien zur deutschen Lautstruktur. Studia Grammatica VIII. Berlin

Zaefferer, D. (1982): Frageausdrücke und Fragen im Deutschen. Zu ihrer Syntax, Semantik und Pragmatik. München

Zint-Dyhr, I. (1982): Ergänzungssätze im heutigen Deutsch. Untersuchungen zum komplexen Satz. Tübingen

Zubin, D.A./*Köpcke*, K.-M. (1981): Gender: a less than arbitrary grammatical category. In: Papers form the 17th Regional Meeting, Chicago Linguistic Society. Chicago. S. 439–449

Zubin, D.A./*Köpcke*, K.-J (1984): Affect Classification in den German Gender System. Lingua 63. S. 41–96

Zwicky, A.M. (1980): On Argumentation in Generative Grammar. Dordrecht 1980

Sachregister

Wortregister

abbrechen 392
aber 197; 309; 312f.; 414; 457
abfragen 422
abgewinnen 454
abgewöhnen 454
abschließen 270f.
abstreiten 338
absuchen 389; 424
abzüglich 408; 450
ähneln 140; 287; 388
sich ähneln 318f.
ähnlich 287; 319
ärgerlich 425
ärgern 274; 358; 389
sich ärgern 338; 358; 387
ärztlich 231
ahnen 339
akzeptieren 338
alle 193; 400; 403f.; 438f
alleinig 441
aller 193; 444
allerlei 192f.
alles 443
als 134; 309; 311ff.; 323ff.; 346; 353f.; 407; 416f.
als daß 311
als ob 311
als wenn 311
alt 226; 228; 444
Alter 229; 445
am 255f.
an 249; 251f.; 293; 408; 448f.
anderer 404
andeuten 339
andeutungsweise 441
androhen 290; 338
anfangen 270; 452
anfangs 203; 254; 401
angeblich 205; 232; 441
angeboren 425
angesichts 254
Anglerglück 467ff.
anhand 254; 408
ankündigen 372
anläßlich 254; 408
anlegen auf 185
Annahme 237
annehmen 370; 394
anregen 371
ans 255

anstatt 254; 311f.; 381; 408
anstatt zu 76; 106; 362; 364; 581ff.
anstecken 114
anstellen 459
antworten 73; 288; 337f.
anziehen 294
sich anziehen 387
anzweifeln 461
arbeiten 113; 185; 411; 452
auch 197f.
auch wenn 311
auf 249; 251f.; 261; 279f.; 293
aufblühen 113f.
auffallen 286; 453
auffordern 371
aufgeben 294
aufgehen 114; 395
aufgrund 249; 279; 408; 456
auflauern 287
aufnehmen mit 185
aufnötigen 454
aufregen 389
aufs 255
aufsuchen 389; 424
aufwecken 114
Auge 167
augenblicklich 203
augenscheinlich 232; 441
aus 249; 251; 280
ausführen 462
ausnahmsweise 205
sich ausruhen 387
aussehen 77
außer 293; 421
austrinken 114
ausweichen 287; 453
auszugsweise 441

Backe 167
bald 195; 203; 227
Bank 434
bauen 452
beabsichtigen 370
beachten 338
beantragen 338
beantworten 73
beauftragt 228
beauftragen 371
Bedarf 260
bedauerlicherweise 205; 441

Bedauern 237
bedauern 337 f.
bedrücken 140
bedürfen 260; 422
Bedürfnis 260
beeindrucken 367
befehlen 339; 372
sich befinden 281
begegnen 287
sich begegnen 319
begeistern 75 f.; 260; 367
Begeisterung 408
beginnen 270
Begleitung 237
beglückwünschen 453
begreifen 291; 338
begründen 338
behagen 286; 367
behaupten 126; 338; 389; 428; 465
bei 249; 251
beichten 288; 465
beim 255
beeindrucken 454
beispringen 453
beißen 453
beitreten zu 260
beitreten 453
bekannt 425
bekanntlich 205
beklagen 338
bekochen 454
bekömmlich 425
bekommen 137; 140; 286; 291; 367; 371 f.
bekümmern 140
belasten 367
belehren 422
beliefern 454
sich bemächtigen 387; 461
bemerken 339; 393
benachbart 287; 319
beneiden 454
Beobachtung 237
bequem 402
berichten 126; 128 f.; 288; 339; 393; 428; 462
beruflich 231
bescheinigen 288
beschenken 454
beschließen 271 f.; 370
beschuldigen 422; 428
beschwören 371
besehen 387; 392
Besen 165
sich besinnen 260
Besinnung 260
besorgen 288 f.; 341
besser 226
bestehen auf 74; 279

bestehen aus 279
bestellen 465
am besten 226
bestrafen 459
bestreiten 338
besuchen 389; 424
betreffend 254
betreten 291
bevor 311 f.; 353; 381; 419
bewegen 261
beweisen 289; 339
bewußt 425
bezahlen 454
bezeichnen 324
bezweifeln 461
Bier 166; 169; 225; 245; 407
bis 249; 253; 280; 311 f.; 346; 354; 381; 408; 448 f.
bisher 204
bislang 204
bitten 73; 372
blank 212
blau 228
Blaustrumpf 165
bleiben 91 ff.; 138; 185; 363; 422
blind 213
blühen 113; 184
Boden 167
braten 391; 426
brauchen 96; 390
breit 228
Breite 229
brennen 78; 184
bringen 73; 185; 288 f.; 292 ff.; 412
Bündel 397
bürsten 391
Büschel 397

da 20; 179; 201 ff.; 204; 256; 311; 334; 346; 349 f.; 353; 418; 440
dadurch 352
damals 353
damit 311 f.; 346; 352; 384
danach 204; 353
dank 249; 254
danken 260; 287; 454
dann 204; 334; 344; 353; 355 ff.
daran 334
darauf 204; 256
darum 349
das 443
dasjenige 443
daß 75; 84; 311; 335; 417; 462
davon 256
davor 204; 353
Decke 167
dein 153

sich erinnern 260; 280; 452
Erinnerung 260
erkennbar 425
erklären 288; 428
erläutern 339
erlauben 288 f.; 371
erlaubt 425
erleichtert 425
ermangeln 422
ermutigen 367
erneut 205
eröffnen 271; 465
erproben 338
erschrecken 367
erschüttern 291
ersparen 288
erst 198
Erstaunen 408
erstaunlicherweise 205
erstmalig 205
ersuchen 389; 424
erwägen 338
erwähnen 462
erwarten 337
erzählen 288; 339; 462 f.; 465
Erzählung 463
Erzieher 434
erzürnen 367
es 135 f.; 182; 184 ff.; 266; 344; 358; 399;
   426; 445
essen 77 f.
Esso 398
etlicher 193
etwa 197
etwas 192 f.; 443
ewig 204

fällen 422
fahren 363; 392; 422
Fall 103
fallen 136; 411; 422
falls 311; 346; 357 ff.; 419; 464
Familie 174
fassen 140
faul 230
fehlen 185; 286; 367
Fels 146
Felsen 146
ferner 198
feststellen 389
finden 117; 392
flach 444
Flasche 165
flattern 392
fleißig 230
fliegen 392
fliehen 452

fluchen 287
folgen 287
folgender 404
folgern 338
fortan 204
fortsetzen 270
fragen 73; 337 f.; 341; 343; 461
fraglich 425
Frau 164 f.
frech 212; 419; 425
freikommen 214
Freude 408
freuen 367
sich freuen 358; 387
freundlich 419
Friede 146
Frieden 262
frieren 140; 185; 271; 375
fröhlich 230; 425
früher 203
frühstücken 276
fühlen 370; 376 ff.; 393
führen 422
für 138; 249; 291
fürchten 260
fürs 255
Fürsorgerin 434
Funke 146

Gabel 167
ganz 195
Geäst 173
geben 72 f.; 86; 179; 288 ff.; 412; 454
gebietsweise 441
Gebirge 174
gebühren 286
Gebüsch 174
Geburtshelfer 434
Gedanke 146; 260
gedenken 260; 422
gefallen 206; 286; 367
gegen 249
gegenüber 249; 407; 448
gehässig 419; 425
gehen 136; 179; 185; 363
Geher 239
gehören 137; 140; 286
gehorchen 260; 287
gelingen 286
geloben 372
gelten 140; 324
geneigt 425
genial 227
genügen 367 f.
genug 285
gerade 203; 228
geraten 292 ff.

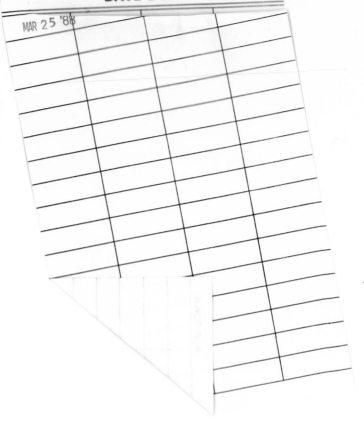

DATE DUE

MAR 25 '88